Begegnungen mit Heine

Berichte der Zeitgenossen

Herausgegeben
von
Michael Werner

in Fortführung von
H. H. Houbens »Gespräche mit Heine«

1797–1846

Hoffmann und Campe

1. Auflage 1973
© Hoffmann und Campe Verlag, Hamburg 1973
Gesetzt aus der Korpus Sabon-Antiqua
Gesamtherstellung Richterdruck, Würzburg
ISBN 3-455-08148-7 · Printed in Germany

»Von allen Seiten vernehme ich, wie viel über mich (als Dichter) raisonirt worden und wird. Ob man mich lobt oder tadelt, es rührt mich nicht, ich gehe meinen strengen Weg, den ich mahl als den besten erkannt habe. Einige sagen, er führt mich in den Dreck, andere sagen, er führe mich nach dem Parnaß, wieder andre sagen, er führe direckt in die Hölle. Gleichviel, der Weg ist neu, und ich suche Abentheuer.«
(Heine an E. Chr. A Keller, 1. Sept. 1822)

Inhalt

Der Stoff, das Material des Gedichts,
Das saugt sich nicht aus dem Finger;
Kein Gott erschafft die Welt aus nichts,
So wenig wie irdische Singer.

Aus vorgefundenem Urweltsdreck
Erschuf ich die Männerleiber,
Und aus dem Männerrippenspeck
Erschuf ich die schönen Weiber.

Den Himmel erschuf ich aus der Erd'
Und Engel aus Weiberentfaltung;
Der Stoff gewinnt erst seinen Wert
Durch künstlerische Gestaltung.

H. Heine, »Schöpfungslieder«

Vorwort

Unter dem Titel »Begegnungen mit Heine« wird, ein halbes Jahrhundert nach H. H. Houbens »Gespräche mit Heine«, eine neue
Sammlung zeitgenössischer Zeugnisse zum Leben Heines vorgelegt.
Die Bemühungen des Herausgebers zielten dabei vorzüglich in zwei
Richtungen: Zunächst sollte Houbens Arbeit fortgeführt und quanti-
tativ auf den neuesten Stand gebracht werden; darüber hinaus galt es
aber, sich auf die Leistung derartiger Sammlungen zurückzubesinnen,
Houbens Auswahl- und Darbietungsprinzipien qualitativ zu überprüfen und schließlich unter Berücksichtigung der spezifischen Gegeben-
heiten bei Heine für die neue Ausgabe eine Form zu finden, die dem
heutigen Selbstverständnis philologischen Arbeitens entspricht.

Das von den Zeitgenossen aufgezeichnete Gespräch ist durch seine
Unmittelbarkeit eine der reizvollsten, durch seine Überlieferung aber
eine der problematischsten Quellen. Allein die Vielzahl der Berichterstatter, deren Berichte wiederum verschiedene Anlässe und Ziele
haben, wirft eine Fülle von Fragen auf. In den älteren Ausgaben dachte
man das Problem zu umgehen, indem man sich ganz auf die Äußerungen der dargestellten Persönlichkeit konzentrierte und von den Worten
der Gesprächspartner nur das abdruckte, was zum Verständnis des
Zusammenhangs unentbehrlich schien. Dieser Konzeption entspre-

chend hatte der Gesprächspartner nur für die Stichworte zu sorgen, darüber hinaus aber entledigte er sich seiner Aufgabe um so glücklicher, je weniger seine eigene aktive Rolle dem Leser noch spürbar war. Daß damit gerade das Charakteristische dieser Quellenform, die *Spiegelung* der Persönlichkeit in ihrer Umwelt, verlorengeht, ja, daß man so der Grundstruktur der Quellen zuwiderhandelt, liegt auf der Hand. Eine kritische Betrachtung und Würdigung der »Gespräche« muß bei demjenigen einsetzen, der sie überliefert hat. Von ihm und seiner Autorschaft abzusehen, hieße sich der Möglichkeit einer echten Beurteilung berauben. Denn anders als bei den heutigen Interviews haben wir es bei den »Gesprächen« mit Aufzeichnungen zu tun, die eine historische Gesprächssituation nur *rekonstruieren* – auch wenn man davon ausgeht, daß die durchschnittliche Gedächtnisleistung damals höher war als heute. Selbst angeblich so authentische Gespräche wie die von Eckermann überlieferten Goethes geben nur partiell echte Gesprächsäußerungen wieder. Julius Petersen[1] hat für Eckermanns Sammlung eine Reihe von verschiedenen Entstehungssituationen nachgewiesen, denen er jeweils eine eigene Glaubwürdigkeitsstufe zuordnet. Obwohl z. B. Heine Eckermann das völlige Zurücktreten der eigenen Persönlichkeit hinter Goethe vorgeworfen hat[2], war dieser doch von einem ganz bestimmten, eigenen Goethebild geleitet. Er nahm z. T. willkürliche Änderungen vor und schreckte auch vor bewußten Fälschungen nicht zurück. Was die Zeitgenossen als »Gespräche« aufzeichnen, sind immer nur *Reflexionen* wirklicher Gespräche, ganz zu schweigen davon, daß in vielen Berichten ein eigener Stilwille nicht zu verkennen ist. Je nach Ziel und Zweck der Aufzeichnungen sind verschiedene Maßstäbe anzulegen. Eine Gesprächssammlung, die verschieden überlieferte Gesprächsäußerungen unkritisch hintereinander abdruckt, ohne dem Benutzer Hinweise zur Beurteilung des Quellenwerts an die Hand zu geben, weckt falsche Vorstellungen und erreicht das Ziel einer historischen Darstellung der Persönlichkeit nur bedingt. Was als »Gespräch« überliefert ist, darf nicht fraglos hingenommen werden.

Die Einsicht in die Problematik der sogenannten »Gespräche« hat für die Anlage einer solchen Sammlung mehrerlei Konsequenzen:

---

[1] Julius Petersen: Die Entstehung der Eckermannschen Gespräche und ihre Glaubwürdigkeit. 2. Aufl. Frankfurt/Main 1925.
[2] Heine: Werke, ed. Elster, Leipzig 1887—90 Bd. V, S. 258.

Es erscheint wenig sinnvoll, sich einzig auf angebliche Gesprächsäußerungen zu beschränken. Ein wie immer definiertes Gesprächsprinzip durchführen zu wollen, hieße dem spezifischen Charakter der Quellen Gewalt antun. Ein resümierender Bericht über eine Begegnung, der auf eine direkte Dialogwiedergabe verzichtet, kann zuweilen authentischer sein als ein im nachhinein ausgearbeitetes wörtliches »Gespräch«. Der Rahmen einer solchen Sammlung ist vielmehr tunlichst so zu stecken, daß er alle Quellen umfaßt, die aus dem persönlichen Umgang berichten. Die meisten neueren Ausgaben verfahren in diesem Sinne. So erhält man einen durch die Überlieferungslage begrenzten Ausschnitt aus dem Spektrum der persönlichen Reaktionen und Rezeptionsformen, die eine historische Persönlichkeit bei ihren Zeitgenossen hervorgerufen hat.

Die Auswahl aus den Quellen ist in der Weise zu treffen, daß Färbung, Rahmen und – soweit vorhanden – Motivation des Autors sichtbar erhalten bleiben.

Der persönliche Charakter der Quellen und die unterschiedlichen Abfassungsbedingungen machen es dem Herausgeber zur Pflicht, ihre Benutzung durch einen quellenkritischen Kommentar zu erleichtern. Selbstverständlich kann bei der Vielzahl der Quellen und Verfasser nicht jede Frage geklärt werden. Der erforderliche Arbeitsaufwand überstiege die Kräfte eines einzelnen bei weitem und stände in keinem akzeptablen Verhältnis zum Ergebnis. Doch sollten alle verfügbaren Angaben zum Quellenwert zusammengetragen und mitgeteilt werden.

Zu diesen Überlegungen grundsätzlicher Art gesellen sich im Falle Heines noch einige besondere. Heine galt schon zu seinen Lebzeiten als ein Meister des Bonmots. Seine witzigen Einfälle bildeten eine Attraktion der Salons und trugen ihm zahllose Erwähnungen in der deutschen und französischen Presse ein. Seine spitze Zunge wurde bald legendär, und um seine Aussprüche rankten sich die verschiedensten Anekdoten. Hier ist das Authentische von der sich selbst fortpflanzenden Fama nur schwer zu scheiden. Maßgebend ist die Überlieferungsgeschichte.

So freigebig Heine jedoch mit seinen Bonmots war, so zurückhaltend war er in allem, was sein eigenes Leben betraf. Angefangen von seinem Geburtsdatum, über seine jüdische Herkunft, seine kaufmännische Ausbildung, bis zu seiner Beziehung zu Mathilde, hüllte er sein Privatleben in einen Schleier, den er nur ungern lüftete. Was er davon an die

Öffentlichkeit dringen ließ, war filtriert und wohl abgewogen. Er trennte scharf zwischen für die Öffentlichkeit geeigneten und zurechtgestutzten Informationen und der privaten Sphäre. Aus dieser Trennung entwickelte sich eine für Heine spezifische Aktivität, die man seine Öffentlichkeitsarbeit nennen könnte. Da er sich auf ganz bestimmte Weise auf der literarisch-journalistischen Bühne dargestellt sehen wollte, beeinflußte und dirigierte er Presseberichte über sich. Dies ging in einem Fall so weit, daß er für Alexander Weill die Vorlage zu einem Artikel über sich selbst verfaßte, den dieser unter seinem eigenen Namen in Umlauf brachte[3]. In einem solchen Artikel findet man also nicht so sehr das, was Heine wirklich gesagt hat, sondern das, was er als seine Äußerung verbreitet wissen wollte. Auf solche Zusammenhänge der »Imagepflege« hinzuweisen, gehört zu den wesentlichsten Aufgaben des Kommentars.

Ist man sich der Dialektik von Heines bewußter Selbstdarstellung einerseits und der perspektivischen Brechung in den Augen der Zeitgenossen andererseits einmal bewußt, vermag eine Sammlung zeitgenössischer Berichte aus Heines Umgang allerdings vielfache Aufschlüsse zu geben. Besondere Bedeutung kommt ihr schon aus dem Umstand zu, daß Heine nie Tagebuch geführt hat und daß deshalb ein gut Teil seiner Umweltbeziehungen nur durch die Zeitgenossen dokumentiert ist. In deren Berichten sehen wir einen Heine, der nicht in der Weise unter dem Zwang zur Selbststilisierung steht, wie er ihn als Briefschreiber und erst recht als Autor autobiographischer Schriften immer empfunden hat. Persönliche Motivationen seines Verhaltens und allgemeine Hintergründe seiner Sozialkritik werden sichtbar, und zur Analyse und Bewertung ihrer Genese wird wichtiges Material bereitgestellt. Unabhängig davon wird schließlich Heines Biographie unter vielfachen Blickwinkeln entfaltet, eine Biographie, die häufig in einer Komplementärbeziehung zum Werk steht.

Die meisten Berichte über Heine stimmen darin überein, daß sie ihn relativ kontaktfreudig zeigen. Im Gespräch zu zweit oder zu dritt verzichtete er auf einen Unnahbarkeitsnimbus, gab sich vielmehr zwanglos, unkonventionell und jederzeit dazu aufgelegt, über seine Alltagssorgen zu sprechen. Einen wichtigen Einschnitt für sein Sozialverhalten bedeuteten seine ersten größeren Bucherfolge. Die damit verbun-

---

[3] s. im Quellenverzeichnis unter Nr. 276.

dene gesellschaftliche Anerkennung stärkte sein Selbstbewußtsein und gab ihm Sicherheit im Auftreten, zog aber auf der anderen Seite manche unangenehme Nebenerscheinung nach sich. Seine Stellung im Literaturbetrieb ließ ihn für die Klatschspalten der Journale zu einem Gegenstand besonderen Interesses werden, und nach einigen schlechten Erfahrungen machte seine anfängliche Mitteilsamkeit mißtrauischer Verschlossenheit Platz. Sieht man aber einmal von seiner Furcht vor Indiskretionen ab, die sich vor allem Journalisten und deutschen Parisreisenden gegenüber dokumentierte, so haben wir das Bild eines umgänglichen Menschen vor uns, der in den ersten Stunden und Tagen einer Bekanntschaft gewinnenden Charme entwickeln konnte.

Bei Beziehungen, über deren Details wir ziemlich vollständig informiert sind, wie etwa die Wedekinds oder Seeligers zu Heine, tritt aber nach der ersten Phase ungeschmälerter Kommunikation eine gewisse Abkühlung ein. Für diese Entwicklung lassen sich vor allem zwei konvergierende Beweggründe ausmachen: bei Heine eine spezifische Hemmung, echte Bindungen einzugehen, und bei seinen Partnern hochgeschraubte Erwartungen, die bald in Ernüchterung umschlagen. Nur die wenigsten Beziehungen haben diese Abkühlung unbeschadet überstanden. Es war nicht Heines Art, romantische Seelenfreundschaften zu pflegen. Offenbar empfand er einen zu engen, fortdauernden Kontakt immer als eine gewisse Bedrohung, und es ist bezeichnend, daß in der einzigen Beziehung, die sein Leben auf Schritt und Tritt begleitete – der zu Mathilde –, die Rollen durch die grundverschiedenen geistigen Staturen von vornherein festgelegt waren. Heines Scheu, seine eigene psychologische Problematik in die Beziehung zu anderen einzubringen, seine Angst, sich auszuliefern (der auf der anderen Seite seine Aggressivität entspricht), erklärt, warum Berichte über seine echten seelischen Konflikte so selten sind. Die Verständnislosigkeit der Zeitgenossen angesichts dieser Selbstschutzmechanismen erhellt auch einen Vorwurf, dem man in ihren Berichten häufig begegnet: es mangele Heine an seelischem Tiefgang. Der kranke Heine, dessen Situation zwangsläufig zu einer verstärkten Selbstbezogenheit führte, war hier mitteilsamer, zumal ein bedeutender Teil seiner Kommunikation mit der Außenwelt aufs Gespräch verlagert wurde; doch auch da noch ging sein Bestreben dahin, allzu Persönliches in weltanschaulichen oder religiösen Diskussionen zu objektivieren. So bleiben oft handfeste literaturpolitische Interessen der sichtbare Antrieb von Heines persönlichen Beziehungen.

Man mag sich fragen, inwieweit das Heine-Bild, wie es sich in den Berichten der Zeitgenossen herauskristallisiert, repräsentativ ist. Immerhin muß auffallen, daß eine ganze Reihe von engeren Vertrauten Heines wie Sethe, Moser, Christiani, Merckel, Detmold oder später Seuffert, Lassalle und auch der ganze Kreis der Bekannten Mathildes unter den Berichterstattern nur schwach oder überhaupt nicht vertreten sind. Die Frage nach der Repräsentativität ist eng verknüpft mit der Frage nach dem Anlaß der Aufzeichnungen über Heine. Bei der Unterschiedlichkeit der Fälle stößt eine Ordnung hier naturgemäß auf zahllose Schwierigkeiten. Doch zeichnen sich mehrere Gruppen ab: Da sind zunächst die Berufsjournalisten und -literaten, die aus ihrer Bekanntschaft mit Heine früher oder später klingende Münze zu schlagen versuchen. Die Aufrichtigen unter ihnen wollen einem Informationsbedürfnis der Lesewelt abhelfen. Da sind des weiteren die anspruchslosen Literaturkonsumenten, die ihre Begegnung mit dem verehrten Dichter der »Reisebilder« oder des »Buchs der Lieder« für ein denkwürdiges und buchenswertes Ereignis halten, das sie als aufschauende Bewunderer aufzeichnen. Der Rangunterschied, das Gefälle, das sie so zwischen sich und Heine herstellen, muß sich nicht als Nachteil erweisen, sondern bietet dem sich bescheidener einstufenden Berichterstatter oft den Blickwinkel, aus dem heraus er genauer beobachten und Dinge notieren kann, über die andere hinweggegangen wären. Die reinen Bewunderer sind allerdings nicht sehr zahlreich; denn anders als etwa der »Dichtergott« Goethe bot Heine genug Angriffsflächen, und der persönliche Umgang mit ihm forderte eher zu komplexen emotionalen Reaktionen als zu eindimensionaler Bewunderung heraus. Da ist schließlich die Gruppe derer, die echte soziale Kontakte zu Heine unterhalten und diese in Briefen an Dritte, in Tagebuchaufzeichnungen oder später in Memoiren niederlegen. Sie stehen zu Heine nicht in einem rein rezeptiven Verhältnis, sondern in einem solchen des Gebens und Nehmens; die Anlässe zu ihren Aufzeichnungen sind vielfältig und gehen oft über die Begegnungen mit Heine hinaus. Es kann aber – um die Frage nach der Repräsentativität zusammenzufassen – nicht das Ziel einer solchen Sammlung sein, etwa in der Art einer Chronik einen möglichst vollständigen Katalog der Fakten und Begegnungen aus Heines Leben darzubieten. Es geht vielmehr darum, anhand des überlieferten Materials die historische Persönlichkeit Heine in den verschiedensten Beleuchtungen und Perspektiven zu zeigen. Daß solche Perspektiven in den meisten Fällen eine Stellungnahme einschließen, versteht sich von selbst und macht ihren besonderen Reiz aus. An diese

Stellungnahmen aber den Anspruch einer proportional exakten quantitativen Analyse zu stellen, hieße das Unterste zuoberst kehren.

So hat eine neue Ausgabe der persönlichen Lebenszeugnisse zu Heine heute zum einen den praktischen Zweck, dem Heineforscher und -liebhaber oft entlegene Quellen zusammenzustellen, zum zweiten aber, und darin liegt der tiefere Sinn einer solchen Sammlung, die *historische Dimension* von Heines Leben und Werk unmittelbar zur Anschauung zu bringen. Sie soll nicht nur die Verflechtung seiner Person und seines Schaffens mit den geschichtlichen Strömungen seiner Zeit zeigen, sondern auch die historische Bedingtheit der Auffassungen *über* Heine. Gerade Heine ist, wie selten ein bedeutender Autor des 19. Jahrhunderts, den geschichtlichen und gesellschaftlichen Tendenzen seiner Zeit verhaftet, und man kann ohne Einschränkung sagen, daß der Zugang zu seinem Wirken verschlossen bleibt, wenn man diese historische Dimension ausschaltet. Zu sehen, wie er sich in seiner Umwelt spiegelt und wie umgekehrt die Umwelt sich in ihm spiegelt, gehört deshalb zu den wesentlichen Voraussetzungen seines Verständnisses.

Nicht nur die theoretischen Grundlagen, auch die Materiallage hat sich seit der Veröffentlichung von Houbens »Gesprächen mit Heine« verändert. Arbeiten von Heine-Kennern wie Erich Loewenthal und Friedrich Hirth, schließlich eigene Forschungen des Herausgebers haben zu einer beträchtlichen Verbreiterung der Materialbasis geführt. Die Quellen Houbens und die neu aufgefundenen ausnahmslos wiederzugeben würde den materialen Kern der neuen Ausgabe nur verwässern. An die Stelle des von Houben proklamierten Vollständigkeitsprinzips mußte deshalb ein Ausleseprinzip treten. Die von Houben angeführten Gründe für eine vollständige Wiedergabe der Quellen[4] sind nicht stichhaltig. Denn eine (ja immer nur relative) Vollständigkeit ist keine Garantie für Objektivität. Der Herausgeber Houben hat die von ihm veröffentlichten Berichte in hinreichendem Maße zurechtgeschnitten und aus ihm bekannten Quellen so vieles beiseite gelassen, daß man daran seine Einstellung zum Fall Heine und seinen Begriff von Literatur überhaupt ohne Schwierigkeiten ablesen kann. So ist es z.B. heute unverständlich, weshalb Houben die in unserer Sammlung unter Nr. 331 und 339 abgedruckten Berichte Börnes nicht berücksichtigte,

[4] H. H. Houben: Gespräche mit Heine, 2. Aufl., Potsdam 1948, S. VIIIf.

zumal der eine davon interessante Aufschlüsse über Heines Verhalten in einer entscheidenden Situation, der unmittelbaren Bedrohung durch die Justiz der Julimonarchie, und dazu über die hämische Reaktion der deutschen Republikaner in Paris gibt. Ebenso fragwürdig ist etwa seine Entscheidung, die Information Alexander Weills, daß sich Heine eine Zeitlang seine Übersetzungen von einem gewissen Wolf habe anfertigen lassen (bei uns Bericht Nr. 790), aus dem Text herauszustreichen, wie er überhaupt der Dokumentation von Heines Übersetzungsverfahren nicht genügend Aufmerksamkeit schenkte. Es liegt in der Natur des Stoffes, daß kein Verfahren den Herausgeber von zahlreichen, in eigener Verantwortung zu treffenden Entscheidungen befreien kann. Nur muß er sich über die Gründe solcher Entscheidungen Rechenschaft ablegen.

Als Kriterien für unsere Auswahl galten:

1. *Die Authentizität.* Offensichtlich falsche Berichte wurden nicht berücksichtigt. Natürlich ist die Trennungslinie hier nicht immer einfach zu ziehen. Über Grenzfälle geben die Anmerkungen Auskunft.
2. *Die Repräsentativität.* Berichte, in denen eine bestimmte Auffassung Heines repräsentativ für eine Gruppe zum Ausdruck kommt, wurden bevorzugt.
3. *Der Rang des Berichterstatters.* Der Bericht einer literarhistorisch wichtigen Persönlichkeit verdient größere Beachtung als der ähnlich lautende eines Unbekannten.

Da angesichts der Materialfülle eine Arbeitsteilung unerläßlich ist, wurde (wie schon bei Houben) auf rein archivalische Dokumente verzichtet. Auch die Briefe an Heine, die in absehbarer Zeit in einer vollständigen Ausgabe vorliegen werden, wurden im Textteil nicht berücksichtigt. Ausgeschlossen blieben ferner rein beurteilende Berichte, denen keine biographische Begegnung zugrunde liegt – sie gehören in eine Rezeptionsgeschichte.

Insgesamt wurde knapp ein Viertel der von Houben aufgenommenen Berichte durch authentischere ersetzt oder fiel ganz weg. Dazu zählen die Hauptmasse der Berichte von Heines Nichte Maria Embden-Heine, als deren Quelle Charlotte Embdens Heine-Erinnerungen festgestellt werden konnten, ein Teil derjenigen Julias, Meißners, Max

Heines, A. Weills, Caroline Jauberts, die von Strodtmann in unzulässiger Weise umgestalteten Tagebücher Wedekinds[5], schließlich eine Reihe von apokryphen Anekdoten. Die verbleibenden Berichte wurden gegenüber Houbens Ausgabe vielfach anders ausgewählt, erweitert oder gekürzt. Eine ganze Anzahl von falschen Datierungen konnte richtiggestellt werden. Unter den fast 400 neu hinzugekommenen Berichten seien erwähnt: das Material aus dem Cotta-Archiv, das kaum bekannte Tagebuch Seeligers, die heute verstreuten Dokumente aus dem ehemaligen Verlagsarchiv Hoffmann und Campe, die schon teilweise von Hugo Bieber veröffentlichten Unterlagen über Heines Mitarbeit im »Verein für Kultur und Wissenschaft der Juden« und die von Alexander Weill in verschiedenen französischen Zeitungen verbreiteten Feuilletons und Notizen. Insgesamt konnte der von Houben stark vernachlässigte Bereich der französischen Quellen in erheblich größerem Maße dokumentiert werden. Eine Reihe neuer Berichte entstammt schließlich Quellen, die Houben zwar bearbeitet, aber nicht ausgeschöpft hatte. Nicht berücksichtigt wurden dagegen die von Rudolf Schade veröffentlichten angeblichen Erinnerungen Rudolf von Beyers[6], bei denen es sich offenbar um Fälschungen handelt.

Für die Darstellung der Quellen gelten die folgenden Richtlinien:

1. Wir haben versucht, überall den besten verfügbaren Text zugrunde zu legen. In den meisten Fällen ist das der erste, zu Lebzeiten des Autors erschienene Buchdruck. Wo zuverlässige kritische Gesamtausgaben vorlagen, wurden sie benutzt. Auf Zeitschriften- und Zeitungsveröffentlichungen wurde nur zurückgegriffen, wenn kein Buchdruck vorlag. Über Sonderfälle geben die Anmerkungen Auskunft. In einigen Fällen wurde der Drucktext durch die Handschrift verbessert.

2. Die originale Orthographie und Interpunktion der Quellen ist grundsätzlich beibehalten. Lediglich bei den handschriftlichen Quellen wurde mm für m und nn für n ausgeschrieben. Ebenso

---

[5] Houben hatte diesem Übelstand später in einer Sonderveröffentlichung der Wedekindschen Tagebücher abgeholfen. Leider ist sein Text nicht ganz zuverlässig.

[6] Rudolf von Beyer: Meine Begegnung mit Goethe und anderen großen Zeitgenossen. Bearb. von Rudolf Schade. Berlin 1930.

wurde das gelegentlich vorkommende -ens, ems für ents, -emps in französischen Texten modernisiert. Auch bei einigen allzu harten Bizarrerien der Heine-Erinnerungen Charlotte Embdens wurde vorsichtig geglättet. Mißverständliches Fehlen von Anführungszeichen ist berichtigt, ebenso die oft unsystematische Kommasetzung vor bzw. hinter Anführungszeichen. Druckfehler wurden stillschweigend verbessert; Grenzfälle sind in den Anmerkungen verzeichnet. Die Quellen aus der Varnhagen-Sammlung der früheren Preußischen Staatsbibliothek mußten in der modernisierten Fassung Houbens und Biebers wiedergegeben werden, da die Handschriften heute verloren sind.

3. Auslassungen sind mit [. . .] gekennzeichnet. Drei Punkte ohne eckige Klammern gehören zur Interpunktion der Quellen und bezeichnen keine Auslassungen.

4. Konjekturen und zum unmittelbaren Textverständnis notwendige Ergänzungen des Herausgebers sind in eckigen Klammern eingefügt, und zwar Textergänzungen in gerader, Sachergänzungen in Kursivschrift.

5. Als Auszeichnung gilt Kursivdruck. Er ist überall dort gesetzt, wo die Quellen Sperrung, Kursiv- oder Fettdruck haben. Die in manchen alten Drucken verwendete Sperrung von Eigennamen wurde nicht beibehalten, da sie nicht als Hervorhebung zu betrachten ist.

6. Der Kopf der einzelnen Berichte setzt sich zusammen aus:

a) der Angabe des Verfassers, der nicht immer mit dem mittelbaren Berichterstatter identisch ist. Erschien ein Bericht anonym, ist der Verfasser, soweit er ermittelt ist, in runde Klammern gesetzt. Pseudonyme wurden der Verfasserangabe in runden Klammern beigefügt.

b) einer zusammenfassenden Charakteristik der Quelle (Memoiren, Heine-Erinnerungen, Artikel über Heine, Pressenotiz, Tagebuch etc.). Diese Charakteristik, die also nicht mit einer bibliographischen Angabe zu verwechseln ist, soll die Beurteilung des Quellenwerts erleichtern.

c) in den meisten Fällen der Angabe der Zeit, auf die sich der Bericht bezieht. Diese Datierung konnte zuweilen nur unter Schwierigkeiten erschlossen werden, und manches mußte fraglich bleiben. Lag überhaupt kein Anhaltspunkt vor, ist die Datierung weggelassen.

d) dem Abfassungsdatum bzw. Erscheinungsdatum der Quelle.

Handelt es sich um ein Erscheinungsdatum, wurde die Angabe mit hochgestelltem * versehen und in Klammern gesetzt. Bei Berichten, die in mehreren Fassungen vorliegen, ist grundsätzlich das Datum des Erstdrucks angegeben. Ist der Erstdruck nicht mit der Textgrundlage identisch, wurde die bibliographische Angabe in den Anmerkungen verzeichnet.

7. Die Anordnung der Berichte folgt dem chronologischen Prinzip. Sich auf einen längeren Zeitraum beziehende Berichte sind unter dem Anfang dieses Berichtzeitraums eingeordnet. Von diesem Grundsatz wurde abgewichen, wenn es sich um resümierende Berichte handelt, die schon vorher Gesagtes zusammenfassen. Gab die Datierung keinen Anhaltspunkt, wurde nach der inneren Zusammengehörigkeit der Berichte verfahren. Ist eine Begebenheit in mehreren Redaktionen wiedergegeben, folgt die Anordnung der Entstehungszeit. Eine Reihe von allgemeinen, retrospektiven Berichten ist an das Ende des zweiten Bandes gestellt.

8. Wurden aus chronologischen Gründen längere Passagen einer Quelle in mehrere Berichte unterteilt, erscheint in den Anmerkungen der Hinweis »Fortsetzung von Nr. . . .«, so daß diese Berichte auch im Zusammenhang gelesen werden können.

9. Die französischen und englischen Quellen sind in der Originalsprache zitiert. Den fremdsprachlichen Berichten folgt jeweils eine Übersetzung. Lagen autorisierte Übersetzungen vor, wurden sie benutzt. Wo es möglich war, wurde auch auf die im großen und ganzen vorzüglichen Übersetzungen Houbens zurückgegriffen. Gelegentliche Fehler wurden korrigiert. In allen anderen Fällen habe ich die Übersetzung selbst vorgenommen. Die Berichte aus den nordischen Sprachen werden nur in deutscher Übersetzung zitiert.

Die Anmerkungen enthalten die notwendigen Sacherklärungen, Querverweise auf Heines Werke und Briefe sowie auf die Briefe an Heine, Ergänzungen der beschriebenen Situationen und Zusammenhänge, Bemerkungen zu den vom Herausgeber vorgenommenen Datierungen, sowie gegebenenfalls Hinweise zum Quellenwert. Betrifft ein solcher Hinweis mehrere Berichte einer Quelle, findet er sich in den Anmerkungen zum jeweils ersten Bericht, der sich mit Hilfe des Quellenverzeichnisses leicht ermitteln läßt. Angaben zu den Personen enthält das Personenregister. Die 1.2.3.-Numerierung der Anmerkungen ist nur intern und soll es ermöglichen, von einer Anmerkung auf eine andere zu verweisen.

Eine Sammelarbeit wie die vorliegende ist nicht möglich ohne die Unterstützung zahlreicher Personen und Institutionen. Besonderen Dank schulde ich Herrn Prof. Dr. Manfred Windfuhr, der diese Arbeit angeregt und kundig betreut hat. M. Louis Hay, Maître de Recherche au C.N.R.S., gab mir manchen wertvollen Wink. Die Mitarbeiter und früheren Kollegen von der Düsseldorfer Arbeitsstelle der historisch-kritischen Heine-Ausgabe und die Angestellten des Heine-Instituts waren mir bei der mühevollen Materialbeschaffung behilflich. Ihnen gilt mein aufrichtiger Dank. F. H. Eisner gestattete mir freundlichst, den Nachlaß Erich Loewenthals einzusehen, und steuerte manchen Hinweis bei. Wertvolle Einzelhinweise gaben René Anglade, W. Kanowsky, Dr. J. Kruse und E. Weidl. Das Centre National de la Recherche Scientifique ermöglichte mir, die Arbeit unter günstigen Bedingungen abzuschließen. Die im Quellenverzeichnis genannten Archive und Bibliotheken stellten mir bereitwillig Photokopien und Mikrofilme zur Verfügung und genehmigten freundlich den Abdruck. Meiner Frau danke ich für ihre aufopfernde und unermüdliche Hilfe bei der Herstellung des Manuskripts.

Paris (C.N.R.S.), im Frühjahr 1972   Michael Werner

Begegnungen mit Heine

1797–1846

1797–1819
Düsseldorf und Hamburg

1. CHARLOTTE EMBDEN
1802

Familienüberlieferung
ca. 1866

Mein Bruder war ein sehr lebhaftes Kind, und es war eine schwierige
Aufgabe ihn zu beschäftigen, in einem Zimmer wo wir Kinder viel
waren, war einen englische Camin, und um das Hineinkri[e]chen
der Kinder zu verhüten, im Sommer eine braun la[c]kirte Tühr da-
vor, und auf dieser Thüre, mit einem Stückchen weisser Kreide in der
Hand, bekam mein Bruder, als Kind von 4 Jahren, von der Mutter
den ersten Schreibunterricht.
(307 b)

2. CHARLOTTE EMBDEN

Familienüberlieferung
ca. 1866

Seinen ferneren Unter[r]i[c]ht im Lesen genoß er in einer Mädchen-
schule, von einer 50jä[h]rigen Jungfrau, wo er in eine Alter von
4 Jahren hingeschickt wurde. Das Lesen lernte er schnell, aber das Still-
sitzen wollte ihm nicht behagen, und wurde deshalb oft bestraft, er
bekam einen Haß gegen diese alte Dame, und wo er eine kleine
Neckkerei gengen [!] sie ausüben konnte, war er auf seinem Platze.
So erinnerte er sich, als sie einen Topf mit Milch auf dem neben Tische
stehen hatte, er Dinte hinein goß, zwischen ihren Schnupftaback Sand
mischte, und ihr grade aus sagte: ich mag dich nicht leiden. Die Folge
war daß man ihn in eine Knabenschule gab, wo er sich auch viel behaglicher fühlte.
(307 b)

3. CHARLOTTE EMBDEN

Familienüberlieferung   *ca. 1866*

Mein Vater der lange in England war veranlaßte das [!] mein Bruder
stat[t] Heinrich Harry genannt wurde. Bei einem Spatzzirgange den wir
eines Tages vornahmen, machten wir die Bemerkung daß ein Troß
Straßenbuben uns verfolgte, und als mein Vater Harry rief, sie sich zu-
flüsterten: hast du gehört. Mein Vater rief einen der Buben zu ihm zu
kommen, und versprach ihm eine Münze, wenn er sagen wollte, was er
gehört hätte. »Ja Herr« gab er zur Antwort, »wir sind erstaunt, daß Sie
so einen feinen Knaben, mit Harry, einen [!] Esel Namen nennen.« (In
meiner Vaterstadt heißen nemlich alle Esel Harry). In der Folge wurde
mein Bruder Heinrich genannt, und nur wenn kleine Uneinigkeiten
zwischen den Geschwistern vorfielen, wurde Harry gerufen.   (307 b)

4. ADOLF STRODTMANN

nach Mitteilungen von Joseph Neunzig   (* 1867)

Im elterlichen Hause ward Harry zu einer strengen Erfüllung der jüdischen Religionsvorschriften angehalten. Wie genau er dieselben beobachtete, zeigt folgendes Beispiel, das Joseph Neunzig berichtet. Die
beiden Kinder standen an einem Sonnabend auf der Straße, als plötzlich ein Haus zu brennen begann. Die Spritzen rasselten herbei und die
müßigen Gaffer wurden aufgefordert, sich in die Reihe der Lösch-
mannschaften zu stellen, um die Brandeimer weiter zu reichen. Als an
Harry die gleiche Aufforderung erging, sagte er bestimmt: »Ich darf's
nicht, und ich thu's nicht, denn wir haben heut Schabbes!« – Schlau
genug wußte der acht- bis neunjährige Knabe jedoch ein anderes Mal
das mosaische Gebot zu umgehen. An einem schönen Herbsttage – es
war wieder ein Samstag – spielte er mit einigen Schulkameraden vor
dem Prag'schen Hause, an dessen rebenumranktem Spalier zwei saftige
reife Weintrauben fast bis zur Erde herabhingen. Die Kinder bemerkten dieselben und warfen ihnen lüsterne Blicke zu, aber der Vorschrift
gedenkend, nach welcher man an jüdischen Feiertagen Nichts von
Bäumen abpflücken darf, wandten sie bald der verführerischen Aussicht den Rücken und setzten ihr Spiel fort. Harry allein blieb vor den
Träubchen stehen, beäugelte sie nachdenklich aus geringer Entfernung,
sprang dann plötzlich bis an das Spalier heran, biß die Weinbeeren eine
nach der anderen ab, und verzehrte sie. »Rother Harry!« – diesen

Spitznamen hatten ihm seine Kameraden wegen der röthlichen Farbe seines Haares ertheilt, die später mehr ins Bräunliche überging – »Rother Harry!« riefen die Kinder entsetzt, als sie sein Beginnen gewahrten, »was hast du gethan!« – »Nichts Böses«, lachte der junge Schelm; »mit der Hand abreißen darf ich Nichts, aber mit dem Munde abzubeißen und zu essen hat uns das Gesetz nicht verwehrt.«   (249)

5. CHARLOTTE EMBDEN

Familienüberlieferung   *ca. 1866*

Als kleine Kinder wurden wir von der Masern Krankheit heimgesucht und waren genöthigt, lange Zeit das Zimmer zu hüten, um uns die Zeit zu vertreiben wurde uns ein Kasten mit bunte Stückchen Zeug gegeben. Nun wurde hin und her berathen was damit beginnen. Wir wollen eine Narrenjakke verfertigen, und mein Bruder Heinrich war der eifrigste bei dem nähen, ich verlohr die Gedult, er brachte sie allein zu stande, und wollte sie bei dem herann[a]h[e]nden Karnewall benutzen. Als nun der lang ersehnte Tag heran nahte, erhielt er von den Eltern nicht die gewünschte Erlaubniß, in den Straßen, wie in unsrer Vaterstadt Sitte war, umher zu laufen, er schenkte die Jacke einem armen Knaben unser[er] Nachbarshhaft, und als ich nach vielen Jahren in Hamburg verheirathet war, begegnete mir ein schöner großer Matrose, der mich mit den Worten anredete: »Madame! Ich habe die Freude nie vergessen die einstmals ihr Bruder mir mit einer, von bunten Lappen aneinander gesetzte[n] Jakke zum Geschenk machte, damals wußte ich noch nicht welch theures Andenken es für mich sein würde. Bei meinen vielen Reisen habe ich sie immer treu bewahrt, es war wohl instekt *[?!]* daß ich mich nicht davon trennen konnte. Ich habe sie jetzt an 17 unserer Landsmänner vertheilt, die jeden Fetzen als Andenken an unsern berühmten Landsmann verehren.« Ich war überrascht eine solche Sprache bei einem gewöhnlichen Matrosen zu hören. Als ich bei meinem Bruder in Paris war, und ihn durch viele Jugenderinnerungen zu erheitern suchte, kam auch diese Jackke zur Sprache: »Du sollst ein Gedicht zu diser Jackke haben.« Leider kam es nicht zur Ausführung, der Todt hatte ihn übereilt.   (307 b)

6. CHARLOTTE EMBDEN

Familienüberlieferung ca. 1866

Seine *[Heines]* aufgeweckte Fantasie zeigte sich schon als Knabe von
10 Jahren. Einstmal als ich sehr unaufmerksam in der Schule war, las
Professor B. den Kindern eine Erzählung vor, die sie schriftlich aus-
arbeiten mußten. Zu Hause setzte ich mich zur Arbeit hin, aber alles
war meinem Gedächtniß entschwunden. Ich säuzfte sehr laut, mein
Bruder frug mich besorgt, was mir sei, ich klagte ihm mit thränenden
Augen, daß ich in der Schule unaufmerksam war, und nun nicht im
Stande sey, meine vorgelesene Geschichte zu li[e]fern. »Beruhige dich,
sage mir ungefähr den Inhalt der Geschichte, ich will sie dir ausarbei-
ten.« Eine Stunde danach brachte er mit meine gewünschte Erzählung,
worüber ich so erfreut aus der Noth geholfen zu sein, mir gar nicht die
Mühe gab die Erzählung durch zu lesen; den andern Tag legte ich in
der Schule mein Heft zu den übrigen abgelieferten, und als jedes Kind
sein Heft mit guter oder schlechter Bemerkung zurück erhielt, sah ich
das meinige nicht zum Vorschein kommen, bis endlich Professor B.
mich ersuchte bei ihm in das untere Zimmer zu kommen. Die erste
Frage war: »wer hat diese Erzählung geschrieben?« Mit ziemlicher
Dreistigkeit, beantwortete ich die Frage mit: »ich.« Er nahm gar keine
Notitz von dem »ich«, sondern sagte: »Du sollst keine Vorwürfe haben,
mein Kind, nur sage mir wer das geschrieben hat«; sehr kleinlaut, und
beschämt über meine Lüge, sagte ich: »mein Bruder.« »Die Erzählung
ist ein Meisterstück«, rief er aus. Es waren noch zwei Professoren bei
meinem kleinen Verhör, denen er die Geschichte vorlas, worin die Beschreibung eines Gespenstes vorkam, daß *[!]* mich entzückte, aber
mehrmals einen Ausruf der Angst entlockte. Zu meinen Mitschüle-
rinnen zurück gekehrt, erzählte ich von dem fürchterlichen Gespenst
mit feurigen Augen, große Klauen und einen Rachen worin es uns
alle verschluckken könne. Auf vieles Bitten wurde die Erzählung vorgelesen. Drei kleine Mädchen weinten vor Angst. (307 b)

7. CHARLOTTE EMBDEN

Familienüberlieferung ca. 1866

Meine Eltern hatten eine große Vorliebe für Musik, weshalb mein
Bruder Heinrich, bon gré mal gré, Violine lernen mußte. Sein Lehrer
kam regelmäßig, und nach dreimonathlichen Unterricht, ging meine

Mutter zufällig dem Zimmer vorbei, wo der Unterricht ertheilt wurde, und sie war erstaund, welche Fortschritte der Knabe in dieser kurzen [Zeit] gemacht habe. Sie wollte nicht stöhren, doch als sie das folgende mal wieder das hübsche Spiel hörte, machte sie leise die Thüre auf; aber was erblickte sie, mein Bruder lag ganz bequem auf dem Sopha ausgestreckt, und ließ sich von seinem Lehrer der mit seiner Violine im Zimmer auf und abging vorspielen. Mein Bruder war so in Gedanken vertieft, daß er den Eintritt der Mutter nicht hörte, selbst seinen Lehrer vergaß, doch bei ihrem Anblick aufsprang, und rief, »ach welch schönes Gedicht habe ich eben gemacht«. Der fernere Unterricht wurde aufgehoben. Sein frühzeitig entwickkelter Sinn für hö[h]ere Poesie mußte alles Andere seiner Lieblingsbeschäft[ig]ung weichen.   (307 b)

8. Charlotte Embden

Familienüberlieferung   *ca. 1866*

Er hatte genie zum Zeichnen. Es verdroß ihn daß der Lehrer in der Unterrichtstunde, die meiste Zeit mit Schlafen zubrachte. Er zeignete einen Esel und befästigte ihn wä[h]rend der Lehrer schlief, auf seinen Rückken. Auf der Straße angekommen, lief die Straßen-Jugend hinter ihm. Er erregte das Mitleiden einer alten Frau, die ihn davon in Ken[n]tniß setzte, weshalb er den öffentlichen Spott erregt. Aufgebracht lief er gleich zu meinem Vater, und verklagte seinen Schüler. Aber mein Herr, wie ist es möglich bei ihrer bekannten Aufmerksamkeit daß mein Sohn das bewerkstellen konnte. Mein Bruder der sich wohl weißlich im Hintergrunde gehalten hatte, stürzte hervor und rief: Vater, er schläft in der Unterrichtsstunde, und träumt laut von seinen Schulden.   (307 b)

9. Hermann Riegel

Gespräch mit Peter Cornelius, 19. März 1865

Es war dann wieder von Heine die Rede und von Einem, ich weiß nicht wem, der ihn einmal durchgeprügelt haben wollte.

»Ich habe ihn auch einmal durchgeprügelt« sagte Cornelius, und als wir frugen, wie denn das gekommen sei, erzählte er:

»Der Lambert [Cornelius] ging immer um 11 Uhr aus der Akademie, um eine Stunde außer dem Hause zu geben, und da mußte ich Praeceptor spielen. Neben der Elementarklasse war das Zimmer, wo ich stand und malte; es war, ich weiß es noch genau, ein Altarbild. Die Jungen aber, statt zu zeichnen, machten furchtbaren Lärmen. Ich ging also hinein und verbot es ihnen, und so ging es eine Weile. Bald aber fingen sie noch viel ärger an. Ich stürzte also in die Klasse. In der linken Hand hielt ich die Palette wie Achilles seinen Schild, in der rechten hatte ich den Malstock, und packte mir nun den ersten, der mir in die Hände kam. Das war der Heine. Ich habe den Malstock auf ihm zerschlagen und ihn schwer geprügelt. Er erzählt, daß ich ihm die Hand beim Zeichnen geführt. Das weiß ich nicht, aber das weiß ich, daß ich ihm den Rücken furchtbar geschmiert habe.«   (206)

10. CHARLOTTE EMBDEN

Familienüberlieferung   *ca. 1866*

In seinem zwölften Jahr kam er in einem Institut für junge Leute die sich dem Kaufmannstande widmen wollten. Kaum ein Jahr in diesem Institut macht der Director dieser Anstalt meinen Eltern die Anzeige, daß der Knabe alle Vorken[n]tnisse besäße die zum Kaufman[n]stande gehörten, und der Knabe mit so vielem Geiste begabt sei, man ihn studiren lassen müßte. [...] Das Resultat dieser Unterredung war, daß er wirklich in die gele[h]rte Schule kam, wo seine Fortschritte derart waren, daß der damalige Director Schalmeier der gelehrten Schule, meinen Eltern den Vorschlag machte, ihn dem geistlichen Stande zu widmen wo er, ein Knabe der mit so vielem Geist begabt sey, es bis zum Cardinal bringen würde. Doch mein Vater gab diesem Vorschlag kein Gehör.   (307b)

11. MAXIMILIAN HEINE

Heine-Erinnerungen (Familienüberlieferung)

(* Anf. Febr. 1866)

Unsere Mutter, die überhaupt für eine ziemlich strenge Erziehung war, hatte von unserer ersten Jugend an uns daran gewöhnt, wenn wir irgendwo zu Gast waren, nicht Alles, was auf unseren Tellern lag, aufzuessen. Das, was übrig bleiben mußte, wurde der »*Respect*« genannt. Auch erlaubte sie nie, wenn wir zum Kaffee eingeladen waren, in den Zucker so einzugreifen, daß nicht wenigstens ein ansehnliches Stück zurückbleiben mußte.

Einstmals hatten wir, meine Mutter und ihre sämmtlichen Kinder, an einem schönen Sommertage außerhalb der Stadt Kaffee getrunken. Als wir den Garten verließen, sah ich, daß ein großes Stück Zucker in der Dose zurückgeblieben war. Ich war ein Knabe von sieben Jahren, glaubte mich unbemerkt und nahm hastig das Stück Zucker aus der Dose. Mein Bruder Heinrich hatte das bemerkt, lief erschrocken zur Mutter und sagte ganz eiligst: »Mama, denke Dir, Max hat den *Respect* aufgegessen!« (105)

12. CHARLOTTE EMBDEN

Familienüberlieferung *ca. 1866*

Schon als Knabe zeigte er große Geistesgegenwart, und gab Veranlassung das [!] viel in unserer kleinen Residenz von ihm gesprochen wurde. Es war Jahrmarkt in unserer Stadt, die Domestiken hatten Erlaubniß zum Tanz zu gehen, der Vater war verreißt, wir Kinder waren mit der Mutter allein im Hause, ausser einer alten Bonne. Die Mutter erzählte uns Märchen, und als ich zufällig mein Blikk nach dem Fenster wan[d]te, war das ganze Hintergebäude erleuchtet, die Flammen aus des Nachbars Gebeude [!], und da es aus Böden bestand, wo Malz getro[c]knet wurde, war augenblickliche Hülfe, von großer Wichtigkeit. Die Mutter lief ohne sich lange zu besinnen, nach des Nachbars Haus, wir Kinder hinterher, und durch schnelles Handlen, wurden die Flammen unterdrückt. Wir wurden mit des Nachbars Danksagungen überhäuft. An unserm Hause zurück geke[h]rt, war guther Rath theuer, wir standen vor einer verschlossen Hausthüre, in der Eile hatten wir die Thüre zugeschlagen, alles Leuten [!] der Hausglockke war unnütz. Die arme Bonne war taub; doch bemerkte mein Bruder mit großer Freude, daß die Pforte der Remise angelehnt sei, in der ein Reisewagen mit Überzug [!] stand, als wir durch-p [*ein Wort unleserlich*], sah mein Bruder einen Menschen unter diesen Wagen schlüpfen. Er ließ uns ruhig durchgehen, da äußerte er laut: ach ich muß wieder zurück, ich habe mein Taschentuch bei unserm Nachbar liegen lassen. Meine Mutter, die keine Ahndung von dieser Ausrede hatte, rief ihm zu: »lasse es bis morgen liegen«, doch war er schon verschwunden, und beichtete atemlos bei dem eben verlassen[en] Nachbar was er gesehen. Mit zwei handfeste Knechte kam er zurück, man fand den Menschen, und machte die Entdekkung daß er bewaf[f]net war. Es war ein entsprung[en]er Sträfling, und als er meinen Bruder sah, rief er: wo ich dich kleine Canaille treffe, hast du aufgehört zu athmen. Nach meheren Jahren als mein Bruder in Bonn studirte, machten mehre Studenten eine Thur [!] nach A[a]chen, um dort das schauderhafte Schauspiel, einen Verbrecher gülgeliniren [!] zu sehen. Ein junger Student, der sich viel mit Galls Schädellehre beschäftigte, bekam Erlaubniß den Verbrecher in seinem Gefängniß zu untersuchen, um seine Ken[n]tniß in dieser Hinsicht zu erweitern. Mein Bruder der seinen Freund begleitete, war aus Neugi[e]rde mit eingetreten, aber kaum als er einige Schritte sich ihm näh[e]rte, entfuhr ihm unwillkürlich einen [!] Schreckkenslaut, denn der vor ihm stehende Verbrecher war kein ander[er], als den damals ertap[p]ten Menschen in der Remise. Er sah ihn den andern Tag hinrichten, und mein Bruder wollte mit Gewißheit behaupten, der Verbrecher hätte, obgleich eine große Menschen Masse auf dem Richtplatz zugegen waren, mit eine [!] auf ihn gerichteten wüthenden Blickke herausgefunden. Mein Bruder hatte nie Hinrichtung wieder mit angesehen. (307 b)

13. ADOLF STRODTMANN

nach Mitteilungen von Joseph Neunzig (* 1867)

Joseph Neunzig, der von Jugend auf ein fleißiger Schüler der Düsseldorfer Malerakademie war und derselben später in dankbarer Erinnerung eine »Anatomie für bildende Künstler« gewidmet hat, porträtirte damals manchen seiner Freunde auf Elfenbein, unter ihnen auch Heine. Bei der ersten Sitzung machte ihn Dieser besonders auf den erwähnten satirischen Zug am Munde aufmerksam und bat ihn, denselben ja nicht zu verfehlen. Als ihm Neunzig nach einigen Tagen das wohlgetroffene, mit einem geschliffenen Glase bedeckte Miniaturbild übergab, zeigte sich Heine sehr erfreut, und rief lustig aus: »So, nun wollen wir das Bild auch in Musik setzen lassen!« (249)

14. CHARLOTTE EMBDEN

Familienüberlieferung *ca. 1866*

Mein Bruder studirte halbe Nächte durch, da es heimlich war, hatte er im Winter kein geheiztes Zimmer. Er verschaf[f]te sich eine graue wollene Mütze, und einen Pelzrock, um einigermaßen vor Kälte geschützt zu sein. Licht besorgte eine alte Köchin, und als sie einstmal die Besorgung vergaß, wurde er sehr zornig, und gab ihr manchen bösen Titel. Sie verklagte ihn bei seinem Vater, mit den Worten: Herr ihre Kinder sind so schlecht, sagen was sie denken. (307 b)

15. MAXIMILIAN HEINE   Herbst 1813 oder 1814

Heine-Erinnerungen (Familienüberlieferung)

(* Anf. Febr. 1866)

Als Heinrich Heine das Gymnasium in Düsseldorf besuchte, war er am Schlusse des Schuljahres einer von den Schülern, die bestimmt waren, bei dem öffentlichen Schulactus ein Gedicht vorzutragen.

In jener Zeit schwärmte der junge Gymnasiast für die Tochter des Oberappellationsgerichts-Präsidenten von A.... Diese war ein wunderschönes, schlankes Mädchen mit langen blonden Locken. Ich bin überzeugt, daß manches seiner ersten Gedichte an diese reizende, fast ideale Erscheinung gerichtet war. Der Saal, in welchem der Schulactus stattfand, war Kopf an Kopf gefüllt. Ganz vorn, auf prachtvollen Lehnstühlen, saßen die Schulinspectoren. In der Mitte zwischen denselben stand ein leerer goldener Sessel.

Der Oberappellationsgerichts-Präsident kam mit seiner Tochter sehr spät, und es blieb nichts Anderes übrig, als dem schönen Fräulein auf dem leerstehenden goldenen Sessel, zwischen den ehrbaren Schulinspectoren, den Platz anzuweisen. Heine war gerade in der Declamation des »Tauchers« von Schiller in vortrefflichem Schwunge bis zur Stelle gelangt, wo es heißt:

»Und der König der lieblichen Tochter winkt«,

da wollte es sein Mißgeschick, daß sein Auge gerade auf den goldenen Sessel fiel, wo das von ihm angebetete schöne Mädchen saß. Heine stockte. Dreimal wiederholte er die Stelle: »Und der König der lieblichen Tochter winkt«, aber er kam nicht weiter. Der Klassenlehrer soufflirte und soufflirte; Heine hörte nichts mehr. Mit großen offenen Augen schaute er, wie auf eine plötzlich erschienene überirdische Gestalt, auf den goldenen Sessel hin und sank dann ohnmächtig nieder. Keiner im Saale ahnte die Ursache. »Das muß die große Hitze im Saale gethan haben«, sagte der Schulinspektor zu meinen herbeieilenden Eltern und ließ alle Fenster öffnen.

Nach vielen Jahren hat er mir den Zusammenhang dieser Jugend-
begebenheit erzählt, indem er sich oft mit dem Ausrufe unterbrach:
»Wie war ich damals unschuldig!« (105)

16. ADOLF STRODTMANN

nach Mitteilungen von Joseph Neunzig (* 1867)

Mehr, als die Einsperrungsstrafen des Vaters, war die derb zuschlagende
Hand der gestrengen Mutter gefürchtet, und zwar nicht bloß von den
eigenen Kindern, sondern auch von den Nachbarsknaben, wenn Diese
mit Jenen zugleich einen Schabernack verübt oder ihnen ein kleines
Leid zugefügt hatten. Dem Joseph Neunzig z. B. passierte einst das
Malheur, Harry beim Spiele durch einen Steinwurf so heftig am Kopf
zu verletzen, daß das Blut aus der Wunde floß. Auf das Geschrei des
Knaben eilte die Mutter herbei, und der Uebelthäter hatte kaum Zeit,
sich in das elterliche Haus zu flüchten, als schon Frau Betty ihm nach-
gestürmt kam, und ihn durch die Drohung erschreckte: »Wo ist der
böse Junge, der meinem Harry ein Loch in den Kopf geworfen hat? Ich
will's ihm eintränken!« Joseph verkroch sich voll Angst unter das Bett,
und war froh, daß ihn Niemand dort auffand. Als er später auf der Universität Bonn Harry an jenen Steinwurf erinnerte, sprach Dieser mit
ironischem Lächeln: »Wer weiß, wozu es gut war! Hättest Du nicht die
poetische Ader getroffen und mir einen offenen Kopf verschafft, so wäre
ich vielleicht niemals ein Dichter geworden!« – (249)

17. GUSTAV KARPELES 1814/1815

z. T. nach Mitteilungen von Gottfried Werner (* 1888)

Allzuviel von jenen Handelswissenschaften mag er *[in der Vahrenkamp-
schen Handelsschule in Düsseldorf]* sicher nicht gelernt haben; dagegen
werden verschiedene Scherze erzählt, die der junge Harry dort getrieben
und die schon auf eine gewisse poetische Veranlagung schließen ließen.
So pflegte er seinen Mitschülern die alten Klassiker in »Judäas lieblichen
Dialekt« zu übersetzen. Der jüdisch-deutsche Homer oder Ovid rief oft
in den Zwischenstunden ein schallendes Gelächter hervor. Einen anderen Scherz erzählt ein etwas älterer Kamerad Heine's, der nachmalige
Kreisbaumeister Werner zu Bonn, der den Platz zur rechten Seite Heine's
in jener Handelsschule inne hatte, während zur linken ein gewisser Faß-

bender, der Sohn des Besitzers einer Brauerei »Zum Specht«, saß. Eines Tages erhebt sich ein plötzlicher Lärm in der Schulstube – Harry Heine fliegt von seiner Bank unter den Tisch. »Was geht hier vor?« fragt der eintretende Lehrer. »Oh«, antwortet der junge Faßbender zorngerötheten Gesichts im breitesten rheinländischen Dialekt, »de verdammte Jüdde sähd: ›Em Specht, em Specht, do schläft de Mähd beim Knecht.‹ Do han ich em ene Watsch gegewe und do is hä von de Bank gefalle.« Unter allgemeiner Heiterkeit ertheilte der Lehrer den beiden Knaben eine derbe Rüge. (123)

18. GUSTAV KARPELES   1818
nach Mitteilungen von Unna   (* 1899)

Ein gewisser Unna, Kommis eines bedeutenden Garderobengeschäfts von Bonfort, war von seinem Prinzipal beauftragt, einen bestimmten Betrag in dem Manufakturwarengeschäft von Harry Heine einzukassieren. Zufällig traf er es glücklich, indem er den Chef selbst anwesend fand, was sonst bei den meisten Gläubigern nicht der Fall war. Er war gerade bei guter Laune und gab ihm auf jene Schuld zwei Louisdors, welche Unna in der offenen Hand behielt. Darauf fragte Heine: »Junger Mann, Sie sind doch Kaufmann, nicht wahr?« »Allerdings!« war die Antwort. »Dann rate ich Ihnen, immer nehmen, nehmen, nehmen!« »Ja«, war die Entgegnung, »ich nehme ja; ich will aber gern noch mehr nehmen!« »Sehr gut, sehr gut«, erwiderte Heine, »aus Ihnen kann noch etwas werden, aber ich habe eben nicht mehr«, und drängte ihn sanft zur Thür hinaus. (124)

19. GUSTAV KARPELES   Frühsommer 1819
nach Mitteilungen von W. Koppel   (* 1899)

Ein gewisser Aron Hirsch, der Hausfreund bei den Großeltern Koppels war, erzählte einst in Gegenwart seines *[Koppels]* Vaters, daß er als Buchhalter bei Salomon Heine beauftragt ward, Harry Heine auf der Abreise von Hamburg zu begleiten resp. für sein Fortkommen von dort zu sorgen. Unterwegs im Wagen habe er ihm ins Gewissen gesprochen, daß er seine Carriere in dem Geschäft seines angesehenen und wohlhabenden Onkels so leichtsinnig verscherzt habe. Darauf habe Heine ihm auf die Schulter geklopft und gesagt: »Sie werden noch von mir hören, lieber Hirsch!« (124)

Heine-Erinnerungen   (* *1868*)

In den sonnigen Mittagsstunden liebte Heinrich in unserm Hausgarten zu promeniren. Auf diesen Spaziergängen war ich oft im Gespräche an seiner Seite, und hier flößte er dem dreizehnjährigen Knaben die Liebe zur Poesie, zum Wissen ein; hier schöpfte ich zuerst aus dem reichen Borne seiner poetischen Seele. Der vortreffliche Bruder, frei von jedem Egoismus, bedauerte nicht die durch mich verlorenen Stunden, wenn ich auch oft wenig von seinen Mittheilungen verstand.

Heinrich liebte sehr das Arbeiten und Treiben der Spinnen zu beobachten. Einstmals standen wir vor einem großen wunderbar gearbeiteten Netze einer in der Mitte desselben lauernden mächtigen Kreuzspinne. »Sieh Max«, sagte er, und zeigte auf die gefangenen und ausgesogenen Fliegen in dem Netze, »sieh, so geht es auch dem Dummen in der Welt. Die Spinne ist unser Lebensfeind, das Netz seine falschen und verlockenden Worte, – aber der Kluge, der Entschlossene macht es so«, und damit schlug er mit einem Stocke das ganze schöne Netz rasch herunter. Auf der Erde kroch die große Kreuzspinne, er zeigte auf sie hin und sagte zu mir: »Tödte sie ja nicht! wenn man des Feindes Werk gründlich vernichtet, verstehst Du? wenn man seine Pläne gänzlich vereitelt hat, braucht man ihn nicht zu tödten, man läßt ihn laufen.« (105)

1819–1820
Bonn

Zwischenaufenthalt in Düsseldorf

21. FRIEDRICH STEINMANN   Herbst 1819

Heine-Erinnerungen   *(* 1857)*

Mir war nicht bekannt, als ich im Herbste 1819 nach Bonn kam, daß Heine da sei. Am Tage nach meiner Ankunft daselbst traf ich ihn am Rheinufer, wo er mit mehreren zusammenstand und Fischern im Kahne zuschaute. Da hörte ich den ersten »Witz, den er riß«, indem er seiner Umgebung zuraunte: »Seid auf Eurer Hut, daß Ihr nicht ins Wasser fallet! Man fängt hier Stockfische.« Dabei reckten sich seine Mundwinkel scharf auseinander und der alte bekannte satirische Zug spielte um seine Lippen. [...]

Die Mütze von brennendrother Farbe, weit nach hinten auf den Kopf geschoben, der Rock – im Winter Flausch, im Sommer von gelbem Nankingzeuge, beide Hände in den Hosentaschen, mit nachlässigem Gange, stolpernd und rechts und links umherschauend – das waren die Umrisse zu Heine's äußerem Bilde, wenn er über das Straßenpflaster zu Bonn schlenderte, die Mappe unter dem Arme, um ins Kollegium zu gehen, das Gesicht fein – weißer Teint, lichtbraunes Haar, ein kleines Bärtchen unter der Nase, die Gesichtsfarbe feingeröthet.   (246)

22. JOHANN BAPTIST ROUSSEAU   1819/1831

Artikel über Heine   *(* 11. 2. 1840)*

Kleine, ziemlich muskulöse Gestalt; blonde Haare mit weißen durchmischt; hohe und bedeutsame Stirne; um den Mund immerwährend ein ironisches, gutmüthiges Lächeln; die Hände hält er meist auf dem Rücken, und schlottert so einen Entengang dahin. Hält sich für schön und kokettirt im Spiegel heimlich mit sich. Er spricht gut und hört sich gern sprechen; so oft er einen Witz reißt, lacht er lautauf, dann wird seine Physiognomie, die sonst nichts auffallend Orientalisches hat, ganz jüdisch, und die ohnedies kleinen Augen verschwinden beinah.   (213)

23. Johann Baptist Rousseau   Herbst 1819

Artikel über Heine   *(* 13. 2. 1840)*

Heine, der sein Latein in Hamburg verschwitzt hatte, wandte sich damals an Professor Heinrich mit dem Gesuch, ihm einen Philologen zu empfehlen, der ihm beistände, das Versäumte nachzuholen. Heinrich wies ihn an mich. Wir lasen jeden Morgen von 7–8 Uhr erst den Sallust, dann den Virgil; allmählig rückte Heine, der damals in Bonn für einen äußerst närrischen Kauz galt und von den Studenten als ein Idiot zum Besten gehalten wurde, mit Manuskripten und der Zeitschrift »Der Wächter« heraus, legte mir Gedichte von Freudhold Riesenharf vor, den er für einen seiner intimsten Hamburger Freunde ausgab, und bat mich um ein Urtheil darüber; ihm schienen sie keinen Schuß Pulver werth. Als ich, in Heine durchaus nicht den Verfasser vermuthend, mein Entzücken darüber aussprach und trotz des bestimmtesten und wohl gar massiven Einsprechens Heine's jenen Riesenharf für ein Genie erster Größe halten zu müssen erklärte, fiel Heine mir plötzlich wie wahnsinnig um den Hals, weinte und jubelte durcheinander, und es wiederholte sich jene Scene von Anch' Jo son' pittore.   (213)

24. Wolfgang Menzel   1819/1820

Memoiren   *(* 1877 posthum)*

An die Stelle Haupts wurde [. . .] ich am 7. November [1819] zum Vorstande der Burschenschaft gewählt und nahm dieses Amt an, um den bessern Geist auf der Universität [. . .] noch so lange zu nähren, als es möglich sein würde: denn ich wußte voraus, es würde nicht lange mehr dauern. Der Karlsbader Congreß war zu Ende gegangen und seine Beschlüsse drohten der patriotischen Partei gänzliche Vernichtung. [. . .]

Unter den vielen Jünglingen, die sich um mich drängten, gaben sich, ohne daß ich es wünschte, besonders zwei viele Mühe um mich, nämlich der kleine Jude Heinrich Heine, der einen langen dunkelgrünen Rock bis auf die Füße und eine goldene Brille trug, die ihn bei seiner fabelhaften Häßlichkeit und Aufdringlichkeit noch lächerlicher machte, weshalb man ihn unter dem Namen Brillenfuchs vielfach verspottete. Aber er war geistreich und wurde daher von uns Aelteren gegen die Spötter geschützt. Der andere war Jarke, ein protestantischer Ostpreuße, welcher einige Jahre später katholisch geworden ist und als Publizist seine Rolle in Wien gespielt hat. [...] Dieser Jarke hing sehr an mir und zwar aus andern Gründen, als Heine, dem es bloß darum zu thun war, sich meines Schutzes zu erfreuen, da er so viel verhöhnt wurde. Damals ahnte noch niemand, daß in diesen beiden, die man oft meine Leib-füchse nannte, das destructive und conservative Extrem des Zeitalters auseinander treten würden. (178)

26. Nov. 1819

25. PROTOKOLL DER VERHANDLUNG VOR DEM
BONNER UNIVERSITÄTSGERICHT, *Bonn, 26. Nov. 1819*

Präsentibus:

Herr Professor Mittermaier,

qua stellvertretender Syndicus:
Oppenhoff, Universitäts-Sekretär.

Der vorgerufene studiosus juris Harry Heine aus Düsseldorf, 19 Jahre alt, seit Michaelis d. J. in Bonn, gehörig die Wahrheit zu sagen ermahnt, nach vorgängiger Erklärung, daß er auf dem Kreuzberge am 18. Oktober gewesen sei, deponiert auf die Frage:

1. »Wie viel Lebehoch wurden ausgebracht?«

ad 1. »Ich erinnere mich an zwei; das erste dem verstorbenen Blücher und das zweite, wenn ich nicht irre, der deutschen Freiheit.«

2. »Wurde der Burschenschaft kein Lebehoch gebracht?«

ad 2. »Nein, ich erinnere mich nicht, ein solches gehört zu haben.«

3. »Erinnern Sie sich noch an den Zusammenhang der gehaltenen Reden?«

ad 3. »In der ersten Rede konnte ich keinen Zusammenhang finden, und den Zusammenhang der zweiten kann ich nicht angeben, weil ich mich nicht erinnere.«

4. »Kamen in einer der Reden die Worte vor: Auf uns ruht eine schwere Last?«

ad 4. »Diese Worte glaube ich gehört zu haben, den Zusammenhang kann ich mir aber nicht mehr ins Gedächtnis rufen.«

5. »Geschah in einer der Reden am Schlusse die Frage, ob Einer wäre,

der sich dem Dienste für Vaterland u. s. w. entziehen wolle?«

ad 5. »Eine solche hervorstehende Frage erinnere ich mich nicht gehört zu haben.«

6. »Kamen die Worte vor: Auf uns hofft und wartet das Volk, um das gedrückte Vaterland vom Drucke zu befreien?«

ad 6. »Nein, solche Worte habe ich nicht gehört.«

7. »Wissen Sie sonst nichts anzugeben?«

ad 7. »Nein.«

8. »Ist Ihnen nicht bekannt, daß über das Fest in der Düsseldorfer Zeitung etwas stand?«

ad 8. »Ich habe davon gehört.«

9. »Von wem haben Sie das gehört?«

ad 9. »In vinea domini habe ich davon sprechen hören.«

10. »Können Sie keine Spur angeben, durch wen nach Düsseldorf darüber geschrieben worden ist?«

ad 10. »Ich habe den stud. Neunzig an einem Briefe nach Düsseldorf schreiben gesehen, und auf die Frage, was der lange Brief enthalte, gab Neunzig ganz unbefangen die Antwort, daß er die Burschenfeier einem Freunde beschreibe.«

11. »Wissen Sie nicht den Namen des Freundes, an den er schrieb?«

ad 11. »Nein.«

12. »Wissen Sie nicht, was er geschrieben hat?«

ad 12. »Nein, ich habe den Brief nicht gelesen.«

13. »Haben Sie keinen Grund zu glauben, daß Neunzig den Brief absichtlich, damit er abgedruckt werde, nach Düsseldorf geschrieben hat?«

ad. 13. »Nein, das glaube ich nicht; Neunzig ist an sich schwatzseliger Natur.«

14. »Hat sich Neunzig nicht gegen Sie geäußert, daß ihm das Fest mißfallen habe?«

ad 14. »Nein.«

15. »Wer ist denn sonst noch von Düsseldorfern hier auf der Universität?«

ad 15. »Ich kenne sie nicht alle.«

16. »Wissen Sie sonst nichts anzugeben?«

ad 16. »Nein.«

Vorgelesen und unterzeichnet
Harry Heine.
Akademisches Gericht:

Mittermaier,	Oppenhoff,
Vicesyndikus.	Sekretär.

(116)

26. ADOLF STRODTMANN   Anf. Dez. 1819

   nach Mitteilungen von Joseph Neunzig   (* 1867)

Unter den schriftlichen Arbeiten für die Aufnahmeprüfung an der
Bonner Universität war ein Aufsatz über den Zweck der akademischen
Studien. Als Heine die Reinschrift seiner Arbeit abgeliefert hatte, begab
er sich mit andern Examinanden, zu denen auch Joseph Neunzig gehörte, in eine Studentenkneipe, und las dort unter schallendem Gelächter seiner Kameraden aus dem Brouillon, das er zu sich gesteckt, seine
Abhandlung vor. Er hatte das aufgegebene Thema, mit Vermeidung
jeder ernsten Betrachtung, in durchaus humoristischer Weise behandelt,
und seinem Muthwillen in keckster Laune die Zügel schießen lassen.
Joseph Neunzig erinnert sich u. A. einer Stelle, in der es ungefähr hieß:
»Die Wissenschaften, welche in diesen Hörsälen gelehrt werden, bedürfen vor Allem der Schreibbänke; denn diese sind die Stützen, die Träger
und Grundlagen der Weisheit, welche vom Munde der Lehrer ausgeht,
und von den andächtigen Schülern in die Hefte übertragen wird. Dann
sind aber auch die Schreibbänke gleichsam Gedenktafeln für unsre
Namen, wenn wir diese mit dem Federmesser hineinschneiden, um
künftigen Generationen die Spur unsres Daseins zu hinterlassen.«

                                                           (249)

27. KARL HESSEL   Winter 1819/20

   nach Mitteilungen von Eduard Weber   (* 1919)

Heine wäre, nach Mitteilung meines Schwiegervaters, um ein Haar sein
erster Verlagsartikel geworden. Denn 1819 erschien bei ihm der Studiosus Heinrich Heine mit einem Bändchen Gedichte, die er Weber zum
Verlag anbot. Weber schickte sie dem Professor Schlegel zur vorherigen
Durchsicht, der doch Heines damals hochverehrter Lehrer war. Als
Heine nach längerer Zeit bei Weber wieder vorsprach, verwies dieser
ihn an Schlegel. Heine ging zu Schlegel, aber der hatte die Gedichte
noch nicht gelesen, und mit Mühe erlangte der Studiosus Heine, daß
der Diener Schlegels das Manuskript suchte, endlich fand und es Heine
zurückgab!   (107)

28. ADOLF STRODTMANN 1819/1820

nach Mitteilungen von Joseph Neunzig (* 1867)

Joseph Neunzig erzählt, daß in einer Studentengesellschaft einst das Gespräch auf Religionsfragen kam. Ein Israelit, welcher Medicin studierte, gestand, er zöge das Christenthum dem Judenthume vor und würde sich gern taufen lassen, wenn nur nicht das Dogma von der unbefleckten Empfängnis der Jungfrau Maria allzu fatal den Gesetzen der Wissenschaft widerspräche. Heine hörte aufmerksam zu, er sagte Nichts, aber ein sarkastisches Lächeln umspielte seine Lippen. Ueberhaupt sprach er wenig; er war mehr Beobachter und Denker, als redseliger Theilnehmer an der allgemeinen Konversation; wenn er sich in letztere einmischte, geschah es meist durch kurze, schlagartig treffende Bemerkungen oder drollige Witze. Selten nur gewährte er selbst den vertrautesten Freunden einen offenen Einblick in das Reich seiner tiefern Empfindungen; er liebte es nicht, die Gefühle seines Herzens zur Schau zu tragen; gutmüthig und weich bis zum Uebermaß, schämte er sich fast der ihm angeborenen Empfindsamkeit, und suchte dieselbe mit trotzigem Stolz unter einer schroffen, abstoßenden Umgangsform zu verstecken. (249)

29. ADOLF STRODTMANN 1819/1820

nach Mitteilungen von Joseph Neunzig (* 1867)

Eines Morgens ward Neunzig von einem Landsmanne aufgesucht, der um eine kleine Wegzehrung bat, und dann auch nach Heine's Wohnung frug. Neunzig zeigte ihm das Haus. Nachmittags kam Heine in sehr aufgeregter Stimmung hinüber und erzählte, sein Hauswirth habe einen fremden Menschen, den er für einen Studenten angesehn, in sein Zimmer gelassen, und dieser habe ihm seinen neuen Rock gestohlen. Der satirische Zug verschwand dabei nicht, er verzog sich vielmehr zu einem höhnischen Grinsen. (249)

30. MAXIMILIAN HEINE 1819/1820

Heine-Erinnerungen (* 1868)

Als Heine in Bonn Jura studirte, kam er in der Ferienzeit nach Düsseldorf herüber. Er war sehr milde, sanft und weichherzig; aber in Zorn gebracht, äußerst heftig, selbst gegen seine Gewohnheit manchmal etwas gewaltthätig. Ich erinnere mich noch, daß er über die Unverschämtheit und grobe Prellerei eines Karrenschiebers, der seinen Koffer von der Post in's elterliche Haus bringen sollte, außer sich gerieth; ein anderer hätte dem groben Lümmel eine Ohrfeige gegeben. Heinrich, bleich vor Zorn, faßte sich, zahlte ruhig das ausgepreßte Geld, zupfte aber mit aller Vehemenz des Kerls großen, schwarzen Backenbart, indem er freundlich zu ihm sagte: »Ich glaubte, mein Bester, Sie trügen einen falschen Bart.«

So habe ich, erzählte er später, meinem schrecklichen Aerger Luft gemacht, ohne daß der Kerl mich verklagen konnte.　　　　　(105)

31. Maximilian Heine　　　　　　　　　　　1819/1820 (1852)

Heine-Erinnerungen　　　　　　　　　　　　(* Anf. Febr. 1866)

Von meiner frühesten Jugend an liebte ich die deutschen Dramatiker; viel mag zu dieser Neigung beigetragen haben, daß ich, fast Kind noch, sehr oft in das Theater mitgenommen wurde. Es war dies die Zeit, wo die Ritterspiele auf der Bühne im vollen Flor standen. »Johanna von Montfaucon«, »die Kreuzfahrer«, »die Sonnenjungfrau« etc. waren meine Lieblingslectüre. Ich war damals dreizehn Jahre alt. Mein Bruder Heinrich bemerkte ungern diese meine Lectüre.

»Max«, sagte er eines Tages zu mir, »solche Bücher verderben den Geschmack, ich werde Dir ein anderes Buch schenken, damit magst Du Dich in Deinen Freistunden beschäftigen. Es ist auch ein Theaterstück.« Bei diesen Worten nahm er von seinem Tisch ein kleines, in schwarze Pappe eingebundenes Büchlein und sagte: »Dies schenke ich Dir.« Ich schlug des Büchleins Decke auf und las zum erstenmal den Titel: »*Faust*, von Goethe. Der Tragödie erster Theil.«

Ich blickte in die ersten Blätter hinein, die den wunderschönen Prolog enthalten, dann, nach echter Knabenart, schlug ich die letzte Seite auf, wo die Worte: »Heinrich, her zu mir«, – »Sie ist gerettet«, mir so räthselhaft klangen. Ich sah meinen Bruder ganz erstarrt an, als wie Einer, der da sagen wollte: »*Die* Komödie begreife ich nicht.« Er nahm darauf das Buch in die Hand, griff rasch zur Feder und schrieb Folgendes auf die innere Seite des Deckels:

》Dieses Buch sei Dir empfohlen,
Lese nur, wenn Du auch irrst:

Doch wenn Du's verstehen wirst,
Wird Dich auch der Teufel holen.«

Viele Jahrzehnte waren darüber hingegangen, als wir bei meiner Anwesenheit in Paris, einige Jahre vor dem Tode des Dichters, auf Goethe's
»Faust«, zweiten Theil, zufällig zu sprechen kamen. »Ich habe nie vergessen, Heinrich«, sagte ich, »was Du mir einst in dem ersten Theile
des ›Faust‹ zur Erinnerung eingeschrieben hattest«, und citirte obige
Verse.

»Nun, Max, was antwortest Du mir jetzt?«
Ich nahm ein Stück Papier, und schrieb mit Bleifeder Folgendes:

»Lieber Bruder, hab's verstanden,
Leider! wie Du's selbst gedacht,
Doch den Goethe nicht begriffen,
Der den *zweiten* Theil gemacht.«

Mein Bruder lächelte, drückte mir die Hand und sagte: »Dieses
Blättchen soll zu meinem Nachlaß gehören.« (105)

32. FRIEDRICH STEINMANN   1819/20

Heine-Erinnerungen   (*1857)

Sämtliche in seinen »Gedichten« abgedruckten Lieder und Balladen
stammen mit wenigen Ausnahmen aus der Zeit seines Aufenthaltes in
Hamburg her; er brachte sie im Manuskript mit nach Bonn, wo er
mich nach und nach damit bekanntmachte, indem er sie mir vorlas,
über vorgenommene Änderungen und Varianten meine Ansicht verlangte, kurz sie eifrig und sorgfältig wieder und wieder las und
feilte [. . .].   (246)

33. FRIEDRICH STEINMANN   Frühjahr 1820

Aufsatz über Heine   (*1834)

Da er mit A. W. v. Schlegel in nähere Bekanntschaft [. . .] getreten war,
so übergab er diesem das Manuscript zur Durchsicht; willig übernahm
dieser dieselbe und erklärte ihm offen, was er dawider auszusetzen
habe; er deutete seine Erinnerungen durch Bleistiftstriche in der Handschrift an, und als Heine also dieselben wiedererhielt, hatte er keine

andere Beschäftigung, als alle die kleinen Mängel, worauf ihn der kompetente Lehrer aufmerksam gemacht, auszumerzen und zu bessern; und das geschah mit einer Strenge, fast Unbarmherzigkeit, die ohne Gleichen war. Stundenlang brütete er über die Aenderung eines Verses, und fühlte sich belohnt genug, wenn ihm die Korrektur gelungen, und Freunde ihm ihren Beifall zollten. (244)

34. FRIEDRICH STEINMANN · 1820

Aufsatz über Heine *(*1834)*

Mit besonderer Liebe studirte er Byrons Schriften, und nicht zu leugnen ist es, daß sich zwischen beiden eine geistige Wahlverwandschaft findet. Das fühlte er damals auch selbst, und erkannte es, sich zu Freunden äußernd, auch oftmals an. [. . .]

Bemerkt zu werden verdient, daß die Uebersetzungen aus Byron auf dem Rheine zu Tage gefördert wurden, indem Heine im Sommer des Jahres 1820 häufig sich den Strom hinauf in einem Kahne am Ufer bis nach Godesberg, dem eine Stunde von Bonn gelegenen Dorfe, fahren ließ, wo er dann, ein Bändchen von Byrons Schriften in der Zwickauer Ausgabe in der Hand, im Kahne ausgestreckt zu ruhen pflegte. (244)

35. FRIEDRICH STEINMANN · Aug./Okt. 1820

Aufsatz über Heine *(*1834)*

Die Mitte des Augustmonats [. . .] bis zur Hälfte des Oktobers [1820] brachte er in dem Bonn gegenüberliegenden Dorfe Beu[e]l, wo er sich für die Ferien eingemiethet hatte, zu, und hier begann er in einsamer Zurückgezogenheit seine bekannte Tragödie *Almansor*, welche er über die Hälfte niedergeschrieben, als er zur Fortsetzung seines Studiums nach Göttingen abging. (244)

1820–1821
Göttingen

36. VOR DEM GÖTTINGER UNIVERSITÄTSGERICHT 4.–8. Dez. 1820

Göttingen in der Deputation d[en] 4t[en] Dec[ember] 1820

Gegenwärtig Herr Prorector Hofrath Tychsen,
Cons. Rath Pott,
Prof. Bergmann
Hofrath Ossiander
Geh. Hofrath Eichhorn
Syndicus Oesterley

Da zur Anzeige gekommen, daß die Studirenden Heine und Wiebel sich veruneinigt gehabt, u[nd] Ersterer die Absicht habe, Letztern auf Pistolen zu fordern, so sind Beyde vorgeladen worden. Zuerst erschien u[nd] gab auf Befragen zu vernehmen:

Studiosus Heine.
Er heiße Heinrich Heine u[nd] sey aus Düsseldorf. Er esse des Mittags in Michaelis Hause mit mehreren andern Studenten. Da sey nun einmal ein Streit darüber gewesen, ob eine Verbindung von Studenten die andere in Verruf erklären dürfe. Er sey dagegen gewesen, u[nd] habe gesagt, sonst entstehe Schweinerey, wie man in Heidelberg gesehen habe. Er habe damit sagen wollen, daraus entstehe ein unwürdiges Betragen, namentlich der s[o]g[enannte] Holzkomment. Nun sey Wiebel aufgetreten u[nd] habe gesagt: Das ist Schweinerey, was Sie da sagen. Comparent habe erwiedert, es sey gut, u[nd] habe sich nach Wiebels Namen erkundigt, darauf einen unbekannten Studenten zu Wiebel geschickt u[nd] ihn fodern lassen, u[nd] zwar auf Pistolen, weil die Beleidigung nicht die gewöhnliche z. B. ein dummer Junge, gewesen sey. Wiebel habe die Herausfoderung angenommen, u[nd] Comparent Münden als den Ort des Duells bestimmt. Das Duell sey

aber nicht vollzogen worden, weil es bekannt geworden sey u[nd] sie Beyde Stubenarrest bekommen hätten.

Auf Vorhalt, Comparent habe sich bey Sr. Magnificenz mit Wiebel versöhnt, u[nd] Wiebel habe versprochen, die Beleidigung bey Tische, wo sie geschehen sey, zurückzunehmen, wobey Comparent gebeten, Wiebel möge hinzusetzen, er habe das in der Hitze gesagt, erwiederte Comparent: Wiebel habe den folgenden Tag bey Tische ungefähr so gesagt: Die Beleidigung, die ich gegen Heine ausgestoßen, habe ich versprechen müssen, zurückzunehmen. Comparent habe nun gleich erwiedert, damit könne er nicht zufrieden seyn, Wiebel möge nur noch hinzusetzen: *in Hitze* oder *in Leidenschaft*. Wiebel habe gesagt, das thue er nicht, u[nd] Comparent habe erwiedert: es ist gut.

Aufs Neue habe Comparent Wiebel nicht wieder gefordert, auch Niemand zu demselben geschickt. Er habe zwar die Absicht gehabt, es aber nicht gethan.

Vorgel[esen] genehm[igt] u[nd] entl[assen].

Heine wird wieder hereingerufen u[nd] gab auf ferneres Befragen zu Protocoll:

Er habe deshalb von Sr. Magnificenz Abnahme der Matrikel gewünscht, weil er die Beleidigung nicht auf sich sitzen lassen könne, u[nd] die academische Strafe der Relegation nachträglich eingefügt: cum infamia habe vermeiden wollen.

Den Tag, an welchem die Beleidigung vorgefallen, könne er nicht mehr genau angeben. Den, der ihm die Nachricht von Wiebel gebracht, dieser wolle das Pistolenduell annehmen, kenne er zwar, er könne ihn aber nicht angeben.

Vorgel[esen] genehm[igt] u[nd] entl[assen].

Studiosus Wiebel

ward hereingerufen u[nd] gab auf Befragen zu vernehmen:

Er heiße Wilhelm Wiebel u[nd] sey aus Eutin. Am vorigen Mittwoch oder Donnerstag habe Heine in Michaelis Hause bey Tische von einer in Heidelberg vor $1^{1}/_{2}$ Jahren vorgefallenen VerrufsErklärung gesagt, das sey eine Schweinerey gewesen. Heine habe nicht gesagt, das komme auf Schweinerey heraus. Comparent sey nun damals auch in Heidelberg gewesen, u[nd] daher interessire es ihn, er habe also Heine das verwiesen, u[nd] ihm gesagt, er möge davon schweigen, er kenne ja die Sache nicht. Heine habe aber fortgefahren u[nd] sich auf Briefe, die er von Heidelberg habe, berufen, u[nd] darauf habe Comparent gesagt, dann müsse er die Briefe vorzeigen, aber er, Heine, selbst könne darüber nicht urtheilen. Heine habe aber nicht aufgehört, u[nd] Comparent glaube, derselbe habe das Wort Schweinerey wiederholt. Comparent habe Heine'n aber nicht ausreden lassen, sondern sey in Hitze gekommen u[nd] habe gesagt, das sey Schweinerey von ihm, Heine, wenn er dergleichen sage. Heine habe gesagt, das sey gut. Nachher habe Heine Comparenten, ehe sie aus einander gegangen seyen, in Person gefodert. Auf Vorhalt gestand Comparent, Heine habe ihn durch einen unbekannten Studenten den folgenden Tag fodern lassen u[nd] zwar auf gewöhnliche Waffen, nicht auf Pistolen. Auf Vorhalt und Zureden, die Wahrheit zu sagen, blieb Comparent dabey, er sey nicht auf Pistolen gefodert worden. Comparent habe dem Überbringer erwiedert, er könne jetzt noch nichts darüber bestimmen, u[nd] so habe er auch noch gar keine Zeit u[nd] keinen Ort des Duells bestimmt gehabt. Er sey nun zum H[errn] Prorector gerufen worden, u[nd] habe dort die Beleidigung zurückgenommen, u[nd] auf Heine's Bitte dies bey Tische wiederholt. Ungefähr die Worte habe er bey Tische gesagt: Die Anwesenden hätten gehört, daß er Heine vor einigen Tagen beleidigt gehabt, er sehe sich nun veranlaßt, öffentlich zu erklären, daß er diesen Morgen die Beleidigung vor d[em] H[errn] Prorector zurückgenommen habe. Heine sey damit nicht zufrieden gewesen, sondern habe gesagt, Comparent habe auch versprochen, zu erklären, daß er *in Hitze* ihn beleidigt gehabt. Comparent habe erwiedert, dies habe er nicht versprochen u[nd] werde es auch nicht thun. Auf Vorhalt, Comparent habe beym H[errn] Prorector versprochen, den Ausdruck »in Hitze« zu dem Widerrufe hinzuzusetzen, erwiederte derselbe, er sey es seiner Ehre schuldig gewesen, diesen Zusatz nicht hinzuzusetzen, denn darin würde gelegen haben, er bereue die Beleidigung, u[nd] das sey nicht der Fall.

Seitdem habe er von Heine nichts weiter erfahren, u[nd] er sehe die Sache als beendigt an. Auf Vorhalt, Comparent habe die Sache ja deshalb nicht für beendigt ansehen können, weil Heine mit der Erklärung nicht zufrieden gewesen sey, erwiederte derselbe, deshalb werde Heine aber keine Satisfaction fodern können, denn der eigentliche Widerruf sey ja vor d[em] H[errn] Prorector geschehen u[nd] nur auf Heine's Bitte habe er ihn am Tische wiederholt.

Vorgel[esen] genehm[igt] u[nd] entl[assen].

Wiebel ward wieder hereingerufen, u[nd] gefragt, ob er eidlich erhärten könne, 1, er sey nicht auf Pistolen gefodert worden, worauf er erwiederte, er sey auf Pistolen gefodert worden. 2, ob er nicht Zeit und Ort des Duells bestimmt habe, worauf er erwiederte, er habe die Gegend Münden zum Duellorte bestimmt gehabt, u[nd] dies durch

Graf Ranzau Heine'n sagen lassen. 3, daß er den nicht kenne, durch den er gefodert worden, könne er eidlich erhärten.

Vorgel[esen] genehm[igt] u[nd] entl[assen].

Heine ward vorgelassen u[nd] gefragt: ob er eidlich erhärten könne, den nicht zu kennen, durch den er Wiebel fodern lassen, worauf er erwiederte, eidlich könne er dieß nicht erhärten, u[nd] er bitte, da er sonst in Allem die Wahrheit gesagt, daß ihm die Angabe dieses erlassen werde. Auf Zureden gestand er, Fallender heiße derselbe.

Vorgel[esen] genehm[igt] u[nd] entl[assen].

Heine ward wieder hereingerufen u[nd] gefragt, ob er zufrieden sey, wenn Wiebel hier vor der Deputation erkläre, er habe ihn in Hitze beleidigt, worauf er erwiederte: Ja, dann sey er zufrieden.

Entl[assen].

Wiebel hereingerufen und befragt, erwiederte, er erkläre hiermit, daß er in Hitze den beleidigenden Ausdruck bey Tische gebraucht habe.

Heine ward vorgelassen, Wiebel erklärte nun aber, daß er *öffentlich bey Tische* den Ausdruck gebraucht, habe er in Hitze gesagt, den Ausdruck selbst habe er aber nicht in Hitze gesagt, sondern absichtlich gewählt, weil Heine früher denselben Ausdruck gebraucht habe, u[nd] er könne daher nicht erklären, daß er in Hitze jenen Ausdruck gebraucht habe.

Heine ward entlassen. Wiebel blieb auf wiederholtes Zureden bei seinem Vorsatz, das könne er nicht erklären. Das versichere er aber auf Ehre, daß er durch jenen Ausdruck kein Pistolenduell veranlassen wollte, u[nd] er werde auch, weil er seine Schuldigkeit gethan, und widerrufen habe, keine Herausfoderung von Heine annehmen.

Entl[assen].

Beyde wurden wieder vorgelassen, u[nd] ihnen bey geschärfter Relegation alle Thätlichkeiten gegen einander untersagt, u[nd] ihnen eröffnet, daß die Sache weiter untersucht werden solle.

Entl[assen].

Riedel.

Fortgesetzt im Univ. Gericht den 6ten December
Gegenwärtig H[err] Prorector Hofrath Tychsen, H[err] Rath Willich, u[nd] H[err] Synd. Oesterley.
Praevia citatione erschien u[nd] wurde vernommen wie folgt:
Stud. Vallender.
Er heiße Johann Adam Vallender u[nd] sey aus Rheinpreußen. Er habe die Provocation auf Pistolen an Wiebel überbracht.

Vorgel[esen] genehm[igt] u[nd] entl[assen].

Riedel.

Fortgesetzt ibid. d[en] 7t[en] Dec[ember]
Gegenwärtig dieselben.
Nach vorgängiger Ladung erschien *der Graf Ranzau* u[nd] gab auf
Befragen zu vernehmen:
Er heiße Ernst Graf v. Ranzau u[nd] sey aus Holstein.
Bei der Beleidigung sey er nicht zugegen gewesen. Wiebel habe sie
ihm nur erzählt, u[nd] ihn zum Secundiren bei diesem Pistolenduell
gebeten. Wiebel habe sich nun aber zu jedem, ihm von dem Gerichte
zu bestimmenden Widerrufe bereit erklärt, u[nd] Heine im Gegentheil
habe erklärt, er sey nun auch mit dem bloßen Widerrufe ohne den
Zusatz: in Hitze, zufrieden.
Vorgel[esen] genehm[igt] u[nd] entl[assen].

Riedel.

Fortgesetzt d[en] 8t[en] Dec[ember]
Gegenwärtig dieselben.
Nach vorgängiger Ladung erschienen
die Studiosi Heine und Wiebel.
Letzterer erklärte, er habe die Beleidigung in Hitze ausgesprochen.
Ersterer war damit zufrieden, und Beyde erklärten sich für versöhnt.
Beyden wurde bey geschärfter Relegation das Duell mit einander
untersagt.
Vorgel[esen] genehm[igt] u[nd] entl[assen].

Riedel.

Am 23sten Jan. 1821 im U[niversitäts]G[ericht] ist dem stud. Heine
die ihm zuerkannte Strafe des cons[ilium] ab[eundi] auf ½ Jahr bekannt gemacht worden. Derselbe entschuldigte sich mit Kränklichkeit,
weshalb er jetzt nicht fort könne. Ihm ist aufgegeben, ein ärztliches
Zeugniß beyzubringen.   (308)

37. FRIEDRICH STEINMANN   Winter 1820/1821

Biographie Benedikt Waldecks   (*1849)

[. . .] H. Heines Einfluß auf uns Jüngere war schon aus diesem Grunde
von Belang, da er im Jahre 1797 geboren, also vier resp. Jahre älter war
als wir, und weil er sich zuerst in Frankfurt am Main und Hamburg
mehrere Jahre hindurch dem Kaufmannsstande gewidmet hatte, nur
um ein halbes Jahr früher zur Universität gegangen war.

»*Der verruchte Abentheurer* Heine, den ich als Dichter lobe« – wie Gentz einst schrieb – fand wie an uns früher in Bonn auch an Waldeck in Göttingen gar bald einen Jünger, der, wenn auch nicht bequem auf des Meisters Worte schwur, doch ihm um so inniger anhing, als er ihm mit gleichen Ansichten und gleicher politischer Gesinnung entgegen kam, und also bald sich der »in Heine versammelten Gemeinde« anschloß, welche die »Lehre von einer allgemeinen jede Nationalität vernichtenden Menschheit« zum Cultus erhob. (245)

38. Heinrich Bender

Jan. 1821

nach Mitteilung von v. Schreeb (* *1896*)

Nach mündlicher, mir persönlich gemachter, Mittheilung des erst 1894 in Jena verstorbenen Regierungsraths a. D. v. Schreeb (eines Schwiegersohns Scheidler's), welcher 1820 der Göttinger Burschenschaft zugleich mit Heine angehörte, wurde letzterer aus jener wegen Vergehens gegen die Keuschheit, begangen in der »Knallhütte« bei Bowenden, ausgestoßen, und, da er trotzdem, als ob nichts vorgefallen wäre, am folgenden Tage auf dem Burschenhause erschien, aus diesem mit Gewalt hinausgeworfen. (17)

1821–1823
Berlin

39. FRIEDRICH WILHELM GUBITZ   Ende April/Anf. Mai 1821

Memoiren   (*1868)

An einem Tage des zweiten Vierteljahrs 1821 stand ein junger Mann vor mir, fragend: ob ich Gedichte von ihm aufnehmen wolle, und ich empfing schön geschrieben: »Poetische Ausstellungen«.

Da ich ehemals die mir oft und wahrscheinlich gebührend als Vernachlässigung angerechnete Gewohnheit hatte, Fremde, die ihren Namen im Gespräch nicht voranschickten, danach unbefragt zu lassen, sah ich nach der Unterschrift und las: »H. Heine«.

Auf meinen Wink hatte er sich gesetzt, und da er das Wenden seiner Handschrift bemerkte, sagte er: »Ich bin Ihnen völlig unbekannt, will aber durch Sie bekannt werden.« Ich lachte, erwiederte: »Wenn's geht, recht gern!« und las dann lautlos etliche Verse. Heine selbst brachte mir mehrmals diese erste wortkarge Zusammenkunft in Erinnerung, und wie ich endlich nur noch geäußert hätte: »Kommen Sie gefälligst nächsten Sonntag wieder!« – Begreiflich konnte ich nur wenige Verse gelesen haben, es waren folgende, das Gedicht: »Der Kirchhof« beginnend:

>»Ich kam an meiner Herrin Haus
>Und wandelt' im Wahnsinn und Mitternachtgraus,
>Und als ich am Kirchhof vorübergeh'n will,
>Da winken die Gräber ernst und still.
>Da winkt's von des Spielmann's Leichenstein:
>Das war der flimmernde Mondesschein.
>Es lispelt: »Lieb' Bruder, ich komme gleich!«
>Da steigt's aus dem Grabe nebelbleich.«

In dem Dichter denke man sich eine von schlottriger Kleidung umhüllte, krankhaft schlanke Gestalt mit blassem abgemagerten Antlitz, dem Spuren zu frühzeitiger Genüsse nicht mangelten, und man wird es natürlich finden, daß jene Verse und der Eindruck des Persönlichen dem mir Fremden etwas Unheimliches anwehten. Unverkennbar ward mir aber, nachdem ich weiter las, sein Dichtervermögen, und als Heine wiederkam, erklärte ich mich bedingungsweise zur Aufnahme des Beitrags bereit. In seinen ersten handschriftlichen Gedichten hatte er eine solche Menge von Häkchen an den selbst- und mitlautenden Buchstaben der Worte, und gebrauchte falsche Reime so allbequem, daß ich meinte: er könne die mir gegebenen fünf Gedichte in dieser Beziehung wohl nochmals prüfen. Er entgegnete: das sey Alles dem Volkston gemäß, was ich nicht bestritt, aber noch bemerkte: daß ich nur hinweise auf übertriebene Anwendung solcher Herkömmlichkeiten, wenn sie dem Geläufigen eher hinderlich statt fördernd wären. Außerdem verhehlte ich ihm nicht: er sey in dem Gedicht: »Die Brautnacht« so zügellos mit der Sitte umgegangen, daß manche Censur-Lücke unvermeidlich, ich auch den Abdruck verweigern würde, wenn er nicht ein paar Stellen reinigen wolle. Zu nochmaligem Prüfen war er bereit, ich bin überzeugt, nicht mit dem freiesten Entschluß, doch änderte er sehr gewandt. Die ersten fünf Gedichte (I. Der Kirchhof. II. Die Minnesänger. III. Gespräch auf der Paderborner Haide. IV. Zwei Sonette an einen Freund.) erschienen im Mai 1821. »Die Brautnacht« folgte erst einen Monat später, weil ich das Veröffentlichen wiederholt verweigern mußte, ehe Heine meine Ansicht befriedigte. Dergleichen hat sich später nur noch ein paar Mal zwischen uns ereignet, und ich erzählte dies voraus, weil es den, von Heine erfundenen, auch in einem der nachfolgend mitzutheilenden Briefe gebrauchten Ausdruck »*Gubitzen*« erklärt. Mir blieb indeß die Genugthuung, daß er auch in seinen Schriften die Gedichte, bei denen er dem »Gubitzen« nachgab, völlig so abdrucken ließ, wie der »Gesellschafter« sie in die Lesewelt eingeführt hatte. [...]

Das Zweite, was Heine mir brachte, war der »Sonettenkranz an A. W. v. Schlegel«. (87)

40. Friedrich Wilhelm Gubitz   Herbst 1821/Frühjahr 1822

Memoiren   (*1868)

Im Herbst 1821 ließ er mich bitten, ihn zu besuchen: er sey krank; als ich zu ihm kam, lag er auf dem Sopha und sah sehr angegriffen aus.

Er machte mich zum Vertrauten seiner Zustände und Verhältnisse, so weit sie Einnahme und Ausgabe betrafen, wobei sich jene als nirgends zureichend, und in Folge dessen eine Schuldenlast erwies. Da er auch – mir gegenüber zum Erstenmal – den Millionair Salomon Heine in Hamburg seinen Oheim nannte, fragte ich: weshalb er sich in Geldverlegenheit nicht dorthin wende? Ich erfuhr nun, der Oheim habe schon mehrmals aus seiner Kasse Bedeutendes gethan, wolle aber jetzt den Neffen sich selber und seinem Schicksal überlassen. – Ich wußte, daß der Berliner Banquier Leonhard Lipke mit Salomon Heine in lebhafter Geschäfts-Verbindung war, ging zu Jenem, unterrichtete ihn davon, daß ein talentreicher Neffe des geldreichen Oheims in andringendster Bedürftigkeit sey, dieser also, was auch dazwischen läge, gewiß etwas thun würde für den Verwandten. Der von mir zur Vermittelung Angesprochene hegte darüber keinen Zweifel, half auch mit einem Vorschuß, versichernd: »Salomon Heine kommt mir unzweifelhaft dafür auf!« Zugleich sagte er mir: sein Hamburger Geschäftsfreund habe nächstens in Berlin zu thun, er wolle mir anzeigen, wann er bei ihm anzutreffen wäre und ich mitförderlich werden könne; dies fügte sich aber erst im Frühling 1822. – Salomon Heine hörte meinen Bericht ruhig an, verhehlte jedoch nicht die Unzufriedenheit mit dem Neffen, und seine Gründe waren zureichend genug: schon oft waren gewichtige Unterstützungen nöthig gewesen, ohne den erhofften Beweis zu gewinnen, er werde sich einer ernsten Richtung auf der Lebensbahn zuwenden. So erklärte sich der ehrenwerthe Handelsherr in schlichter Art ohne Aufwallung und Wortgepränge, mit Bekräftigung durch Thatsachen, wonach der Erfahrungsvolle meinte: es bliebe wohl nur übrig, dem Sprüchwort zu folgen: wer nicht hören will muß fühlen. Ich entgegnete, was sich beihülflich entgegnen ließ: eine dichterische Natur sey oft zu wenig vertraut mit den Bedingungen der Wirklichkeit, bis diese sich doch ihr Recht verschaffe, und schloß mit der Ansicht: ein solcher Oheim dürfe einen solchen Neffen, bei dem der gewöhnliche Maaßstab sich verlängern müsse, nicht verlassen. – »Hab's auch nie gewollt; aber zu lernen hat er doch, daß man nützen soll das Geld, Jeder nach seinem Beruf!« so äußerte sich endlich der Angeregte, und zu Lipke gewendet fügte er hinzu: »Der Herr behauptet, es könne da verfallen ein großes Genie, ich will's glauben. Zahlen Sie meinem Neffen jetzt zweihundert Thaler gleich, dann jährlich fünfhundert Thaler auf drei Jahre, und Weiteres mögen wir erleben.« – Das war meine einzige Zusammenkunft mit Salomon Heine, und ich gedenke seines Behabens noch immer gern, da zumal unser Gespräch der Anlaß wurde zur dauernden Versöhnung des in seiner Weise gediegenen Oheims mit dem fast in jeder Weise flatterigen Neffen.

Der kranke Heinrich Heine hatte mir auch ein Heft gezeigt, Gedichte enthaltend, »die ich selber scharf gefeilt habe, *Sie wissen ja!*« warf er etwas anzüglich betont hin; »ein Bändchen würden sie füllen, ich finde aber keinen Verleger.« Ich vermittelte ihm die Maurer'sche Buchhandlung, und Ende 1821 (mit der Jahreszahl 1822) wurden »Gedichte von H. Heine« ausgegeben. (87)

41. Joseph Lehmann   Ende 1821

Einleitung zu den an ihn gerichteten Briefen Heines
(*11. 1. 1868)

Es war im Winter des Jahres 1821, in einer Vorlesung Hegel's über Aesthetik, als H. Heine mir von einem Studirenden aus Mecklenburg vorgestellt wurde. Er hatte eben in der Maurer'schen Buchhandlung einen Band Gedichte drucken lassen, die mir der Mecklenburger zugleich als Empfehlung seines früheren Bonner Commilitonen präsentirte und die in der That, obwohl es die Erstlings-Gedichte eines Studenten waren, so viel Bedeutendes enthielten, daß sie uns jungen Leuten gewaltig imponirten. Ich interessirte mich für den Dichter, der sich auch seinerseits an mich enger anschloß, führte ihn in die mir nahestehende Familie des Banquiers Veit ein, und hier wurde er auch mit seinem nachmaligen vertrauten Freunde Moser, mit Professor Gans und mit dem früh verstorbenen, unglücklichen Dichter Dan. Leßmann näher bekannt. (146)

42. Friedrich Wilhelm Gubitz   Anf. 1822

Memoiren   (*1868)

Von der Aufnahme seines ersten Lieder-Bändchens, obwohl günstig, war Heine nicht befriedigt: er verlangte rasch zündende Wirkung. [. . .] Ich hörte von Heine allerlei Ausfälle, die gesteigerte Mißstimmung verriethen hinsichtlich schriftstellerischer Erfolge, wohl auch von Einfluß waren auf mehrere seiner späteren Erzeugnisse. »Zur Anerkennung des neuen Genies und Talents muß man das abgestumpfte deutsche Gemüth foltern«, äußerte er, und nachdem ich einst über eines seiner Lieder, das nach Siegwart'schem Anfange mit des Weiberhasses stachlichter Keule dreinschlug, zweideutig lachen mußte, lachte er zwar ebenfalls, bemerkte jedoch: »Bei den Deutschen wird man leichter vergessen als berühmt, jetzt zumal; sie haben in der Gefühlswonne so geschwelgt, daß zu ihrer Aufregung derbe Mittel unerläßlich sind, ganz so, wie Kirmesluft ihnen erst vollständig ist, wenn man sich zum Kehraus noch mit Schemelbeinen tractirte.« (87)

43. FRIEDERIKE V. HOHENHAUSEN   1821–1823

nach Mitteilungen ihrer Mutter Elise v. Hohenhausen
(*19. 3. 1853)

Er war klein und schmächtig von Gestalt, blond und blaß, ohne irgend einen hervorstechenden Zug im Gesicht zu haben, doch von eigenthümlichem Gepräge, so daß man gleich aufmerksam auf ihn wurde und ihn nicht leicht wieder vergaß. Sein Wesen war damals noch weich, der Stachel des Sarkasmus noch nicht ausgebildet, der später die Rose seiner Poesie umdornte. Er war selbst mehr empfindlich gegen Spott, als aufgelegt, ihn auszuüben. Die guten Empfindungen, die er später oft verlachte, fanden ein wohlklingendes Echo in seiner Seele.
(111)

44. FRIEDERIKE V. HOHENHAUSEN   1821–1823

nach Mitteilungen ihrer Mutter Elise von Hohenhausen
(*19. 3. 1853)

In dem Hause der Dichterin Elise von Hohenhausen war damals der Sammelplatz derselben *[der gemeinsamen Bekannten der Hohenhausens und Heines]* gewesen; jeder Dienstag führte dort die genügsamen Berliner bei einer Tasse Thee zusammen. Viele literarische Notabilitäten waren darunter: Varnhagen, mit den feinen, aristokratischen Mienen; Chamisso, dem das lange, graue Lockenhaar phantastisch um das magere, aber edle Gesicht wallte; Eduard Gans, dessen auffallend schöner Kopf mit dem frischen Kolorit, den stolz gewölbten Brauen über den dunklen Augen, an einen geistigen Antinous erinnerte; Bendavid, der liebenswürdige Philosoph und Schüler von Moses Mendelssohn, übersprudelnd von Witz und köstlich erzählten Anekdoten. Dann damals noch junger Nachwuchs, jetzt lauter Männer in grauen Haaren und hohen Würden: der Maler Wilhelm Hensel, jetzt

Professor; Leopold von Ledebur, damals ein studirender Lieutenant, jetzt ein bekannter Historiograph und Direktor der Kunstkammer im Berliner Museum; der Dichter Apollonius v. Maltitz, jetzt russischer Gesandter in Weimar; Graf Georg Blankensee, der ritterliche Sänger und Epigone Byron's, jetzt Mitglied der ersten Kammer, u. s. w. Unter den Frauen nahm Rahel natürlich den ersten Platz ein; neben ihr blühte damals ihre wunderschöne Schwägerin, Friederike Robert, Heine's angebetete Muse; seine herrlichsten, zartesten Liebesgedichte waren ihr zu Füßen gelegt, z. B.: »Fern an den Ufern des Ganges«, »Du hast Diamanten und Perlen« u.s.w. Amalie v. Helwig, geb. v. Imhoff, die Uebersetzerin der Frithiofs-Sage; Helmina v. Chezy, die fahrende Meistersängerin jener Zeit, gehörten nebst noch vielen geistreichen Frauen aus der höheren Berliner Gesellschaft, z. B. Frau v. Bardeleben, die Freundin Raumer's, Frau v. Waldow, jetzt die Schwiegermutter A. v. Sternberg's, zu diesem Kreise. Heine las dort sein eben erschienenes »lyrisches Intermezzo«, seinen »Radcliff« und »Almansor« vor. Er mußte sich manche Ausstellung, manchen Tadel gefallen lassen, namentlich erfuhr er häufig einige Persifflage über seine poetische Sentimentalität, die wenige Jahre später ihm so warme Sympathie in den Herzen der Jugend erweckt hat. Ein Gedicht mit dem Schluß: »Und lautaufweinend stürz' ich mich zu ihren süßen Füßen« fand eine so lachende Opposition, daß er es nicht zum Druck gelangen ließ. Die Meinungen über sein Talent waren noch sehr getheilt, die Wenigsten hatten eine Ahnung von seinem dereinstigen unbestrittenen Dichterruhm. Elise von Hohenhausen, welche damals mit ihren Uebersetzungen des gefeierten Briten, Lord Byron, beschäftigt war, proklamirte ihn zuerst als dessen Nachfolger in Deutschland, fand aber viel Widerspruch; bei Heine jedoch sicherte ihr diese Anerkennung eine unvergängliche Dankbarkeit. (III)

45. WILHELM V. CHEZY   1821–1823

Memoiren   (*1863)

Zu Berlin bewegte sich Elise [von Hohenhausen] in einem Kreise, welcher die Bewunderung für die schöne Frau bereitwillig genug auf die Erzeugnisse ihrer Muse übertrug, was auch dann geschehen sein würde, wenn diese minderen Werth besessen hätten, als sie wirklich besaßen. Heinrich Heine kam in's Haus, als Dichter der Welt noch unbekannt, aber von einer Anzahl bedeutender Männer schon für eine große Zukunft vorgemerkt. Auch Helmina [von Chezy, *die Mutter W. v. Chezys*] stimmte diesem Urtheil bei, nicht etwa um der Gedichte halber, die Heine bereits geschrieben, sondern weil seine braunen Augen so schwärmerisch in feuchtem Glanze schwammen.   (37)

46. EDUARD V. FICHTE   1821–1823

nach Mitteilungen von Immanuel Hermann v. Fichte
(*Dez. 1858)

Heine [. . .] war in unserm Kreise einer der Jüngsten, jedoch ohne jugendliche Heiterkeit und Frische. Ein körperlich frühverwelkter, geistig blasirter Jüngling, galt von ihm, daß er weniger durch eigenen Witz, als vielmehr Anderen zur Zielscheibe des ihrigen dienend zur Erheiterung beitrug; namentlich verfolgte ihn Eduard Gans mit schneidendem Hohn und erlaubte sich mit Heine's Eitelkeit und Lüsternheit manchen kühnen Scherz. Sein Benehmen in Gesellschaft war meist stumm zurückgezogen und ironisch beobachtend, um sodann plötzlich durch dazwischengeworfene beißende Witzworte und Bemerkungen die allgemeine Aufmerksamkeit auf sich zu lenken und wo möglich eine gewisse Aufregung in der Gesellschaft zu verursachen; die Versuchung hierzu übte einen unwiderstehlichen Kitzel auf ihn aus und er erlag ihr ohne Scheu und Rücksicht. Seine hohe dichterische Begabung wurde schon damals (1821–1822) in unserm Kreise anerkannt, obgleich es nicht an Stimmen fehlte, welche über den Werth der Früchte seines Genius bei einem gewissen Mangel an sittlicher Haltung und Würde Bedenken äußerten.   (62)

47. FRIEDRICH WILHELM GUBITZ   April/Mai 1822

Memoiren   *(*1868)*

Der Friede zwischen Neffen und Oheim hatte sich durch dessen Güte angebahnt, und Heine beabsichtigte Reiseausflüge nach verschiedener Richtung, auch nach Hamburg, was sich etwas verzögerte durch eine Herausforderung. Er kam eines Tages zu mir, mich um Rath ersuchend, nachdem er berichtete: Baron v. Schilling habe sich beleidigt gefunden über eine öffentliche Aeußerung, und nun sollten die Waffen zur Ausgleichung dienen. Der Zweikampf, ernstlich gemeint, schließt allen guten Rath aus; mit ihm ist dabei nichts zu thun, um so gewisser, als sich Umstände einweben können, bei denen die kräftigste Vernunft der brettstirnigsten Unvernunft sich fügen muß, bis der Zweikampf statt sogenannter Ehrensache unbedingt durchweg zur straffälligen Schandthat wird, was er ist vermöge seines sinnlosen Rechts- und Sittenhohns. – Meinerseits verweigerte ich die Einmischung, nannte aber Einen, der zu solchem Zwischengeschäft tauge; nun entstand ein Uebereinkommen, und Heine bat dringend um raschen Abdruck folgender Erklärung:

»Mit Bedauern habe ich erfahren, daß zwei Aufsätze von mir, überschrieben »Briefe aus Berlin« (Nr. 6, 7, 16 des zum »Rheinisch-Westphälischen Anzeiger« gehörigen »Kunst- und Wissenschaftsblattes«) auf eine Art ausgelegt werden, die dem Herrn von Schilling verletzend seyn muß. Da es nie meine Absicht war, ihn zu kränken, so erkläre ich hiermit, daß es mir herzlich leid ist, wenn ich zufälliger Weise dazu Anlaß gegeben hätte, daß ich alles dahin Gehörige zurücknehme, und daß es bloß der Zufall war, wodurch jetzt einige Worte auf den Herrn Baron von Schilling bezogen werden konnten, die ihn nie hätten treffen können, wenn eine Stelle in jenen Briefen gedruckt worden wäre, die aus Delicatesse unterdrückt werden mußte. Dieses kann der geehrte Redakteur jener Zeitschrift bezeugen, und ich fühle mich verpflichtet, durch dieses freimüthige Bekenntnis der Wahrheit allen Stoff zu Mißverständniß und öffentlichem Federkriege fort zu räumen.

Berlin, den 3. Mai 1822.   H. Heine.«

Zugleich brachte er mir das angefügt zu lesende, ihm geweihte Sonett, wünschend, daß es mit jener Beschwichtigung in demselben Blatte erscheinen möge:

»*Das Traumbild.*
An H. Heine.

Von Morpheus Armen war ich sanft umfangen,
Als Phantasie, in eines Traumes Hülle,
Ein Bild mir wies in selt'ner Schönheitsfülle:
Bezaubert blieb die Seele daran hangen.

Und als ich mit inbrünstigem Verlangen
Es ganz genießen wollt' in süßer Stille,
Da weckte mich des Schicksals eh'rner Wille,
Und ach! der Zauber war im Nu vergangen.

Vergebens sucht' ich nun im bunten Leben,
Was Phantasie genommen, wie gegeben.
Da, junger Sänger, fand ich Deine Lieder.

Und jenes Traumbild, das so froh mich machte.
Erkannt' ich bald in Deinen Skizzen wieder,
Viel schöner noch, als ich mir selbst es dachte.

H. Anselmi.«

Nur nach Widerstreben wurde ich von seinen ängstlich dringenden
Bitten überwältigt, ordnete Beides ein in das, den verschiedenen An-
sichten zum Tummelplatz angewiesene Beiblatt (1822. »Bemerker«
Nr. 9) und erwähnt ist dies Wenden und Beabsichtigen, um das Wesen
Heine's durch ihn selber deutlicher erkennbar werden zu lassen.   (87)

48. HERMANN SCHIFF   1822/1823

Mitteilung an Adolf Strodtmann, ca. 1865/1866   (*1867)

Heine's Figur war keine imposante. Er war bleich und schwächlich,
und sein Blick war matt. Wie ein Kurzsichtiger kniff er gern die Augenlider ein. Alsdann erzeugten sich vermöge der hochstehenden Wangen-
knochen jene kleinen Fältchen, welche eine polnisch-jüdische Abkunft
verrathen konnten. Im Uebrigen sah man ihm den Juden nicht an. Sein
glattgestrichenes Haar war von bescheidener Farbe, und seine weißen,
zierlichen Hände liebte er zu zeigen. Sein Wesen und Benehmen war
ein still vornehmes, gleichsam ein persönliches Inkognito, in welchem
er seine Geltung bei Andern verhüllte. Selten war er lebhaft. In Damen-
gesellschaften habe ich ihn nie einer Frau oder einem jungen Mädchen
Artigkeiten sagen hören. Er sprach mit leiser Stimme, eintönig und
langsam, wie um auf jede Silbe Werth zu legen. Wenn er hie und da
ein witziges oder geistreiches Wort hinwarf, so bildete sich um seine
Lippen ein viereckiges Lächeln, das sich nicht beschreiben läßt.   (249)

49. HERMANN SCHIFF   1822

Heine-Erinnerungen   (*1866)

Gleich am ersten Tage unserer erneuerten Bekanntschaft wurden wir
befreundet und vertraut und Heine lud mich ein das steife »Sie« zu
lassen und uns »Du« zu nennen, wie es Vettern zieme. – Schmollirt
haben wir nicht, denn ich war crasser Fuchs und Heine durchaus nicht
burschikos.

Wenn Heine zu mir kam pflegte er sich auf das Sopha zu legen und
über Kopfschmerzen zu klagen. Es war einmal seine Art so.

An einem Abend, den ich nie vergessen werde, sagte er – »Fuchs! Du schreibst! Meinst Du, daß ich Dir das nicht längst angesehen habe? Sei nicht verschämt, lies mir eins von Deinen Jungfernkindern vor.« Ich that es. Heine hörte aufmerksam zu, verbesserte manchen Ausdruck, manche Wendung, sagte auch hie und da Bravo, ächter Naturmystizismus! Zuletzt rief er mit einer Lebhaftigkeit, zu der er sich nur selten hinreißen ließ. »Gut! sehr gut! das Beste was in neuester Zeit geschrieben wurde, mit Ausnahme von dem, was ich geschrieben habe!« (225)

50. HERMANN SCHIFF 1822

Heine-Erinnerungen (*1866)

Als wir uns 1822 in Berlin trafen, erinnerte ich ihn an die Geseires Hengelpöttche im Vergleich zu der Hep-Hep-Geschichte. »Auch dergleichen kann nicht wieder vorfallen«, meinte er, »denn die Presse ist eine Waffe, und es giebt zwei Juden, welche deutschen Styl haben. Der eine bin ich, der andere Börne.« Heine also hatte damals schon eine Vorahnung oder vielmehr das Selbstgefühl seiner dereinstigen Bedeutung. Dennoch gab es 1835 wieder eine Judenverfolgung in Hamburg, »den Alsterhallen-Scandal« welcher jedoch nur in dem halben Styl wie die Hep-Hep-Geschichte ausfiel und bedeutend gelinder war. (225)

51. CARL WILHELM WESERMANN 1822

Heine-Erinnerungen (*16. 2. 1882)

Als ich Heine Anfangs 1822 zuerst in Berlin traf, machte seine äußere Erscheinung im Alter von 25 bis 26 Jahre einen angenehmen Eindruck; er war zwar nur 5 Fuß 3 Zoll groß (etwas unter Mittelgröße), dabei aber schlank und sehr proportionirt gewachsen; seine Gesichtszüge waren regelmäßig, und zeugten fast gar nicht von seiner israelitischen Abkunft; er hatte etwas bleichen Teint, keinen Bart, und war ganz nach der Mode gekleidet, nämlich mit schwarzem Frack, schwarzen Pantalons, spitzen Stiefeln, schwarzer Weste, hoher weißer Kravatte, welche das Kinn etwas bedeckte und hohem Filzhut mit breiten Krämpen (Bolevar genannt). Er speiste mit seinem Freunde dem Dichter von Maltiz im Caffe national unter den Linden, und lebte überhaupt auf noblem Fuße. – Was mich betrifft, so wohnte ich mit Freund Werner und meinem Bruder – beide Offizier aus dem Feldzuge her – zusammen auf der großen Jägerstraße – belle Etage. Wir studirten alle drei als Baubeflissene auf der Bauakademie und auf der Universität, sowie Heine ebenfalls auf der Universität studierte.

Werner und mein Bruder waren mit Heine aus der frühesten Jugend her bekannt, weshalb er aus alter Anhänglichkeit uns jede Woche 2 bis 3mal besuchte. Außerdem besuchten uns dann häufig folgende ältere Freunde, welche mit uns und Heine gewissermaßen einen Klub, oder eine muntere Kameradschaft bildeten. Es waren diese: die Lieutenants von Hauvillou, Medenwald und von der Gablentz, dann die Studiosen Ritz, Varenkamp, von Kretschmann und Peltzer. Wir hatten auch Zutritt in einigen Privathäusern, unter andern zu den Soireen des Herrn Geheimen Oberbauraths Crelle und des Herrn Sethe, Präsident des Revisions- und Kassationshofes (Rheinländer). Bei Letzterem trafen wir auch jedesmal Heine, welcher mit den beiden Söhnen des Herrn Präsidenten Namens Christian und Julius intim befreundet war. Beim Entree in solchen Häusern mußte man gleich dem Herrn des Hauses und dann der Dame des Hauses das Kompliment machen, und der Dame dabei die Hand küssen – wo möglich mit halbem Kniefall, welches uns Rheinländern, als hier wenig üblich, etwas ungewohnt war.

Wir kamen wie schon erwähnt, mit unsern genannten Freunden ein paar mal wöchentlich zusammen, musizirten, kommerzirten, und theilten uns dann unsere kleine[n] Erlebnisse der Zwischenzeit gegenseitig mit. Von diesen gelegentlichen kleinen Abendtheuern will ich nur Eins – wobei ich die Hauptrolle spielte – hier mittheilen:

Ich machte einstens, ich weiß nicht mehr bei welcher Gelegenheit – zufällig, flüchtig wie so oft in großen Städten, die Bekanntschaft einer jungen Dame. Sie war schön, und machte darum Eindruck auf mich, und da mir meine Eitelkeit sagte, daß ich nicht häßlich sei, so glaubte ich auch wahrzunehmen, daß ich einigen Eindruck auf sie gemacht. Ich erkühnte mich daher ihr zu gestehen, daß ich sehnlichst wünsche, sie mal bald wieder zu sehen. Sie bewilligte mir nun huldreichst ein Rendez-vous zunächst dem kleinen Schlosse Monbijou Dienstag Abend nach 9 Uhr.

Als ich nun zu Hause mitgetheilt, welch ein Schäferstündchen mir bevorstehe, und an dem ersehnten Abend gegen 9 Uhr unsere Kneipe verließ, rief mir mein Bruder nach: »Glück auf mein lieber Troubadour!«

An Ort und Stelle angekommen, lauschte ich hier, und lauschte da, aber nirgendwo etwas Entsprechendes, nur Eins fiel mir unwillkürlich auf, daß im Laufe der Zeit auf der dunklen stillen Straße zwei Personen ein paar Mal Arm in Arm schweigend an mir vorüber kamen, von welchen einer stark hinkte. Ich wartete und wartete und als meine Schöne noch immer nicht erscheinen wollte, erlösten mich endlich die zehn Glockenschläge vom nahen Kirchthurm aus meiner entsetzlich langweiligen Situation. Indem ich nun den Heimweg antrat, verwünschte ich das ganze Berliner schöne Geschlecht bis in den grauenvollen Tartarus. Dann tröstete ich mich wieder, und dachte: das arme Mädchen hat seither vielleicht genug nach dir geschmachtet, aber ein unvorhergesehenes böses Geschick wie es die Liebenden häufig verfolgt – hat sie daran verhindert zu erscheinen. So war ich denn auf unserer Kneipe (Studentenausdruck) wieder angekommen. Ich fand außer Werner und meinem Bruder noch ein Paar Freunde anwesend. Nun Freundchen, wie hats gegangen? fragte mein Bruder. Hm! sagte ich, wie solls gegangen haben, sie kam nicht gleich, war aber dann sehr eilig und bestellte mich auf künftige Woche Donnerstag; ich weiß aber nicht, ob ich hingehe. Mein lieber Troubadour, mach mir keine Wippchens vor, ich sage Dir aber, daß sie gar nicht gekommen ist. Hast Du nicht gesehen, daß zwei Personen Arm in Arm ein paar Mal an Dir vorüberkamen, von denen Einer stark hinkte. Ja, erwiderte ich, ich glaube etwas Derartiges bemerkt zu haben. Nun das war Werner und ich; wir haben Dich bis zum letzten Augenblick belauscht, als Du um zehn Uhr wie die Katze am Taubenschlag nach Hause schlichst. Nun erfolgte allgemeine ungeheure Heiterkeit, selbstredend auf meine Rechnung. Der mit anwesende Heine deklamirte (mit ironischer Pantomime):

> Komm her, Du treuer Stahl,
> Geschärft sei Spitz und Schneide!
> Ich setz' Dich an die Brust,
> Und steck' Dich in die Scheide!

Was nun ferner Heine betrifft, so war derselbe etwas hypochondrisch und klagte dann wohl öfter bei seinen Besuchen. Wenn ich dann wohl fragte Heine wie gehts? so hieß es meistens, indem er seine flache Hand unter seine hohe Kravatte legte: Ach es geht mir schlecht, es fehlt mir hier, es fehlt mir da, es fehlt mir überall. Nachdem wir dieses so ein paar Dutzend mal angehört hatten, glaubten wir seine Klagen müßten wenigstens zum Theil auf Einbildung beruhen, und wir dachten wenigstens in dieser Beziehung eine Radikalkur mit ihm vorzunehmen. – Sobald nun Heine das nächste Mal wieder mit seiner gewöhnlichen Klage bei uns erschien sagte mein Bruder: Komm Werner, wir wollen den Heine mal gesund machen, worauf mein Bruder den Heine unter den einen Arm und Werner ihn unter den andern Arm faßte, und so mit ihm eine Weile im Zimmer herumtanzten, ihn dann fragten ob es nun besser gehe? Heine rief dann liebe Kerls laßt mich nur los, es geht schon besser. – Diese Methode wurde gelegentlich noch ein paar Mal angewandt, wonach dann Heine bei seinen Besuchen nicht mehr so viel klagte.

Außer diesem war Heine als Schriftsteller etwas eitel; auch hiervon ein kleines Ereigniß. Mein Bruder stand zuweilen mit Doktor Schultz – Redakteur des Westphälischen Anzeigers – in Korrespondenz, und da hieß es eines Tages in einem Briefe von Dr. Schultz an meinen Bruder: »Sagen Sie ihrem Freund Heine, bei Dunker und Humblot (Große Buchhandlung in Berlin) läge für ihn ein –.« Nun folgte ein Wort welches sehr unleserlich war und wir endlich nach längerem Entziffern glaubten, es müßte ein Pokal heißen. Bald darauf kam Heine, wir riefen ihm freudig entgegen: »Heine! Bei Dunker und Humblot liegt ein Pokal für Dich.« »Ein Pokal?« fragte Heine verwundert, indem sich sein Gesicht erheiterte. »Ja! Siehe mal selbst hier in Dr. Schultz Briefe, das Wort ist etwas undeutlich, wir können aber nichts anderes daraus machen, als Pokal.« Nun ging das Besehen und Entziffern aufs Neue los, und so kam man dann endlich überein, daß das Wort nicht Pokal sondern Packet heißen müße. – Heines Gesicht wurde wieder ernst. (293)

52. ADOLF STRODTMANN   Sommer 1822

nach Mitteilungen von Hermann Schiff   (*1867)

Wider alle Absicht kam es im Sommer 1822 zu jenem Duelle, dessen er in seiner autobiographischen Skizze [...] gedenkt, und dessen nähere Umstände uns Schiff aus dem Munde eines Augenzeugen, des noch lebenden Arztes Dr. Philipp Schmidt in Hamburg, berichtet hat. Letzterer, welcher damals in Berlin studierte und mit seinem Vetter Schaller aus Danzig zusammen wohnte, war von Hamburg aus mit Heine bekannt, der ihn oftmals besuchte. Schaller, der erst kürzlich die Universität bezogen, wurde von Heine nach Studentenweise nicht anders, als »Fuchs«, tituliert. »Fuchs«, fragte ihn Heine eines Tages, »ist dein Vetter nicht zu Hause?« Das verdroß den langen Schaller, und er brummte ihm die herkömmliche studentische Beleidigung auf. Schmidt suchte bei seiner Nachhausekunft die Sache beizulegen, er machte seinem Vetter Vorwürfe, aber Dieser wollte sich zu keiner Abbitte verstehen. »Ich heiße Schaller und nicht Fuchs«, sagte er, »und Berlin ist nicht Göttingen. Uebrigens möchte ich gern einmal auf der Mensur stehen, damit ich mich dort benehmen lerne, und Heine wird mir nicht allzu gefährlich sein.« Demnach musste das Duell vor sich gehen. Rautenberg, nachmals Badearzt in Cuxhaven, war Kartellträger; Schmidt fungierte als Schaller's Sekundant. Als angetreten ward, zeigte sich sofort, daß beide Kombattanten ihre Schläger nicht zu handhaben wussten. Sie legten sich in Stichparade aus und wandten sich fast den Rükken zu, als sie auf einander losgingen. Nicht die Duellanten, wohl aber deren Sekundanten schwebten in Gefahr, und der ungeschickte Zweikampf endete damit, daß Heine sich mit der rechten Lende an der Schlägerspitze seines Gegners aufrannte. »Stich!« rief er, und sank zu Boden. Ein Stich beim Hiebfechten ist schimpflich, und wer eine solche kommentwidrige Verletzung vor dem Niederfallen mit einem Schrei rügt, hat sich ehrenvolle Genugthuung genommen. Glücklicherweise war die Wunde, trotz starker Blutung, von ungefährlicher Art, und ein achttägiges Auflegen kalter Umschläge genügte, sie zu heilen. (249)

53. Hermann Schiff   1822

Heine-Erinnerungen   (*1866)

Als wir 1822 in Berlin studirten, war ich, der jüngere Vetter, ein unbedeutendes Muttersöhnchen, stets bei Kasse, und er war schlecht situirt. Er hat mir das, als er erst im Glücke stand, überreich vergolten. Auf seinem Sterbebette noch, verpflichtete er seinen Bruder Gustav, für mich zu sorgen, welcher mich auch mehrere Jahre lang reichlich unterstützte.

Heine gehört zu den Wenigen, welche von Hause aus ihre Bestimmung fühlten, welche ihre Zeit verstanden, und von ihrer Zeit verstanden wurden. Wie oftmals ermahnte mich Heine, von meinem einsamen selbstbehaglichen Streben abzulassen, und ich würde mich jetzt anders, oder vielmehr weit besser stehen, hätte ich ihm folgen können. [. . .]

Heine wurde der ungezogene Liebling der Grazien und Musen genannt und ich spottweise der »letzte Romantiker«. Er war bestimmt für Andere und ich für mich selbst zu leben. Sagte ich ihm: »Es ist nun einmal meine Bestimmung«, so lachte er und sprach: das ist keine Bestimmung, das nenn' ich Schlemiehligkeit.   (225)

54. PROTOKOLL DER SITZUNGEN DES   4. Aug. 1822
»VEREINS FÜR CULTUR UND WISSENSCHAFT
DER JUDEN«, *Berlin, 4. Aug. 1822*

Der Präsident *[E. Gans]* schlägt zum Schluß der Sitzung Herrn H.
Hayne *[!]* aus Düsseldorf zum ordentl[ichen] Mitgliede vor. Auf An-
trag des Präsidenten wird nach desfalsigem Beschlusse hierauf zur
Stimmung übergegangen, wodurch Herr Hayne aufgenommen wird.

(310)

55. PROTOKOLL DER SITZUNGEN DES   7. Aug. 1822
»INSTITUTS FÜR DIE WISSENSCHAFT DES
JUDENTHUMS«, *Berlin, 7. Aug. 1822*

H. Heyne als ordentliches Mitglied vorgeschlagen.   (310)

56. PROTOKOLL DER SITZUNGEN DES   21. Aug. 1822
»INSTITUTS FÜR DIE WISSENSCHAFT DES
JUDENTHUMS«, *Berlin, 21. Aug. 1822*

Über Heyne ballottirt, derselbe ist aufgenommen.   (310)

57. LEOPOLD ZUNZ   Anf. Sept. 1822

*Journal der »Unterrichtsanstalt« des »Vereins für Cultur und
Wissenschaft der Juden«, Berlin, 20. Sept. 1822*

Fabian Mannes Bach aus Posen, 16 J[ahre] alt, meldet sich. [. . .] Er
ist von Peiser an H. Heine, u[nd] von diesem (d. d. Posen, 2. Sept.) an
Gans empfohlen, wegen seines Characters.   (310)

58. PROTOKOLL DER SITZUNGEN DES   29. Sept. 1822
»VEREINS FÜR CULTUR UND WISSENSCHAFT
DER JUDEN«, *Berlin, 29. Sept. 1822*

Der Präs[ident] *[E. Gans]* hält zum Schluß eine Anrede an das zum
ersten Male anwesende Mitglied H. Heine.   (310)

59. A. Rebenstein

Herbst 1822

Artikel über Immermann

(*22. 7. 1836)

Vor kurzer Zeit erst sprach ich mit einem jungen Manne, der, als Schulknabe, von H. Heine Geschichts-Unterricht genossen. Heine wohnte damals drei Treppen hoch in der Roßstraße und ließ, als junger Scribent im »Gesellschafter«, seine Gedichte und einige prosaische Aufsätze abdrucken, die erst viel später bedeutendes Aufsehen machten. Sein Schüler erzählte mir viel von dem kleinen blassen jungen Mann, dem er gar nichts Besonderes hätte ansehen können, der bei seinem Unterricht nicht einmal witzig war: wie er sich in den Nachmittagsstunden allein den Kaffee braute, während des Unterrichts immer im Fenster lag und dann und wann von lustigen jungen Freunden besucht ward, die phantasierend in die Stube eintraten, die lernende Jugend nicht selten zur Thüre hinaus expedirten, und mit Heine Reden führten, aus denen die Schüler schließen konnten, daß er eigentlich auch so eine Art von schreibendem Menschen, die man Dichter nennt, seyn müsse. (204)

60. Levin Braunhardt

Herbst 1822

Mitteilung an Gustav Karpeles

(*1899)

Als vierzehnjähriger Knabe [. . .] machte ich zuerst die Reise nach Berlin in sehr ärmlichem Anzug und mit drei Silbergroschen in der Tasche. Wie ich mich durchschlug, lasse ich unerwähnt. Kurz, nach einer mühevollen Fußreise von sechs Wochen erblickte ich endlich mit vier Pfennigen im Portemonnaie die Stadt meiner Sehnsucht. Dem Verschmachten nahe, kaufte ich mir für diese letzten vier Pfennige auf dem Alexanderplatz Stachelbeeren, die ich mit Heißhunger verzehrte. Gestärkt durch diesen Genuß, setzte ich nun meine Wanderung über die Königsbrücke fort und gelangte endlich in die Neue Friedrichsstraße, wo mich ein Herr ansprach, dem ich meine Not klagte und der mich nach seiner Wohnung brachte. Meine erste Sorge war nun, irgend welchen Schulunterricht zu empfangen, da ich bis dahin noch gar keine allgemeine Bildung hatte. Mein Gönner erzählte mir, daß sich in Berlin ein Verein gebildet, dessen Aufgabe es sei, Jünglinge meines Glaubens in allen Fächern der Wissenschaft zu unterrichten. Zu diesen wohlthätigen und gelehrten Männern, welche die Unterrichtsanstalt des Kulturvereins begründeten und leiteten, gehörten damals Leopold

Zunz, Eduard Gans, Moses Moser, Dr. J. Auerbach, Dr. Rubo, H. Normann, Ludwig Markus, Dr. Schönberg, Dr. Oesterreich und – Heinrich Heine.

Von den Schülern der Anstalt, welche mit mir an dem Unterricht teilnahmen, kann ich hauptsächlich nur noch einen nennen: den später weltberühmten Orientalisten Salomon Munk. Der Unterricht wurde gewöhnlich in den Wohnungen der erwähnten Herren in den Frühstunden von 7–10 Uhr und auch nachmittags erteilt. Zunz unterrichtete in deutscher Grammatik, Stil etc., Dr. Gans in Latein, griechischer und römischer Geschichte, Ludwig Markus gab einen sehr gründlichen Unterricht in Geographie und Naturwissenschaft, Dr. Schönberg übernahm den Unterricht in der französischen Sprache.

Ich komme jetzt zu der Hauptperson des erwähnten Unterrichtskreises, und zwar zu dem genialen Dichter Heinrich Heine, der zu jener Zeit in der Neuen Friedrichsstraße Nr. 47, im Hause des Stadtrats David Friedländer seine Wohnung hatte. Im Geschäft von M. Friedländer & Comp. war damals sein bester Freund Moses Moser, den er einen lebendigen Epilog zu Lessings »Nathan« genannt hatte, als Prokurist angestellt. Die Unterrichtsstunden, die uns Heine erteilte, bestanden in Französisch, Deutsch und deutscher Geschichte. Sein Vortrag war ein ganz vorzüglicher. Mit großer Begeisterung, ja mit einem unnachahmlichen poetischen Schwunge schilderte er die Siege Hermanns oder Arminius' des Deutschen und die Niederlage des römischen Heeres im Teutoburger Walde. Hermann oder Arminius war ihm das Muster eines großen Helden und Patrioten, der sein Leben, sein Alles wagte, um seinem Volke die Freiheit zu erkämpfen und das römische Joch abzuwälzen. Als Heine mit überlauter Stimme, wie einst Augustus, ausrief: »Varus! Varus! Gieb mir meine Legionen wieder!« frohlockte sein Herz, seine schönen Augen glänzten und sein ausdrucksvolles männliches Gesicht strahlte vor Freude und Wonne. Wir, seine Zuhörer, waren höchst überrascht, ja erschüttert; noch nie zuvor hatten wir ihn mit einer solchen Begeisterung sprechen gehört. Wir hätten ihm die Hände küssen mögen, und unsere Verehrung gegen ihn wuchs in einem hohen Grade und blieb für unser ganzes Leben unvergänglich. Daß er sich bei dieser Gelegenheit auch über das gegenwärtige Deutschland äußerte, war selbstverständlich. Ich erinnere mich ganz zuverlässig, daß er dabei die damalige Zerrissenheit unseres Vaterlandes aufs tiefste beklagt und wörtlich gesagt hat: »Wenn ich auf die Karte Deutschlands blicke und die Menge von Farbenklecksen schaue, so überfällt mich ein wahres Grauen. Man fragt sich vergebens, wer regiert eigentlich Deutschland?« Leider hat der Dichter die Einigung Deutschlands mit einem heldenmütigen und gerechten Kaiser an der Spitze, die er in einem seiner letzten Gedichte noch geweissagt, nicht mehr erlebt.

Nur selten äußerte er sich über Politik und Religion. Nur einmal sagte er während des Unterrichts etwa folgendes: »Die israelitische Religion hätte Weltreligion werden können, wenn sie keine Theokratie mit Priestern, Opfern, Zeremonial- und Ritualgesetzen gewesen wäre; das alles war eine Ueberbürdung für den denkenden Menschen und somit für das damals bestehende Heidentum unannehmbar. Eine Reform war nicht möglich und wäre gefährlich geworden, weil die priesterliche Gewalt alle diejenigen verfolgte, welche es wagten, an irgend eine Reform zu denken. Aus dem Grunde wurden Tausende genötigt, in den neuen Glauben einzutreten. Auf diese Art und Weise geht es heute noch fort; man übt Toleranz gegen alle Rassen, mögen sie Heiden oder nomadische Zigeuner sein; aber Toleranz und Anerkennung gegen Juden findet man nur bei den hochherzigsten und wahrhaft edel gesinnten Männern der sogenannten christlichen Welt. Kein Mensch kann in Wirklichkeit Atheist sein; seiner Natur nach muß er an ein höheres Wesen denken und nach dem höchsten Ideal der Moralität streben. Das ist seine Bestimmung, und nur das allein ist der Kern des Judentums, welches zuerst das heiligste aller Gebote: Du sollst deinen Nächsten als dich selbst lieben, lehrt.«

Mit Lust und Liebe lernten wir auch bei ihm Französisch. Nach einem dreimonatlichen Unterricht vermochte ich schon den Plutarch zu übersetzen. Ich bin als 93jähriger Greis noch heute stolz darauf, sagen zu dürfen, daß mich der große Dichter besonders begünstigte. Scherzweise nannte er mich seinen kleinen Famulus Wagner. Ich mußte ihm Bücher aus der königlichen Bibliothek holen und wechseln, ebenso andere kleine Dienste leisten. Dafür wurde ich von dem edlen Manne reichlich belohnt. Soviel ich mich noch zu erinnern vermag, stand Heine zu jener Zeit in der blühendsten Jugend. Seine Gestalt war mehr groß als gedrungen, sein schönes, noch jugendliches Gesicht strotzte von Gesundheit. Sein hübschgeformter Kopf war mit blonden Haaren bedeckt. Von seiner orientalischen Abstammung war in seinem Aeußeren nichts zu erkennen. Er war stets modern und elegant gekleidet. Mit einem Worte: "He was a real gentleman comme il faut", von der Fußsohle bis zum Scheitel.

Sehr oft sprach Heine von seiner Mutter, die er mit wahrer Zärtlichkeit liebte. »Meine Mutter«, sagte er, »stammt wahrscheinlich von

einer adeligen jüdischen Familie ab. Die öftere Vertreibung der Israeliten aus den europäischen Ländern hat meine Ahnen nach Holland
geführt, in welchem Lande das Wörtchen *von* in *van* verwandelt
wurde.«

So oft er über Duldung und Glaubensfreiheit sprach, gab er uns den
Rat, nach Amerika oder wenigstens nach England auszuwandern.»In
diesen Ländern falle es niemandem ein zu fragen: Was glaubst du,
oder was glaubst du nicht? Jeder kann da nach seiner Façon selig
werden«.

Oft erzählte er kleine heitere Geschichten aus seiner Schulzeit. Unter
anderm erzählte er, daß es ihm einmal fast so ergangen sei wie dem
Spiegelberg mit dem Hunde. Von seinem engeren Vaterlande, dem
Rheinlande, sprach er mit Begeisterung und schilderte es als ein Paradies auf Erden. (124)

61. FRIEDRICH V. UECHTRITZ   1822

an Friedrich Hebbel, Düsseldorf, 3. Mai 1853

Der Kreis junger Leute, in den ich bei meiner Ankunft in Berlin Ende
1821 eintrat und darin etwa 1½ Jahre lang verkehrte, wird *[in Karl
Zieglers »Grabbes Leben und Charakter«]* als ein Ausbund genialer
Liederlichkeit geschildert [...]. Man druckt Billete einzelner Glieder
an Grabbe ab, die, so für sich herausgerissen, sich allerdings schlimm
genug ausnehmen. Aber zuvörderst werden Sie sehr begreiflich finden,
daß sich alle mephitischen Dünste, die in dem Kreise vorhanden waren, vorzugsweise im Verhältnisse zu einer Natur wie Grabbe und in
einem Billetverkehr mit diesem entladen mußten.

Dann will ich auch keineswegs verabreden, daß es (neben respecta-
beln angehenden Philistern) auch sehr lockere Gesellen in dem Kreise
gab. Es war wohl – die Philister in spe eingerechnet – kein einziger
ganz tadellos Reiner unter uns; ich wenigstens darf mich dessen nicht
rühmen und bin weit entfernt das mir zur Last Fallende beschönigen
zu wollen.

Aber mit Bestimmtheit darf ich behaupten, daß in dem Kreise meiner damaligen Freunde (so oft *ich* daran Theil genommen) nichts vorgekommen ist, was eine so besondere Hervorhebung als geniale
Auschweifung verdient hätte. Allerdings ist in Äußerungen und Gesprächen nicht immer und von allen der rechte Anstands- und Schön-
heitssinn bewahrt worden; doch ist namentlich *niemals* – so oft *ich* die

Zusammenkünfte getheilt habe – ein Frauenzimmer dabei zugegen gewesen. Wir versammelten uns Abends bei dem einen oder andern um einige sich von aller Schwelgerei sehr fern haltende Portionen Berliner Chambregarniethee, und Köchy oder ich lasen irgend etwas Neuerschienenes von Tieck, Immermann u. s. w. oder auch das Werk eines älteren Dichters vor; auch wurde wohl Shakespeare mit verteilten Rollen gelesen. Im Sommer fanden gemeinschaftliche Spaziergänge und Versammlungen an irgend einem öffentlichen Orte unter nicht weniger bescheidenen und harmlosen Genüssen statt. Ich erinnere mich eines einzigen Nachtschmauses, der in einem Berliner Weinkeller gefeiert wurde und in ein Trinkgelag auslief. Von zu häufigen Schwelgereien hielt uns schon die (außer bei zweien oder dreien unter uns) sehr beschränkte Kasse ab. [. . .] Und jetzt lese ich in Nummer 11 der diesjährigen Grenzboten »Ostern 1822 ging er, Grabbe, nach Berlin, wo er in einen literarischen Kreis eintrat (Heine, Uechtritz, Ludwig Robert u. s. w.) in welchem die Genialität *durch ein verkehrtes Leben und eine verkehrte Lebensweise geflissentlich ausgedrückt wurde etc.*« Auch Heine, der damals fast beständig leidend war und gewöhnlich bei unsern Versammlungen über Kopfschmerzen klagend in einer Sofaecke saß, wird hier *als Theilnehmer an den dem Kreise vorgeworfenen Auschweifungen* ganz mit Unrecht genannt; was aber den armen Ludwig Robert betrifft, der kommt hier nun gar[. . .] wie jener zur Ohrfeige. [. . .] Die Wahrheit ist, daß es sich hier um einen ganz anderen Robert handelt, der weder den Vornamen Ludwig führte, noch jemals daran gedacht hat, als Schriftsteller aufzutreten.   (95)

62. CHRISTIAN DIETRICH GRABBE   Herbst 1822

an Karl Immermann, Düsseldorf, 8. Jan. 1835

Was der Tieck [. . .] sich an den Shak[e]sp[eare] kettet, von dem er nichts hat als romantische Staffage, doch ohne Charaktere, in seinen früheren Novellen (die ich und Heine in Berlin noch immer für die besten hielten, und wenn in den späteren Stellen kamen, wo so etwas sentimental-romantischer Duft atmete, rief er: doch der alte Tieck), und in seinen späteren, und besonders in den letzten nichts als eine ihm abgeborgte, jedoch nur bei wenigen Personen hervortretende, oft zu seltsame Charakterisirung, und eine mehr gesuchte und sonderbare Komik, als eine echte.   (74)

Mitteilung an Adolf Strodtmann, ca. 1865/1866   *(*1867)*

Es war in meinem zweiten Semester, als Heine's Gedicht: »Mir träumt, ich bin der liebe Gott« im »Westteutschen Musenalmanach für das Jahr 1823« erschien. Ein Berliner Blatt hatte dasselbe nachgedruckt, und es lag in der Josty'schen Konditorei auf, die besonders von Officieren frequentiert wurde. Wir »Flotten« ermangelten nicht, den auf »die Lieutnants und die Fähnderichs« gemünzten Passus laut zu besprechen. Die anwesenden Officiere nahmen indeß, verständiger als wir, keine Notiz von unsern muthwilligen Bemerkungen. Heine glaubte jedoch, irgend einen Akt der Rache von ihrer Seite befürchten zu müssen, und wünschte sein Logis zu verändern. Ich bewohnte damals unter den Linden im Schlesinger'schen Hause, unfern dem Palais des Prinzen Wilhelm, eine geräumige Dachstube, hinter der sich ein kleineres, für den Augenblick leerstehendes Zimmer befand. Heine bezog dasselbe, und es war ihm ganz Recht, daß Jeder, der zu ihm wollte, mein Zimmer passieren musste, wo ich ihn vor unangenehmen Besuchern verleugnen konnte. Nur die Wanduhr bat er mich gleich zu hemmen; denn er litt an nervösen Kopfschmerzen, und der Pendelschlag war ihm störend. Einige Tage ging Alles vortrefflich, und Heine war mit der neuen Wohnung durchaus zufrieden. Nun gab es aber für Studenten, welche einen Streit mit einander abzumachen hatten, nicht leicht ein gelegeneres Lokal, als das meine, welches durch drei ansehnliche Treppen von der Straße getrennt war. Sollte ein Duell ausgefochten werden, so stellten wir einen Posten aus, der unter den Linden auf und ab patrouillierte, damit kein Pedell uns in flagranti ertappe. Ehe solch ein unwillkommener Gast bis zu uns hinauf dringen konnte, waren wir längst avertiert, und hatten die scharfen Waffen und Binden bei unserm Miethswirth untergebracht, wo der Pedell – Dank unsrer eximierten akademischen Gerichtsbarkeit – Nichts zu suchen hatte. Ich hielt es für meine Pflicht, Heine zu benachrichtigen, daß Nachmittags auf meiner Stube Etwas vorfallen würde, was nicht ohne Geräusch ins Werk zu setzen sei. »Wie lange wird es dauern?« frug er verdrießlich. – Ein paar Stunden wenigstens. – »Ich will nicht dabei sein.« – Wir sind aber ganz sicher. – »Und ich bin noch sicherer, wenn ich Nichts damit zu schaffen habe.« Er ging aus. Die Sache lief ziemlich unschuldig ab. Eine Stirnwunde von anderthalb Zoll, inklusive des gestreiften linken Augenlides, war Alles, was herauskam. Des Nähens bedurfte es nicht; Heftpflaster genügte. Die scharfen Waffen wurden beseitigt, Rock und

Weste wieder angezogen, und wir amüsierten uns jetzt mit stumpfen Schlägern. Der Fechtboden war längst geschlossen, ich war gut geschult, und man schlug gerne mit mir. Heine, der sich über alles burschikose Treiben lustig machte, sagte mir einmal mit selbstgefälligem Spotte: »Nur aus Feigheit hast du fechten gelernt. Kourage hast du so wenig, wie ich.« Als wir mitten im besten Schlagen waren, kam er nach Hause, grüßte nach Burschensitte, ohne den Hut zu ziehen, und ging still auf sein Zimmer. Ich trat augenblicklich ab, um ihm zu folgen. »Wie lange dauert diese Wirthschaft?« frug er ungehalten. – Nur ein paar Gänge noch. Man würde es dir und mir verdenken, wenn ich sofort das Pauken einstellte. – »Wer ist Das?« frug man, als ich zurückkam. »Ein Philister?« – Ein alter Bursch, der Dichter Heine und mein Vetter. Mit einem Andern möchte ich so nicht zusammen wohnen, daß er und Jeder, der ihn besuchen will, mein Zimmer passieren muß. – »Warum hast du uns Nichts davon gesagt?« – Er wohnt hier erst seit wenigen Tagen. – »Gleichviel; wir haben nicht bei ihm angefragt, und müssen uns entschuldigen.« Einige gingen zu ihm hinüber, und Heine war, wie immer, vornehm und artig. Dennoch sah er sich durch diesen Vorfall gemüßigt, folgenden Tages von mir fort zu ziehen und in sein altes Logis zurückzukehren. Sein Umgang war nicht der meine, und mein Umgang noch viel weniger der seine. Das habitare in unum konnte uns weder dulce, noch jucundum sein; indeß blieben wir die besten Freunde.   (249)

64. K. A. Varnhagen v. Ense   1822 (April 1824)
   Tagebuch, Berlin, 20. April 1824

Das Witzwort von Heine, der Dr. Förster sei Hofdemagoge geworden, hat solches Glück gemacht, daß man unter den Diplomaten, bei Graf Lottum und selbst bei Hofe viel Scherz und Ernst damit getrieben hat; aber so spät! erst jetzt.   (263)

65. Protokoll der Sitzungen des   6. Nov. 1822
   »Instituts für die Wissenschaft des
   Judenthums«, *Berlin, 6. Nov. 1822*

Gewählt wurden: Dr. Rubo (Vice-Vorsteher), Moser (Secretär), Heine (Vice-Secretär), u[nd] die Sitzungszeit alle 3 Wochen Donnerstag 12–2 bestimmt.   (310)

66. Protokoll der Sitzungen des   7. Nov. 1822
»Vereins für Cultur und Wissenschaft
der Juden«, *Berlin, 7. Nov. 1822*

Heine erstattet Bericht über einen zu stiftenden Frauen Verein. Es wird die Aufnahme von S. v. Geldern in Düsseldorf als ordentl[iches] Mitglied proclamirt. (310)

67. Protokoll der Sitzungen des   10. Nov. 1822
»Vereins für Cultur und Wissenschaft
der Juden«, *Berlin, 10. Nov. 1822*

Auf der Tagesordnung ist der Bericht von Heine über FrauenVereine. Es sollten die Anträge, welche in demselben enthalten sind zur Abstimmung gebracht werden; da sie aber vom Verf[asser] nicht besonders herausgehoben werden, so wird auf Dr. Rubos Antrag derselbe ersucht sie in der nächsten Sitzung abgesondert vorzutragen.

Dr. Rubo trägt nunmehr auf gänzlichen Aufschub dieser Angelegenheit an, weil die Arbeiten der Mitglieder dadurch über die Gebühr vermehrt würden. Nach vielfachen Debatten wird dieser Antrag durch 7 zu 3 verworfen. (310)

68. Protokoll der Sitzungen des   17. Nov. 1822
»Vereins für Cultur und Wissenschaft
der Juden«, *Berlin, 17. Nov. 1822*

Anträge von Heine wegen des FrauenVereins nach schriftlichem Entwurfe

A, daß jüdische FrauenVereins u[nd] zunächst einer in Berlin zu veranstalten sei, mit 4 Stimmen gegen 1 genehmigt,

A, c.1 einstimmig angenommen

A, c.2 einstimmig angenommen mit der Abänderung: insbesondere solcher, die sich dem Ackerbau, den Handwerken, Künsten u[nd] Wissenschaften widmen. [. . .]

Nichterscheinen aller Mitglieder außer dem Präs[identen], Vice-Präs[identen], Secretair, Heine, Marcus. Gegen Ende der Sitzung erschien noch Im. Wolf. (310)

69. PROTOKOLL DER SITZUNGEN DES   8. Dez. 1822
»VEREINS FÜR CULTUR UND WISSENSCHAFT
DER JUDEN«, *Berlin, 8. Dez. 1822*

Moser macht das Amendement, Wolf zu bevollmächtigen die Unterhandlungen wegen des festzustellenden SpezialStatuts nach ihm zu
ertheilenden Instructionen zu leiten.
    Dr. Schönberg opponirt dagegen, als Mißtrauen erregend: Dem
stimmt Dr. Zunz bei. Heine erklärt sich für das Amendement. Dr.
Rubo bestreitet das Recht, einen solchen Auftrag zu ertheilen. Wolf
setzt das ganze Verhältnis auseinander, das den Antrag begründet und
findet in dem Amendement die Beseitigung aller etwa dagegen zu ma-
chenden Einwendungen. Das Amendement wird mit 4 gegen 4 verworfen.   (310)

70. PROTOKOLL DER SITZUNGEN DES   19. Dez. 1822
»INSTITUTS FÜR DIE WISSENSCHAFT DES
JUDENTHUMS«, *Berlin, 19. Dez. 1822*

Nicht erschienen Gans, Heine.   (310)

71. PROTOKOLL DER SITZUNGEN DES   22. Dez. 1822
»VEREINS FÜR CULTUR UND WISSENSCHAFT
DER JUDEN«, *Berlin, 22. Dez. 1822*

Antrag des Präsidenten: § 2 Abschn[itt] 3 Titel II der Statuten werde
aufgehoben und dafür ein andres Gesetz substituirt, des Inhalts: Jedes
ohne Entschuldigung in einer Sitzung fehlende Mitglied zahlt 12 gr.
Cour[ant] Strafe an die VereinsCasse. Es erklären hingegen Dr. Zunz,
Heine und Dr. Günsberg Geldstrafen für unzulässig. [. . .] Der Antrag
wird durch 5 Stimmen gegen 3 verworfen, dagegen der Antrag des Dr.
Zunz, jenes in den Statuten enthaltene Gesetz nunmehr in aller Strenge
auszuüben, und dies sämtlichen hiesigen Mitgliedern zu notificiren,
durch 5 Stimmen gegen 3 angenommen.
    Der Präsident fordert die Commissaire und Commissionen zur
statutenmäßigen Berichterstattung beim Ablauf des Vierteljahres auf,
so wie Heine zur Einreichung des Entwurfs einer Aufforderung wegen
des zu stiftenden FrauenVereins.   (310)

Eduard Grisebach   Ende Dez. 1822

nach Mitteilungen von Karl Köchy   *(* 1902)*

Gubitz hätte [...] Heinen, als dieser ihn eines Tags besuchte, die Handschrift des »Gothland« gezeigt und ihn aufgefordert, sich das »verrückte Geschreibsel« anzusehen. Heine blätterte in dem dicken Manuskript und sagte dann: »Sie irren sich, lieber Gubitz, der Mensch ist nicht verrückt, sondern ein Genie.«   (84)

73. Christian Dietrich Grabbe

an Georg Ferdinand Kettenbeil, Detmold, 25. Juni 1827

Der Gothland wühlt sich gewiß durch, sagte Heine.   (75)

74. Max Löwenthal   Anf. 1823

Tagebuch, Wien, 31. März 1841

Heine schimpft bekanntlich über alle neuen deutschen Schriftsteller, nur Immermann, da er doch einen zum Gegensatze braucht, lobt er. Von Grabbe aber ist nirgends bei ihm die Rede. Das wird durch folgende, hier von dem Londoner Musikprofessor Becher erzählte Anekdote erklärt. Immermann, Heine und Grabbe waren in Berlin zusammen. Die letzteren beiden rieben sich häufig aneinander. Grabbe behielt aber an Witz und Derbheit immer die Oberhand. Eines Abends hatte Grabbe Heinen besonders glücklich niedergekämpft, so daß dieser keinen anderen Ausweg mehr fand als die Drohung, er werde sich mit der Feder rächen. Da packte der kräftige Grabbe das Männchen, drückte es an die Wand, hielt ihm ein blankes Messer vor die Augen und schrie: »Wenn du es wagst, je ein Wort des Schimpfes über mich drucken zu lassen, so komme ich dir nach, wo du auch seist, und fasse dich, wie ich dich jetzt habe, und schlachte dich ab wie ein Huhn!« –   (149)

75. Christian Dietrich Grabbe

an Karl Immermann, Düsseldorf, 18. Febr. 1835

Jeder, den Sie mir bezeichnen, ist mir lieb, denn Sie meinen es gut mit mir, thun gut an mir, aber gegen einen solchen Juden *[Dr. Martin*

Runkel] könnt ich wieder der alte Adam mit der Erbsünde werden, wie einmal gegen Heine, den ich aber doch achte pto seines Talents.

(74)

76. CHRISTIAN DIETRICH GRABBE

an Carl Georg Schreiner, Düsseldorf, Aug. 1835

Daß man [im »Phönix«] von dem Heine schwatzt, dem Fetzen von Byron, und den ich über die Treppe schmiß. (74)

77. FERDINAND GRIMM Jan. 1823

an Jacob und Wilhelm Grimm, Berlin, 7. Jan. 1823

Mit [Hoffmann von] Fallersleben hat mich der Dichter Heine zusammengeführt. (243)

78. PROTOKOLL DER SITZUNGEN DES 16. Febr. 1823
»VEREINS FÜR CULTUR UND WISSENSCHAFT DER JUDEN«, Berlin, 16. Febr. 1823

[. . .] dagegen J. Levy wegen seiner Abwesenheit als von selbst *[aus der permanenten Finanzkommission des Vereins]* ausgeschieden erklärt, und an dessen Stelle eine Neuwahl verfügt. Die Wahl fällt auf Ulman durch 5 Stimmen gegen 3 für Moser und 1 für Heine. (310)

79. PROTOKOLL DER SITZUNGEN DES 20. Febr. 1823
»INSTITUTS FÜR DIE WISSENSCHAFT DES JUDENTHUMS«, Berlin, 13. März 1823

Es ist den 20. Febr. kein[e] Sitz[ung] z[u] Stande gekommen, da Heine, Moser, Rubo fehlten. (310)

80. PROTOKOLL DER SITZUNGEN DES 23. Febr. 1823
»VEREINS FÜR CULTUR UND WISSENSCHAFT DER JUDEN«, Berlin, 23. Febr. 1823

[Zunz macht den Vorschlag, Präsident und Sekretär durch schriftliche, anonyme Wahl zu bestimmen.] Heine tritt diesem Vorschlag mit dem Einwurf entgegen, daß die Wähler an ihren resp. Handschriften zu

erkennen seyn würden. *[Zunz' Vorschlag wird mit 7 zu 2 verworfen.]*
[. . .]

[J. Lehmann erklärt, der Verein sei zu sehr auf Wissenschaft ausgerichtet und zu wenig volkstümlich; deshalb schlägt er »die Herausgabe eines in populärer Sprache abgefaßten Religionsbuches für die Jugend« vor.] Heine erklärt sich gegen die Ansicht, das Judenthum in der Weise eines modernen Protestantismus behandeln zu wollen. Moser stimmt mit dem Vorschlagenden darin überein, daß derselbe eines der dringendsten Bedürfnisse des jüdischen Lebens angeregt habe. Er ist der Meinung, daß an einen lebendigen Fortgang des Judenthums gar nicht weiter zu denken sei, wenn ein solches Buch nicht geschrieben werden *könnte,* und daß es geschrieben werden *müsse,* wenn das Judenthum nicht bloß kümmerlich fort vegetiren solle.
[Lehmanns Vorschlag wird mit 7 zu 3 abgelehnt.]   (310)

81. PROTOKOLL DER SITZUNGEN DES   3. März 1823
»VEREINS FÜR CULTUR UND WISSENSCHAFT
DER JUDEN«, *Berlin, 3. März 1823*

Der Präsident trägt [. . .] an, daß eine Commission beauftragt werde, sämtliche Gesetze zu revidieren, und eine neue Redaktion der Statuten zu entwerfen. [. . .] Es werden demnächst die Mitglieder dieser Commission gewählt. Es hat Dr. Rubo 8 Dr. Zunz 6 Dr. Auerbach 2 Moser 6 Dr. Gans 5 Ulman 2 Dr. Jacobson 2 Heine 1 Lehmann 1 Stimme wodurch also Dr. Rubo, Dr. Zunz u[nd] Moser gewählt sind.   (310)

82. PROTOKOLL DER SITZUNGEN DES   9. März 1823
»VEREINS FÜR CULTUR UND WISSENSCHAFT
DER JUDEN«, *Berlin, 9. März 1823*

Heine schlägt H. Michel Beer in Paris zum Außerordentl[ichen] Mitgliede vor.   (310)

83. PROTOKOLL DER SITZUNGEN DES   16. März 1823
»VEREINS FÜR CULTUR UND WISSENSCHAFT
DER JUDEN«, *Berlin, 16. März 1823*

Auf die Anfrage des Dr. Zunz, wie weit der Beschluß wegen eines FrauenVereins zur Ausführung gekommen sei, erklärt Heine als mit

dem Entwurf des desfalsigen Circular beauftragt, daß seine Unpäßlichkeit ihn fortwährend darin verhindere u[nd] er den Auftrag, sofern
er sich auf einen bloß localen Zweck bezieht, ablehne.

[...]

Das Ballottement über Michel Beer wird noch aufgeschoben. (310)

84. LEVIN BRAUNHARDT   Frühjahr 1823

   Mitteilung an Gustav Karpeles   (*1899)

Im Frühling 1823 traf ich am Vormittage bei ihm Dr. Eduard Gans,
dem er die frohe Mitteilung machte, daß seine Schwester Lottchen in
Hamburg mit Herrn Embden verlobt sei. Dieses Familienereignis
brachte mir ein Achtgroschenstück ein, das mir der glückliche Bruder
in die Hand steckte, um mir dafür gütlich zu tun. Gleichzeitig händigte
er mir sein Miniaturbildnis auf Steindruck zum Andenken ein. [...]
Sein intimster Freund schien Dr. Gans zu sein, denn mit ihm harmo-
nierte er am meisten.   (124)

85. JOSEPH LEHMANN   1822/1823

   Artikel über späteren Besuch bei Heine   (*13. 7. 1854)

Mir hat Heine, wie ich ihm, die Erinnerungen seiner Berliner Studien-
zeit, die so manches freundliche Band zwischen uns geknüpft, stets
treu bewahrt. War ich es doch, dem er in seiner Kammer in der Mauerstraße seine ersten schönen Lieder mit der ihm eigenthümlichen, die
Form des Gedichtes gewissermaßen typisch bestimmenden Modula-
tion vortrug; war ich es doch, der diese klassisch gewordenen Lieder,
als sie zum ersten Mal gedruckt wurden, typographisch korrigirte und
auf dessen Bemerkung der Dichter sogar hier und da kleine Aenderun-
gen vornahm, und war ich es doch auch, der früher, als irgend ein
Publikum, als irgend ein Kritiker, die Schönheiten dieser Lieder
erkannt und Anderen gerühmt hatte.   (145)

86. GUSTAV KARPELES   1822/1823

   nach Mitteilungen von Joseph Lehmann   (*1888)

Dieser *[Heine]* erkannte zwar willig die Vorschläge des Freundes *[Leh-
mann]* an; er folgte auch seinen kritischen Rathschlägen, wenn sie ihm

einleuchtend schienen, vermochte aber doch nie ein Gedicht ganz zu vernichten, wenn dasselbe Lehmann entschieden mißfallen hatte. »Ach, das verstehen Sie nicht, lieber Freund!« war dann meist seine ärgerliche Antwort, worauf Lehmann ständig bemerkte: »So, wenn Sie meinen!« und zur Thüre hinausschoß.   (123)

87. JOSEPH LEHMANN   1822/1823

Einleitung zu den an ihn gerichteten Briefen Heines

(*11. 1. 1868)

Im J[ahre] 1822 übernahm ich, der ich damals fast täglich mit Heine verkehrte, aus dessen Mund ich immer zuerst die Lieder vernahm, die er eben gedichtet hatte, die Korrektur der Druckbogen der von ihm unter dem Titel »Tragödien nebst einem lyrischen Intermezzo« herausgegebenen, im Drucke jedoch, den er fortdauernd änderte, sehr langsam vorschreitenden Trauerspiele »Ratcliff« und »Almansor«, zwischen denen eine Anzahl seiner schönsten, nachmals im »Buch der Lieder« aufgenommen und Friederike (Rahel) Varnhagen von Ense gewidmeten lyrischen Gedichte abgedruckt war. Eduard Hitzig hatte seinen Freund, den Buchhändler Ferdinand Dümmler, bewogen, den Verlag dieser von allen Freunden der deutschen Volkspoesie sofort als sehr werthvoll erkannten Dichtungen zu übernehmen. Aber der geringe Erfolg, den sie gleichwohl im Publikum fanden – Heine hatte sich vergeblich bemüht, eine seiner Tragödien auf das Theater zu bringen, und im Buchhandel wurden kaum zweihundert Exemplare des Buches abgesetzt – verstimmte den jungen Dichter dermaßen, daß er hauptsächlich in Folge dessen Berlin verließ und sich zu seinen damals in Lüneburg wohnenden Eltern begab.   (146)

88. MOSES MOSER   Anf. April 1823

an Immanuel Wohlwill, Berlin, Anfang 1823

Die 2 Tragödien nebst dem lyrischen Intermezzo von Heine sind nun gedruckt, u[nd] Du wirst binnen einigen Tagen von ihm ein Exemplar derselben erhalten. Ich sage Dir: eine große Erscheinung in unserer schönen Literatur! W[illia]m Ratcliff ist ein Blitz des Genies – die Lieder sind ein üppiges Feld bunter Blumen in dem man sich mit Lust und Heiterkeit ergeht – aber Almansor hat den Wollusthauch einer schönen, abentheuerlichen schwärmerischen und musikreichen Sommernacht, wie man sie wohl zuweilen träumt, und dafür ein ganzes Lebensjahr hingeben möchte! Ich sage Dir nichts weiter, Du wirst das ja bald selber empfinden. [. . .]

Heine wollte mir einen Brief an Dich schicken, hat es aber nicht gethan. (65)

89. Ludwig Gustorf   Mitte April 1823

an Christian Grabbe, Berlin, 27. April 1823

Lange lag Heine in seinen erfindungsreichen Betten, die Tage zählend, u[nd] wieder zählend, schmachtend gleichsam nach dem Augenblick da seine Tragödien bei Dümmler zum Fenster hinausgucken. Endlich gucken sie, u[nd] zwar wie wir vermutheten, nicht um Gotteswillen, u[nd] da sah man nun am Tage dieser Offenbarung, Heinrich's ungefällige Gestalt selbstgefällig unter den Linden, mit Armesünder-*Lilien*wängelein über welche indische Glut sich ergoß sobald er vor dem Duodezbrockhaus vorbeiperipetisirte; eine ganz andere Röthe als die so den Judas überkommen als er Christus am schwarzen Kreuz zu Golgatha erblickt. Aber wäre Heine des Herren Verräther gewesen, gewiß! er hätt am Kreuz ihn liebreich noch befragt, was er ihm zu Leid gethan denn hätte? – Die Tragödie William Ratcliff hat anziehende Mienen. Verlangst Du eine Critik en profil et en face? Soll *ich Dir* seciren wie herrlich die Form, wie dramatisch diese Tragödie? Soll ich Chamisso's Sentenz »dieser Mann hat nicht allein seinen Schatten dem Teufel verkauft, sondern auch sich selbst« commentiren? Soll ich Dich ennüyiren, u[nd] die Hypothese vertheidigen: der Dichter müsse sein Gedicht erlebt haben od[er] wenigstens annähernde Zustände? Soll ich die Opposition hersetzen die einwendet: nur insofern müsse der wahre Poet alles erlebt haben, als er in der That lebe d. h. aus der Erbsünde stamme, dan habe er mit gesündigt u[nd] Jahrtausende erlebt – hat Göthe wie Werther gelitten? Ei freilich! Ist er ein himmelstürmender Faust gewesen? Insofern er lebt, d. h. wenn seine Ahnen am babylonischen Thurm miterbauen halfen. – Soll ich definiren, daß Heine im Almansor auf dem Sterbebett liege, eine Judenleiche von requiemsingenden Rabbinern umgeben? Nein Grabbe! Dann hätt ich mich selber dem Teufel übergeben; ich wär ein Rezensent, und triebe dumpfe Nothzucht mit der Poesie – Aber drei Tage lang hab ich die Tragödien gelobt, und so sehr, daß Robert meinte: es sei eine wollüstige

Sache seinen Feind zu loben, und das Hand in Hand Gehen der Wollust und Grausamkeit sei damit verwandt.   (75)

90. PROTOKOLL DER SITZUNGEN DES   4. Mai 1823
»VEREINS FÜR CULTUR UNDWISSENSCHAFT
DER JUDEN«, *Berlin, 4. Mai 1823*

Ballottement über die Aufnahme von Michel Beer in Paris zum Außerordentlichen Mitgliede. Es bleiben 2 Stimmen einzuholen.   (310)

91. PROTOKOLL DER SITZUNGEN DES   11. Mai 1823
»VEREINS FÜR CULTUR UND WISSENSCHAFT
DER JUDEN«, *Berlin, 11. Mai 1823*

Heine macht die Bemerkung daß die Würde des Vereins es erfordere, die Anknüpfung mit auswärtigen Männern nicht sogleich durch Ernennung derselben zu Mitgliedern zu bewirken, diese vielmehr gehörig vorbereitet werden müsse durch andere Anknüpfungsmittel, die im Bereich des Präsidiums liegen. – Heine behält es sich vor, einen bestimmten Antrag deswegen zu stellen.   (310)

92. FRIEDRICH WILHELM GUBITZ   Mai 1823

Memoiren   (*1868)

Vor seiner Abreise nach Hamburg fragte er mich: ob er mir dort etwas besorgen könne, ich sagte: einen tüchtigen Berichterstatter. Er bot sich an zur Umschau für diesen Zweck, mit seinem stets dem Spott verwandten Ton noch äußernd: »Soll ich mich denn nicht in Ihr Stammbuch schreiben?« und nach meiner Entgegnung: »Ich habe kein's!« ergriff er bei den Worten: »Das konnt' ich wissen!« einen Papierstreif und schrieb:

>»Kein Stammbuch?! – da hab' ich nachgedacht,
>Doch kaum wird es Denkens bedürfen;
>Es gleichet gar bald dem verschütteten Schacht,
>Weil's trostlos war, weiter zu schürfen.
>
>Betrug und Freundschaft sind ja zumeist
>Im Erdenverkehre Geschwister,

Und was man jung ein Stammbuch heißt,
Wird endlich Todtenregister.

Nur mit dem Aergerniß macht ein Complott,
Wer viel von Freundschaft will buchen;
Denn findet man immer sie wieder bankrott,
So lernt man sein Leben verfluchen.«

Dies beschriebene Blättchen warf er in die Höhe, daß es auf den
Boden des Zimmers fiel, ergriff seinen Hut, und mit dem Ausruf:
»Leben Sie wohl!« eilte er von dannen.   (87)

93. APOLLONIUS V. MALTITZ   1821–1823

an K. A. Varnhagen v. Ense, Weimar, 26. März 1856

Wie sollten wir nicht von Heine sprechen! Ich habe seinem Todten-
wagen nachgeblickt. Meine Ansicht über sein dichterisches Talent ist
die Tiecks – wie könte ich aber läugnen, daß er eigentlich der letzte
deutsche Dichter ist, *der Glück gemacht,* und so sehr ich mich auch
dagegen sträube, der einzige Liebling der Nation ist, der einzige, der
die Jugend nicht gleichgültig läßt. – Sehr harmlos trat er mir vor fast
vier und dreißig Jahren in Berlin im Beyermannschen Kaffeehause entgegen oder saß vielmehr plötzlich an meiner Seite. Wir vertrugen uns
sehr gut lachten selbst viel zusammen. Ich besuchte ihn einst in der
Mauerstraße wo er bei einem Bäcker wohnte, es war in jedem Athemzuge ein halbes Pfund Mehl – er las mir ein neues Gedicht vor, welches anfing: »Die Welt ist taub die Welt ist blind«, es endete: »du hast
noch nie ein Kind gemacht und warst noch nie besoffen« – Hier erhob
ich ein Wehegeschrei – ich weiß nicht ob er, hiedurch gewarnt, das
Gedicht, das in seinen Werken stehet, abkürzte. Eine Schilderung des
Beyermannschen Kaffeehauses mit lebenden Figuren, worin ich eine
war erschien aus seiner Feder ich weiß nicht mehr in welchem Blatte.
Ich trug seitdem keinen grünen Überrock mehr; weil er mich darin,
wie man jetzt sagen würde, daguerrotypirt hatte. Ich entsinne mich,
daß er zuweilen an betäubenden Kopfschmerzen litt. Er bildet in meinen Erinnerungen eine Gruppe mit Üchteritz, Fouque und meinem
Namensvetter Maltitz – der mir einst im dichtesten Gehölze des Thier-
gartens halblaut sagte: »Unter uns, ich bin etwas verwachsen«. [...]
Ich habe in erwähnter Gruppe Klindworth und Gubitz vergeßen. Der

erste *wußte* beinah so viel als er *log;* ich würde ihm dieses zur Grab-
schrift setzen, der zweite war ein gutes Männchen, das gern in fremde
Verse seinen Federstrich hineinmachte. [. . .] Mir fällt ein, daß ich einmal angefangen mit Heine Virgil zu lesen, er legte ihn aber als *zu*
ledern weg. (231)

94. (K. A. VARNHAGEN V. ENSE) 1823

Heine-Anekdoten *(*20. 3. 1856)*

Heine sagte im Jahr 1823 von Franz Horn, der Erläuterungen zum
Shakespeare geschrieben hat: »Was hat der aus Shakespeare gemacht?
Eine Art holländischer Festung, ein Bergen op Zoom! Er hat ihn ganz
unter Wasser gesetzt.« (261)

95. K. A. VARNHAGEN V. ENSE 18. Mai 1823

an Rosa Maria Assing, Berlin, 18. Mai 1823

Überbringer dieses, Herr Heine, unser Landsmann aus Düsseldorf, soll
euch viel freundliche Grüße von uns sagen, und recht viel von uns
erzählen. (103)

1823–1824
Hamburg und Lüneburg

96. K. A. VARNHAGEN V. ENSE   Mitte Juli 1823

an Rahel Varnhagen v. Ense, Hamburg, 18. Juli 1823

Heine ist hier und freut sich sehr auf mich; er hatte von meiner Schwester *[R. M. Assing]* gehört, daß ich kommen würde, und blieb deshalb
ein paar Tage länger. Ich sehe ihn morgen.   (264)

97. K. A. VARNHAGEN V. ENSE   17./18. Juli 1823

an Rahel Varnhagen v. Ense, Hamburg, 18. Juli 1823

Heine war schon mehrmals hier; ich habe Ernstes mit ihm gesprochen.
Er grüßt angelegentlichst!   (264)

98. K. A. VARNHAGEN V. ENSE   20. Juli 1823

an Rahel Varnhagen v. Ense, Hamburg, 22. Juli 1823

Den Sonntag hatte meine Schwester Gesellschaft geladen, liebe gute
Leute, zum Theil mir schon bekannt; unser kleiner Heine mit darunter, den ich gern wieder sah, aber öfters etwas scharf werden
mußte, damit er sich nicht bis zu schwindelnder Höhe verkletterte
und dann allzugefährlich niederfalle. Das Nähere von ihm mündlich; er reist heute mit dem Packetboot nach Cuxhaven in's Seebad,
wo er zwei Monate bleiben will, dann nach Berlin zurückkehren, dort
eine diplomatische Anstellung haben, in Hamburg leben, seine vene-
tianische Tragödie dichten, ein Buch über Goethe schreiben u.s.w.
Jugend! »Sie sollen kein Brentano werden, ich leid es nicht!« Den
Spruch von Dir gab ich ihm heute zum Abschied. Er grüßt Dich viel-

mals und ergebenst; nicht ohne Ertrag hegt er Dein Andenken und meines. Es gehe ihm wohl! (264)

99. CHARLOTTE EMBDEN Sommer 1823?

Heine-Erinnerungen *ca. 1866*

Ich hatte die Gabe mich 10 Minuten lang, mit den schönsten Frasen und elegantsten Worte[n] zu unterhalten, ohne daß Jemand einen Sinn in meiner Unterhaltung finden konnte. War mein Bruder noch so verstimmt konnte ich ihn damit erheitern, und als ich einstmal in vollem Zuge war, wurde mir eine Dame gemeldet. Im Laufe der Unterhaltung wollte mein Bruder, die erst kürzlich beigewohnte Hinrichtung erzählen, verwikkelte sich aber so sehr in meine vorhergegne [!] ScherzWorte, daß er seine Erzehlung nicht beendigen konnte, und verfiel in lautes Lachen. Die Dame erstaund und pikirt, entfernte sich bald. Ich machte ihn [!] einen Vorwurf deshalb, er sagte aber: Dieser glänzende Misthaufen kann denken was er will; und sie dachte es ihm auch, indem sie in viele[n] Kreise[n] ihren Bekannten erzehlte: Der Heine ist doch gar zu dumm, um studiren zu wollen. (307 b)

100. OSKAR LUDWIG BERNHARD WOLFF Anf. Sept. 1823

Artikel über Heine *(*15. 5. 1835)*

Vor vierzehn Jahren hatte ich Heine in Hamburg kennen lernen. Beide kaum von der Universität kommend, waren wir eben in das Leben getreten, mit gigantischen Hoffnungen und Plänen und einem gemeinschaftlichen großartigen Schmerz über Freunde wie Feinde, den jeder Eingeweihte leicht errathen wird; die Uebrigen geht er nichts an. Heine's Tragödien, nebst einem lyrischen Intermezzo, waren so eben erschienen; die Leute starrten im Allgemeinen das Buch an, nur Wenige ahnten die Tiefe, die in demselben lag, den gepreßten Stolz, der sich großartig Luft machte, das beseligende Gefühl geistiger Herrschaft. Man wußte nur von dem Dichter, daß er sehr witzig und maliтiös sei; was sollte man auch in dem guten Hamburg und vorzüglich in dem Kreise, in welchem Heine sich, durch Verhältnisse gebunden, bewegen mußte, und in dem ich mich, durch ähnliche Verhältnisse gefesselt, gleichsam befand, mehr von ihm wissen? In seinem Wesen lag etwas Zugvogelartiges, das die guten Hamburger, obwohl eine Nation, welche Welthandel treibt, nicht eben sehr lieben; sie können nicht begreifen, daß man in Hamburg ißt, trinkt und schläft und eigentlich am Ganges zu Hause ist, und die Sehnsucht nach der wirklichen Heimath nie zu beschwichtigen vermag. [...]

Aber ich wollte von Heine reden. Ich kann nicht sagen, daß er damals noch im Werden gewesen sei, im Gegentheil, er war zu jener Zeit eben so abgeschlossen, wie jetzt: seine vorzüglichste Eigenthümlichkeit besteht darin, von Anfang an genau gewußt zu haben, was er will, und dies mit eiserner Consequenz zu verfolgen; denn, und das ist wahrlich viel gesagt, keiner seiner Freunde und Bekannten ist im Stande, ihn auch nur der mindesten Inconsequenz zu zeihn.   (299)

---

101. ROSA MARIA ASSING   12. Sept. 1823

Tagebuch, Hamburg, 12. Sept. 1823

Heine ist mit seiner Schwester Lottchen, die an van Embden verheiratet ist, bei mir gewesen. Ein zartes, jugendliches und freundliches Weibchen. Er wünschte ihr meine Bekanntschaft. Assing fühlt sich nicht von Heine angezogen. Er hält ihn für eitel und egoistisch. Er ist noch sehr jung, es ist möglich, daß die günstige Aufnahme seiner Gedichte, wozu auch Freunde beigetragen haben mögen, durch lobpreisende Anzeigen, ihn ein wenig eitel gemacht haben; das wird sich geben. Mit einigem Talent ist man bei solcher Jugend leicht anmaßend. Die Liebe und Innigkeit, mit welcher er an seiner Schwester hängt, gefällt mir an ihm. Sonst habe ich noch kein rechtes Urteil über ihn, aber er interessiert mich als Mensch und als Landsmann.   (102)

---

102. ROSA MARIA ASSING   12. Sept. 1823

an K. A. Varnhagen v. Ense, Hamburg, 17. Sept. 1823

Heine ist von Cuxhaven wieder zurückgekommen und hat uns besucht. Auch seine Schwester Lottchen van Embden hat er mir zugeführt, ein freundliches, zartes und jugendliches Weibchen. Er geht von hier nach Lüneburg und ist wahrscheinlich schon abgereist und später, zum Frühjahr glaube ich, nach Göttingen, um dort noch ein Jahr zu studieren.   (102)

103. ROSA MARIA ASSING   Sept./Okt. 1823

Tagebuch, Hamburg, 28. Okt. 1823

Heines Schwester, Lottchen van Embden, besucht. Auch den Mann
gesehen, es scheint auf den ersten Blick eine ungleiche Ehe, die, wie mir
der Bruder sagte, nur die Konvenienz geschlossen hat.   (102)

104. MAXIMILIAN HEINE   Herbst 1823

Heine-Erinnerungen   (*1868)

Während seines temporären Aufenthaltes in Lüneburg hatte Heinrich
sein Zimmer unmittelbar neben dem meinigen und da habe ich vieles
belauscht, wie es in der Werkstatt des Dichters zugegangen ist. Viele
seiner herrlichsten Lieder, oft von der Tinte noch nicht getrocknet, las
er mir vor, z. B. »Du bist wie eine Blume«, betonte scharf was er gelungen fand, und hörte, wie ein frommes Kind, gerechte und ungerechte
Bemerkungen an. Diese Zutraulichkeit ermuthigte mich, ihm auch einige meiner poetischen Versuche vorzulesen. Er hörte meine schlechten
Reime mit Geduld an, und sagte dann milde: »Schreibe Prosa, lieber
Max, genug Unglück in einer Familie an *einem* Dichter.«   (105)

105. MAXIMILIAN HEINE   Herbst 1823

Heine-Erinnerungen   (*Anf. Febr. 1866)

Mein Bruder Heinrich war mehrmals gegenwärtig, wenn ich, als Primaner des Gymnasiums, meine prosodischen Arbeiten anfertigte. Ich
hatte damals eine große Vorliebe für das classische Metrum, und durch
vieles Uebersetzen und tägliche Uebung eine außerordentliche Leichtigkeit in Anfertigung von deutschen Distichen erlangt. Obgleich Heinrich die Alten hochschätzte, und bereits damals durch seine Gedichte
einen großen Namen als Poet erworben hatte, so hatte er sich doch im
deutschen Hexameter bisher nie versucht. Wir sprachen viel über diesen Gegenstand. Ich citirte Goethe's herrliche Elegien und forderte
meinen Bruder auf, auch einmal in diesem Versmaße einen Gegenstand
poetisch zu bearbeiten. Ich wiederholte mehrmals Goethe's reizenden
Vers, wo er auf den Nacken der Geliebten »mit fühlendem Auge und
sehender Hand« des Hexameters Maß scandirt hat.

Endlich ging Heinrich an die Arbeit, und als ich an einem der nächsten Vormittage in sein Zimmer trat, kam er mir mit einem Blatt entgegen, freudig ausrufend: »Siehst Du, auch ich bin unter die Hexameter gegangen.« Er recitirte mir einige Zeilen eines Gedichtes: »Trost für Dido«, wobei ich aber schon beim dritten Hexameter (keine kleine Satisfaction für einen Primaner) dem bereits berühmten Dichter in die Rede fiel: »Um Gotteswillen, lieber Bruder, dieser Hexameter hat ja nur *fünf Füße.*« Und nun scandirte ich ihm mit wichtigster Schulweisheit den Vers vor. Als er sich vom Fehler überzeugt hatte, zerriß er leider das Papier mit den Worten: »Schuster, bleib bei Deinem Leisten!«

Ein paar Tage nach dieser Begebenheit, wovon übrigens nicht mehr gesprochen worden war, stand eines Morgens früh, als ich eben aufwachte, Heinrich vor meinem Bette. »Ach, lieber Max«, begann er mit kläglicher Miene, »was für eine schauerliche Nacht hab' ich gehabt.« Ich erschrak. »Denke Dir, gleich nach Mitternacht, eben als ich eingeschlafen war, drückte es mich wie ein Alp; der unglückliche Hexameter mit fünf Füßen kam an mein Bett gehinkt und forderte von mir unter den fürchterlichsten Jammertönen und schrecklichsten Drohungen seinen *sechsten* Fuß. Ja, Shylock konnte nicht hartnäckiger auf seinem Pfunde Fleisch bestehen, als dieser impertinente Hexameter auf seinem fehlenden Fuß. Er berief sich auf sein urclassisches Recht und verließ mich unter schrecklichen Gebehrden nur mit der Bedingung, daß ich nie wieder im Leben mich an einem *Hexameter* vergreifen wolle.«

(105)

1824–1825
Göttingen

Reisen nach Berlin und in den Harz
Ausflüge nach Kassel und Heiligenstadt

106. Georg Knille   1824/1825

Mitteilung an Adolf Strodtmann   *(*1873)*

Heine's Statur war kaum mittelgroß und schmächtig. Er hatte eine
sanfte, überaus angenehme Stimme, mittelgroße, schalkhafte Augen
voll Geist und Leben, die er im Eifer des Gespräches halb zu schließen
pflegte, eine schöne, leicht gebogene und scharf geschnittene Nase,
keine ungewöhnliche Stirn, hellblondes Haar und einen Mund, der in
steter, zuckender Bewegung war und in dem länglichen, mageren,
kränklich blassen Gesichte die Hauptrolle spielte. Seine Hände waren
von der zartesten Form, gleichsam durchgeistigt, und alabaster-weiß.
Sie erschienen namentlich in ihrer vollen Schönheit, wenn Heine in
vertrautem Kreise gebeten wurde, das herrliche Rheinlied: »Wie der
Mond sich leuchtend dränget« etc. zu deklamieren. Er pflegte sich dann
zu erheben und die feine weiße Hand weit vorzustrecken. Seine sonst
unverwüstliche heitere Laune war schon damals wesentlich durch sein
körperliches Befinden bedingt. In guten Stunden wirkte sie wahrhaft
bezaubernd auf seine Umgebung. Der Dichter erschien stets in einem,
bis an den Hals zugeknöpften braunen Oberrocke mit einer doppelten
Reihe von Knöpfen, ein kleines, schwarzseidenes Tuch leicht um den
Hals geschlungen, und im Sommer regelmäßig in Beinkleidern von
Nanking, häufig auch in Schuhen und weißen Strümpfen an den nor-
mal gebildeten Füßen, die keinesweges, wie Laube bemerkt, an die
»jüdische Race« erinnerten. Er trug endlich stets entweder einen gelben
Strohhut oder eine grüne Mütze, die in einen viereckigen Beutel auslief, welcher damals bis auf den Schirm herabgezogen wurde.   (249)

107. Adolf Strodtmann   1824

nach Mitteilungen von Hans Elissen   (*1867)

Wie bei seinem ersten Aufenthalte in Göttingen, speiste Heine auch
jetzt wieder bei dem Gastwirth Michaelis im »Englischen Hofe« zu
Mittag, und auch diesmal sollte ihm in demselben Lokal durch die
Roheit eines Studenten eine Unannehmlichkeit widerfahren. Sehr wäh-
lerisch im Essen, hielt er manchmal den Fleischteller lange in Händen,
bis er sich endlich ein ihm zusagendes Stück Braten heraus gesucht.
Solche Gourmandise ärgerte seine Tischnachbarn, und als er eines Tages wieder an dem Inhalt der Bratenschüssel herum experimentierte,
geschah es, daß ein neben ihm sitzender Student, dem in Erwartung
des verzögerten Fleischgenusses der Geduldsfaden riß, mit den Worten: »Ich will Ihnen zeigen, wie man Rindfleisch spießt!« nicht eben
sanft mit der Gabel in die frevelhafte Hand des Feinschmeckers fuhr.
So gern Heine Andere neckte, so ungern mochte er selbst die Zielscheibe eines malitiösen Witzes abgeben: er forderte seinen Beleidiger
zum Duell, und ließ seit jenem Tage sich nicht mehr im »Englischen
Hofe« blicken.   (249)

108. Karl Immermann   1.–5. April 1824

an Elisa v. Ahlefeldt, Magdeburg, 18. April 1824

Ein Besuch von Heine fällt in die Zeit, da ich Ihnen nicht geschrieben.
Er hat mir einige sehr schöne Gedichte recitirt, von denen eins besonders (eine Rheinfahrt schildernd) mir ungemein gefallen hat. Wenn
Sie es lesen wollen, Sie finden es in einer von ihm in den letzten Stücken
des »Gesellschafters« abgedruckten Sammlung von 33 Liedern. Es ist
das Letzte der Sammlung.   (6)

109. (K. A. Varnhagen v. Ense)   ca. 6. April 1824

Heine-Anekdoten   (*20. 3. 1856)

Der junge Heine kam im Frühjahr 1824 von Göttingen zum Besuch
nach Berlin zurück, und mußte als noch Studirender unter andern zum
Staatsrath Schultz wegen einer Aufenthaltskarte gehn. Dieser that sehr
streng, fragte genau nach seinen Absichten, warnte ihn vor Umtrieben,
und warf ihm vor, daß er sich früherhin der preußischen Regierung

durch seine Ansichten verdächtig gemacht. »Mein Gott!« sagte Heine mit höflichster Emphase, »ich habe immer *dieselben* Ansichten, wie die Regierung selbst, ich habe *gar* keine!« Schultz fühlte die Lächerlichkeit, in die ihn jede weitere Einlassung gesetzt hätte, brach kurz ab, und ließ es gut sein. (261)

110. MOSES MOSER   April/Mai 1824

an Immanuel Wohlwill, Berlin, 3./4. Mai 1824

Unser Freund Heine trägt mir herzliche Grüße an Dich auf. Ich erfreue mich seit mehreren Wochen seiner Gegenwart, morgen aber kehrt er nach Göttingen zurück. Seine Gesundheitsumstände haben sich gebessert. Käme er doch bald in eine Lage, die ihm jene ruhige Entwickelung gönnte, aus welcher die bedeutendsten Erzeugnisse hervorgehen müßten. – Ich habe viel von den Hamburgischen Mädchen über ihn gehört und war schwach genug, mich eines üblen Eindrucks nicht ganz zu erwehren. Das Wiedersehen aber hat mich auf das eigene Bewußtsein zurückgeführt. Es ist mir auch ganz einleuchtend, warum diese Natur so leicht einfältig mißverstanden oder bösartig gedeutet werden kann.

(65)

111. FERDINAND GRIMM   Mai 1824

an Jacob und Wilhelm Grimm, Berlin, 6. Mai 1824

Ich empfehle Euch den zwar nicht gelehrten, doch beobachtenden H. Heine aus Düsseldorf, der nochmals zu einem Pandektenkollegium nach Göttingen kehrt, wo er früher mit Haxthausen und Straube gewesen, und Euch gern sehen möchte. Wenn ihn nicht sein Äußeres empfiehlt, so ist in seinen Gedichten doch etwas Erlebtes, das anzieht, mit guten Volksklängen, mehres wie Rückert. (243)

112. EDUARD WEDEKIND   23. Mai 1824

Tagebuch, Göttingen, 23. Mai 1824

Heute mittag habe ich auch den Dichter Harry Heine gesehen, der seit diesem Sommer hier ist. Er studiert Jura und wohnt in einem Hause mit Mertens, wo ich vielleicht Gelegenheit haben werde, seine Bekanntschaft zu machen. Sein Äußeres verspricht sehr wenig, es ist eine kleine, zwergartige Figur mit blassem, langweiligem Gesichte. Grüter kennt ihn näher und sagte mir heute abend, daß Heine jetzt bei einer Novelle zu arbeiten wäre, die in den Zeiten des Mittelalters spielen soll. (274)

113. EDUARD WEDEKIND   14. Juni 1824

Tagebuch, Göttingen, 14. Juni 1824

Abends ging ich zum Ulrich. Hier traf ich Heine neben Grüter. Ich knüpfte nun mit letzterem ein Gespräch an, in welches Heine sich mischte, worauf ich denn auch zuweilen mich an ihn wandte und einige Fragen an ihn tat. Wenn er spricht, ist sein Gesicht recht interessant. Unser Gespräch war übrigens nicht von Belang. Ich vermied absichtlich den Schein, seine Bekanntschaft zu suchen, worum es mir indessen sehr zu tun war. Ich ließ ihn bloß merken, daß ich ihn kennte, fragte ihn, ob er bald wieder etwas herausgeben würde, worauf er an zu lächeln fing und es verneinte. Unter andern sagte er noch zufällig, daß er schon früher hier gewesen, aber consiliert worden wäre. Warum? habe ich nicht gefragt. (274)

114. LUDWIG SPITTA   Mitte Juni 1824

nach einem Brief von Adolf Peters an Philipp Spitta, Göttingen, 1824

>»Es geht der Teufel wandern
>Durch Feld und Stadt und Land;
>Da hat er sich unter andern
>Zu einer Hütte gewandt.

>Das war eine stille Klause
>Und doch ein Freudensaal,
>Da war die Liebe zu Hause
>Mit Engeln ohne Zahl.

>Die Liebe fing an zu kranken
>Und legte sich hin zur Ruh',

Doch deckten mit Blütenranken
Die lieben Engel sie zu.

Und unter Thränengeträufel
Schliefen sie endlich selbst ein.
Da trat just der leidige Teufel
In die stille Hütte hinein.

Er will sich immer erfrischen
An der bleichenden Liebe Bild;
Es singen die Engel dazwischen
Im Schlafe so wundermild.

Und wer in die Hütte mag schauen,
Dem wird so wohl und so bang:
Er sieht den Teufel mit Grauen
Und hört doch den Engelsgesang.«

Als Peters Heine dies Lied des Freundes *[Spitta]* vorlas, fand dieser es
schön, und da er erfuhr, wem es gölte, traten ihm die lichten Thränen
in die Augen. »Mein Bild ist getroffen«, sagte er, ward sehr weich und
wünschte eine Abschrift, die ihm gegeben ward. (240)

115. EDUARD WEDEKIND   15. Juni 1824

Tagebuch, Göttingen, 15. Juni 1824

Abends ging ich wieder zum Ulrich, in der Hoffnung, Heine dort zu
treffen, wie es denn auch der Fall war. Er saß neben Mertens, mit dem
er in einem Hause wohnt. Ich setzte mich zwischen beide, und fing nun
ein Gespräch mit Heine an, das bald sehr bedeutend wurde. Anfangs
blieben wir auf der Bank sitzen, dann gingen wir zusammen im Garten herum. Wir sprachen wohl eine gute Stunde miteinander. Der Inhalt unseres Gespräches war vorzüglich folgender. Ich sagte ihm Bou-
terweks Urteil über seine Gedichte, und gab ihm auch mein eigenes
Urteil ganz freimütig. Ich fühlte eine gewisse praktische Superiorität
über ihn, und war daher sehr frei, und fühlte ihn auf den Zahn, so daß
ich fast sein ganzes poetisches Glaubensbekenntnis erhalten habe. Der
überspannten Romantik ist er früher sehr zugetan gewesen, besonders
wegen seines engen Verhältnisses zu Schlegel, als er in Bonn studiert

hat. Jetzt ist er ihr abgeneigt und hält nun auch mehr auf Bouterwek. Nur dem Märchen legt er noch einen ziemlichen Wert bei und sagt, was damit bei ihm zusammenhängt, daß man die eigentliche Fabel noch nicht erfunden habe; das Wesen der Tiere, was uns ein Tier eigentlich zu sagen scheine, habe noch niemand gefunden. Mit seinen frühern Schriften ist er nicht zufrieden, die letztern: »Almansor«, das »Intermezzo« und »Ratcliff« gefielen ihm besser, besonders letzterer, über den er viel Interessantes sagte: »Was Ratcliff eigentlich ist, daß er ein Wahnsinniger ist, habe ich noch keinen sagen hören, das hat noch niemand gefunden, und doch ist es ganz klar, denn er hat eine fixe Idee. Dieser folgt er, weil er muß. Daher kommt zum Teil die eigne Wirkung dieses Stücks, denn nicht Ratcliff ist es, welcher handelt und etwa gegen das Schicksal ankämpft; sondern das Schicksal ist das eigentlich handelnde Prinzip, Ratcliff ist eine unfreie Person, er *muß* so handeln.« – Ich selbst hatte den »Ratcliff« nie so angesehen, sondern gerade worin Heine die Willensunfreiheit setzt, das hatte ich als einen eisernen Willen, als einen festen freien Entschluß angesehen. Bürgern verehrt Heine sehr; Goethe *gefällt* ihm mehr als Schiller, letztern *liebt* er mehr. »Goethe«, sagt er, »ist der Stolz der deutschen Literatur, Schiller der Stolz des deutschen Volkes. Übrigens«, fuhr er fort, »hat Goethe manches gestohlen, z. B. ›Röslein rot‹ und ›Wie kommts, daß du so traurig bist, da alles froh erscheint‹ sind alte, jetzt aber in Vergessenheit geratene Volkslieder.« – Ich habe alles, was Heine bis jetzt herausgegeben hat, gelesen und kann es zum Teil auswendig; daß ihm dies einigermaßen schmeichelte, ist natürlich, auch konnte ich ihm mit gutem Gewissen manches Kompliment machen. Als ich ihm sagte, seinen »Ratcliff« könne man sehr häufig lesen, es liege viel darin, antwortete er mir, daß er selbst noch immer manches darin entdeckte und daß es auch auf ihn, wenn er einmal darin läse, eine große Wirkung ausübe. Seine Gedichte, sagte ich ihm, hätte ich alle durchstudiert. »Studieren«, anwortete er, »das sollte man sie eigentlich auch, denn sie sind nicht so ganz leicht zu verstehen.« Er sagte dies übrigens ohne allen Stolz. – Wenn ich ihn nun indessen auch lobte, so verhehlte ich ihm doch auch auf der anderen Seite meinen Tadel nicht. So sagte ich ihm unter anderem, daß es mir lieb wäre, daß er von den Traumdichtungen zurückgekommen wäre, das wäre nichts, und über seinen »Almansor« äußerte ich ihm meinen Tadel dahin, daß er dessen Liebe, vorher so rein und edel, gegen das Ende bis zur viehischen herabsinken ließe. Über die Träume äußerte er sich dahin, daß doch manches darin liege und daß er wohl wieder einen Zyklus davon dichten würde.

Sein »Almansor« aber, sagte er, fange gleich so schwärmerisch an, daß er ihn, um zu steigern, fast bis zur Brutalität hätte steigern müssen. Auch, meinte er, müßte doch der Afrikaner durchblicken. Ich erwiderte ihm darauf, daß Brutalität der Charakterzeichnung im Verhältnis zur frühern, nicht treu und nicht schön wäre und daß in dem allmählichen Übergehen der heiligen Liebe in die bloß physische durchaus keine Steigerung läge. – Er schien damit einverstanden. Die Idee zum »Almansor« hat er aus einer spanischen Romanze, die Erfindung des »Ratcliff« ist ganz sein eigen. – Das Gespräch über sein »Intermezzo« führte auf seine Liebe und Liebesleiden; das alles beruht bloß in der Idee, ohngefähr vielleicht wie bei mir. Über das »Intermezzo« selbst fragte er mich, ob ich ihn denn nie gutmütig gefunden hätte, was ich verneinen mußte. –

Heine ist sehr kränklich; auf meine Frage, ob er immer oder nur zu Zeiten poetisch gestimmt sei, antwortete er, so oft er sich wohl befände, dann immer. – Er sagte ferner, daß er manche Pläne habe und viele Vorarbeiten mache. Jetzt exzerpiere er alte Chroniken von der Bibliothek und sei bei einer Novelle zu arbeiten, die ein historisches Gemälde aus den Zeiten des Mittelalters sein sollte. Kleine Gedichte dächte er vorerst nicht wieder zu machen, was ich ihm abriet. Als ich auf seine Originalität zu sprechen kam, sagte er: »Anfangs hat sie mir Schaden getan, die Leute wußten nicht wohin sie mich rangieren sollten; jetzt tut sie mir Nutzen.« – Er studiert jetzt im sechsten Jahre und muß noch bei den Pandekten schwitzen. Er hört sie bei Meister, weiter nichts. Gestern sagte er mir, wenn das Corpus juris in Kalenderformat gedruckt wäre, würde er es gewiß loskriegen, jetzt scheue er sich vor dem großen Format. Michaelis will er ausstudiert haben und dann auf Reisen gehen, wahrscheinlich nach Italien. – Umgang hat er wenig; wir haben einander gegenseitig gebeten, einer den andern zu besuchen.

Heine ist aus Düsseldorf gebürtig und denkt in der Folge in die Juristenkarriere zu treten, ob aber in Preußen, weiß er noch nicht. Consiliert worden ist er hier früher wegen Suiten in der Neujahrsnacht und wegen einer Forderung. Schon von Bonn aus ist er mit dem unterschriebenen Consil hierher gekommen. Er sagt, er hätte dort viele Suiten gerissen und wäre alle Abend sehr spät und knüll zu Hause gekommen, so daß seine Wirtin, wenn er etwa schon des Abends um 10 Uhr zu Hause gekommen wäre, immer ängstlich zu ihm gekommen sei und ihn gefragt habe, ob ihm etwas fehle. – Von meinen poetischen Versuchen hütete ich mich wohl, ihn das geringste merken zu lassen. – Einmal kamen wir auch auf Journale zu sprechen; er liest nur 2, worauf ich ihm sagte, daß er sehr viele bei Vandenhoeck und sehr wohlfeil bekommen könnte. »Ach«, antwortete er, »das hilft mir nicht, dann bekomme ich sie ein halbes Jahr später; ich muß sie gleich lesen, sowie sie herauskommen.« – Ich glaube, seine Bekanntschaft wird für mich von großem Nutzen sein; schon heute hat er mir manche gute Idee an die Hand gegeben. (274)

116. Eduard Wedekind   16. Juni 1824

Tagebuch, Göttingen, 16. Juni 1824

Abends ging ich zum Ulrich, wo ich immer gewiß bin, Heine zu treffen. Ich ließ mich diesmal von ihm anreden; dann gingen wir wieder spazieren durch den Garten, und Heine entwickelte mir wieder eine große Menge ganz neuer Ansichten und Ideen. Er ist ein ungeheures Genie, dabei durchaus nicht von sich eingenommen, so daß sein Umgang mir außerordentlich interessant ist. Ich glaube auch, daß er wohl an mir Gefallen findet, und so viel ich ihn jetzt kenne, werden wir uns sehr gut zusammen vertragen, obgleich wir in vielen Punkten sehr voneinander verschieden sind. Ich will wieder das Interessanteste unseres Gespräches niederschreiben. – Hinter uns saßen ein paar Damen in einer Laube; ich fragte ihn, ob er sie schon gesehen hätte. »Ach«, sagte er, »ich bin sehr kurzsichtig.« – »Warum tragen Sie denn keine Brille?« – »Das sieht so affektiert aus.« – »Wie können Sie mir das sagen!« fragte ich ihn lachend, »da ich doch gerade eine Brille auf habe.« – »Ach Gott, das habe ich gar nicht gesehen«, sagte er schnell und entschuldigte sich sehr. Die Geschichte amüsierte uns, wir lachten beide recht darüber.

Während wir spazieren gingen, stieß er immer mit dem Fuße kleine Steinchen, die auf dem Wege lagen, vor sich hin. Wir kamen bei einfachen blutroten Rosen vorbei. In Beziehung auf seine gestrigen Bemerkungen über die Fabel fragte ich ihn, was ihm diese Rose zu sagen scheine. – »Aufgeputzte Armut«, sagte er nach einigem Besinnen, ungemein treffend. Bei einer andern Rosenknospe fragte er mich, ob die nicht fast naiv aussehe, was ich bejahen mußte. – Ich sprach heute absichtlich mit ihm über das Jus. Er hört die Pandekten bei Meister. »Das ist ein göttlicher Kerl«, sagte er, »erstens, zweitens, alles kurz, und man sieht gleich wie man es anwenden kann.« – Das Römische Recht interessiert ihn schon, mehr noch das Canonische. »Es würde interessant sein«, sagte er, »den Kampf des Kanonischen und Römischen Rechts miteinander darzustellen, wie denn die Dekretisten und

Romanisten in Bologna sich fast tot darum schlugen. – Übrigens«, sagte er, »habe ich vom Jus doch nichts los, als was so hie und da hängen geblieben ist, manchmal ist aber doch mehr hängen geblieben, als ich selbst glaubte. Ich habe überhaupt nichts los als die Metrik. Sonst war es mein stehender Witz, wenn jemand etwas Gutes oder Schlechtes geschrieben hatte: der hat die Metrik los oder nicht los. Die Metrik«, fuhr er dann fort, »ist rasend schwer; es sind vielleicht 6 oder 7 in Deutschland, die sie verstehen (das klingt nun in bezug auf ihn, so auf dem Papiere, etwas arrogant, war es aber gar nicht, in dem Tone, wie er es sagte). Schlegel hat mich hereingeführt«, fuhr er fort, »das ist ein Koloß. Er ist durchaus nicht poetisch, aber durch seine Metrik hat er manchmal etwas hervorgebracht, was in das Poetische reicht. Auch Voß ist sehr gut.« – »Sie scheinen mir da«, sagte ich ihm, »einen weiteren Begriff mit der Metrik zu verbinden, als man gewöhnlich tut. Denn wenn man auch natürlich das Abzählen der Füße und Silben bloß für Nebensache und die ersten Elemente hält, so läßt sich doch auch, meiner Meinung nach, der Charakter der meisten poetischen Formen leicht ergründen. Man kann ihn zwar nicht immer in klaren Worten ausdrücken, aber das Gefühl, wenn es einigermaßen gebildet ist, wird einen bald richtig führen. Ich bin überhaupt der Meinung, daß der Dichter nie die Form suchen müsse, er darf sie nicht von dem Kern trennen, sondern ich glaube vielmehr, daß, wie ein Gedicht entsteht, auch die ihm ganz eigentümliche Form, als ganz eins mit ihm, zugleich mit entsteht.« – »In der Regel«, sagte Heine, »ist das wohl so; aber nicht immer; manchmal kann man wohl vorher über die Form nachdenken, weil sie kein bloßes Vehikel, sondern auch etwas Produktives sein soll.« – Ich hätte ihm hierin widersprochen, wenn er nicht gleich so fortgefahren wäre: »Worin bei den Alten der eigentliche metrische Witz liegt, das habe ich bis jetzt noch nicht herausbringen können; die alten Versmaße sagen mir für die deutsche Sprache gar nicht zu. Z. B. der Hexameter. Wir haben manche schöne Hexameter, die ganz richtig und vortrefflich gebaut sind, so daß nichts daran auszusetzen ist, aber sie gefallen mir doch nicht; nur einige Ausnahmen gibt es, und das sind gerade nicht die besten, z. B. die Römischen Elegien von Goethe. Schlegel sagte mir, Goethe hätte ihm sein Manuskript vorgelesen und er (Schlegel) hätte ihn auf manches in der Versifikation aufmerksam gemacht, aber Goethe hätte ihm gesagt, er sähe wohl, daß das nicht ganz richtig wäre, aber er möge es nicht ändern, weil es ihm so besser zusage, als das richtigere. Worin liegt dies nun?« »Im Geist der deutschen Sprache«, sagte ich; »das ist freilich sehr allgemein gesagt, aber bis jetzt kann ich es nicht näher entwickeln. Auch«, fuhr ich fort, »sind unter den Ausnahmen, ich meine solchen Gedichten, bei denen mir die antike Form zusagt, einige Oden von Klopstock: der Zürcher See z. B. und die Oden an Ebert und Giseke.« – »Die Oden gefallen mir überhaupt am besten von Klopstocks Schriften.«

Ich: »Haben Sie schon den Messias gelesen?«

Heine: »Nein, das wäre mir nicht möglich.«

Ich: »Mir geht es auch so, ich habe nie über die ersten 200 Verse hinauskommen können. Der ›Messias‹ kommt mir manchmal vor wie eine poetische Predigt.« – Der Meinung war Heine auch.

Dann kamen wir, ich weiß nicht mehr wie, auf Reflexionen in Gedichten zu sprechen. »Die sind mir unausstehlich«, [meinte Heine,] »besonders solche Schneiderreflexionen; ich habe noch heute einen kleinen erotischen Witz gemacht, worin ich sie parodiere.« – Ich bat ihn, mir das Gedicht vorzutragen, wenn er es auswendig könne. – »Ich habe es wohl bei mir«, sagte Heine. Er langte in die Seitentasche und zog einen sauber zusammengefalteten halben Bogen Postpapier heraus. Es war viel in dem Gedicht gestrichen und geändert, es lautete ohngefähr so:

[Wohl dem, dem noch die Unschuld lacht,
Weh' dem, der sie verlieret!]
Es haben mich armen Jüngling
Die bösen Gesellen verführet.

Sie haben mich um mein Geld gebracht
Mit Charten und mit Listen,
Es trösteten die Mädchen mich
Mit ihren weißen Brüsten.

Drauf haben sie mich besoffen gemacht,
Da hab' ich gekratzt und gebissen!
Sie haben mich armen Jüngling
Zur Tür hinausgeschmissen.

Und als [sie mich an die Luft] gebracht,
Bedenke [ich] recht die Sache,
Da saß ich armer Jüngling
Zu Kassel auf der Wache.

Er las dies Gedicht sehr lebhaft und den affektierenden süßlichen Ton parodierend vor. Das Gedicht gefiel mir. »Es ist für solche Gedichte«, sagte ich, »manchmal ein guter Probierstein, wenn man sich gleich eine konkrete Person lebhaft dabei vorstellen kann, und hier denke ich mir gleich einen süßlichen Zieraffen, der seine schrecklichen Fata mit aller ihm nur möglichen Weinerlichkeit erzählt. – Übrigens möchte ich, daß Sie im letzten Verse die Reime Sache und Wache änderten und auch hier den i- und ü-Laut setzten, der in den übrigen Versen steht und ganz trefflich zu dem Charakter der geschilderten Person paßt.«

Heine: »Ja, ich weiß wohl, die letzten Reime taugen nicht, gebracht und Sache, zwei a-Laute, das ist nicht gut, aber ich kann es nicht ändern, denn ich muß die Wache am Ende haben. Sehen Sie, das ist nun so ein metrischer Witz. ›Zu Kassel auf der Wache‹ ist ganz etwas anderes als: ›auf der Wache zu Kassel‹ und: ›es haben mich die bösen Gesellen verführet‹ auch etwas andres als: ›die bösen Gesellen haben mich verführet‹. Die Hauptpointe macht der Jüngling, da fehlt immer ein Fuß, es wird so gezogen.«

»Übrigens«, sagte ich ihm, »würde nicht jeder das Gedicht verstehen, dem Sie es nicht vorläsen.« »Gott bewahre«, antwortete Heine, »das versteht kein Mensch.«

Ich: »Es freut mich indessen, daß Sie Ihrem gestern ausgesprochenen Vorsatz, keine Gedichte fürs erste mehr machen zu wollen, nicht getreu geblieben sind.« – »Ach«, sagte Heine, »dies ist kein Gedicht.« – »Ich glaube überhaupt«, fuhr ich fort, »daß sich ein Dichter nichts vornehmen muß, er soll seiner Muse folgen.«

Ich fragte ihn dann, ob er nie die eigentliche Satire behandelt hätte. »Das ist ein gefährliches Handwerk«, sagte er. – »Warum? Sie muß nur nicht persönlich sein.« – »Ach! Alle Satire ist persönlich.« – Ich wandte ihm Horazens Satiren dagegen ein. »Das ist mehr guter Humor«, war seine Antwort. »Aristophanes ist der größte Satiriker, und ich möchte wünschen, daß die persönliche Satire bei uns wieder eingeführt wäre.« – »Das würde nicht gut sein«, sagte ich, »es würde zu viele und zu bittere Federkriege absetzen.« – »Das Volk soll auch nicht versauern.« – »Dann mag es das Schwert nehmen, nur nicht die Feder.« – »Haben doch Erasmus und Luther auch mit der Feder gekämpft.« – »Das war ganz etwas anderes«, erwiderte ich; »das war ein hoher wichtiger Zweck, bei dem das Wohl von Nationen auf dem Spiele stand. Luther mußte natürlich jene höchsten Prinzipien und das, was er als Wahrheit ausstreute, auf alle mögliche Weise verfechten, damit es nicht wieder unterging. Behandeln Sie indessen die persönliche Satire für sich, es ist eine gute Übung und kann Ihre Freunde ergötzen, wenn Sie sie auch nicht drucken lassen.« – »Ich habe schon einen Anfang dazu gemacht, indem ich Memoiren schreibe, die schon ziemlich angewachsen sind. Jetzt bleiben sie indessen liegen, weil ich andres zu tun habe; ich werde sie aber fortsetzen, und sie sollen entweder nach meinem Tode herausgegeben werden, oder noch bei meinem Leben, wenn ich so alt werde wie der alte Herr *[Goethe]*.« – »Ich wollte ihm wünschen«, fing ich an, »daß er früher gestorben wäre, die Welt hätte viel verloren, sein Ruhm aber hätte gewonnen.« – Das bestritt Heine durchaus. – »Nehmen Sie Schiller«, sagte ich ihm, »der ist gerade zur rechten Zeit gestorben; er tat genug um unsterblich zu sein und hinterließ der Welt das Bedauern, nicht einmal seinen Demetrius noch vollendet zu haben.« – Heine schwieg.

Wir kamen bei ein paar Putern vorbei, die auf das Geländer einer kleinen Brücke geflogen waren und nach der Wasserseite hinsahen. »Die wollen nun wieder herunter«, sagte Heine, »und sind zu dumm sich umzudrehen.« Er amüsierte sich sehr darüber.

Auch begegnete uns der Dr. Lachmann, ein hiesiger junger Dozent, dem die Arroganz auf der Nase geschrieben steht. Er ist in den bestimmten Stunden auf der Bibliothek, hat aber manchmal Launen und diese auch gegen Heine geäußert. – »Der Mann sagte mir neulich«, fing Heine ganz pfiffig an, »ich dürfte mir die Bücher nicht selbst aus den Börten nehmen, und bis jetzt habe ich es doch immer getan.« – »Das ist aber auch verboten«, wandte ich ihm ein. – »Ja, er hat aber auch sonst Launen«, erwiderte Heine, »das soll er mir büßen«, setzte Heine ganz schalkhaft hinzu; »wenn ich ihn nicht mehr brauche, gehe ich mit einem ganzen Trupp auf die Bibliothek, und dann soll er mir klettern, immer nach den höchsten Börten, und wenn er dann die Bücher nicht finden kann und will, so sage ich ihm: er weiß ja nichts.« – »Das soll auch wohl Gutmütigkeit sein?« fragte ich ihn in bezug auf seine gestrige Frage, ob ich denn in seinen Gedichten keine Gutmütigkeit gefunden hätte. – Heine besann sich erst, was ich meinte, dann fing er an zu lachen. – (274)

117. Maximilian Heine   1824/1825
   Göttinger Studentenüberlieferung   (*1868)

Obgleich Heine die *Jurisprudenz* zu seiner Fachwissenschaft gewählt hatte, so fand er sie doch zu trocken, um nach seiner Art Geschmack daran zu finden, und unterließ keine Gelegenheit an den guten juristischen Professoren in *Göttingen* seinen Witz auszuüben.

Auch Meister, sein berühmter Pandektenlehrer, blieb nicht verschont, und die Gasse, in welcher Meister sein Collegium las, hieß allgemein die *Pandektengasse.*

Heine wußte durch seine Freunde das Gerücht allgemein auszubreiten, daß in der Pandektengasse allnächtlich ein Geist spukte. Die Göttinger Philister wagten gar nicht daran zu zweifeln; es hieß nämlich, der spukende Geist sei ein Student, der im Collegium von Meister sich *zu Tode ennuyirt* habe, und dessen Seele nicht eher Ruhe finden könnte, bis Meister einmal einen *Witz* machen würde. Die Geschichte hat Meister dermaßen geärgert, daß er sein Collegium aus der Pandektengasse in eine andere Straße verlegt hatte.   (105)

118. Eduard Wedekind   1824/1825

Artikel über Heine   (*7. 6. 1839)*

Welcher Dichter wäre nicht subjectiv in Liebesliedern! Die Heine'schen zeichnen sich aber durch die Eigenthümlichkeit des zum Grunde liegenden Liebes-Verhältnisses aus, aus dem man fast eben so schwer klug wird, wie aus der Liebe im Ratcliff; es ist ein Anziehen und Abstoßen, bei dem ein zum Grunde liegendes Verwandtschafts-Verhältniß die Freundschaft befördert, aber die Liebe abwehrt. Ich kenne Heine's Verhältnisse in dieser Hinsicht durchaus nicht, vermuthe jedoch nach den angegebenen innern Gründen, daß seine Geliebte etwa eine Cousine von ihm gewesen sey. [. . .]

In ganz andrer Gestalt tritt seine Subjectivität in den Nordseebildern auf. Hier sind es in der That nordische Barbaren, die sich aus dem classischen Alterthum ein Wamms und eine Mütze schneiden, in denen sie sich mitunter drollig genug ausnehmen, die ihnen aber am Ende doch gar nicht übel stehn. Man kann aus diesen Gedichten sehen, wie keck wahre Originalität seyn darf. Und doch hat diese anscheinend leichte Form dem Dichter viel gekostet, ehe er sie traf; Heine hat mir selbst gesagt, daß er über die Form, in welcher er den Gegenstand dieser Gedichte habe darstellen wollen, lange nicht mit sich habe einig werden können. [. . .]

Er schreibt, weil ihm die Sprache nur das Mittel zum Zweck ist, in der Regel in ganz einfachen Strophen, obwol er auch der schwierigern Formen, namentlich des Sonetts und der Assonanz, durchaus Meister

ist, und es bleibt ihm, da seine Technik leicht ist, von dem, was er ausdrücken will, niemals etwas zurück; er gebraucht häufig Abkürzun-
gen, und verfällt in Härten, um viele Gedanken zusammen zu pressen;
aber er ist ausgezeichnet im Reime, der bei ihm immer voll und kräftig
tönt, und die deutsche Sprache vor dem Vorwurfe des matten E gänzlich bewahrt, und er besitzt wie überhaupt einen feinen Sinn für Alles,
was zur *innern* Form gehört, so namentlich in hohem Grade dasjenige
lyrisch-musikalische Gehör, das dem darzustellenden Bilde und Gedanken immer die richtige Form anpaßt, das nicht einen $^3/_8$-Takt anschlägt, wo es $^3/_4$ seyn muß, und das manche scheinbare Härte, selbst
einen scheinbaren Mangel mit Bedeutung wählt. – So erinnere ich
mich, daß Heine die rührende Geschichte eines jungen Studenten
besang, der auf einer Tour nach Cassel in alle möglichen Gefahren der
Wirths-, Spiel- und andrer Häuser, und am Ende auf die Wache gekommen war:

> Sie haben mich armen Jüngling
> Verlocket und verführet.

Und dies war ihm wohl bewußt, daß die fehlende Sylbe im Worte
Jüngling die Ironie des Ganzen musikalisch verstärke. Um den Titel
dieses Gedichts war er lange verlegen, bis er endlich triumphirend wie
Archimedes ausrief: »Elegie«. (273)

119. EDUARD WEDEKIND   1824

an Adolf Strodtmann, Uslar, 5. Sept. 1876

»Du bist ein verfluchter Kerl«, sagte er *[Heine]* mir bei zwei Gelegenheiten, einmal als ich ihm, ohne mit seinen Liebes-Affairen im Geringsten bekannt zu sein, auf Grund seiner Gedichte und des Ratcliff de-
monstrirte, er sei ohne Zweifel in eine Cousine verliebt gewesen, ein
Verhältniß, das – namentlich beim Hamburger Familien-Tone – eine
große Annäherung zuläßt, ohne irgend einen Anspruch auf Liebe zu
gestatten. Das andre Mal war's ein Gespräch über Göthe, *meinen*
Dichter-Heros, bei dem gleichwohl die Reflexion (wenigstens ein sehr
hoher Grad von Besonnenheit) vorherrscht. Das wollte H[eine] nicht
zugeben, bis ich ihn u. a. auf Clärchens Traumgesicht im Egmont und
auf den Verlobungsring an der Hand von Hermanns Dorothea verwies. – H[eine] schwärmte für Göthe fast noch mehr als ich selbst, der
ich namentlich Schiller als Dramatiker über ihn stellte. Das wollte

H[eine] nicht zugeben, u[nd] meinte: den Egmont habe Schiller nie
erreicht.　　　　　　　　　　　　　　　　　　　　　　　(318 a)

120. Eduard Wedekind　　　　　　　　　　　　　　　　1824

an Adolf Strodtmann, Uslar, 30. Sept. 1876

Ihre besondere Erwähnung des Faust erinnert mich noch an einen
Zug v[on] Heine. Er kam eines Morgens ganz jubilirend zu mir, weil
er irgendwo eine – merkwürdigerweise literarisch ganz posthume –
Scene aus dem Götheschen Faust aufgeschnappt hatte. Sie reiht sich
an die Rabenstein-Scene. Die Reiter passiren ein aufgerichtetes Kreuz:

> Faust: Mephisto, hast Du Eil',
> Was schlägst vorm Kreuz die Augen nieder?
> Mephisto: Ich weiß es wol, es ist ein Vorurtheil,
> Allein es ist mir mal zuwider.

Das letztere Couplet citirte er dann später gelegentlich manchmal.
　　　　　　　　　　　　　　　　　　　　　　　　　　(318 a)

121. Eduard Wedekind　　　　　　　　　　　　　20. Juni 1824

Tagebuch, Göttingen, 20. Juni 1824

Heine hat doch erfahren, daß ich mich mit Dichten abgebe. Wir wollten heute ausfahren; als ich deshalb nach seinem Hause kam, zeigte
er mir eine neue Zeitschrift »Agrippina«, die von einigen seiner Freunde herausgegeben würde und wofür fast alle seine Freunde Beiträge
lieferten. »Auch Sie«, sagte er, »will ich bitten, mir Beiträge dafür zu
geben.« Ich fragte ihn, wie er auf die Idee käme; ich hätte nichts bei-
zutragen. »Haben Sie nichts Poetisches?« – Nein. – »Auch keine prosaischen Aufsätze?« – Nein. – »Ach, so sagen Sie es doch nur gerade
heraus, ich kann das gar nicht leiden, wenn jemand so züchtig tut.« –
Heine will nächstens, wenn er gut gestimmt wäre, sagte er, zu mir
kommen, da soll ich ihm etwas vorlesen. Ich tue es teils gern, teils
ungern; gern, weil er mir gewiß unumwunden sein Urteil sagen wird,
ungern, weil fast jeder Mensch, und besonders wer schon etwas hat
drucken lassen, das Ungedruckte bei einem andern nicht gehörig wür-
digt. Über die gebetenen Beiträge habe ich mich noch nicht erklärt,
werde ihm aber keine geben, weil ich mit einem Male aufstehn will.

Ich bin der Meinung, daß man viel dadurch gewinnt, wenn man das Publikum überrascht. –

In Heine seiner Stube sieht es höchst unordentlich aus; das Bett steht mit auf der Stube, obgleich er eine sehr gute Kammer hat, und Bücher, Journale, alles liegt auf den Tischen herum, bunt durcheinander. Ich sagte ihm, daß ich einen Teniers herbringen würde, es abzumalen. – Wir fuhren darauf nach Mariaspring und abends noch nach der Landwehr: Heine, Mertens, Schwietring und ich, auch blieben wir, als wir wiederkamen, noch bis 10 Uhr zusammen bei Mertens. Ich gewinne Heine immer lieber, es ist ein ganz charmanter Kerl. In vielem stimmen wir überein, in vielem weichen wir ganz voneinander ab, und dann gibt es immer sehr interessante Erörterungen. Wir sprachen heute viel von der Liebe in der Poesie. Er gibt der physischen vor der platonischen den Vorzug, ich nicht; wir vereinigten uns aber bald, weil wir eigentlich derselben Meinung waren und nur die Ausdrücke verschiedenartig nahmen. Platonische Liebe hält er für Hypersentimentalität, und die sinnliche Liebe nahm ich für bloß tierischen Trieb. Wir vereinigten uns leicht dahin, daß die irdische Liebe in veredelter Gestalt, so daß sie gleich weit entfernt ist von der tierischen, wie von der himmlischen, für die Poesie die vorteilhafteste wäre. – Einer Dame, die, um ihn in Verlegenheit zu setzen, Heine gefragt hat: »Sie lieben wohl platonisch?« hat er geantwortet: »Ja, gnädige Frau, wie der Kosakenhauptmann Platow.« – »Da war sie aber ballerirt«, setzte er gutmütig hinzu. – Wir kamen auf Goethes »Faust« zu sprechen. »Ich denke auch einen zu schreiben«, sagte er, »nicht um mit Goethe zu rivalisieren, nein, jeder Mensch sollte einen Faust schreiben.« – »Da möchte ich Ihnen wenigstens raten, es nicht drucken zu lassen«, sagte ich; »dann wird es gewiß eine gute Übung sein. Wenn Sie es drucken ließen, würde das Publikum –« »Ach, hören Sie«, unterbrach er mich, »an das Publikum muß man sich gar nicht kehren; alles was es über mich gesagt hat, habe ich immer nur so nebenher von andern erfahren.« – »Da bin ich«, sagte ich, »insofern Ihrer Meinung, daß man sich nicht durch das Publikum irre machen lassen muß, auch muß man nicht nach seiner Gunst haschen, nur muß man es nicht gegen sich einnehmen wollen, um ihm ein unbefangenes Urteil zu lassen, und Sie würden es gewiß einigermaßen gegen sich einnehmen, wenn Sie einen »Faust« schrieben. Das Publikum würde Sie für arrogant halten; es würde Ihnen eine Eigenschaft unterlegen, die Sie gar nicht besitzen.« – »Nun, so wähle ich einen andern Titel.« – »Das ist gut«, sagte ich, »da werden Sie jene Nachteile vermeiden; Klingemann und La Motte Fouqué hätten auch wohl daran getan.« – Von La Motte hält er übrigens sehr viel, ich nicht; er ist mir zu süßlich, und ich begreife wirklich nicht, wie Heine so viel auf ihn halten kann. Unser Gespräch kam auch einmal auf Eichhorns »Chrimhilde«. »Es ist ein Fehler in dem Stück«, sagte Heine, »daß es geschrieben ist; Eichhorn ist nicht allein kein Poet, sondern durchaus antipoetisch.« Dann wieder in seinen witzelnden Ton übergehend, sagte er: »Eichhorn ist einer unserer größten Satiriker.« – Den Alten habe ich nie recht Geschmack abgewinnen können, selbst Homer nicht. »Gott rechne es Ihnen nicht an!« sagte Heine. – Die Theorie der Poesie hat Heine bei Schlegel ganz durchgemacht. Heine ist fast immer kränklich und leidet sehr an Kopfschmerzen. Daraus erklärt sich wohl seine so sehr abwechselnde Stimmung. Manchmal ist er ganz hypochondrisch, und dann springt er mit einem Male in den feinsten Witz um. Wenn er bei guter Laune ist, ist er äußerst witzig, und kommt man dann auf seine Liebe zu sprechen, fängt er immer an zu parodieren. – Ich fragte ihn auch nach seinen Übersetzungen. »Lord Byron – das war eigentlich eine große Eitelkeit von mir«, sagte er, »Schlegel sagte mir immer, Byron wäre nicht zu übersetzen, darum gab ich mich dran und lag Tag und Nacht darüber mit der größten Anstrengung.« – »Nun, und was sagte Schlegel denn da?« – »Ja, er sagte, es wäre wie Original; das Übersetzen müßte mir aber auch leichter werden, wie jedem andern, weil ich einige Ähnlichkeiten im Charakter hätte mit Byron.« – Ein gutes Zeichen war mir, daß Heine mich fragte, was ich von Grüter hielte, den er sehr gut kennt. »Er hat so etwas jugendlich Wohltuendes«, sagte er. Ich vermied die Antwort darauf; aber es war mir ein gutes Zeichen, daß er mich schon nach meinem Urteil über einen früheren Freund fragte.   (274)

122. EDUARD WEDEKIND   21. Juni 1824

Tagebuch, Göttingen, 21. Juni 1824

Abends ging ich zum Ulrich: ich traf Heine dort wieder und nahm ihn von da mit nach meinem Hause. Er bat mich, ihm etwas von meinen Sachen vorzuzeigen. Ich las ihm einiges vor, obgleich nicht das Beste; das geht mir immer so; wenn ich jemandem etwas von meinen Sachen vorlesen soll, weiß ich nie eine gute Auswahl zu treffen. Indessen war doch unter dem, was ich Heine vorlas, manches mit unter, was ich für sehr gut hielt. Aber das Höchste, was Heine sagte, war: »Das ist recht gut; aber«, fügte er dann in der Regel hinzu, »Sie müssen kon-

ziser sein.« Das sagte er namentlich bei der Ballade »Donna Clara«.
»Sie müssen da nicht sagen«, bemerkte er, »daß sie zu ihrem Vater
hingeht und dort spricht, sondern Sie müssen sie unmittelbar jene
Worte sprechen lassen und dann hinzufügen: So sprach Donna Clara
zu ihrem Vater.« – Im ganzen, glaube ich, hat Heine keine gute Idee
von meiner Poesie bekommen. »*Sie werden gewiß eine herrliche Prosa
schreiben*«, sagte er mir, »der Verstand ist bei Ihnen durchaus vorherrschend; haben Sie etwas Prosaisches fertig?« – »Nein«, war meine
Antwort. – »O, so schreiben Sie doch Erzählungen.« Ich sagte ihm
meine Idee zu dem Romane, der in der Gegend von Osnabrück spielen soll; sie gefiel ihm. – Meine Gedichte hat Heine mir ganz verleidet;
ich bin nie eitel darauf gewesen und glaubte sie daher nicht zu über-
schätzen, aber ich habe sie doch etwas besser gehalten, als Heine tat
und ich jetzt selbst tun muß. Wenn es nicht einer romantischen Nach-
äfferei ähnlich sähe, so würde ich sie jetzt alle miteinander ins Feuer
werfen; sie kommen mir jetzt alle entsetzlich fade vor. Manches verwarf Heine indessen nicht ganz. »Sie werden nie durchschlagen mit
Ihren Gedichten«, sagte er mir, »aber es gibt eine gewisse Klasse von
Personen, die sehr groß ist, der Sie einen klaren dauernden Genuß verschaffen werden.« Mein Trauerspiel will er sich ausbitten, wenn er
ganz gesund ist, um es mit Muße lesen zu können. Das gefällt mir nun
gar nicht mehr, und ich preise mein Geschick, daß es in Berlin nicht
aufgeführt worden ist. Ich sagte Heine indessen, daß, obwohl jenes
Trauerspiel noch ein sehr schwacher Versuch wäre, ich doch Hoffnung
hätte, daß mir Charakterschilderungen noch wohl gelingen würden.
»Das glaube ich auch«, sagte Heine, »Sie sind ein guter Beobachter.« –
Ich weiß nicht, ob es Heinen auffiel, daß in meinen Gedichten viele
Reime auf e vorkommen, wie leben, streben, gehen, stehen usw. »Solche Reime«, sagte er im allgemeinen, »muß man vermeiden, es ist kein
Metall darin.« Am Ende sagte er zwar gelegentlich, ob ich ihm nicht
einiges für die »Agrippina« geben wolle, aber ich glaube nicht, daß es
sein rechter Ernst war. Auch ließ er es gut sein, als ich ihm erklärte,
daß ich nie etwas eher in einer Zeitschrift einrücken lassen würde, bis
ich förmlich aufgetreten wäre.

Ich kann unendlich viel von Heine lernen und habe schon viel von
ihm gelernt. Wenn Schlüter noch hier wäre, ein Jahr meines Lebens
gäb' ich drum. – Das verdroß mich ein wenig, daß Heine, obgleich *er
mich* gebeten hatte, ihm etwas vorzulesen, doch eben nicht sehr aufmerksam dabei schien. Ich glaube nicht, daß ein inniges Freundschafts-
verhältnis zwischen uns entstehen wird, aber äußerst interessant und

lehrreich ist sein Umgang für mich. – Jetzt, da er mich näher kennt, fängt er an, mehr von seinen eignen Sachen mit mir zu sprechen; ich lasse ihn dabei. Von meinen Gedichten habe ich eigentlich nur wenig mit ihm gesprochen, aber für ihn, wie ich bemerkt zu haben glaube, doch schon vielleicht zu viel.

Er erzählte mir dann viel von einem jüngeren Bruder, der ein Jahr jünger wie ich und auch ein Dichter wäre; er sprach mit vieler Wärme von ihm. – Meine Uhr, die auf dem Tische lag, bat Heine mich weg-zulegen; er könne das Pickern nicht vertragen, sagte er. – Goethes »Werther«, den er noch nicht gelesen hat, wollte er anfangs mitneh-men, legte ihn aber nachher wieder hin, weil er fürchtete, das Buch möchte ihn jetzt zu sehr anregen.

Als Heine weg war, hielt ich ein Gericht über meine Gedichte, und da ich sie aus dem angegebenen Grunde nicht verbrennen wollte, strich ich wenigstens die meisten durch; auch diejenigen von meinen Liedern, besonders Abendliedern, die ich die praktischen nennen möchte, weil sie ein Gleichnis und eine Nutzanwendung sind. Ich war schon lange bei mir uneins, ob das wohl rechte Poesie sei; Heine sagte mir gleich: »Die taugen nicht.«

Zu Karl [Wedekind] sagte ich noch heute Abend, daß ich meine Ge-dichte gar nicht mehr leiden möchte. »Nun«, sagte er, »wenn Heine auch sagt, daß sie nicht viel taugen, so können sie darum doch ganz gut sein.« Ich widersprach ihm aber. (274)

123. EDUARD WEDEKIND   22. Juni 1824

Tagebuch, Göttingen, 22. Juni 1824

Dienstag, 22. Juni, traf ich Heine wieder auf dem Ulrich, sprach aber wenig mit ihm; er war heute außerordentlich angegriffen. Ich sagte ihm nur, daß er ein rechter Mephistopheles wäre und mir meine Gedichte ganz verleidet hätte. »Wieso?« fragte er, »dann haben Sie mich ganz falsch verstanden –.« – »Das nicht«, war meine Antwort, »aber ich habe mich jetzt selbst verstanden.«

Ich glaube fast, daß ich meine Bekanntschaft mit Heine nicht so auf einmal zu weit treiben muß; es muß nach und nach kommen. (274)

an Adolf Strodtmann, Uslar, 30. Sept. 1876

Heine, bekanntlich nur klein u[nd] schmal, sah damals – je nach seinem Befinden – sehr verschiedenartig aus. In guten Momenten hatte er
eine ungemein gewinnende Freundlichkeit, und am interessantesten
war sein Gesicht, wenn er irgend eine gutmüthige Schelmerei vorhatte.
Dann blitzten die kleinen, mandelförmigen Augen (oft mit gerötheten
Rändern) recht treuherzig-listig.   (318 a)

125. EDUARD WEDEKIND   24. Juni 1824

Tagebuch, Göttingen, 24. Juni 1824

Abends ging ich wieder zum Ulrich; der Hunger treibt mich jetzt alle
Tage hin. Heine war auch wieder dort, und Grüter mit dem jungen
Oesterley, bei dem er im Hause wohnt. Grüter hatte mir schon lange
von dem schönen Klavierspiel des jungen Oesterley erzählt, sowie auch
Siemens, der auch heute bei uns war, und nun veranstaltete es Grüter
so, daß Oesterley mit uns nach meinem Hause ging, wo er auf Karls
Flügel uns bis 11 Uhr etwas vorspielte. Ich muß sagen, ich habe selten
jemand besser spielen hören, einen Dilettanten nie. Auch gefällt mir
seine Persönlichkeit sehr wohl. Heine war diesen Abend außerordentlich ausgelassen. »Sie haben wohl nicht geglaubt, daß ich lachen
könnte!« sagte er zu mir. – Ich nenne ihn jetzt immer Mephistopheles.«
Es ist wahr, seitdem ich ihm Gedichte von mir vorgelesen habe, habe
ich noch keine wieder gemacht, und gerade vorher fast alle Abende.
Es ist mir aber sehr lieb, daß ich durch Heine veranlaßt worden bin,
meine bisherigen Produkte zu verachten; die Hoffnung, einst einmal
etwas Tüchtiges zu leisten, hat er mir doch nicht genommen. Sollte ich
nur imstande sein, etwas Mittelmäßiges zu leisten, so wollte ich lieber
gar nichts tun. [. . .]
    Was übrigens der Heine für Ideen hat! Heute sagte er mir: »Byrons
Tod hat mich sehr erschüttert, ich ging mit ihm um, wie mit einem
Spießgesellen. Shakespeare dagegen kommt mir vor wie ein Staats-
minister, der mich, etwa einen Hofrat, jede Stunde absetzen könnte.«
– Neulich sagte er (Heine) mir: »Ich werde nächstens meine Geliebte
besingen, so idealisch ich nur kann, werde sie aber immerfort Sie nennen.«   (274)

Artikel über Heine   (*29. 5. – 2. 6. 1839)

Ich habe ihn, da ich mit ihm studirte, manchmal gefragt, warum dies oder jenes seiner Gedichte besonders schön sey; doch konnte er niemals den Grund dafür angeben, und ich biete ihm noch heute die Wette, daß er seinen Ratcliff – seine mystischste und sublimste, und wirklich fast eine unergründliche Dichtung (etwa wie Hamlet) – selbst nicht versteht. [...] Heine sprach gern von Byron, und fühlte sich mit ihm auf gleicher Stufe, etwa als Hofrath, wie er sich ausdrückte, während er Shakspeare den König nannte, der sie Beide sofort absetzen könne. [...]

Der Ratcliff von Heine, nach meiner Meinung sein Meisterwerk, stellt der Kritik eine eben so schwere Aufgabe, deren Lösung hier jedoch zu weit führen würde. Vielleicht versuche ich sie ein anderes Mal, und entspreche dann noch spät einem Verlangen, das Heine schon in Göttingen an mich stellte.

Dort arbeitete er damals an einer Novelle, deren Stoff aus dem Mittelalter entnommen seyn sollte, theilte aber Niemandem Etwas daraus mit, und ließ sie liegen in Folge einer Harzreise, nach welcher er den ersten Theil seiner Reisebilder schrieb. (273)

127. EDUARD WEDEKIND   26. Juni 1824

Tagebuch, Göttingen, 26. Juni 1824

Es ging in Bovenden los; auch Heine ging mit und hat Karl [Wedekind] Schmollis angeboten. (274)

128. EDUARD WEDEKIND   27. Juni 1824

Tagebuch, Göttingen, 27. Juni 1824

Auf der Landwehr waren wir äußerst fidel; Heine bot heute auch mir Schmollis an. Wir blieben ziemlich lange dort; mehrere Studios von andern Landsmannschaften waren knüll, aber trotz ihrer Knüllität doch sehr höflich gegen uns. (274)

129. EDUARD WEDEKIND   2. Juli 1824

Tagebuch, Göttingen, 2. Juli 1824

Abends war ich bei Heine. Er hatte mir schon lange von seinen noch
ungedruckten Gedichten vorlesen sollen, wir waren aber bis jetzt noch
nicht dazu gekommen. Er tat es heute. Die Gedichte, die er mir vorlas,
waren fast alle vortrefflich, aber ganz in seiner Manier: am Ende jedesmal Ironie, die das Vorhergehende wieder aufhebt und zerstört. Er
liebt diese Manier mehr als billig und ist wirklich ausgezeichnet darin,
aber es wäre mir doch lieber, wenn er eine andere Manier annehmen
wollte. – Heine hat mich in diesen Tagen schon mehrere Male gefragt,
wann er mich haben könne. Heute sagte er mir, daß ich ihm doch mein
Trauerspiel vorlesen sollte.   (274)

130. EDUARD WEDEKIND   4. Juli 1824

Tagebuch, Göttingen, 4. Juli 1824

In Nörten trafen wir Heine, der auf seine eigne Hand einen Wagen
genommen hatte, weil er es nicht lange in Göttingen hatte aushalten
können.   (274)

131. EDUARD WEDEKIND   8. Juli 1824

Tagebuch, Göttingen, 8. Juli 1824

Donnerstag, 8. Juli waren wir bei Oesterley. Er spielt wirklich
vortrefflich und komponiert auch sehr schön. Heine war auch da; den
nenne ich jetzt immer den Mephistopheles. Ich habe, seitdem ich ihm
einige meiner Gedichte vorgelesen, noch keins wieder gemacht, und
vorher fast alle Tage. Ich gebe jetzt nichts mehr darauf und glaube
außerdem, daß ich eher ein Denker als ein Dichter bin.   (274)

132. EDUARD WEDEKIND   10. Juli 1824

Tagebuch, Göttingen, 10. Juli 1824

Abends wollte ich zu Ehmbsen gehen, er war aber nicht zu Hause. Da
traf ich Heine, Grüter und Oesterley auf der Straße, die eben nach der
»Krone« gehen wollten, und etwas trinken. Ich ging mit. Da wir aber

keinen guten Platz dort bekommen konnten, zogen wir nach Heines Kneipe *[Stube]* und ließen uns dort erst zwei, dann aber noch zwei Flaschen alten Rüdesheimer kommen. Ich habe mich ganz vortrefflich amüsiert. Es kam nämlich ein gewisser Peters zu Heine, ein sentimentaler Poet. Wir baten ihn, zu bleiben und uns einige von seinen Gedichten vorzulesen, wozu er sich auch gleich erbot. Er ging seine Gedichte holen und kam bald darauf mit großen Heften unter dem Arm wieder. Heine hatte uns indessen schon gesagt, wie er wäre, und nun wurde der arme Peters gewaltig mystifiziert, am meisten von Heine, am wenigsten von mir. Sonst amüsiert mich so etwas nie, heute aber wohl, weil Heine sehr geistreich war. [...] Wir blieben bis 12 Uhr zusammen. (274)

133. ADOLF PETERS 1824/1825

an Philipp Spitta, Göttingen, 1824/1825

Ich las Heine Deinen »Pferdedieb« vor, der ihm unbedingt gefiel und außerordentlich ansprach. Er hat sehr viel Achtung und Zuneigung für Dich. [...] Herzliche Grüße von der Tafelrunde, vorzüglich von Heine. [...] Heine hat mir mehrere Male gesagt, daß er Deinen Genius achte und schätze, er grüßt Dich aufs allerherzlichste und verbindlichste. [...] Heine läßt Dich recht sehr und abermals sehr grüßen; äußert sich sehr häufig mit äußerster Achtung über Dich und Deine Dichtung. (240)

134. ADOLF PETERS 1824

an Philipp Spitta, Göttingen, 1824

Heine spielt Karten mit seinen tieferen Gefühlen, es ist Münze, die er ausgiebt, nichts scheint ihm heilig genug zu sein, um es nicht dem Witzel und seiner verhaßten Ironie zu opfern; und sein immer wiederkehrendes, gewöhnlich höhnisches Selbstauslachen am Schluß verletzt mich. Ich schaudre, wenn dem Blitz, der das Herz entzündet, sogleich ein kalter, löschender Schlag folgt. Aber man muß ihm auch nicht zu nahe thun; er ist bei all' seinem leichtfertigen, boshaften und übermütigen Witz in den letzten Gründen ein sehr tieffühlender, weicher Mensch, den man durch ernste Vorwürfe leicht bis zu Thränen rührt. (240)

Tagebuch, Göttingen, 11. Juli 1824

Gegen Abend gingen wir nach der Landwehr. Heine war auch da. Wir sprachen viel zusammen, wie denn überhaupt unser Verhältnis mir jetzt sehr gefällt. Er erzählte mir, daß Grüter und Siemens, wie er sagte, Enthusiasten für mich wären. Vom letzten glaubte ich es zu wissen; vom ersten hätte ich eher das Gegenteil vermutet. [. . .] Heine schalt ich übrigens aus, daß er mir etwas wiedererzählen könnte, was Grüter und Siemens ihm doch gewiß in der Voraussetzung erzählt hätten, daß er es nicht wieder sagen würde, wenigstens nicht mir. [. . .] Heine meint, ich würde ein Pedant werden; [. . .] dazu habe ich aber ein zu tiefes Gefühl.   (274)

136. Eduard Wedekind   16. Juli 1824

Tagebuch, Göttingen, 16. Juli 1824

Bei mir war Heine diesen Abend. Er bat mich, ihm doch noch einige von meinen Gedichten vorzulesen; ich tat es; zum Teil wählte ich von meinen früheren Sachen. Sie schienen ihm besser zu gefallen, besonders die Klage: »Nehmt vor den Dichtern euch in acht.« – Mir ist indessen jetzt doch ganz klar, daß ich eigentlich kein Dichter bin; ich habe keine Phantasie, aber eine gute Beobachtungsgabe, die leicht bei objektiven Darstellungen ein Surrogat für die Phantasie sein mag. Das Dramatische gebe ich darum noch nicht auf; sobald ich ausstudiert und Ruhe habe, will ich an meinen »Abälard« gehen, und der soll entscheiden. [. . .]
Heine denkt einen »Faust« zu schreiben; wir sprechen sehr viel darüber, und seine Idee dabei gefällt mir sehr gut. Heines »Faust« wird gerade das Gegenteil vom Goetheschen werden. Bei Goethe handelt Faust immer, er ist es, welcher dem Mephisto befiehlt, dies und das zu tun. Bei Heine aber soll der Mephisto das handelnde Prinzip sein, der den Faust zu allen Teufeleien verführt. Bei Goethe ist der Teufel ein negatives Prinzip. Bei Heine soll er ein positives werden – Heines Faust soll ein Göttinger Professor sein, der sich an seiner Gelehrsamkeit ennuyiert. Da kommt der Teufel zu ihm und belegt ein Kolleg, erzählt ihm, wie es in der Welt aussieht, und macht den Professor kirre, so daß dieser nun anfängt liederlich zu werden. Die Studenten auf dem Ulrich fangen an darüber zu witzeln, »unser Professor geht

auf den Strich«, sagen sie, »unser Professor wird liederlich«, heißt es immer allgemeiner, bis der Herr Professor die Stadt verlassen muß und mit dem Teufel auf Reisen geht. – Auf den Sternen indessen haben die Engel Teegesellschaften, wo Mephisto auch hinkommt, und da beratschlagen sie über den Faust – Gott soll ganz aus dem Spiele bleiben. – Der Teufel macht mit den guten Engeln eine Wette über den Faust. Die guten Engel liebt Mephisto sehr, und diese Liebe, besonders zum Engel Gabriel, denkt Heine so zu schildern, daß sie ein Mittelding wird zwischen der Liebe guter Freunde und der Liebe der Geschlechter, die bei den Engeln nicht sind. Diese Teegesellschaften sollen das ganze Stück durch fortgehen. Über das Ende ist Heine noch nicht gewiß, vielleicht will er den Professor durch Mephisto, der sich zum Schinder gemacht hat, hängen lassen, vielleicht will er gar kein Ende machen, weil er dadurch den Vorteil erhält, manches in das Stück hereinbringen zu können, was eigentlich nicht hereingehört. – Mir däucht, dieser »Faust« kann sehr viel werden; nur fürchte ich, und Heine auch, daß durch die Teegesellschaften zu wenig Handlung hineinkommt. – Wenn ich nur Zeit hätte, könnte ich noch von Heine eine Menge geistreicher und charakteristischer Züge aufführen, ich komme fast alle Tage mit ihm zusammen; aber mein Tagebuch nimmt mir so schon Zeit genug weg. (274)

137. EDUARD WEDEKIND   23. Juli 1824

Tagebuch, Göttingen, 23. Juli 1824

Jetzt noch einiges über Heine, und zwar in bezug auf seinen Charakter. Dieser ist ein wenig leichtfertig. An eine Unsterblichkeit glaubt er nicht und tut groß damit, indem er sagt, alle großen Männer hätten an keine Unsterblichkeit geglaubt, Caesar nicht, Shakespeare nicht, Goethe nicht. Eitel ist er sehr, obgleich er es durchaus nicht scheinen will; er hört von nichts lieber sprechen, als von seinen Gedichten. Ich habe ihm einmal gesagt, daß ich seinen »Ratcliff« zu rezensieren wohl Lust, aber keine Zeit hätte; seitdem hat er mir sehr oft gesagt, ich möchte doch Prosa schreiben. – Was seine Liebe betrifft, so ist die keine bloße ideale, sondern Wahrheit. – Er hat eine unglaubliche Lust, jeden zu mystifizieren und spielt daher jedem das Widerpart. Bei mir fährt er aber sehr schlecht damit, weil er sich deshalb Inconsequenzen in seinen Ansichten zuschulden kommen läßt, die ich ihm dann gewöhnlich nachweise. Ein wahrer Freund kann er mir nie werden, ich gehe aber doch recht gern mit ihm um: unsere Ansichten sind mehrenteils sehr verschieden, und das gibt viel zu sprechen; nur weiß ich manchmal nicht recht, ob ich das, was er sagt, für seine eigentliche Meinung zu nehmen habe oder ob er mich mystifizieren will. Merke ich das, so sage ich es ihm grade heraus und breche das Gespräch gleich ab. Er tut es indes selten bei mir. – Neulich hat er zu Grüter gesagt, es wäre unter den Westphalen kein Einziger, der wüßte, was ein großer Dichter wäre! Gott segne ihn, wenn er es weiß. – So etwas kann mich nicht irre machen. Ich kann viel von Heine lernen, und das ist der Hauptzweck, den ich bei dem Umgange mit ihm im Auge habe. – Eins aber mißfällt mir sehr an ihm, und andern noch mehr, nämlich daß er seine Witze selbst immer zuerst und am meisten belacht. – Mit seinen Plänen ist er sehr zurückhaltend; über seinen »Faust« spricht er viel mit mir, vielleicht aus eigener Lust, vielleicht, weil er auch von mir etwas lernen zu können glaubt, vielleicht auch, weil er nicht die ernstliche Absicht hat, ihn auszuführen, denn von seiner Novelle und dem Trauerspiele, was er jetzt vor hat, spricht er gar nicht. – Den Professor in seinem Faust wollte er zu einem Professor der Theologie machen; ich riet ihm aber einen Philosophen zu nehmen, weil er für seine Parodie dann ein viel weiteres Feld hätte, was er auch angenommen hat. – Von seiner Manier, alles zu parodieren, möchte ich ihn gern abbringen und gebe mir alle mögliche Mühe deshalb; weil er aber ganz in die Parodie vernarrt ist, hüte ich mich wohl, ihn gerade vor den Kopf zu stoßen. Ich lobe die Gedichte, worin er parodiert, lobe diejenigen aber mehr, worin er das nicht tut. – Neulich war ich mit Grüter bei ihm; Heine zeigte uns ein sehr schönes Exemplar der "Lady of the Lake", das er zum Geschenk bekommen hatte, und da Grüter ihn bat, ihm dies zu leihen, und zugleich zu mir sagte, ob wir dies Gedicht zusammen lesen wollten, schlug Heine ein unmäßiges Gelächter auf und sagte zu Grüter, daß er ihm das Buch schenken wollte. Wir begriffen ihn gar nicht, Heine aber fuhr fort zu lachen und zu sagen, er wolle ihm das Buch schenken, und setzte endlich, immer lachend, hinzu, das sei gar keine Großmut von ihm, wir würden das Buch doch schmutzig machen, und deshalb wolle er es ihm lieber schenken. Ich hatte schon an Grüter gesagt, daß ich keine Zeit hätte, jetzt Englisch zu treiben; entweder hatte Heine dies nicht gehört, oder, was wohl richtiger ist, nicht die Furcht, das Buch würde beschmutzt werden, sondern eine augenblickliche Laune bewog ihn, das Buch zu verschenken, die Idee, einen glücklichen Witz zu verfolgen; sonst hätte er wohl nicht so gelacht. Grüter bedankte sich und nahm das Buch mit, das hätte ich nicht getan. – Ich hatte mir Heines Trauerspiele angeschafft; als er sie bei mir sah, bat er mich sie ihm zu geben, weil er sie verschenken wolle, wenn ich nicht irre, an den alten Eichhorn. – Heine hat mir schon ein paarmal gesagt, daß er nicht glaube den »Ratcliff« übertreffen zu können. (274)

138. EDUARD WEDEKIND 25. Juli 1824

Tagebuch, Göttingen, 25. Juli 1824

Heine besuchte mich heute nachmittag mit Siemens und fragte mich, ob er mich mystifizieren sollte. Ich sagte ihm, daß er es nur tun möchte wenn er könnte. – Auf den Abend dachten wir nach der Landwehr zu gehen. Heine begegnete mir, als ich hinging; er wollte schon wieder zurück. Er sah sehr verstimmt aus, und als ich ihn bat, wieder mit umzugehen nach der Landwehr, fragte er mich, ob ich an Siemens seiner Stimmung heute nichts bemerkt hätte; er käme ihm so kurios vor. (Ich hatte ihm vor einigen Tagen den »Werther« geliehen.) »Ich weiß nicht«, sagte Heine, »es kommt mir vor, als wenn er sich totschießen will. Als ich ersten bei ihm war, hatte er sich eine Pistole gekauft und sie geladen, er machte seine Rechnungen in Ordnung, und als ich ihn mit herausnahm, suchte er mich auf alle Weise loszuwerden; hast du ihn nicht vielleicht gesehen?« Ich verneinte es und fragte Heine, weil ich an etwas Gewisses dachte, ob Siemens wirklich eine geladene Pistole gehabt hätte. »Auf mein Wort!« sagte Heine; »ich wollte jetzt eben zu ihm und sehen, was er macht; nur wird er sich mir nicht recht entdecken wollen.« – »Komm, ich gehe mit dir«, sagte ich, »wenn er sich einem entdeckt, so tut er es wohl mir, und die Sache kommt mir jetzt wirklich bedenklich vor.« Wir gingen nun eine Weile zusammen, als Heine mit einem Male in ein lautes Gelächter ausbrach und mir sagte: »Lieber Junge, ich habe dich bloß mystifizieren wollen; eine geladene Pistole hat er gehabt, wahrscheinlich aber an nichts weniger gedacht, als sich totzuschießen; deinem Herzen macht es übrigens alle Ehre.« – Ich ärgerte mich aber doch nicht wenig, daß er auf Kosten meines guten Herzens mir diesen Streich gespielt hatte. – Wir kamen darauf auf den Selbstmord im allgemeinen zu sprechen, und als ich Heinen sagte, daß Siemens mir neulich einmal gesagt hätte, er könne nicht begreifen, wie sich jemand das Leben nehmen könne, sagte er: »Und ich kann nicht begreifen, wie sich jemand zuweilen *nicht* das Leben nehmen kann.«

(274)

139. ADOLF STRODTMANN   Sommer 1824

nach Mitteilungen von Georg Knille   *(*1873)*

Der Umgang Heine's mit all' diesen Kommilitonen beschränkte sich [...] meistens auf einen flüchtigen geselligen Verkehr und auf gemeinschaftliche Ausflüge zu Fuß, zu Roß oder zu Wagen nach Nörten, Dransfeld und Kassel, dessen gutes Theater eine große Anziehungskraft auf die akademische Jugend übte. Mit Knille, Siemens und einigen anderen Studenten unternahm Heine im Sommer 1824 eine solche »Spritzfahrt« nach Kassel, wie der Erstgenannte seiner Universitätsgenossen, dem wir auch manche der obigen Mittheilungen verdanken, uns berichtet. Hinten auf dem Wagen war ein kleiner Koffer angebunden, worin sich Heine's Manuskripte befanden, ohne welche er ungern eine Reise unternahm. Desgleichen pflegte er bei solchen Ausflügen zwei gefüllte Börsen einzustecken; die eine, sagte er, sei lediglich für Raubgesellen bestimmt, denen er solche nöthigenfalls mit den verbindlichsten Worten anbieten werde. Siemens führte eine geladene Pistole bei sich, welche schon in dem verrufenen Gronerholze zu allerlei Scherzen Veranlassung gab. Als die kleine Gesellschaft Abends in heiterster Stimmung von einem Besuche der Wilhelmshöhe nach Kassel in den »römischen Kaiser« zurückkam, setzte Knille in muthwilliger Laune Heine das Pistol auf die Brust. Dieser retirierte in ein Nebenzimmer, verlangte ängstlich die Beseitigung der Waffe, klagte Nachts über Unwohlsein, und wurde anderen Tages weidlich damit geneckt, daß sein Uebelbefinden nur eine Folge des scherzhaften Attentates gewesen sei. Bei der Rückreise überfiel die ausgelassenen Bursche auf dem hinter Dransfeld gelegenen Galgenberge ein furchtbares Gewitter. Der Kutscher sprang vom Bocke, um die scheu gewordenen Pferde zu bändigen, die Insassen des Wagens falteten angstvoll die Hände und begannen andächtig zu beten; Heine aber stimmte die lustigsten Lieder an und führte die unchristlichsten Reden, um sich für die erlittenen Foppereien zu revanchiren. Wenn nun später der Dichter Abends in dem Ulrich'schen Garten erschien, sich zu den Westfalen setzte, und zu seiner Begrüßung Witze und Scherzworte hin und her flogen, daß Heine Mühe hatte, sich all des Muthwillens zu erwehren, pflegte Knille das erste, beste Messer zu ergreifen und dasselbe wie eine Pistole auf ihn anzulegen. »Knille, es blitzt!« war dann, unter allgemeinem Jubel und Gelächter, seine stereotype Antwort.   (249)

an Adolf Strodtmann, Uslar, 5. Sept. 1876

H[eine] war damals sehr häufig leidend, nervös abgespannt, und fiel, selbst wenn er unaufgefordert vorsprach, häufig auf den nächsten Stuhl mit den stereotypen Worten »laß mich, lieber Junge, ich bin krank«. Dann war es immer unser Knille, der ihn nach einigen Rede-Wendungen mit den gleichfalls stereotypen Worten ermunterte: »sag' mal Heine, wie war das doch neulich, wie lautete das Gedicht?« und die Wirkung war recens, daß H[eine] aufstehend u[nd] ihm die Hand auf die Schulter legend, alles Leids vergessend, freundlichst nachfragte: »was meinst du, lieber Junge?«   (318 a)

141. EDUARD WEDEKIND   1824/1825

Heine-Erinnerungen   *1876*

Heine studirte mit mir zusammen in Göttingen von Ostern 1824/25, und blieb, als ich dann abging, noch dort zurück, weil er noch immer nicht dazu gekommen war, seinen Dr. zu machen. Er hielt sich zu den Westphalen, und unter diesen besonders zu den Osnabrückern, die sehr zahlreich dort vertreten waren, und in besonderm Kreise zusammen hielten. Eigentliche Corps gab es damals nicht, nur Farben und freie Vereinigungen derselben, selbst ohne eigentliche Kneipe. Man traf sich bald hier, bald da, in der Regel auf dem Ulrich oder auf der Landwehr, wo Töchter und Nichten des Wirths (darunter das liebliche Lottchen mit wundervollen, später d. h. nach längern Jahren leider erblindeten Augen) die freundlichste Aufwartung besorgten, und bei allen Tanzgelegenheiten selbstredend flott mit herumgeschwenkt wurden. Heine war jedoch kein Tänzer.

Er lebte in allem Studentischen sehr reservirt (mochte es bereits satt haben, da er ja schon vorher einmal in Göttingen, in Bonn und in Berlin studirt hatte) und als im Sommer 1824 eine große pro patria Paukerei zwischen den Osnabrückern und übrigen Westphalen losging [. . .], nahm er keinen Theil daran, und verhielt sich neutral. Wir kamen darüber weniger zusammen; es gab auch, da die Geschichte vor den Academischen kam, viel Carcer abzusitzen, und dann kamen die langen Michaelis-Ferien die uns in alle 4 Winde führten, und nach denselben das *letzte* Semester. Da wurde das Leben stiller unter uns, und Heine fand, wie es scheint, keine rechte Auf- und Anregung mehr darin, obwohl er sich noch unter uns sehn ließ, und speciell zu einer unsrer kleinen Cotterieen *[Cliquen]* hielt.

Herausgegeben hatte er damals erst seine Gedichte (Berlin 1822) und seine Tragödien nebst lyrischem Intermezzo (Berlin 1823); seine Berliner Briefe waren uns wenigstens nicht bekannt. Er sprach auch niemals von seinen gedruckten Sachen außer vom Ratcliff und überhaupt nicht von seinen frühern Semestern, obgleich ich doch auch ein Semester (1823/24) in Berlin studirt hatte; und ich erinnere mich nicht, daß Berliner Erinnerungen jemals den Inhalt unsrer Gespräche gebildet hätten. [. . .]

Ob Heine Jude oder Christ, als solcher bereits als Kind getauft, oder Convertit sei, darüber herschten verschiedene Gerüchte; man kam nie darüber zur Klarheit. [. . .]

Als auch ich in der genannten Veranlassung einige Tage Carcer erhielt, bat Heine mich, die Zeit dazu zu benutzen, eine Recension seines Ratcliff zu schreiben, doch kam ich nicht dazu. Der Ratcliff bildete aber (vorher und nachher) häufig den Gegenstand unsrer Unterhandlungen, und ich faßte ihn namentlich ganz anders auf als er selbst, indem ich ihm nachwies, daß seine Voraussetzung einer fixen Idee bei dem Helden die tragische Kraft des Stückes gradezu vernichte.

Dagegen schrieb ich an die weiße Wand des Carcers ein Gedicht von Heine, das er mir kurz vorher mitgetheilt hatte, und das auf diese Art unter den Studenten allgemein bekannt wurde:

> Der König Pharao fiel ins Meer,
> Ins rothe Meer mit seinem ganzen Heer.
> Da riefen die Töchter von Israel,
> Und freuten sich nicht wenig, –
> Wir haben ihn, wir haben ihn,
> Wir haben den rothen K . . .

(318 b)

142. EDUARD WEDEKIND   1824/1825

an Adolf Strodtmann, Uslar, 5. Sept. 1876

Als H[eine] mit mir studirte, machte er mit, wie wir Alle, die den damals übl[ichen] Wechsel von 400 Taler hatten. Aufwand trieb er in keiner Weise, nur aß er gern Kuchen und machte gelegentlich gern eine Spritztour. Hamburger Bekannte habe ich nie bei ihm getroffen.

(318 a)

143. Maximilian Heine

Heine-Erinnerungen (*1868)

Am nächsten Tage meiner Ankunft in Göttingen sagte mein Bruder Heinrich zu mir: heute sollst Du meinen lieben Freund, von Grüter, kennen lernen. Er nahm mich unter den Arm, führte mich auf einen Platz, wo er vor einem Gebäude stehen blieb, und nach einem der vergitterten kleinen Fenster in die Höhe sah. Aus vollen Leibeskräften schrie er: Grüter! Grüter! Alsbald erschien an dem Gitter eines Fensters ein Antlitz und schrie herunter: »Heine bist Du's? Guten Morgen!« »Ja, Grüter, ich habe die Ehre nach aller Etiquette meinen Bruder Max Dir vorzustellen!« so schrie Heinrich hinauf. Die Stimme von oben schrie nun mit Macht zurück: »Freue mich kennen zu lernen, bedaure aber nicht empfangen zu können.« – Heinrich sagte hierauf zu mir: Im Hotel de Brühbach (so heißt bekanntlich das Carcer in Göttingen) wohnt man allzeit allein und sehr bescheiden. Dann schrie er wieder hinauf: »Hoffentlich, Grüter, kommst Du bald los und machst meinem Bruder Platz.« – – Auch dies prophetische Wort ging, wie manch anderes, ganz in Erfüllung. (105)

144. Eduard Wedekind

Tagebuch, Göttingen, 5. Aug. 1824

Donnerstag, 5. August kam Heine mit einem Bruder von ihm zu mir, von dem er mir schon viel gesprochen und [den er] auch als einen Dichter gerühmt hatte. Er hat eine sehr jüdische Physiognomie und kam mit einer ungemeinen, echt jüdischen Frechheit zu mir, so daß ich gleich gegen ihn eingenommen wurde. Später aber ist er in meiner Meinung gestiegen; er ist wirklich so frech nicht, nur ein bißchen frei, übrigens recht gut und offenherzig, aber für ein großes Genie halte ich ihn nicht. Sein Bruder führt eine Art geistiger Vormundschaft über ihn. Er ist hier zum Besuch hergekommen, von Lüneburg, wo er auf der Schule gewesen ist, und will nun in Berlin Medizin studieren. (274)

145. Maximilian Heine

Heine-Erinnerungen (*1868)

Der Student Heinrich Heine bewohnte in Göttingen bei einem Färber auf der Wehnder Straße zwei große, hübsche Zimmer, viel besucht von den Mitgliedern der »*Westphalia*«, derjenigen Landsmannschaft, der Heine angehörte.

Ihm gerade vis-à-vis auf der Straße wohnte der Studiosus Adolph [Peters], der späterhin unter den lyrischen und frommen Dichtern einen berühmten Namen sich erworben hat. Damals aber mußte Adolph die ersten Sporen auf dem Felde der Lyrik verdienen, und dies unter den Augen eines so witzigen, satyrischen und originellen Dichters wie Heine.

Wenn dieser sich amüsiren wollte oder des Schlafes bedürftig war, so öffnete er sein Fenster, und rief mit lauter Stimme über die ganze Straße: »Adolph!« lud ihn zu sich ein und bat Gedichte mitzubringen. Adolph, gutmüthig, sanft und fromm, folgte sofort der ihm so schmeichelhaften Einladung. Nun begann das Vorlesen des in Verzückung gerathenden Dichters. Nach jedem Gedicht, so mittelmäßig es auch war, oder nach dem Ausspruche eines Heine matt und leer erschien, sagte Heine: »Weißt Du, Adolph, das ist Dein *Bestes.*«

So ging es mit allen Gedichten ohne Ausnahme ein Jahr lang, und vom jedesmaligen letzten Gedichte hieß es: »Adolph, das ist Dein *Allerbestes,* bitte noch einmal«, worauf denn nicht selten Heine eingeschlummert war.

Adolph hielt diesen Schlummer für überwallendes, zur Abspannung verzücktes Gefühl Heine's, schlug dann seine Mappe zu, und ging überglücklich auf den Fußspitzen aus dem Zimmer nach Hause. Ein Werdender ist, wie Goethe sagt, immer dankbar.

Einstmals hatte Heine einige Freunde bei sich, muntere, aufgeweckte Studenten. Die Rede kam auf lyrische Poesie und angehende, empfindsame Poeten.

»Wollt Ihr ein capitales Exemplar dieser Sorte«, sagte Heine, »so kann ich damit aufwarten.« Heine rief über die Straße hin: »Adolph!« und Adolph erschien sofort mit der großen Mappe voll von Gedichten.

Nun muß ich vorher berichten, daß Adolph's Ideal Hulda hieß, und er hatte an sie, wie Schiller einst an Laura, eine Unzahl Gedichte unter allen möglichen Aufschriften gerichtet.

Die junge Gesellschaft, durch Heine's malitiöse Bemerkungen schon ohnedies zur ungeheuersten Heiterkeit gestimmt, saß im Kreise. Mit süßer, lispelnder Stimme und schmachtend verklärten Augen begann Adolph sein erstes Gedicht mit den Worten: »Hulda schifft.« Wer je auf einer Universität gewesen, oder auch nur mit Studenten Umgang gehabt, der kennt das Unaussprechliche dieses Wortes in der Studentensprache. Nicht in ein Gelächter, sondern in ein wahres unartikulirtes

Brüllen brach die ganze Gesellschaft aus. Es war unmöglich, auch nur für einen Augenblick Ruhe und Stille wieder herzustellen. Gern hätte Heine gesagt: »Adolph, das ist Dein Allerbestes«, aber für heute blieb es bei dem verhängnisvollen: »Hulda schifft.« (105)

146. Maximilian Heine 1824 (/1852)

Heine-Erinnerungen (*April 1866)

Allen, die in den zwanziger Jahren in Göttingen studirt haben, dürfte es wohl noch in Erinnerung sein, daß die ein Stündchen von Göttingen gelegene anständige Kneipe, die »Landwehr« genannt, von vielen Studenten besucht wurde.

Ganz besonders mag den ehemaligen Burschen das schöne Schenkmädchen, »Lottchen von der Landwehr« geheißen, in Erinnerung geblieben sein. Dieses Mädchen war eine reizende Erscheinung. Höchst anständig, gleich freundlich gegen alle Gäste, bediente sie alle mit wunderbarer Schnelligkeit und graziöser Behendigkeit. Sehr oft besuchte Heinrich Heine in Begleitung seiner Freunde aus der Landsmannschaft der Westphalia diese Schenke, um daselbst zu Abend zu essen, gewöhnlich »eine Taube« oder eine »Viertel Ente mit Apfelcompot«. Das Mädchen gefiel auch Heine, er liebte mit ihr zu scherzen, wozu sie übrigens weder Veranlassung noch Erlaubniß gab, ja einstens umfaßte er sie, um sie zu küssen.

Da hätte man das beleidigte Mädchen sehen müssen; vor Zorn ganz roth stellte sie sich vor Heine hin und hielt eine so würdevolle Ansprache, kanzelte ihn dermaßen moralisch herunter, daß nicht blos er, sondern alle übrigen Studenten, die anfangs dieser Scene recht fidel zugesehen hatten, ganz verlegen und kleinlaut davon schlichen.

Heine blieb längere Zeit von der Landwehr weg und erzählte allenthalben, wie ein junges, seiner weiblichen Würde bewußtes Mädchen allezeit den kräftigsten Schutz gegen jede Frivolität in sich selbst berge. Nach einem Monat zog es ihn jedoch wieder nach der Landwehr mit der eitlen Absicht, das hübsche Mädchen völlig zu ignoriren. Wie war er aber erstaunt, als er in die Schenke trat! Das Mädchen kam heiter lächelnd ihm entgegen, gab ihm die Hand und sagte ganz unbefangen: »Mit Ihnen ist's etwas ganz Anderes, als mit den übrigen Herren Studiosen; Sie sind ja schon so berühmt wie unsere Professoren; ich habe Ihre Gedichte gelesen, ach, wie herzlich schön! Und das Gedicht vom ›Kirchhof‹ weiß ich fast auswendig, und jetzt, Herr Heine, können Sie mich küssen in Gegenwart von allen diesen Herren. Seien Sie aber auch recht fleißig und schreiben Sie noch mehr so schöne Gedichte.«

Als mein Bruder mir später, fast gegen Ende seines Lebens, diese kleine Geschichte erzählte, sagte er wehmüthig: »Dies kleine Honorar hat mir mehr reine Freude verursacht, als späterhin alle die blinkenden Goldstücke von Herrn Hoffmann und Campe.«   (105)

147. MAXIMILIAN HEINE   Aug. 1824(/Juni 1825)

Heine-Erinnerungen   *(*April 1866)*

An einem schönen Tage machten wir in einer leichten, offenen Kalesche einen Ausflug von Göttingen nach dem einige Meilen entfernten preußischen Städtchen Heiligenstadt. Ein anmuthiger Chausseeweg führt dahin. Wir plauderten viel und moquirten uns über die lächerliche Titelsucht; Heinrich rief: »Wer mich Doctor juris schimpft, dem mache ich einen Injurienprozeß, in welchem ich mit Hülfe der zehn römischen Tafeln selbst plaidiren werde, oder prügele ihn so lange durch, bis er auch den Doctor der Medicin ruft.«

Mittlerweile waren wir an die Grenze des preußischen Staates gelangt, wo an dem schwarz-weißen Schlagbaume ein martialisches »Halt!« gerufen wurde und ein Originalstück von Gamaschenfeldwebel mit purpurrother Nase zu uns herantrat. Er richtete an meinen Bruder folgende Fragen:

»Vorname?«

Antwort: »Heinrich.«

»Zuname?«

Antwort: »Heine.«

»Titel?«

Antwort: »Liegt schon im Namen.«

Nachdem der Feldwebel dies in Hieroglyphen auf einer Schiefertafel protokollirt hatte, begann er abermals zu fragen:

»Und der andere Herr. Vorname?«

Antwort: »Maximilian.«

»Zuname?«

Antwort: »Bruder.«

»Titel?«

Antwort: »Haupthahn zu Mariahüpp.«

Da ich gerade am letzten Sonntage zu Mariaspring (einem lieblichen Tanzorte in der Nähe von Göttingen und von den Studenten Maria-

hüpp genannt) sehr viel herumgetanzt hatte, so sollte der Haupthahn
so viel als Haupttänzer heißen. Auch Obiges wurde von dem Grenz-
feldwebel gewissenhaft notirt, dann kam die Frage:
»Nichts Zollbares?«
Antwort: »Nichts, außer Gedanken und Schulden.«
Wieder eine Frage:
»Absicht der Reise nach Heiligenstadt?«
Antwort: »Um katholisch zu werden.«
Bekanntlich ist das in diesem Winkel gelegene Heiligenstadt eine
streng katholische Stadt.
Der Preuße machte ein gar ernstes Gesicht, schüttelte mit dem Kopfe
und schloß mit der Frage:
»Kehren die Herren zurück?«
Antwort: »In der Nacht als Bischöfe.«
So wurde damals bei den Studenten nach den bekannten Getränken
Jeder benannt, der vom »Bischof« schon zu viel und vom »Cardinal«
noch zu wenig hatte. (105)

148. LUDWIG EMIL GRIMM   Aug./Okt. (?) 1824

an Ferdinand Grimm, Kassel, 1824

Ein Dichter, Heinrich Heine, hat mich von Göttingen aus, wo er Jura
studiert, besucht; er hat ein gescheites Gesicht und ist auch nicht häßlich und auch just nicht unangenehm. Er schwätzt nur gar zuviel und
über alles, was ihm vorkommt. Er hinkte an einem Fuß, wie er bei mir
war, und sagte, er habe die größten Schmerzen; es soll, wie er sagte,
ihn der Kutscher umgeworfen haben. Es scheint mir aber nicht wahr
zu sein. Er sagte mir, er kenne Dich von Berlin aus. Ich habe so einiges
von seinen Sachen gelesen, es scheint mir, als habe er mehr Talent als
Blum; ich kann aber freilich darüber nicht urteilen. (83)

149. EDUARD WEDEKIND   Ende Aug. 1824

Tagebuch, Göttingen, 29. Aug. 1824

Heine fängt an von den Osnabrückern vexiert zu werden, ein Zeichen,
daß er in ihrer Meinung nicht mehr so hoch steht wie sonst. (274)

Im Herbst 1824 kehrte ich von einer Geschäfts-Reise von Osterode nach Clausthal zurück. Durch eine Flasche Serons de Salvanette, die ich bei meinem alten Freunde St. getrunken, waren meine Lebensgeister dergestalt exaltirt, daß man mich hätte für ausgelassen halten können. Etwa auf der Hälfte des Weges traf ich mit einem jungen Manne zusammen, den ich genau beschreibe, damit er sich überzeugt, daß ich ihn wirklich damals gesehen. Er war etwa 5 Fuß 6 Zoll groß, konnte 25–27 Jahr alt seyn, hatte blonde Haare, blaue Augen, eine einnehmende Gesichtsbildung, war schlank von Gestalt, trug einen braunen Ueberrock, gelbe Pantalons, gestreifte Weste, schwarzes Halstuch und hatte eine grüne Kappe auf dem Kopfe und einen Tornister von grüner Wachsleinwand auf dem Rücken. Der Serons de Salvanette war lediglich schuld daran, daß ich den Reisenden sogleich nach der ersten Begrüßung anredete, und nach Namen, Stand und Woher und Wohin fragte. Der Fremde sah mich mit einem sardonischen Lächeln von der Seite an, nannte sich Peregrinus und sagte, er sey ein Cosmopolit, der auf Kosten des türkischen Kaisers reise, um Rekruten an zu werben. »Haben Sie Lust?« fragte er mich. – »Bleibe im Lande und nähre dich redlich!« erwiederte ich, und dankte sehr. Um indessen Gleiches mit Gleichem zu vergelten, gab ich mich für einen Schneidergesellen aus und erzählte dem türkischen Geschäftsträger, daß ich von B. komme, woselbst sich ein Gerücht verbreitet, daß der junge Landesherr auf einer Reise nach dem gelobten Lande von den Türken gefangen sey, und ein ungeheures Lösegeld bezahlen solle. Herr Peregrinus versprach, sich dieserhalb bei dem Sultan zu verwenden, und erzählte mir von dem großen Einflusse, den er bei Sr. Hoheit habe.

Unter dergleichen Gesprächen setzten wir unsere Reise fort, und um meine angefangene Rolle durch zu führen, sang ich allerlei Volkslieder, und ließ es an Corruptionen des Textes nicht fehlen, bewegte mich auch überhaupt ganz im Geiste eines reisenden Handwerksburschen. Ich vertraute dem Gefährten, daß ich ein hübsches Sümmchen bei mir trage, Mutterpfennige, es mir daher um so angenehmer sey, einen mannhaften Gesellschafter gefunden zu haben, auf den ich mich, falls wir von Räubern sollten angefallen werden, verlassen könnte. Der Ungläubige versicherte mich unbedenklich seines Schutzes. »Hier will es mit den Räubern nicht viel sagen«, fuhr er fort; »aber Sie sollten nach der Türkei kommen, da kann man fast keinen Fuß vor den andern setzen, ohne auf große bewaffnete Räuberschaaren zu stoßen; jeder Reisende führt daher, in jenen Gegenden, zu seinem Schutze Kanonen von schwerem Caliber mit sich, und kommt dessenungeachtet oft kaum mit dem Leben davon.« – Ich bezeigte dem Geschäftsträger Sr. Hoheit mein Erstaunen und lobte beiläufig die deutsche Polizei, deren Thätigkeit es gelungen, daß ein armer Reisender ganze Stunden Weges zurück zu legen im Stande sey, ohne gerade von Räubern ausgeplündert zu werden. »Was wollten wir machen« – fuhr ich fort – »wenn hinter jedem Busche und aus jedem Graben mehrere gefährliche Kerle hervor sprängen und sich von dem erschrockenen Wanderer Alles ausbäten, wie der Bettler in Gellert's Fabel?« – »Haben Sie Gellert gelesen?« fragte mich mein Begleiter. – »Ja!« erwiederte ich; »ich habe in meiner Jugend Lesen und Schreiben gelernt, meine Lehrjahre bei dem Schneidermeister Sander zu Halberstadt im lichten Graben ausgestanden und seitdem bei mehreren Meistern in Cassel und Braunschweig gearbeitet, um den eigentlichen Charakter der männlichen Kleidung weg zu kriegen, welcher oft schwerer zu studiren ist, als des Mannes Charakter, der den Rock trägt.« – Hier sah mich Herr Peregrinus wieder von der Seite an, wurde nach und nach einsylbiger und verstummte endlich gar. – Er hatte überhaupt eine hofmännische Kälte an sich, die mich immer in einiger Entfernung von ihm hielt, und um den Scherz zu enden, klagte ich über Müdigkeit, ließ mich auf einen Baumstamm nieder und lud meinen Begleiter ein, ein Gleiches zu thun. Der aber antwortete, wie ich vermuthet hatte: es bliebe ihm für heute keine Zeit zur Ruhe übrig, lüftete seine Kappe und ging seines Weges, mich zum baldigen Nachkommen einladend. –

Ich hätte dieses kleine Reise-Abentheuer für immer der Vergessenheit übergeben, der »Gesellschafter« Bl. 11 von diesem Jahre mag's verantworten, daß ich's erzähle. In dem bezeichneten Blatte las ich nämlich zu meiner größten Ueberraschung die »Harzreise von H. Heine im Herbst 1824«, und fand mich darin als den reisenden Schneidergesellen mit vielem Humor abconterfeyt. Zu meiner Beruhigung habe ich aus der besagten »Harzreise« ersehen, daß mein damaliger Begleiter nicht Peregrinus, sondern H. Heine heißt, daß er kein Geschäftsträger Sr. Hoheit, sondern ein Jurist ist, der von Göttingen kommt und, wie er selbst sagt, zu viel Jurisprudenz und schlechte Verse (wahrscheinlich von Andern) im Kopfe hat. – Meine Wenigkeit beschreibt Hr. Heine in seiner »Harzreise« folgendermaßen:

»Auf dem Wege von Osterode nach Clausthal traf ich mit einem reisenden Schneidergesellen zusammen. Es war ein niedlicher kleiner junger Mensch, so dünn, daß die Sterne durchschimmern konnten, wie durch Ossians Nebelgeister, und im Ganzen eine volksthümlich barokke Mischung von Laune und Wehmuth.«

Das Wahre an der Sache ist, daß ich mir selbst etwas mehr Corpulenz wünschte. Die Wehmuth streich' ich aber, mit Hrn. Heine's Erlaubniß, und berufe mich dieserhalb auf das ganze Clausthal. Was nun die doppelte Poesie anbetrifft, die ich einem Kameraden zu Cassel beimaß, und von welcher Hr. Heine glaubt, daß ich darunter doppelt gereimte Verse oder Stanzen verstanden, so muß ich zur Steuer der Wahrheit bekennen, daß ich daran nicht dachte, vielmehr nur sagen wollte: der Kamerad ist von Natur ein Dichter und wenn er getrunken hat, sieht er Alles doppelt und dichtet also mit der doppelten Poesie. – Die Redensarten, welche mir Hr. Heine in den Mund legt, sind wörtlich richtig und gehörten mit zu meiner Rolle. Hr. Heine und ich haben uns hiernach auf eine spashafte Weise getäuscht.

Nun Scherz bei Seite: Ich versichere Hrn. Heine, daß, ob ich gleich zu seiner »Harzreise« einige Haare hergeben müssen, ich ihn dessenungeachtet nicht im geringsten anfeinde, vielmehr seine humoristische Beschreibung mit wahrem Vergnügen gelesen habe.

Ich schließe mit der Bemerkung, daß ich den jungen Kaufmann mit seinen 25 bunten Westen und eben so vielen goldenen Pettschaften, Ringen, Brustnadeln u. s. w., welcher sich Hrn. Heine in der Krone zu Clausthal aufgedrungen, sehr gut kenne, und versichern kann, daß derselbe seine Persons-Beschreibung sehr ungnädig vermerken würde. Er liest aber keine Journale, eben weil er so viele Westen, Ringe und Brustnadeln trägt, und seines so erschrecklich zusammengesetzten Anzuges wegen keine Zeit zum Lesen übrig hat, nur zum Fragen nimmt er sich welche. Ich verrathe dem Handlungs-Beflissenen nichts, sondern wünsche nur, daß ich mit dem Hrn. Heine noch einmal zusammen treffen möge, um demselben meinen persönlichen Dank für den Genuß ab zu statten, welchen ich durch Lesung seiner humoristischen »Harzreise« gehabt, und um den Verfasser zu überzeugen, daß ich mit der löblichen Schneiderzunft in gar keiner Verbindung stehe.   (49)

151. JOHANN WOLFGANG V. GOETHE   2. Okt. 1824

Tagebuch, Weimar, 2. Okt. 1824

Heine von Göttingen.   (70)

152. Ludwig Spitta Okt. 1824

nach Briefen von Adolf Peters an Philipp Spitta,
Göttingen, 1824

Als er die hernach von ihm beschriebene Harzreise im Sommer 1824 machte, besuchte er auch Goethe in Weimar und ließ hernach bei der Rückkehr nach Göttingen den ihn einholenden Kommilitonen gegenüber ganz unverhohlen seinem Verdruß darüber freien Lauf, daß Se. Excellenz ihn eigentlich nur ungebührlich kalt empfangen habe. (240)

153. Adolf Peters 1824/1825

an Philipp Spitta, Göttingen, 1824/1825

Ich legte ihm [...] einst meine Ansicht über das Strebeziel des wahren Künstlers dar, er aber geriet in eine Art Wahnbegeisterung. Wir standen zufällig mitten im Zimmer. Da trat er vor mich hin und rief in einem fürchterlichen Tone: ›Ruhm!‹ – als ob er ihn von mir fordere. Ich stand wie erschrocken hintenüber gebogen, er mit aufgehobener Hand vor mir. (240)

154. Eduard Wedekind Juni 1824 – Ostern 1825

Artikel über Heine (*2. 6. 1839)

Hieraus *[aus der »Harzreise«]* las er seinen Freunden Einiges vor, was sonderbar genug, und wie es dennoch häufig mit solchen abgerissenen Stücken sich ereignet, wenig ansprach; er wurde dadurch einigermaßen entmuthigt, beharrte aber glücklicherweise in seinem Vorhaben, und rächte sich an uns durch dessen glänzenden Erfolg. Sein Hauptaugenmerk war damals, Dr. jur. zu werden, und nie besuchte er mich, ohne entweder das stereotype: »ach, lieber Junge, ich bin sehr krank«, oder: »sag mir, lieber Junge, was muß ich thun, um durch's Examen zu kommen«, vorauszuschicken. Gleichwol hat sich, obwol er selbst sein juristisches Streben vom Teufel loben läßt, die Furcht vor dem Examen glücklicherweise eben so unbegründet ausgewiesen, wie seine Krankheit immer, sobald ein Gespräch auf die Bahn kam, das ihn interessirte. Dann griff er, nachdem er eine Zeitlang still gesessen hatte, lebhaft mit ein. Einmal kam die Rede auf Mährchen, die wir wenig achteten, und daneben für wohlfeile Waare hielten. Der Beweis sollte sogleich geliefert werden; und nachdem Einer einen langen und langweiligen Faden anzuspinnen begonnen hatte, und nicht recht damit zum Ende kommen konnte, unterbrach ihn Heine:

Da waren drei Kinder, kleine Kinder, liebe Kinder, arme Kinder; hatten kein Brot; arme, liebe, kleine Kinder hatten kein Brot; wollten sich welches suchen; laufen in den Wald, und sahn ein schönes, großes Haus; liebe kleine Kinder laufen auf das schöne, große Haus zu, und bitten um Brot; arme Kinder bitten um Brot. Da ist die Thür verschlossen; wollen sie klingeln; hängt die Klingel zu hoch. Arme Kinder, liebe Kinder, kleine Kinder, haben kein Brot und die Klingel hängt zu hoch.

Es war schwer, ihn lange bei einem Thema zu fesseln; am ehesten gelang es auf Spaziergängen. So entwickelte er mir einmal ziemlich ausführlich seine Ansicht von der Fabel. Die meisten Fabeldichter, bemerkte er bei dieser Gelegenheit, legten ihren dramatis personis einen ganz willkürlichen, oder doch viel zu allgemeinen Charakter unter, da doch jedes Thier und selbst jede Blume einen ganz bestimmten Charakter habe. Da wir eben bei einer Klatschrose standen, fragte ich ihn, was deren Charakter sey, worauf er, nachdem er die Blume zwei Sekunden betrachtet hatte, die treffende Antwort gab: »aufgeputzte Armuth.« – Daß er von der Musik nichts verstände, und von der Malerei nicht viel mehr, war unter uns ausgemacht; er sprach aber gern davon, wie auch von seinem Studium des Sanscrit, und wurde empfindlich, wenn man ihn damit aufzog, aber schnell versöhnt, wenn man ihn aufforderte, sein neuestes Gedicht zu recitiren:

> »Doch wenn Du meine Verse nicht lobst,
> So laß' ich mich von Dir scheiden.«

In politischer Hinsicht war er ein großer Verehrer von Sartorius (den er durch ein schönes Sonett gefeiert hat) und seinen gemäßigt liberalen Ansichten. Früher, in Bonn, hatte er sich mit Vorliebe zur Burschenschaft gehalten, hatte in großer Gerichtssitzung über die deutschen Fürsten in milderem Sinne votirt, daß der König von Preußen nur auf Pension gesetzt werden solle, und bei der Regierung des deutschen Reichs sich das Amt eines der vier Censoren (aber nicht Bücher-Censoren) vorbehalten. Alles dies lag damals weit hinter ihm, und ergötzte ihn nur noch im Rosenschimmer der Poesie. (273)

155. Eduard Wedekind 31. Dez. 1824

Tagebuch, Göttingen, 31. Dez. 1824

Ich trank mit Niemann, Siemens, Knille, Droop, Bar, Heine und dem jungen Raydt auf Niemanns Stube ein Paar Flaschen Glühwein. Ich war sehr munter, im Ganzen aber wollte keine rechte Fidelität hinein kommen, was wohl daran liegen mochte, daß der Glühwein ziemlich schlecht war. Heine war schrecklich langweilig, überhaupt gefällt er mir immer weniger. Wir saßen bis 1 Uhr zusammen. Dann ging ich ruhig nach Haus. (274)

156. Gustav Karpeles 1825

nach Mitteilungen von Ferdinand Oesterley (*1888)

Aus einer Gesellschaft, die er einmal in Sehlens Garten seinen Kommilitonen gab, war Heine selbst plötzlich verschwunden; seine Gäste suchten ihn und fanden ihn schließlich in seiner Wohnung – im Bette. Die Gesellschaft war ihm zu langweilig geworden. (123)

157. Gottlob Christian Grimm Mai 1825

Bericht an die Erfurter Regierung, Heiligenstadt,
28. Mai 1825

Ein Israelit aus Düsseldorf gebürtig Namens Harry Heine, eines vormals handeltreibenden, jetzt in Lüneburg privatisierenden Juden Sohn hat sich zur Taufe bei mir gemeldet. Er studiert in Göttingen die Jura und will nicht dort, wo man ihn kenne, sondern hier, wo er fremd sei, die Taufe empfangen, und zwar in aller Stille, damit seine Abstammung von jüdischen Eltern, die er schon als Knabe in den christlichen Schulen, welche er besucht, verheimlicht habe, nicht bekannt, und er, der immer für einen Christen sich ausgegeben und bisher dafür gegolten hat, nicht erst nach seinem Scheiden aus der jüdischen Gemeinde ein Jude genannt und mit dem Namen eines getauften Juden bezeichnet werde. Dringend bat er mich, sein Bekenntnis geheim zu halten, und führte als zweiten Grund an, daß er die bedeutende Unterstützung eines seiner israelitischen Verwandten verlieren würde, wenn es zur Kenntnis desselben gelangte, daß er dem Glauben seiner Väter entsagt habe. (128)

158. CHRISTIAN FRIEDRICH RUPERTI

an Gottlob Christian Grimm, Göttingen, Anf. Juni 1825

Seine beiden Hauswirte, bei denen er nacheinander gewohnt hat, geben ihm das vorteilhafteste Zeugnis und rühmen seine stille und eingezogene Lebensweise. Etwas Nachteiliges höre ich nirgends von ihm. Man beschreibt ihn als fleißig und rühmt sein Dichter-Talent.   (128)

159. ZEUGNISSE

die Heine bei der Taufe vorgelegt hat

1) Testimonium der Juristenfacultät zu Berlin vom 23. December 1823 über mit ununterbrochenem Fleiße gehörte Vorlesungen. – 2) Testimonium für den Studiosus juris Harry Heine d. d. Berlin 24. December 1823 vom Rector der Universität Hoffmann: daß derselbe am 4. April 1821 immatriculirt und sich während seines Aufenthaltes auf der Universität gesittet betragen. – 3) Testimonium morum, unterzeichnet Bonn, den 14. September 1820. Königl. Preuß. Rhein-Universität. Augusti h. t. Rector: daß des Heine sittliches Betragen vom Herbste 1819 an, wo er die Universität bezogen, stets untadelhaft sei. – 4) Ein Dekanats-Zeugniß von demselben Dato, der Juristenfaculität, über gehörte Vorlesungen. – 5) Zeugniß des Directors des Gymnasii zu Düsseldorf Kortüm vom 16. September 1819, daß Harry Heine, ältester Sohn des Kaufmanns Heine zu Düsseldorf, vom Jahre 1809 bis Michaelis 1814 auf dem Lyceum in Hinsicht seines Fleißes und seines Betragens zu den vorzüglichsten Schülern gehört habe. – 6) Zeugniß des Prorectors Tychsen zu Göttingen vom 9. Februar 1821: daß Heine vom 4. October 1820, der Zeit der Aufnahme unter die Bürger der Universität, an sich durchaus lobenswerth betragen habe, aber am 23. Januar 1821 wegen intendirten Pistolenduells mit dem Consilio abeundi auf ein halbes Jahr bestraft worden sei. – 7) bis 9) Drei Zeugnisse der Aufnahme unter die akademischen Bürger d. d. Bonn, 13. December 1819, d. d. Göttingen, 14. October 1820, renovirt 30. Januar 1824, d. d. Berlin a. d. IV. mens. Aprilis 1821.   (61)

*Gegenstände der Unterredung mit dem Studiosus juris Heine
von Göttingen, 28. Juni 1825*

1) In der christlichen Religion ist die Vorstellung von Gott als einem liebevollen Vater der Menschen vorherrschend. – Seine Liebe und Fürsorge erstreckt sich nicht nur auf ein Volk, sondern umfaßt das ganze Menschengeschlecht. Seine Gesetze sind nicht Vorschriften der Willkür, sondern nothwendige Forderungen eines heiligen Wesens.

2) *Durch äußerliche Ehrenbezeigungen und Handlungen wird Gott nicht verehrt,* sondern durch fromme Gesinnungen und Empfindungen und durch ein mit den Vorschriften des Sittengesetzes übereinstimmendes Verhalten.

3) Die vollkommenste Belehrung über Gott, über seine Eigenschaften und über seine Rathschläge hat Jesus Christus den Menschen ertheilt. Zu den durch Jesum uns bekannt gemachten Rathschlüssen Gottes gehört: a) daß Gott durch Jesum sich am vollkommensten habe offenbaren wollen, und eine noch vollkommenere Religion und Offenbarung nicht zu erwarten sei; b) daß Gott den Menschen um Jesu Christi willen die Sünden verzeihen wolle; c) daß Gott die Menschen zu einem ewigen Leben bestimmt habe.

4) Jesus Christus war ein Gesandter Gottes, beauftragt: a) die Menschen zu belehren, b) für die Menschen zu leiden und zu sterben, c) als vollendetes Muster der Tugend ihnen vorzuleuchten.

5) Der Tod Christi soll nach Gottes Absicht und Willen den Menschen eine Bestätigung sein, daß Gott die Sünden verzeihen wolle. Uns liegt ob, um Verzeihung zu erlangen, diese Bestätigung gläubig anzunehmen und gelten zu lassen und uns mit allem Ernste der Besserung zu befleißigen.

6) Jesus hat zwei religiöse Gebräuche angeordnet, die wir Sacramente oder verpflichtende Handlungen nennen: a. die Taufe, zur Aufnahme in die christliche Religionsgesellschaft und zur Uebernahme der damit verbundenen Rechte und Pflichten; b. das heilige Abendmahl, zur Erinnerung an Jesu Tod, und zum verpflichtenden Zeichen, daß wir ihm angehören.

7) In dem künftigen Leben wird der Zustand der Menschen, ihrer Würdigkeit und ihrem Verhalten auf Erden gemäß, entweder selig oder unselig sein.

8) Die einzige Erkenntnißquelle der Lehre Jesu ist die heilige Schrift. (61)

Mitteilungen an W. Felgenhäger (?)   *(* Jan. 1877)*

Die Antworten desselben zeigten von eingehendem Nachdenken über den Inhalt und das Wesen der christlichen Religion, seine Fragen von scharfem Geiste; überhaupt nahm er die vorgetragene Lehre nicht einfach gläubig hin – er wollte überzeugt sein, und der Glaubenswechsel war ihm nicht ein bloßer Wechsel einer äußeren Form, erschien vielmehr als das Resultat einer aus dem Inneren dringenden Nothwendigkeit. Wir (Grimm und Bonitz) haben bei der Unterredung übereinstimmend die Ansicht gewonnen, daß Heine mit voller Ueberzeugung Christ geworden ist, und ich bin heute noch der festen Ansicht, daß sein späterer Skepticismus in Glaubenssachen nur auf der Oberfläche lag und er im innersten Herzen den Glauben an Gott nie verloren hat. Ich habe vor der Taufe tief in sein Innerstes geblickt, und er hat uns sein ganzes Denken und Fühlen bloß gelegt, ein Mensch aber, der so denkt und fühlt, wie Heine damals, kann meiner innersten Ueberzeugung nach den Glauben an Gott nie ganz verlieren. –   (61)

162. GOTTLOB CHRISTIAN GRIMM   28. Juni 1825

Heines Taufzeugnis, Heiligenstadt, 28. Juni 1825

Nachdem der zu Düsseldorf den 13. December 1799 geborene, in Göttingen die Rechte studirende Herr Heinrich Heine am heutigen Tage in Gegenwart des Herrn Superintendenten Dr. Bonitz aus Langensalza über die Hauptlehren des Christenthums geprüft worden ist und aus der Prüfung sich ergeben hat, daß er die Wahrheiten des Christenthums richtig erfaßt habe und mit denselben vertraut sei, er auch sehr vortheilhafte Zeugnisse über sein sittliches Verhalten beigebracht hatte, so ist derselbe heute, als am 28. Juni 1825, in Gegenwart des Herrn Dr. Bonitz als Zeugen, von mir getauft worden, und hat mit Beibehaltung des Familiennamens Heine in der Taufe die Namen

Christian Johann Heinrich

empfangen.

Solches wird hierdurch pflichtmäßig bescheinigt und durch meine, des Pfarrers, der die Taufe verrichtet hat, Unterschrift, unter Beidrükkung des öffentlichen Siegels, beglaubigt.

Heiligenstadt, den 28. Juni 1825.

M. Grimm,
Pfarrer der evangelischen Gemeine und Superintendent.   (61)

Bericht über Heines Taufe nach Angaben G. C. Grimms
(*Jan. 1877)

Es war um die Rosenblüthe 1825. Im Pfarrhause herrschte reges Leben. Die Hausfrau hatte vor einigen Wochen ihren Mann, den Superintendenten M. Gottlob Grimm, mit einem Zwillingspärchen beschenkt, und der morgige Tag war zur Taufe der Zwillinge bestimmt, zu welcher der Freund des Hauses, Dr. Bonitz aus Langensalza, als erbetener Pathe schon gestern eingetroffen war. Es sollte eine große Taufe sein, und alle Hände waren voll Arbeit, doch als der Hausherr die kurze Mittheilung machte: »Wir haben heute noch einen Gast«, war es weniger das Erscheinen eines neuen Tischgenossen, was den weiblichen Theil der Familie beschäftigte, denn man lebte in einfachen Zeiten und war gewohnt, Gäste zu sehen, wenn auch bei einfacher Bewirthung und wenig Gerichten – es war mehr die ungewohnte lakonische Kürze der Mittheilung, welche über die Person des Fremden keine Auskunft gab und deshalb den Vermuthungen freies Spiel ließ.

Kurz vor zehn Uhr klingelte es, und die Dienstmagd, welche geöffnet hatte, meldete, es sei der blasse Göttinger Student, welcher in letzter Zeit öfter da gewesen, gekommen und habe sich sofort nach oben zum Herrn begeben, wo auch schon der Herr Dr. Bonitz warte. Damit war nun zwar der Gast bekannt, was aber der blasse Student so oft bei dem Hausherrn zu thun habe, darüber fehlte die Aufklärung. Nach zwölf Uhr erschienen die Herren im Familienzimmer und stellte der Hausherr den Fremden als stud. jur. Heinrich Heine vor, unwillkürlich auf den Vornamen einen stärkeren Accent legend, was den Freund Bonitz zu einem raschen Aufblicken und Lächeln veranlaßte. Das Mittagessen verlief still; der Hausherr und Bonitz führten die Unterhaltung ziemlich allein, aber auch nur mit halber Aufmerksamkeit. Heine betheiligte sich dabei nur so viel wie nöthig, um nicht unhöflich zu sein; sein Gesicht trug den Stempel tiefer innerlicher Erregung, und in den dunkeln Augen war erkenntlich, daß seine Gedanken nicht bei der Unterhaltung waren. Ebenso ging es den geistlichen Herren, die, beide als geistreiche Gesellschafter in ihren Kreisen bekannt, heute offenbar mit anderen als den geführten Gesprächsgegenständen beschäftigt waren und öfter ihre Blicke zu dem jungen Manne prüfend und doch mit einer besonderen Milde und Freudigkeit hinüber gleiten ließen. Nach Tische empfahl sich Heine bald. Sein Abschied von dem Superintendenten Grimm war ein besonders herzlicher und warmer, und als er, schon an der Thür, sich nochmals umwendete und demselben wiederholt die Hand reichte, schimmerte es ihm feucht im Auge.

Nun theilte Grimm seiner Familie mit, daß heute der jüdische Student Heine von ihm die Taufe empfangen habe, nachdem die Vorbereitung dazu seit längerer Zeit geschehen, und daß Bonitz dessen Pathe sei. –   (61)

164. GUSTAV KARPELES   Juni 1825

   nach Mitteilungen von Ferdinand Oesterley   (*1888)

Oesterley erzählte in späteren Jahren oft von dem inzwischen berühmt gewordenen Dichter allerlei Schnurren, so z. B. von einer sehr heitern Fahrt ins Bürgerthal, welche bei Gelegenheit von Heines Taufe stattfand. Heine behauptete Oesterley gegenüber merkwürdigerweise stets, seine Gedichte seien unmusikalisch und eigneten sich nicht zur Komposition, während dieser das Gegentheil fand und zum Beweise ein Lied an den Mond komponirte, welches Heine für diesen Zweck gedichtet. Heine behielt diese Komposition; [. . .].   (123)

165. MAXIMILIAN HEINE   Juli 1825

   Heine-Erinnerungen   (*1868)

Bekanntlich hat man vor dem Doctor-Examen und der Promotion die *Hälfte* der Gebühren, wenn ich nicht irre zehn Louisd'ors, bei der Anmeldung dem betreffenden Decan der Facultät einzuhändigen. Nach dem Examen und vor der Promotion zahlt man die andere Hälfte.

   Der Decan der juristischen Facultät in *Göttingen,* zu der Heine gehörte, war damals der hochberühmte Rechtsgelehrte Professor Hugo. Bei ihm meldete sich zum Examen und Promotion Heine, indem er die ganze Summe (20 Louisd'ors) dem Decan hinschob.

   Professor Hugo aber schob die Hälfte der Summe zurück, indem er sagte:»erst, mein lieber Herr, müssen wir Sie prüfen.« Heine schob die Hälfte der Summe wieder zurück, indem er sagte:»*Prüfet Alles und behaltet das Beste.*«   (105)

166. EDUARD WEDEKIND   25. Juli 1825

Artikel über Heine   (*2. 6. 1839)*

Beim Abschiede schenkte er mir Immermann's Tragödien, und schrieb,
da ich Etwas von seiner Hand verlangte, nach kurzem Besinnen hinein:
»was ist der Mensch? frage die Göttinger philosophische Facultät.«

(273)

167. ADOLF STRODTMANN   31. Juli 1825

nach Mitteilungen anonymer Studiengenossen Heines

(*1873)*

Der eigentliche Doktorschmaus wurde erst am 31. Juli gefeiert, und
zwar nicht in der damaligen Sommerwohnung Heine's bei der Rektorin
Suchfort an der Herzbergschen Chaussee Nr. 8, sondern in dem weiter
abwärts belegenen Garten Nr. 11 des Forstmannes G. Swoboda, welcher unmittelbar auf das Grundstück des Bibliothekssekretärs Dr.
Müldener folgt. Vor dem bescheidenen Hause stand damals unter
einer dichtbewachsenen Laube wilden Weines und im Schatten zweier
hohen Akazien ein runder steinerner Tisch, und auf diesem reihte sich
Flasche an Flasche des perlenden Weines, den Fritz Bettmann, der
joviale Kronenwirth, geliefert. Ein wunderschöner, lauer Sommer-
abend begünstigte den ungebundenen Jubel der Gäste, zu welchen
Knille, Lehzen, Siemens und ein Paar andere Westfalen gehörten; der
neugebackene Doktor machte den liebenswürdigsten Wirth, und sprudelte über von Geist und Laune. Erst als Mitternacht lange vorüber,
die Flaschen leer und die Köpfe ziemlich voll waren, verabschiedeten
sich die Freunde mit herzlicher Umarmung auf Nimmerwiedersehen
von dem Dichter, dessen Koffer schon zur Abreise gepackt stand.

(249)

1825-1827
Hamburg

Aufenthalt in Norderney und Lüneburg
Reisen nach England und München

168. K. A. VARNHAGEN V. ENSE   Aug. 1825

Tagebuch, Lich, 6. Juli 1845

Sie *[die Fürstin Henriette v. Solms-Lich]* erzählte mir, sie habe vor Jahren in Norderney Heinen kennengelernt und ihn sehr gern gehabt; bei einem Ausdruck, den er gebraucht, habe sie unwillkürlich ausgerufen: »Das ist ganz wie Varnhagen!« – »Varnhagen?« habe Heine verwundert gefragt, »den kennen Sie? Das ist mein bester Freund!« Und nun sei der Umgang nur besser geworden. Sie hielt Heinen für innerlich edel und aufrichtig, ein solcher Geist könne nur das Beste wollen; seine Unarten, meinte sie, wolle sie nicht verteidigen, aber andere hätten deren auch. (262)

169. ROSA MARIA ASSING   Mitte Okt. 1825

Tagebuch, Hamburg, 15. Okt. 1825

Dr. H. Heine hat uns in diesen Tagen besucht. Von ihm erfuhr ich, daß Helmine von Chezy in dem »Stillen Julchen«, einer Novelle in Briefen, die sich im Frauentaschenbuche auf 1825 befindet, Briefe von Chamisso benutzt habe. (102)

170. ROSA MARIA ASSING   Dez. 1825

an K. A. Varnhagen v. Ense, Hamburg, 12. Dez. 1825

Seit kurzem ist H. Heine wieder hier; er hat uns besucht und sich angelegentlich nach Euch erkundigt, und hatte gehofft, mit Euch im Alexisbade zusammenzutreffen. Euch verfehlt zu haben, war ihm sehr leid. Er wollte ein Briefchen an Dich bei mir einlegen, er hat es aber bis jetzt nicht gebracht. [...]

An meine liebe Schwägerin [Rahel] meine besten Grüße [...] Ich bin immer erfreut, jemanden zu sehen, der sie kennt, und lasse mir dann gern von ihr erzählen, wie dies neulich der Fall war, als ich Heine wieder sah, der mit Liebe und Verehrung von Euch spricht.

(103)

171. JULIUS CAMPE   Ende Jan. 1826

laut einer anonymen Hamburger Korrespondenz

(*12. 3. 1856)

Mein erstes Zusammentreffen [mit Heine] war folgendermaßen: ich stand in meinem Laden und verkaufte, da trat ein junger Mann herein und forderte Heine's Tragödien. Ich reichte ihm ein sauber gebundenes Exemplar. »Ach, das ist mir lieb, daß das Buch gebunden ist.« Während er das Exemplar besah, ging ich nach der Seite, wo die Dichter aufgestellt waren, brachte ihm die Gedichte desselben Verfassers. »Lieber Herr, fiel er mir hastig in das empfehlende Wort, die mag ich nicht – ich verachte sie!« – »Wie, sagte ich, Sie verachten sie? dann haben Sie es mit mir zu thun!« – »Lieber Herr, ich kenne sie besser, als Sie, denn ich habe sie geschrieben.« – »Nun, mein Herr Doctor, wenn Sie wieder ein Mal so etwas Werthloses produciren und Sie haben gerade keinen bessern Verleger, so bringen Sie sie mir und ich werde mir eine Ehre daraus machen, meine Firma darauf zu setzen.« – »Scherzen Sie nicht mit mir, ich könnte Sie auf die Probe stellen.« – »Sie würden dann erfahren, daß ich probehaltig bin.« – Am andern Tage kam Heine, bezog sich auf jenes Gespräch und sagte: »Sie waren gestern so freundlich, sich zu meinem Verleger anzubieten, in der That habe ich etwas druckfertig; haben Sie nicht gescherzt, so bin ich bereit, Ihnen mein Werk zu übergeben. Es sind Reisebilder, Harzreise, 77 Gedichte.« – »Es ist gut: Sie geben mir ein Buch, auf dessen Titel Ihr Name steht, und das 25 Bogen füllt. Wie viel Honorar nehmen Sie in Anspruch?« – »30 Louisdor.« – »Gut! Es wäre Ihnen genehm, wenn ich Ihnen die Zahlung leistete?« – »Oh, das wäre mir sehr genehm!« – Seit diesem Tage war Heine jeden Tag in meinem Laden und wir wurden intime Freunde.

(20)

172. ROSA MARIA ASSING   1. März 1826

Tagebuch, Hamburg, 1. März 1826

Den 1ten besuchte uns H. Heine; er brachte mir mehrere Blätter des Gesellschafters, in welchen sich eine Harzreise von ihm befindet. (102)

173. ROSA MARIA ASSING   3. März 1826

Tagebuch, Hamburg, 3. März 1826

Die Harzreise von H. Heine hat mir sehr gefallen. Ich las sie in einem Zuge bis spät in die Nacht und konnte nicht davon kommen. Man erkennt darin durchweg einen poetischen Sinn und dabei etwas so Lebendiges, Jugendfrisches, das ungemein anziehend ist; mitunter begegnet man auch etwas Sentimentalität, aber die gehört ja eben der Jugend an. Heine hat ein schönes Dichtertalent. Wenn er gut damit umgeht, wird sich noch vieles in ihm entwickeln und gestalten, und manches Schöne und Gehaltvolle kann er noch zutage fördern. Wie dürftig der Stoff dieser Harzreise auch an sich ist, seine geniale Darstellung und Behandlung verleiht den allergewöhnlichsten Begebenheiten, von denen mancher andere nur wenig zu erzählen haben würde, ein eigentümliches Leben und poetischen Reiz. Die Gedichte, die darin vorkommen, zeichnen sich auch durch Gehalt aus und stehen seinen früheren nicht nach. Er war heute wieder bei uns, um uns »Cardenio und Celinde« von Immermann zu bringen, und blieb einige Stunden. Assing hält ihn für sehr eitel und allzu sehr von sich eingenommen. Es ist wahr, er spricht viel und gern über sich selbst, aber immer geistreich, und ich mag mich sehr gern im Gespräch mit ihm ergehen, auch verhehlte ich ihm nicht, wie sehr mir die Beschreibung seiner Harzreise gefallen hat.   (102)

174. ROSA MARIA ASSING   5. Mai 1826

Tagebuch, Hamburg, 5. Mai 1826

Den 5ten hat uns Heine besucht. Er liest nun den »Tristram Shandy« und »Peregrine Pickle« und meinte, er lerne viel von diesen, wie man es nämlich nicht machen müsse, und was man als Schriftsteller zu vermeiden habe. Auch erzählte er, daß er die Harzreise umgearbeitet habe. Ich erwiderte ihm darauf, sie sei doch so sehr schön gewesen, er erwiderte aber, sie sei viel besser geworden.   (102)

Tagebuch, Hamburg, 19. Mai 1826

Den 19. Mai hatten wir eine kleine Gesellschaft guter Freunde bei uns, auch Heine war da, er mischte sich aber wenig in die Gespräche der übrigen Herren und sprach außer mit Calmberg, der ihn schon kannte, fast nur mit uns Damen. (102)

176. ROSA MARIA ASSING   Mai 1826

an K. A. Varnhagen v. Ense, Hamburg, 26. Mai 1826

Heine erzählte mir, er habe erfahren, Du seist krank gewesen, nun aber wieder ganz hergestellt, sonst, fügte er hinzu, würde er es mir nicht erzählt haben. [...] Er besucht uns zuweilen und ist uns stets willkommen. Assing hält ihn für sehr eitel und allzusehr von sich eingenommen, es ist wahr, er scheint wenig Teil an Dingen zu nehmen, die nicht mit ihm in Beziehung stehen, und spricht viel und gern über sich selbst, aber immer geistreich, und ich mag mich gern im Gespräch mit ihm ergehen und bin ihm zugetan wegen der großen Liebe und Verehrung, mit welcher er stets von Euch spricht. (103)

177. ROSA MARIA ASSING   Anf. Juni 1826

Tagebuch, Hamburg, 3. Juni 1826

Heines Reisebilder habe ich erhalten und Manches darin mit großem Wohlgefallen gelesen, auch mir schon Bekanntes nochmals gern darin gesehen. »Sie werden daraus sehen, sagte mir Heine, als er mir sein Buch brachte, welch ein Dieb ich bin.« Auch machte er mich aufmerksam darauf, wie er die Beschreibung einer blühenden Aloe als Bild benutzt habe, ganz so wie Mama sie neulich machte, indem sie erzählte, wie sie diese Blume einst in Straßburg im botanischen Garten gesehen habe. (102)

178. LUDOLF WIENBARG   1826

nach Mitteilungen Julius Campes   *(*13. 9. 1857)*

Sein leicht erregter Argwohn, seine beständige Furcht vor schlimmen Streichen, die ihm seitens seiner »Feinde«, der von seiner Satyre getroffenen Personen und Körperschaften gespielt werden möchten, hatte, so zu sagen, etwas Mittelaltriges, Italienisches und führte zuweilen gar komische Irrungen herbei. Eine heitere Novelle dieser Art hat wohl einigen Anspruch darauf, mitgetheilt zu werden. Sein jovialer Freund und Verleger, Herr Campe, ging eines Abends in der Weihnachtszeit seiner Wohnung vorüber und bemerkte in seinem Zimmer im oberen Stockwerke Licht. Guten Abend, Heine! rief er hinauf. Sogleich wurde das Licht ausgelöscht. Vor dem Hause befand sich eine Pfefferkuchenbude. Campe nahm einen Pfefferkuchen und warf damit an Heine's Fenster. Guten Abend Heine! keine Antwort. Eine zweite, dritte Pfeffernuß folgte mit begleitendem stärkeren Rufe, doch öffnete sich kein Fenster und alles blieb stumm und dunkel. Herr Campe ließ sich eine Düte mit Pfeffernüssen geben und trat an die Hausthür; sie war verschlossen. Nach längerem Pochen ließen sich Tritte und eine fremde tiefe Stimme vernehmen, die fragte: wer ist da? Machen Sie gefälligst auf, sagte Campe, ich habe eine Bestellung an Herrn Heine. Als die Thür sich zögernd öffnete, überreichte er dem fremden Mann die Düte mit den Pfefferkuchen und fügte scherzend hinzu, wollen Sie das an Herrn Heine geben, es kommt von Professor Hugo aus Göttingen. – Campe wußte, wie gern er naschte. – Am andern Abend saßen Dichter und Verleger neben einander an einem der kleinen Tische im Damenpavillon, in dem sich gewohnter Weise die damalige literarische Gesellschaft versammelte. Heine erwähnte mit keinem Worte seiner Pfefferkuchen von Professor Hugo. Ebenso stumm blieb er darüber den folgenden und dritten Abend, bis Campe mit der Frage losbrach: wie haben Ihnen die Pfeffernüsse geschmeckt? – Sind sie von Ihnen? schrie Heine. Und nun kam es heraus, daß er sie für ein Geschenk der Danaer gehalten und aus Furcht vor Vergiftung sie nicht berührt hatte. Nun werde ich sie essen, sagte er froh und erleichtert, daß es nicht so teuflisch gegen ihn gemeint war. (296)

179. ADOLF STRODTMANN   Sommer 1826

nach Mitteilungen von Julius Campe   (*1869)

Während seines Aufenthaltes in Hamburg im Sommer 1826 traf Heine, wie gewöhnlich, eines Abends im Alsterpavillon mit Campe und Merckel zusammen. Nach einer lebhaften Unterhaltung geleiteten die Freunde den Dichter bis an sein Logis auf dem Dragonerstall, und schlenderten dann noch eine Weile in den Straßen umher. Campe, der

sich entsann, daß Heine gern Kuchen aß, kaufte in einer Jahrmarkts-
bude des Gänsemarktes ein Packet Pfeffernüsse, und kehrte mit Merckel nach der Wohnung des Dichters zurück, der noch wach sein mußte, da seine Zimmerfenster erhellt waren. Kaum aber begannen die
Beiden auf der Straße laut seinen Namen zu rufen, so wurde das Licht
ausgelöscht. Campe schellte jetzt an der Hausthür und gab die Kuchen
für Heine an das Dienstmädchen ab, mit dem schelmischen Zusatze:
»Von Professor Hugo in Göttingen!« – »Nun, wie haben Ihnen die
Pfefferkuchen geschmeckt?« frug Campe, als Heine nach einigen Tagen zu ihm in den Laden kam. »Was!« rief Heine, indem er sich ärgerlich vor die Stirn schlug, »Sie haben mir die Kuchen geschickt? Und ich
Thor habe sie ins Kaminfeuer geworfen! Da sie mir im Namen Hugo's
überbracht wurden und ich auf der Straße meinen Namen hatte
schreien hören, so glaubte ich, meine Göttinger Feinde, denen ich in
der »Harzreise« so übel mitgespielt, wollten Rache an mir üben und
hätten – wer weiß! – den Teig der Pfeffernüsse vielleicht mit Ratten-
gift gewürzt.«   (249)

180. ROSA MARIA ASSING   15. Juni 1826

Tagebuch, Hamburg, 15. Juni 1826

Heine hat uns Eichendorffs Novellen und Gedichte geliehen. Die Gedichte haben Innigkeit; die Novelle: Aus dem Leben eines Taugenichts
ist angenehm naiv erzählt, verspricht aber im Anfange mehr, als sie am
Ende hält.
    Heine hat hier eine sehr ärgerliche Geschichte gehabt; er kam sie uns
erzählen. Er wurde nämlich am hellen Tage von einem Menschen angegriffen, als er über den Burstah ging. Es war ein Makler in Manu-
fakturwaren, der eine Stelle in Heines Reisebildern auf sich bezogen.
Heine versichert, den Menschen, den er einen jüdischen Mauschel
nannte, nie gekannt zu haben, und meint, er sei von andern aufgehetzt
worden, die ihm eingeredet, er sei in jener Stelle gemeint. Heine hat
ihn vor der Polizei verklagt, worauf jener alles geleugnet hat, und so
nahm die Sache, die Heine auf sich beruhen läßt, für diesen ein sehr
klägliches und unritterliches Ende. Er äußerte bei uns: »Was soll ich
dabei anfangen! Der Mensch kann am Ende behaupten, ich habe sil-
berne Löffel gestohlen, und ich werde dazu schweigen.«   (102)

an Karl Immermann, Hamburg, 17. Okt. 1826

Herr Dr. Heine gab mir den Auftrag an Sie, mein verehrter Herr Criminalrichter! ein Expl. des 3ten Bandes der Wiener Jahrbücher der Lit[eratur] 1826 zu senden.

Mit lebhafter Freude erfülle ich diesen Befehl u[nd] wünsche Ihnen von Herzen Glück dazu, daß Sie *diesen* Rezensenten gefunden haben; der stets mit Würde und Sachkenntniß seine Jünger behandelt.

Heine erhielt einst von diesem Werke den Band von mir geschenkt, worin seiner, von derselben Hand, gedacht wurde. Er freute sich damals sehr darüber; er wünscht Ihnen hiermit eine gleiche Freude zu bereiten. Auch klagt er sich an, so lange nicht an Sie geschrieben zu haben! – *Bald* will er das Versäumte nachholen.

Den größten Teil dieses Jahres lebte er hier und ging dann über Cuxhaven nach Norderney: wo er der letzte Gast blieb. Seit 3 Wochen wohnt er in Lüneburg bei seinem Vater, gerne lebt er bei uns; es wird also nicht lange mehr währen, so trifft er hier ein.

Der hoffentlich bald beginnende Druck des 2ten Bandes der Reisebilder verlangt auch gewissermaßen seine Gegenwart.   (45)

an Moses Moser, Göttingen, 4. Dez. 1826

Die Reisebilder von meinem Bruder erleben hier noch ihre Blütezeit; der zweite Theil wird von d[en] [Göttinger] Professoren sehr gefürchtet, die mich honoriren, um meinen Bruder zu gewinnen. – Ich habe [mi]t Heinrich angenehme Tage in Lüneburg verlebt, u[nd] habe mich aufs Neue [ü]be[r]zeugt, [da]ß er der liebevollste Sohn, der treuste Bruder, u[nd] gemüthlichste Freund ist. Er hat d[as] Schiksahl von vielen verkannt zu werden, u[nd] das gerade von denen, die ihn genauer kennen.   (317)

Tagebuch, Lüneburg, 19. Nov. 1826

Gestern war ich bei Mehlis. Heine und Christiani wurden erwartet. Ich war sehr gespannt, beide einmal in einem kleinen, durch steifes Ceremoniell minder bewegten Kreise zu sehen. Als sie kamen, fühlte ich einige stärkere Herzschläge. Ich hatte mich bei M[ehlis] zu günstig in Bezug auf Heine geäußert, als daß ich nicht sehr dabei hätte interessiert sein sollen, wie Heine ihnen erschiene. Überdies war ich seiner selbst willen besorgt und es drückte mich unbeschreiblich, daß ich neulich bittere Urteile über den Schriftsteller hatte hören müssen, der mein Freund ist, ohne doch das Vertrauen mißbrauchen zu dürfen, was man mir zollte, oder imstande zu sein, den ungünstigen Eindruck zu vertilgen, den einige Stellen seiner Schrift auf ein Herz gemacht hatten, welches zu unbefangen war, um sie unparteiisch beurteilen zu können. Ein Geheimnis lastet schwer, wenn es sich zwischen zwei Menschen drängt, die sich wohlwollen, und sich auf einen der beiden bezieht. Ich hatte mir demohngeachtet vorgenommen, es zu bewahren. Indes brachte mich eine Äußerung H[eines] um meinen Entschluß. Heine sagte, er hätte um sieben einen Menschen auf dem Club gesehen, den er für mich gehalten und doch nicht für mich erkannt habe. Um sieben war ich nicht mehr auf dem Club gewesen! »Wie, dachte ich; wenn Heine dich einst sähe und etwas in dir vermißte, was dich ihm sonst kenntlich machte, Deine Liebe zu ihm?« – Mich überlief's! Habe ich nicht zu oft den bitteren Schmerz empfunden, Menschen geliebt und verloren zu haben? Sollte ich andern, sollte ich einem Heine, diesem offenen, warmliebenden, tiefempfindenden M[enschen] je solch einen Schmerz bereiten können? Ich wurde still und nachdenkend. Ich mußte in Moll phantasieren, als ich mich, gebeten, ans Klavier setzte. – »Nein, ich will Heine nie betrüben!« so schloß ich die melancholische Gedankenreihe heiter; entschlossen stand ich auf und horchte dem Gespräche. Das Vorhergehende hatte ich bewußtlos brausen hören. Aber mein Ohr hielt es fest, und heute erst tritt es vor das Ohr meiner Seele. Walter Scott war der erste Gegenstand desselben. Heine ergriff ihn und lobte Sc[otts] Reinheit und Unparteilichkeit. – Christiani liebt ihn nicht. Er ward bald in einen Kampf verwickelt, in dem er unterlag, weil er Scott nicht kannte. Er zieht zu viel an, als daß ich ihn lesen möchte, wenn ich (im Schlafrocke) auf dem Sofa liege! –

H[eine] versicherte, er läse ihn am liebsten krank und brauchte ihn als Heilmittel. Die Siebold mißverstand ihn und meinte, nur die ersten Teile verdienten solchen Vorwurf.

Jean Paul. Heine tadelte ihn, weil er die Mühe gespart, klar zu schreiben, die er, Heine, sich stets gäbe. Christ[iani] erwiderte: J[ean] P[aul] schriebe, wie H[eine] denke! Ich meine, daß es sich der Mühe lohnt, J[ean] P[aul] selbst zu übersetzen, ja daß der Übersetzer dabei mehr gewinnt, als wenn J[ean] P[aul] es für ihn getan hätte, denn das Übersetzen spannt die Kräfte des Geistes, behütet vor dem Schlafe desselben beim Durchwandeln eines Werkes! Der Leser erarbeitet sich das gewonnene Geld und *verdient*, was ihm sonst *gegeben* wird. So wird das Eigentum, was gewöhnlich Anleihe ist.

Die Siebold sagte: »Ich brauche Chr[istianis] Anmerkung als Beweis dafür, daß Jacobi der ordnende übersetzende Jean Paul ist!« Christ[iani] äußerte, es müsse Heinen leicht werden zu übersetzen, da er sich selbst täglich durch sich selbst in Übung erhalte.

Dieser wurde nun gebeten, etwas von Scott – die »Lady of the Lake« – zu übersetzen und ging auf die Bitte ein, bevorwortend, seine Übersetzung von Byron sei das Beste, was er geliefert, und wir stimmten ihm bei.

Jetzt occupierte Heine die Mehlis und bewies indirect durch sein Gespräch, daß er nicht gottlos sei, wenn auch nicht fromm in dem Sinne der Mystiker. Er habe ein Taubenherz, welches sich durch einen scharf gespitzten Geierschnabel ausspreche. Die Siebold erklärte dies für ein wunderbares Naturspiel, und manche Scherze wurden Heinen an Herz und Schnabel geworfen. Die Mehlis: sie liebte nur das Herz; Christiani: er den Schnabel. Die Siebold: sie beides, aber nicht in ihrem Zusammenhange. Sie proponierte, ein Blatt zwischen beide zu legen und führte als erläuterndes Beispiel an, sie wünsche, Heine möge sein letztes Gedicht in den Reisebildern als zwei getrennte Gedichte auf 2 Blätter geschrieben haben.

Heine kam auf die Anderten, vergaß sich in Lobeserhebungen über dieselbe, sagte, sie sei die Olympia, wie sie Immermann in s[einem] ›Cardenio‹ schildere. Die Mehlis erzählte, wie sie ihr Mann, den Heine einem einplumpenden Elephanten verglich, einst durch eine Puppe fast zu Tode erschreckt habe, die er zu ihrem Doppelgänger ausgeschmückt, und meinte, nachher würde sie sicher in den Himmel kommen.

Christ[iani] fiel hier ein und äußerte, das sei der beste Weg, sie von Heinen zu trennen, der sie dann sicher nie wieder sehe. Dieser geriet in einen schmerzlichen Pathos, dem er durch den Ausbruch Luft machte: wüßte er's, so würde er sich dem Teufel verschreiben, bloß um von ihm [?] bemitleidet zu werden, wenn er zur Hölle fahre *[Am Rand:]* wenn er dadurch in den Himmel kommen könne.

Mein Herz ward fast zerquetscht durch die Fülle dieser Ironie.

Jetzt sprang die Mehlis auf und sang Heines ›Wie der Mond sich leuchtend dränget‹ zum Klavier; darauf recitierte Chr[istiani] mehrere Heinesche Gedichte und erschien mir nun als die Zunge von Heines

Gedanken. Mir ward es höchst unheimlich dabei zu Mute, so schön auch Christiani sprach, so liebenswürdig er sich zeigte. Es ist doch eine verhenkerte Sache, sich so durch einen andern aussprechen zu hören; es kommt mir vor, wie wenn ich Götz wäre und meine eiserne Hand vor mir auf dem Tisch liegen sähe. *[Am Rand:]* Auch die Komplimente, die Heine hören mußte, schienen mir peinigend für ihn selbst.

Zart und weiblich schön glänzte Chr[istianis] Geist darauf. Unglücklicherweise fiel indes die Rede bald von der lyrischen in die mystische Dichtung und die neuen Dichter. Spitta, Deichmann und der Jochmann wurden besprochen. Leid tut es mir, daß Heines Schnabel ein Geierbild ins Herz seiner Zuhörer ritzte; er habe bei seinem Bunde mit Hagen neulich auf Griechenweise ein Lamm geopfert: Spitta. Jawohl ein Lamm, dachte ich und die Siebold sagte, es sei gut, daß Heine ein Junges zum Bilde brauche und nicht ein Altes!

Heine erklärte den Mysticismus für Folge von Körperschwäche und Krankheit, Chr[istiani] für ein Kind der höchsten geistigen Armut. Dieser fügte hinzu, für die Mystiker sei die Welt und ihre Freude nichts anderes, als was für die Mägde eine offene Zuckerdose mit gezählten Zuckerstückchen sei, welche die Hausfrau ihnen hingesetzt, um daran ihre Enthaltsamkeit zu prüfen. –

Heine wütete gegen alle s[o]g[enannten] Frommen, u[nd] es schien mir, als mache er keine Ausnahme. Das ist zu hart und sicher der Beweis von einem verschleierten Auge, mag nun Erbitterung oder sonst etwas ihm den Schleier übergeworfen haben. Ich sagte daher meiner Überzeugung gemäß, ich halte Heine zu intollerant gegen Spitta und umgekehrt.

Christiani gab zu, daß, wenn einer sich glücklich dabei fühle, täglich Kartoffeln zu essen, und wähne, durch sie ginge der Weg zum Himmel, man ihm dies Vergnügen lassen, ihm selbst aber vergönnen solle, zuweilen Braten und Austern zu genießen.

Die Amtm[ännin] wurde jetzt betrachtet. Heine bat, ihr zu sagen, der Mysticismus schade der Schönheit. Dies fand großen Beifall.

Der Mehlis wurde vorgeworfen, Spitta nicht warm verteidigt zu haben. »Also war das Verteidigung?« fiel Heine ein.

Petersen als Spittas vormaliger Freund ward als Auctor Heinenscher Quellen über Spitta angeführt. Heine benutzte dies, mich etwas verlegen zu machen. Er legte den Rötel an mein Kindsgesicht. –

Christiani ging auch nicht leer aus. Er ward in Beziehung auf August Meyer mit Hassel zu Bostel *[?]* verglichen. Im Ganzen schien mir Heine ein höchst vornehmes gesellschaftliches Wesen zu äußern. Frei, unbefangen, seines geistigen Übergewichtes bewußt, achtet sein Witz keine Schranken oder höchstens die von den Grazien gezogenen. Form und Sitte dienen nur ihm, er nicht ihnen. In dieser Beziehung als sein Gegensatz erscheint Christiani. Die Siebold steht Heinen näher. Dies zeigte sich sehr bei einem Gespräch über Schiller. Seine Helden wurden als schlechte Damenhelden von Heine bezeichnet. Sie wissen für ihre Dame höchstens zu sterben. »Man kann mehr für sie tun und Ihnen Angenehmeres, wenn man für sie lebt« sagte er.

Christiani meinte, sie bedürfen der Vernunft; die Siebold stimmte mit glühenden Augen Heine bei; die Mehlis sagte, Max sei ihr lieb.

(235)

184. LUDWIG VON DIEPENBROCK-GRÜTER   20. Nov. 1826

Tagebuch, Lüneburg, 20. Nov. 1826

Heine ging mit mir nach Wienebüttel. Wunderbar, daß ich so viel an ihm zu tadeln habe und ihm dennoch so gut bin. Neulich sagte ich ihm das; «Voilà l'amitié», antwortete er. Er muß unter andern überall renommieren und sucht stets den Gegenstand, welcher andern imponieren dürfte.

Merkwürdig ist mir sein Vertrauen auf seine geistige Kraft. In solcher Fülle habe ich es kaum möglich gehalten. Er droht oft: »Wenn du Mystiker wirst, so verführe ich dich sicher.« Als wenn er Herr meines Willens wäre! »Wenn ich nur 13 Male mit der Amtmännin zusammen gekommen – das 14te Male sollte sie lachen über sich selbst und wäre nicht mehr Mystikerin«, rühmte er gestern!

Sehr riet er mir ab, über Religion, über jede Regel der Handlungsweise etc. zu denken: »Du hast nicht viel Geist zuzusetzen«, deutete er mir an. Es kränkte mich diese Äußerung mehr als billig, obgleich er sie wieder gut zu machen suchte, ohne daß ich Empfindlichkeit gezeigt hätte.

Und wie er doch vorher so unendlich liebenswürdig war! Er las einiges von mir und als ich meinen Kopf an seine Schulter legte, sagte er: »Lieber Junge, ich höre deine Gedanken in deinem Blute pulsieren« und – küßte mich dabei! Und dann freute es mich sehr, als er sagte, ich schriebe gut. So ist der Mensch – ich wenigstens nur zu sehr – voll Sehnsucht nach einem günstigen Urteil von andern, die er für mehr hält als [*getilgt:* sich] er. Ist das Eitelkeit oder Ehrliebe?

Heine kränkte mich noch durch das Aussprechen folgender Maxime:

»Im gesellschaftlichen Leben suche ich meine Feinde nur lächerlich zu machen, selbst wenn ich Böses von ihnen erzählen könnte. Denn machst du einen Menschen lächerlich, so hast du ihn gesteinigt! Nicht der Lasterhafte, der Lächerlich-Gewordene ist perduto.« Dann sagte er noch, als ich ihm aus Kabruns Briefen und Oesterleys Reisebeschreibungen vorgelesen, Kabrun schildere besser als Oesterley, stehe geistig über letzterem. Oesterley beschreibe kleinlich, Kabrun schön. Ist dem so? Christiani sei ihm nicht reizend, wie viele seiner anderen Freunde.

Goethe sei der Verderber der Religion! Seine Wahlverwandtschaften stürzten alles Heilige, seien ein Protest gegen alle Religion, Sitte und Formen. Goethe und sämtliche Goethianer achteten nur den äußeren Anstand. Er, Heine, brenne, sich gegen ihn zu erklären, indes halte ihn seine Stellung in der schriftstellerischen Welt davon ab.

Goethe sollte Gott danken, wenn er manche der Ideen hätte, die Walter Scott äußere.

Jacobis Woldemar gefalle ihm der Form wegen nicht. Er möge gern Philosophie in reiner philosophischer Form. (235)

185. LUDWIG VON DIEPENBROCK-GRÜTER   23. Nov. 1826

Tagebuch, Lüneburg, 23. Nov. 1826

Nachmittags weckte mich Heine aus wirklichen Träumen und sagte folgendes: »Grüter, du meinst, ich wisse nicht, was ich wollte. Das ist aber bald gesagt. Ich bin kein christlicher, sondern ein neuplatonischer Mystiker. Der christliche Mystiker meint, alle Erkenntnis komme nur von außen her in uns, der neuplatonische glaubt, daß sie in ihm schlafend liege und nur in ihm geweckt würde durch die Berührungen der Außen- und Binnen-Welt.«

Neulich sagte er: »Es ist ein Gott; zu sagen ›Ich glaube an einen Gott‹ ist schon Lästerung. Er ist, und ich schaue ihn als Seiendes an. Christus ist göttlich – die Propheten, die Stifter der Parsen, der Hindischen Religionen, Plato, Sokrates u. a. m. waren es auch, aber nicht so sehr wie Christus. In seiner Religion ist Klarheit, was den andern Dunkelheit war.

Ich muß über vieles schweigen, was ich glaube, weil ich es nicht der Mühe wert halte, es andern zu sagen. Das Schlechte, was in mir ist, lade ich in meinen Schriften aus, daß es mich nicht mehr drücke.« Welche fürchterliche Ironie und auf der andern Seite, wie viele Klarheit und Reinheit!

Die Siebold sagte: »Wenn er nur Komödiant wäre?« Aber ich kann das nicht glauben. Er versicherte mir zu heilig, daß er seine innerste Überzeugung gegen mich ausgesprochen. Nachher stutzte ich zwar, als er die Behauptung aufstellte, der Körper gehöre dem Menschen. Ohne Klausel sei er ihm geschenkt und man könne mit ihm tun, was man wolle. Ich behauptete, Gott habe ihn uns zwar geschenkt, aber unter Klauseln, die das Gewissen uns anzeige. Ich zeigte ihm, wie nach seinem Grundsatze auch die Seele uns unbedingt gehöre und er sie dem Bösen zu verschreiben das Recht zu haben sich beimaße. Es war ihm wohl nur Scherz mit jener Äußerung. Mir kommt unser Recht über uns selbst vor wie ein peculium profectitium, dessen Verwaltung uns der Geber alles Guten übertragen hat ohne Eigentumsrechte. Selbst für die Verwaltung hat er uns Verhaltungsbefehle erteilt, die uns vor Augen schweben können und sollen. So ist es wohl mit allen Gütern dieser Welt.

Die Sieb[old] warnte wieder noch eindringlicher, liebreicher wie früher. Schließlich auch für Spitta und gab mir Jacobis ›Die göttlichen Dinge und ihre Offenbarung‹ mit als Talismann.   (235)

186. LUDWIG VON DIEPENBROCK-GRÜTER   24. Dez. 1826

Tagebuch, Lüneburg, 26. Dez. 1826

Vorgestern Abend ging ich zu meinem lieben Mehlisen, um Kinderweihnachtsfreuden zu sehen und zu genießen. Vorher war Heine bei mir und zwar in höchst unliebenswürdiger Stimmung. Er sprach über den Vorzug der Rachefreuden vor denen der Vergebung, von seiner Anschauungsweise seiner selbst als Objekts. »Wäre ich so glücklich, jetzt noch eine unglückliche Liebe erschwingen zu können, so wäre ich ein gemachter Mann«, sagte er! Wohin dieses »zur Sache machen seiner selbst« ihn führen wird, weiß der Himmel. Wie kann der andere achten, der sich selbst so wenig achtet!   (235)

187. ROSA MARIA ASSING   22. Jan. 1827

Tagebuch, Lüneburg, 22. Jan. 1827

Den 22. besuchte uns Heine und nahm die Biographischen Denkmale meines Bruders, die dieser für ihn geschickt, in Empfang. Er arbeitet an dem zweiten Teile seiner Reisebilder. Den ersten Band, den ich noch von ihm hatte, hat er mir geschenkt, worüber ich mich sehr freue.

(102)

188. ROSA MARIA ASSING   22. Jan. 1827

an K. A. Varnhagen v. Ense, Hamburg, 24. Febr. 1827

Dein Paket an Heine *[am 21. Dez. 1826 übersandte Bücher Varnhagens]* konnte ich erst den 22. Januar besorgen. Ich erkundigte mich gleich nach ihm und hörte von seiner Schwester, daß er jeden Tag erwartet würde. Indes verzögerte sich doch seine Ankunft bis zu dem genannten Tage. Er freute sich über Dein Buch und trug mir auf, Euch vorläufig zu grüßen, da er wohl nicht gleich schreiben würde. Der zweite Band seiner Reisebilder wird wohl nächstens erscheinen. Diese Reisebilder machen außerordentliches Aufsehen [. . .] in unserm Kreise ist fast alles gegen ihn, und ich stehe allein in meiner Freude und meinem Wohlgefallen daran.

(103)

189. HERMANN SCHIFF   Jan./Febr. 1827

Heine-Erinnerungen   (*1866)

Als ich 1826 nach Hamburg kam, traf ich ihn *[Heine]* ganz zufällig auf der Straße. Ich wußte garnicht, daß er hier sei. Eine vortheilhafte Veränderung hatte sich mit ihm begeben. Er war nicht mehr der in sich selbst Zurückgezogene. Sein Benehmen war *offener* und *freier*. Er war ein Lebemann geworden, und mehr als das: ein vornehm mißmuthiger Gentleman.

Wir embrassirten uns auf offener Straße und er sagte, weil ich ihm Complimente über sein gutes Aussehen machte: – »Wundre Dich nur. Ich habe mich geändert und schwinge jetzt die Harlequinspeitsche.« – Nämlich: Der erste Band »Reisebilder« war erschienen und machte von Hause aus großes Aufsehen. Merkwürdig genug war diese Aeußerung Heine's über die neue Richtung die er eingeschlagen. Ob es mißmuthige Bescheidenheit war oder selbstgefällige Ironie, bleibe dahingestellt. Ich mußte ihn nach seiner Wohnung begleiten, wo er mir ein Exemplar mitgab.

Ich hatte es durchgelesen und brachte die ungebundenen Aushängebogen wieder.

»Nun! was sagst Du?« lächelte er selbstgefällig.
– »Dasselbe was Du gesagt hast. – Allein die Harlequinspeitsche ist
keine Dichterfeder.«
– »Als ob ich nicht schon gewohnt wäre, von Dir negirt zu werden.
Glücklicherweise kann ich mich darüber trösten und zumal jetzt.«
»Die Majorität des Publikums ist für Dich. Es folgt hieraus, daß ich
es auch sein muß.«
– »Der Erfolg hat Recht!« (225)

190. HERMANN SCHIFF   1827

   Heine-Erinnerungen   *(*1866)*

Zur Taufe verstand er *[Heine]* sich aus Rücksichten und wider seinen
Willen. – »Wie befindest du dich, Heine«, fragte ich eines Tages, weil
er stets leidend zu sein, oder sich zu stellen und zu klagen pflegte. –
Ach wie ist mir zu Muthe! stöhnte er; »Allen Meschumodim soll zu
Muthe sein wie mir.« (Meschumat: Apostat oder Abtrünniger, heißt
bei den Juden, der Getaufte.) (225)

191. HERMANN SCHIFF   1827

   Heine-Erinnerungen   *(*1866)*

Den Brief, den einzigen, den Heine an mich schrieb, fand ich 1825 bei
Lauffer in Leipzig und habe ihn dem Wortlaut nach, so gut ich mich
dessen erinnerte, Herrn Rooth in die rasche Feder gesagt. Er enthält
eine schmeichelhafte Anerkennung des Pumpauf und Pumperich, ver-
wirft aber Anderes als »schlecht.« – Leider ist dieses Büchlein nicht
von mir, sondern von Herrn Dr. Wilhelm Bernhardi, Sohn des Con-
sistorialrathes Bernhardi und der Schwester Ludwig Tie[c]ks, Sophia.
Leider habe ich daran kein weiteres Verdienst, als zu seinem Dasein
den wunderlichen Anlaß gegeben zu haben. [...]
   Heine's Lob war freilich an den Pseudo-Verfasser fehlgerichtet. Allein er lobte mich doch gern, wenn ich irgend in sein Fahrwasser gerieth. Von meinen damals erschienenen Höllenbreugheln sagte er:
»Entweder Du bist meschugge oder Du gehst direct darauf aus es zu
werden.« (225)

Tagebuch, Hamburg, 22. Febr. 1827

»Walseth und Leith«, von Heinrich Steffens, macht mir viel Vergnügen,
[...] Heine meint, es sei durchaus keine Charakterschilderung darin,
und zieht Walter Scott bei weitem vor, aus welchem ihm gleichsam
eine erquickende Seeluft entgegenwehe.   (102)

193. ROSA MARIA ASSING   5. März 1827

Tagebuch, Hamburg, 5. März 1827

Den 5ten waren den Abend liebe Freunde bei uns, Amalia und Stein-
heims und Doktor Heine. Das Gespräch war lebhaft und interessant,
ich ward leider von Kopfschmerzen heimgesucht, die mir den sonst so
angenehmen Abend verkümmerten.   (102)

194. ROSA MARIA ASSING   26. März 1827

Tagebuch, Hamburg, 26. März 1827

Montag 26. besuchte uns Heinrich Heine. Er ist immer geistreich und
mir sehr interessant. Er denkt in kurzem nach England zu gehn und
freut sich sehr auf die großartigen Eindrücke, die er von diesem Lande
zu empfangen hofft.   (102)

195. ADOLF STRODTMANN   erste Aprilhälfte 1827

nach Mitteilungen von Hermann Schiff   *(* 1869)*

[Heine:] »Was sagst du zu dem Buche Le Grand?« [Schiff:] »Du hast
nicht wohlgethan, deine musikalische Unwissenheit öffentlich kund zu
geben.« [Heine:] »Unverschämtester der Sterblichen, was meinst du
damit?« [Schiff:] »Daß du ein feines Ohr für Rhythmus und Wohllaut
der Verse hast, müssen deine Todfeinde dir lassen, den langen Schaller
aus Danzig mit eingerechnet. Auch deine Prosa ist, wie Maler sagen,
ein geleckter Stil, der in der niederländischen Schule zuweilen vorkommt. Dagegen hat die florentiner Schule ihr Sgraffito, – zwei Kunst-
extreme, die sich niemals berühren können. Dein großer Kaiser ist über
alle Maßen bewundernswerth, aber nicht Jeder kann ihn lieben und

verehren – zumal der Hamburger nicht, dem Davoust's Schreckens-regiment zu gut in der Erinnerung lebt. Dennoch sage ich, ein Hambur-ger: Napoleon, kolossal in seinen Thaten wie in seinen Fehlern, sollte nicht durch den geleckten, seltenen niederländischen Stil gefeiert wer-den, sondern eher durch den hohen florentinischen Stil oder dessen Sgraffito. Aber ich will nicht pedantisch sein. Lassen wir Das und reden wir von deinem Le Grand. Mir scheint, du kennst keinen Unter-schied zwischen einer Militärtrommel und einem großen Orchester. Du lässt die Siege Napoleon's von einem kaiserlichen Tambour aus-trommeln, und stellst dich aufs Gerüst, um den Ruhm des Welterobe-rers auszumarktschreien. Frag den übertriebenen Orchestrier, den königlich preußischen Generalmusikdirektor Spontini, was Der dazu sagt. Ich sage, Das ist keine Poesie, sondern Charlatanerie.« –»Pah! giebt es eine Poesie ohne Charlatanerie?« frug Heine, der sehr ernst-haft geworden war. –»Nur keine phantasielose Charlatanerie. Ein Tambour, der aus heiler Haut stirbt, und einen Wirbel dazu schlägt, ist ein Unding. Was hast du Meister in der Plastik dabei gedacht? Was sah dein Auge, hörte dein Ohr dabei? Du hast sicherlich nie eine Trommel gerührt. Aber du weißt doch vielleicht, daß die gedämpfte Trommel die militärische Todtenglocke ist. Ein braver Tambour, der sich sterben fühlt, mag diese letzte soldatische Ehre sich selbst anthun, ja, er mag seine letzte Kraft aufbieten, um mit einem tapferen Nachschlag zu enden. Ein Wirbel aber, diminuendo bis zum piano pianissimo, ist ein unmögliches Tambour-Schwanenlied; denn beim Wirbel müssen die Ellenbogen fix gerührt werden; das Piano ist schwieriger als das Forte, und die abnehmende Lebenskraft kann es nicht hervor bringen. Gesetzt aber, sie könnte es, so wäre ein solches Dahinscheiden lächerlich. Das wirst du zugeben, wenn du mit Phantasie gehörig an Aug' und Ohr appellierst.« –»Hör, Bursche!« rief Heine mit scharfer Betonung, »Das sagst du *mir,* aber keinem Andern!« –»Weßhalb sollte ich dem Publi-kum seinen Spaß verderben?« lachte Schiff. »Da ich obendrein weiß, daß es nutzlos für den Einzelnen ist, sich der absoluten Majorität als Lehrmeister aufzudrängen...« Bevor der Satz beendigt wurde, trat Campe ein. Er machte Schiff aufmerksam auf den pelzgefütterten Schlafrock des Dichters, und sagte mit komischer Gravität: »Ich bin ein persischer Schah, der Ehrenpelze vertheilt.« –»Jetzt glaub' ich an die 5000 Exemplare der Reisebilder«, versetzte Schiff, »da Campe seinen Autor warm hält.« – Heine aber sagte: »Hier stelle ich Ihnen einen jungen Schriftsteller vor, der eines soliden Verlegers bedarf. Nehmen Sie sich seiner an. Mein Freund Schiff ist mir besonders interessant, weil er sich Nichts aus mir macht. Sie glauben nicht, wie wohl es thut, wenn man, wie ich, mit Lob überschüttet wird, auch einmal Jemanden zu finden, der uns mit dreister Hand die Achillesferse zeigt, an der wir verwundbar sind.« (249)

196. JULIUS CAMPE   11./12. April 1827

an Karl Immermann, Hamburg, 23. April 1827

Ew Wohlgeboren empfangen anliegend den 2ten Theil von Heines Reisebildern, der eben fertig geworden ist. Ihre Xenien stehen in einem sehr wilden Buche: das leicht Verfolgungen zu erleiden haben mögte! Ihr freundliches Schreiben hat Heine bis zum Tage vor seiner Abreise bei sich behalten; er wollte und wollte immer an Sie schreiben, wird aber wol nicht dazu gekommen seyn, denn er trug mir viele herzliche Grüße an Sie auf, deren ich mich hierdurch entledigen will.

Am Tage (d. 12ten d.) wo ich das Buch hier ausgab, ging er mit dem Damp[f]boote nach London, wo er den 3ten B[an]d ausarbeitet, der Michaelis erscheinen soll. (45)

197. ROSA MARIA ASSING   April 1827

Tagebuch, Hamburg, 26. April 1827

Man erzählt, Heine habe sich hier über Hals und Kopf entfernen müssen, weil die Preußische Regierung Anstoß an einigem in dem zweiten Bande seiner Reisebilder genommen habe. Ob es wahr ist, weiß ich nicht, seine Abreise scheint jedoch schneller erfolgt zu sein, als er selbst dachte. Denn er schickte uns eine Karte und nahm nicht persönlich von uns Abschied, was er sonst wohl getan hätte. (102)

198. MAXIMILIAN HEINE   März/April 1827

Heine-Erinnerungen (Familienüberlieferung)   (*1868)

Als der Onkel einstmals in aller Gemütlichkeit seinen Morgenkaffee schlürfte, sagte der Neffe zu ihm: »Ich muß das Land meines Radcliff, ich muß England sehen.«

»So reise«, entgegnete der Onkel.

»Aber in England ist sehr theures Leben.«

»Du hast ja unlängst Geld bekommen!«

»Ja, das ist für das tägliche Brod, aber für den Namen, für die Repräsentation habe ich auf Rothschild einen guten Creditbrief nöthig.«

Und richtig, der gute Onkel gab dem Neffen, der unlängst erst eine hübsche Summe erhalten, von der Mutter hundert Louisd'or Extra-Reisegeld bekommen, *zur Repräsentation* einen Creditbrief von vierhundert Pfund Sterling, d. h. 10,000 Francs, sammt dringender Empfehlung an Baron von Rothschild in London mit.

Die Abschiedsworte des Onkels lauteten noch: »Der Creditbrief ist nur zur formellen Unterstützung der Empfehlung, mit Deinem baaren Reisegeld wirst Du schon auskommen. Auf glückliches Wiedersehen!« Und was that der Dichter? Er war kaum *vierundzwanzig* Stunden in London, als er sich bereits auf dem Comptoir Rothschild's mit seinem Creditbriefe präsentirte und die zehntausend Francs gemüthlich einstrich. Dann ging er zum Chef des Hauses, Baron James *[Nathan Mayer!]* von Rothschild, der ihn sofort zu einem solennen Diner einlud. [...]

Nicht unbedeutend war die Scene, als der geniale Neffe zum ersten Male wieder vor den erzürnten Onkel trat.

Vorwürfe über grenzenlose Verschwendung, Drohungen des Onkels, nie wieder sich mit ihm zu versöhnen – alles dieses hörte Heinrich mit der größten Ruhe an.

Als der Onkel endlich mit seinem Sermon zu Ende war, da hatte der Neffe nur die eine Antwort: »Weißt Du, Onkel, das Beste an Dir ist, daß Du meinen Namen trägst«, und ging stolz aus dem Zimmer.

(105)

199. CHARLOTTE MOSCHELES   April 1827

an unbekannten Adressaten, London, April 1827

Meine alte hamburger Bekanntschaft Heinrich Heine ist nun auch hier, und natürlich wird uns der berühmte, interessante Mann stets eine höchst angenehme Erscheinung im Hause sein; er kommt auch oft ungebeten zu Tische, was mich glauben lässt, dass er *gern* mit uns vorlieb nimmt. Man kann sein Genie nur anstaunen, sich an seinen Schriften nur ergötzen; doch kann ich mich eines Anflugs von Furcht vor seiner treffenden Satire nicht erwehren. Gleich bei seinem ersten Besuch hatten wir Beide ein komisches Gespräch mit einander; ich weiss nicht, wo ich den Muth hernahm; aber als er mir erzählte, was er zu sehen wünsche, sagte ich: »Dazu und zu allen Privatgalerien und Parks, zu allen öffentlichen Gebäuden kann ich Ihnen Einlasskarten verschaffen und mache mir es zur Ehre; nur verlange ich etwas dafür, und möchte einen Pact darüber schließen.« Natürlich sollte ich mich näher erklären und liess mich nicht lange bitten. »Ich möchte«, erwiderte ich, »dass Sie in dem Buche, welches Sie jetzt über England schreiben werden, Moscheles nicht nennen.« Nun war er erst recht erstaunt und ich erklärte weiter: »Moscheles' Specialität ist die Musik, die interessirt Sie vielleicht, aber Sie haben doch kein besonderes Verständniss dafür, können also nicht eingehend darüber schreiben. Dahingegen könnten Sie leicht irgend einen Anhalt für Ihre genialisch satirische Ader an ihm finden und den bearbeiten, das möchte ich nicht.« Er lachte oder schmunzelte vielmehr, auf die ihm eigenthümliche Weise, und dann gaben wir uns den Handschlag, er auf Hinweglassung unseres Namens, ich auf Besorgung von Einlasskarten. Um gleich mit der Erfüllung meines Versprechens zu beginnen, schrieb ich sofort um eine Einlasskarte zu den berühmten Raphael's. (184)

200. CHARLOTTE MOSCHELES   Mai/Juni 1827

an unbekannten Adressaten, London, Mai/Juni 1827

Heine ging mit uns im Grosvenor-Square Garten spazieren, wozu uns *** den Schlüssel gaben, und machte die witzigsten Bemerkungen über die vielen Schornsteine, die Einem in so einem Häuserviereck allerdings doppelt auffallen. [. . .] Vor ein paar Tagen kam er so durchnässt im Hause an, dass ich ihn hinaufschickte – sich in Moscheles' trockene Chaussure zu stecken, und als er diese kurz vor seiner Abreise zurückschickte, schrieb er folgendes Billet dazu: *[folgt Brief vom 27. (?) Juli 1827]*.

201. EDUARD WEDEKIND   Mitte Sept. 1827

Artikel über Heine   (*2. 6. 1839)

Nach zwei Jahren, als Heine von England zurückkam, im Jahre 1827, traf ich ihn unverändert wieder: er war krank, trug einen weißen Hut, und aß gern Kuchen. Er hatte nun aber schon einen Ruf; seine Reise nach und von England war durch die Zeitungen *(über dem Strich)* angezeigt worden, und da in dem Gasthofe, als er ankam, eben eine Gesellschaft zum Balle vereinigt war, konnte ich ihn derselben durch die Vorstellung als den Verfasser der Reisebilder sofort bekannt machen. Hätte ich ihn aber als den Verfasser des Ratcliff und Almansor vorgestellt: so würde er leider Vielen unbekannt geblieben seyn. Auf meine Frage versicherte er mir, daß er das englische Wesen ganz, wie er es im Ratcliff geschildert, gefunden habe, und diesen auch jetzt nicht besser machen könne, und als ich mich billig darüber verwunderte, da es doch ein großer Unterschied sey, ein Land aus Büchern oder aus eigner Anschauung kennen zu lernen, versicherte er ganz offen: »sieh, lieber Junge, das ist das Genie; so wie der Mathematiker aus einem Theile des Kreises diesen sofort ganz herstellen kann, kann sich auch der Dichter aus wenigen Zügen sofort das ganze Bild construiren.« (273)

202. Eduard Wedekind   Mitte Sept. 1827

Heine-Erinnerungen   *(1876)*

Unser späteres Leben hat uns nur i[m] J[ahre] 1827 einmal wieder zusammengeführt, [...]. Ich stand damals als wolbestallter Königlich Hannoverscher Amts-Auditor in Rotenburg, einem kleinen Orte zwischen Bremen und Hamburg, wo die Reisenden damals noch über Nacht zu bleiben pflegten. Heine war damals ganz der Alte, lieb und freundlich, und nahm meine Einladung, ein paar Tage bei mir zu bleiben, sofort an. Doch hielt er's freilich in dem kleinen Neste nicht so lange aus, und reiste am 2ten Tage, nachdem wir uns gesprochen hatten, weiter. Sein Oheim, der reiche Salomon Heine in Hamburg, hatte ihm die Mittel zu dieser Reise gewährt. Heine erzählte mir dabei u. a. noch Folgendes:
Als er seinen Oheim mal besucht, hätten auf dessen Haus-Diehle eine Menge Goldbarren wie Ziegelsteine gelegen, ohne sonderlich beachtet und beaufsichtigt worden zu sein, was ihn gegen seinen Oheim zu der Bemerkung veranlaßt habe: die Gesetze des Staats seien doch eigentlich nur für die Reichen gemacht.   (318 b)

203. Rosa Maria Assing   4. Okt. 1827

Tagebuch, Hamburg, 4. Okt. 1827

Den 4ten besuchte uns Heinrich Heine, der von seiner Reise nach England wieder zurückgekehrt ist. Ich habe mich sehr gefreut, ihn wieder zu sehen, er hat mir ungemein gefallen. Auch Assing, der ihm sonst nicht hold ist, konnte diesmal nichts gegen ihn haben. Die Art wie Heine über England und Deutschland sprach, hat mich recht in der Seele gefreut. Er läßt den großartigen Einrichtungen Englands volle Gerechtigkeit widerfahren, er kennt die Vorzüge des Landes und der Nation an, ohne jedoch im geringsten Deutschland zu verkennen, ja vielmehr, versichert er, sei ihm dieses teurer und vertrauter geworden, und sein Herrliches und Hohes erst recht aufgegangen, da er entfernt vom Vaterlande war. Er habe zum ersten Male recht empfunden, was Vaterlandsliebe sei. Zufällig fiel ihm der »Anzeiger der Deutschen« irgendwo in die Hände. O Vaterland, Vaterland, habe er entzückt ausgerufen, als er des Blattes ansichtig wurde, welches die kleinen bürgerlichen Verhältnisse Deutschlands in ihrer nationalen Eigentümlichkeit so treu abspiegelt. Gegen England kommen ihm die öffentlichen Verhältnisse hier so klein und beschränkt vor, und doch möchte er nirgend lieber sein. Herrliches und Hohes, Kraft und Tüchtigkeit und Treue sei in Deutschland, und eine hohe Achtung und Schonung fremder Sitte und Eigentümlichkeit zeichne den Deutschen aus.

»So ist es recht«, sagte ich darauf zu ihm, »man muß manchmal sein Haus verlassen, um bei der Wiederkehr das beglückende Gefühl zu haben, daß es uns eben am wohlsten zu Hause ist. Wenn Sie auch von Ihrer Reise weiter nichts hätten, als diese erhöhte Liebe zu Ihrem Vaterlande und die volle Erkenntnis seines hohen Wertes und seiner Vorzüge, so können Sie schon mit dem Ertrag Ihrer Reise zufrieden sein.« Er gab dies zu.

Seine Besuche sind meist kurz und flüchtig, wenn er nicht etwa auf einen Abend gebeten ist; aber stets anregend, nie leer, und fassen in ihrer Kürze doch sehr viel in sich. In allem, was er sagt, ist Geist und Leben und eigentümliche Ansicht. Er versprach uns diesen Besuch nicht anzurechnen und bald auf längere Zeit wiederzukommen.

Auch seiner Reisebilder geschah Erwähnung. »Ich gratuliere Ihnen«, sagte ich, »Ihre Reisebilder sind in Österreich und den Rheinprovinzen verboten. Sie werden daher nur um so mehr gelesen werden.«

»Ja, das Buch hat Glück gemacht«, erwiderte er, »besonders bei den Bonapartisten, obgleich ich durchaus kein Bonapartist bin.«

»Sie sind keiner?« fragte Assing.

»Nein, durchaus nicht. Ich stellte Bonaparte nur so hin als Gestalt.«

Manche fassen dies nicht, ich begreife es jedoch sehr wohl, als Gestalt, wie sie in der Seele eines Bonapartisten stehen könnte, warum sollte sich die Phantasie des Dichters nicht in diese versetzen können?

Auch von den Biographischen Denkmalen meines Bruders sprachen wir. Er lobte sie ungemein, insonderheit das Leben Blüchers. Auch das der drei Dichter habe er sehr gern gelesen, doch habe ihm Besser von den dreien am besten gefallen. »Wissen Sie«, sagte er, »daß er einige Ähnlichkeit mit Varnhagen hat?«

Assing lehnte sich gegen diese Behauptung auf, wollte dies durchaus nicht zugeben und meinte mit Recht, in Varnhagen sei weit mehr Edles und Hohes wie in Besser, der sich in seinem Alter doch sehr heruntergekommen zeige.

»Nun«, meinte Heine, »von Varnhagens Alter kann auch noch nicht die Rede sein.«

Ähnlichkeit ist noch keine Gleichheit, und daß Besser, der sich in seiner Jugend sehr ehrenwert zeigte, eine entfernte Ähnlichkeit von meinem Bruder hat, kann ich auch nicht ganz ableugnen. (102)

204. Julius Campe   Sept./Okt. 1827

an Karl Immermann, Hamburg, 5. Okt. 1827

Seit 14 Tagen ist Heine hier; er will nach Leipzig u[nd] dort den 3ten Reisebilderband schreiben. Das Verbot der Reisebilder am *Rhein,* was ich als eine Munizipal Angelegenheit betrachte, da im übrigen Preußen alles bei[m] alte[n] blieb, hat ihn unbegreiflich gekitzelt und eitel gemacht; ein[e] Erscheinung, die mich aufrichtig betrübt. Dieser Kitzel wird ihn der Poesie entrücken u[nd] der Politik zuführen, wo mehr *Ruhm* zu erlangen ist, wenigstens mit weniger Mühe. Was der 3te Theil daher bringen wird, ist keine Frage: den Liberalismus in Cannings Gestalt, England, die Radicale etc.

Er hat es mir versprochen, an Sie zu schreiben. Mir sagt er, daß Cotta sich ihm genahet und frei gestellt habe: zu verlangen, was er möge. Mit C[otta] mag ich nicht wetteifern, der in H[eine] nur den Bonapartisten erkennt u[nd] *deswegen* liebt. – Genug, Heine wird solcher Lockspeise nicht wiederstehen u[nd] seine freie Meinung behaupten können, die solchen Hebeln nicht gewachsen ist; so oft u[nd] so sehr er auch versichert nie von mir zu gehn. Was ich für H[eine] und seine Anerkennung that, wird nie ein Cotta thun. Der wirft ein[e] Handvoll Gold weg u[nd] glaubt nun alles damit gethan zu haben, was man wünschen mag, u[nd] überläßt das Buch seinem Schicksal.

Ich bemerke das, damit es Sie nicht wundert, wenn unter einem Buche von Heine gelegentlich eine andere Firma wie die meinige stände. (45)

205. ROSA MARIA ASSING　　　　　2. Oktoberhälfte 1827

an K. A. Varnhagen v. Ense, Hamburg, 25. Jan. 1828

Heine ist abgereist, ohne Abschied von uns zu nehmen. Assing sah ihn zuletzt auf der Straße, er erzählte, er habe einen Ruf nach München erhalten und wolle uns nächstens besuchen, um uns Näheres darüber mitzuteilen, doch haben wir ihn nicht wiedergesehen, der Zeitpunkt seiner Abreise mag ihn übereilt haben.　　　　　　　　　　　(103)

206. LUDWIG EMIL GRIMM　　　　　6. Nov. 1827

an Amalie v. Zuydtwyck, Kassel, 6. Nov. 1827

Eben war der Dichter Heine bei mir, kommt aus England und Holland, hat dort viel gesehen, interessante Bemerkungen gemacht und ist ein geistreicher Mensch; heute mittag will er wieder zu mir kommen.

(83)

207. WILHELM GRIMM　　　　　6.–9. Nov. 1827

an Ferdinand Grimm, Kassel, 16. Dez. 1827

Ein Bekannter von Dir, Dr. Heine, war auf seiner Durchreise (er kam aus England und ging nach München) hier beim Louis, und da habe ich ihn auch gesehen; dort will er, wie ich glaube, die Redaktion über eine Zeitschrift oder so etwas übernehmen. Ist er wirklich, wie mir einige behauptet haben, ein Jude oder war er es? Er klagte über anhaltende Kopfschmerzen, die ihm den Aufenthalt hier verbitterten.

(243)

1827–1828
München

Reise nach Italien

208. JULIUS CAMPE   (1827/) Nov. 1827

an Karl Immermann, Hamburg, 14. Jan. 1828

Heine wird Ihnen aus München geschrieben haben. Mit seiner Stellung ist er zufrieden und nun äußerst freundlich gegen mich; nie will er von mir gehen u[nd] was mehr. Er war kränklich und fürchtete sein Ende! Für den Fall sollte ich seine Papiere haben. Wenn das Clima ihm lästig werden will, geht er nach Italien. Ich habe 2 Jahre in diesem Lande zu Fuß herumgelaufen; oft mit Heine darüber gesprochen u[nd] den Wunsch dahin bei ihm belebt. Unendlich würde es mich ergötzen, *ihn* dort zu sehen, mit seinem plastischen Blick. Er würde uns Italien auf eine neue Weise eröffnen: des bin ich überzeugt.   (45)

209. FRIEDRICH LUDWIG LINDNER   Dez. 1827

an Johann Friedrich v. Cotta, München, 13. Dez. 1827

Verehrter Freund.

Es ist allerdings sehr zweckmäßig, einen Artikel über das hiesige literarische Leben für die Allg[emeine] Zeit[un]g zu schreiben, und bei dieser Gelegenheit Heine's zu gedenken. Ich werde sogleich Schellings, Görres, Okens etc. Vorlesungen besuchen, um mich für solchen Artikel vorzubereiten. Görres verliert seine Zuhörer, dagegen Schelling an 500 zählt, wovon aber nur 10 bezahlen.

Das erste Heft des Bandes XXVI. der Annalen ist in der Druckerei. Ich habe Herrn Reichel geschrieben, er möchte bei Ihnen anfragen, ob Sie nichts dagegen hätten, daß auf den Titel gesezt würde: herausgegeben von H. Heine und F. L. Lindner. – Heine hat einen vortrefflichen Aufsatz für dieses Heft geliefert; [...].   (311 e)

Besonders wertvoll war mir, daß Kolb mich bei Lindner einführte, welcher mit Heine die »Politischen Annalen« herausgab. Für diese Zeitschrift habe ich damals in Lindners Auftrag eine Biographie Iturbides aus dem Englischen übersetzt. Es war mein erster Versuch, etwas für den Druck zu schreiben. Im Gedächtnisse ist mir, wie schüchtern ich das Manuskript überbrachte, und wie verlegen ich war, als ich von Lindner dem zufällig anwesenden Varnhagen von Ense vorgestellt wurde, der mich, ohne mit mir zu sprechen, forschend ansah. Auch Heines fragendem Blicke begegnete ich zuweilen bei Lindner, ohne von ihm zu einer persönlichen Beziehung ermutigt zu werden. Erst viele Jahre später bin ich in Paris auf kurze Zeit ihm näher gekommen. In München traf ich ihn nicht selten im Lindnerschen Hause und daselbst einmal in größerer Gesellschaft, wo der kolossale Rittmeister Hailbronner die Baßarie: »Hier in diesem Jammerthal« sang und aus zarter Rücksicht gegen die vielen anwesenden jungen Damen dem Teufelsbraten Kaspar statt »Kind mit runder Brust« die moralischen Worte »Kind mit treuer Brust« in den Mund legte. Heine betrachtete lächelnd den riesenhaften Kavalleristen und sagte nach dem beendigten Gesange: »Liebster Hailbronner, borgen Sie mir Ihren Leib auf vierzehn Tage, und ich bringe ihn so ruiniert wieder zurück, daß Sie selbst ihn nicht mehr kennen sollen.« (66)

211. Friedrich Ludwig Lindner 11.–13. Febr. 1828

an Johann Friedrich v. Cotta, München, 13. Febr. 1828

Verehrter Freund.

Mein vorgestriger Brief an Sie, ist wahrscheinlich noch gestern in den Händen des Herrn Kirchherten gewesen, der ihn, wenn nicht Alles trügt, aufgebrochen und Herrn Heine den Inhalt desselben mitgetheilt hat. Es ist nicht erst seit heute, daß ich bemerke, wie wenig dem Herrn Kirchherten zu trauen ist. Er spricht an öffentlichen Orten von dem, was im Hause vorgeht, lügt und prahlt, hetzt die Leute gegen einander, treibt sich in den Wirthshäusern herum, und zeigt sich überall als ein Windbeutel und Zwischenträger. Ich werde ihm nächstens hinter die Schliche kommen; finde aber nothwendig, Sie vorläufig zu warnen, dem Menschen nur insoweit zu trauen, als Sie gesichert sind. Denn ich höre auch, daß er spielen soll. Sind Sie Ihrer Sache mit ihm nicht ganz sicher, so wäre es rathsam, ohne ihn vorher etwas merken zu lassen, unvermuthet sein ganzes Geschäft zu untersuchen, und auf jeden Fall daran zu denken, ihn sobald als möglich durch einen zuverlässigen Mann zu ersetzen. Sonst bringt er Ihr Institut ins Geschrei, wenn er nicht schlimmere Handlungen macht. Mit dem Herrn Wit hat er sich auch eingelassen, ließ diesen Stundenlang im Bureau bleiben, wo dann gewiß Dinge gesprochen seyn worden, die der pfiffige Spion benuzt, um bei Gelegenheit diesen oder jenen zu compromittiren. H[er]r Kirchherten hat den H[err]n Wit auch gestern in die Gesellschaft des Frohsinns geführt, wo aber der Vorstand den verdächtigen Menschen auswies. Heute wird H[err] Wit von der Polizei aus der Stadt gewiesen, wie es heißt, auf ausdrücklichen Befehl S. M. des Königs. Die Vertraulichkeiten der Herrn Heine und Kirchherten mit diesem Wit sind auf jeden Fall unangenehm. [...]

So eben erfuhr ich Folgendes. Als vorgestern Nachmittag Herr Kirchherten berauscht ins Bureau kam, fand er meinen Brief an Sie, eröffnete ihn, und zeigte ihn dem Herrn Wit genannt von Dörring, der gerade gegenwärtig war; nachdem beide den Brief gelesen, warf ihn H[err] Kirchherten ins Feuer. So werden Sie also diesen Brief nicht erhalten. Ich hatte Ihnen darin geschrieben, daß der Herr Herzog von Dalburg bei mir gewesen, [...]. Ferner meldete ich Ihnen, daß H[err] Heine einen Aufsatz zu Ehren des Herrn Wit für die Annalen bestimmt mir gegeben, daß ich nothwendig gefunden, eine Anmerkung hinzuzusetzen. Ich schickte Ihnen den Aufsatz und meine Anmerkung indem ich glaubte, Sie würden beide sich in den Annalen verbitten. Zugleich schrieb ich Ihnen, daß ich bemerkt hätte, wie dem Herrn Heine *der moralische Gehalt fehle*. – Diesen Ausdruck nun erwähnte H[er]r Heine, unter einem lügenhaften Vorwande, gegen mich, sodaß ich sogleich errieth, er müsse meinen Brief an Sie gelesen haben. Ich ließ also heute H[er]rn Kirchherten kommen, und fragte ihn, wer meinen Brief aufgebrochen. Er läugnete Alles. H[er]r Heine kam dazu, und dieser läugnete, gestern gegen mich den Ausdruck über ihn gebraucht zu haben; zugleich gab er mir sein Ehrenwort, daß er nichts von dem Briefe wisse. – Indessen erfahre ich so eben von dem jungen Löwenzeller den ganzen Zusammenhang der Sache.   (311 e)

Verehrter Freund.

H[err] Reichel schreibt Ihnen ausführlich, wie es mit Kirchherten steht. Dieser hat eine Erklärung unterzeichnet, worin er bescheinigt, daß in der Casse 1176 fl. 36 Kr fehlen, von denen er keine Rechenschaft zu geben weiß, die Summe aber ersetzen will. Sie wären also vollkommen befugt, ihn verhaften zu lassen; dann aber müßten die Bücher dem Gericht vorgelegt werden, wobei denn die abscheuliche Unordnung derselben weltkundig würde, was lieber zu vermeiden ist. [...]

Mit Heine hängt die Sache so zusammen. Aus mehreren seiner Äußerungen sah ich daß sein moralischer Charakter nicht der festeste seyn könne. Als H[err] Wit hierher kam war er mit diesem Menschen täglich zusammen, und versuchte es mehrmal, mich dahin zu bestimmen, daß ich ihn bei mir sehen möchte. Ich erklärte aber, ich würde ihn, wenn er käme, zur Thür hinauswerfen. – Nachher brachte er mir den über Wit geschriebenen Aufsatz, der offenbar gegen mich oder vielmehr gegen meinen Aufsatz im Auslande gerichtet war. Dieser Aufsatz ist in Ihren Händen. Darauf schrieb ich die ebenfalls überschickte Anmerkung, die dem H[err]n Heine nur das Unschickliche seines Angriffs auf mich zeigen sollte. Bei der Stelle aber wo ich von der eigentlichen *Feinheit* seines Angriffs spreche, lacht er laut auf, und erklärt er habe nichts gegen meine Anmerkung, wenn nur sein Aufsatz in den Annalen abgedruckt würde. Darauf legte ich Aufsatz und Anmerkung zusammen, schickte sie Ihnen, und schrieb zugleich, daß ich Ihnen die Entscheidung der Aufnahme überließe. Dabei bediente ich mich des Ausdrucks: »ich habe alle Achtung für das Talent des Herrn Heine, aber ich glaube, *es fehlt ihm an moralischem Gehalt.* Am andern Morgen kommt er zu mir, und fragt, wie es mit seinem Aufsatz über Wit stehe. »Ich habe ihn H[errn] v[on] Cotta zur Entscheidung überschickt.« – Heine: »Das hätten Sie nicht thun sollen, man sagt ohnehin von mir, *daß es mir an moralischem Gehalt fehle.*« – Ich: Wer sagt dies? – H[eine]: Es ist so eine gemeine Rede. – – Es war mir klar, daß mein Brief an Sie gelesen worden sey. – Ich ließ den Kirchherten zu mir kommen, der durchaus nichts von der Sache zu wissen behauptete. Während der Unterredung mit Kirchherten kam H[err] Heine zufällig zu mir, und dieser gab mir sein *Ehrenwort*, er wisse nichts von meinem Brief, es sey nur so zufällig gekommen, daß er von Mangel an moralischem Gehalt gesprochen. Das glaube nun ein anderer. Ich sagte ihm offen, was ich Ihnen geschrieben, sey längst meine Meinung von ihm gewesen, und seine Freundschaft für Wit, sein Angriff auf mich, der ihm mit Wolwollen entgegengekommen, bestätige mich darin. – So blieb die Sache, bis ich durch H[err]n Löwenzeller erfuhr, daß Kirchherten meinen Brief erbrochen, ihn dem Wit mitgetheilt habe. – H[err] Heine behauptet noch immer Wit hätte ihm nichts von dem Briefe gesagt. Dies ist aber offenbare Lüge. – H[err] Heine und ich sind jezt nach wie vor gefällig gegen einander; aber ich bin auf meiner Hut. – Uebrigens werden Sie nächstens in den Annalen wieder einen höchst genialen Aufsatz von ihm finden. (311 e)

213. (ALEXANDRE WEILL)   27. März 1828

   Pressenotiz   (*1. 1. 1847)

Le jour de la première représentation de »Struensée«, ouvrage de Michel Beer joué à Munich, M. Heine, quelques minutes avant le lever du rideau, s'approcha de son ami et lui dit:
   Mon cher, désirez-vous que votre pièce réussisse?
   Certainement, fit le frère du célèbre compositeur.
   Eh bien! reprit M. Heine, il n'a y qu'un moyen, faites que les acteurs improvisent.   (288)

Am Tag der Uraufführung von Michaels Beers »Struensee« in München kam Heine kurz vor Beginn der Vorstellung zu seinem Freund *[M. Beer]* und sagte:
   »Wünschen Sie, daß Ihr Stück Erfolg hat, mein Bester?«
   »Aber gewiß doch!« erwiderte der Bruder des berühmten Komponisten *[Meyerbeer]*.
   »Na gut«, entgegnete Heine, »dann gibt's nur eins: Lassen Sie die Schauspieler improvisieren!«

214. ADOLF STRODTMANN   Frühjahr 1828

   nach Mitteilungen von Friedrich Stammann   (*1869)

Ein Hamburger Architekt, Herr Friedrich Stammann, welcher derzeit in München seine Studien machte und öfters mit Heine zusammen traf, erzählt uns, daß Letzterer Anfangs auf die jungen Maler, welche sich seines geistvollen Umgangs erfreuten, ziemlich hochmüthig herabsah, und sich manchen boshaften Witz über ihre Bestrebungen erlaubte. Eines Tages wollte er ihnen sogar ernsthaft die Inferiorität ihrer Kunst im Vergleiche mit der Dichtkunst beweisen. »Ein Lied, eine Tragödie wirkt unmittelbar auf die Herzen der Menge«, so lautete seine wunderliche Deduktion; »ihr dagegen bedürft des fremden Vermittlers, eure großen historischen Bilder und Allegorien sprechen nur wenige auserlesene Kunstkenner an, und euer Ruhm liegt in den Händen des Schriftstellers, der eure Intentionen erst dem Publikum klar machen, die Hieroglyphenschrift eures Pinsels aller Welt deuten muß.« Ein muthwilliges Gelächter unterbrach den Redner. Während Dieser die Abhängigkeit des Malerruhms von der wohlwollenden Kommentierung des Schriftstellers behauptete, hatte ein begabter Kunstjünger schweigend eine unbarmherzige Karikatur Heine's auf ein Blatt Papier gezeichnet, und hielt die Skizze jetzt triumphierend empor. Mit ärgerlicher Verlegenheit betrachtete Heine dieses schlagende Argument, daß dem Maler doch unter Umständen auch einige Macht über den Dichter gegeben sei, und er hütete sich in Zukunft, durch so thörichte Aeußerungen eine selbständige Schwesterkunst herabzuwürdigen. Fleißig besuchte er fortan die Gemäldegalerie, und mit seiner zunehmenden Kenntnis der reichen Kunstschätze stieg seine Hochachtung und Bewunderung der Malerei, obschon er im Allgemeinen der von Cornelius und seinen Nachfolgern eingeschlagenen Kunstrichtung nicht zugethan war, und alle heitere Lebensfreudigkeit in derselben vermisste. (249)

215. HERMANN RIEGEL   Frühjahr 1828
   Gespräch mit Peter Cornelius, 3. März 1865

Dabei erzählte er *[Cornelius]*, daß er Heine einmal in München auf dem Dultplatze eines Sonntags Vormittags begegnet, und ordentlich und gerade heraus mit ihm gesprochen habe; Heine habe Alles ruhig mit angehört und endlich halb wehmüthig gesagt: »Ich bin doch am Ende nicht so schlimm als Sie meinen.«   (206)

216. ROBERT SCHUMANN   8. Mai 1828
   Tagebuch, München, 8. Mai 1828

Einkauf – Geschmackssachen – Heine – geistreiche Unterhaltung – ironisches Männchen – liebenswürdige Verstellung – Gang mit ihm auf die Leuchtenbergische Gallerie – der Seßel Napoleons – die Grazien v. Canova nicht edel genug – Magdalena schön – Billard – Table d'hote .. (230)

217. ROBERT SCHUMANN 8. Mai 1828

an Heinrich v. Kurrer, Leipzig, 9. Juni 1828

In München befand ich mich [...] nicht ganz wohl und heimisch und ich merkte den kalten, schneidenden Residenzton nur zu bald. Die Glypthotek *[!]*, so prachtvoll sie angelegt ist, ist noch nicht vollendet u[nd] läßt einen daher jetzt nur unbefriedigt und nur die Bekanntschaft mit Heine, welche ich Herrn Krahe [...] zu verdanken habe, machte meinen Aufenthalt einigermaßen intereßant u[nd] anziehend. Ich stellte mir nach der Skizze des Herrn Krahe, in Heine'n einen mürrischen, menschenfeindlichen Mann vor, der schon wie zu erhaben über den Menschen und dem Leben stünde, als daß er sich noch an sie anschmiegen könnte. Aber wie anders fand ich ihn und wie ganz anders war er, als ich mir ihn gedacht hatte. Er kam mir freundlich, wie ein menschlicher, griechischer Anacreon entgegen, er drükte mir freundschaftlich die Hand u[nd] führte mich einige Stunden in München herum – dies alles hatte ich mir nicht von einem Menschen eingebildet, der die Reisebilder geschrieben hatte; nur um seinen Mund lag ein bittres, ironisches Lächeln, aber ein hohes Lächeln über die Kleinigkeiten des Lebens u[nd] ein Hohn über die kleinlichen Menschen; doch selbst jene bittere Satyre, die man nur zu oft in seinen Reisebildern wahrnimmt, jener tiefe, innere Groll über das Leben, der bis in das äußerste Mark dringt, machte seine Gespräche sehr anziehend. Wir sprachen viel über den großen Napoleon u[nd] ich fand in ihm einen Bewunderer, wie man ihn, außer in Augsburg, wohl selten trifft. Auch sprach er davon, ehestens in die alte Augusta zu reisen, um Sie vorzüglich kennen zu lernen.
(230)

218. WILHELM JOSEF V. WASIELEWSKI 8. Mai 1828

nach Mitteilungen von Gisbert Rosen *(*1858)*

Er *[Heine]* bewohnte ein schönes Gartenzimmer, dessen Wände durch Gemälde der damals in München lebenden Künstler reich geschmückt waren. Der seltsame, hochbegabte Dichter entsprach ganz dem Bilde, welches die fremd eintretenden Genossen sich von ihm nach seinen Schriften gemacht hatten, und was noch etwa daran hätte fehlen können, wurde durch die sarkastische, beißend-witzige Ausdrucksweise Heine's, der er freien Zügel ließ, sehr bald ergänzt. Schumann verweilte mehrere Stunden bei Heine, während Rosen sich verabschiedete, um einen Landsmann aufzusuchen. Alle drei trafen sich aber in der Leuchtenberg'schen Gallerie wieder, wo den beiden Fremdlingen fortgesetzte reichliche Gelegenheit geboten wurde, die scurrilen Einfälle Heine's, dessen Laune sich als eine unerschöpfliche zeigte, theils zu bewundern, theils zu belachen. (272)

219. C. Euler und R. Hartstein   1828

Biographie Maßmanns   *(*1897)*

Auf Grund dieser verschiedenen Anschauungen kam es zwischen Heine und Maßmann mehrfach gelegentlich des gemeinsamen Mittagstisches zu ziemlich heftigen Auseinandersetzungen, bei denen freilich letzterer insofern im Nachteile war, als sein Äußeres, der schlichte Anzug und das lange Haar, ja leichtlich Heine zu Spottreden Veranlassung gab, die indessen sämtlich an Maßmanns kerndeutscher Gesinnung wirkungslos abprallten und Heine nicht selten derbe Abfuhren einbrachten. Zu dem [. . .] in der gesamten Zeit- und Weltanschauung beruhenden Gegensatze kam dann noch eine zufällig einmal von Maßmann über Heines unsittlichen Lebenswandel und dessen schwere Folgen gemachte derbe Äußerung, die dieser damals in München scheinbar ruhig einsteckte, in Wirklichkeit aber Maßmann niemals vergaß, niemals vergab. (59)

220. Eduard v. Schenk   1828

Biographie Michael Beers   *(*1835)*

Ein Dichter hielt sich damals in München auf, der mit [Michael] Beer schon von Berlin aus bekannt war und durch ihn mit mir bekannt wurde, nämlich Heinrich Heine. [. . .].

Er schloß sich mit Wärme an uns an. Er redigierte damals gemeinschaftlich mit Lindner die europäischen Annalen. Obwohl seine politischen Ansichten den unsrigen und seine religiösen den meinigen fast entgegengesetzt waren, so wurde doch diese Meinungs-Verschiedenheit für Augenblicke wieder unter dem Wehen des poetischen Genius vergessen, der unter uns seine Flügel schlug. Wenn Heine theils seine älteren, theils neu gedichtete Lieder mit dem Tone innigster Empfindung oder wehmüthiger Ironie vortrug, glaubte man eine Nachtigal zu vernehmen, die sich verirrt hat, indem er bald die sehnsüchtigste Wehklage über die Vergangenheit und den verlorenen innern Frieden, bald über die Gegenwart den zerreißenden Spott der Verzweiflung erhob. Er reiste kurz darauf von München ab und ich habe ihn nicht wiedergesehen. (224)

221. ANONYM   1828

Pressenotiz   (*5. 3. 1856)

Als Heinrich Heine vor vielen Jahren sich in München aufhielt, bekam er mehrmals Einladungen von einer gewissen Gräfin, »um fünf Uhr den Kaffee bei ihr zu nehmen.« Ein- oder zwei Male ging er hin und fand dann immer eine zahlreiche Gesellschaft, welche bei der Gräfin trefflich gespeist hatte, und welche Heine nun durch seinen Witz und Humor in der Verdauung unterstützen sollte. Dies ärgerte ihn natürlich, zumal da man ihn nicht der Ehre einer Einladung zum Diner um drei Uhr werth hielt, und er lehnte mehreremale weitere Einladungen zum Kaffee dankend ab; trotzdem blieben sie aber nicht aus, und Heine schrieb daher eines Tages unter ein derartiges Billet:»Gnädigste Comtesse! ich habe die Ehre Ihnen mit Bedauern mitzutheilen, daß ich der erhaltenen freundlichen Einladung nicht entsprechen kann; denn es ist bei mir eine stehende Regel, meinen Kaffee stets da zu trinken, wo ich speise!«   (58)

222. MAXIMILIAN HEINE   Juli 1828

Heine-Erinnerungen   (*1868)

In *München* besuchte ich mit meinem Bruder Heinrich sehr oft das gastliche Haus der Gräfin D. Mittwochs war in der Regel große Abendgesellschaft. Notabilitäten jeder Art fanden sich da ein, und die Gräfin hielt etwas darauf, berühmte Fremde bei sich zu sehen. Allgemeine Unterhaltung belebte eines solchen Abends die ganze Gesellschaft, und namentlich begann ein alter Herr, höherer Marineofficier in holländischen Diensten, eine Seefahrt zu beschreiben, die viel Interesse darzubieten schien. Alle horchten aufmerksam zu. Da gebrauchte der Erzähler ganz zufällig das Wort *Astrolabium* (das bekannte Instrument, um Winkel nach Graden, Minuten u. s. w. auf dem Meere zu messen), als Heine in ein solches schallendes Gelächter ausbrach, daß nicht nur der Erzähler ganz betroffen innehielt, sondern auch die ganze herumsitzende Gesellschaft mit dem größten Befremden den Dichter ansah. Die Gräfin D., die Wirthin des Hauses, bat den Erzähler fortzufahren, und als dieser das Wort *Astrolabium* wiederholte, begann auf's Neue das Heine'sche Gelächter.

Man befürchtete allgemein eine durch nichts provocirte malitiöse Bemerkung Heine's; schon zeigte sich in den Mienen der Anwesenden Mitleiden mit dem so plötzlich chockirten Fremden, als die Gräfin D. das Wort rasch ergriff, und sagte:»Lieber Heine, haben Sie die Güte frei heraus zu sagen, was Sie in der so ernsten Erzählung, die uns Alle so interessirte, so außerordentlich lächerlich gefunden haben?« Jetzt sammelte sich Heine, stand auf, ging zum Fremden, gab ihm die Hand, und sagte:»Mein Herr, ich bin Ihnen Genugthuung schuldig, und die Achtung vor dem Hause verlangt, daß ich nicht einen Augenblick zögere. Erlauben Sie mir eine kleine Erzählung. Die *jungen* Damen mögen mich ruhig ansehen, die *älteren* dürfen die Augen niederschlagen.

»Als ich vor einigen Jahren in Göttingen Student war, ritt ich zuweilen und benutzte zur Bequemlichkeit eine Leibbinde, von den wissenschaftlichen Bandagisten *Suspensorium* genannt.

»Ich hatte eine sehr gewissenhafte Wäscherin, die jeden Gegenstand speciell mit dem Preise aufschrieb, und da las ich einst oben an: *ein leinenes Astrolabium gewaschen, 6 Pfennige.*

»Gott weiß, wie meine Wäscherin an diesen maritimen Ausdruck gekommen, und in diese Capitalverwechslung gerathen ist. Ich habe herzlich lachen müssen, und heute, wo ich so plötzlich und unerwartet das mir so lächerliche Wort gehört, überfiel mich ein so krankhaftes Lachen, daß ich beim besten Willen nicht im Stande gewesen, dasselbe zu unterdrücken, und ich bitte demüthig, wenn noch einer von den Herrn oder Damen etwas zu erzählen hat, mich auf das Wort *Astrolabium* gefälligst vorzubereiten.«

Man kann sich denken, welche allgemeine Heiterkeit dieser Erklärung gefolgt ist. Die Gräfin D. reichte auf's Liebenswürdigste ihre schöne Hand dem jungen Dichter zum Kusse dar, indem sie sagte:»Nicht mit Unrecht hat man Sie den ungezogenen Liebling der Grazien genannt.«

(105)

223. Maximilian Heine   Sommer 1828

Heine-Erinnerungen   *(*1868)*

Keinen unter allen Dichtern seiner Zeit hat Heine so innig und warm
geliebt als Karl Immermann, des Parnassus *»jungen Adler«*, wie er ihn
nannte. Immermann war vielleicht der Einzige, selbst seine nächsten
liebsten Verwandten nicht ausgenommen, der nie seinen Witz, seine
satirische Laune empfunden hatte. Er verschluckte ein mir heimlich
mitgetheiltes Witzwort, das, wäre es damals ausgesprochen und öffentlich bekannt geworden, Immermann's schönes Werk, das *»Trauerspiel
in Tyrol«*, die Verherrlichung Andreas Hofer's, total lächerlich gemacht hätte. Die ergreifende Schlußscene des Stückes stellt den Hofer
dar, wie er nimmer glauben wollte, daß Tyrol und seine todesmuthi-
gen, treuen Vertheidiger von Oesterreich aufgeopfert würden, und
schließlich doch zu dieser Ueberzeugung gelangen mußte, als man ihm
das dahin lautende kaiserliche Actenstück mittheilte, und Hofer, ganz
vernichtet, das Document erschüttert anschauend, in die Schlußworte
der Tragödie ausbricht: *»Des Kaisers Siegel!«* Nun ist aber allgemein
bekannt, daß der damalige Kaiser Franz von Oesterreich die große
Passion hatte, freie Augenblicke der Anfertigung von *Siegellack,* in
allen möglichen Farben, zu widmen. *»Max«,* sagte Heinrich zu mir,
als wir das Stück gelesen hatten, *»was für eine Rührung müßte Andreas Hofer, oder ein Anderer im Publikum hervorbringen, wenn am
Ende in Verzweiflung gerufen würde: »Des Kaisers Siegel–lack«.* Um
Gotteswillen aber erzähle das nie weiter, ich liebe Immermann und
schone ihn weit mehr als – *meinen Bruder.«*   (105)

224. Eduard v. Schenk   Juli 1828

an König Ludwig I. von Bayern, München, 28. Juli 1828

Ich nehme mir die ehrerbietigste Freiheit, unter den vielen Ministerial-
anträgen, welche Euerer Majestät in diesen beiden letzten Tage vorgelegt wurden, Allerhöchstdenselben vorzüglich zwei zu allergnädig-
ster Berücksichtigung untertänigst zu empfehlen, nämlich die begut-
achtete Unterstützung für einige unserer ausgezeichnetsten Naturfor-
scher, insbesondere den Professor Oken, zur Reise nach Berlin und
das Anstellungsgesuch des Dr. Heinrich Heine als außerordentlichen
Professor an der hiesigen Universität. In den Schriften des letzteren
waltet ein wahrer Genius; sie haben das größte Aufsehen in ganz

Deutschland erregt; einige Auswüchse und Verirrungen fanden sich in den Jugendwerken aller unserer großen Schriftsteller; mehrern, wahrhaft genialen Menschen in unserm teutschen Vaterlande hat am Anfang nur eine wohltätige Fürstenhand gefehlt, die sie in Schutz und zugleich in Pflege nahm, ihre guten Eigenschaften aufmunterte und ihre Mängel und Verirrungen väterlich zurechtzuweisen suchte. Dr. Heine bedarf auch einer solchen Hand und ich bin überzeugt, daß er, – wenn Ew. Majestät ihn Allerhöchst Ihres Schutzes würdigen, – einer unserer ausgezeichnetsten Schriftsteller werden wird. (160)

225. AUGUST V. PLATEN Okt. 1828

an Prof. Schwenck, Siena, 26. Dez. 1828

Vom Oedipus kann ich leider nichts Besseres sagen, als daß Cotta versprochen, ihn sogleich drucken zu lassen, nun aber doch liegen läßt. Ich fürchte die Intriguen Heine's, der viel bei Cotta gilt, u[nd] Wind bekommen hat, daß seiner im Oedipus Erwähnung geschieht. Er war vergangenen Sommer in Florenz, u[nd] versicherte einem meiner dortigen Bekannten, es würde ihm ein Leichtes seyn, mich bei dem Publicum als Aristokraten verdächtig zu machen. Es hätten sich von seinem letzten Werk in wenigen Monaten sechstausend Exemplare verkauft, ich hingegen wäre ein in Deutschland ganz unbekannter Schriftsteller, u[nd] blos in den Händen der Aristokraten. Gleichwohl hat der gute Mann sich gefürchtet, mit mir in Italien zusammen zu treffen, weil er glaubte, ich würde ihn wegen jenes Epigramms herausfordern. So weit geht die Eitelkeit dieses Dummkopfs. Auf der einen Seite soll ich ein Aristokrat seyn, u[nd] auf der andern soll ich mich wieder so weit herablassen, um mich wegen eines Epigramms mit einem Judenbuben zu schlagen!

(101)

226. LEOPOLD RANKE 30. Nov./3. Dez. 1828

an K. A. Varnhagen v. Ense, Venedig, Dez. 1828

Heine war hier und hat mir die schönsten Grüße aufgetragen. Eine sonderbare Begierde, Jemand, von dem ihm Nachrichten fehlten, in München zu suchen (ich glaube einen Bruder), hat ihn aus seiner florentinischen Freude gerissen. Er ist Ihnen Beiden ungemein ergeben. Ein Mensch, mit dem ich wohl glaubte, angenehm leben zu können:

gewiß, ich wünschte mir seine Gesellschaft öfter und länger: er hat Geist, ist ohne Anspruch und hat doch eigenes Wesen. Arnim läßt er zu meiner Genugtuung Gerechtigkeit widerfahren. Mit einem Worte, ich habe mich an ihm gefreut. (203)

1829–1831
Hamburg und Berlin

Aufenthalte in Lüneburg, Potsdam, Helgoland
und Wandsbek
Abreise nach Frankreich

227. EDUARD WEDEKIND   Jan. 1829

nach Mitteilungen von Rudolf Christiani   (1876)

Als Heine nach dem Tode seines Vaters mal wieder nach Lüneburg
gekommen sei, habe er ihn dort sehr schmerzlich vermißt, und dann,
mehr für sich selbst als zum Hörer sprechend gesagt:
»Ja, da sprechen sie von Wiedersehn in verklärten Leibern! was thu'
ich damit? ich kenne ihn in seinem alten braunen Ueberrocke, und so
will ich ihn wiedersehn. So saß er oben am Tische, Salzfaß und Pfeffer-
dose vor ihm, das eine rechts, das andre links; und wenn mal die Pfef-
ferdose rechts stand und das Salzfaß links, so setzte er das um. Im
braunen Ueberrocke kenne ich ihn, und so will ich ihn wiedersehn.«

(308 b)

228. ROSA MARIA ASSING   10. Febr. 1829

Tagebuch, Hamburg, 10. Febr. 1829

Wie ein Lichtstrahl fiel heute nachmittag in meine trübe Stimmung ein
Besuch von Heinrich Heine, den ich nicht in Hamburg anwesend wußte, und daher freudig überrascht war. Eine Stunde verging in angenehmem sinnigem Gespräch, welches mancherlei Gegenstände berührte.
Der Tod seines Vaters ist die Ursache seiner Hierherkunft. Er kam
mit seinem Bruder zum Troste der Mutter und schien selbst sehr
schmerzlich bewegt und erschüttert durch den herben Verlust. Wir
sprachen von Italien, von welchem er mit Entzücken erzählte, und welches er nochmals zu besuchen gedenkt. »Sie sind wirklich glücklich zu

preisen«, sagte ich zu ihm unter anderem bei dieser Gelegenheit, »daß Ihnen in der Jugend, zu der Zeit, da der Geist so empfänglich für solche Eindrücke ist, so viel Schönes zuteil wird, und daß Sie dabei so frei und unabhängig sich dieses Glückes freuen können, ohne daß Sie mit äußeren Kümmernissen zu kämpfen haben.« Er schien dies auch völlig anzuerkennen. Meines Bruders gedachte er mit großer Liebe und Verehrung, er äußerte, wie er fast blindlings einem Rate von Varnhagen folge, überzeugt, daß nur Gutes von ihm kommen könne, indem er das größte Vertrauen in seine Klugheit, Vorsicht und Umsicht setze. – Dann von München und dem Könige von Bayern sprachen wir. »Die Welt«, sagte Heine, »ist noch nicht im klaren über den König, weil der König selbst nicht mit sich im klaren ist.« Auch auf Doktor Börne kam die Rede, den er sehr schätzt. »Er ist eigentlich träge zum Schreiben«, sagte er von diesem, »wie noch einer«, setzte er hinzu, »den ich kenne.« »Diese schreiben dann auch um so besser«, erwiderte ich. »Sie erhalten denn freilich mehr Zeit, ihre Gedanken besser zu konzentrieren und in sich zu verarbeiten, was diejenigen, die zuviel schreiben, nicht können, wie unser Freund hier«, indem er auf Fouqués Bild deutete. »Der«, meinte er, »muß auch immer mit der Feder in der Hand sein.« (102)

229. JULIUS CAMPE   Febr. 1829

an Karl Immermann, Hamburg, 16. Febr. 1829

Heine hat mich in dieser Zeit oft besucht u[nd] Ihrer fleißig gedacht. Heute bat ich ihn um einige Zeilen für Sie; er kann nicht. Er trug mir viel herzliches auf, das ich nicht wiederholen kann. Aber auch, daß Platen eine Parodie auf Sie geschrieben, »Oedipus« betitelt, worin auch er vorkomme, Cotta hat sie zum Druck u[nd] Heine scheint dagegen gearbeitet zu haben. Genug, H[eine] sagt, wenn P[laten] damit hervorträte, so würde er ihn verarbeiten, daß das Gräflein seiner schmerzlich gedenken sollte. In Specia, zwischen Carara und Genua, sey er vor seinem Hause vorbeigekommen; er, Heine, habe ihn nicht besucht. Ich fragte, was P[laten] dort mache? »Er fräße Apfelsinen u[nd] triebe viele Sodomitereien.« Hier ist Platens Geliebte! ich hielt es für griechische Nachbildungen, und stoße auf solchen Schmutz.

Die Achtung für Pl[aten] ist bei mir, wie soll ich sagen, gebrochen.

Heine habe ich so weit, daß er nun ernstlich zum Arbeiten gehen will, aber wo, wo kann er arbeiten? überall will es nicht passen.

Ich schlug Hannover vor.

Er liebt die gesunden Knochen; die hannöverschen Junker mögten sich etwas mit ihm zu schaffen machen, wenn er zu verwegen zwischen sie geriethe.

Er will nach Berlin. Dort wird gewiß nichts aus den Arbeiten, daher mögte ich ihn so gerne in sein altes Logie [!] haben, wo der zweite Theil [der Reisebilder] zusammengefroren ist.   (45)

230. RAHEL VARNHAGEN V. ENSE   Febr. 1829

an K. A. Varnhagen v. Ense, Berlin, 24. Febr. 1829

Morgen kommt Heine mit der Schnellpost; und steigt im Hôtel de Brandebourg, wo Cotta's sind – par hasard – ab. Gestern brachte mir Ludwig [Robert] den Brief, der dies meldet: ein trauriger, kurzer; zum Todtlachen, wir schrien immer auf.»Er ist so betrübt und ernst, fast tugendhaft.« O! ganz anders gesetzt: und so immerfort. Ludwig soll hinkommen, ihn empfangen: wegen Reisemüdigkeit. Sie wollen etwas mit Cotta. Der stand im gestrigen Courrier français; ich schickte ihn ihm. Sein Geschäft hier ward genannt: die Douanen sollen innerhalb Deutschlands, für ganz Deutschland, aufhören: meint der Courrier.

                                                            (264)

231. RAHEL VARNHAGEN V. ENSE   25. Febr. 1829

an K. A. Varnhagen v. Ense, Berlin, 25. Febr. 1829

Als ich, nachdem ich doch gelesen, mancherlei verrichtet, um dreiviertel auf 3 schlummernd lag, tritt Ludwig krumm herein – alles durch Dorens Zimmer – hinter ihm Heine.»Herr Jesus!« Er umarmte mich. Er ist brünetter geworden; ich freute mich sehr; ich bilde mir immer dümmlich ein, wenn Einer ankommt, es muß Abends geschehen: darum vermuthete ich ihn nicht. Dicht hinter den Herren trat auch Moritz [Robert] ein.»Ich habe die Ehre? das Original von dem Bilde draußen zu sehen!« Bekanntschaft. Heine mußte nach der Stadt Rom, wo ihn sein Bruder erwartete zu Tisch; und dann schlafen: er starb bald aus Müdigkeit. Im Hôtel de Brandebourg konnte er keinen Platz bekommen. Er sprach in der Geschwindigkeit schön über, und gut von Italien. Grüßt Dich bestens, wußte schon in Hamburg von Deiner Reise.

                                                            (264)

232. RAHEL VARNHAGEN V. ENSE   Ende Febr. 1829

an K. A. Varnhagen v. Ense, Berlin, 1. März 1829

Mad. Cotta versprach mir den Dienstag Abend, ohnerachtet ihn Bettine für Savigny's wollte. »Erst Frau von Varnhagen«, sagte sie. Also Arnim's kommen auch. Mad. Cotta fragte, ob sie Heine mitbringen könne. Er ist schon eingeladen, sagte ich.   (264)

233. RAHEL VARNHAGEN V. ENSE   3. März 1829

an K. A. Varnhagen v. Ense, Berlin, 4. März 1829

Nun von gestern Abend. Arnim's, Cotta's, Ludwig's, Moritz'ens, Willisen, Heine. Sich Alle sehr, sehr amüsirt. Alle öfters dafür gedankt. Bettine [v. Armin] dreimal mit Phrasen wie Reden. Diese sehr viel mit Willisen. Frau von Cotta vortrefflich zu allem und in allem; Achim [v. Arnim] viel mit Cotta und Ludwig [Robert] und Heine. Bettine dann expreß zu Moritz [Robert] und Ernestine, welche drei sehr eingenommen von einander sind, saßen bei Tisch zusammen. Baron Cotta *so* liebenswürdig, redselig, erzählend und *herzlich* lachend, daß Mann, und Frau, als er weg war, jeder sein Lob ver- und bewundernd aussprach. Mich schmeichelte sein Lachen, und Aller Behagen. Jedes war zufrieden; und *dankte* dafür: ja! *Moritz* dankte!; aber nicht nur aus Ceremonie; ganz satisfaisirt, aus Ernst. Willisen übertraf sich mit Sprechen, Heiterkeit und Biegsamkeit. [. . .] Rike [Robert] führte sich sehr gut auf; und war schön. [. . .]. Wir saßen: ich, Cotta rechts, Bettine, Moritz, Rike, Heine, Ludwig, Ernestine, Willisen, Frau von Cotta, Arnim mir links. Bettine rief mich vor Tisch, und bat mich, Achim bei Frau von Cotta zu setzen. Ich ordnete alle Sitze.   (264)

234. RAHEL VARNHAGEN V. ENSE   6. März 1829

an K. A. Varnhagen v. Ense, Berlin, 7. März 1829

Gestern Morgen war erst Heine, dann Gans bei mir. Ersterer, wie er war. Gans komplet liebenswürdig. Bloß um mich Lügen zu strafen: *nun* wird er *wieder* unleidlich sein.   (264)

an K. A. Varnhagen v. Ense, Berlin, 11. März 1829

Heine sehe ich fast nicht; er wälzt sich so in sich herum; sagt, er muß viel arbeiten; ist fast erstaunt, daß ihn so etwas Reelles, als des Vaters Tod, der Mutter Leid darüber, betraf; meint, er hätte außerordentlich mit diesem »herrlichen« Vater harmonirt, sei ganz von ihm verstanden gewesen; und wohnt tief in die große Friedrichsstraße, über die Brücke hinweg, dem Klinikum, und den Kasernen gegenüber, – eine Art Festung – viel zu weit. Aussehen thut er gesünder; klagt beinah nicht wieder; aber es ist manche sonst vorüberfliegende Miene festgestellt zwischen seinen Zügen, die ihnen nicht wohlthut; so im Munde ein Zerren, wenn er spricht, was ich sonst – auch schon – fast als eine kleine Grazie bemerkte, obgleich es nie schön Zeugniß gab. Glaube nicht, daß ich persönlich zu klagen habe; die Wahrnehmungen gewinnen nur, wenn sie zur Mittheilung gestaltet werden müssen, eine festere Form, als all dergleichen haben kann, und soll: im Leben selbst, fließt alles, wie sein *großer* Strom. [. . .]
Viertel auf 2. Heine war hier, als ob er gekommen wäre zu bestätigen, was ich schrieb. Er ist so zerstört von des Vaters Tod. Ein Anderer empfindet das nicht so: z. B. seine Geschwister. Er wollte gegen Goethe sprechen: ich mußte lächlen; es ging nicht. Er wollte Gans tadlen; es ging nicht. Er wollte Wit-Dörring loben; das machte ich *ganz* zu Schanden, und ihn *mit*. Er wollte Lindner's Schreiben tadlen: ich bewies ihm das Gegentheil. Lauter kurzgestellte Persönlichkeiten. Proben. Vor allem diesen las ich ihm Deinen Gruß, der machte ihn betreten: er dachte, es hätte Dir jemand etwas von ihm gesagt: da Du schriebst, er solle sich auf Dich verlassen etc. Das war der einzige Ernst bei ihm. Dabei rochen seine Stiefel nach Schuster, seine Kleider nach stockig. Also Fenster nach ihm aufsperren.   (264)

236. Rahel Varnhagen v. Ense   11. März 1829

an K. A. Varnhagen v. Ense, Berlin, 13. März 1829

Es ist sonderbar, daß Du mir in dem gestrigen von Wit-Dörring geschrieben hast, und ich Dir vorgestern. Dieser fliegende stechende tolle *Mist*käfer. Wir wollen dann auch nie wieder von ihm sprechen. Auch darum, weil ich nie mehr so gut ihn bezeichnen werde, als vorgestern für Heine'n. (Welcher ihn auch bis zum besten deutschen politischen

Schriftsteller hinauftrieb; denn nur er, Du, und Gentz, schrieben so; Lindner hätte keine Ideen. Auch von Heine wird es ganz verachtungswürdig, so, ohne Grund und Boden, und ohne alle Rechtschaffenheit, zu sprechen.) Ein Lump mit schlechten Eigenschaften, ein sich alle Augenblick anehrlichender *Spitzbube*, ein alberner Bösewicht; dem nur die *Intrigue* vornehm scheint, ganz unangesehen ihres Inhalts; ein ungezogener Bube; der in alles sich mischt keck, »wie in's Mehl der Mäusedreck«. Vorgestern Abend sprach ich mit Mad. Cotta von Heine's Besuch und Gespräch. Und da sagte mir die, fast zornig: in ihrer Gegenwart würde er sich nicht unterstehen, von dem Menschen so zu sprechen. Er hätte Heine'n den offenbarsten Schaden gethan. Plötzlich, durch seinen Umgang: und man beschuldige Heine'n, ihm Materialien zu seinem Buche geliefert zu haben – ich glaube, ein zweites, neueres –, das Aergste, was sich sagen läßt. Heine – sag' ich – wird sich immer von neuem besudeln; denn auch dem ist's genug, ein Aergerniß zu geben; sollte er auch selbst, als kothiger Arlequin, oder Henker, umherlaufen müssen. Glaube ja nicht, daß ich minütlich auf ihn aufgebracht bin. Auf meine Ehre nicht! ich sehe ihn nur.

Michael Beer ist in französischen Blättern wegen seines Struensee gelobt, welcher übersetzt ist: da sagte Heine: »So lange er lebt, wird der unsterblich sein.« Von der Bach'schen Musik, die er vorgestern auch hörte, sagte er – sagte er, ist hier zu viel, – er hätte acht Groschen Profit dabei; einen Gulden kostete sie, und für einen Thaler hätte er sich ennuyirt. Sehr gut das Erste auch. Voilà ce que vous me demandez; de ses bonmots! – Auch ich hatte Langeweile in dieser Musik.

(264)

237. RAHEL VARNHAGEN V. ENSE   13. März 1829
an K. A. Varnhagen v. Ense, Berlin, 15. März 1829

Von Heine'n – wollte ich Dir eben schreiben. Das Resumé, was ich heraus habe, ist und bleibt sein großes Talent: welches aber auch in ihm reifen muß, sonst wird's inhaltleer, und höhlt zur Manier aus. Aber begründete Kritik hat er nicht; weil ihm in der Tiefe der Ernst, und das höchste Interesse fehlt; welches allein Zusammenhang, und zusammenhängenden Ueberblick gewährt. Er kann sich, und Goethe'n, seinen, und dessen Ruhm verwechseln: denkt überhaupt an *Ruhm!* – kann Dich, Gentz, und den Lump [Wit] zusammennennen. Denkt überhaupt, was ihm entschlüpft, was er sagen mag, ist für die Menschen gut genug. Hat klätrige Geschichten, – auch daher –, die er verschweigt, und deren Lücken ihn in das größte Unbehagen versetzen. Will noch immer ausziehen, sucht Quartiere; will nach Potsdam, Freienwalde etc. etc. Vorgestern kam er schon um halb 7 zu mir. Ich nahm ihn, ohnerachtet der Stunde, doch an: weil ich mich nicht mit Lesen quälen wollte; und Ludwig's und Moritz'ens bestellt hatte. Er sprach und sprach; und zeigte sich mir, wie ich ihn Dir nur schildere. Rike [Robert] kam um 8. Wir sprachen Alle viel. Einer oft à tout hasard: welches er aber doch noch anders meinen muß; ich nur, wenn es mit mir durchlief, wegen damaligem Hustenkrampf. Die Rede kam auf Fräulein von Schätzel's Auswärtsstehen. Rike erwähnte die ägyptischen Bildwerke. Ich nahm ihre steifen Haltungen in größten Schutz: ein *Strom* ergoß sich aus mir – ein längst zurückgedämmter – ich erwies, die Natur im Vaguen, und alles, was die versucht und zu thun gezwungen ist, aus lauter nur für sie geltenden Gründen nachahmen zu wollen, sei durchaus falsch, und daher unthunlich; in eine menschliche Schranke müsse Kunst sich engen; in einen solchen, für den höchsten gehaltenen Menschenzustand; in Beschränkung, in Gränze ihre Einwilligung geben, das allein sei ihre Freiheit; und so seien der Aegyptier Stellungen eine Art Bild ihres geselligen Daseins; nicht arbeitend, nicht strebend, nicht noch bewegt. Der Gegensatz davon sei der Wiener Walzer; der oft so unsinnig angebracht schiene, nach jedem ernsten Kampf oft; mir aber immer guten Eindruck mache und gefalle – ohne daß ich lange den Grund deutlich gewußt – so wie ein Leid, ein Kampf, eine Verwirrung, ein Vollbrachtes geschehen sei: gewalzt! Was will der Mensch mehr. Schweben, Leben, Sein, Fertigsein! Heine schlug über die Fauteuil-Lehne, blutroth, ganz weg vor Lachen; er brach *wider Willen* aus. »Tollheit!« schrie er, »toll, ganz toll; o wie toll! Tollheit, nein, das ist rasend: solcher Unsinn ward noch nicht gesagt«: und so blieb er lachend. So wie er wieder zu sich war, war es reinster, lichter Neid. Ich sagte ihm auch: »Den Unsinn möchten Sie gemacht haben.« Ich lachte auch. Die letzte Hälfte, die vom Walzer, mußte ich ihm *erklären:* er frug ganz ernsthaft; und fand es dann sehr gut. Aber dies Lachen! So natürlich sah ich ihn nie. [. . .] Um 9 Uhr ging Heine. (264)

238. Fanny Mendelssohn   März 1829

an August Klingemann, Berlin, 22. März 1829

Heine ist hier und gefällt mir garnicht; er ziert sich. Wenn er sich gehen liesse, müsste er der liebenswürdigste ungezogene Mensch sein, der je über die Schnur hieb, wenn er sich im Ernst zusammennähme, würde ihm der Ernst auch wohl anstehen, denn er hat ihn, aber er ziert sich sentimental, er ziert sich geziert, spricht ewig von sich und sieht dabei die Menschen an, ob sie ihn ansehn.   (106)

239. ADOLF BERNHARD MARX   ca. März 1829

Memoiren   *(*1865)*

Auch mit Heine fand ich mich zusammen und oft wanderten wir heimwärts, erst ich ihn zu seiner Wohnung, dann, rückkehrend er mich nach der meinen begleitend. Lebhaft steht mir noch das Bild des jungen, fein, ja elegant gebauten Mannes vor der Erinnerung, wie er sich einmal bei Mendelssohn's von der einen Seite des Tisches in unnachahmlicher Grazie träger Müdigkeit und Abspannung nach der andern hinüberlehnte, wo Rebekka, die jüngste Tochter des Hauses, saß und zu ihr, die für seine Gedichte schwärmte, in gedehntem, gar nicht heimlichem Tone sprach: »Ich könnte Sie lieben!« Rebekka wandte sich ab, ich weiß nicht, ob um ihr Lachen, oder ihren Mädchenzorn zu verbergen. Ihre Bestimmung hat sie später bekanntlich zu Lejeune Dirichlet geführt.   (167)

240. GUSTAV DROYSEN   Frühjahr 1829

nach Mitteilungen von Johann Gustav Droysen   *(*1902)*

Droysen hatte Heine im Mendelssohn'schen Hause kennen gelernt; und der um acht Jahre ältere, längst hochberühmte Poet fand sichtliches Wohlgefallen an dem »jungen Freunde«, den er zu seinen unbedingten Bewunderern rechnen zu können glaubte. »Sie denken wohl, ich schüttle meine Verse nur so aus dem Aermel«, begann er einmal eine Unterhaltung und nahm dann eines seiner Gedichte vor, um zu zeigen, wie unermüdlich er an ihm gefeilt habe, bis die Kunst endlich zur Natur wurde und die Verse durchaus volksthümlich klangen. (51)

241. RAHEL VARNHAGEN V. ENSE   23. März 1829

an K. A. Varnhagen v. Ense, Berlin, 24. März 1829

Gestern, [...] Vormittag Mad. Dangeville, Heine; nachher Moritz [Robert]. [...]

Alle, alle grüßen. Geschwister. Heine. Barnekow. Ebers.   (264)

242. K. A. Varnhagen v. Ense   29. März 1829

Tagebuch, Berlin, 29. März 1829

Herr Dr. Heine bei mir. – Herr Freiherr von Cotta bei mir.   (263)

243. K. A. Varnhagen v. Ense   20. April 1829

Tagebuch, Berlin, 20. April 1829

Mad. Liman, Ernestine Robert, Frau von Arnim, Fräulein Auguste
Brandt von Lindau, Dr. Gans, Dr. Heine, Willisen, und besonders auch
das geliebte Kind Elise Casper, haben mir durch ihre Erscheinung und
ihr Bezeigen am meisten wohlgethan.   (263)

244. Heinrich Stieglitz   April/Mai 1829

Memoiren   *(*1865, posthum)*

Mit dem erwachenden Frühling ein Ausflug nach Potsdam, wo acht
glückliche Tage gelebt wurden. Dort weilte in ländlicher Zurückgezogenheit damals H. Heine, der sich uns *[Stieglitz und seiner jungen
Gattin Charlotte]* freundlich anschloß und vielfältig mit uns die umliegenden Hügel besuchte. – Heine schrieb damals gerade den dritten
Band seiner Reisebilder, welcher die nicht immer saubere Polemik
gegen Platen enthält. – »Ich bitte Sie um Gotteswillen, schöne Frau«,
sagte er eines Tages mit liebenswürdiger Selbstironie, »lesen Sie niemals das abscheuliche Zeug, das ich jetzt schreibe.«   (247)

245. Heinrich Stieglitz   Mai 1829

Memoiren   *(*1865, posthum)*

Das Ministerium des Kultus, das, um mich nicht dem Unterrichtsfache
zu entziehen, bisher immer gezögert hatte, meine Anstellung bei der
Königlichen Bibliothek als eine definitive zu erklären, hatte endlich
meinen Wünschen nachgegeben und die seither monatlich zugeflosse-
nen Diäten in einen festen Jahresgehalt verwandelt. [. . .] So brachten
denn die Osterferien [. . .] acht Tage eines reinen ungetrübten Glückes.
Wie beseligend diese schöne Zeit auf mich gewirkt, davon zeugt das
nach der Rückkehr aus Leipzig [. . .] gesungene Frühlingsfest in Kasch-

mir, unstreitig die glänzendste und glühendste Partie der »Bilder des Orients«, an welcher auch H. Heine, der sie bei einem Besuch im Sommer 1829 im Manuskript kennen lernte, sich ganz besonders erfreute. (247)

246. (K. A. Varnhagen v. Ense)   Mai 1829

Heine-Anekdote   *(*20. 3. 1856)*

Heine wohnte im Sommer 1829 eine Zeitlang in Potsdam, kam aber oft nach Berlin, und besuchte seine Bekannte. Eines Abends kam er mit Gans aus dem Thiergarten zu Mendelssohn-Bartholdy's, und erzählte unter andern: »Wir haben unterwegs uns Nelken gekauft, ich habe die meinigen zerpflückt und in's Wasser geworfen und Gans hat« – mit müdem, wehmüthigen Tone sprach er das weiter – »die seinigen *gegessen!*« Dieser Vortrag, wie ein kleines Gedicht abgerundet und geschlossen, so bezeichnend für die Unarten von Gans, wirkte wie ein Zauberschlag, und die ganze Gesellschaft war außer sich vor Vergnügen. (261)

247. K. A. Varnhagen v. Ense   1829?

Notiz, Berlin, 29. Juni 1854
(nach Mitteilungen von Hermann Franck)

Er *[Franck]* erzählt mir, als er mich in Berlin vor etwa dreißig Jahren zuerst gesehen habe, sei ich ihm durchaus als ein Aristokrat erschienen. Später sei er einmal mit mir in Gesellschaft gewesen und es habe sich gefügt, daß er etwas zugunsten der Aristokratie gesagt; da habe ich ihm lebhaft widersprochen, und nachdem wir eine Weile gestritten, sei ich aufgesprungen, und habe ihm gesagt: »Sie sind ein junger Mann und kennen noch nicht den inneren Zusammenhang der gesellschaftlichen Welt; glauben Sie mir, das Adelswesen ist das größte Übel in derselben, und man darf darüber keine Täuschung gelten, sie nicht aufkommen lassen.«

Kurz nachher sei er mit Heine zusammengekommen, dem habe er gesagt, er sei verwundert, in mir keinen Aristokraten zu finden. Darauf habe Heine geantwortet: »Varnhagen? Ein Aristokrat? (Sehr leise) Glauben Sie mir, es bedarf nur der Umstände, nur der Gelegenheit, und Varnhagen (außerordentlich leise) wird ein vollständiger – Robespierre!« (103)

Handschriftliche Notiz, Berlin, 15. Juni 1847

Die Professorin Dirichlet erzählte mit vielem Wohlgefallen, wie einst, im Sommer 1829, Heinrich Heine zu ihnen – der Familie Mendelssohn-Bartholdy – gegen Abend in den Garten gekommen sei, auf den Stufen des Gartensaales vor dem Hinabschreiten sich in den Anblick gleichsam verloren und ihnen, den etwas tiefer und ferner Sitzenden, mit Entzücken zugerufen habe, welche Eindrücke er empfangen, wie schön sie umgeben seien, wie leicht es ihnen da werde, liebenswürdig zu sein; die hohen Bäume, das frische Gras, die duftenden Blumen, das Blau der Luft und die Wolken, die Gruppierung des Einzelnen und den Zusammenhang des Ganzen habe er so ganz wahr und so durchaus schön bezeichnet, daß es ein herrliches Gedicht geworden, so herrlich wie irgendeines seiner geschriebenen. Dann erst sei er zu ihnen herabgeschritten und habe freundlich weitergesprochen. Leider seien die Worte, aus dem Stegreif gesagt, in die Lüfte verflogen, und niemand habe sie festgehalten, er selbst am wenigsten.

Berlin, den 15. Juni 1847. In demselben Garten.   (103)

249. Julius Campe   Anf. Juni 1829

an Karl Immermann, Hamburg, 12. Juni 1829

Der 3te Reisebilderband ist der Vollendung nahe, und Heine meinte, der Graf [Platen] wäre ihm eben so gekommen, wie ein Wild bei der Treibjagd die Reihe der Schützen passirt; er würde ihm gehörig auf den Pelz brennen. Während meiner kurzen Anwesenheit hatte er nicht Zeit die Lectüre zu vollenden, denn wir waren meistens beisammen u[nd] hatten besseres zu thun wie Platensche Misere zu verarbeiten; daher kenne ich den *ganzen* Eindruck nicht, den es auf H[eine] gemacht hat, aber so viel ist mir klar geworden, daß er sich darüber u[nd] die Infamie, die so sehr nach Erbärmlichkeit schmeckt, sehr verletzt fühlte, u[nd] besonders Ihretwegen.   (45)

250. Maximilian Heine   Juli 1829

Heine-Erinnerungen   (*April 1866)

Auf einer Reise von Berlin nach Hamburg begleitete ich meinen Bruder. Wir fuhren mit einem Lohnkutscher und konnten demnach unsere

Reisestationen nach Willkür eintheilen. Am zweiten Reisetage gegen Mittag fühlte sich mein Bruder sehr unwohl; wir beschlossen sofort in der nächsten kleinen Stadt Halt zu machen und zu nächtigen. »Lieber Max«, sagte mein Bruder zu mir, »ich fühle mich sehr aufgeregt, verschreibe mir etwas.«

Ich erfüllte sofort seinen Wunsch und verschrieb eine beruhigende Arznei, die ich mit Mandelsyrup versetzen ließ. Die Medicin sah demnach ganz weiß aus.

Als Heinrich den ersten Löffel eingoß, sagte er: »Zu Dir habe ich volles Vertrauen; ich sehe, Du bist kein Brownianer.«

Zur näheren Erklärung diene, daß mein Bruder oft *braun* aussehende Mixturen eingenommen hatte, die ihm sehr zuwider waren.

Bekanntlich war John Brown der Gründer des nach seinem Namen benannten Brownianismus, eines Systems, das, auf falsche Grundsätze basirt, viel Unheil in der Arzneiwissenschaft angerichtet und leider vielen Menschen das Leben gekostet hat. (105)

251. FERDINAND MEYER   Aug./Sept. 1829

Artikel über seine Begegnungen mit Heine   (*28. 11. 1849)

Als ich im Jahre 1829 das Seebad in Helgoland gebrauchte, lernte ich daselbst Heinrich Heine kennen, der nach erfolglosen Versuchen im Süden, sein schon damals zerrüttetes Nervensystem durch den mächtigen Wellenschlag der Nordsee wieder herzustellen hoffte. – Obgleich unsere politischen und religiösen Ansichten sich schnurstracks entgegenstanden, so fühlten wir uns dennoch sehr bald zu einander hingezogen; und da es uns nie an anderem Stoff zur Unterhaltung fehlte, so war es uns ein Leichtes, Gespräche, die auf jenes Feld führten, zu vermeiden, – ich muß gestehen, daß Heine's sprudelnder Witz, der an manchen komischen Gestalten, die sich zur Zeit in Helgoland aufhielten, reiche Nahrung fand, sowie seine jüngst zuvor erschienenen Reisebilder, ganz besonders aber sein Buch der Lieder, einen eigenen Zauber auf mich ausübten, so daß ich seinen Umgang jedem anderen vorzog. – Daß Heine mich besonders lieb gewonnen hatte, mochte wohl daher kommen, daß ich mich gleich zu Anfang unserer Bekanntschaft erboten hatte, ihm bei einem Pistolen-Duell mit einem Herrn N. aus Homburg, den er durch seinen beißenden Witz beleidigt hatte, zu sekundiren. – Aus dem Duell wurde indeß nichts, wir aber waren dadurch Freunde geworden.

Die Veranlassung zum Duell war folgende: Heine, der mit Herrn N–
in demselben Hause wohnte, hatte diesem, der ohne Reisegepäck, nur
auf kurze Zeit nach Helgoland gekommen war, seinen Frack geliehen,
um der damals gefeierten Sängerin S– aus Hamburg, die ebenfalls in
Helgoland badete, einen Besuch zu machen. Vor Herrn N–'s Ankunft
hatte Heine der S– den Hof gemacht, sich nachher aber von ihr zurückgezogen; wogegen N– alsbald ihr eifrigster Verehrer wurde. Als die S–,
bei Gelegenheit, wo die Geschichte des geliehenen Fracks zur Sprache
kam, darüber scherzte, daß sich die Herren einen Frack in Kompagnie
hielten, antwortete Heine sehr beißend, er pflege es so zu halten, daß
Herr N– das aufnehme, was er, der Heine, ablege. – Hierauf blieb nun
freilich dem N– nichts anders übrig, als Heine zu fordern. – Ich weiß
nicht mehr genau, wie sich die Sache ausglich, doch ist es mir erinner-
lich, daß Heine die Lacher auf seiner Seite behielt.   (180)

252. JULIUS CAMPE   22./25. Sept. 1829
    an Karl Immermann, Hamburg, 25. Sept. 1829

Seit 3 Tagen ist H[eine] hier: in 11 Tagen geht der 3te Reisebilderband
in die Druckerey u[nd] wird bestimmt im Nov. fertig. Pl[aten] wird von
H[eine] nicht so milde behandelt, wie Sie es gethan. Diese Abtheilung,
Platen betreffend, wird Ihnen dedizirt werden. H[eine] hat eine Menge
kindischer Ängstlichkeiten, daß über seine Äußerung – im Voraus gesprochen würde, so daß ich im Ärger darüber zu dem Entschluße kam,
nicht einen Buchstaben des M[anu]scr[i]pts lesen zu wollen, daher kann
ich Ihnen nichts daraus mittheilen. Was er u[nd] einer seiner Freunde
[Merckel] mir mündlich mittheilten, so berechtigt das zu großen Erwartungen.   (45)

253. AUGUST LEWALD   Sept. 1829
    Heine-Erinnerungen   (*1836)

Im Jahre 1827 sprach man in Süd-Deutschland noch gar nicht von
Heinrich Heine, obgleich seine Reisebilder doch schon erschienen waren. Und in jenem Jahre war es als ich nach Hamburg reiste. Ich erinnerte mich im »Gesellschafter« die Bruchstücke aus dem ersten Bande
der »Reisebilder« gelesen zu haben. Die ungemeine Frische, der glänzende Witz hatten meine Aufmerksamkeit auf einen Namen hinge-
lenkt, der mir damals noch gänzlich neu war.

Im Hotel de Saxe, auf dem Kamp in Hamburg, hörte ich diesen Namen wieder nennen. [...]

Es war nicht eben Lob was dem jungen Dichter gespendet wurde. Ein ältlicher Herr, der in der Gesellschaft für einen Kenner galt, meinte: »Heine werde nie ein Buch schreiben; es seyen zwar neue und gute Gedanken, die er zu Markte bringe, aber Alles ohne Anfang und ohne Ende; man könne das eben kein Buch benennen.« [...] Einige Zeit nach diesem Gespräche zeigte mir ein guter Freund einen jungen Menschen, der eben zum Dammthor hereinkam. Er hatte den Hut bedeutend nach vorn gerückt, so, daß sein Rand die Nase beschattete, der Rock war offen, und beide Hände steckten in den Taschen der Beinkleider. Sein Gang war nachläßig, stolpernd, und er gaffte links und rechts die Häuser an. Dies war Heine. Es lag in der Erscheinung eine vornehme Gleichgiltigkeit, die es verschmähte bei diesen Hamburgern ein anständiges Aufsehen zu erregen. Das Gesicht war fein geröthet und auf den ersten Blick verrieth es durchaus nichts Auffallendes, es war ein unbefangenes, jugendliches, neugierig in die Welt schauendes Gesicht.

Ich begegnete nun Heinen öfter, und fast immer auf dieselbe Weise; allein, schlendernd und gaffend; es schien sich in seinem Wesen eine unendliche Langeweile auszusprechen.

Der Zufall brachte uns nie zusammen. Ich hörte, daß er fast täglich, gleich mir, den Schweizer-Pavillon besuche, aber nie traf ich ihn dort. Die Bekanntschaft, die ich inzwischen mit seinen Büchern gemacht hatte, »welche keine Bücher waren«, flößten mir eine innige Zuneigung zu Heine ein. Mein Wunsch wuchs, ihm bekannt zu werden. Wie nah ich der Erfüllung desselben war, und auf welche höchst angenehme Weise dies geschehen sollte, ahnte ich jedoch noch nicht.

Eines Morgens hatte ich mich im Schweizer-Pavillon in irgend eine Zeitung so hineingelesen, daß ich nichts von dem bemerkte, was um mich vorging, und schreckte daher nicht wenig auf, als ein Freund mich beim Namen rief und mir sagte: »er wünsche mir Herrn Doctor Heine vorzustellen.«

Ueberrascht sprang ich in die Höhe um meine Freude darüber auszudrücken.

Er stand wirklich vor mir, der kleine Unbefangene. Sein im ruhigen Zustande so gleichgiltiges Gesicht hatte sich aber jetzt mit einem Lächeln geschmückt, das tausend Dämonen um Mund und Augen belebte, die abwechselnd Hohn und Muthwillen darüber ergossen. Dies Lächeln, das mir nachher ganz gewöhnlich wurde, schien mir in diesem ersten Augenblicke seine Züge nicht zu verschönern.

Er kam mir mit einer feinen Artigkeit entgegen.

»Ich habe diesen Sommer auf Norderney bereits ihre Bekanntschaft gemacht«, sagte er. »Ihre Novelle, der Familienschmuck, hat mich sehr angezogen, und ich freute mich als ich hörte Sie in Hamburg zu finden. Sie glauben nicht wie trostlos es auf Norderney ist, wie man alles geselligen Umgangs entbehrt, und wie froh man ist« –

»Diesem Umstande« fiel ich ihm in's Wort, »habe ich es denn auch zu danken daß sie meinen Familienschmuck lasen und goutirten.«

Er lächelte wiederholt. Ich erzählte ihm, daß ich bereits in Hoopte Jemanden getroffen hatte, der wahrscheinlich nichts Geringeres im Sinne gehabt, als sich für ihn auszugeben, daß ich aber damals in meiner süddeutschen Unbelesenheit nicht gewußt, welche Berühmtheit sich an seinen Namen knüpfe. Er wünschte das Nähere zu wissen, weil er einen Vetter habe, der ihm manchmal den Streich spiele, den Namen Heinrich Heine anzunehmen, und weil er hoffte, ihn hier wieder einmal zu ertappen.

Der Fall war ganz einfach. In Hoopte, wo die Fähre über die Elbe, aus dem Königreiche Hannover in's hansestädtische Gebiet Billwärder, die Reisenden bringt, kam ich Abends spät an. Ein einsamer Reiter war mit mir zugleich angelangt, den Weg von Lüneburg her, der auch nach Hamburg wollte. Wir soupirten zusammen und der Reiter, der ein junger Mensch war, an dem ich nichts Ausgezeichnetes als eine ungeheuere Nase bemerkte, war sehr gesprächig.

»Ach, mein Bruder!« unterbrach mich Heine, »der wird mich noch in's Unglück bringen.«

Ich fuhr fort ihm zu erzählen, daß der junge Mensch uns eine Menge Geschichten zum Besten gab; Aventüren mit Schauspielerinnen, mit denen er auf der Elbe Schiffbruch gelitten, und was dergleichen mehr war. Am andern Morgen ließen wir uns bei starkem Regen nach dem Zollenspeicher übersetzen, und der Reiter hielt an dem Schlage unsers Wagens, um uns durch sein fortwährendes Gespräch die Langsamkeit der Ueberfahrt vergessen zu machen, und als er endlich drüben von uns Abschied nahm, und in seinen Mantel gehüllt, auf dem Damme davonsprengte, überreichte er mir noch eine Karte mit dem Namen »Heine«, und fügte hinzu, ich möchte ihn doch in seiner Wohnung in Hamburg auf dem »großen Burstah« besuchen.

Auch von seinen Dichtungen hatte er erzählt [. . .].

Wären mir damals schon die Reisebilder bekannt gewesen, so hätte diese Begegnung mir ein bedeutendes Interesse eingeflößt. Der Reiter mochte jedoch in seinem Innern mich für einen recht unwissenden Menschen halten, da ich den Namen Heine hören konnte, ohne sogleich auszurufen:»Sind Sie etwa – jener berühmte«; – ich glaube kaum, daß er mich lange im Zweifel gelassen haben würde.   (151)

254. ADOLF STRODTMANN   1829?

nach anonymen Mitteilungen   (*1873)

Die beiden Nachbarn [Salomon Heine und Lazarus Gumpel] lebten mit einander in einer Art harmlosen Krieges, Jeder suchte dem Andern allerhand Schabernack anzuthun, und Salomon Heine fühlte sich aufs ergötzlichste divertiert durch das drollige Zerrbild seines Rivalen, das sein Neffe in den »Bädern von Lucca« aller Welt vor Augen gestellt. Das Original des Hyacinth war ein armer Lotteriebote, dessen fremd klingender Name Isaak Rocamora auf Heine einen so belustigenden Eindruck machte, daß er ausrief: »Rocamora! reizender Buchtitel! Eh' ich sterbe, schreibe ich ein Gedicht Rocamora!«   (249)

255. IMMANUEL WOHLWILL   7. Nov. 1829

an Leopold Zunz, Hamburg, 7. Nov. 1829

Heine hat mich erst einmal besucht. Heute sah ich ihn auf der Straße, da war er natürlich krank.   (101)

256. ROSA MARIA ASSING   4. Febr. 1830

Tagebuch, Hamburg, 4. Febr. 1830

Schon vor einiger Zeit hörten wir, daß Heine wieder hier sei. Er begegnete bald darauf Assing auf der Straße, der ihn einlud, uns zu besuchen, doch kam er nicht, was mir leid war. Heute Nachmittag trat er unvermutet bei uns ein, heiser, erkältet und an der Brust leidend, um uns zu fragen, ob wir etwas an meinen Bruder zu bestellen hätten, der sich nach uns erkundigt habe, und dem er in diesen Tagen schreiben würde. Eine Stunde verfloß schnell und angenehm unter mancherlei Gesprächen, obgleich er mir sehr leidend schien, so daß ihm Assing sagte, er hätte bei dieser Kälte und scharfem Winde nicht ausgehen sollen.

Wir sprachen über Gemälde. Venetianer und Niederländer sehe er am liebsten, und hätten beide Ähnlichkeit miteinander, was mir sehr treffend scheint, wenn ich an die beiden Bilder Canalettos denke, zwei Ansichten Venedigs vorstellend, die ich vorige Woche gesehen habe. Dann bezeichnete er Jan Steen als einen seiner Lieblinge. Landschaften ziehen ihn wie mich wenig an. Ich kann sie in der Erinnerung nicht recht festhalten, wie empfänglich ich in der Natur auch für schöne Gegenden bin. Heine scheint es ebenso zu gehen.

Dann sprachen wir über Justinus Kerners jüngst erschienenes Buch »Die Seherin von Prevorst«. Er hatte nur davon gehört, schien dagegen und erklärte sich vollends nach einigem, was ich daraus erzählte, dawider und meinte, er würde es wohl nicht lesen, es scheine ihm aber ein Buch, das recht für die Deutschen gemacht sei.   (102)

257. AUGUST LEWALD   1830

Heine-Erinnerungen   (*1836)

Ich hatte nach dieser ersten Entrevue Heine lange nicht gesehen, als er mich einst aus meinem Nachmittagschlummer aufweckte. Ich war überrascht. Er kam, wie er mir sagte, meine Wohnung kennen zu lernen, um sie zu miethen, wenn sie ihm convenirte, da er gehört hatte, daß ich sie verlassen wollte. Sie war ihm aber zu geräuschvoll, wie er sich bald überzeugte. Er litte sehr an den Kopfnerven, sagte er, und deshalb müsse es stets ganz still um ihn seyn.

Dieses Kopfnervenleiden ist von Vielen in Zweifel gezogen worden; man sagt er kokettire damit, und sein: »Ach! ich bin sehr krank!« womit er jedes Gespräch anfängt, habe eigentlich nichts zu bedeuten. Damen wollen sogar behaupten, es geschähe blos um dabei mit der Hand an die Stirne zu fahren, und so diese feine, weiße Hand bemerken zu lassen, worauf sich der Dichter nicht wenig einbilde. [. . .]

Ich glaube an Heine's Kopfleiden. Seine Konstitution ist schwächlich; er wird oft plötzlich glühend roth, ohne äußere Veranlassung; er ist fast immer in einem gereizten Zustande; seine Art zu leben kann eben nicht für Leute, die ihre Gesundheit sehr in Acht zu nehmen haben, zur Nachahmung empfohlen werden. Heine schlief mehrmals bei mir, und nicht nur die Uhr in seinem Schlafzimmer mußte dann entfernt, sondern selbst die im Nebenzimmer gänzlich zum Schweigen gebracht werden. Dies Tiktak und Schlagen hätte ihn so stark angegriffen, wie er versicherte, daß er am andern Morgen das stärkste Kopfweh gehabt haben würde. [. . .]

Heine's erster Besuch war nur kurz, aber dennoch erfreute er mich. Es lag viel Schmeichelhaftes für mich darin, wie dieser ausgezeichnete Mensch, mich aufgesucht hatte; es war mir augenscheinlich, daß er mit mir in nähere Berührung zu kommen wünschte. Ich sah ihn von nun an öfter in Hamburg; er gefiel sich so gut in meinem Hause, daß er mir bald täglich seinen Besuch machte. Er forderte mich auf mehrere Novellen, die ich in früherer Zeit verfaßt hatte, und die in der Abendzeitung, im Morgenblatte und an andern Orten abgedruckt waren, zu sammeln und herauszugeben. Er interessirte sich auf das Freundschaftlichste dafür und sprach mit seinem Verleger Julius Campe, der sie annahm. Ich habe es ihm oft lachend gesagt: »er lade den Fluch der Lesewelt auf sich, wenn ich nun nach und nach, gleich andern Novellisten, so ein fünfzig Bändchen zu Tage fördern sollte.« Dem ersten Bande Novellen, der die ältern enthielt, folgte bald der Zweite. Die fünf, die ihn füllten, wurden schnell hintereinander geschrieben, und Heine nahm sich die Mühe, sie im Manuscripte, mit dem Bleistifte in der Hand, zu lesen, und mir seine Bemerkungen darüber mitzutheilen. Die Begebenheiten in Polen forderten mich auf, mehre Erlebnisse aus jenem Lande zu Papier zu bringen, und unter dem Titel »Warschau« herauszugeben. Auch dieses Manuscript sah Heine durch. »Das ist keine Novelle«, sagte er, »Sie müssen es Anders nennen.« Und er erfand den Namen »Zeitbild« dafür, wie er früher »Reisebilder« erfunden hatte, und wie er später »Zustände« erfand. Diese Benennungen haben seitdem alle das Bürgerrecht erhalten. (151)

258. AUGUST LEWALD 1830

Heine-Erinnerungen (*1836)

[Heine] erfuhr in Italien den Tod seines Vaters, der plötzlich erfolgte, und sogleich reiste er nach Hause, Alles im Stiche lassend, weil er nun glaubte, »daß seine Mutter auch sterben müsse«, wie er mir sagte. Sein Vater war ein unglücklicher Mann, erzählte er mir einst, dem es sein ganzes Leben mit Nichts recht glücken wollte. [. . .]
Heine lebte in Hamburg ohne öffentliche Anerkennung. Seine Werke wurden verschlungen, aber um ihn kümmerte man sich nicht. Desto ungenirter konnte er leben. Er hatte wenig Umgang. Nächst seiner Schwester besuchte er wohl mich am häufigsten. Nachmittags sah man ihn zuweilen in einem Zirkel, der sich bei dem Schauspieler Forst zu

versammeln pflegte, und aus den heterogensten Elementen bestand. Einige Mitglieder des Stadttheaters, Cornet, Jost, Emil Devrient, einige junge Advokaten und Mediziner, der Lustspieldichter Töpfer und ich waren dabei. Es wurde gewöhnlich bis zum Anfang des Theaters gespielt. Heine sah zu; er spielte niemals mit. Später besuchte er gern den Salon von Peter Ahrends, wie man jene berüchtigten Bälle in Hamburg zu nennen pflegt, die jeden Abend stattfinden. »Man nennt mich in Berlin den Salondemagogen«, sagte er lachend, »ohne jedoch zu wissen wie richtig man mich damit bezeichnet. Ahrends Salon vereinigt die anständigste Gesellschaft. Ich finde da stets den feinsten, ungenirtesten Ton in Hamburg, und sehr gute Geschöpfe.« –

Vormittags sah man ihn bei seinem Verleger Campe; besonders wenn der Ballen aus Leipzig neue Journale brachte, die er dann durchflog. Er hatte Campe sehr gern. »So lange er noch so bleibt«, pflegte er zu sagen, »bleibe ich bei ihm. Sie glauben indeß nicht«, fügte er dann lachend hinzu, »wie sehr er sich verändert hat. Ehe er nach Italien reiste, war er ein vortrefflicher Mensch.«

Campe war daran gewöhnt über sich scherzen zu lassen und nahm es Heine vollends nicht übel.

»Der Börne kostet ihm zu viel«, sagte dieser, »und will noch immer nicht recht ziehen.«

»Aber Börne wird ziehen, wenn Sie längst vergessen seyn werden«, gab dann Campe zurück.

»Das ist ein Unglück für ihn und für Sie«, erwiderte Heine, »daß so lange darauf gewartet werden muß.«

Als Paganini in Hamburg war, interessirte es ihn sehr, ihn zu hören, jedoch nicht ohne Eifersucht schien er bei dem ungeheuern Aufsehen, das er machte. Wir aßen einige Male mit dem berühmten Virtuosen, und Heine beobachtete ihn genau; er schien damals mit dem Gedanken umzugehen, ihn zum Gegenstande einer Schilderung zu wählen. Später forderte er mich dazu auf und ich sagte es ihm zu. Als ich dann aber nicht meinem Versprechen nachkam, machte er mir Vorwürfe darüber, und sagte, er hätte ihn mir freundschaftlich überlassen wollen, und es wäre unrecht, daß ich ihn nun liegen ließe. Besonders verliebt schien er in den Begleiter Paganini's, einen bekannten Schriftsteller aus Hannover, den er sich gar ergötzlich zu schildern vorgenommen hatte.

Solcher Scherze war er stets voll; sehr schnell ward er von einer Idee ergriffen und erfüllt, aber zur Ausführung kam es nie.

Einst gingen wir nach dem Stintfang. Auf dem Wege dahin stehen zwei Windmühlen. »Sehen Sie«, sagte Heine zu mir, »diese armen

Geschöpfe, wie sie sich sehnen und doch nie zusammen kommen können. Dieses hier ist der Mühlerich, das Andre dort ist die Mühle. Ich werde einen Romanzencyclus dieser Unglücklichen bekannt machen.«
[...]
In's Theater ging er nur selten. Er sprach mit mir davon, daß es ihn verdrieße, von den Directoren nicht einmal den freien Eintritt erhalten zu haben, den sie einem Jeden bewilligten, der in dem unbedeutendsten Blatte eine Korrespondenz einzuschmuggeln wußte. Er legte wahrlich keinen Werth darauf, aber es schien ihm erbärmlich von den Leuten. Er rächte sich jedoch nicht dafür; sondern that des Hamburger Theaters niemals Erwähnung. – (151)

259. Michael Beer (1822/)1830

an Karl Immermann, Paris, 11. April 1830

Von Schenk habe ich seit längerer Zeit keine directen Nachrichten, und ich weiß nicht, wie er über Heine's Buch denkt. In der Correspondenz oder im mündlichen Gespräche will ich später gern den Anwalt desselben spielen, soweit es meine Ehrlichkeit zuläßt. Wenn Heine Sie wiederum befragt, ob Sie Antwort von mir erhalten, und auf welche Weise ich seiner erwähnte, so sagen Sie ihm, er sollte sich erinnern, wie oft er mir gesagt, daß ich die meisten Dinge mit Glacéhandschuhen anfaßte. Ich hätte mir diese Handschuhe bei Lecture seines Buches angezogen und wäre noch immer der alte Schwächling, der eine so derbe Kost wie seine Satyre nicht ohne Indigestion vertragen könne. Mit einem Worte, es wäre mir etwas übel dabei geworden. Uebrigens grüße ich ihn aufs herzlichste, und meine persönliche Neigung für ihn sei noch immer die alte. Ich bitte, schreiben Sie ihm das. (15)

260. Immanuel Wohlwill April 1830

an Leopold Zunz, Hamburg, 26. April 1830

Heine, der neulich bei mir und sehr begierig war zu erfahren, was man dort über ihn und Gumpelino spricht, läßt grüßen. Von seinem Bruder Maximilian hat er keine Nachricht. (101)

Der Ursprung meiner persönlichen Bekanntschaft mit ihm *[Heine]* datirt etwas vor dem Ausbruch der Julirevolution, und noch eine geraume Zeit nachher bis zu unserer beiderseitigen Abreise genoß ich die Reize seines Umganges, sei's im Buchladen seines Verlegers, sei's im sogenannten Damenpavillon auf dem alten Jungfernstiege, oder auf Spaziergängen und in seiner Wohnung. In wessen Erinnerung wird nicht das erste Zusammentreffen mit Heinrich Heine unvergeßlich sein? Konnte man doch seine Gedichte und seine Reisebilder nicht gelesen haben, ohne für die Person des Dichters und Helden derselben eine neugierige Spannung zu empfinden. Denn das war ja ein Theil des Frappanten an Heine, daß in dem Gedichte auch der Dichter vor uns stand, daß er sich selbst mit seinen innern und äußern Erlebnissen so dreist in Scene gesetzt hatte, und daß er trotz dieser Dreistigkeit, Offenheit und Oeffentlichkeit seiner Muse, so viel Schleier übrig ließ, um ihr Emporsteigen aus einem zarten geheimnißvollen Lebensgrunde ahnen zu lassen. Um aufrichtig zu sein, muß ich sagen, daß der Kreis, in dem ich lebte, nicht eben von Heine erbaut war. Man hielt ihn dort für einen ausgezeichneten dichterischen Jongleur, man zweifelte zumal an der Wahrheit seiner Empfindungen und Erlebnisse in Bezug auf die Liebe, und es ging auf seine Kosten folgender boshafte Vers um:

> Den Gärtner ernähret sein Spaten,
> Den Bettler sein hölzernes Bein,
> Und ich, ich ernte Dukaten
> Für meine Liebespein.

Ohne dergleichen Vorurtheile in mich aufzunehmen, hielt ich mich an die poetische Totalwirkung, an die ganze Erscheinung des Dichters, die der damaligen Jugend allerdings neu, aber nicht unvorbereitet war. Mehr als man gewöhnlich in Anschlag bringt, war Goethes Faust in die gebildete Welt eingedrungen, für jede neue Schüler- und Studentenjugend eine poetische Bibel, die vom Trivialen fernhielt, hohe und trotzige Prometheus-Ideen nährte und einer kecken Art, das Leben zu fassen und zu genießen zu Gunsten sprach. Wohl waren mir aus jener Periode, die ich meine, geistig höhere und schwungvollere Gestalten im Leben bekannt geworden, als Heinrich Heine; aber keiner der durch dichterische Gaben und eminentes ästhetisches Bewußtsein dem Schöpfer des Faustgedichts näher stand, und der auf seinem Gebiet, das heißt auf einem minder ideellen, vom mannhaften Ringen mit den Problemen des Lebens und der Wissenschaft wenig Kunde gebenden, mehr Faust-Mephistopheles in seiner Person gewesen wäre als eben Heinrich Heine. In England hatte sich schon Lord Byron in dieser Doppelrolle verkörpert, und Seine Lordschaft übte einen mächtigen geheimen Einfluß auf den jungen Dichter, dem allerdings mehr noch als ein Newstead-Abbey, normännische Ahnen und Welttouristerei mangelte, um dem gewaltigen Fluge des Briten gleichzukommen. Denn wie Goethe, so ging auch Byron bei ihm in die Brüche, wenn auch die Bruchstücke – deren Vereinigung eine zügellos witzige Subjektivität, das verführerische Erbe aus dem Orient, sich widersetzte – nicht selten dem Schönsten und Glänzendsten in dem Schöpfungskreise beider großer Dichtergenien an die Seite zu stellen war. – Unter dem Einfluß dieser Analyse hatte ich mir auch eine Vorstellung von seiner äußeren Person gebildet und war nicht eben überrascht, als die erste Begegnung, statt einer feurigen, kräftigen, burschikosen mir eine feine, stille, vornehme freundliche Gestalt vor Augen führte.

Damals war der Dichter, ohne mager zu sein, nichts weniger als fett, was er erst später, nach der Verdauung so vieler satyrischer Opfer und an der Seite seiner Mathilde wurde. Er trug sich sauber, doch einfach; Pretiosen habe ich nie an ihm gewahrt. Ein schönes, weiches, dunkelbraunes Haar umgab sein ovales, völlig glattes Gesicht, in welchem eine zarte Blässe vorherrschte. Zwischen den einander genäherten Wimpern seiner wohlgeschlitzten, mehr kleinen als großen Augen dämmerte für gewöhnlich ein etwas träumerischer Blick, der am meisten den Poeten verrieth, in der Anregung drang ein heiteres kluges Lächeln hindurch, in das sich auch wohl ein wenig Bosheit schlängeln konnte, doch ohne einen stechenden Ausdruck anzunehmen. Faunisches war nicht in ihm und an ihm. Die ziemlich schwache Nasenwurzel verrieth, physiognomischen Grundsätzen zufolge, Mangel an Kraft, Großheit, auch mochte die mäßig gebogene Nase nach unten etwas schlaff abfallen. Die faltenlose Stirn leicht und schön gewölbt, die Lippen fein, das Kinn rundlich, doch nicht stark. Das »böse Zucken« der Oberlippe war ihm offenbar nur eine Angewöhnung, kein Zeichen der Menschenverachtung und des Lebensüberdrusses, wie bei Lord Byron, der jedoch wohl nicht unschuldig daran war. Dem Engländer mit der nationalen kurzen Oberlippe und den blinkenden Zähnen stand diese Bewegung vielleicht besser, jedenfalls natürlicher. Sein Gang, seine Bewegungen waren in der Regel eher langsam als schnell. Sein Fürsichsein, seine vornehme oder schüchterne noli me tangere-Natur beurkundete sich in allen Bewegungen; auf der Straße hielt er die Arme am Leibe, als wollte er sich vor jeder zufälligen Berührung in Acht nehmen. Dennoch widerfuhr es ihm mal, als er in Gesellschaft einer Dame über den Wall spazierte, von einem schnurrbärtigen, in eine Polonika gekleideten Herrn angerannt zu werden; statt Entschuldigungen suchte dieser auf brutale Weise Streit mit ihm. Heine, der leicht den Argwohn faßte, als schickten ihm seine Feinde dergleichen Strolche auf den Hals, überreichte ihm stolz seine Karte und bat sich die seinige aus. Es war indeß nicht so ritterlich gemeint. Auf der Polizei fand sich, daß der Mensch ein fremder Abenteurer war, auch mußte derselbe plötzlich Hamburg und das Gebiet verlassen. Heine erzählte mir die Geschichte auf der Stelle, wo sie passirte. (296)

262. LUDOLF WIENBARG   Frühjahr 1830

Einleitung zu Gedichten Heines in einer Anthologie   (* *1835*)

Im Sommer 1830 mit Heinrich Heine in Hamburg zusammenlebend, erinnere ich mich eines Morgens früh ihm einen Besuch abgestattet zu haben, [...].

Als ich mich an seine leichte Seite auf dem Sopha niedergelegt, erinnerte mich der erste Blick auf die umgebenden Gegenstände sehr lebhaft an den göthischen Zugvogel, der nirgends seines Bleibens findet, ein offener Reisekoffer, zerstreute Wäsche, zwei oder drei Bändchen aus einer Leihbibliothek, ein Paar elegante Stöckchen mit kaum verwischten und abgeglätteten Spuren sorgfältigen Einpackens und vor Allem das Männchen selber; denn obwohl er bereits einige Monate die Hamburger Luft athmete und in einem anständigen Bürgerhause wöhnlich eingerichtet war, so schien er mir doch den Anstrich von einem Reisenden zu haben, der erst den Abend vorher vom Postwagen gestiegen und eine etwas marode Nacht im Gasthofe zugebracht. An diesen allgemeinen mobilen Eindruck knüpfte sich ganz natürlich ein Gesprächsthema über Reisen und Wandern und ich brachte die Reisebilder auf's Tapet, obwohl eigentlich wider meinen feineren Takt sündigend, der mir verbietet, Schriftsteller an ihre Werke zu erinnern. Ich hatte damals meine Studentenjahre noch im frischen Gedächtniß und erzählte ihm, wie ich seine Lieder, die dem ersten Theil der Reisebilder vorausgehen, früher gekannt als dieses Werk selbst, ja sogar früher als den Namen ihres Verfassers. Damit, sagte ich, ging es so zu. Ich kümmerte mich während meiner Studienjahre bitterwenig um die erscheinende neueste Literatur. Madame Schwers in Kiel wird im

Folioregister ihrer Leihbibliothek meinen Namen kaum anders als mit der Nummer Göthischer Werke, die ich las und wieder las, auf einer Linie erblicken. Dieses geschah nicht aus Verachtung des Neuesten; denn ich kannte es nicht. Auch nicht aus Prinzip oder übermäßig gelehrtem Eifer; sondern wohl hauptsächlich deswegen, weil ich als Knabe und Gymnasiast schon das allgemeine Lesefieber so ziemlich überstanden, ferner weil in mir durch frühere Versuche und derzeitige poetische Anlässe und Aufregungen der eigene Schöpfungstrieb in voller Blüthe stand, und endlich, weil ich zu lebhaften Geschmack und Antheil an der burschikosen Tagesgeschichte nahm, um mich in fremde, fernliegende und noch dazu papierne Phantasiewelten eben sehr neugierig einzudrängen. Dennoch blieb ich von den geheimen interessanten Einwirkungen derselben nicht völlig unberührt. Der Kreis, in dem ich mich bewegte, bestand aus lebhaften und geistreichen jungen Leuten, die sich zum Theil weniger Literaturscheu zeigten, als ich selber. Auf Spaziergängen nach dem Düserbrooker und Wiburger Holze und im weinduftigen tiefen Schacht, in den wir des Abends fröhlich hinabfuhren, hörte ich so manchen »göttlichen Witz« so manche Phrase, »die wahrhaftig auch nicht von Haferstroh«, so manche Lieder und Liederverse rezitiren, daß ich so ungefähr die neue Literaturglocke läuten hörte, ohne sie zu sehen und zu wissen, wo sie hinge. So hörte ich denn auch Ihre Lieder und zwar die pikantesten, tollsten und frechsten aus dem Munde eines genialen Menschen, der über kurz oder lang einmal in der Welt auftauchen wird. Dabei kam uns der Dichter nur als ehemaliger Göttinger Student in Betracht, und wenn ich ganz den eigenthümlichen Eindruck schildern soll, den diese Gedichte auf uns machten, so muß ich bekennen, derselbe bestand auch nur im Einklang mit der altburschikosen Malice auf die Philisterschaft, der nun, wie uns bedünkte, mit so keuschen Liedern ein neuer Stoff zur Aergerniß geboten wurde. – Heine nahm sich bei dieser Erklärung ganz allerliebst. Er drückte sich das rothseidne Taschentuch, das er sich zur Nacht um den Kopf gewickelt, mit beiden Händen an die glatten schwarzen Haare, klagte anfangs, wie gewöhnlich, über Kopfweh, wickelte und zupfte darauf den bunten mephistophelischen Schlafrock in den kühneren Wurf eines Faustmantels um die Schulter und begann mit lächelnder Miene und blinzelnden Augen, aber im trockensten Dozententon mir als einem jungen Scholaren die tiefere welthistorische Bedeutung seiner liederlichen Lieder auseinanderzusetzen. Ich mußte ihm gerade ins Gesicht lachen und blieb demungeachtet ein aufmerksamer Zuhörer. Die Situation war so komisch, daß, wie gleich nachher der

taube Lyser ins Zimmer trat, er sich kichernd uns am Tische gegenüber-
setzte und eine der lustigsten Karrikaturen von uns entwarf, wie sie
seiner flüchtig geschickten Feder nicht selten ungemein gelingen, und
die, wie ich glaube, Heine noch gegenwärtig aufbewahrt. Bereite ich
hierauf der heitern Szene einen kurzen Schluß und knüpfe daran folgende Uebergangsbemerkung. Ich stimme gegenwärtig der Heineschen Aeußerung vollkommen bei, seine Lieder würden ihn überleben.
Ich verstehe das so gut von den märchenhaft tiefen und schönen, als
ganz insbesondere von den wilden und unzüchtigen. Das kleinste
und schmutzigste Rosenblättchen seiner Liebespoesie, oben auf mit
dem verdächtigen Namen und Andenken eines schönen Berliner Kin-
des wird tiefer in die Unsterblichkeit hineinflattern, als tausend und
abertausend theologische und moralische Fettschwänze dieser Zeit
ihnen nachtrippeln mögen.   (294)

263. JOHANN PETER LYSER   April 1830

    Heine-Erinnerungen   (* 21./22. 1. 1848)

[...] Heine und ich [vertrugen] uns scharmant zusammen, als wir in
Hamburg lebten, und besuchten einander fleißig; den vierten Reise-
bildertheil schrieb Heine zur größten Hälfte auf meinem Stübchen,
weil er dort ungestörter war, als in seiner eigenen Wohnung, wo er oft
allerlei ungelegenen Besuch bekam. Er ging nicht leicht an's Niederschreiben, saß er aber einmal da, so arbeitete er wacker drauflos, vergaß den Mittag und schrieb bis es dämmerte, während ich zeichnete.
Abends schrieb Heine nie, wogegen ich erst spät Abends meine Schrei-
berei begann, wie es noch meine Gewohnheit ist; die Dämmerungs-
stunden verbrachten wir aber an solchen Tagen recht gemüthlich mit
einander – ich kochte Thee und Erdäpfel in der Montour, und Heine
spendirte einen holländischen Häring, Zucker und Rhum, und so tafel-
ten wir mit einander, schwatzten und lachten bis 9 Uhr, wo er gewöhnlich noch ein Stündchen zu Marr oder in den Alsterpavillon ging; war
er eben bei Kasse, so mußte ich mit von der Parthie sein, und dann
wurde nicht selten »schlampampt«, wobei ich das Meiste that, denn
Heine war, was Essen und Trinken betraf, sehr mäßig.
    Das währte so den Winter hindurch, bis zum Frühling. Da miethete
sich Heine eine Wohnung in Wandsbeck und schied in übermüthigster
Laune von mir, dem es gar nicht recht war, daß wir den Sommer so
weit von einander entfernt wohnen sollten.

Jedoch schon nach wenigen Tagen trat eines Morgens eine vier-schrötige wandsbeckische Lütje-Maid (Kleinmagd), in mein Zimmer und brachte mir ein Billett von Heine mit der dringenden Einladung: ihn doch sobald als möglich in Wandsbeck zu besuchen, denn er sei unwohl und langweile sich wie der Mops der Frau Senatorin * * *, wenn sie zarte Lieder sänge.

Ich sagte zu, am andern Tage hinaus zu kommen, wenn das Wetter gut sei; und da das Wetter am andern Morgen wirklich herrlich war, so machte ich mich früh auf und schlenderte dem reizend gelegenen Dorfe zu.

Ich war früher noch nie in Wandsbeck gewesen, brauchte daher einige Zeit, um den Gasthof aufzufinden, wo Heine logirte. Wie ge-wöhnlich, hatte Heine sich für vieles Geld ein miserables Logis ge-miethet: ein hohes, weites, dunkles Zimmer zu ebener Erde, wo man fror, wenn es draußen noch so heiß war, kahle Wände, zwei Stühle, ein altes Sofa, ein zerbrechliches Bett, dafür zahlte Freund Heine per Mo-nat 30 Mark und war sehr verwundert, als ich ihn überzeugte, daß er für 10 Mark eine unendlich komfortablere und gesündere Wohnung in demselben Hause hätte erhalten können. – Er ließ es aber dabei be-wenden, und begnügte sich damit: den Wirth, der ihn auf so unver-schämte Weise geprellt hatte, einen Spitzbuben zu nennen, was dieser um so weniger übel nahm, als Heine noch zwei Monate lang den un-erhörten Zins fortzahlte.

Heine, als ich eintrat, lag auf dem Sofa und empfing mich auf die herzlichste Weise. Thee, Zucker, Rhum, Butter, Brot, Käse, harte Eier und gesottene Krebse waren im Ueberflusse auf dem Tische geordnet, die »Lütje-Maid« erschien und ich mußte, wie gewöhnlich, den Thee bereiten.

Heine, trotz seines angeblichen Unwohlseins, ließ sich's an diesem Morgen trefflich munden, und als ich darüber meine Glossen machte, gestand er mir lachend: daß er sich eigentlich nicht unwohl befände und es mir nur geschrieben habe, damit ich sicherer kommen und in Ham-burg davon reden solle, wo er dann sicher vor *anderen* Besuchen sei.

Ich nahm das für kein Kompliment, und es war auch keines. Heine hatte in Hamburg mir schon zu oft bewiesen, daß ihm oft Tage kamen, wo er mit Niemandem reden mochte als mit mir, weil ihn im Grunde Niemand so verstand als ich – wenn er seine bösen Tage hatte.

»Aber Heine, wie können Sie bei so himmlischem Wetter in diesem kalten, finstern Loche liegen? Genießt man so einen Frühlingsmorgen auf dem Lande, und zwar an demselben Orte, wo der ehrliche Claudius seine Frühlingslieder sang?«

»Claudius? Wer ist das?«

»Asmus, der Wandsbecker Bote!«

»Den kenn' ich nicht!«

»Natürlich, Sie kennen ja auch Schillers Gedichte nicht.«

»Gewiß! Ich habe sie nie gelesen!«

– »Es ist auch so viel nicht d'ran!«

Heine merkte: daß er mich nicht mehr, wie früher, damit ärgern könne, wenn er sich stellte: als habe er nichts von Schiller und andern meiner Lieblingsdichter gelesen! wußte ich's doch jetzt, daß er oft gerade die am höchsten stellte, die er nicht zu kennen sich das Ansehen gab.

»Aber hier hab' ich wirklich schöne Gedichte!« sprach er nach einer Weile, und reichte mir ein elegantes Büchlein hin; es waren Lieder ihm zugeeignet und ganz und gar in seiner Manier geschrieben *[Gaudys »Erato«]*. – Ich hatte das schon nach den ersten zwei Versen weg, und warf das Buch bei Seite, indem ich ausrief: »Wie ist doch die Natur im Allgemeinen so schön!«

Heine brach in ein lautes Gelächter aus und schrieb sofort diese Kritik auf das Titelblatt des Buches; dann aber sprach er: »Uebrigens habe ich dieser Tage einige Lieder in einem Leipziger Journale von einem Dichter: ›Hermann Meynert‹ gelesen, die mich frappirt haben; unter allen meinen Epigonen hat Keiner so meine Art und Weise getroffen, als eben der, und einige dieser Nachbildungen sind wirklich *poetisch!* – Spaßes halber: versuchen Sie's mal, hier auf der Stelle, in meiner Manier ein Liedchen zu improvisiren, ein bischen frivol, denken Sie dabei an die schöne Wantuh und Ihr letztes Abenteuer mit derselben bei [Georg] Lotz, als Madame Lotz nicht zugegen war.«

Ich ließ mich nicht lange bitten und warf ein Liedchen hin, welches die Veranlassung zu einem der anmuthigen Lieder Heine's wurde, weshalb ich es hier mittheile. Es lautet:

»Magst Du Dich auch selbst belügen,
Mich belügst Du nicht, mein Kind!
Möglich: daß die Küsse trügen,
Wie oft Worte möglich sind.

Nicht entscheid' ich solche Fragen!
Lüg' mit Worten, lüg' im Kuß,
Lüge dreist – ich will's d'rauf wagen,
Weil ich Dich schon lieben *muß*.«

Heine las das Lied und sprach rasch:»Nicht übel – bis auf den Schluß, der an Goethe's Art und Weise erinnert und für mich zu unschuldig klingt – warten Sie! So würde ich's gegeben haben!« und er schrieb:

»In den Küssen – welche Lügen!
Welche Wonne in dem Schein! –
Ach, wie süß ist das Betrügen,
Süßer noch: Betrogen sein.

Liebchen, wie Du Dich auch wehrest,
Weiß ich doch: was Du erlaubst!
Glauben will ich, was Du schwörest!
Schwören will ich, was Du glaubst!«

Heine reichte mir das Lied, und als ich es gelesen hatte, drehte ich das meine zusammen und benützte es als Fidibus, womit ich mir die Cigarre anzündete.

»Wenn ich Sie nicht besser kennte«, lachte Heine,»würde ich Sie für schrecklich eitel und empfindlich halten, so hab' ich Sie recht verstanden – mein Lied ist gut, wie?« –

»Ja, wahrhaftig!« –

»Wohl, es soll mit in die neue Ausgabe des Buches der Lieder! Und jetzt wollen wir einen Spaziergang machen; einer besonderen Toilette meinerseits bedarf es nicht.«

Heine machte denn auch keine große Toilette, und bald waren wir draußen in der schönen, freien, sonnigen Luft. – Zu meiner Verwunderung schlug Heine den Weg nach dem Gottesacker ein, wo er einige Worte mit dem Todtengräber wechselte und sodann mit mir zwischen den Gräberreihen hinschlenderte. Plötzlich hielt er an, drückte mir lächelnd die Hand und deutete auf einen Grabhügel, über welchen sich ein einfacher Stein erhob – es war das Grab des Wandsbecker Boten Matthias Claudius, genannt Asmus, und als ich überrascht und gerührt von dieser zarten Aufmerksamkeit den Freund anblickte – lächelte er und eine Thräne glänzte in seinem Auge. – Und derselbe Heine, der mich kurz zuvor damit hatte necken wollen, daß er vorgab: von dem alten Claudius nichts zu kennen, citirte jetzt die Worte desselben:

– Sie haben
Einen guten Mann begraben,
Und mir war er mehr.   (162)

199

Mitteilung an Gustav Karpeles   *(*1899)*

Ein Jahr darauf entschloß ich mich wirklich, nach Hamburg zu gehen, und bemühte mich dort um eine Stelle. [...] Leider vergeblich. Eines Nachmittags durchwanderte ich eine der Hauptstraßen Hamburgs. Da kam eine Droschke im raschen Trabe angefahren. Plötzlich stand das Fahrzeug still, und der darinsitzende Herr rief mir zu, mich an seine Seite zu setzen. Ich war natürlich darüber sehr verwundert. Wie groß war aber erst mein Erstaunen, als ich in dem Herrn meinen Wohlthäter und Lehrer Heinrich Heine erkannte. Mit einem Satz sprang ich in die Droschke, die nun schnell weiterfuhr. Der Dichter reichte mir freundschaftlich seine Hand, die ich unter Thränen der Freude küßte und an mein Herz drückte. Er aber fragte:»Auch Saul unter den Propheten?« Nun erzählte ich ihm, was mich veranlaßt hatte, nach Hamburg zu gehen, und wie ich mich in meinen Hoffnungen leider getäuscht sah. Der edle Mann schien über meinen Kummer sehr gerührt und forderte mich auch, mit ihm nach Wandsbeck zu fahren, was ich mir natürlich zu einer sehr hohen Ehre anrechnete und sehr gern that. In Wandsbeck fand ich freundliche Aufnahme bei einer Familie, deren Verwandte meine Wohlthäter in Berlin gewesen waren. Während meines Aufenthaltes daselbst traf ich Heine jeden Morgen mit einem Buche in der Hand in dem dortigen schönen Park. Er unterhielt sich gütig mit mir und wiederholte oft seinen Rat, nach London zu übersiedeln. Als ich von dem edlen Manne Abschied nahm, gab ich ihm das Versprechen, seinem Rate zu folgen. Er wünschte mir herzlich Glück zu meinem Vorhaben und riet mir, nur ja die Courage im Leben nicht zu verlieren. Ich würde hoffentlich in England, so sagte er, ein neues Adoptivvaterland finden. Seit jener Zeit habe ich Heine nicht wieder gesehen, [...].

Ich muß noch nachtragen, daß ich durch Vermittelung Heinrich Heines, des Predigers Dr. Gotthold Salomon und anderer wohlthätiger Männer, wirklich auch die Mittel zur Ueberfahrt nach London erhalten habe.   *(124)*

Artikel über Heine   *(*13. 9. 1857)*

Liebe zur Natur habe ich nicht an ihm bemerkt. Doch will ich darüber nicht absprechen. In dem benachbarten Wandsbeck bezog er ein Zimmer, das auf einen wüsten Hofraum hinausging und dessen nächstes Gegenüber ein Schweinekoben war. Auch lag das Haus nicht an der Park- und Schloßseite, wo noch die schönsten Gelegenheiten offenstanden, hier, wo auch der alte Claudius wohnte und wo man mit einem Schritt unter den hohen Wipfeln eines Wäldchens sich befindet, das mich stets an den Eingang von Goethe's »Iphigenie« erinnert hat.

Es war in Wandsbeck an der Linstant'schen Gasttafel, als er mir einen bekannten Lüneburger Advocaten, einen Verwandten von ihm, vorstellte, denselben, welchen er wegen dessen liberalen Beredsamkeit in der hannoverschen Kammer den Mirabeau der Lüneburger Haide genannt hatte. Dies ist der Mann, sagte er, der so ausgezeichnet redet und so miserabel schreibt. – (296)

266. LUDOLF WIENBARG   April–Juli 1830

Reisebeschreibung   (*18. 6. 1842)

Unterwegs *[von Wandsbeck nach Hamburg]* schenke ich das Geld einem Omnibus und treffe in dem Bauch desselben einen gelehrten Universitätsfreund und Arzt, der die Hamburger Oper besuchen will. Er erinnert mich an Heinrich Heine's Aufenthalt in Wandsbeck im Jahr 1830, wo er Mignet und Thiers studirte und sich einen Hühnerhof, statt den Park zur Aussicht gewählt hatte. Ich erinnere ihn an Heine's zärtliche Besorgtheit um seine, des Doctors, Gesundheit und an die Worte an der table d'hôte bei Linstant, »Lieber Doctor, Sie sehen so blaß und unwohl aus, ich rathe Ihnen, consultiren sie einen Arzt.« (295)

267. THERESE DEVRIENT   Mai 1830

Memoiren   (*1905, posthum)

Unsere Empfehlungsbriefe *[an Salomon Heine]* hatten wir *[Eduard und Therese Devrient]* abgesendet und gleich tags darauf einen Besuch des jungen Herrn *[Carl]* Heine empfangen, der uns sehr verbindlich im Namen seines Vaters für den nächsten Mittag auf dessen Landsitz zu Tische lud. [. . .] Um sechs Uhr, der Dinerzeit des alten Bankiers, hielt ein höchst eleganter Wagen, Kutscher und Bediente in sehr nobler Livree, vor unserer Türe. [. . .] An der Elbe neben dem bekannten Rainville lag die Besitzung Heines, mit derselben berühmtschönen Aussicht, wie jenes. Der kleine, dicke, alte Mann mit weißen Haaren begrüßte uns sehr freundlich, schüttelte uns herzlich die Hände und sagte: »Wenn ich Ihnen irgend etwas nützen kann, soll es mit Freuden geschehen, denn Sie sind mir von meinem besten Freunde Abraham Mendelssohn empfohlen worden, als ob Sie seine eigenen Kinder wären.« Er bat uns ihm in den Garten zu folgen, wo wir eine ziemlich zahlreiche Gesellschaft fanden, die trotz aller Ungezwungenheit des Benehmens doch eine gewisse steife Förmlichkeit zeigte, welche mir auffiel. Eine junge, hübsche Frau, seine jüngste Tochter *[Therese Halle geb. Heine]*, die einzige, welche sich von diesem Wesen freigemacht hatte, näherte sich mir freundlich, und wir plauderten, während wir in den schönen Alleen auf- und abgingen, den Blick auf die herrliche, breite Elbe, bis endlich um sieben Uhr der Diener uns zum Essen rief.

Salomon Heine führte mich, Eduard die junge hübsche Frau. Das Innere des Hauses machte einen überaus behaglichen Eindruck, es war von so gediegener Eleganz, daß man sie zuerst gar nicht merkte, alles sah nur bequem und wohnlich aus. Der Speisesaal, gleich im untern Stock, bot außer reich mit Silbergeschirr besetzten Büfett und vielen Dienern in Livreen nichts Bemerkenswertes. Die Unterhaltung bei Tisch mißfiel mir, da sie sich meist um die Delikatessen drehte, die eben aufgetragen und verzehrt wurden. Uns, die wir nicht Gourmands waren, entstand daraus die doppelte Beschwerde, so viele Leckerbissen durch das Aufzählen und Preisen derselben fast dreifach genießen zu müssen. In einiger Entfernung mir gegenüber saß ein Herr, der meine Aufmerksamkeit auf sich zog, weil er mich mit zugekniffenen, zwinkernden Augen maß, dann geringschätzig und gleichgültig fortsah. Der Ausdruck seines Gesichts dabei machte mir die Empfindung, als ob ich zu anständig aussähe, um von ihm berücksichtigt zu werden.

»Wer ist der Herr dort drüben?« fragte ich meinen Nachbar.

»Kennen Sie den nicht? – Das ist ja mein Neffe Heinrich, der Dichter«, und die Hand vor den Mund legend, flüsterte er »die Kanaille.«

Jetzt begriff ich die natürliche Antipathie zwischen uns beiden. Ich ward aufmerksamer auf das, was er sprach, und hörte, wie er mit blasiertem, halb spöttischem, halb klagenden Tone von seiner Armut sprach, die ihm größere Reisen versage. Da rief der Onkel (von dem man wußte, daß er den Neffen großmütig unterstütze): »Ei, Heinrich, du brauchst doch nicht zu klagen. Wenn dir's an Geld fehlt, gehst du zu einigen guten Freunden ins Haus, drohst ihnen: Ich mache euch in meinem nächsten Buche so lächerlich, daß kein ordentlicher Mensch mehr mit euch umgehen kann, oder du blamierst einen Edelmann! Du hast ja Mittel genug in Händen.«

Der Dichter kniff die Augen zu und erwiderte scharf:
»Er [Platen] hatte mich angegriffen mit Knoblauchessen und den
alten Ammenmährchen; ich mußte ihn vernichten.« [...]
Das Diner war zu Ende. Mehrere aus der Gesellschaft entfernten
sich, darunter der Dichter, dem es nicht recht wohl in der Nähe des
Onkels war. (47)

268. August Lewald April–Juli 1830

Heine-Erinnerungen (* 1836)

Den Sommer über wohnte er in dem stillen Dörfchen Wandsbeck;
melancholischer, friedlicher gibt es wohl keines auf der Welt. Hier lebte
er seinen Studien, und kam nur selten zur Stadt. Ich besuchte ihn einige
Male mit meiner Frau, und dann warf er die Bücher bei Seite, und
gehörte uns. (151)

269. Ferdinand Meyer Juli/Aug. 1830

Artikel über seine Begegnungen mit Heine (* 28. 11. 1849)

Als ich im Jahre 1830 meine Kur in Helgoland fortsetzte, war es mir
sehr angenehm, Heine daselbst wieder anzutreffen, und der Zufall
wollte, daß ich in Folge der Juli-Ereignisse in Paris, gerade in dem
Augenblick eine Sendung nach London erhielt, als eine Aeußerung
Heine's, die er in Gegenwart des Ministers R- und des Generals K-
machte, es nicht gut zugelassen hätte, daß ich ferner mit ihm auf dem
früheren vertrauten Fuße gelebt hätte. Heine hatte nämlich bei Gelegenheit des Umsturzes der alten bourbonischen Linie geäußert, daß
seine neulich im Berliner Zeughause ausgesprochene Ansicht, die In-
schrift auf den preußischen Kanonen »ultima ratio regis« würde nächstens in »ultimi regis ratio« umgewandelt werden müssen, nunmehr
baldigst in Erfüllung zu gehen verspräche. (180)

270. Ludolf Wienbarg 1830/1831

Artikel über Heine (* 13. 9. 1857)

Heine's Umgangsfreunde in Hamburg wurden mit der Zeit theilweise
auch die meinigen. Der gewandte literarisch industriöse Lewald, da-

mals Regisseur an der Hamburger Bühne, vermittelte ihn mit dieser und manchen Mitgliedern derselben. Professor Zimmermann vom Hamburger Johanneum, der bekannte Dramaturgist, von so viel klassischem Geschmack und Lessingschem scharf ätzendem Urtheil, nahm die Stellung eines ältern Freundes und Mentors bei ihm ein; wie Wenige, wußte er die außerordentliche Begabung des Dichters zu schätzen, schmeichelte ihm aber auf keine Weise und konnte auch wohl gelegentlich sarkastisch gegen ihn werden. An Zimmermann, als das derzeitige Hamburger kritische Orakel, hatte sich Heine's Onkel, der Banquier, gewandt mit der Frage: sagen Sie mir, Herr Professor, ist wirklich was an meinem Neffen? worauf Zimmermann natürlich die befriedigenste Antwort ertheilte. Ich weiß nicht, ob es bei dieser Gelegenheit war, wo der originelle und sonst so treffliche Schöpfer eines ungeheuren Vermögens aus Nichts, der Matador der Hamburger Börse, die bekannte Aeußerung von seinem ihm sehr kostspieligen Neffen fallen ließ: hätt' er was gelernt, so braucht er nicht zu schreiben Bücher. – Zimmermann gehörte zu den regelmäßigen Pavillonsgästen, seinem schon derzeitig etwas verdüsterten Gemüth war diese Zerstreuung zur Nothwendigkeit geworden. Unglückliche Familienverhältnisse, Zerfallenheit mit sich und der Welt, drückte seinem energischen Gesicht einen düstern, zuweilen fast grimmig schauenden Stempel auf. In den kurzen Hamburger Krawalltagen vom Jahre 1830 flammte sein Auge auf, wenn er, im Pavillon sitzend, das Volksgetöse von draußen vernahm. Man mußte ihm Bericht erstatten, wie und wohin es ging. In das sinnlose und wüste Treiben legte er Gott weiß welche Consequenzen. Zimmermann war sonst ein deutscher Patriot von ächtem Schrot und Korn. Die Franzosen hatten einen Preis auf seinen Kopf gesetzt. Sein tiefstes Leid oder das Uebel, an welchem der wackre Mann allmählig zusammenbrach, hielt ich für unterdrückte Thatkraft. Heine war anderer Meinung. Er schrieb Zimmermanns innere Verstimmung hauptsächlich dem Umstande zu, daß derselbe zur Zeit seiner Jugendkraft nicht als Producent aufgetreten und über dem Schulmeistern und Recensiren alt geworden; jetzt nage ein ohnmächtiger und wohl nicht mal gerechtfertigter Vorwurf wie ein Geier an seinem Herzen. [. . .]

Zum näheren Kreise des Heine'schen Umganges gehörte auch der Baron v. Maltitz, der Verfasser der »Pfefferkörner«, des »Kohlhaas« u. s. w. Während der genannten Unruhen ließ sich Maltitz nirgends im Oeffentlichen sehen, auch klopfte man vergebens an seine Zimmerthür, sie war und blieb verschlossen. Heine versicherte, Maltitz hege eine übertriebene Vorstellung von seiner Popularität; er habe sich eingesperrt, aus Furcht, vom Volke abgeholt und zum Hamburger Dictator gepreßt zu werden. Denken Sie sich unsern kleinen Maltitz, sagte er lachend, wenn die Hamburger Butjes ihn auf die Schulter nehmen und ihn im Triumph durch den Jungfernstieg tragen; denken Sie sich Maltitz auf eine Tonne gehoben, Reden an das Volk haltend! Man konnte sich den guten Maltitz allerdings in solcher Lage nicht ohne Lachen vorstellen. Der Dämon, der in Gestalt eines Buckels so manchen witzigen Leuten auf dem Nacken sitzt, äußerte sich bei ihm in polternder Schauspielhelden-Manier, und er würde in der That als Hamburger Cicerovacchio auf dem Piedestal einer Tonne eine höchst ergötzliche Wirkung gemacht haben. Hinter seinem Tische in der Grube'schen Restauration im Kronprinzen, war er jedenfalls besser aufgehoben. Maltitz führte grauenhafte Reden, namentlich wenn er Dom Miguel beim Kopf kriegte und mit raffinirter Grausamkeit die Strafjustiz über dies portugiesische Ungeheuer ausübte. Dabei war er der gutmüthigste Mensch von der Welt und hätte keiner Fliege was zu leide gethan. Erzliberal, doch wo nicht stolz, doch eitel auf seinen alten Adel, hatte er sein auf Glas gemaltes Wappen in ein Fenster seiner Wohnung einsetzen lassen, darunter befand sich der Bequemlichkeitsstuhl. Hat er Ihnen schon vom Baseler Tournier erzählt? fragte mich Heine. Denn gewöhnlich erfuhr man in der ersten oder jedenfalls zweiten Unterredung mit Maltitz, daß ein Maltitz urkundlich schon auf dem ersten Baseler Tournier seine Lanze eingelegt habe, was die glänzendste Ahnenprobe sein sollte. Campe und Grube machten damals ein gutes Geschäft mit ihm, ersterer mit den gedruckten, letzterer mit den gesprochenen Pfefferkörnern, womit Maltitz die Unterhaltung an der Gasttafel würzte und Gäste herbeizog.   (296)

271. LUDOLF WIENBARG   Sept. 1830

Artikel über Heine   (*13.9.1857)*

Bei Erwähnung der Hamburger Krawalltage von 1830 fällt mir ein Witzwort ein, das Heine bei jener Gelegenheit losließ. Zur Herstellung der Ruhe wurden sowohl die Hanseaten, das Contingent Hamburgs, als die Bürgerwehr aufgeboten. Beiderlei Truppen erhielten, während sie auf der Straße campiren mußten, eine Stärkung an Brod, Käse u. s. w. Heine behauptete, die Hanseaten hätten Schweizer Käse, die Bürger holländischen bekommen.   (296)

Tagebuch, Hamburg, 10. Sept. 1830

Dr. Heinrich Heine hat mich diesen Nachmittag besucht, was mich immer angenehm und geistig anregt. Er war diesen Sommer im Seebad in Helgoland und sah gesünder und kräftiger aus denn je. Auch er schien mir durch die Ereignisse in Frankreich sehr aufgeregt, wie das denn nicht anders sein kann. Polignac ist ihm, wie er sich ausdrückte, eine ungemein amüsante Person, der ihm durch seine niäse Dummheit viel Spaß mache. Die Vorfälle hier in Hamburg sind ihm sehr empörend, und das mit Recht. Ich äußerte, daß ich alles für vorüber halte. Er meinte, eben der Planlosigkeit wegen könne der Aufruhr jederzeit wieder beginnen. Er hat in großer Begeisterung mehreres Politische geschrieben, worin er jedoch, wie er sagte, durch die hiesigen Vorfälle häßlich gestört worden sei. Er meinte, Preußen müsse Hamburg nehmen, es sei ein Leichtes in diesem Augenblick, wenn es nur Truppen in der Nähe hätte. Ohne mich viel gegen ihn auf Mißbilligung eines solchen Gewaltstreiches einzulassen, riet ich ihm, dergleichen nicht laut zu äußern und sich in acht zu nehmen, indem er sich Verdruß dadurch zuziehen könne. – Auch über meinen Aufenthalt in Berlin habe ich ihm viel erzählt und manches lebhaft und vertraut mit ihm besprochen. Er nimmt alles klar, geistreich und verständig auf. Er ist immer er selbst, wahr und ohne Manier, und daher selbständig in Urteil und Äußerungen. (102)

273. Rosa Maria Assing   10. Sept. 1830

an K. A. Varnhagen v. Ense, Hamburg, 10. Sept. 1830

Eben war Doktor Heine bei mir und läßt Dich bestens grüßen. Er meint, Du müßtest in dieser Zeit wohl sehr beschäftigt sein, da er auf zwei Briefe keine Antwort von Dir habe. Er war in Helgoland im Seebade, und sieht sehr gesund aus, übrigens ist er durch die Ereignisse der Zeit sehr aufgeregt und hat in voller Begeisterung mehreres Politische geschrieben, worin er aber, wie er sagte, durch die Vorfälle in Hamburg häßlich gestört wurde. Er ist empört über die Auftritte hier, und das mit Recht. [. . .] Auch seinem Onkel, Salomon Heine, wurden von einem Haufen mehrere Fenster eingeworfen. Dabei ist dieser einer der wohltätigsten Menschen. (103)

274. ADALBERT V. CHAMISSO   16. Sept. 1830

an Antonie v. Chamisso, Hamburg, 19. Sept. 1830

Am 16ten Morgen[s] traf ich zufälligerweise mit dem Reisebilder-
Heine zusammen, nachdem er vergeblich Jagd auf mich gemacht. Wir
hatten einander ein Paar Stunden in einem Austernkeller, und ich war
mit ihm wohl zufrieden. Daß er eine Macht in unserm litterarischen
Deutschland geworden, verhindert nicht, daß er mit sich sprechen
lasse, und so that ich es denn. Sein Gift nur seinen Feinden, mit unser
einem ist er ein guter Teufel, und im Gespräch ist er gegen Feind und
Freund gerecht, oder läßt sich doch handeln. So gab er auch seine
Ueberschätzung Immermanns Preiß.   (34. 306 b)

275. JOHANN JAKOB SACHS   Sept. 1830

Bericht über die Naturforscher- und Ärzte-Tagung
in Hamburg 1830   (* 1831)

[...] verhehlen mögen wir nicht, wie es uns wirklich leid gethan hat,
daß der Genialste unter der jüngern Generation in Hamburgs Frei-
staate – der in ganz Deutschland so rühmlichst bekannte Lyriker Dr.
Heinrich Heine auch nicht Einmal den öffentlichen Sitzungen beiwoh-
nen konnte, weil er durch die Bevorrechtung Anderer auf sein zufällig
verspätetes Nachsuchen keine Einlaßkarte mehr erhielt. Wie viele
waren nicht in der Gesellschaft, die sich Heine's schönen, lebenskräfti-
gen Talents und heitern frappanten Gedankenspiels, der poetischen
Färbung seiner Ideale und sarkastischen Laune seines Lebensernstes,
seiner sinnerfrischenden Begeisterung für's Vaterland und seines Eifers
für das uralte Menschenrecht – der Freiheit und Gleichheit – innig
erfreuen, und die so gern sich an einer poetischen Ergießung seines
Gemüthes beim seltenen Anblick eines solchen für Wahrheit erglühten
Forschervereins erlabt hätten! Ref. hat Heine mehrmals zu sprechen
Gelegenheit gehabt, und kann Allen, die das viele Geschwätz über seine
Subjektivität und Objektivität in den verschiedenen deutschen Blättern
vor Gesicht bekommen, versichern, daß er auch nicht die entferntesten
Spuren von der ihm so oft angeklagten Zerrissenheit und dem Ver-
düstertsein des Gemüths wahrgenommen. Heine ist, wie schon von
Andern vor uns anerkannt, der Dichter unsrer Zeit, seine Poesie ist
der Spiegel derselben; er sagte selbst es uns, wie die gegenwärtigen
Gährungsprozesse von ganz Europa, die politischen Bewegungen und

Unruhen in allen europäischen Kabinetten mächtig in ihm sich ab-
spiegeln; er fühle sich unglücklich, weil die Gegenwart den schroffsten
Gegensatz zu seinem poetischen Himmel gebildet; mit Gewalt habe er
sich dem Genius der Poesie (von dem er doch mehr wie alle jungen
Dichter unsrer Zeit den Kuß der Weihe empfangen) entrissen, und
seine ganze Aufmerksamkeit nunmehr dem politischen Himmel zuge-
wendet. Was wir in diesem Felde von ihm zu erwarten haben, steht
nun noch in der Zeiten Hintergrund!   (217)

276. LUDOLF WIENBARG   Herbst 1830

      Artikel über Heine   (*20. 9. 1857)

Heine nahm allerdings an den Zeitereignissen den lebhaftesten Antheil, aber ein handelndes oder auch nur schreibendes Eingreifen in
dieselben lag ihm unendlich fern. Politische oder sociale Agitations-
absichten haben ihn nie in seiner Schriftstellerei geleitet. Das Buch über
den Adel ist ihm nur untergeschoben. Er war so wenig und wollte so
wenig Revolutionsmann sein als Regenerator auf andern Gebieten, in
welcher Hinsicht ich nur an sein bekanntes Wort: ich bin der Kränkste
von Allen, zu erinnern brauche. Hätte es von ihm abgehangen, durch
einen einzigen Federzug das Bestehende zu stürzen, die Welt zu verwandeln und anscheinend vollkommene Zustände herbeizuführen, er
hätte sich wohl bedacht. Welt und Leben boten ihm Stoff zur Satyre,
zur charakteristischen Abspiegelung, zu dichterischen Ergüssen, er
hatte seine Sympathien und Antipathien in stärkster Weise und wie es
von ihm als Dichter zu erwarten stand, er konnte schwärmen für große
Charaktere und für die Entfesselung geschichtlicher Kräfte – aber ein
Abgrund trennte ihn von den Leuten da draußen, von dem Gewühl der
Kämpfenden, von den Umtrieben der Lenker und Beweger. Er wußte,
daß ihm diese Zurückhaltung vorkommenden Falls als Aristokratis-
mus ausgelegt, sein freies Urtheil, sein nach allen Seiten hin unschon-
samer Witz ihm zum Verderben gereichen konnte. Bricht nun gar, sagte
er mal, in Deutschland die Revolution aus – sie wird weit schrecklicher
und gründlicher sein als die französische – so bin ich nicht der letzte
Kopf, der fällt. – Zufällig war jener Tage ein deutscher Student in sein
Zimmer gestürzt, der sich für seinen größten Bewunderer ausgab und
ihm in einem Athem die derbsten Grobheiten sagte, ich glaube wegen
seiner laxen Moral und wegen seiner Bewunderung Napoleons. (296)

277. LUDOLF WIENBARG   Okt. 1830

Artikel über Heine   (* *13. 9. 1857*)

Der Ausbruch der Julirevolution warf Heine aus einer mißmüthigen
unproductiven Stimmung in eine fieberhafte Aufregung; er fühlte, daß
sie auch in seinem Leben einen bedeutsamen Abschnitt bilden würde.
Damals recapitulirte er die ältere französische Revolution, namentlich
zog ihn der klassische Mignet an. Als ich eines Morgens zu ihm kam –
er hatte den Tag vorher seine Wohnung verändert – fand ich ihn recht
blaß und leidend, die kleine weiße Hand an das seidene Kopftuch
geschmiegt. Meine Frage nach seinem Befinden klang diesmal ohne
Spur von Ironie, wie wohl zuweilen, wenn sein ewiges morgenliches
Jammern mir ein wenig an Koketterie zu streifen schien. Ich bin abgeschlagen, sagte er. Das hat man von Mignet und der französischen
Revolution. Ich las diese Nacht noch spät im Bett, nein, ich las nicht
mehr, ich sah die Gestalten selbst aus dem Mignet emporsteigen, die
edeln Köpfe der Gironde und das Fallbeil, das sie mit dumpfem Schlag
vom Rumpfe trennt und die heulende Volksmeute, da sah ich nieder
und mein Blick fällt auf die Bettstelle, auf diese abscheulige rothe Bettstelle da, und ich komme mir vor, als liege ich auch schon auf der
rothen Guillotine, und bin mit einem Satz aus dem Bett. Seitdem habe
ich kein Auge zugethan. – Mich rührte die nervöse Erregbarkeit der
Phantasie des Dichters, die mir in ihrer ungeheuchelten Wahrheit vor
Augen lag. Ich wurde seitdem duldsamer gegen manche grelle Gefühls-
partien in seinen Dichtungen, die man nur zu leicht für künstlich char-
girt hält.   (296)

278. LUDOLF WIENBARG   1830/1831

Artikel über Heine   (* *13. 9. 1857*)

Heine selbst besaß nur das Conversationstalent. Daß von seinen feinen
Lippen nicht selten die feinsten Bemerkungen, die köstlichsten Spiele
des Witzes und der Ironie und die drastischsten Schilderungen von
Charakteren und Erlebnissen glitten, werde ich wohl nicht zu versichern brauchen. Auch das Alltägliche und Unbedeutende nahm einen
gewissen Reiz in seinem Munde an. Des richtigen oder vielmehr des
besten Ausdrucks war er bei guter Laune stets sicher und konnte sich
dann auf seine Ueberlegenheit verlassen. Jemand wollte mir eine
lächerliche Anekdote erzählen. Halt, fiel ihm Heine in's Wort, lassen

Sie mich – er wußte nur zu gut, daß die Geschichte bei ihm um zwanzig Procent gewann. Oeffentliche Beredsamkeit war nicht seine Sache, auch wenn sein Organ stärker gewesen wäre. Bei seiner Schüchternheit machte ihn jede größere Versammlung beklemmt. Schon in der gewöhnlichen Unterhaltung lähmte ihm ein etwas barscher Widerspruch oder nun gar ein satyrischer Ausfall die Schwingen. Denn seltsam genug erlag er am ersten der Waffe, deren Meister er war, sobald sie gegen ihn selbst gerichtet wurde; jener stechende, funkelnde Witz, von dem er mal sagt, daß es gut sei, ihn in dieser schlechten Stockjobber-Zeit statt des Degens bei sich zu tragen, wurde ihm treulos, wenn er ihm zu augenblicklicher Vertheidigung dienen sollte. Er war sehr empfindlich gegen derartige Verletzungen; desto besser wußte er die Wirkung seiner eigenen witzigen Ausfälle zu würdigen, er überschätzte sie eher als er sie unterschätzte. – Doch nicht nur die Schüchternheit hielt ihn von öffentlichen und selbst auch nur gesellschaftlichen Reden zurück, er fühlte Abneigung vor allen rhetorischen Aeußerungen und hatte auch keine Gabe dafür. (296)

279. LUDOLF WIENBARG   1830

Artikel über Heine   (* 13. 9. 1857)

Von damaligen mitstrebenden deutschen Dichtern schätzte Heine vorzugsweise Karl Immermann. Diesem war er auch mit dankbarer Neigung zugethan. Immermann war der erste gewesen, der ihn in einer eingehenden geistvollen Recension als einen ächten Dichter begrüßt und bekränzt hatte. Das hat er ihm nie vergessen. Derzeit war Immermanns starker Geist noch immer in die Spätnebel der Romantik und der Shakespearomanie eingetaucht, und es schien mir ungewiß zu sein, ob er die volle Herrschaft über seine reichen Mittel erringen würde, was bekanntlich in seinem späteren, nur zu grausam durch frühen Tod unterbrochenen Schaffen, immer mehr und mehr der Fall war. Eines Tages als ich mit Heine spazieren ging und die Rede auf Immermann kam, fragte ich, halten Sie Immermann wirklich für den großen Dichter? Zur Antwort entwarf er mir in einigen Zügen des Genannten große Natur und Eigenschaften. Nach kurzem Schweigen fügte er stillstehend hinzu: und dann, was wollen Sie, es ist so schauerlich, ganz allein zu sein. –   (296)

Artikel über Heine   *(* 20. 9. 1857)*

Heine hielt sich aufrichtig für den letzten romantischen Dichter Deutschlands. Seinem Verleger sagte er freilich eines Tages nur einfach, Campe, ich bin jetzt der Erste. Worauf Herr Julius Campe, eine Prise Taback nehmend, erwiderte: Heine, die alten Griechen und Römer verehrten verschiedene Gottheiten, Jupiter, Mercur, Apollo und wie sie alle hießen. Jeder Gott hatte seinen Tempel und jeder Tempel seinen Priester. Diese wußten genau, in welchem Ansehen ihre Götter standen, sie hatten dafür den Maaßstab der Opfergeschenke in der Hand, welche die Gläubigen dem Altare darbrachten; welcher Gott die meisten Opfer und Gaben erhielt, der war pro tempore der angesehenste. Nun, Sie sind der Gott, dieser Buchladen ist Ihr Tempel und ich bin Ihr Oberpriester. Ich kann Sie aber versichern, daß es mit den Opfern, die Sie erhalten, ich meine, mit dem Absatze Ihrer Werke, für jetzt noch ziemlich mittelmäßig aussieht. – Beiläufig zu bemerken, war Letzteres wohl nach Verhältniß des großen Rufes gesprochen, welchen Heine schon damals genoß und der in Frankreich und England einen ungleich rascheren und stärkeren Absatz der Werke zuwege gebracht hätte; abgesehen davon, daß Verlegern derartige Aeußerungen des Selbstgefühls der Autoren minder harmlos klingen und ein wenig Dämpfen zu ihrem Geschäfte gehört. – Was aber die ersterwähnte Ansicht Heine's von sich als letztem Romantiker betrifft, so hat er solche nicht allein später öffentlich ausgesprochen, ich erinnere auch, daß er sie schon damals in vertraulichen Stunden gegen mich geäußert hat und daß es ihm am Herzen lag, eben von dieser Seite aufgefaßt und gewürdigt zu werden. Ich erinnere aber auch, daß er in dieser Hinsicht einen ungelehrigen Schüler an mir fand und daß ich ihn als Romantiker nicht gelten lassen wollte [...]. Ich konnte mir Heine um so weniger in solcher Gesellschaft der Romantiker denken, da ihm die nationalen und religiösen Gefühle fehlten, aus welchen die Romantik ihren verwitterten Schleier webte. Die früheste, nicht bei Hoffmann und Campe erschienene Sammlung seiner Gedichte war mir unbekannt, und ich würde auch die dort ausgesprochene Begeisterung für das deutsche Vaterland und die Liebäugelei mit der Jungfrau Maria dermalen nicht so hoch angeschlagen haben; fand er es doch an mir unbegreiflich, daß ich den alten E. M. Arndt verehren und doch ein Jünger des Humanismus sein konnte. Indeß erschien mir in der Folgezeit jene Dichterstellung, die er sich selbst anwies, nicht so übel gewählt zu sein, wenn

sie auch, zu seinem Nachtheil, eine einseitige bleibt. Die tiefen Eindrücke, welche die romantische Schule auf seine Jugend gemacht hatte,
verrieth[en] sich später in seinem Werke gleichen Namens, eine un-
übertreffliche Arbeit, die kein gewöhnlicher Literaturhistoriker, nur
der Geist der Romantik selbst zu schreiben vermochte; verrieth[en]
sich ebenfalls in den wiederholten und bis an sein Lebensende fort-
laufenden Rückbezügen auf jenem Kreise angehörige Personen und
Verhältnisse; verräth sich endlich in seinen Dichtungen selbst, wenn
man sie nicht auf Vollblutromantik ansieht, sondern mit einer stark
gekreuzten Abart derselben zufrieden ist. Er hatte von Tie[c]k die
Ironie und den Witz, den er freilich schlagfertiger zu behandeln wußte,
von Arnim die Kunst der Perspectiven, von Novalis den Silberklang der
Stimme, von Görres die starke Ader der Wortbildungen, von Brentano
die Lust am echten Volksliede und Mährchen, und er verstand sich auf
das Lied wie keiner und wußte es in origineller Form zu reproduciren.
Aber so sehr Romantiker er auch, namentlich durch die volle Blüthe
seines Subjectivitätsgefühles war, so schlug dasselbe doch nach ganz
andern Richtungen hinaus, stand im lebendigen Verkehr mit der Zeit
und der Gesellschaft und gehörte seinem wahren Wesen nach und
einem rein menschlichen, der Klarheit und Schönheit gewidmeten Cultus an, der freilich bei ihm nur sehr unvollkommen zum Durchbruche
kam. Denn am meisten liebte er es, mit seiner Frau Venus die Rolle des
Tannhäuser zu spielen und sich darob verketzern zu lassen, mit den
alten Göttern als Verbannten und Verfluchten heimlichen Umgang zu
pflegen, statt in freier Kraft und Lust seine Neigungen zu vertreten. Er
kränkelte an der Romantik und trieb ihren Hautgout bis auf die
äußerste Spitze.   (296)

281. LUDOLF WIENBARG   1830/1831

Artikel über Heine   (* 20. 9. 1857)

Heine war nicht blind gegen manche seiner Mängel. Er kannte zum
Beispiel genau die Schattenseiten, die sich an die Glanzseiten seiner
Darstellung hefteten. Einem jungen Schriftsteller sagte er mal: Professor Z[immermann] hat ihre Verse gelobt; mit Recht, der Bau (es war
eine metrische Uebersetzung aus dem Griechischen) ist schwungvoll
und elegant, aber das hat in meinen Augen weniger auf sich. Ihre Vorrede hat mich entzückt, ich beneide Sie um Ihre Prosa. – Als der Erwähnte ihn mit etwas spöttischem Unglauben ansah, rief er aus: nein,

nein, das ist kein Compliment von mir, das ist meine aufrichtige Meinung. Sie sind noch ein freies Roß, ich habe mich selbst Schule geritten. Ich bin in eine Manier hineingerathen, von der ich mich schwer erlöse. Wie leicht wird man Sklave des Publikums. Das Publikum erwartet und verlangt, daß ich in der Weise fortfahre, wie ich angefangen bin; schrieb ich anders, so würde man sagen: das ist gar nicht Heine'sch, Heine ist nicht Heine mehr. – Er meinte ohne Zweifel, außer dem beständigen Hervortreten seiner Person, die Häufung der pikanten Beiwörter – in welche ein Mecklenburgischer Professor von ehemals das wahre Wesen der Poesie setzte – überhaupt aber jene überwiegend in sinnlicher Anschauung verweilende, meist so reizende, witzige, das gewählte Bild in künstlerischer Harmonie ausführende, zuweilen jedoch überkünstelte Plastik seines Gedankenausdrucks, eine Eigenschaft seines Styls, die man kaum an demselben missen möchte, die indeß für die Handlung, Bewegung, für die rasche und reiche Gedanken- und Scenenwechselung, wie auch für die mehrseitige dialektische Auffassung der Gegenstände selbst – der Vorzug der Prosa vor der Poesie – ihm wohl nicht selten als hemmende Fessel sich fühlbar macht. Indeß stimmte diese Schreibart wesentlich mit seinem mehr intuitiven als reflektirenden Charakter zusammen. Niemals zergliederte er die Erscheinungen, und es konnte ihm daher auch nicht der entgegengesetzte Fehler des Nergelns und Verschnitzelns zustoßen. Er sah sich die Personen und Dinge an und gab ihnen Namen, nicht selten mit der Originalität eines ersten Spracherfinders, wie Adam im Paradies. Er ließ die Erscheinungen ganz, wenn er sie anders nicht in böser Absicht zerreißen wollte, und auch alsdann schund er sie lieber, als daß er sie zerfetzte. In seinen Betrachtungen war jedesmal eine leitende Idee, in seinen Charakteristiken eine scharf ausgeprägte Marke, in seinen Bildern ein Zug und eine Farbe vorherrschend. – Auf den Höhepunkt seines prosaischen Styls trat er später in den Pariser Correspondenzen in der Augsburger Zeitung, eine Periode, welche die mannigfaltigste Entwicklung seiner Geistesgaben herbeiführte und seinen Scharfblick, seine raschen Aperçüs in der Darstellung der Zustände und Personen der weltbewegenden Stadt bewundern ließ. »Der gute Schriftsteller zeigt sich weniger durch das was er niederschreibt, als durch das was er wegläßt«, war eine seiner gewichtigen Aeußerungen.

So rasch er schrieb, wenn er im Zuge war, konnte ihn doch zuweilen ein Wort, eine Wendung lange aufhalten. Er fand nichts wahrer als die Goethische Bemerkung, daß man mit der deutschen Sprache niemals fertig wird und man jeden Tag auf's Neue an ihr hämmern und bilden muß. Wenn er aber auch über die Sprödigkeit des Materials klagte, so war ihm doch das unerschöpfliche, in die Breite und Tiefe gehende Bergwerk desselben ein Gegenstand der Bewunderung und des fleißigen Pochens. – Seine dichterischen Entwürfe gingen immer erst durch die Hand des Künstlers. Das kleinste frisch empfangene Gedicht war ihm eine Statuette, der er die zarteste Nachhülfe, hier am Finger, dort am Mundwinkel oder an der Wölbung des Auges angedeihen ließ. (296)

282. LUDOLF WIENBARG   1830/1831

Artikel über Heine   (* 20. 9. 1857)

Er sprach ohne Anklang von Dialekt. Nur einmal war ich Zeuge, wie eine leidenschaftliche Aufregung ihm Worte entriß, die sehr an die eigenthümlichen schrillen Kehllaute des Volkes erinnerten, dem er ursprünglich angehörte. Es war beim Hereintreten in sein Zimmer, wo ich ihn im heftigsten Peroriren und fibrirender Arm- und Fingerbewegung einem mir fremden Mann gegenüber fand. Als der Mann sich entfernt hatte, sagte er noch erbittert aber ruhiger und im veränderten Ton: der schändliche Kuppler, er hat mich betrogen – – Ich dachte gleich, erwiederte ich lachend, daß es eine sehr wichtige Angelegenheit sein müsse, die Sie dermaßen in Harnisch bringen konnte. Aehnliche Anklänge und Rückschläge in die frühe Düsseldorf-Kindheit mögen jedoch seine längsten und besten Freunde bei ihm nicht beobachtet haben.

Heine war derzeit noch sehr befangen und unfrei in Betreff der Vorurtheile, die sich gegen ihn wegen seiner Abstammung erheben mochten und bekanntlich auch nichtswürdigerweise von einem Platen u. s. w. gegen ihn ausgebeutet wurden. Erst in seinen späteren Lebens- und Krankheitsjahren lüftete er den Vorhang seines Innern und offenbarte so menschliche als poetische Sympathieen mit dem Volke der Zerstreuung, dem Volke seiner Väter. Im Romancero ward er der Romantiker des Judenthums; [. . .].

Außer seiner Familie kam er in wenig Berührung mit Juden; er mied und wurde gemieden, wenigstens von denjenigen, welchen die Religion der Väter noch ehrwürdig war und welche dem witzigen Spötter vielleicht alles, nur nicht seine Jehovah-Spöttereien verziehen hätten. (296)

Als die [Henriette] Sonntag nach Hamburg kam, schrieb ich eine kleine Broschüre »die Prima Donna in Hamburg«. Die Art und Weise ihres Auftretens, zwei Ehrenkavaliere von der Berliner Garde, die sie begleiteten, und sich wie närrisch gebehrdeten, ein Hamburger Enthusiast, der sich vor seinen Mitbürgern lächerlich machte, Alles dies zusammen gab Stoff zur Satyre. [...] Ich setzte mich nieder und schrieb einige scherzhafte Sonnette und Romanzen, und Campe ließ sie drucken.

Bald darauf verbreitete sich das Gerücht, Heine hätte eine Broschüre gegen die Sonntag herausgegeben. Obgleich ich nicht daran gedacht hatte, das Publikum auf diese Vermuthung hinzulenken, so wollten Einige doch eine Aehnlichkeit mit der Heine'schen Manier gefunden haben, und es ist sehr möglich, daß die Buchhandlung selbst diese Meinung bereitwillig unterhielt. Heine war es nicht angenehm, wie man sich leicht denken kann, er that aber nichts, den Wahn zu zerstören.

Spazierengehend, zog er einmal die Broschüre aus der Tasche und rezitirte eine Romanze daraus, die mit den Worten anfängt:

Amphion erbaute Theben,
Dem Arion dient' ein Fisch –

»Diese Romanze ist mein Unglück«, sagte er in seiner Weise bitter lachend. –

Ich hatte Campe das Versprechen abgenommen, mich nicht eher zu nennen, als bis die Sonntag weggereist seyn würde. Daß er es dann thun würde, war vorauszusehen. Nun wußte es auch Heine bald, und es belustigte ihn sehr. Doch konnte er sich eine kleine Rache nicht versagen.

Eines Abends war er mit mehren Freunden bei mir. Wir wollten eben zu Tische gehen, als er seinen Hut ergriff und versicherte, nicht da bleiben zu können. So auf dem Sprunge brachte er noch die Broschüre auf's Tapet. Er warf die Frage auf: ob man ihn noch für ihren Verfasser halte? – Sogleich ergriff Maltitz das Wort und ergoß sich in seinem Eifer in Schmähungen über das Machwerk, und wie er nie geglaubt habe, daß Heine dessen Verfasser seyn könnte. Ich gab ihm nicht Unrecht, denn auch mir wäre es wahrlich nie eingefallen. Einige Andre noch stimmten Maltitz bei, und lästerten und schimpften gewaltig auf den armen Satyriker, ohne zu wissen, daß sie mit ihren Pfeilen ihren armen Wirth selbst trafen. Heine aber empfahl sich gewandt und rief: »Nun denn, der Verfasser der Broschüre ist Herr Lewald, und es wird ihm eben so leid thun als mir, ihren Beifall nicht errungen zu haben, meine Herren!« – Er ergötzte sich noch eine Weile an der verlegenen Miene meiner Gäste, dann drückte er mir lachend die Hand und lief hinaus. – (151)

284. Johann Peter Lyser 1830

Erinnerung an Hamburg *(* 1847)*

Mit Heine traf ich sehr oft bei Lewald zusammen; wir fanden dort auch gewöhnlich den ehrlichen Maltitz, der der schönen Madame Lewald seine Gedichte vorlas, während Heine, Lewald und meine Wenigkeit Witze rissen, oft auf Unkosten des Vorlesers, der sich aber dadurch nicht stören ließ, sondern nur noch ärger schrie, als er dies für gewöhnlich beim Vorlesen that. (161)

285. Rosa Maria Assing 23. Dez. 1830

Tagebuch, Hamburg, 23. Dez. 1830

Heinrich Heine hat uns besucht. Er kam sein Exemplar der »Sterner und Psitticher« abzuholen, welches mein Bruder für ihn dem unsrigen beigelegt hatte. Er äußerte sich gegen die Poesie des Rittertums und zugleich gegen die schwäbischen Dichter, Uhland, Schwab, Kerner. Dadurch hat er es wieder ganz mit Assing verdorben. Ich sagte ihm, er solle ja den chevaleresken Sinn unangefochten lassen, ohne welchen die Männer höchst unliebenswürdig sein würden. Er erwiderte, er bemühe sich, ihn überall totzuschlagen. Ich versicherte ihm, das würde ihm nie gelingen. (102)

286. Theodor Mundt 1830

Bericht über Hamburg *(* 1838)*

Man trägt sich noch in der hamburger Gesellschaft mit vielen seltsamen Gerüchten über Heine, die aber mehr zur Charakteristik Hamburgs dienen als zu der Heine's. Er hat einmal mehrere Damen nicht gut unterhalten, und sie können es ihm noch immer nicht vergessen, daß er erst stumm dagesessen und nachher blos vom Wetter zu reden angefangen. Sie versicherten mich auf das Bestimmteste, daß das kein großer Dichter sein könne, der blos vom Wetter mit ihnen spräche, gesellschaftlich so ungeschickt und unbrauchbar sei und nachher maliciöse Verse auf sie mache. Vergebens entgegne ich, daß ein großer Poet nicht auch dafür gut sei, in den Gesellschaftszimmern einen Hannswurst der Unterhaltung abzugeben. Man liebt aber in Hamburg gar zu sehr die gute Unterhaltung. – –   (186)

287. François Wille   1830/1831

Heine-Erinnerungen   (*1867)

Ich sah H[eine] zuerst nach der Julirevolution und vor seiner Abreise nach Paris, 1831 in einer Vorlesung des Hamburger Professors Wurm über neuere Englische Literatur. Sobald er mir gezeigt war, ließ mein Blick nicht mehr von ihm, bis der jugendliche Bewunderer sich von ihm entdeckt sah und nur noch verstohlen hinzusehen wagte. H[eine] sah zuweilen nach mir herüber, ob ich ihn noch anstarre, und die Unruhe, die ihn unter den musterhaft ruhig dasitzenden Zuhörern auszeichnete, vermehrte sich für den, der ihn genauer beobachtete. Er war immer in Bewegung, blickte bald vor sich, bald mit blinzelnden Augen unter den Anwesenden umher, legte die Hand vor die Stirn, rieb an Kinn, Nase und Mund oder veränderte seine Stellung auf dem Stuhle und hatte sich vor dem Ende der Vorlesung entfernt. »Ich hätte damals meine Hand darum gegeben, hätte ich Sie hören, mit Ihnen sprechen und Ihnen sagen können, wie Ihre Gedichte mich ergriffen« sagte ich ihm zwölf Jahre später. »Sie geben aber gewiß jetzt nicht das kleinste Stück des kleinen Fingers darum« erwiderte H[eine] lächelnd. – Als wir, kommerschirende Gymnasiasten ihm unter den Fenstern seiner Sommerwohnung in Wandsbeck ein Hoch brachten, war er nicht zu Hause, und ich sah ihn nur noch einmal auf der Straße, wo er im Gehen, mit dem unbefangnen Behagen eines Italieners eine große Apfelsine aussog, unbekümmert über das Befremden der Vorübergehenden über ein solches an einem anständig gekleideten Hamburger noch nie erlebtes Benehmen. Es war auch kein einziger hanseatischer Autochthone, von dem er hätte ernsthaften Hamburger Anstand lernen können, in dem Kreise, in welchem er mittags in dem »Schweizer Pavillon«, einem

Caféhause an der Alster, verkehrte: Künstler, Schriftsteller, Gelehrte, die niemals Oberalter oder Senator werden konnten: der Sänger und spätere Direktor in Wien und Hamburg, Julius Cornett, der in der französischen Spieloper nie wieder erreicht worden, und zwei Mitglieder der Hamburger Bühne aus ihrer alten guten Zeit, der feine Komiker Lebrun und der ausgezeichnete Charakterdarsteller Joost (später in München), ein sich als »tauber Maler« und »Neffe Louis van Beethovens« aufspielender Literat Lyser, ein gewaltig radikaler und gewaltig buckliger Baron von Maltitz, Herausgeber der »Pfefferkörner« und des »Norddeutschen Couriers«, der noch zu Hoffmanns Serapionsbrüdern mit Chamisso, Ludwig Devrient und Hitzig gehört haben wollte, aber aus Berlin ausgewiesen war, weil er bei einer Illumination 1830 das Transparentbild des Kronprinzen an einem langen Strick ans Fenster gehangen hatte mit der Unterschrift: »An diesem Strick hängt unser Glück!« Heine liebte es, ihn durch immer neue Enthüllungen über die teuflischen Pläne der Tyrannen und Jesuiten in Aufregung zu versetzen; endlich gehörte außer mehreren, von denen sich nichts sagen läßt, als regelmäßigster Gast zu diesem Kreise und als der geistig Bedeutendste ein Professor der gelehrten Schule Zimmermann, 1813 unter Mettlerkamp freiwilliger Jäger und von Napoleon in die Acht erklärt, als Professor voll archäologischer Gelehrsamkeit und feuriger Lehrkraft, auch Herausgeber Hamburger dramaturgischer Blätter, die mit Achtung genannt wurden. Während ein Kollege von ihm, Professor Ulrich, den Schülern Platens romantischen Oedipus und dessen etwas gar zu witzlosen Angriffe gegen Heine mit Entzückung vorgelesen, las Zimmermann uns aus dem dritten Teile der »Reisebilder« vor und setzte auseinander, wie die Schöpfung so plastisch lebensnaher Gestalten wie Gumpelinos und Hirsch-Hyacinth den echten Dichter zeige. Ich ging einmal nach der Vorlesung mit ihm vom Saal unseres akademischen Gymnasiums bis zum Café, wo er Heine traf, um von ihm etwas Näheres über dessen Persönlichkeit zu erfahren. Aber wie entsetzte der Professor den von Begeisterung für den Dichter der »Jungen Leiden und Nordseelieder« erfüllten Gymnasiasten, als er auf irgendeine schüchterne Bemerkung desselben hohnlachend ausrief: »Der und tiefes Leiden! wenn er nur ein Herz hätte!«   (298)

Erinnerungen an Hamburg   *(* 1847)*

Bei Georg Lotz, dem Herausgeber der »Originalien«, wurde der dritte
Reisebilder-Band unbarmherzig kritisirt, namentlich machte Lotz sich
über das Selbstlob lustig, welches Heine sich in dem Kapitel spendet,
wo er sein Gespräch mit einem Adler erzählt, welchem er am Schlusse
räth, sich beim ersten besten Lorbeerbaume nach seinem (Heines)
Namen zu erkundigen. Ich vertheidigte Heine, und fragte, wie man
denn das für Ernst halten könne. »Alle Welt hält es dafür« versetzte
Lotz, und ärgerlich rief ich: Das ist nicht möglich, das muß ja ein Kind
sehen, daß Heine sich hier über sich selber lustig macht. Das hatte
Freund Lotz gewollt, und mit anscheinender Gutmüthigkeit forderte er
mich auf, Dieses doch in einem kleinen Aufsatze für die »Originalien«
auseinanderzusetzen. Ich ging richtig in die Falle, und schrieb einen
Aufsatz unter dem Titel »Adler und Lorbeerbaum«, worin ich mit
großem Ernste bewies, wie das Selbstlob, welches Heine sich ertheilt,
nur die bittere Ironie eines mit sich selbst unzufriedenen und Schwächen sich bewußten Dichters sei. Als Madame Lotz ihrem blinden
Gatten meinen Aufsatz vorlas, hätt' ich freilich an dem Mefistofeles-
Grinsen des alten Fuchses merken sollen, was für eine Eselei ich wieder
einmal begangen, allein ich hatte Alles so ernsthaft und ehrlich gemeint, daß ich mir eher des Himmels Einfall hätte traumen lassen, als,
daß meine Vertheidigung Heines die bitterste, beißendste Satire auf
denselben sei. Lotz druckte meinen Aufsatz, und Heine rührte der
Schlag, als Madame Lotz ihm denselben bei einem Besuche vorlas; am
anderen Morgen erhielt ich folgendes Billet.

Lieber *** !
Gestern war ich bei dem guten Herrn Lotz, und Madame Lotz, die
liebe Dame, machte mir die Freude, und las mir Ihre Vertheidigung
meiner Selbstrevange vor, wobei der gute Lotz es an den essigsauersten
Bemerkungen nicht fehlen ließ, so daß ich ganz *zerknirscht* von so viel
Liebe, Güte und Wohlwollen dasaß, um so mehr, als Ihre schöne Braut
von Corinth eben anwesend war. Sie haben Ihre Sache recht schön
gemacht, und ich bin ganz mit Ihnen einverstanden, daß es *lächerlich*
von mir wäre, im Ernste zu sagen, ich sei ein großer Dichter. Ich bin
Ihnen sehr dankbar für so viele Freundschaft. Lassen Sie Sich doch
einmal bei mir sehen.
                                        Ihr   Heinrich Heine.

Nun gingen mir freilich die Augen auf; ärgerlich lief ich zu Lotz, wo ich furchtbar ausgelacht wurde, von da zu Campe, der mir ruhig sagte: Wie können Sie den eitelsten Menschen auf Gottes Erdboden nach *sich* beurtheilen? Endlich ging ich zu Heine, und sagte in meiner damaligen Sprechweise: Ich habe eine Eule gefangen, aber warum segeln Sie auch immer vor dem Winde, und setzen alle Linnen bei; Sie könnten immer Ihr Topsegel brassen, und kämen auch noch mit einer halben Brise schneller vorwärts, als viele Andere. Heine, dem, was ich eigentlich sagen wollte, wohl nicht deutlicher war, als den meisten meiner Leser, merkte doch soviel, daß es eine Entschuldigung sein sollte, daß ich Alles ernstlich und wirklich gut gemeint habe. Er lachte jetzt selber, und so waren wir wieder die besten Freunde. (161)

289. Maria Embden-Heine 1825–1831

Familienüberlieferung (*1882)

Heinrich Heine nannte seinen Onkel [Salomon] »den goldigen Onkel«, doch wollte er einige goldene Früchte pflücken, so mußte er früh morgens zu ihm.

Sein langjähriger Kammerdiener Heinrich empfing ihn im Vorzimmer und des Dichters erste Frage war: »Heinrich, was haben wir für Wetter?« War der Onkel böser Laune, dann erwiderte er: »Stürmisches Wetter, Herr Doctor, besser Sie kommen heute Abend wieder.« (57)

290. (K. A. Varnhagen v. Ense) 1831

Heine-Anekdoten (*20. 3. 1856)

Heinrich Heine schrieb seinem Onkel Salomon Heine in's Stammbuch: »Lieber Onkel, leihe mir hunderttausend Thaler und vergiß auf ewig Deinen Dich liebenden Neffen H. Heine.« (261)

291. August Lewald Ende April 1831

Heine-Erinnerungen (*1836)

Im Frühjahr 1831 beschloß er endlich nach Paris zu gehen. Auf den ersten Mai wurde die Abreise bestimmt. Tages vorher brachte ich noch viele Stunden in seiner Gesellschaft zu. Er theilte mir seine Vorsätze und Pläne mit und wir beriethen uns als treue Freunde. Eine hübsche Zeichnung von Lyser aus der Harzreise schenkte er meiner Frau. Er selbst saß darin, in luftiger Wandertracht, nachläßig in der Hütte des alten Bergmanns, der mit seinem spinnenden Weibe, halb abgewendet am Fenster hockte, und Zither spielte. Der Mond schien herein. Vor ihm lag das junge Mädchen, auf dem Fußschemel knieend und sprach die Worte, die er selbst unter die Zeichnung geschrieben hatte:

»Daß Du gar zu oft gebetet,
Das zu glauben wird mir schwer;
Dieses Zucken Deiner Lippen
Kommt wohl nicht vom Beten her.«

Mir gab er die Abbildung einer Kirche in Lucca, beim Abschiede. Er hatte darunter geschrieben:

»Die Kirche siehst Du auf diesem Bilde,
Worin zu heiliger Stimmung bekehrt,
Signora Franceska und Lady Mathilde,
Mit Doctor Heine die Messe gehört.«

Das Liebste aber, was ich von ihm erhielt, waren seine neuesten Lieder im Manuscript, auf einzelnen Blättchen, wie er sie niedergeschrieben hatte, mit allen Veränderungen. Er ließ sie später unter dem Titel »neuer Frühling« im Morgenblatt abdrucken. Zuerst sollten sie um Neujahr mit Kompositionen von Methfessel erscheinen. Dieser etwas schläfrige Mensch wußte aber die Auszeichnung, die ihm durch den Antrag eines solchen Dichters zu Theil wurde, nicht gehörig zu würdigen, und zögerte mit seinen Noten so lange, bis Heine andre Gedanken bekam. – (151)

292. ALOYS CLEMENS   9.–15. Mai 1831

Artikel über Heine in Frankfurt   (*29. 10. 1854)

Im Frühling 1831 verließ Heine das deutsche Vaterland, weil es, seinem eigenen Geständnisse nach, in Spandau wohl Ketten, aber keine Austern gibt, [. . .]. Welche Gründe ihn auch in der That nach Frankreich trieben, mir einerlei; seine Reise führte ihn über Frankfurt. [. . .]
Die Erschütterungen, welche die Julirevolution in den Gemüthern hervorgerufen, bebten noch durch alle Schichten der Gesellschaft, [. . .].

Da ward uns die Kunde, Heinrich Heine werde auf seiner Reise nach Frankreich unsere Stadt berühren. Ich muß gestehen, daß ich mich auf seine nähere Bekanntschaft lebhaft freute. [...] Damals lebte, las und schrieb in unserer Stadt Jean Baptiste Rousseau, einst Heines Studiengenosse in Bonn, der uns gar manches ergötzliche Gedichtchen von ihm mitzutheilen wußte, das vermuthlich in der Gesammtausgabe seiner Werke bei Campe fehlen dürfte. Auch manches Histörchen von unserm Dichter erheiterte unsere Abende. So jene Verse in Sydows Album, der ihm in Bonn ein Blatt aus demselben überreichte. Heine nahm es an, sezte sich, etwas hineinzuschreiben, an den Tisch. Da sah er den in seinem Alter noch rüstigen Deklamator zu seiner Verwunderung hinkend im Zimmer umhergehen. »Warum hinken Sie, Sydow?« – »Ach Gott, meine Hühneraugen schmerzen mich so sehr!« – Eine kleine Pause, und Sydow hatte das gewünschte Blatt in den Händen, worauf die Worte:

Augen, die nicht ferne blicken,
Und auch nicht zur Liebe taugen,
Aber ganz entsetzlich drücken,
Sind des Sydow Hühneraugen.

Zur Erinnerung an
Heinrich Heine.

Endlich am 9. Mai erhielt ich von Pfeilschifter eine Einladung auf den folgenden Abend, mit der Bitte, nicht zu fehlen, Heine würde bei ihm essen. Pfeilschifter war damals Redakteur der Frankfurter Oberpostamtszeitung. Heine und Pfeilschifter! Konnte man sich entschiedenere Gegensätze denken? Pfeilschifter, wie er bei Allen gilt, die ihn nicht näher kennen, der Obscurant, der Jesuit, der Ultramontane, und wie alle die Ehrentitel noch heißen mögen, die man von jeher an ihn verschwendete – und Heine, der freisinnigste Dichter, damals der Liberalste aller Liberalen, nicht allein der Verehrer Kronions und des ganzen Olymps, sondern der frisch von Berlin angekommene Hegel'sche Gott in eigener Person. Man hat wohl Recht: Berge und Thäler begegnen sich nicht, aber Menschen.

Indessen diese Gegensätze sollten sich am heutigen Abend nicht berühren. Wir saßen erwartend um den runden Tisch, aber Heine ließ sich entschuldigen, hatte Verhinderung, Abhaltung, hoffte aber die ganze Gesellschaft morgen bei Rousseau zur Chokolade zu finden.

Hier sah ich ihn denn zum erstenmal. Dieser blasse junge Mann, mit dem feingeschnittenen Gesichte, den verschwimmenden Augen, den weichen blonden Haaren, den feinen, in Glacéhandschuhen steckenden Händen, in eleganter schwarzer Kleidung, eine Rose im Knopfloch, eine andere zwischen den spielenden Fingern, der sich so vornehm nachlässig auf dem Canapé wiegt, der statt zu sprechen nur lispelt und über Alles so vornehm ab – lispelt, dieser Metternich en miniature – das wäre mein jugendlich frischer, frivol kecker Liederdichter! – Daß doch die großen Männer so selten dem Bilde gleichen, das man sich in der Ferne von ihnen entwirft!

Am Abend des 12. Mai, eines blühenden Himmelfahrtstages, fand sich die ganze muntere Gesellschaft bei mir zusammen. Wir spielten bis tief in die Nacht jeux d'esprit, machten Boutrimes, führten Sprüchwörter auf und ließen Charaden enträthseln. Heine war allerliebst. Einer Dame aus der Gesellschaft ward eine zweisylbige Charade aufgegeben. Als die Reihe an Heine kam, ließ er sich so vernehmen:

> Die Erste lieb' ich unter mir,
> Die Zweite über – haupt,
> Das Ganze täuschet für und für,
> Daß Niemand mehr ihm glaubt.

Das Wort war Roßkamm. Heine und Rousseau hatten ein Sprüchwort aufzuführen, welches, ist mir entfallen. In der Darstellung kam die Rache eines Recensenten vor. Rousseau war der Recensent, Heine der Dichter. Ersterer saß am Schreibtische; die Thüre flog auf, der Dichter trat in der leidenschaftlichsten Stimmung herein: »Sie sind also der Elende, der sich unterfing, eine so niederträchtige Recension auf mich zu schreiben! Endlich habe ich Sie gefunden! Leugnen Sie nicht! Ich weiß, daß Sie es sind, der mich auf ewig todt zu machen dachte. Jezt ist die Reihe an mir! Fort mußt du, deine Uhr ist abgelaufen!« – »Wie, was, Sie wollen mich doch nicht ermorden?« – »Das zu thun bin ich sehr gesonnen. Aber nicht bloß tödten will ich Sie, nein langsam zu Tode quälen, wie Sie mich gemartert!« – »Hülfe, Hülfe, Rettung!« – »Alles ist umsonst. Wir sind allein. Die Thüre ist abgeschlossen. Bube, dein leztes Stündchen hat geschlagen!«

Mit der Rechten drückte der schmächtige Heine den langen Rousseau in den Sessel zurück, mit der Linken hatte er im Nu die Glasthüre eines Bücherschranks geöffnet und die vorher zurecht gelegte Urania von Tiedge herausgerissen, und begann nun mit eintönigster Stimme von der Welt zu lesen, zu lesen, zu lesen. – Der Recensent ertrug dieß eine Weile mit Muth, dann ward's ihm schlecht, er fing an sich zu drehen und zu winden, fiel auf die Kniee, bat erbärmlich um Gnade, nur um eine Stunde, nur um eine Minute Frist, sich zu erholen. Umsonst! Der Dichter blieb unerbittlich und las und las. Der Recensent wurde still und immer stiller, zuckte ein paarmal, und endlich

> Saß er eine Leiche
> In dem Sessel da,
> Nach dem Buche noch das bleiche,
> Starre Antlitz sah.

»Ich habe ihn todt gelesen«, rief Heine triumphirend; »so sollte es allen Recensenten ergehen!«

Als ich Heine einige Tage später im Schwanen, seinem Gasthofe, besuchte, fand ich eine andere Notabilität des Witzes und der Laune bei ihm. Es war Saphir, der wohlbekannte Saphir, derselbe, der mir einige Tage zuvor, als er mir in der Promenade begegnete, auf die Frage, wie ihm unsere Anlagen gefallen, die für einen Frankfurter höchst schmeichelhafte Antwort gab: »Der Umgang um die Stadt ist auf jeden Fall angenehmer, als der Umgang in der Stadt.« – Und dennoch war Saphirs Witz im Allgemeinen harmloser, als der Heines. Er bestand meistens in Wortspielen, Calembourgs, während Heines Witz sich mehr an Personen, Verhältnisse, Zustände hielt, zwar seltener als der immer sprudelnde Saphirs, dafür aber auch schärfer, schneidender, verletzender war.

Ueber die politischen Fragen des Tags sich in dieser bewegten Zeit mit Heine zu verständigen, war rein unmöglich. Er war der blutdürstigste aller Republikaner, und besonders war ihm das herrschende Justemilieu, das Gotha der damaligen Zeit, ein Greuel. »Bedenken Sie doch, wie viel durch dieses System erhalten, gerettet worden ist. Welche Ströme Blutes müßten fließen, sollte das constitutionelle Prinzip wieder einem demokratischen Absolutismus, einem neuen Convente weichen!« – »Mein Gott, lassen Sie fließen!« – Ich blickte verduzt meinen jungen Barnave an. Die Worte des älteren fielen mir bei: «Le sang qui coule, est il donc si pur?» – Wahrhaftig, ich bin Wundarzt und habe im Leben wohl mehr Blut fließen sehen, als alle diese Herren von der Feder. Daher mag es wohl kommen, daß ich mit diesem »ganz besondern Safte« nicht so verschwenderisch bin, als die in's Große gehende Antiphlogose dieser Umsturzhelden.

Freilich, zwischen Wort und That liegt noch eine bedeutende Kluft. Unser Heine selbst hätte als Mitglied eines Wohlfahrtsausschusses weit lieber mit einer Marquise de l'ancien régime bei Austern und Champagner ein Schäferstündchen gefeiert, als sie, wie ein zweiter metaphysisch grübelnder, alles nivellirender St. Just, aus purer Volksbeglückungssucht zur Guillotine geschickt. Heine mit seinem feinen, blassen Gesicht, seinen zarten Händen, seinen aristokratischen Manieren war von jeher nur in Worten ein Republikaner, im Herzen der exklusivste Aristokrat. (38)

293. MORITZ OPPENHEIM   Mai 1831

Memoiren   (*1924, posthum*)

Um jene Zeit kam Heinrich Heine nach Frankfurt; er hatte sich bereits durch seine Schriften einen Namen gemacht, vornehmlich durch seine Reisebilder, deren Witze in jüdischen Kreisen den meisten Anklang fanden, weil sie dort am besten verstanden wurden. Ich malte ihn; später verlangte er von Paris aus sein Porträt von mir für seinen Verleger Campe, dem ich es auch zuschickte. An einem Samstag war Heine zu Mittag mein Gast; ich hatte noch einige seiner Verehrer gebeten und ihm zuliebe echt jüdische Küche bereiten lassen: »Kuchel und Schalet«, die Heine sich auch sehr gut munden ließ. Ich bemerkte scherzend, daß er bei dem Verzehren solcher Gerichte wohl Heimweh empfinden müsse, wie ein Schweizer, der in der Fremde den Kuhreigen hört. Dadurch kam die Rede auf seine Taufe: auf die Frage eines Gastes, was ihn dazu bewogen habe, da er doch in seinen Schriften mit dem Christentume auch nicht gerade glimpflich umgegangen sei, entgegnete Heine ausweichend: »Es komme ihm schwerer, sich einen Zahn ausziehen zu lassen, als seine Religion zu wechseln.« In einer seiner späteren Schriften, von seinem Aufenthalt in Frankfurt sprechend, erzählt Heine von dem guten Schabbes-Essen, das er bei dem nachmaligen Geh. Rat Stiebel genossen habe. Nun erinnerte er sich aber gewiß genau, daß er solches Schabbes-Essen nicht bei dem Genannten bekommen hatte, und ohne Zweifel berechnete er mit Malice, daß es den neugetauften Juden ärgern müsse, wenn diesem noch eine alttestamentarische Küche angeheftet werde; ich habe mich überzeugt, als ich einst mit Dr. Stiebel davon sprach, daß Heines Nadelstich seinen Zweck nicht verfehlt hat. (191)

294. JOHANN BAPTIST ROUSSEAU   Mai 1831

Artikel über Heine   *(* 5. 3. 1840)*

Vom Sturm der Julirevolution mitergriffen, eilte Heine [...] von Hamburg plötzlich über Frankfurt nach Paris. Er kehrte damals bei mir ein und brachte mir noch jene alte Liebe mit, die er mir von Jugend auf gewidmet, [...].
Was aber unsere religiösen und politischen Ansichten betrifft, so fanden wir diese so völlig divergierend, daß jeder die des andern anzugreifen in die Lage kommen könnte. Und dieser Fall, der so häufige, daß Meinungen und Grundsätze ohne Rücksicht auf Freundschaft durchgefochten werden müssen, trat bald auch bei uns ein. (213)

295. MORITZ GOTTLOB SAPHIR   Mai 1831

Memoiren   *(* 1855)*

Im Jahre 1826–27 [!] waren wir eines Abends in Frankfurt am Main zusammen, Börne, Heine und ich. Wir sprachen vom Judentum und Christwerden.
Börne in seiner großartigen Gesinnung, Börne in seiner offenen und redlichen Wahrheitsliebe, er hat nie geleugnet, daß er ein Jude war, er sagte mir an demselben Abend:»Der ist mehr Christ, der sich das Christentum *erworben* hat, als der es *geerbt* hat; sowie der mehr Verdienst hat, der sich sein Vermögen erworben hat, als der es geerbt hat.«
[...]
Heine sträubt sich mit Händen, Füßen, Federn und Liedern dagegen, daß er ein Jude ist, er spricht nur von seinen jüdischen»*Vorfahren*«, von seinen *Voreltern*, die Juden waren.
Ist das nicht kleinlich von einem so großen Geist, ist das nicht dumm von so einem klugen Kopfe?   (223)

296. ADOLF STRODTMANN   Mai 1831

nach anonymer Überlieferung   *(* 1867)*

An der Wirthstafel des Hotels traf er *[Heine]* mehrmals mit Saphir zusammen, und die witzige Unterhaltung der beiden geistreichen Männer lockte zahlreiche Gäste an. Einst erzählte ein Fremder, daß der Kurfürst von Hessen in Folge der Unruhen in seiner Hauptstadt, um den Bewohnern der Residenz seinen Unwillen zu erkennen zu geben, alle Ruhebänke auf der Wilhelmshöhe habe entfernen lassen. Saphir bemerkte sogleich: »Dann werden seine lieben Kasselaner sich in einem permanenten Aufstande befinden.« – »Saphir! Saphir!« rief Heine aus, »Wer wird Witze ohne Honorar machen?« – »Besser, als Honorar ohne Witz!« gab der boshafte Saphir schlagfertig zurück.   (249)

1831
Paris

Aufenthalt in Boulogne-sur-mer

297. Philarète Chasles   Juli 1831?

Artikel über Heine   (* 1. 2. 1835)

C'était la dernière des trois journées historiques de juillet 1830 [!].

Le soleil ne s'était pas mis en frais; une pluie piquante, drue, impétueuse, colère, allait battre par larges flaques d'eau les croisées parisiennes. On voyait les parapluies marcher contre le vent, et les chevaux, irrités par les gouttes qui leur étaient lancées comme des dards aigus, redoubler de vitesse. [...]

Je sortais du Carrousel par une de ces arcades boueuses et triomphales où la bise et la pluie s'engouffrent avec tant de fracas et sous lesquelles une foule de promeneurs craintifs se pressait en cherchant asile. Je me dirigeais du coté du pont Royal, examinant sur ma route bien des visages mécontents, bien des démarches désorientées par l'ouragan imprévu. Au moment où je me trouvais devant le pavillon Marsan, je remarquai un petit homme blond, trapu, accoté contre le parapet, qui protégeant d'une main son chapeau humide regardait le monde venir et l'orage passer. La nue se déchira, laissa tomber sur sa chevelure ondoyante un rayon de soleil et éclaira une physionomie originale. Je regardai attentivement le personnage.

C'était une de ces tournures qui ne vont ni à l'homme du monde, ni au commis-voyageur, ni au badaud, ni au rentier, ni au fat, ni au désœuvré, ni à l'ouvrier, ni au marchand. Quand le soleil eut tout à fait repris son poste, le personnage remit tranquillement ses mains dans ses poches, et continua son travail; ce travail consistait à regarder. Je le regardai à mon tour. Je marchai lentement devant lui. J'affectai beaucoup de curiosité pour les petites plantations qui entourent les bains Vigier; je revins sur mes pas, je tournai tout autour de l'observateur que j'observais. Son air étrange m'avait frappé; il me semblait que j'avais rencontré sur mon chemin une énigme inexpliquée.

J'aime ces hommes qui ne ressemblent à personne; il arrêtait complaisamment et tristement ses regards sur les enfants qui passaient, sur les jeunes femmes qui luttaient contre un dernier souffle d'orage et se réjouissaient d'un commencement de beau temps; sur les décrotteurs qui revenaient prendre leur place et glapir l'annonce de leur industrie. Il y avait dans l'attitude de cet homme quelque chose de si insouciant et de si triste, dans son regard quelque chose de si prolongé et si vibrant, dans sa curiosité je ne sais quoi de si peu français, dans sa badauderie une teinte de germanisme si rêveuse, dans son air goguenard un mélange de mélancolie si drôle, que je pensai beaucoup à lui lorsque je l'eus perdu de vue. Ne savez-vous pas que tous les hommes remarquables ont été des observateurs de grands chemins? Que pourrez-vous apprendre dans les salons? Tout au plus la tapisserie, l'ébénisterie, la miroiterie, la mercerie, la perruquerie, l'art de faire et de placer les corsets et les habits, ou autres sciences de la même nature; la grande science de l'homme est une vraie science de la place publique. [. . .]

Je retrouvai dans le monde mon observateur germanique; et je l'y revis brillant, étourdissant, admiré, haï, recherché, imité; c'était Henri Heine, [. . .].   (35)

Es war an einem Jahrestage der Julirevolution; die Sonne hatte keine Festtagslaune, ein dichter Schlagregen prasselte in derben Güssen gegen die Fenster, die Regenschirme segelten wider den Wind und die Pferde, ungeduldig ob den Tropfen, die wie Pfeile auf sie schoßen, rissen ungestümer an den Strängen. [. . .] Ich ging auf Pontroyal zu und sah unterwegs manches verdrießliche Gesicht, manche Beine, welche der plötzliche Sturm aus dem Takt und aus der Richtung gebracht hatte. Da fiel mir dem Pavillon Marsan gegenüber ein kleiner blonder Mann auf, der, an die Brustwehr des Kai's gelehnt und seinen triefenden Hut mit einer Hand haltend, die Vorübergehenden musterte und dem Unwetter zusah. Die Wolke riß, auf sein wallendes Haar fiel ein Sonnenstrahl und beleuchtete eine höchst originelle Gesichtsbildung. Ich betrachtete den Mann aufmerksam: es war eine jener Figuren, wie sie weder der Weltmann hat, noch der Musterreiter, weder der Pflastertreter noch der Handwerker, weder der Gimpel noch der Kaufmann. Als die Sonne wieder vollkommen Meister geworden war, steckte er ruhig die Hände in die Taschen und fuhr in seinem Geschäfte fort, und das bestand darin, die Leute zu betrachten. Ich machte es ihm nach, schlenderte langsam vor ihm dahin, kehrte um, und ging beobachtend um den Beobachter her. Sein ganzes Wesen war mir höchlich aufgefallen, der Mann erschien mir wie ein Rätsel, dessen Lösung ich zu suchen hatte.

Die Leute, die Niemanden gleich sehen, haben besondern Reiz für mich; wohlgefällig und schwermüthig ruhte sein Blick auf den vorübergehenden Kindern, auf den jungen Weibern, die mit den Nachzüglern des Ungewitters kämpften und sich der wiederkehrenden Sonne freuten, auf den Schuhputzern, die sich wieder an ihren Stationen niederließen und ihr Gewerbe ausschrieen. Der Mann hatte in seinem ganzen Wesen etwas so Unbekümmertes und Schwermütiges, sein Blick war so lang gehalten und doch so beweglich, seine Neugier so gar nicht französisch, so echt germanisch träumerisch, die Sentimentalität, die aus seinem Gesichte sprach, so sonderbar mit Melancholie versezt, daß er mir nicht aus dem Kopfe kam, als ich ihn längst aus den Augen verloren. Waren nicht alle ungewöhnlichen Menschen Menschenbeobachter auf Markt und Straße? Was läßt sich in einem Salon lernen? Stickerei, Tischlerei, Trödlerei, Perrückenmacherei, die Kunst, Schnürbrüste oder Kleider zu verfertigen oder anzulegen, und andere Disciplinen dieser Art; Menschenkenntniß, die große Kunst, lernt sich nur auf der Straße. [. . .]

Ich sah ihn seitdem wieder, meinen deutschen Beobachter, ich sah ihn glänzend als Stern erster Größe, bewundert, gehaßt, eifrig gesucht und nachgeahmt: es war Heinrich Heine, [. . .].   (36)

298. (K. A. Varnhagen v. Ense)   Aug./Sept. 1831

Heine-Anekdoten   (*20. 3. 1856)

Heine, Franck und Michael Beer reisten zusammen nach Boulogne auf der Diligence; Beer wußte sich was damit, und alle Leute mußten es hören, daß er zum erstenmal auf der Diligence reise; dies gab Heine'n Gelegenheit, ihn zum Gelächter zu machen; immerfort erneuerte er die Fragen, die Bemerkungen darüber. Aber auch sonst trieb er seinen Spaß mit ihm; bei der gewöhnlichsten Aeußerung, welche Beer machte, fragte Heine stets mit gefälliger Neugier: »Woher haben Sie das?« Und so vieles andere Neckende übte er beständig aus.

Heine sagte auch noch von Michael Beer: »So lange der lebt, wird er unsterblich sein.«   (261)

an Sarah Austin, Dresden, 26. Juni 1843

The place you are in *[Boulogne-sur-mer]* is well known to me. I lived there for several weeks in company of Heine *[August/September 1831]*. Il y habitait une chambre tellement étroite que lorsque j'allais la première fois l'y voir, je l'engageais d'en sortir pour que je puisse entrer. – Comme alors je n'avais jamais vu la mer auparavant, Heine me plaignait que ce n'est pas à Boulogne qu'on devait être introduced to the sea. Il parlait beaucoup de Helgoland, où la mer était bien autre chose. »Da bekommt man Anschauungen!« Pendant qu'il disait cela fort sérieusement et longuement, un poète allemand *[Randbemerkung Varnhagens: Michael Beer]* qui était là, et qui lui enviait évidemment son talent et son succès, s'avise de lui demander: »Ist es sonst auch noch interessant in Helgoland?« – »O ja«, sagte Heine, »sehr! Man zeigt Ihnen dort das Haus, wo ich gewohnt habe.«   (102)

Ihr Aufenthaltsort *[Boulogne-sur-mer]* ist mir wohl bekannt. Ich habe dort mehrere Wochen in Heines Gesellschaft zugebracht *[August/ September 1831]*. Er hatte sich in einem so winzigen Zimmer eingemietet, daß ich ihn bei meinem ersten Besuch bat herauszutreten, um mich vorbeizulassen. – Es war das erste Mal, daß ich das Meer sah, und Heine stellte bedauernd fest, Boulogne sei nicht unbedingt der rechte Ort, um mit der See Bekanntschaft zu schließen. Er erzählte viel von Helgoland, und daß das Meer dort viel eindrucksvoller sei. »Da bekommt man Anschauungen!« Während er dies ohne Ironie und in aller Ausführlichkeit darlegte, ließ sich ein deutscher Dichter *[Randbemerkung Varnhagens:* Michael Beer], der gerade zugegen war und Heine offensichtlich Talent und Erfolg neidete, die Frage einfallen: »Ist es sonst auch noch« interessant in Helgoland?« – »O ja«, sagte Heine, »sehr! Man zeigt Ihnen dort das Haus, wo ich gewohnt habe.«

300. HERMANN FRANCK   Aug./Sept. 1831

an Luise Bülow v. Dennewitz, Ilmenau, 3. Aug. 1846

In Boulogne hatten sich mehrere Engländerinnen bei schlechtem Wetter in das Lesezimmer gesetzt, weil ihnen der große Saal unheimlich war; Heine, der, während sie laut und lebhaft sprachen, Zeitungen las, stand auf, ging auf sie zu und sagte ganz schüchtern: »I hope ladies conversation will not be troubled by my reading papers.«   (102)

Heine-Erinnerungen   (*1877*)

Während der ersten Hälfte der dreißiger Jahre sah ich Heine in Paris, wohin er ungefähr ein Jahr nach der Juli-Revolution gekommen war, sehr viel, [...]. Ich war kaum zwanzig Jahre alt, als er mich aufsuchte, um mir Grüße von den Meinigen aus Frankfurt zu bringen, und ich rechne es ihm nachträglich sehr hoch an, daß er gern mit mir verkehrte, – damals im jugendlichen Uebermuth, schien mir's ganz natürlich. Meine Jugend war auch wohl alles, was ihm an mir behagen konnte, – ich war zwar ein guter Musicant, das war ihm aber gleichgültig, – ich erinnere mich nicht, daß es ihm je eingefallen wäre, sich von mir etwas vorspielen zu lassen. Die Musik interessirte ihn nicht übermäßig, so viel Geistreiches und tief Empfundenes er auch, neben toll Humoristischem, darüber geschrieben. Sein Aeußeres kennen Sie wohl aus Bildnissen, so viel man aus dergleichen, vor der Photographie, entnehmen konnte, wenn der Zufall nicht einem bedeutenden Menschen einen bedeutenden Maler zugeführt. Die Nachbildungen eines Portraits, welches der talentvolle Professor Oppenheim von ihm gemacht, sind indeß leidlich ähnlich, wenn sie auch das vortreffliche Bildniß uns sehr unvollständig wiedergeben. Ich glaube nicht, daß das Antlitz Heine's sonderlich auffiel, so lange man nicht wußte, welchem Kopf es als Aushängeschild diente, – kannte man aber den Inhaber, so mußte man ihn auch darin finden. Die Stirn war sehr edel, die Augen wechselten zwischen Mattigkeit und blitzendem Feuer. Am lebhaftesten ist mir sein Mund in der Erinnerung haften geblieben, – er verzog ihn sehr, sehr häufig zu einem satyrischen, wegwerfenden Lächeln, und wiewohl dieser Ausdruck vortrefflich zu seiner Geistesrichtung paßte, kam mir dieses fast höhnische Herabziehen der Unterlippe etwas gemacht vor, – ich glaube, er wußte, wie das aussah, und er gefiel sich darin. Im Uebrigen kann man in Wesen und Geberde nicht einfacher, nicht natürlicher sein, als er es war, – ein nachlässiges Sichgehenlassen in Gang und Haltung und keine Spur von Prätension!

Man hat mich oft gefragt, ob Heine im Gespräche sich eben so geistreich gezeigt, als mit der Feder? Wie sollte das möglich gewesen sein! Als ich ihn eines Tages besuchte, fand ich ihn arbeitend am Schreibtisch und warf einen neugierigen Blick auf den vor ihm liegenden Bogen, der kaum eine Zeile enthielt, die nicht durchgestrichen und durch eine darüberstehende ersetzt gewesen wäre. Er fühlte meine Verwunderung und sagte mit ironischem Ton: »Da sprechen die Leute von Eingebung, von Begeisterung und dergl., – ich arbeite wie der Goldschmied, wenn er eine Kette anfertigt, – ein Ringelchen nach dem andern, – eines in das andere.« Oft recitirte er mir kleinere Gedichte, die eben entstanden waren, – irrte sich dabei aber sehr häufig. »Glauben Sie nicht«, sagte er einst, »daß mich das Gedächtniß im Stiche läßt, ich wähle aber zwischen so vielen verschiedenen Wendungen, daß ich im gegebenen Augenblick leicht vergesse, welche ich festgestellt.« Wenn ein Schriftsteller bemüht ist, wie es mit feinsten Weinen geschieht, uns aus einer Auslese von Geistesbeeren einen Trunk zu credenzen, wird das, was die Kelter aus dem Uebrigen preßt, nothwendiger Weise nicht von gleicher Vortrefflichkeit sein. Jedoch war Heine sehr schlagfertig, und im Gespräch mit geistig Gleichstehenden mag er sich wohl zu sich selbst erhoben haben. Im Allgemeinen liebte er aber leichtes Geplauder, bei welchem es an treffenden, wohl auch verwundenden Ausfällen nicht fehlte. Ein Einfall, der schlagend, machte ihm die größte Freude, und ich bin überzeugt, daß er zuweilen eine Reihe von Besuchen machte, nur um ihn zu colportiren und jedesmal wieder auf's herzlichste darüber zu lachen. Im Verkehr mit seinen näheren Bekannten war er indeß, trotz seiner Neigung zu scharfer Kritik, überaus rücksichtsvoll.

Er, der den Liedercomponisten so Herrliches geboten, wußte doch nicht so recht, was dem Musiker frommte. Einen Beweis hiervon bewahre ich als einen Schatz. Es ist ein Dutzend kleiner Gedichte, (die in der Zusammenstellung, wie er mir sie zum Componiren gegeben, sich nicht in seinen Werken finden), unter dem Titel: »Kitty, närrische Worte von Heinrich Heine, – noch närrischere Musik von Ferdinand Hiller, – geschrieben im Jahre 1834.« Zu dieser *Liebes*gabe mochte ihn eines meiner frühesten Liederhefte »Neuer Frühling« veranlaßt haben, – es enthält nur Gedichte von ihm, die er oft von schönem Munde zu hören Gelegenheit hatte. Aber kaum *vor*lesen kann man jene Kitty-Verse, – und obschon es nicht mit Unrecht heißt, daß sich Vieles singen läßt, was nicht zum Lesen taugt, hier trifft es nicht zu. Wäre das Heft nicht mit der ganzen Sorgfalt einer vortrefflichen Hand ins Reine geschrieben, ich hätte glauben können, der Dichter wolle sich einen Scherz mit mir machen, denn kaum *ein* Lied von allen zwölfen ist der Musik zugänglich. Vielleicht dachte er sich unter »närrischere Musik« eine Compositionsweise, in der die grotesken Sprünge, mit welchen er in jenen Liedern aus der heißesten, oder doch sinnlichsten Empfindung, an die Erwähnung von Promenaden zu Esel oder von Thee mit Butterbrod anlangt, durch leichte, heitere Rhythmik, wie sie in der italienischen Opera buffa herrscht, zu Gehör kommen sollten. Auf der Bühne, einem bestimmten Charakter in den Mund gelegt, dessen Erscheinung schon einer solchen musicalischen Ausdrucksweise eine Basis gäbe, wäre dergleichen vielleicht möglich: im Liede würde der Versuch kläglich mißlingen.

Börne [...] war Heine's Gespenst, seine bête noire. Bereit, das glänzende Talent jenes von Geist sprühenden Publicisten anzuerkennen, war es ihm doch unerträglich, daß man sie stets als Dioscuren zusammen nannte.»Was habe ich mit Börne zu schaffen«, rief er eben so häufig als unmuthig aus,»ich bin ein Dichter!« Und es lag hierin eben so viel Wahrheit als Selbstbewußtsein. (109)

302. FERDINAND HILLER   1831 – 1835
    Mitteilung an Gustav Karpeles   (* 1888)

Theoretisch oder gar praktisch verstand Heine garnichts von Musik – er erzählte mir einstmals lachend, daß er durch lange Jahre geglaubt, der Generalbaß sei der – Contrebaß – von wegen seiner stattlichen Größe. Auch schrieb er mir ein Heft Lieder zusammen (mit dem Titel: Närrische Worte von H. H. – noch närrischere Musik von F. H.) – sie waren zum größeren Theil gänzlich uncomponirbar. Und doch hörte er, errieth er mit seinem aus Phantasie und Scharfsinn gekneteten Geiste viel mehr als viele sogenannte musikalische Leute aus der Musik heraus. Es gehört dergleichen, meiner Meinung nach, zu dem vielen Unbegreiflichen, was genialen Naturen eigen ist. Daß er von Musik tief ergriffen gewesen wäre, hatte ich nie zu bemerken Gelegenheit. – Mit seinem»Ergriffensein« war es überhaupt nicht weit her; in seinen Gesprächen gestalteten sich seine Eindrücke zu geistreichen, meistens satyrischen Worten [...]. Aber an *Musikern* von Talent oder Bedeutung nahm er lebhaftes Interesse. Was er über dieselben geschrieben, ging aber aus sehr verschiedenen Stimmungen und Absichten hervor.

(123)

303. RUDOLF LEHMANN   1831/1832
    Memoiren   (* 1896)

Alexander von Humboldt, Börne und Heine, um nur Einige unter Vielen zu nennen, zählten zu den mehr oder weniger intimen Gästen *[im Salon von Nanette Valentin].*

Des letzteren feines Profil mit den glatten Haaren ist mir lebhaft im Gedächtnis. Er hatte die Gewohnheit, an junge Leute die Frage zu stellen: »Sagen Sie mal – wird denn was aus Ihnen?« und aus der Antwort seine Schlüsse zu ziehen; welchen Eindruck ihm die meinige gemacht, hat er mir nicht anvertraut. Obgleich seine Mutter, wie er erzählt, aus Düsseldorf und eine geborene von Geldern-Heine war, konnte doch seine Familie als eine hamburgische betrachtet werden. Er war sogar, wenn auch entfernt, durch Heiraten einigermaßen mit uns verwandt. So pflegte er, zum Teil als Landsmann, zum Teil als Verwandter durch zeitweilige Besuche geselligen Verkehr, wenn auch nicht intime Beziehungen mit meinen Tanten aufrecht zu erhalten.   (147)

304. RUDOLF LEHMANN   1831/1832

Memoiren   (* 1896)

Wie alle Welt war sie *[Nanette Valentin]* von einigen Äußerungen in Heines Schriften tief verletzt und benutzte das Privilegium ihres Alters und ihres Geschlechts, ihm darüber Vorwürfe zu machen. »Sie können so schöne Sachen schreiben«, sagte sie zu ihm bei einem seiner nicht häufigen Besuche, »warum sind Sie so ein Schw... igel?« Heine lächelte, und Alles, was er erwiderte war: »Warum lesen Sie mich? Es giebt so viele andere Bücher! Ich schreibe ja garnicht für Sie.«   (147)

305. LUDWIG BÖRNE   26. Sept. 1831

an Jeanette Wohl, Paris, 27. Sept. 1831

Meine erste Frage an Mad. Valentin war: wie ihr Heine gefallen? Nun hat diese Dame etwas von Ihrer Art, nicht gern Böses von den Leuten zu sagen; ich merkte ihr aber doch an, daß er dort im Hause *nicht* gefallen. Doch tadelte sie bloß, er *spräche so ordinär*, und von einem Schriftsteller erwarte man doch auch in der Unterhaltung gewählte Worte. [...]

Gestern vormittag kam ein junger Mann zu mir, stürzt freudig herein, lacht, reicht mir beide Hände – ich kenne ihn nicht. Es war *Heine*, den ich den ganzen Tag im Sinne hatte! Er sollte schon vor acht Tagen von Boulogne zurück sein, aber »ich war dort krank geworden, *hatte mich in eine Engländerin verliebt*« usw. Man soll sich dem ersten Eindrucke nicht hingeben; aber mit Ihnen brauche ich mich nicht vorzusehen, das bleibt unter uns, und wenn ich meine Meinung ändere, sage ich es Ihnen. Heine gefällt mir *nicht*. Sollten Sie wohl glauben, daß, als ich eine Viertelstunde mit ihm gesprochen, eine Stimme in meinem Herzen mir zuflüsterte: »*er ist wie Robert, er hat keine Seele*«? Und Robert und Heine, wie weit stehen die auseinander? Ich weiß selbst nicht deutlich, was ich unter *Seele* verstehe; es ist aber etwas, was oft gewöhnliche Menschen haben und bedeutendere nicht, oft böse und nicht gute, beschränkte und nicht geistreiche Menschen; es ist etwas Unsichtbares, das hinter dem Sichtbaren anfängt, hinter dem Herzen, hinter dem Geiste, hinter der Schönheit, und ohne welches Herz, Geist und Schönheit nichts sind. Kurz, ich weiß nicht. Dem *Raupach* traue ich Seele zu und dem Heine nicht! Und Sie wissen doch, was ich von Raupachs Herzen halte! Es ist aber etwas *dahinter*. Ich und meinesgleichen, wir affektieren oft den Scherz, wenn wir sehr ernst sind; aber Heines Ernst scheint mir immer affektiert. Es ist ihm nichts heilig, an der Wahrheit liebt er nur das Schöne, er hat keinen Glauben. Er sagt mir offen, er wäre vom juste-milieu, und wie nun alle Menschen ihre Neigungen zu Grundsätzen adeln, sagte er, man müsse aus Freiheitsliebe Despot sein; Despotismus führe zur Freiheit; *die Freiheit müsse auch ihre Jesuiten haben*. Recht hat er, aber der Mensch soll nicht Gott spielen, der nur allein versteht, die Menschen durch Irrtümer zur Wahrheit, durch Verbrechen zur Tugend, durch Unglück zum Heile zu führen. Wie ich hier von mehrern gehört, soll Heine sich gefallen, eine Melancholie zu affektieren, die er gar nicht hat, und soll grenzenlos eitel sein. Ich sprach wegen gemeinschaftlicher Herausgabe eines Journals; damit will er aber nichts zu tun haben. Herrliche Einfälle hat er, aber er wiederholt sie gern und belacht sich selbst. Gestern abend aßen wir beide und [Friedrich] List zusammen. Sie hätten dabei sein sollen. Ich und er, einen Einfall schöner wie den andern, und das Lachen des List, der nie weniger als ein halb Pfund Fleisch im Munde hat! Ich fürchtete im Ernste, er würde ersticken. Heine sagte, *ich* sei schuld, daß er überall für einen Narren gehalten; denn wenn er meine Witze aus meinen Werken angeführt, habe er immer so lachen müssen, daß man ihn für verrückt gehalten. Heine soll gemein lüderlich sein. Er wohnt am Ende der Stadt und sagt mir oft, es geschehe, um keine Besuche zu haben, und ich solle ihn auch nicht besuchen. Übrigens habe ich meine kleine Tücke dabei, daß ich Heine bei Ihnen so verleumde. Ich habe jetzt bemerkt, was mir bei unserem frühern Zusammentreffen entgangen, daß er ein hübscher Mensch ist und eines von den Gesichtern hat, wie sie den Weibern gefallen. Aber glauben Sie mir, es ist doch nichts *dahinter*, gar nichts; ich muß das verstehen. – Heine sagt mir auch, Campe wäre ein großer Lump und kein Geld von ihm zu bekommen. [...]

[Fortsetzung des Briefes am 28. Sept.:]
Heine sagte mir auch, er wolle sich mit Kunst beschäftigen, und er habe eine große Abhandlung über die letzte Gemäldeausstellung geschrieben. Sonderbar – gestern abend hörte ich bei Valentins wiederholt etwas darüber spötteln: Heine spräche so oft und so viel von seinen Arbeiten. Was doch die Naturen verschieden sind! Wenn ich etwas in der Arbeit habe, ist mir unmöglich, irgend einen außer Ihnen zum Vertrauten meines Geheimnisses zu machen; mich hält eine gewisse Scham davon zurück. (26)

306. GUSTAV KOLB   Ende Sept. 1831

an Johann Friedrich v. Cotta, Paris, 30. Sept. 1831

Heine, der die Seebäder in Dieppe gebrauchte, ist seit ein paar Tagen zurück. Er hat mich gleich aufgesucht, u[nd] wird mich mit Börne bekannt machen. (311 d)

307. LUDWIG BÖRNE   Ende Sept. 1831

an Jeanette Wohl, Paris, 1. Okt. 1831

Heine habe ich seitdem nicht gesehen. Was ich von ihm höre, gibt mir von seinem Charakter keine gute Vorstellung. Es ist doch sonderbar, daß ich immer eine Ahnung davon gehabt, und daß ich in seinen Schriften, so sehr sie mir auch gefielen, die unverkennbarsten Zeichen von Charakterschwäche gefunden. Und Charakterschwäche ist das Gefäß für alle Leidenschaften, und es wird von den Verhältnissen, dem Zufalle, dem Temperamente abhängen, was alles hineinkömmt. Er soll von grenzenloser Eitelkeit sein. Er *spielt*, und er könnte nichts tun, was mir größeres Mißtrauen gegen ihn einflößte. Er hat schon einmal 50 Louisdor auf einmal verloren. Den etwas bornierten Dr. Donndorf scheint er als seine Lobposaune zu gebrauchen, welches ich diesem in Baden schon angemerkt. Das wurde mir heute von einem Deutschen, der mich besuchte, auch bestätigt. Dieser, der viel Wesens aus mir macht, sagte mir, er habe gegen Donndorf geäußert: Börne sei der einzige politische Schriftsteller in Deutschland, Heine sei kein solcher, sondern nur ein Dichter, worauf aber Donndorf Heines Partei ergriffen und ihn über mich erhoben. Das hat mich auf den Gedanken gebracht, daß Heine nur darum sich nicht mit mir zu einem Journale verbinden will, weil er fürchtet, in meiner Nähe nicht genug zu glänzen. Der nämliche erzählte mir: er habe Heine vor einiger Zeit gebeten, er möge einige Freiheitsgedichte machen, welche man unter das deutsche Volk verteilen könne, worauf Heine erwidert: ja er wolle es tun, es müsse ihm aber gut bezahlt werden. Dann: »Wenn mir's der König von Preußen bezahlt, mache ich auch Gedichte für ihn.« (26)

308. (K. A. VARNHAGEN V. ENSE)   1831

   Heine-Anekdoten   (*20. 3. 1856)*

Heine hatte nie an der Spielbank sein Glück versucht. Einst besuchte er mit Dr. Hermann Franck in Paris aus Neugier den Salon des étrangers, und sah dem Spiele zu. Nach einer Weile, von Franck aufgefordert, wagte er ein paar Fünffrankenstücke und verlor sie. Mehr hatte er nicht bei sich. Aber der Verlust, wenn auch gering, verdroß und beschämte ihn. Im Weggehen sagte er aus dieser Stimmung zu seinem Gefährten: »Wissen Sie, Franck, ich habe eine große Lehre heute gewonnen? Ja, ich habe einsehen gelernt, daß das Spielen ein Laster ist, wenn man verliert!« Mit diesem Witz tröstete er sich. (261)

309. LUDWIG BÖRNE   3. Okt. 1831

   an Jeanette Wohl, Paris, 3. Okt. 1831

Heine hat mich diesen Vormittag besucht. Er hat sich nach Ihnen erkundigt und gesagt: Sie wären eine sehr liebe Frau. Es ist merkwürdig mit dem Heine und mir. Der erste Eindruck, den er bei mir gemacht, verstärkt sich immer mehr. Ich finde ihn herzlos und seine Unterhaltung selbst geistlos. Es scheint, er hat seinen Geist nur in den Schreibfingern. Er spricht kein vernünftiges Wort und weiß aus mir kein vernünftiges Wort hervorzulocken. Er affektiert Menschenhaß und Verachtung. Gegen öffentliche Kritik seiner Schriften ist er sehr empfindlich. Er sagte mir selbst, er ginge am liebsten mit unbedeutenden Menschen um. Er ist sehr verdrossen und unheiter. Ich sah es ihm deutlich an, daß er keine rechte Geduld bei mir hatte und nicht erwarten konnte, bis er fortkäme. Auch war ich froh, als er ging, denn er hatte mich ennuyiert. (26)

310. AUGUST LEWALD   Herbst 1831

Heine-Erinnerungen   (*1836*)

Seit Heine's Abgang von Hamburg war mir der Aufenthalt dort unerträglich geworden. Auch mein Landsmann Maltitz, der drei Jahre
lang, jeden Abend bei mir zubrachte, reiste fort, und ich war mit einem
Male wie verwaist. Dies und die herannahende Cholera brachte mich
zu dem Entschlusse Hamburg zu verlassen und meinen lieben Freunden in Paris nachzueilen. –
    Heideloff und Campe, die ich sogleich aufsuchte, wußten mir Heine's
Wohnung nicht anzugeben; er pflegte aber Abends in ihren Laden zu
kommen, sagten sie.
    An diesem Abende kam er jedoch nicht zur gewohnten Stunde.
Schon wollte ich mißmuthig nach Hause gehen, als aus dem Gewühle
des Trottoirs sich eine Gestalt im weißen Hute absondert und mit dem
Ausrufe: »Er ist's!« in den Laden springt. – Er war es! –
    Es fing ihm nachgrade an in Paris zu gefallen; er hatte einige Be-
kannschaften gemacht, die ihn interessirten. Ein junger Mensch von
bedeutendem Talente hatte sich darüber gemacht, unter seinen Augen,
die Reisebilder zu übersetzen. Heine freuete sich darauf den Franzosen
nun bald bekannt zu werden. Leider war aber der Uebersetzer zugleich
Nachtwandler, stieg einige Wochen später auf's Dach und stürzte sich
zu Tode, ehe er seine Aufgabe beendigt hatte. »Ich habe viel Unglück!«
sagte Heine bei dieser Gelegenheit. –   (151)

311. AUGUST LEWALD   Herbst 1831

Bericht über Parisaufenthalt   (*1832*)

Ein feingebauter Mann, ganz schwarz und modisch gekleidet, mit
bleichem, interessantem Gesichte, kommt nachlässig durch die Menge.
Er erkennt mich nicht gleich, und erst nachdem er die Brille, die er in
der Hand trug, aufgesetzt, verzieht sich sein Mund zu einem ganz eigenthümlichen Lächeln. Ich fordere ihn auf, mit mir zu essen, seine weiß-
glacirten Hände deuten mir aber sogleich an, daß er es nicht annehmen
könne. Es ist dieß der Dichter der Reisebilder, dessen »Französische
Zustände« in diesem Augenblicke die allgemeine Zeitung in Paris zur
allgemeinsten machen. Er ißt heute in einem großen Cirkel, und ich bin
genöthigt, meine Wanderung nach den entfernten Boulevards allein
fortzusetzen.

Im Weitergehen denke ich an Heine, an unser Beisammensein in Hamburg, wie ich ihn in Wandsbeck, dem melancholischen Dörfchen an der Elbe, besuchte, wo einst Asmus sein Rheinweinlied dichtete, wie er dalag auf dem Sopha und Revolutionsgeschichte studierte in allen Sprachen, und mißmuthig und menschenscheu an nichts Freude hatte, und aus langer Weile Blut spie, und sich einbildete, er müsse sterben – und nun hier, welch ein Wiedersehen nach einem Jahre! Der Mann steht vor mir in der ganzen Zierlichkeit seiner Gestalt, gekleidet wie es die Mode von einem Dichter fordert, elegant und nachlässig zugleich, erwacht zum feinsten Lebensgenusse, sich fühlend in seinem vollen Werthe, und einen ganzen Frühling von neuen Liedern in der gesundeten Brust. Die elastische Luft, die man hier athmet, geschwängert mit Freiheit, Ungebundenheit, Ungeschorenheit, die Anerkennung und Mittheilung so vieler gleichgesinnter und ausgezeichneter Menschen, das Alles ist es, was im Vereine solch wohlthätige Verwandlung in Heines Dichtergemüth hervorbringen konnte. Marseille und Barèges, die er diesen Sommer besuchen will, werden die glückliche Heilung ganz vollenden, und Wandsbeck

>»Wo er über sich allein
> Wie im Mutterleib«

saß, und die kranke Brust, und die Revolutionen in allen Sprachen, werden dem Dichter bald nur wie ein grauer Traum vorkommen. (150)

312. GUSTAV KOLB   Anf. Okt. 1831

an Johann Friedrich v. Cotta, Paris, 5. Okt. 1831

Heyne hat eine Reihe von Aufsätzen über die hiesige Gemäldeausstellung ausgearbeitet u[nd] sie für das Morgenblatt bestimmt. Das Manuskript ist bereits in meinen Händen; ich gehe es mit ihm durch, u[nd] werde es Ihnen in wenigen Tagen zuschicken. Auch für die Allgemeine Zeitung möchte er eine Art politischer Skizzen über die Deputirtenkammer u[nd] sonstige Pariser Szenen liefern. Er wird Ihnen darüber selbst das Nähere mittheilen.   (311 d) *an Johann Friedrich v. Cotta, Paris, 7. Okt. 1831*

Euer Hochwohlgeboren
erhalten hiebei, neben einem Aufsatz von mir für die Allgemeine
Zeitung, das versprochene Manuskript von Heyne. Wenn Sie oder
Frau von Cotta es lesen, so lassen Sie sich durch die scheinbare Unbe-
deutenheit der ersten Blätter nicht abhalten; im Verfolg werden Sie
sich überzeugen, daß es zu dem Besten, Schönsten u[nd] Durchdachtesten
gehört, was Heyne je geschrieben. Nur vor Einem hat er Furcht – vor
der Censur. Dafür nimmt er Ihre besondere Verwendung in Anspruch.
Mir scheint nicht, daß die Aufsätze großen Anstoß geben könnten, da
für einzelne starke Stellen sehr viele versöhnende Partien darin sind.
Heyne war von Hamburg, Berlin u[nd] Frankfurt manchfach angegangen
worden, u[nd] hatte im Sinn auf einzelne Anträge einzugehen, da er
glaubte, Sie seyen sehr mißstimmt gegen ihn. Ich versicherte ihn, aus
der Art, wie Sie mit mir über ihn gesprochen, hätte ich dies durchaus
nicht schließen können; dabei redte ich ihm zu Beiträgen für die Allgem-
m[eine] Zeitung zu; so brachte er mir das Manuskript, versprach schon
für nächste Woche Einiges in die Allgemeine, u[nd] will Ihnen selbst
nächster Tage in einem herzlichen offenen Briefe seinen Wunsch, in fer-
nerer Verbindung zu bleiben, aussprechen. (311 d)

314. LUDWIG BÖRNE Okt. 1831

an Jeanette Wohl, Paris, 8. Okt. 1831

Ja, mit dem Heine ist es merkwürdig, wie ich mich getäuscht habe. Ich
werde Ihnen etwas von ihm sagen, was Sie wundern wird. Heine ist
ein vollkommener *Bacher*! Wie er das geworden, oder vielmehr als
geborner Jude geblieben, ist mir ganz unerklärlich. Er hat die regel-
mäßigste Erziehung und einen viel geordneteren Schulunterricht genossen als ich selbst. Er hat ganz die jüdische Art zu witzeln und opfert
einem Witz nicht bloß das Recht und die Wahrheit, sondern auch seine
eigene Überzeugung auf. Dann höre ich überall, er sei von grenzenloser
Eitelkeit, und solchen Menschen ist nicht zu trauen. Sie wechseln die
Grundsätze wie die Kleider, um mit der Mode fortzugehen. Seine
Neigung zur persönlichen Satire, sowohl im Schreiben als im Sprechen,
ist mir auch zuwider. Sein Spott ist sehr bösartig, und man muß sich
sehr vor ihm hüten, daß man in seiner Gegenwart von keinem etwas

erzählt, was er brauchen kann. So erzählte ich einem gemeinschaftlichen Bekannten von uns beiden, [Ludwig] Robert in Baden jammere, daß in dieser Zeit sein Talent zugrunde ginge. Einen Tag darauf kömmt Heine zu mir und sagt, er habe das erfahren und werde es bei der nächsten Gelegenheit drucken lassen; aber nicht von Robert, von dem er gut Freund sei, sondern er wolle es erzählen, als habe das Raupach geklagt. (26)

315. GUSTAV KOLB   9.–11. Okt. 1831

an Johann Friedrich v. Cotta, Paris, 11. Okt. 1831

Heines Aufsätze für das Morgenblatt sind vorgestern abgegangen. Sie werden Ihren vollen Beifall finden. Dieser Tage wird er für die Allgemeine Zeitung beginnen. Er hat hier viel Bekanntschaft mit Journalisten pp, u[nd] lebt sehr solid. (311 d)

316. LUDWIG BÖRNE   12. Okt. 1831

an Jeanette Wohl, Paris, 13. Okt. 1831

Es hat mir jemand verplaudert, daß ihm Heine unter Gelobung der strengsten Verschwiegenheit, *besonders gegen mich*, anvertraut: er arbeite an einem politischen Werke, so etwas über die Französische Revolution. Er fürchte meine Konkurrenz. Was mir diese Art mißbehagt, kann ich Ihnen gar nicht genug ausdrücken. Wie ist es möglich, daß ein Mann wie Heine von so anerkannten großen Verdiensten so kleinlich eitel sein kann? Gestern traf ich ihn bei Tische. Er verriet mir, ohne es zu wollen, mit welchen literarischen Arbeiten er jetzt beschäftigt ist. Er fragte mich: was ich von Robespierre halte? Ich antwortete ihm: Robespierre und Lafayette sind die einzigen ehrlichen Leute in der Französischen Revolution. Das schien seine Meinung auch zu sein, er wollte mich aushören. So ein kleinliches Wesen kann mich ganz maliziös machen, und ich wäre imstande, wenn ich einmal bestimmt erführe, worüber Heine schreibt, den nämlichen Stoff zu behandeln, nur um ihn zu ärgern. Er hat eine große Abhandlung über die letzte Gemäldeausstellung geschrieben und in das *Morgenblatt* eingeschickt. [. . .]
[Fortsetzung des Briefs am 14. Okt.:]
Ich komme wieder auf Heine. Sie müssen aber nicht etwa denken, daß

es mir Vergnügen macht, Böses von ihm zu reden. Das nicht. Aber er interessiert mich als Schriftsteller und darum auch als Mensch. Ich sammele alles, was ich von andern über ihn höre, und ich selbst über ihn beobachte. Da es mir nun langweilig ist, für mich allein Buch und Rechnung über Heine zu führen, lege ich alles, was mir von ihm zukömmt, nach und nach in meinen Briefen an Sie nieder. Ein schwacher Charakter wie Heines, wie er mir schon aus seinen Schriften hervorleuchtete, muß in Paris völlig ausarten. Ich sehe ihn auf bösem Wege und werde aus historischem und anthropologischem Interesse seiner Spur nachgehen. So müssen Sie das ansehen. Gestern abend war bei Valentin von Michel Beers neuer Tragödie die Rede, die er in Baden meinem Urteil unterworfen. Auf Verlangen sagte ich meine aufrichtige Meinung davon. Madame Leo sagte mir: Vormittag sei Heine bei ihr gewesen und habe das Drama gelobt. Darauf bemerkte ich: dann habe Heine geheuchelt, denn er verstehe das so gut als ich. Mad. Leo erwiderte: Ja, wenn man dem Heine 1000 fr. gibt, lobt er das Schlechteste. *Ich:* nun, das möchte ich nun grade nicht glauben. *Mad. Leo:* Sie können es mir glauben, *ich weiß es* ... Ein Deutscher erzählte mir, Heine habe ihm gesagt: Metternich könnte mich nur auf eine Art erkaufen: wenn er mir alle Mädchen von Paris gäbe. (Ich sage *Mädchen*; Heine aber gebrauchte den gemeinsten Ausdruck dafür.) Er hat eine Art von Lüderlichkeit, die mir nie, weder in Büchern noch im Leben, vorgekommen ist und die ich mir psychologisch gar nicht erklären kann. Gemeine Sinnlichkeit trifft man häufig; aber doch selten wird ein junger Mensch von seinen gemeinen Ausschweifungen als von etwas Schönem öffentlich sprechen. Romantische Liebe ist immer verschämt und verschwiegen. Heine aber läuft den gemeinsten Straßendirnen bei Tag und Nacht nach und spricht in einem fort von dieser häßlichen Gemeinheit, in welcher er ein ästhetisches Vergnügen findet. Neulich kamen wir abends vom Essen. Er sagte mir, er ging' in den Passage des Panoramas – Was er dort zu tun habe? Ich will sehen, ob keines von den *Mädchen*, die ich kenne, ein neues Kleid anhat ... Heine ist doch schon 30 Jahre alt. Ein anderer Deutscher (freilich ein wütender Demagog) warnte mich vor Heine. Er mache bei den preußischen Agenten hier den Zuträger! (26)

317. (K. A. Varnhagen v. Ense)   Herbst 1831

Heine-Anekdoten   (*20. 3. 1856)

Heine trieb in Paris sein besonderes Gespött mit dem Dichter Michael
Beer. Dieser hatte ein Trauerspiel verfaßt, das er gern vorlas und auch
verlieh. Heine quälte den Dr. Hermann Franck, er sollte es sich ausbitten, er werde es bewundern müssen. Eines Morgens kam Heine zu
Franck, und sagte: »Ich weiß schon, Sie haben das Manuscript bekommen und gelesen, was sagen Sie?« – Zum Ausspeien! versetzte Franck,
ganz gering und schlecht. – »Wie ich Ihnen gesagt«, erwiederte Heine
mit ruhigem Gleichmuth, und setzte nach einer Pause hinzu: »Nicht
wahr, *den* Mann darf ich ohne Scheu loben? Es ist keine Gefahr, daß
mir's einer glaubt?«   (261)

318. Hermann Franck (»Le Petit«)   1831

Einleitung zu einem Gedicht über Heine   (*1834)

Auch ich sah ihn in Paris, wo er sich mit dem politischen Europa und
dem todten Kaiser, mit der Europe littéraire und der Liberté als deutscher Volksdichter herumtummelt; seine schwache, eingesunkene Gestalt mit den durchsichtigen Augen, die wie Erinnerungen aus dem
Grabe hervorspringen, ließ sich weder von dem Schmeerbauch der
Doctrinaire noch von den dürren Schenkeln des Juste-Milieu einengen.
                                                              (63)

319. Ludwig Börne   24. Okt. 1831

an Jeanette Wohl, Paris, 24. Okt. 1831

Heine war bei mir und hat mir aufgetragen, Sie zu grüßen. Er fragte
mich, wie oft ich Ihnen schriebe, und als er hörte, wöchentlich zweimal,
war er sehr darüber erstaunt. Sehr liebenswürdig ist er, wenn er sich
über Michel Beer lustig macht. Er ist dann ein Springbrunnen von Witz
und Laune. Das läßt sich freilich nicht gut nacherzählen. Die Art, wie
diese beiden Dichter miteinander umgehen, soll einzig sein; Ich selbst
habe sie noch selten beisammen gefunden. Heine fragt z. B. den Beer:
Warum schreiben Sie, Sie haben es ja nicht nötig? worüber sich B[eer] erschrecklich ärgert. Hinter seinem Rücken sagt H[eine]: wenn ich einmal
der Familie Beer meine Rechnung mache für alle die Witze, die sie mich

schon gekostet haben! oder: wenn ich mich einmal mit den Beers entzweie, werde ich ein reicher Mann. Der Beer fühlt es nun in seinen Nerven, daß der Heine früher oder später einmal öffentlich über ihn herfallen wird, und geht daher bei aller seiner Vertraulichkeit doch so ängstlich mit ihm um wie das Hündchen mit dem Löwen. Höchst bedauerungswürdig ist der Heine, aber nicht bloß zu beklagen, sondern auch anzuklagen, wegen seiner Gesundheit, die er durch Ausschweifungen zerrüttet und täglich mehr verdirbt. Er hat sich durch sein lüderliches Leben solche Übel zugezogen, welche die Nerven und den Kopf endlich ganz zerstören, so daß dieser so geistreiche Mensch noch einmal dumm, ja wahnsinnig werden kann, wenn er nicht so glücklich ist, früher das Leben zu verlieren. Er ist *so erschöpft*, und das ist der Ausdruck, womit er gewöhnlich selbst klagt, daß er abends 9 Uhr zu nichts mehr, nicht zur leichtesten Unterhaltung mehr zu brauchen ist und sich zu Bette legen muß. Er leidet beständig am Kopfe. Als er mir heute seine Übel klagte, mochte ich ihm freilich die gefährlichen Folgen derselben, die er nicht kennt, nicht aufdecken, aber ich gab ihm mit dem wärmsten Eifer die besten Verhaltensregeln, wie er seine Lebensart einzurichten und sich zu heilen habe. Es ist aber nicht daran zu denken, daß er sie befolgt; denn sein Charakter ist zu morsch, er hat nicht die geringste Willenskraft mehr. (26)

320. Ludwig Börne   25. Okt. 1831
an Jeanette Wohl, Paris, 27. Okt. 1831

Vorgestern war die Trauung von Dr. Sichel. [...] Ich und Heine waren Zeugen und mußten die Protokolle des Zivilstandes und des Kirchenbuchs unterschreiben, das Kapitel aus dem Code Civil über die ehelichen Pflichten und eine lange Predigt des Pfarrers mitanhören. Wir haben auch gehörig miteinander satirisiert, man hätte zwei Schweine damit einsalzen können. Was aber das Schicksal würfelt! Heiratet ein getaufter Jude aus Frankfurt, der Sohn von *Salme Rappel* – so nannte man den alten Sichel, der ein klein wenig Narr war – eine Christin aus England, die Gott weiß welcher Herkunft ist, läßt sich trauen in Paris und hat einen Christen, einen Juden (seinen eigenen Bruder) und zwei getaufte Juden zu Zeugen, und die beiden letzten sind die ersten Schriftsteller ihrer Zeit und eine Zierde der deutschen Bundesstaaten! Als der Sekretär Heine fragte, wie sein Name geschrieben werde? antwortete er: mit einem *Hache*, statt zu sagen mit einem *Asch* (H.). Darüber wurde er von Sichel und Hiller ausgelacht, was ihn in die größte Verlegenheit setzte. Denn so gern und oft er spottet, so wenig kann er doch selbst Raillerie ertragen. [...]

Bei dieser Heiratsgelegenheit, wo ich drei Stunden mit Heine beisammen war, konnte ich ihn recht gut beobachten und kennenlernen. Nie ist mir eine feigere Seele vorgekommen, die sich mit solcher Geduld von ihrem Körper tyrannisieren läßt. Er ist so herunter, so morsch, so *bettlägerig* in seinem ganzen Wesen, daß ich nur immer im Stillen überlegte, ob er mehr zu verachten oder mehr zu bedauern sei. Wenn einer mit einem solchen unglückseligen Zustande Nachsicht hat, so habe ich sie, denn ich brauche sie selbst für mich. Ich habe doch auch seit meiner frühesten Jugend an Krankheiten gelitten, die mein Gemüt beunruhigten, aber völlig beherrschen und umwerfen konnten sie [mich] doch nie, und mein Stolz siegte immer noch über meine Nerven. Heine aber versucht nicht den geringsten Widerstand, und wie eine Wetterfahne gibt er jeder Laune des Windes nach. Zerrissen, ausgefasert, abgefärbt, wie ein alter seidner Unterrock; verdrossen, niedergebeugt, wehmütig, wie einer, der den Katzenjammer hat – ich möchte so nicht leben. Sollte einmal in Deutschland eine politische Revolution eintreten, so würde Heine eine zwar kurze, aber für ihn und die Welt höchst verderbliche Rolle spielen. Er wäre, wie alle schwachen Menschen, der blutigsten Grausamkeiten fähig. Er ist von der größten Feigheit, und er hat mir offen gestanden, daß er in Italien mit Florenz seine Reise beschlossen, weil er sich gefürchtet, nach Rom zu gehen, denn er habe Feinde dort, die ihn gewiß hätten ermorden lassen (wahrscheinlich Graf Platen). Christentum, Religion überhaupt, ist ihm nicht bloß ein Greul, es ist ihm ein *Ekel*. Und als er unter solchen Gesprächen mich auf der Straße verließ und ich ihm eine Weile nachsah, kam er mir vor wie ein welkes Blatt, das der Wind umhertreibt, bis es endlich, durch den Schmutz der Erde schwer geworden, auf dem Boden liegenbleibt und selbst zu Mist wird. (26)

321. AUGUST LEWALD Herbst 1831

Heine-Erinnerungen *(* 1836)*

Wenn des Abends das Feuer im Kamine brannte, und in der Marmite das Wasser zum Thee seine Aeolsharfenmusik begann, dann versammelten sich die Freunde, um im heitern Gespräche eine Stunde bis zum Theater, oder länger bis zur Soirée bei mir zuzubringen. Dann fehlte auch Heine nie. Er warf den Mantel ab und streckte sich in den Lehnstuhl, strich mit der Hand über die Stirne, bat um Thee und klagte über Kopfschmerzen.

Dies war stereotyp.

Wo er auch seinen eigentlichen Pariser Abend, und der währt bekanntlich lang, zubringen wollte, immer stellte er sich ein, um ein Stündchen bei mir zu verplaudern.

Als die Cholera in Paris ihre Verwüstungen begann, hatte er im Sinne nach Versailles zu ziehen. Er unterließ es jedoch, als die luftigen, breiten Straßen dieser menschenleeren Stadt dennoch nicht im Stande waren, die Seuche abzuwehren. Versailles war ihm zu allen Zeiten interessant; »seine Langeweil voll Majestät nährt große Gedanken«, sagte er. Ich führte ihn zum ersten Male dahin und machte ihn auf die Merkwürdigkeiten aufmerksam, die ich schon aus meinem frühern Aufenthalte in Paris genau kannte.

Er strich mit mir zwischen den großen Häusern umher, deren Aufschriften noch die glänzende Hofhaltung des Königs verrathen, die aus Versailles einst den Gipfel der europäischen Gesellschaft machte. [. . .]

Wir hatten uns zu lange im Park aufgehalten, der herbstliche Abend fröstelte uns an, und die unzähligen Marmorbilder sahen aus den schwarzen Taxusbüschen wie Gespenster aus.

»Nun so schnell als möglich nach Paris!« sagte Heine.

Wir hatten beschlossen unser Diner in St. Cloud zu nehmen, das wir aber jetzt ein andres Mal besuchen wollten.

So eben war die Diligence nach Paris abgefahren. In Versailles die Abfahrt einer neuen abzuwarten, erschien uns langweilig. Wir wollten auf der Straße fortgehen, bis sie uns einholen würde; denn in jeder Viertelstunde geht eine neue ab. Am Morgen waren so viele Plätze leer, es schien keinem Zweifel unterworfen, daß wir nur einzusteigen brauchten. Wir machten uns daher einstweilen zu Fuß auf den Weg.

Das Knallen der Peitsche erscholl; die Diligence rollte daher; und wahrlich es war hohe Zeit, denn ein sanfter Regen begann niederzuträufeln und schwarzes, bedrohliches Gewölk verhieß uns ein ergiebiges Bad. Wir erwarteten den Wagen unter einer breiten Linde, die noch Laub genug hatte, um uns vor Nässe zu schützen. Schon von Weitem machten wir dem Postillon Zeichen, allein sein immer deutlicher werdendes Kopfschütteln nahm uns bald die Hoffnung; die Diligence rasselte an uns vorüber. Ruhige Gesichter, auf denen hie und da ein Blick von Schadenfreude zu glänzen schien, sahen nach uns. Der Wagen war voll! –

Wir blickten uns zusammenschauernd an; Heine's Mund umgab

jener bittere Byron'sche Zug, der ihn so interessant macht. Es war kein andres Mittel als im Regen weiterzuwandern, um nach Paris zu kommen. Wir zogen es jedoch vor in ein nahegelegenes Haus zu treten, und die nächste Diligence wiederum abzuwarten. Eine häßliche Bäuerin öffnete die Thür. Ich hätte nie geglaubt, daß in der Nähe von Paris und auf dem Wege nach Versailles ein solches Exemplar angetroffen werden könnte. Elend und Schmutz wohnten hier und machten sich den Raum streitig. Wir baten sie uns verweilen zu lassen; es wurde uns bereitwillig gewährt. Die Bäuerin brachte sauern Landwein und einen ungeheuern Käsefladen. Es war frommage de Brie, den ich mir schmekken ließ. Indeß dunkelte es draußen und man konnte die Diligence in dem Nebel fast nicht mehr erkennen, der mit ihr auf der Straße daher kam. Wir eilten vor die Thür und erwarteten sie mit Sehnsucht. Wir ließen weiße Tücher wehen; der Wagen hielt.

Ein Platz war nur noch leer. Ein edler Wetteifer der Freundschaft entspann sich nun; Jeder wollte dem Andern den Platz überlassen; Jeder wollte zurückbleiben. Wir kämpften diesen schönen Wettkampf auf deutsch und da Keiner von uns Miene machte einzusteigen, so fluchte der Conducteur und befahl fortzufahren, welches der Postillon denn auch schimpfend that.

Käse und Wein wurden abermals unser Trost. [...]

Da die Nacht immer schwärzer ward und der Regen in Strömen niedergoß, wurden unsere Gedanken auch immer ernster. Dies war die letzte Diligence gewesen; für heute kam keine mehr vorbei. Und hier in der Hütte zu übernachten, war ein fürchterlicher Gedanke. [...] Wir sprachen nicht mehr. Auch Wein und Käse waren verzehrt. Ich pfiff »lieber Augustin« und dachte an das Vaterland. Da rollt etwas durch die Nacht! Die Bäuerin läuft vor die Thür. »Un Coucou!« ruft sie, und es hält wirklich, ein prustendes Pferd, und ein Gewirr von Männer- und Frauenstimmen wird vernehmbar. Wir stehen im herabströmenden Regen vor der Thür. Der Kutscher des Coucou will uns aufsteigen lassen, die ganze Gesellschaft wird rebellisch. »Alles sey voll! Man ersticke!« so schreien sie wie toll durcheinander.

Der Kutscher erklärt, er wolle seinen eigenen Platz dem Herrn einräumen und sich seitwärts auf dem einen Schenkel der Gabeldeichsel placiren; die Herren und Damen sollten durchaus nicht incommodirt werden. Man beruhigt sich im Innern des Coucous bei dieser Erklärung. Der Spitzbube von Kutscher aber wußte wohl, daß es sich um mehr als eine Person handle. Wir waren unser Drei; denn meine Frau war mit von der Partie.

Einer nach dem Andern steigt nun beschwerlich hinauf und nimmt auf einem schmalen Brettchen Platz, das den Sitz des Kutschers ausmachte. Der Zorn der im Coucou Sitzenden weicht nunmehr der Heiterkeit, und bei jedem neuen Aufsteigenden erschallt ein wieherndes Gelächter. Wie wir uns rücken und strecken, schwankt und kracht das zerbrechliche Fuhrwerk hin und her, und verschiedenes Geschrei im Discant, aus dem Departement des Innern wird stets dabei vernommen. Endlich gibt es einen tüchtigen Ruck, der Alles in's Gleichgewicht bringt; der Kutscher hat Posto gefaßt und das in der Gabel gespannte Pferd beginnt seinen schwerfälligen Trott und hebt bei jedem Schritte die ganze, vollgepfropfte Maschine balancirend in die Höhe. –

Das war eine Fahrt, an die ich zeitlebens denke! –

Die Nacht war rabenschwarz und das Vordach zu kurz um unsern Sitz zu beschirmen. Es endete dergestalt über unserm Haupte, daß große Tropfen und oft wenn es einen Stoß gab, eine ganze Fluth angesammelten Wassers sich über unsre Nasenspitze in unsern Schooß ergoß. Wir klapperten mit den Zähnen und thaten kläglich genug. Der mitleidige Vetturin hüllte seine übelriechende, alte Pferdedecke um unsere erstarrten Glieder. –

Erleuchtete Häuser! Ein langer Pallast! Wir sind in Sevres; das ist die Porzellanfabrik. Heine will aussteigen und hier übernachten. Ich stelle ihm vor, daß es ihm an allen Bequemlichkeiten fehlen würde, daß er weder Kleider noch Wäsche wechseln könne, und daß ja nun bald das Ziel unserer Leiden erreicht sey. – Er bequemte sich zu bleiben. –

Wir nähern uns jetzt Paris. Schon tauchen die Tausende von Lichtern an den langen Quais, wie ein Sternenmeer aus dem Nebel. Wir erreichen die Barriere. Jetzt erst fällt es uns mit Centnerlast auf's Herz, daß der Coucou nicht weiter als bis zu den elysäischen Feldern fährt, und daß wir nun noch zu Fuße in diesem Wetter eine halbe Stunde zurückzulegen haben. Dies ist der Fluch einer großen Weltstadt! Was war zu thun? Der Coucou darf nicht weiter fahren; er ist gebannt an die Stelle; die Worte: Tête de la place des Coucous! bezeichnet ihm die Grenze, die er nicht überschreitet. An einem kleinen, erleuchteten Häuschen wird gehalten; dieß ist das Bureau der Coucous; man drängt sich um seine Zahlung zu leisten und so schnell als möglich die Arcaden der Rue de Rivoli zu erreichen, die uns ein gutes Trottoir und Schutz vor dem Regen gewähren. Wir segnen ihres großen Erbauers Gedächtniß, der uns in diesem Momente recht augenscheinlich als Wohlthäter der Menschheit erscheint.

Wir athmen froh und frei, da wir in die Hallen des Palais Royal treten. [...] Unser gewöhnliche[s] Restaurant damaliger Zeit, Pestel, hatte schon zugemacht. Diese Leute geben nur bis acht Uhr zu essen, weil man später selten dinirt. Wir gingen daher au Périgord, einem der elegantesten Café-Restaurants. Und wir säumten nicht uns bei leckern Speisen und trefflichen Weinen von den Mühseligkeiten des Abends zu erholen. (151)

322. AUGUST LEWALD   Winter 1831/1832

Heine-Erinnerungen   (*1836)

Sein Lieblingsspaziergang war die Passage der Panorama's, wo man Abends gern vermeidet hindurchzugehen, wenn man eine Dame am Arme führt. [...] Heine schlenderte hier auf und ab, die Hände in den Taschen, den Kopf in den Nacken geworfen, mit aufgesetzter Brille. Hier beobachtete er das Pariser Treiben, und nebenher zogen ihn auch wohl die »Zoen, Aglaën, Desiréen, Clarissen, Amélien, u. s. w.« an, die hier beständig lustwandeln, und denen er die hübschen Lieder gewidmet hat, die er in seinem ersten Theile des Salons abdrucken ließ.

Anfänglich waren ihm die Französinnen zu klein. »Wenn man die langen, deutschen Glieder gewöhnt ist«, sagte er »so ist es schwer, sich hier einzurichten.«

Eine lange Schöne, die ihn in Hamburg zu fesseln wußte, konnte er nicht vergessen. »Ueberall sehe ich sie, überall finde ich sie wieder«, sagte er scherzend zu mir in der Gallerie des Louvre, indem wir vor der colossalen Melpomene standen; und in der That ich fand einige Aehnlichkeit mit der Hamburgerin. (151)

323. AUGUST LEWALD   Herbst 1831

Artikel über Börne   (*April 1837)

Im Herbste des Jahres 1831 reiste ich nach Paris und befand mich Abends im Laden der Buchhändler Heideloff und Campe, wo sich damals Schlegel, Klaproth, Humboldt, Heine, Michael Beer, Börne, kurz alle berühmten und unberühmten in Paris anwesenden Deutschen einzufinden pflegten, als ein kleiner, hagerer Mann eintrat, stumm nach beiden Seiten sich verneigte, und sogleich nach den Brockhausschen Blättern griff, von welchen eben ein neues Heft angelangt war. Er setzte sich und las aufmerksam vor sich hin. Dieß war Börne. Herr Heideloff stellte mich ihm später vor und ich mußte ihm Allerlei von Deutschland erzählen, und mich einiger Aufträge an ihn von unserm damaligen Verleger Campe entledigen. Ich sah Börne nun öfter. Wir aßen eine Zeitlang in einer kleinen Restauration der Rue de Valois; er, Heine, Baron Maltitz, Schauspieler Jerrmann, meine Frau und ich. Dieß waren sehr heitere Mahlzeiten, von der harmlosesten, witzigsten Unterhaltung belebt. Börne's Kränklichkeit zwang ihn jedoch beim Eintritt des Winters sich aus diesem Kreise zu entfernen und auf seinem Zimmer zu essen. (152)

324. LUDWIG BÖRNE   30. Okt. 1831

an Jeanette Wohl, Paris, 2. Nov. 1831

Sonntag habe ich mit Heine bei Valentin zu Mittag gegessen. Wir trafen uns zufällig vor dem Hause und traten zugleich ein. Als wir ins Zimmer kamen, fragte ich Madame Valentin: ist denn der Boden stark genug, kann er zwei große Männer wie wir zugleich tragen? Es war das erste Mal, daß ich mit Heine in Gesellschaft war. Mit mir sprach er wenig, ja er blieb immer von mir entfernt und suchte sich einen eigenen Mittelpunkt. Ja abends, da mehrere Leute zur gewöhnlichen Sonntagsgesellschaft kamen, bemerkte ich, daß Heine mit keinem der Bedeutendern, Gebildeten sprach, sondern sich grade mit dem Jüngsten in der Gesellschaft, fast noch ein Knabe, zur Seite setzte und sich mit ihm unterhielt. Er war grade bei besserer Laune als gewöhnlich, ich kann ihn also nicht einmal mit seiner Hypochondrie entschuldigen. Seit kurzem ist eine Hamburger Schauspielerin vom dritten Range mit ihrem Manne, einem Theaterdichter, hier. Bei diesen Leuten ist Heine zu allen Zeiten des Tages. Und das sind nicht etwa genialisch-joviale-lebenslustige Menschen, sondern ganz solid-bürgerliche, aber auch sehr gewöhnliche Menschen. Was halten Sie von einem solchen eiteln Charakter, immer gemeine Umgebung zu suchen, um überall der erste zu sein? Man merkt es dem Heine deutlich an, wie er immer gern was Besonderes, Auffallendes sagen möchte und lieber schweigt, als etwas Gewöhnliches spricht. Besonders ärgert mich an ihm seine Sucht, immer Lachen zu erregen. Lachen ist eine der untersten Seelenbewegungen, und ein Mann von Geist sollte auf höhere Wirkung ausgehen. Er hat mir neulich gesagt, daß er spiele, und ich habe ihm ganz freundschaftlich den Text darüber gelesen. Was ich gegen das Spiel vorgebracht, schien ihm alle neu zu sein. Überhaupt mag er sich um die Moral nie viel bekümmert haben. Der arme Heine wird chemisch von mir zersetzt, und er hat gar keine Ahndung davon, daß ich im Geheim beständig Experimente mit ihm mache. So wie er war ich in meiner allerfrühesten Jugend, und manchmal beneide ich ihn, daß er so viel länger jung geblieben als ich. Das ist freilich das schöne Los der Dichter. Philosoph ist Heine nicht und wird nie einer werden, und da bedenke ich denn freilich trotz meines argen Tadels, daß, wenn man Heine seine Täuschungen, seine Verirrungen, seine Gedankenlosigkeit nähme, der Duft und Nebel, der so reizend und zauberisch über seinen Schriften verbreitet ist, schwinden und dann wenig an ihnen und an ihm selbst übrig bleiben würde. (26)

325. GUSTAV KOLB   zweite Nov.-Hälfte 1831

   an Johann Friedrich v. Cotta, Paris, 25. Nov. 1831

Das Geld für Heine werde ich besorgen; er war von Ihrer gütigen Antwort über alle Beschreibung erfreut. (311 d)

326. GUSTAV KOLB   30. Nov./1. Dez. 1831

   an Johann Friedrich v. Cotta, Paris, 1. Dez. 1831

Euer Hochwohlgeboren
   habe ich die Ehre, außer einen Correspondenzartikel von mir für die Allgem[eine] Zeitung, auch einen mir von Heine gelieferten zu übersenden. Heine wünscht denselben gleichfalls in die Allgem[eine] Zeitung eingerückt u[nd] versichert, für die Fakta haften zu können. (311 d)

327. LUDWIG BÖRNE   4. und 7. Dez. 1831

   an Jeanette Wohl, Paris, 8. Dez. 1831

Heine saß in Hillers Konzert neben mir. Der ist so unwissend in Musik, daß er die 4 Teile der großen Symphonie für ganz verschiedene Stücke hielt und ihnen die Nummern des Konzertzettels beilegte, wie sie da aufeinander folgen. So nahm er den 2ten Teil der Symphonie für das angekündigte Alt-Solo; den 3ten Teil für ein Violoncello-Solo und den 4ten für die Ouvertüre zum Faust! Da er sich sehr langweilte, war er sehr froh, daß alles so schnell ging, und ward wie vom Blitz gerührt, als er von mir erfuhr, daß erst Nr. 1 vorbei sei, wo er dachte, schon 4 Nummern wären ausgestanden. [...]

Als ich dem Heine erzählte, der Artikel aus der *»Börsenhalle«* stünde auch in der Frankfurter Postzeitung, war er wie erstarrt vor Erstaunen und Schrecken. Er sagte, das sei nicht möglich, daß Rousseau etwas habe drucken lassen, worin er, Heine, beleidigt wäre, denn er kenne ihn seit zwölf Jahren. Auf jeden Fall wären die Stellen, die ihn beträfen, gewiß im Artikel weggeblieben. Lesen Sie ihn doch in der Postzeitung und schreiben Sie mir, ob sich das wirklich so verhält. Wenn der Heine nur halb ein solcher Schuft ist, als er freiwillig bekennt, dann hat er schon fünf Galgen und zehen Orden verdient. Schon zwanzigmal gestand er mir, und das ganz ohne Not, dem Argwohn zuvorkommend: er ließe sich gewinnen, bestechen; und als ich ihm bemerkte: er würde aber dann seinen Wert als Schriftsteller verlieren, erwiderte er: keineswegs, denn er würde gegen seine Überzeugung ganz so gut schreiben als mit ihr. Und glauben Sie nicht, daß das Scherz sei; es beweist mir, daß Heine schon *ist,* was werden zu können er nicht leugnet. Daß er offen und freiwillig von seiner Verdorbenheit spricht, beweist nichts gegen den Ernst; das ist die alte bekannte List, durch Selbstanklagen der Überraschung seiner eigenen Vorwürfe und der anderer keck in den Weg zu treten. Es sind Ausfälle aus der Festung des Gewissens, um die Belagerung zurückzudrängen. [...]

Schade ist es um Heine, daß seine schönste dichterische Begeisterung ihm aus dem Tranke sinnlicher Liebe kömmt, und ich habe ihm das gestern selbst gesagt. Zehen Jahre reifern Alters werden ihm viel von seinem Werte nehmen. Zwar sind Heines erotische Poesien mehr Eingebungen einer nach- und vorschwelgenden Phantasie als eines gegenwärtigen Genusses, mehr Papiergeld als bare Münze der Liebe; aber mit den reifern Jahren verliert man zugleich mit dem Kredit auch die Kraft zu heucheln, und dann wird Heines poetischer Strom seichter und niedriger fließen. Mir fiel das ein bei seinen Betrachtungen, die er über ein Gemälde von Judith und Holofernes macht und die er mit den Worten endigt:»Ihr Götter, soll ich sterben, laßt mich wie Holofernes endigen.«

[Fortsetzung des Briefs am 9. Dez.:]
Der Artikel im *Morgenblatte* ist nicht von Menzel. Es ist sein Stil nicht. Auch hat mir Heine den Verfasser genannt, ich habe aber den Namen vergessen. (26)

328. Gustav Kolb 8. Dez. 1831

an Johann Friedrich v. Cotta, Paris, 8. Dez. 1831

An Heine habe ich 350 Fr[ancs] bezahlt, wofür er Ihnen die Quittung zusenden wird. (311 d)

329. Gustav Kolb 14. Dez. 1831

an Johann Friedrich v. Cotta, Paris, 14. Dez. 1831

Heine verspricht, von nun an für Ihre Blätter sehr thätig zu seyn. Beifolgend ein Brief von ihm für das Morgenblatt. Ich hoffe, Sie sollen noch sehr Tüchtiges u[nd] Ausgezeichnetes von ihm erhalten; es scheint ihm mehr Ernst als je. [...] 350 Fr[ancs] habe ich an Heine bezahlt.

(311 d)

330. Ludwig Börne 15. Dez. 1831

an Jeanette Wohl, Paris, 15. Dez. 1831

Heine war eben bei mir, nachdem er heute die Briefe gelesen. Er ist ganz außer sich vor Entzücken. Er sagt, es wäre besser als alles, was ich früher geschrieben, und der Stil wäre unvergleichlich. Daß ich ihn einige Male so sehr gelobt, mag freilich sein Urteil etwas exaltiert haben. Heine ist zugleich der eitelste und der feigste Mensch von der Welt. Meine Briefe werden auf seine künftige politische Schriftstellerei einen sehr schädlichen Einfluß haben. Furchtsam wie er ist, wird er künftig nicht den Mut haben, selbst mit seiner frühern gemäßigteren Kraft zu schreiben. Das sagt er selbst, nicht in meiner Gegenwart, aber es wurde mir wiedererzählt, und daß er dabei über meinen Übermut sich sehr tadelnd ausgelassen. Mit diesem Grunde seiner künftigen Mäßigung täuscht er andere, vielleicht sich selbst. Der Hauptgrund ist die Eitelkeit. Sich weder die Kraft noch den Mut zutrauend, mit mir in der Politik an Tapferkeit zu wetteifern, wird er freiwillig unter sich selbst herabsinken, nur um sich von mir zu entfernen und nicht mit mir verglichen werden zu können. Er gefällt mir alle Tage weniger, ob er mich zwar sehr hoch stellt und sein Urteil, als das eines Kenners, mir sehr schmeichelhaft sein muß. Er ist ein Lümpchen, hat keine und hält auf keine Ehre. Die Partei der Liberalen ist aber noch so schwach in Deutschland, daß nur die strengste Rechtlichkeit ihr Gewicht geben kann. Wie alle furchtsame Menschen hat auch Heine ein Grauen vor dem Volk, und er kann sich gar nicht darin finden, wie ich dem *Pöbel* so zugetan sei, ihn so warm verteidigen mag. Ich habe ihm erst heute gesagt: laßt uns unsere künftige Herren ehren. (26)

331. LUDWIG BÖRNE   15. Dez. 1831

an Jeanette Wohl, Paris, 17. Dez. 1831

Der Heine ist durchaus nicht besser als [Michael] Beer; er hat freilich mehr Geist, aber sein Herz ist ganz so eng, ganz so dürre, ganz so eingeschrumpft und kleinlich selbstsüchtig als Beers. Von der öffentlichen Meinung, von ihrer Würde, von der Art, auf sie zu wirken, von der Weise, wie diese zurückwirkt, haben beide keine Vorstellung. Einen Streit zwischen Welten möchten sie geführt sehen wie ein Prozeß um eine Erbschaft: pfiffig, rabulistisch, schikanös, jesuitisch. Von einer Persönlichkeit, die sich aufopfert der allgemeinen Sache, haben sie keine Vorstellung und noch weniger von einer Persönlichkeit, die sich ganz vergißt und gar nicht daran denkt, daß sie ein Opfer bringt. Was ich gelobt, was ich getadelt, das leiten sie alle aus persönlichen Neigungen und Abneigungen ab, und dann rechten sie mit ihnen und verurteilen meinen schlechten Geschmack. Daß ich den Saphir »als einen geistreichen Mann hingestellt« (was ich doch übrigens weder gewollt noch getan), können sie mir gar nicht verzeihen. Von so einem miserablen Menschen dürfe man gar nicht öffentlich sprechen. Er, Heine, sei mit Witt-Döring umgegangen, wie er recht gut wisse, der größte Schuft unter der Sonne, es sei sein bester Freund, aber um keinen Preis würde er seinen Namen drucken lassen und verraten, daß er ihn kenne. Heine ist ein geborener Aristokrat, ein geschworener Feind jedes öffentlichen Lebens. Er ist zu feige, sich ihm auszusetzen, zu kränklich, es zu ertragen. Ein Volk macht ihm seekrank, sein Sturm jagt ihm Todesangst ein. Er ist ein niedriger verächtlicher Sklave, der an seinen eigenen Nerven gekettet liegt, Fesseln der wunderlichsten Art, die um so stärker binden, je schwächer sie sind. In einer Revolution könnte Heine einen Robespierre machen, *einen halben Tag*; den starken Mann der Freiheit keine Stunde. (26)

an Jeanette Wohl, Paris, 27. Dez. 1831

[Für] Heines Charakter als Mensch und Dichter sehr bezeichnend ist die Bemerkung, die er mir gemacht: daß er den Mut bewundere, mit welchem ich meine Blutigelgeschichte in Dormans erzählt (die ihm übrigens sehr gefallen). Er hätte es nie gewagt, sich so der Gefahr, lächerlich zu werden, auszusetzen. Wie ich von der Taglioni gesprochen, gefällt ihm und allen schönen Geistern hier ganz besonders. »Sie umgaukelt sich selbst und war zugleich Blume und Schmetterling« – das wäre einzig! (26)

1832
Paris

333. GUSTAV KOLB   2. Jan. 1832

an Johann Friedrich v. Cotta, Paris, 2. Jan. 1832

Euer Hochwohlgeboren
   habe ich die Ehre, beigeschlossen eine Correspondenz Heines für die
Allgemeine Zeitung zu übersenden. Er will auf diese Weise fortfahren. – Mir scheinen solche geistreichen Einsendungen ein unent-
behrliches Element der Allgem[einen] Zeitung, um dem zunehmenden
Rufe, als altere sie u[nd] werde zu servil, zu begegnen.   (311 d)

334. FELIX MENDELSSOHN-BARTHOLDY   Anf. 1832

an Karl Immermann, Paris, 11. Jan. 1832

Heine sehe ich selten, weil er ganz und gar in die liberalen Ideen, oder
in die Politik versenkt ist; er hat vor einiger Zeit 60 Frühlingslieder
herausgegeben; mir scheinen nur wenige davon lebendig und wahr
gefühlt zu sein, aber die wenigen sind auch prächtig. Haben Sie sie
schon gelesen? Sie stehen in dem 2ten Bande Reisebilder.   (177)

335. GUSTAV KOLB   21. Jan. 1832

an Johann Friedrich v. Cotta, Paris, 21. Jan. 1832

Euer Hochwohlgeboren
   habe ich die Ehre beifolgend wieder einen offenen Brief an Lebret zu
senden, damit Sie von dessen Inhalt Kenntniß nehmen u[nd] dann der
Redaktion Ihre Ansicht darüber mittheilen können. Da gar kein Journal darüber spricht so wird die Sache fast völlig unbemerkt vorüber-

gehen, u[nd] Heine kann in folgenden Correspondenzen gut machen, was er hier in ein paar unglücklichen Witzen verdarb, die indessen auch hier nicht bemerkt worden wären, wenn nicht die gemeinen Umtriebe die Hand dazu geboten hätten. Heine theilt mir die mitfolgenden Gedichte für das *Morgenblatt* mit. Er glaubt selbst, daß No. II u[nd] III derselben Anstoß geben könnten, daher er gegen deren etwaige Weglassung keine Einwendung zu machen hat. (311 d)

336. LUDWIG BÖRNE   Jan. 1832

an Jeanette Wohl, Paris, 4. Febr. 1832

Heine wurde neulich von jemand gefragt: worin er sich in seinen politischen Ansichten von mir unterscheide? Er antwortete: »Ich bin eine gewöhnliche Guillotine, und Börne ist eine Dampfguillotine.« (26)

337. GUSTAV KOLB   2. Febr. 1832

an Johann Friedrich v. Cotta, Paris, 2. Febr. 1832

Ich treffe alle Anstalten, um am 10ten, spätestens 12ten abzureisen. Heine kann von hier aus alles schreiben, was ich schreiben könnte, u[nd] unendlich besser. Gebraucht er da u[nd] dort einen unpassenden Ausdruck, so kann ja die Redaktion leicht helfen. Es freut mich in der Allgem[einen] Zeit[un]g vom 28ten eine richtige Würdigung des ersten Heineschen Artikels zu lesen. Mit einiger Besonnenheit gebraucht sind uns diese Artikel gewiß höchst gewinnreich. (311 d)

338. GUSTAV KOLB   3. Febr. 1832

an Johann Friedrich v. Cotta, Paris, 3. Febr. 1832

Heine sagt mir, er habe Ihnen angezeigt, daß die Allgem[eine] Zeit[un]g hier in einzelnen Lesekabinetten unregelmäßig ankomme; in denen, die ich besuche, liegt sie ganz regelmäßig auf. (311 d) *an Jeanette Wohl, Paris, 13. Febr. 1832*

Der Heine ist ein verlorener Mensch. Ich kenne keinen, der verächtlicher wäre. Nicht die Verachtung, die sich mit dem Hasse paart, kann man gegen ihn hegen, sondern die Verachtung, die sich mit Bedauern verbindet. Meine Briefe aus Paris haben ihn zugrunde gerichtet. Von nichts getrieben als von der Eitelkeit, von nichts angezogen als von der Hoffnung, Aufsehen zu machen, haben ihm meine Briefe die liberale Schriftstellerei ganz verleidet, weil er verzweifelt, mehr Lärm zu machen als ich. Er hat den schlechten Judencharakter, ist ganz ohne Gemüt und liebt nichts und glaubt nichts. Seine Feigheit würde man keinem Weibe verzeihen. Neulich schrieb er einmal einen Artikel in der *Allgemeinen Zeitung*, worin er Louis-Philippe sehr verächtlich behandelte. Dieser Artikel wurde in einem der hiesigen revolutionären Blätter übersetzt und das Blatt in Beschlag genommen. Jetzt hätten Sie nur Heines Todesangst sehen wollen, bei der Untersuchung möchte auch er in Anspruch genommen werden. Und doch ließ ihn seine Eitelkeit nicht schweigen, und er erzählte überall, daß der Artikel von ihm sei, was man ohne sein Geständnis gar nicht ersehen hätte. Es ist ihm nur wohl, wenn er mit Menschen zusammen ist, die er unter sich fühlt; meine Gegenwart drückt ihn ganz zu Boden. Auch meidet er mich, so viel er kann. Er hängt sich an das schlechteste Volk, geht mit bekannten Spionen um, macht den Zuträger und das ganz gewiß für Geld! Er ist so lüderlich, daß er nur ein einziges Paar Stiefel hat, wie er mir gestern selbst sagte, die jetzt zerrissen sind, so daß er nicht weiß, was er machen soll. Neulich schrieb er einen zweiten Artikel in der *Allgemeinen Zeitung*, worin er sagte: er sei *aus Neigung ein guter Royalist*. Und so ist es auch. Seine ganze Natur und Geistesrichtung, seine Lüderlichkeit, seine Nervenschwäche und weibische Eitelkeit macht ihn zum gebornen Aristokraten. Er macht kein Geheimnis daraus, daß er sich bei Preußen einzuschmeicheln sucht. Auch weiß man es dort. In meinem Herings-Salat (den ich acht Tage liegen lassen, aber jetzt bald endigen werde) habe ich 2 Artikel aus Berliner Berichten, die Heine betreffen, mitgeteilt, und daraus werden Sie sehen, wie man es darauf angelegt, ihn durch die gröbsten Schmeicheleien in die schlechte Partei hinüberzuziehen. Es gibt doch für einen Mann keinen größeren Fluch als Charakterschwäche. Man kann in jeder Partei ein achtungswerter Mann sein, und Heine könnte durch seine Talente die Zierde jeder Partei sein, hätte er nur die Kraft, irgendein Interesse ganz zu umfassen.

Aber da schwankt er immer von einer zur andern, wird auf beiden Seiten als feiger Flüchtling verachtet und wird auf beiden Seiten Prügel bekommen, was ich ihm schon oft vorhergesagt.　　(26)

340. JOHANN FRIEDRICH V. COTTA　　　　　Febr.(?) 1832

an K. A. Varnhagen v. Ense, Stuttgart, 10. März 1832

Heine benützt jetzt sein seltenes Talent auf eine Weise, die viel Aufsehen erregt; ich höre er sey den alten liberalen Deutschen in Paris ein Dorn im Auge und ihm mißfällig daß sein Name immer mit dem von Börne zusammengestellt wird um als Aushängeschild aller Freisinnigkeit zu paradieren. H[eine] soll sehr witzig gesagt haben, wenn sein Name mit dem von B[örne] zusammengepackt werden soll, so wünsche er wenigstens daß viel Baumwolle dazwischen gelegt werde.　　(316 a)

341. ALBERT BRISBANE　　　　　　　　　　　1832

zitiert von Oliver Carlson　　　　　　　　　　　*(* 1937)*

I never witnessed in him [Heine] a spontaneous outburst of any kind and in conversation he often gave evidence of repressed thought, [...] it would seem as if he was eternally at work tearing to pieces any subject presented to him and dissecting any idea that crossed his mind.
　　　　　　　　　　　　　　　　　　　　　　　(32)

Ich bin bei ihm [Heine] niemals Zeuge irgendeines spontanen Ausbruchs gewesen, und im Gespräch merkte man ihm oft an, daß er seine Gedanken zurückhielt, [...] es sah so aus, als sei er fortwährend dabei, jede ihm vorkommende Person in Stücke zu zerlegen und jeden Gedanken, der ihm durch den Kopf ging, zu zergliedern und zu analysieren.

342. AUGUST LEWALD　　　　　　　　　　Febr. 1832

Heine-Erinnerungen　　　　　　　　　　　　　　*(* 1836)*

Seine Liebe für Ruhe und Stille in seiner Umgebung hat mich [...] oft seinetwegen in Sorgen gesetzt. In Paris wählt er lange bis er eine Wohnung findet, die ihn in der bezeichneten Hinsicht zufriedenstellt. Die einsamsten, entlegensten Straßen sind ihm die liebsten; und nun wählt er wieder einen einsamen, stillen Hof, oft den zweiten, dritten, wenn es seyn kann, weit weg vom Geräusche und Treiben des Lebens; kein Stall, kein Waschhaus, kein Handwerker darf in der Nähe seyn. Dann erst fühlt er sich wohl. Nun weiß man aber, daß solche Quartiere eben nicht in Paris zu den sichersten gehören, bei der Unzahl von Verbrechen die man dort täglich verübt.

Kurz vorher ehe ich Paris verließ, bezog Heine eine neue Wohnung in der rue de l'Echiquier, au second, die er von einer alten Dame gemiethet hatte; sie lag im zweiten Hofe eines geräumigen Hotels, in welchem Gras wuchs, und eine Todtenstille lagerte. Hier installirte sich Heine und machte sich's im eigentlichen Sinne des Worts bequem; ein häßlicher Mohr brachte ihm das Theewasser und machte sein petit ménage, wie es die Pariser nennen. Er überließ sich vertrauensvoll diesem Bedienten, dessen Vorsätze leicht noch schwärzer seyn konnten, als sein Gesicht. Hier schrieb er die »französischen Zustände« für die allgemeine Zeitung; hier glaubte er sich von Spionen aller Nationen umgeben, denn auch wegen seiner kühnen Aeußerungen über Louis Philipp hielt er sich nicht für sicher. Es war merkwürdig ihn zu beobachten mit welcher Verachtung der Gefahr, er seine Meinung lancirte.

(151)

343. AUGUST LEWALD   Frühjahr 1832
Heine-Erinnerungen   (*1836)

Er floh jede Berührung mit der Gemeinheit; [...].

[...] so war ich Zeuge, daß er die Anträge von Buchhändlern zurückwies, deren Gesinnung ihm nicht anständig war. Zu der Zeit als er die französischen Zustände schrieb, wurde ihm von einem Pariser Buchhändler eine bedeutende Summe dafür geboten. Man machte ihm in meiner Gegenwart Vorwürfe darüber, daß er das Geld nicht abholen lasse, welches für ihn bereit liege; er schlug aber standhaft alle Anträge dieser Art aus.»Man muß sich vor solchen Berührungen hüten«, sagte er zu mir,»das bringt keine Ehre.«   (151)

344. AUGUST LEWALD   Jan.–April 1832
Heine-Erinnerungen   (*1836)

Börne ging im Jahre 1832 auf den Mont-Martre, um zu deutschen Schmieden und Schuhmachern zu sprechen, und hielt Reden in der passage du Saumon, während Heine im Stillen darüber lächelte und sich überall entfernt hielt, wo es Lärm geben konnte. Börne ist mehr der Mann der That, als Heine. Heine schlendert tagelang im dolce far niente umher und sinnet auf schöne Lieder. Er verfolgte Börne's Treiben gern mit Spöttereien, wenn er gleich seinem Charakter Achtung nie versagte. »Mir ist es leicht erklärlich, warum Börne sich der Gefahr aussetzen würde, wenn sie sich ihm zeigte«, pflegte er zu sagen. »Börne hat einen schlechten Magen und das Podagra, und dabei hat er nicht viel zu verlieren. Bei mir ist das ein Andres.«   (151)

345. LUDWIG BÖRNE   4. März 1832

an Jeanette Wohl, Paris, 5. März 1832

Jansons sind hier angekommen und haben mir alles Mitgegebene eingehändigt. Wir haben noch jeden Tag miteinander gegessen, im Palais Royal, wo auch Heine, Donndorf und andere hinkommen. Gestern beim Essen haben sie es mitangehört, wie ich dem Heine, was ich oft tue, die Wahrheit gesagt, und das etwas barsch. Gewöhnlich ist seine elende Feigheit der Text, über den ich lese. Aber unter dieser Feigheit versteckt sich noch etwas Schlimmeres, eine niederträchtige Gesinnung. [...] Das jetzige Treiben der Deutschen, die Assoziation, das kömmt ihm alle lächerlich vor, und doch hat er sich unterschrieben! Und das bloß aus Feigheit, wie er selbst eingesteht. Er hat Furcht, von den deutschen Patrioten Prügel zu bekommen. Nein, so eine Eitelkeit ist mir noch gar nicht vorgekommen.   (26)

346. (HERMANN WOLFRUM)   5. März 1832

Korrespondenz aus Paris, 10. März 1832   (*14. 3. 1832)
(Bericht über die Versammlung der Pariser Sektion des »Deutschen Vaterlandsvereins zur Unterstützung der freien Presse«
vom 5. März 1832)

Darauf wurde der Vorschlag motivirt, unmittelbar zur Wahl eines Comite's von 10 Personen zu schreiten.
     Dagegen erhob sich Herr Kröger, welcher statt eines Comite's die Organisirung nach Quartier's vorschlug, [...]. Seine Meinung wurde einstimmig angenommen, [...]. Man motivirte nur in so weit, daß

einstweilen ein Comite von 10 Personen bestehen sollte, welches in den nächsten 14 Tagen der Organisirung nach Quartiers Platz machen wird. Hierzu wurden alsdann gewählt die Herren Blechschmidt aus Moskau, Kargl, Börne, Leipheimer, Ouvrier, Heine, Berg, Wolfrum, Garnier, Kröger. Die meisten Stimmen erhielten die Herren Kröger und Blechschmidt. (300)

347. AUGUST LEWALD   ca. 7.–12. April 1832

Heine-Erinnerungen   *(* 1836)*

Heine ist einer ächten Aufopferung für seine Freunde fähig. Während der letzten Tage meines Aufenthaltes in Paris, als die Cholera an allen Enden wüthete, ging er – der mehr als Andre reizbar und empfänglich war – in die engsten, schmutzigsten Straßen, um ein Geschäft für mich in Ordnung zu bringen, woran mir viel gelegen war. Selbst leidend, kam er mehrmals des Tages zu mir, und warf sich ermattet auf einen Sessel, um mir Nachricht zu bringen. Mit gleicher Aufopferung pflegte er einen kranken Vetter *[Carl]* zu jener Zeit, und blieb deshalb in Paris zurück, während alle seine Freunde daraus flohen, und ihn aufforderten ihnen zu folgen. Er sagte mir, daß er es als eine heilige Pflicht betrachte, seinem Oheim *[Salomon]* diesen Sohn zu erhalten, da er schon mehre Kinder zu beweinen habe, die ihm in der Fremde gestorben waren. Und er hielt getreulich bei dem Kranken aus. (151)

348. ALFRED DE VIGNY   1832

Tagebuchnotiz, Paris, 1832

Heine est juif. Il est venu me voir plusieurs fois. – Il me déplaît. – Je le trouve froid et méchant. C'est un de ces étrangers qui, ayant manqué leur gloire dans leur pays, veulent y faire croire dans un autre. (265)

Heine ist Jude. Er kam mich mehrere Male besuchen. – Er gefällt mir nicht. – Ich finde ihn kalt und böse. Er ist einer der Ausländer, die den Ruhm in ihrem eigenen Land verpaßt haben und nun in einem anderen daran glauben machen wollen.

nach einem verschollenen Artikel von J. Duesberg

(* 16. 10. 1856)

J. Duesberg erzählt, daß, wenn Heine in den ersten Jahren seines pariser Aufenthalts in die deutsche Buchhandlung, Straße Vivienne, kam und hier die deutschen Blätter zur Hand nahm, sich in seinem Wesen eine sichtbare Verklemmtheit verrieth; seine Hände zitterten; er drückte sich in eine Ecke, las, was von seinen eigenen Arbeiten etwa darin stand, oder günstige Recensionen über ihn zwei mal durch, richtete sich nach dem ersten Durchlesen stolz in die Höhe, ergriff nach dem zweiten seinen Hut und ging zur Thüre hinaus, ohne Jemanden weiter zu grüßen oder anzusehen. Sagte er: »Die Blätter sind heute doch gar nicht interessant«, so wußte man, daß der Name Heine nicht darin zu finden war. Hatte ihm aber irgendein Recensent eine Schlappe versetzt, so warf er das Blatt auf den Tisch und ging ein paar mal auf und ab »wie ein Tiger in seinem Käfig, wild vor sich hinknurrend. Plötzlich wie durch den Druck einer Feder, sank die ganze Gestalt in sich zusammen; er wurde ängstlich, freundlich, demüthig, zuthulich.« Duesberg erzählt weiter: »Auf die leipziger ›Blätter für literarische Unterhaltung‹ war er besonders erbost. ›Da geht's zu wie in den sibirischen Bergwerken: die armen Teufel, die darin schanzen, verlieren ihre Namen; sie sind weiter nichts mehr als eine Ziffer. Aber ich kenne sie dennoch und sie sollen sich in Acht nehmen; und wenn ich mich aufrichte und die Mähne schüttele, so zerreiße ich sie.‹«

Zu dem Schriftsteller Loewe-Weimars äußerte er eines Tags: »Monsieur Loewe-Weimars, vous êtes logés *[!]* comme une femme entretenue«, [...]. (165)

1833
Paris

Aufenthalt in Boulogne-sur-mer

350. LUDWIG BÖRNE   5. Jan. 1833

an Jeanette Wohl, Paris, 5. Jan. 1833

Soeben verläßt mich der Heine nach einem sehr langen Besuche, der
mich gestört hat. Es ist das erste Mal, daß er diesen Winter zu mir
kam, ob er zwar ganz in meiner Nähe wohnt. Sein böses Gewissen
macht ihm meine Gesellschaft drückend. Ich verstehe hier unter bösem
Gewissen nicht, was man in der Sprache der Moral darunter versteht.
Ich vermute zwar, daß Heine ein Schuft ist, aber ich kann ihm keine
schlechte Handlung beweisen. Doch ein böses Gewissen hat jeder, der
mit sich zerfallen ist, anders fühlt, als er denkt, anders spricht, als er
denkt und fühlt, und anders handelt, als er spricht. Heute kam Heine,
weil er erfahren, daß ich Xenien bekommen, worin von ihm die Rede
ist. Den eitlen Narren macht so etwas ganz unglücklich, und ich Bösewicht hatte meine Schadenfreude daran.   (26)

351. LUDWIG BÖRNE   Jan. 1833

an Jeanette Wohl, Paris, 9. Jan. 1833

Das Buch von Heine [»*Französische Zustände*«] ist noch nicht hier.
Daß er ein Aristokrat werden würde, sah ich voriges Jahr schon kommen. Er ist es geworden aus Furcht, aus Eitelkeit und aus Eigennutz.
Ich bin überzeugt, daß er Geld bekommen. Er ist der unglücklichste
Mensch von der Welt, dem die Eitelkeit das Leben verbittert. Da er
keinen Glauben und keine Liebe hat und nur um den Beifall schreibt,
hängt er ganz von dem launischen Urteile der Menschen ab. Ich war
zugegen, als ihm Dr. Donndorf (aus der Leipziger Zeitung) von dem
Erscheinen meiner Briefe sprach. Er, wie keiner hier, wußte ein Wort

davon, denn ich hatte mit niemand ein Wort davon gesprochen. Als Heine das hörte – er war eben im Lachen begriffen – zog sich plötzlich eine dicke finstere Wolke um sein Gesicht. Da bekam er nun Furcht, die gleichzeitige Erscheinung unserer Werke möchte ihm schaden, es möchte weniger von seinem Buche gesprochen werden. (26)

352. EDOUARD DE LA GRANGE   25. Febr. 1833

     Tagebuch, Paris, 25. Febr. 1833

Heine.   (307 d)

353. EDOUARD DE LA GRANGE   10. März 1833

     Tagebuch, Paris, 10. März 1833

Rendez-vous avec Heine à 1 heure.   (307 d)

Verabredung mit Heine um 1 Uhr.

354. LUDWIG BÖRNE   März 1833

     an Jeanette Wohl, Paris, 16. März 1833

Es läge mir erstaunlich viel daran, alles abgeschrieben zu haben, was ich seit 3 Winter über Heine geschrieben, und [was] nicht gedruckt worden. [. . .] Ich komme bestimmt mit dem Heine früher oder später öffentlich in Streit, und da kann ich es benutzen. In die neue Zeitung *l'Europe littéraire*, die seit Anfang März erscheint, schreibt er lange Artikel über die deutsche Literatur, wo seine niederträchtige Gesinnung »*greulich*« hervortritt. Wie er mir selbst früher in seiner lächerlichen Eitelkeit, *ein gefährlicher Mensch und Schelm* sein zu wollen, gestanden, will er das Blatt benutzen, seinen Freunden zu schmeicheln und seine Feinde zu verlästern, und so spricht er gegen sein eignes besseres Wissen und urteilt über Literatur und Schriftsteller. Goethe, den er so wenig achtet wie ich, streicht er heraus, um den Berlinern den Hof zu machen. Varnhagen von Ense, ein Berliner Legationsrat, der den Kopf einer Ameise hat, nennt er: »un homme qui a dans le cœur des pensées grandes comme le monde.« Auf mich wird er wohl noch kommen, doch sagte er im letzten Blatte, wo von Goethes Gegnern die Rede ist, in Bezug auf mich:»un enragé sans-culotte lui présentait la pointe de sa pique.«Kurz, es juckt mich, mit ihm anzubinden, und ich muß doch mein Wort halten, denn ich habe ihm in meinen Briefen gedroht:»die Wahrheit wird ihn treffen wie die andern auch, nur tödlicher.«[...] Da in der *Europe littéraire* nicht von Politik gesprochen werden soll, glaubt Heine in der Literatur seine politische Apostasie und Kriecherei gegen die Diplomaten verbergen zu können. Ich muß ihn entlarven. (26)

355. PAUL GAUGER   Frühjahr 1833

Aussage in einem Verhör vor der Stuttgarter Polizei am 16./ 17. Februar 1834, über die Broschüre »Vorrede zu Heinrich Heine's Französischen Zuständen. Nach der franz. Ausg. erg. u. hrsg. v. P. G .. g. r. Leipzig: Heideloff u. Campe 1833«. Nacherzählung Houbens:

Dieser Gauger war Kommis bei Heideloff gewesen und bekannte sich [...] als denjenigen, dessen Name auf dem Titelblatt der »Vorrede« angedeutet sei. In Wirklichkeit gehe die Flugschrift von Heine selbst aus, dieser habe aber gebeten, einen andern Namen in Chiffern daraufzusetzen, und Heideloff habe den Gaugers dazu bestimmt; Heine [...] habe Heideloff noch ein anderes Werk versprochen; [...]. Politisch aber hänge Heine mit Heideloff nicht so eng zusammen wie Börne, von dem deutschen revolutionären Komitee in Paris habe er sich getrennt und gehe seinen eigenen Weg.»Er wurde in letzter Zeit namentlich durch eine Ausforderung, die ihm von Preußen aus zugekommen ist, sehr beunruhigt; auch wurde ihm nach seiner Versicherung ein Manuskript, woran ihm sehr viel gelegen war, entwendet, so daß er, wenn er zu uns *[in Heideloffs Buchhandlung]* gekommen ist, immer sehr üblen Humors und nur kurz angebunden war.«(113)

356. (ALEXANDRE WEILL)   1833

Pressenotiz   (*26. 4. 1846)

Du temps que M. Henri Heine écrivait dans les Revues françaises, qui le payaient très cher – 1 franc la ligne, somme énorme alors – quelques-uns de ses amis et collaborateurs organisèrent un grand dîner où étaient réunis MM. Théophile Gautier, Gérard de Nerval, Lassailly, mort depuis, et bien d'autres. Il fut convenu que le repas aurait lieu au Rocher de Cancale à raison de 50 francs par tête. Le dîner se passa d'une façon très-gaie, tellement gaie que la plupart des convives en sortant de table étaient plus que joyeux. A la porte du restaurateur, M. Henri Heine rencontre une personne de ses connaisances.

– Il paraît, dit celui-ci, que vous avez bien dîné.

– Mon cher, nous avons mangé chacun cinquante lignes.   (281)

Zur Zeit, als Heine für französische Zeitschriften schrieb, die ihn übrigens sehr gut bezahlten – 1 franc die Zeile, ein für damalige Verhältnisse märchenhaftes Honorar – veranstalteten einige seiner Freunde und Mitarbeiter ein großes Essen, an welchem u. a. Théophile Gautier, Gérard de Nerval und Lassailly (inzwischen verstorben) teilnahmen. Man hatte verabredet, daß das Essen im »Rocher de Cancale« stattfinden solle, und 50 francs pro Kopf angesetzt.

Das Essen verlief sehr heiter, so heiter, daß die meisten Gäste mehr als fröhlich waren, als sie vom Tisch aufstanden. An der Türe des Restaurants trifft Heine einen Bekannten.

»Es will mir scheinen«, sagt dieser, »als hätten Sie sehr gut gespeist.«

»Wir haben jeder fünfzig Zeilen verzehrt, mein Bester!«

357. PHILIBERT AUDEBRAND   1833

Artikel über Heine   *(* 1892)*

Aux fêtes de Bohain, il se moquait des convives, à commencer par celui qui payait à boire. La maîtresse du lieu était une fort belle femme, qu'on se plaisait à habiller en mariée, avec le voile blanc et le bouquet de fleurs d'oranger, ce qui était, au milieu de ces orgies, un contraste d'un grand ragoût. Or, Henri Heine, évoquant le souvenir d'Homère, disait tout haut, en voyant Bohain, le boiteux, aller de table en table une bouteille d'Aï à la main, qu'il lui rappelait Vulcain, boiteux aussi, qui servait de l'ambroisie à la table des dieux pendant que Mars caressait Cypris, sa femme. Et l'on riait de cette saillie qui ne devait peut-être pas être plaisante pour tout le monde. [...]

– A combien de lignes dînons-nous aujourd'hui? demandait Henri Heine.

– A vingt lignes par tête, répondait Victor Bohain.   (9)

Bei Bohains Gelagen machte sich Heine über die Gäste lustig, und er machte den Anfang mit dem Gastgeber. Die Hausherrin war eine sehr schöne Frau, und man hatte sie zum Scherz als Braut verkleidet, mit einem weißen Schleier und einem Orangenblütenstrauß, was einen Kontrast von besonderer Würze zu diesen ausgelassenen Festen abgab. Eines Tages sagte Heine, Homer zitierend, beim Anblick des hinkenden Bohain, wie er von Tisch zu Tisch ging, eine Flasche Aï in der Hand, daß er ihn an Vulkan erinnere, welcher, ebenfalls hinkend, an der Göttertafel Ambrosia einschenkte, während Mars Cypris liebkoste, Vulkans Frau. Bei diesem Witz erhob sich ein schallendes Gelächter, das nicht in jedermanns Ohren angenehm geklungen haben dürfte. [...]

»Zu wieviel Zeilen speisen wir heute?« fragte Heine.
»Zu zwanzig Zeilen pro Person«, antwortete Victor Bohain.

358. PHILARETE CHASLES   1833?
Artikel über Heine   (* 1. 2. 1835)

La seconde fois que je vis Heine, il se montrait magnifique et rayon-nant! il triomphait au milieu des beaux esprits parisiens et le vin de Champagne pétillait avec sa verve! Son aspect n'avait pas changé; toujours la longue chevelure blonde tombait le long de ses joues fraîches comme celles d'un ange de tableau espagnol; toujours je ne sais quoi de maladif se mêlait à cette sève ardente. Quand ces yeux bleus germaniques riaient de concert avec cette bouche qui mordait, on découvrait l'amertume de tant de gaieté; il était évident que cette santé était malade, et ce sarcasme peint de mélancolie. Jamais la drôlerie ne s'était montrée plus féroce contre elle-même.

(35)

Als ich ihn zum zweitenmale sah, wie herrlich, wie strahlend erschien er mir da, wie siegend mitten unter den Pariser Schöngeistern! Aber er war noch ganz wie damals: auch jetzt fiel das lange, blonde Haar an Wangen nieder, blühend wie Engelswangen auf einem spanischen Heiligenbilde, auch jetzt blickte hinter der strotzenden Fülle eine gewisse Kränklichkeit hervor. Wenn diese blauen germanischen Augen mit dem Munde lachten, dem ein Epigramm entfiel, so drängte sich einem die Wehmuth in so köstlicher Laune schmerzlich auf, man sah, diese üppige Blüthe war siech, und dieser Scherz war ein melancholi-

269

scher Scherz. [Niemand konnte ihn in beißender Selbstironie übertreffen.] (36)

359. FRANZ LISZT   Frühjahr 1833

    an Marie d'Agoult, Paris, Frühjahr 1833

Il me semble, Madame, que vous m'aviez demandé l'autre jour de
vous conduire et présenter notre célèbre compatriote Heine. C'est un
des hommes les plus distingués d'Allemagne et si je ne craignais de lui
faire tort par la comparaison j'emploierais volontiers à son sujet le
fameux adverbe ‹extrêmement› trois fois répété. D'après ce pré-
ambule, me permettrez-vous de l'emmener avec moi mardi en huit?
                                                              (157)

Es will mir scheinen, Madame, als hätten Sie mich neulich gebeten,
Ihnen unseren berühmten Landsmann Heine zuzuführen und vorzustellen. Er ist einer der ausgezeichnetsten Geister Deutschlands, und
wenn ich nicht fürchtete, ihm mit dem Vergleich Unrecht zu tun,
würde ich ihn dreimal hintereinander mit dem hinlänglich bekannten
Beiwort »außerordentlich« versehen. Gestatten Sie mir nach dieser
Einführung, ihn Dienstag in acht Tagen mitzubringen?

360. HENRI BLAZE DE BURY   1833 ff.

    Erinnerungen an A. Dumas   (* 1885)

Cette feinte bonhomie, où quelque chose de strident perce toujours,
fut et restera le trait charmant et caractéristique de Heine; il revit
dans ses lettres, comme il était dans sa conversation. Je le voyais alors
chez lui, rue d'amsterdam *[!]*, et souvent en sortant de chez Dumas qui
demeurait à cette époque rue de la Chaussée-d'Antin. Nous nous
étions rencontrés à dîner avec Balzac chez la comtesse Merlin, puis à
l'Opéra et aux Italiens. Mon germanisme dans sa fleur me l'attirait.
Alléché peut-être par le succès de ma traduction de Faust, il me demanda de traduire son *Buch der Lieder*. Mais je n'avais pas encore
vingt ans et je courais d'autres aventures, ce qui fut cause que l'affaire
ne se fit point. Nous n'en restâmes pas moins bons amis, si tant est
qu'un homme se puisse vanter d'avoir eu Heine pour ami. On le
recherchait, on le goûtait, on le choyait et le célébrait sur tous les tons,

sans réussir à le désarmer. «Je dois vous paraître bien ennuyeux», nous disait-il un jour après un moment de conversation, «c'est que, voyez-vous, quand vous êtes entré, notre ami X... sortait d'ici et je venais d'échanger mes idées avec les siennes.» Et cet ami qu'il victimait ainsi à tout venant était alors en train de lui rendre le plus dévoué des services littéraires.

Diese gespielte Biederkeit, durch die immer etwas Schneidendes durchbricht, war und wird das bezaubernde Charakteristikum Heines bleiben. Sie lebt in seinen Briefen wieder auf, wie sie in seinen Gesprächen zu spüren war. Ich sah ihn damals bei ihm zuhause in der rue d'Amsterdam, oder auch öfter, wie er von Dumas kam, der zu dieser Zeit in der rue de la Chaussée d'Antin wohnte. Wir hatten uns mit Balzac bei der Comtesse Merlin zum Essen getroffen, später dann in der Oper und bei den Italienern. Meine jugendliche Begeisterung für alles Deutsche gewann ihn für mich. Vielleicht durch den Erfolg meiner »Faust«-Übersetzung verführt, bat er mich, sein »Buch der Lieder« zu übertragen. Aber ich war noch nicht zwanzig Jahre alt, hatte den Kopf voll anderer Dinge, und so kam die Sache nicht zustande. Wir blieben darum nicht weniger gute Freunde, wenn sich überhaupt jemand dessen rühmen kann, Heines Freund gewesen zu sein. Man bemühte sich um ihn, schätzte ihn, verwöhnte ihn und feierte ihn in allen Tonlagen, ohne daß es einem je gelang, ihn zu entwaffnen. »Ich muß Ihnen heute recht langweilig vorkommen«, sagte er, nachdem wir uns eine Weile unterhalten hatten, »aber wissen Sie, gerade als Sie kamen, war unser Freund X von hier weggegangen, und ich hatte meine Gedanken mit ihm ausgetauscht.«
Und dieser Freund, dem er vor jedermann so übel mitspielte, war gerade dabei, ihm in aufopferndster Weise eine literarische Gefälligkeit zu erweisen.

361. Theophile Gautier   1833 ff.

Artikel über Heine   (* *1856*)

En effet le Henri Heine à qui j'avais été présenté en 183..., peu de temps après son arrivée à Paris, ne ressemblait guère à celui qui, alors *[s. Nr. 1011]*, était étendu sous mes yeux, immobile comme un corps qui attend qu'on le couche au cercueil.

C'était un bel homme de trente-cinq ou trente-six ans ayant les apparences d'une santé robuste; on eût dit un Apollon germanique à voir son haut front blanc, pur comme une table de marbre, qu'ombrageaient d'abondantes masses de cheveux blonds. Ses yeux bleus pétillaient de lumière et d'inspiration; ses joues rondes, pleines, d'un contour élégant, n'étaient pas plombées par la lividité romantique à la mode à cette époque. Au contraire, les roses vermeilles s'y épanouissaient classiquement; une légère courbure hébraïque dérangeait, sans en altérer la pureté, l'intention qu'avait eue son nez d'être grec; ses lèvres harmonieuses «assorties comme deux belles rimes», pour nous servir d'une de ses phrases, gardaient au repos une expression charmante; mais, lorsqu'il parlait, de leur arc rouge jaillissaient en sifflant des flèches aiguës et barbelées, des dards sarcastiques ne manquant jamais leur but; car jamais personne ne fut plus cruel pour la sottise: au sourire divin du Musagète succédait le ricanement du Satyre.

Un léger embonpoint païen que devait expier plus tard une maigreur toute chrétienne arrondissait ses formes: il ne portait ni barbe, ni moustache, ni favoris, ne fumait pas, ne buvait pas de bière, et comme Goethe avait horreur de trois choses: il était alors dans toute sa ferveur hégélienne; s'il lui répugnait de croire que Dieu s'était fait homme, il admettait sans difficulté que l'homme s'était fait Dieu, et il se comportait en conséquence. [. . .]

Je vis beaucoup Heine pendant cette période divine, c'était un dieu charmant – malin comme un diable – et très-bon quoi qu'on en ait pu dire. Qu'il me regardât comme son ami ou comme son croyant, cela ne m'importait guère, pourvu que je pusse jouir de son étincelante conversation; car, s'il fut prodigue de son argent et de sa santé, il le fut encore davantage de son esprit. Quoiqu'il sût très-bien le français, quelquefois il s'amusait à déguiser ses sarcasmes d'une forte prononciation tudesque qui eût exigé, pour être reproduite, les étranges onomatopées par lesquelles Balzac figure dans sa *Comédie humaine*, les phrases baroques du baron de Nucingen; l'effet comique en était alors irrésistible, c'était Aristophane parlant avec la pratique d'Eulenspiegel. (68)

In der Tat hatte der Heine, dem ich 183... kurz nach seiner Ankunft in Paris vorgestellt worden war, nur wenig Ähnlichkeit mit jenem, der später [s. Nr. 1011] unbeweglich vor meinen Augen lag, wie eine Leiche, die darauf wartet, in den Sarg gebettet zu werden.

Er war ein schöner Mann von 35 oder 36 Jahren, allem Anschein nach von robuster Gesundheit; man hätte ihn für einen germanischen Apollo halten können, wenn man seine hohe, weiße Stirne sah, die rein wie ein Marmortisch war, von reichen blonden Haaren überschattet. Seine blauen Augen funkelten voller Klarheit und Geist; seine runden, vollen Wangen, elegant geschwungen, hatten nichts von jener bleifarbenen Blässe der Romantik, die damals in Mode war. Im Gegenteil blühte klassisch auf ihnen die frischeste Röte. Seine fast griechische Nase war leicht hebräisch gebogen, ohne dadurch ihre Reinheit zu verlieren. In der Ruhestellung besaßen seine wohlgeformten Lippen, »zueinander passend wie zwei schöne Reime« (um uns einer seiner Wendungen zu bedienen) einen reizenden Ausdruck; aber wenn er sprach, schwirrten aus ihrem roten Bogen spitze mit Widerhaken versehene Pfeile und sarkastische Wurfspieße, die ihr Ziel niemals verfehlten; denn nie war einer unerbittlicher und grausamer gegen die Dummheit: Das göttliche Lächeln Musagets war vom höhnischen Gelächter Satyrs gefolgt.

Eine leichte heidnische Körperfülle, die später einer ganz christlichen Magerkeit wich, rundete seine Formen: Er trug weder Kinn-, noch Schnauz-, noch Backenbart, rauchte nicht, trank kein Bier, und wie Goethe verabscheute er die drei Dinge. Er war damals ganz vom Geiste Hegels erfüllt; wenn er den Glauben zurückwies, daß Gott Mensch geworden sei, nahm er dafür ohne weiteres an, daß der Mensch Gott geworden sei, und er verhielt sich dementsprechend. [...]

Ich sah Heine oft während dieser göttlichen Periode; er war ein charmanter Gott – dabei boshaft wie ein Teufel – und sehr gutmütig, was immer man auch dagegen sagen mag. Ob er mich nun als seinen Freund oder seinen Jünger betrachtete, war unwichtig neben der Möglichkeit, seiner sprühenden Unterhaltung zuzuhören; denn er verschwendete Geld und Gesundheit, noch mehr aber seinen Geist. Wenngleich er sehr gut französisch sprach, so erlaubte er sich doch ab und an den Scherz, seine Sarkasmen in einen starken deutschen Akzent zu kleiden, den wiederzugeben die seltsamen onomatopoetischen Bildungen Balzacs erforderte, mit welchen er in seiner »Menschlichen Komödie« den Baron de Nucingen sprechen läßt; das wirkte dann unwiderstehlich komisch, Aristophanes und Eulenspiegel in einer Person.

362. Edouard de La Grange   10. Mai 1833

Tagebuch, Paris, 10. Mai 1833

Dîner à l'Europe Littéraire avec MM. de Mortemart, Bohain, Royer,
Delasalle, de Saint-Ange, Heine, Soulié, Feuillide, Châ[s]les, Beaude,
Menars *[!]*, Viel-Castel, David, Masson, Ladvocat, Eugène Renduel et
Berlioz.   (307 d)

Diner in der »Europe Littéraire«, mit de Mortemart, Bohain, usw.

363. August Traxel (»Viktor Lenz«)   Mai 1833

Besprechung von Heines »Zur Geschichte der
neueren schönen Literatur in Deutschland«   (* 1835)

Wolfgang Menzel hat dem Publikum durch einen vergleichenden kritischen Aufsatz, worin er Heine und Börne gegen einander abwägt
oder contrastirend gegenüber stellt, auf eine falsche Fährte geholfen.
Ich kann Sie versichern, daß sich hier beide Schriftsteller nicht begegnen und in ganz verschiedenen Sphären leben, und daß, wenn Börne
in seinen Briefen oft von seinem Freund Heine spricht, der Dieß und
Jenes gesagt habe, kein wahres Wort daran ist. [. . .]
Ich weiß nicht, was Heine eigentlich hier Alles thut, weil ich mich nur
nach dem öffentlichen Leben etwas umsehe. Genug, daß er schreibt
und drucken läßt. In politische Umtriebe mischt er sich nicht, im
Gegentheil, er hält sich von den sogenannten Patrioten entfernt. Nicht
etwa aus Grundsatz, nein, aus Faulheit. Wenn sich eine Welt auf dem
Sofa oder hinter der Gardine reformiren ließe, ohne daß man mehr
zu thun braucht, als die Klingelquaste, Schlafrock und Pantoffel anzuziehen, so wäre er gewiß mit von der Parthie.   (256)

364. Franz Liszt   19. Juni 1833

an Ferdinand Hiller, Paris, 20. Juni 1833

A propos j'ai rencontré ici Heine qui m'a chargé de vous grüssen
herzlich und herzlich.   (156)

Apropos: Gestern traf ich Heine, der mir aufgetragen hat, Sie herzlich
und herzlich zu grüßen.

365. Hans Christian Andersen Mitte Juni 1833

an Christian Voigt, Paris, 26. Juni 1833

Ich wurde in »L'Europe littéraire« eingeführt, eine Art Athenäum für die Schöngeister von Paris. Ich hatte mir vorgenommen, Heine *nicht* aufzusuchen; aber das Schicksal wollte, daß er der erste war, den ich hier traf; er kam mir recht freundlich entgegen, sprach sehr anerkennend von unserer Literatur und sagte laut vor allen, daß Öhlenschläger gewiß Europas erster Dichter sei. Man hat mich aufgefordert, eine Übersicht über unsere Literatur zu geben, besonders über Öhlenschläger und die jüngeren Dichter; sie wird jetzt ins Französische übersetzt und gedruckt; erzähle das aber niemandem, der davon weiterschwatzt. – Heine hat mich *[im Hotel Vivienne]* besucht oder richtiger den Portier; ich habe seine Karte nicht; doch will ich mich nicht mit ihm abgeben, ich glaube, man muß sich vor ihm sehr in acht nehmen. (4)

366. Hans Christian Andersen Juni/August 1833

Memoiren *(*1855)*

Eines Tages kam ich in »L'Europe littéraire«, eine Art Pariser Athenäum; Paul Duport hatte mich dort eingeführt; da trat ein kleiner Mann von israelitischem Aussehen mir freundlich entgegen. »Ich höre, Sie sind Däne«, sagte er, »ich bin Deutscher! Dänen und Deutsche sind Brüder, darum reiche ich Ihnen die Hand!«

Ich fragte nach seinem Namen und er sagte: »Heinrich Heine!«

Der Dichter also, der damals in der jungen erotischen Periode meines Lebens mich so ganz erfüllt, so ganz meine Gefühle und Stimmungen zum Ausdruck gebracht hatte. Niemand wollte ich lieber sehen und treffen als ihn; und alles dies sagte ich ihm.

»Das sind Redensarten!« lächelte er. »Hätte ich Sie so interessiert, wie Sie sagen, dann hätten Sie mich besucht.«

»Das konnte ich nicht!« antwortete ich. »Sie haben so viel Sinn für das Komische und hätten es komisch finden müssen, wenn ich, ein Ihnen ganz unbekannter Dichter aus dem wenig bekannten Dänemark, gekommen und mich selbst als dänischer Dichter präsentiert hätte! Auch hätte ich mich linkisch betragen, das weiß ich, und wenn Sie dann gelacht oder darüber gespottet hätten, würde es mich unendlich betrübt haben, gerade weil ich Sie so hoch schätze, daher wollte ich lieber darauf verzichten, Sie zu sehen!«

Meine Worte machten einen guten Eindruck auf ihn; er war sehr freundlich und liebenswürdig. Gleich am nächsten Tag besuchte er mich im Hotel Vivienne, wo ich wohnte; wir begegneten uns öfter, spazierten ein paarmal auf dem Boulevard, aber ich hatte damals noch nicht das rechte Zutrauen zu ihm, empfand auch keine herzlichere Annäherung, wie er sie mir einige Jahre später *[1843]* bei einer zweiten Begegnung, als er den »Improvisator« und einige meiner Märchen kannte, entgegenbrachte. (5)

367. (K. A. Varnhagen v. Ense)   Juni 1833

Heine-Anekdoten   (* 20. 3. 1856)

Der dänische Dichter Andersen besuchte Heine'n in Paris, und sprach deutsch mit ihm, nicht ganz geläufig; nach einiger Zeit sagte Andersen: »Wollen wir nicht lieber französisch sprechen?« Heine war sogleich bereit. Aber auch das ging sehr holperich und Andersen kam schwer fort. Da fragte Heine nach einer Weile mit verbindlicher Artigkeit: »In welcher Sprache wünschen Sie, daß wir uns ferner unterhalten?« (261)

368. Karl Wolfrum   August 1833

Memoiren   (* 1893, posthum)

Hermann [Wolfrum, Karls Bruder] stellte mich auch bei Börne und Heine vor, deren Namen ich bis dahin noch gar nicht gehört hatte, und deren Schriftstellerruhm mir vollständig unbekannt war. Auf Börne kann ich mich von diesem ersten Besuch nur so viel erinnern, daß er ein kleiner, dürrer, schwarzhaariger Mann war. Später bin ich einigemale mit noch anderen bei ihm gewesen, da er als ehrlicher Charakter von den deutschen Republikanern in Paris hoch geschätzt wurde.

Von Heines Besuch aber weiß ich noch etwas, weil Hermann mir von ihm mehr als von Börne sprach, daß er ein sehr gefeierter Dichter wäre, sehr geistreich sei, aber stark im Verdachte stünde, von Metternich bezahlt zu sein, um perfide Korrespondenzen in die Allgemeine Zeitung zu schreiben. Wenn er mich fragen sollte, ob ich sein Buch der Lieder gelesen hätte, von welchem ich noch kein Wort gehört hatte, so sollte ich es bejahen und hinzufügen, daß es unter den Handwerksburschen stark gelesen würde.

Als wir zu Heine kamen, es war frühzeitig, war er noch im Schlafrock und ließ sich gerade rasieren. Er war auch ein kleiner, wenigstens nicht großer Mann, mäßig korpulent und blond und fragte mich richtig gleich, ob ich sein Buch der Lieder gelesen hätte. Ich antwortete wie verabredet, und helle Freude leuchtete aus dem ganzen Gesichte Heines über meine Lüge. Er fragte mich noch aus, was in Deutschland die Gemüther bewegte. Ich habe aber Heine nie mehr gesehen, da er von den republikanischen Deutschen in Paris gemieden wurde. (211)

369. HANS CHRISTIAN ANDERSEN   Mitte Aug. 1833

an Henriette Wulff, Lausanne, 23. Aug. 1833

Am 16. verließ ich Paris mit schwerem Herzen. Heine nahm sehr freundlichen Abschied von mir.   (4)

370. LUCIE DUFF-GORDON   Aug./Sept. 1833

Mitteilung an R. M. Milnes, ca. 1856

I had known him *[Heine]* above twenty years ago as a child of eleven or twelve at Boulogne, where I sat next him at a *table d'hôte*. He was then a fat, short man – shortsighted, and with a sensual mouth. He heard me speak German to my mother, and soon began to talk to me, and then said, "When you go to England you can tell your friends that you have seen Heinrich Heine." I replied, "And who is Heinrich Heine?" He laughed heartily, and took no offence at my ignorance, and we used to lounge on the end of the pier together, where he told me stories in which fish, mermaids, watersprites, and a very funny old French fiddler with a poodle, who was diligently taking three sea baths a day, were mixed up in the most fanciful manner, sometimes humorous, and very often pathetic, especially when the watersprites brought him German greetings from the "Nord See." He since told me that the poem –

> Wenn ich an deinem Hause
> Am Morgen vorüber geh,
> So freut's mich, du liebe Kleine,
> Wenn ich dich am Fenster seh, &c.

was meant for me and my "braune Augen."

He was at Boulogne a month or two, and I saw him often then, and always remembered with great tenderness the poet who had told me the beautiful stories, and been so kind to me, and so sarcastic to everyone else. (181)

Ich lernte Heine vor mehr als zwanzig Jahren in Boulogne kennen; ich war noch ein Kind von elf oder zwölf Jahren und saß neben ihm an der Table d'hôte. Er war damals ein dicker, kleiner Mann, kurzsichtig und mit einem sinnlichen Mund. Als er hörte, daß ich mit meiner Mutter deutsch sprach, begann er sogleich eine Unterhaltung mit mir, und zum Schluß sagte er: »Wenn du nach England zurückkehrst, kannst du deinen Freundinnen erzählen, daß du Heinrich Heine gesehen hast.«

»Wer ist denn Heinrich Heine?« fragte ich.

Er lachte herzlich und war nicht gekränkt über meine Unwissenheit. Wir schlenderten dann öfters zusammen bis zur Spitze der Mole und er erzählte mir dabei Märchen von Fischen, Sirenen, Wassernixen und einem sehr drolligen alten französischen Geiger mit einem Pudel, der pünktlich seine drei Seebäder täglich nahm – ein Gemisch von Phantastik und Humor, sehr oft auch Pathos, besonders wenn die Wogen ihm deutsche Grüße brachten von der »Nordsee«.

Später sagte er mir, daß sein Gedicht: »Wenn ich an deinem Hause« usw. sich auf mich und meine »braunen Augen« beziehe.

Er war ein oder zwei Monate in Boulogne und ich sah ihn noch oft. Immer aber erinnerte ich mich mit großer Zärtlichkeit des Dichters, der mir so schöne Geschichten erzählte und so freundlich zu mir war, jedem andern gegenüber aber so sarkastisch.

371. ANONYM (JULIUS HEINRICH KLAPROTH?)   1833

Geheimbericht an die preußische Regierung,
Paris, ca. Okt. 1833

Es hat sich mir eine neue und sehr sichere Quelle eröffnet, um über des Temps Tun und Treiben seit dem vorigen Jahre sehr genaue Data zu erhalten. Ich weiß jetzt, daß die vorzüglichsten Artikel gegen Preußen von Herrn Heine sind, wenigstens von 1832 bis zum Sommer dieses Jahres. Namentlich ist der famöse Artikel gegen Ancillon und das Preußische Ministerium nicht von Traxel, sondern von Heine. Derselbe hat einen Brief von Herrn Nolte bekommen, worin ihm angezeigt worden, daß sich preußische Offiziere und einige Adelige zur

Reise nach Paris anschickten und den Winter daselbst bleiben würden; ihr Zweck wäre vorzüglich, Heine auf Pistolen zu fordern und, wolle er sich nicht stellen, ihn auf andere Weise für die Beleidigungen zu bestrafen, welche er gegen Preußen und gegen preußisches Militär in seinen Druckschriften ausgestoßen habe. Heine ist nun gegen Preußen aufs fürchterlichste aufgebracht und will alles aufbieten, um sich zu rächen. Sein Plan ist, aufeinanderfolgend Broschüren gegen Preußen drucken zu lassen und sie in Deutschland zu verbreiten; er hat auch mehrere andere Tolle aufgefordert, ihm dabei behilflich zu sein, und so wird sich ein neuer Verein bilden, welcher nur gegen Preußen gerichtet sein soll. Ich glaube daher, daß Preußen notgedrungen sein wird, durch Werther bei Louis Philip[pe] darauf zu dringen, daß Heine aus Frankreich gewiesen werde. Die französischen Minister haben von den Kammern das Recht erhalten, Fremdlinge aus Frankreich zu weisen. Denn wenn Heine seinen Anhang und dieser alle die großen Verbindungen, die sie am Rhein und im südlichen Deutschland haben, benutzen, so ist zu befürchten, daß er dann auch die hiesigen deutschen Volksvereine zu seinen Zwecken zu brauchen suchen wird, wodurch Zeidler gehindert werden könnte, seine ferneren Geschäfte mit jenen Vereinen zu machen. Preußen würde es jetzt sehr leicht werden, das französische Ministerium zu bestimmen, Heine fortzuschicken und ihm auch in Belgien den Aufenthalt nicht zu gestatten; man brauchte nur auf die vielen schmählichen Beleidigungen gegen Louis Philip[pe] in den Französischen Zuständen aufmerksam zu machen, wobei Zeidler, wenn es notwendig ist, hilfreiche Hand anlegen wird, um dieselben zu interpretieren. Man müßte nämlich *sogleich* Herrn von Werther beauftragen, Auszüge zu machen und sie französisch übersetzt dem Ministerium miteinzureichen, wenn man die Infamien gegen unseren König und Kronprinzen anführt. Sein Unterhalt fließt ihm jetzt aus Heidlofs Kasse zu, und diese Quelle versiegte bei seiner Versetzung. Übrigens scheint Werther den besten Willen zu haben, Schritte in dieser Beziehung zu tun. Heine weiß nicht genug von der schrecklichen Verschwörung Töpfers (= Preußen) gegen ihn zu erzählen. Er hat sogar zu Grosser (= Werther) gehen wollen, um seinen Schutz anzuflehen, wovon ihm aber seine Freunde abgeraten haben. Seien Sie so gut, Heidewitter (= T. – –) und alle diejenigen, welche die Sache interessieren kann, zum Handeln zu bewegen; die Sache muß mit der größten Diskretion betrieben und so *eingerichtet werden, daß auch Grosser (= Werther), wenn sie an ihn kommt, nicht die Quelle, aus der sie geflossen, errät.* Diese Diskretion ist um so notwendiger, als ich demjenigen, von dem ich meine Nachrichten habe, heilig versprechen mußte, ihn nicht bloßzustellen, da er einen großen Teil der Dinge, die er mir über Buch (= Heine) mitgeteilt hat, von diesem selbst weiß. Diskretion ist also um desto nöthiger, da man durch diesen Mann noch vieles wird erfahren können. Die Quelle *der Nachrichten versiegt aber sogleich,* als er nur ahnen kann auf irgendeine Weise gegen Buch (= Heine) und Moreur (= Coste) bloßgestellt zu werden. Nochmals empfehle ich den Vorschlag wegen Heines Verweisung zu berücksichtigen; er wird in der Folge Zeidler bei dem Verein sehr hinderlich werden und er betreibt seine Machinationen gegen Preußen mit großem Eifer. Da Louis Philip[pe] jetzt darauf bedacht ist, sich gegen Preußen wegen seiner Angelegenheit mit Spanien geneigt zu machen, so soll Preußen gerade jetzt und sehr rasch seine Anträge wegen Heine Herrn von Werther schnell geben.

(232)

372. ANONYM   Herbst 1833

Korrespondenz aus Paris, 2. Nov. 1833   (*12. 11. 1833)

(A[us] e[inem] Pr[ivat-]Br[ief].) Folgendes Begegniß eines bekannten Schriftstellers, das hier sehr unterhaltend gefunden wird, ist wegen seiner Folgen auch politisch interessant, besonders da man daraus erkennen wird, welche thörichte Ursachen oft unsre wilden Demagogen haben, diesen oder jenen Staat anzufeinden. In der ersten Hälfte des vergangenen Septembers waren mehre in Paris anwesende Deutsche in vergnügter Abendgesellschaft versammelt. Die Rede kam auf die Subscriptionen, welche der dasige deutsche Volksverein zu Gunsten der sich in Frankreich befindenden Flüchtlinge eröffnet hatte. Bei dieser Gelegenheit bemerkte Jemand, daß doch ein großer Unterschied zu machen sei zwischen den durch Zeitungs- und Broschürenlesen verwirrt gewordenen Köpfen, die in der Überzeugung etwas Gutes zu bewirken, der Ruhe und der Wohlfahrt ihres Vaterlandes gefährlich geworden wären, und den Scriblern, die den sogen. Patriotismus nur als ein Mittel gebrauchen, um Geld zu gewinnen, und bei Abfassung ihrer Schriften nichts als das Honorar vor Augen haben. Natürlich wurden hierbei die Herren Börne und Heine nicht vergessen. Besonders scherzte man über die lächerliche Anmaßung des letzten, mit der er behauptet, er dürfe sich nur in Deutschland zeigen, um eine Revolution zum Ausbruch zu bringen. Man lobte indessen seinen beißenden Witz, seinen einnehmenden Styl und die Feinheit seines Verstandes. »Nun so sehr fein mag dieser wohl eben nicht sein«, bemerkte Jemand aus der Gesellschaft und wettete, er wolle durch eine Mystification den Hrn. Heine dahin bringen, sich selbst in den Belagerungszustand zu erklären, gegen den er in seinen »Französischen Zuständen« so sehr geeifert habe. Die Wette ward angenommen und folgendermaßen gewonnen. Man schrieb u[nter] d[em] N[amen] eines nicht existirenden Hrn. Nolte einen Brief aus Frankfurt datirt an Hrn. Heine, worin ihm eröffnet wurde, sein großer Verehrer Hr. Nolte habe auf der Schnellpost von Dresden in Erfahrung gebracht, daß sich in Dresden mehre preußische Officiere und einige andere Adelige zur Reise nach Paris anschickten, um ihn dort, jeder einzeln, zum Zweikampf auf Pistolen herauszufordern. Dieser Brief ward mit einer deutschen Adresse versehen, auf der man aber das Wort Paris ausstrich und französisch dafür Boulogne sur Mer, wo sich Hr. Heine im Bade befand, setzte. So ward das Schreiben auf die Post gegeben. Es hat gewirkt. Seit seiner Zurückkunft irrt der unglückliche sich verfolgt glaubende Heine ganz schwermüthig in Paris umher, hält sich für einen Märtyrer der deutschen Freiheit, und erzählt, wie die Preußen eine Verschwörung gegen sein Leben angezettelt hätten und daß man ihn erschießen, erdolchen oder gar erdrosseln wolle. Bald geht er mit Doppelpistolen bewaffnet einher; bald will er sich an seinen abgesagten Feind, den Polizeipräfecten Gisquet, wenden und denselben um eine Escorte von Municipalgarden ersuchen; bald sich dem preußischen Gesandten in die Arme werfen, damit dieser ihm die Junker, die Hr. Heine so sehr haßt, vom Halse halte. – Kurz der heroische Verf. der franz. Zustände benimmt sich, als ob er selbst in stetem Belagerungszustande begriffen sei, und verzeiht jetzt dem König Louis Philipp gern seinen Etat de siège, der natürlich etwas mehr Aufsehn gemacht hat, als der unsers Schriftstellers. In der That, es gehört mehr als – Eitelkeit dazu, um zu glauben, daß eine Gesellschaft preußischer Offiziere und Adeliger die Reise von Dresden nach Paris unternehmen werde, um einen mittelmäßigen Poeten und einen politischen Jacobiner, in dessen Leben weder Ordnung noch Nothwendigkeit ist, auf Leben und Tod herauszufordern. Nach dieser Begebenheit ist wol zu glauben, daß die eines Marat würdige Schandschrift gegen Preußen, die Hr. Heine »Vorrede« zu seinen »französ. Zuständen« nennt und die bei Campe und Heidlof erschienen ist, wahrscheinlich auch wol nur gekränkter Eitelkeit oder verweigerter Anstellung u[nd] dergl[eichen] ihre Entstehung zu danken haben wird. Was jetzt aus der Feder dieses Mannes noch gegen Preußen entströmen möchte, findet nun seinen Grund in dem fabelhaften, nie existirt habenden Hrn. Nolte! –

(148)

373. AUGUST TRAXEL (»VIKTOR LENZ«)   Nov. 1833

Korrespondenz aus Paris   (*1835)

Seit einiger Zeit bekömmt die Leipzigerin [»Leipziger Zeitung«] Korrespondenzartikel von allen Seiten. [. . .] Ein langer Brief, aus Paris datirt und von Heinrich Heine und den preußischen Offizieren handelnd, steht [heute] schwarz auf weiß auf der zweiten Seite. Die Worte Duell, Tod, Ehre, Preußen und Zustände schwimmen darin wie Brocken in Rumfords Suppe. Ein hungriger Leser verschlingt sie, ohne zu erwägen, wie so Heterogenes zusammenkam. [. . .] Alles, was ich in besagtem Artikel las, war mir eine Entdeckung, da ich seit vier Wochen wieder hier bin, und auch Heine seit 14 Tagen von Boulogne sur Mer zurück ist, da wir uns täglich sehn und es noch keinem eingefallen ist, des großen Abenteuers zu erwähnen, [. . .]. Ich war genöthigt, mir Auskunft zu holen, um dem unnützen und lächerlichen Geschwätze zu begegnen. Was ich erfuhr, besteht in Folgendem: Heine befand sich vor zwei Monaten im Bade. Sein Portier hatte Auftrag, seine Adresse nicht abzugeben, sondern ihm die Briefe zu schicken und dieselbe darauf zu schreiben. Es kam nun ein Fremder, ein Deutscher, ein Mann Namens Nolte, der den Abwesenden sprechen wollte und ihm endlich schrieb. Der Brief, den Heine durch seinen Portier solchergestalt erhielt, war in den freundschaftlichsten Ausdrücken abgefaßt und enthielt eine Warnung vor einem Complott preußischer Offiziere, die, nach Lesung seiner Vorrede zu der Uebersetzung seiner [Französischen] Zustände, sicherem Vernehmen nach sich verabredet haben sollten, den Schriftsteller zu compromittiren und auf diese Weise durch Zweikampfhändel aus der Welt zu schaffen. Heine glaubte dieser Nachricht, und ich bin der Meinung, daß Jedermann in seinen Verhältnissen dieß würde geglaubt haben, zumal noch kurz vorher in Belgien drei Officiere der Garnison von Gent einen Publicisten wegen seiner Aeußerungen gegen den König Leopold forderten, und weil die Sache überhaupt nichts Unwahrscheinliches hatte. Er glaubte ihr nicht nur, sondern traf auch Maßregeln, sich gegen den Anfall en masse zu schützen, indem er den Avis seinen

Freunden mittheilte, die nicht ermangelten, ihm so viel Hülfe zuzusagen, daß falls die Drohung erfüllt worden wäre, die Gegner gewiß zehn Mann für Einen auf der Mensur gefunden haben würden.

Die Drohung wurde aber nicht erfüllt, entweder weil das *Vorhaben* nicht statt fand oder *zurückging,* oder *weil sich die Drohenden durch die Vorkehrungen hinter der Koulisse von der Scene entfernt hielten.*

Und somit war die Sache vergessen bis diesen Morgen, wo uns von Leipzig aus eine große Trompete entgegen bläst, man habe Heine zum Besten gehabt und es sey niemals preußischen Officieren eingefallen, nach seinem Kopfe lüstern zu werden. [...]

Wenn das Faktum kein Faktum war, warum nimmt er *[der Correspondent]* sich desselben an? Kein Mensch dachte mehr daran, wie denn überhaupt Niemand weniger daran dachte, als Heine selbst, der, ich muß es hier sagen, so weit entfernt von Renommisterei ist, daß er sogar seinen Freunden und Bekannten ein Duell verhehlte, welches er sich letzthin durch Deutschthümlerei zuzog. Ich nenne die Sache beim Namen, weil ich es nur tadeln kann, wenn man sich durch einen Franzosen beleidigt fühlt, der in Gesellschaft von Franzosen mit Geringschätzung von nos Allemands spricht. Es würde mich doch infam geärgert haben, wenn eine Windbeutelei in St. Germain den Mann geliefert hätte, der so viel Schönes schrieb. [...]

Ich habe Heinen gefragt, ob er seinen Artikel in der Leipziger Zeitung gelesen habe. Er antwortete:»Ich lege mir eine Sammlung von klassischen Produkten an und werde mir ihn von Galignani kaufen.«

(256)

374. FERDINAND HILLER   Ende Nov. 1833
      Memoiren   (*1880)

[...] im Spätherbst [1833] wurde die Trauung [von Hector Berlioz] vollzogen, und zwar in der Capelle der englischen Gesandtschaft. Heinrich Heine und ich dienten den Gatten als Zeugen. Es war ein stiller, etwas trüber Actus, nach dessen Vollzug die Neuvermählten ihre entfernt gelegene Wohnung aufsuchten und Heine mir gegenüber seinen wehmüthig-spöttischen Betrachtungen freien Lauf ließ. Man konnte nicht unter ungünstigeren Verhältnissen die Erfüllung eines höchsten Lebenswunsches erreicht haben. Auch in ihren Folgen war die Verbindung keine glückliche zu nennen, wie ich, von Paris entfernt, von allen Seiten hörte und wie es Berlioz ja selbst in seinen Memoiren zugesteht.   (110)

375. KARL EDUARD BAUERNSCHMID   Dez. 1833
(DECKNAME: BRAUN)

Geheimbericht an die österreichische Regierung,
Paris, 16. Dez. 1833

Beiliegend schicke ich Ihnen die Visitkarte eines geistreichen Mannes
(Heine), den ich im Lesekabinet kennen lernte und darauf infolge
seiner Einladung besuchte. Da er mich bei seiner Gegenvisite nicht zu
Hause fand, gab er die Karte ab.   (69)

376. VINZENT RUMPFF   Nov./Dez. 1833

Geheimbericht an die österreichische Regierung,
Paris, 12. Jan. 1834

Über die Verbindung der beiden Schriftsteller Heine und Börne mit
dem Vereine *[dem »Deutschen Volksverein«]* ist schwer ins klare zu
kommen. Sie sind beide, besonders der erstere, zu klug, um sich mit
jenen unbedeutenden Individuen zu kompromittieren.

Heine schreibt meistens lediglich um Geld zu gewinnen, aber die
hiesige Polizei glaubt dennoch, daß er mit den Propagandisten in
näherer Berührung steht und daß er am 22. Dezember eine Versammlung deutscher Schriftsteller bei sich gehalten habe, in der beschlossen
worden sei, die Redaktion der Druckschriften und Pamphlets des
Patriotenvereins, die bisher so mangelhaft verfaßt worden sind, künftig geübten Federn anzuvertrauen. Deshalb sei eine Redaktionskom-
mission ernannt worden, die aus folgenden Personen besteht: Heine,
Savoye, Dr. Meyer, Dr. Arent und A. Traxel. Börne wollte bei dieser
Versammlung nicht erscheinen, da er mit Heine in bitterer literarischer
Feindschaft lebt und Heine als unzuverlässig darstellen will. Der hiesigen Polizei war es, wahrscheinlich durch perlustrierte Depeschen
oder aus Berlin, wo dem französischen Gesandten viele Quellen offen
stehen, bekannt geworden, daß der hiesige preußische Gesandte schon
im November den Auftrag erhalten habe, Heine von hier wegschaffen
zu lassen. Seit der Publikation der französischen Ausgabe der heimi-
schen »Französischen Zustände«, worin der König nicht sanft behandelt wird, ist Heine vom Minister des Innern unter polizeiliche Auf-
sicht gestellt.   (69)

377. JULES JANIN   Ende 1833?
nach anonymer Mitteilung   *(*14. 11. 1837)*

So kam einst Heine zu mir und fragte mich, ob die Uebersetzung eines
Fragments seiner Schriften, welche Löwe-Weimars verfertigt hatte,
gut französisch sei. Ich überflog die Uebersetzung und fand sie herzlich schlecht. Und doch rührte sie von Löwe-Weimars her!   (195)

1834
Paris

378. EDOUARD DE LA GRANGE   9./10. Jan. 1834

      Tagebuch, Paris, 9. Jan. 1834

Heine.

                                               10. Jan. 1834

Prêté à Heine *Kleine Bücherschau* de Jean-Paul.   (307 d)

Die »Kleine Bücherschau« von Jean Paul an Heine verliehen.

379. EDOUARD DE LA GRANGE   27. Jan. 1834

      Tagebuch, Paris, 27. Jan. 1834

Heine.   (307 d)

380. EDOUARD DE LA GRANGE   4. April 1834

      Tagebuch, Paris, 4. April 1834

Renvoyé à Heine son livre.   (307 d)

Heine sein Buch zurückgeschickt.

381. EUGEN V. BREZA   April 1834

      an die Cottasche Buchhandlung, Paris, 15. April 1834

J'avais depuis longtemps le désir de vous soumettre un projet dont
l'exécution est digne de la haute et juste reputation [!] de votre maison.

Les nombreuses et importantes occupations qui ont demandé tout votre temps pendant votre séjour à Paris m'ont seules empêché de vous faire mes propositions de vive voix; le croyant cependant assez intéressant pour mériter toute votre attention, je n'hésite pas plus longtemps à vous le communiquer et à demander votre coopération. – J'ai l'intention de publier en lithographie tous les tableaux remarquables des différentes écoles qui se trouvent dans les collections publiques et particulières de l'Europe. –

[...]

Avant de vous developper *[!]* mon projet dans tous ses détails, je me borne à vous donner en attendant les notions suivantes:

L'œuvre publiée sur la galerie de Dresde par Wonder (que vous connaissez sans doute) servirait de modèle pour l'édition projettée *[!]*. Les tableaux de chaque école seraient accompagnées d'un commentaire destiné à faire connaître l'histoire de chacune de ces écoles, dans ses différentes périodes de gloire et de décadence, ainsi que celle des peintres qui l'ont cré[é]e, et qui ont le plus contribué à en relever l'éclat. – Mon ami Mr Henri Heine, littérateur très connu se chargerait de la description de l'école Espagnole par laquelle commencerait l'ouvrage. Cette école est généralement peu connue, et je suis à même de profiter de la galerie du Marechal *[!]* Soult, qui renferme tout ce que l'école espagnole a de plus remarquable, et qui m'est ouverte.

L'Angleterre est un des pays les plus riches en collections particulières; [...]. Les nombreux amis que je compte dans ce pays et la protection spéciale dont m'honore Mr le Prince de Talleyrand, me mettent à même de trouver accès dans les galeries les plus riches de l'Angleterre.

Les relations que j'ai formées ici parmi les artistes les plus distingués par mon ouvrage: *Illustrations Israélites,* et la coopération que je trouverais dans mon ami Mr le Baron Forster, auteur d'un grand ouvrage de luxe très estimé: *la vielle Pologne,* qui serait mon associé pour cette nouvelle publication, vous offriront une certaine garantie de ma capacité de guider une affaire aussi importante. (311 a)

Ich hatte seit langem den Wunsch, Ihnen einen Plan zu unterbreiten, dessen Ausführung mir des hohen und verdienten Ansehens Ihres Hauses würdig scheint. Die zahlreichen und bedeutenden Verpflichtungen, die Ihre ganze Zeit während Ihres Parisaufenthaltes in Anspruch genommen haben, waren einzig der Grund, weshalb ich Ihnen meine Vorschläge nicht mündlich vorgetragen habe; ich halte den

Plan indessen für hinlänglich interessant, um Ihre ganze Aufmerksamkeit zu beanspruchen, und ich will nun nicht länger anstehen, ihn Ihnen mitzuteilen und Sie um Ihre Unterstützung zu bitten. – Ich beabsichtige, alle hervorragenden Gemälde aus den verschiedenen Schulen, die sich in den öffentlichen und privaten Sammlungen Europas befinden, als Stiche herauszugeben.

Bevor ich Ihnen meinen Plan in allen seinen Einzelheiten entwickle, möchte ich Ihnen vorläufig folgende Angaben machen:

Das Werk Wonders über die Dresdner Gemäldegalerie (welches Sie sicherlich kennen werden) gäbe das Vorbild für die geplante Ausgabe ab. Die Bilder jeder Schule erhielten einen Kommentar, der über die Geschichte dieser Schulen, ihre verschiedenen Blüte- und Verfallszeiten Aufschluß gäbe, sowie über die Maler, die sie geschaffen und die am meisten zu ihrem Glanz beigetragen haben. – Mein Freund Heinrich Heine, der berühmte Schriftsteller, übernähme die Darstellung der Spanischen Schule, welche den Anfang unseres Werkes bilden würde. Diese Schule ist im allgemeinen wenig bekannt, und ich bin selbst in der Lage, mir die Sammlung des Marschalls Soult zunutze machen zu können, die alle hervorragendsten Bilder der Spanischen Schule enthält und mir offensteht.

England ist eines der Länder mit den meisten Privatsammlungen. Die zahlreichen Freunde, die ich dort zähle, und die besondere Unterstützung, die mir Fürst Talleyrand angedeihen läßt, versetzen mich in die Lage, Zugang zu den reichsten Sammlungen Englands zu finden.

Die Beziehungen, die ich hier durch mein Werk »Illustrations Israélites« mit den ausgezeichnetsten Künstlern eingegangen bin, sowie die tätige Mithilfe, die ich in meinem Freund, dem Baron Forster, finden würde, welcher der Autor eines großen und sehr geschätzten Prachtwerkes, »la vielle Pologne«, ist und mein Partner bei dieser neuen Veröffentlichung wäre, geben Ihnen eine gewisse Sicherheit, daß ich fähig bin, ein Unternehmen von solcher Bedeutung zu leiten.

382. HERMANN V. PÜCKLER-MUSKAU   Aug./Sept. 1834

an K. A. Varnhagen v. Ense, Paris, 30. Sept. 1834

Was ich aber besonders bedaure, ist, daß Heine, den ich so sehr kennen zu lernen wünschte, abwesend war, und als er einmal auf einige Tage in die Stadt kam, er mich und ich ihn zweimal verfehlt habe. Ein kurzer Brief, den er bei mir zurückließ, und den er wegen meiner schlechten Feder nicht vollenden konnte, ist alles, was ich von unserm modernen Lichtenberg aus Paris mitnehme. (200)

383. GEORGE SAND   Anf. Nov. 1834

an Franz Liszt, Paris, Anf. Nov. 1834

Je ne sais pas, Monsieur, si vous avez reçu un billet d'Alfred de Musset qui vous priait instamment d'amener M. Berlioz chez moi. Si vous ne pouvez réaliser ce désir (que j'ai autant que lui) avant deux ou trois jours, permettez-moi du moins de déclarer qu'à mon retour je serai assez heureuse pour faire la connaissance avec M. Berlioz et M. Heine.   (221)

Ich weiß nicht, mein Herr, ob Sie ein Briefchen Alfred de Mussets erhalten haben, in dem er Sie inständig bat, Herrn Berlioz zu mir mitzubringen. Wenn Sie diesen Wunsch (den ich ebenso hege wie er) nicht vor zwei oder drei Tagen erfüllen können, so erlauben Sie mir wenigstens, Ihnen hiermit zu erklären, daß es mir nach meiner Rückkehr große Freude bereiten wird, Berlioz' und Heines Bekanntschaft zu machen.

384. ANTON MARTIN SCHWEIGAARD   Nov. 1834

an Johann Sebastian Welhaven, Paris, 24. Dez. 1834

Vor einigen Wochen kam ich, bei einem Gespräch mit Heine auf die Idee, einen Artikel über die deutsche Philosophie zu schreiben; es ist fast 14 Tage her, seit er fertig wurde.   (18)

385. GEORGE SAND   28. Nov. 1834

Tagebuch, Paris, 28. Nov. 1834

J'ai vu Heine ce matin, il m'a dit qu'on n'aimait qu'avec la tête et les sens et que le cœur n'était que pour bien peu dans l'amour.   (219)

Heute früh sah ich Heine; er sagte mir, daß man nur mit dem Kopf und mit den Sinnen liebe, das Herz tue im Grunde nichts Besonderes zur Sache.

386. (AUGUST TRAXEL)   Dez. 1834

Korrespondenz aus Paris   *(* 1. 1. 1835)*

Ein geistreicher Franzose, der Heine genau kennt, versichert, daß
Heine sich nach Deutschland sehnt. Sagen wird er dies wol nicht, denn
er machte demselben Freunde seine Vorliebe für Deutschland zum
Vorwurf. Aber die Symptome zeigen sich gewiß; denn ein freiwilliges
Exil par dépit trägt sich oft schwerer als ein wirkliches Verhängniß.
Was soll auch der deutsche Schriftsteller in Paris? Die französischen
Romantiker zeigen ihm ja täglich, wie man Buchstaben zu Gold macht
und wo ihn selbst der Schuh drückt.   (257)

1835
Paris

Aufenthalte in La Jonchère und Boulogne-sur-mer

387. ERNESTINE GOLDSTÜCKER   Jan. 1835

an Helmina v. Chézy, Paris, Jan. 1835

Alles duftet um mich herum, Blumen, Poesie, Rückerinnerung, alles
lächelt mich freundlich an, das danke ich Ihnen! Daß ich diese Nacht
wachend träumte und träumend wachte, und liebliche frohe Bilder
mich dabey umgaukelten – das danke ich Ihnen! Daß ich Sie las und
mich freute. Heine hörte und bewunderte. Das danke ich Ihnen! *Sie*
hatte ich gleich mit festen Klauen umklammert – *Sie* halte ich fest!
wie aber fange ich Durstige es an – mich an Heines silberklaren,
übersprudelnden Geistesquell zu erlaben? ich weiß – Sie thun es *Sie*,
deren weiche Sele leidet daß hungrige Poeten sterben –, *Sie* werden
sättigen die Lebendige, die ohne Poesie nicht *leben* kann! liebe, Gute,
biethen Sie alles auf was Ihnen Natur so reich an Witz und Liebenswürdigkeit verlieh – locken Sie – versprechen Sie (Ihnen glaubt er
eher als mir und da hat er ganz recht) lassen Sie alle Minen springen
führen Sie Heine zu mir! So gewissenlos bin ich – daß ich mir kein
Gewissen daraus mache ihn – coute qui [!] coute – selbst listig – zu
erfassen – und einmal erfaßt – ihn künstlich festzuhalten versuchen
werde. [...]

N. S. Zeigen Sie nicht, ich bitte, an Heine den Brief – Ihnen *erlaube*
ich coquette mit ihm zu sein – mir *verbiethe* ich es – ich kenn den
liebenswürdigen Mann *allzuviel,* den nachsichtigen Mann *allzuwenig*
und ich bin *Frau!* Warum nennt sich Heine nicht hain? er erinnert
daran – wie aber sollen die Franzosen es anfangen ihn richtig – auszusprechen? ohne apostrophe *müssen* sie hain? sagen und *mit* ainé –
des Verstandes wegen ist es ihnen vergeben wenn sie nur dieses Vergehen zu *deuten* wüßten –!   (316b)

Bericht über einen Paris-Aufenthalt (*1836)

[Am Billetschalter der Italienischen Oper.] Eben als ich das Zimmer verlassen wollte, trat ein Mann meines Alters, mittelgroß, blond, von frischer Gesichtsfarbe, und höchst einfach gekleidet, zu uns ein, den mein Freund und Gefährte *[O. L. B. Wolff]* mir als Herrn Heinrich Heine vorstellte. Ich habe mich in der That gefreut, Heine kennen zu lernen; seine Persönlichkeit ist einnehmend, und der deutsche Ernst auf seinem Gesicht kleidet ihn gut. Wir sprachen von Deutschland; ich fragte ihn, ob er nicht wieder dahin zurückkehren wolle? Er lächelte wehmüthig, und antwortete: »Schwerlich. Ich bin der Tannhäuser, der im Venusberg gefangen sitzt; die Zauberfei giebt mich nicht los.«»Freilich«, erwiederte ich:»und der deutsche Papst wird Ihnen nie vergeben.« Heine hat ein tiefes Gemüth, und es ist ihm nicht gleichgültig, ob man ihn in Deutschland hasse oder liebe. Vielleicht käme er gern zurück, vergäbe ihm der deutsche Papst. Deutschland ist eine großmüthige Mutter, sie wird ihm vielleicht die Wunden verzeihen, die ihr dieser Sohn geschlagen. (13)

389. OSKAR LUDWIG BERNHARD WOLFF Frühjahr 1835

Artikel über Heine (*15. 5. 1835)

Er ist ein geborener König der Welt, mit allen angenehmen und unangenehmen Eigenschaften eines solchen ausgerüstet: er denkt, er liebt königlich, aber er haßt und verfolgt auch königlich. Er verdammt seine Feinde nicht zu lebenslänglichem Kerker, wie ein königlicher Despot, sondern er schlägt sie gleich todt, mausetodt, wie ein königlicher Held. – Wie unwandelbar ist er dagegen auch wieder in der Treue gegen seine Freunde, das heißt: gegen die, deren Freund er ist. Niemand hat das so erfahren, wie ich; unsere Lebenswege, unsere Ansichten über die höchsten Interessen des Menschen sind seitdem so verschieden geworden; ich habe bei mehreren Gelegenheiten bestimmt, ja selbst nicht ohne Härte, eben weil er mein Freund war, öffentlich ausgesprochen, was mir an und von ihm mißfiel; Jahre verflossen so, während welcher wir uns weder sahen, noch schrieben, und wenn ich dann einmal ganz unerwartet bei ihm eintrat, wie vor sechs Jahren in Berlin, oder jetzt in Paris, so kam er mir mit derselben

Herzlichkeit, Wahrheit, Offenheit und Treue entgegen, wie vor vierzehn Jahren in Hamburg, nachdem ein einziger Spaziergang damals uns einander so nahe gebracht. Das macht, weil in Heine nichts, durchaus nichts Kleinliches ist. Selbst körperlich habe ich Heine wenig verändert gefunden. Ihm, dem Dichter, gaben die Götter ewige Jugend und werden sie ihm erhalten. – Er ist von mittlerer Größe, wohl gebaut, rasch, aber keineswegs unstät in seinen Bewegungen; hellbraunes Haar legt sich dicht, doch nicht in Locken um seinen Kopf: unter einer sehr schönen geraden Stirn funkeln ein Paar hellbraune, auf den ersten Augenblick weil er kurzsichtig ist, klein scheinende Augen, sein Mund, auf dem beständig der Zug feiner Ironie ruht, selbst wenn er ernst oder mit Leidenschaft spricht, macht einen höchst angenehmen Eindruck. Die ganze äußere Erscheinung Heine's ist durchaus einfach; in seiner Kleidung, in seinem Auftreten auch nicht die mindeste Spur von Gesuchtheit, oder Affectation, dagegen desto mehr Sicherheit. Ihn wird nicht leicht etwas irre machen; mit seinem feinen Lächeln zerstört er ruhig und ironisch die geschliffenste französische Intrigue, so wie die plumpste deutsche Grobheit, so bald sie sich ihm störend oder feindlich in den Weg stellen.

So erschien er mir damals, so blieb er in meiner Erinnerung, so fand ich ihn jetzt wieder; geistig durchaus unverändert, körperlich etwas stärker geworden. Unsere erste Begrüßung war herzlich und kurz; der nächste Augenblick vertiefte uns in ein Gespräch, in welchem wir über die Felder des Denkens sprangen, wie zwei Springer auf einem Schachfelde, um Könige wie um Bauern herum, Alle von der Seite beguckend und uns wenig darum kümmernd, ob sie da stehen blieben oder nicht. Gleich mit einander eingeübten Ballspielern warfen wir uns Meinungen und Ideen zu, sicher, der Andere fange sie mit Blitzesschnelle auf. Deutschland tischte ich ihm auf, er mir Frankreich. – Die Urtheile, das Geschwätz, die Nachahmereien u. s. w., die von und über ihn im lieben Vaterlande sich wie das Echo der Juden herum treiben, bis sie, wie dieses, endlich einen Stock oder Block finden, in dem sie sitzen bleiben und nun immerfort in den Tag hinaus stöhnen, belustigen ihn weidlich; heftig erklärte er sich aber dagegen, daß er immer mit Börne zusammen genannt werde. Ich tröstete ihn: das sei nun deutsche Sitte; wir könnten gar nicht geistig leben, wenn wir nicht Parallelen zögen und so oft die heterogensten Leute, die sich ähnlich sehen, wie ein Schimmel einem Rothfuchs, zusammen spannten; so Goethe und Schiller, Voß werde nie ohne Stolberg genannt,

Matthisson habe seinen Salis, Iffland seinen Kotzebue oder Kotzebue seinen Iffland; er möge sich mit Goethes Worten trösten:

> Hat doch der Wallfisch seine Laus,
> Muß ich auch meine haben.

Börne sei nun einmal die seinige u. s. w. Er wurde aber noch eifriger, und erwiederte: Ich habe nie mit diesem Menschen etwas gemein gehabt, ich will nie mit ihm etwas gemein haben. – Ja, meinte ich, du *kannst* nie mit ihm etwas gemein haben, er hat die Gemeinheit allein. – Es beleidigt mich, fuhr er fort, ohne auf meinen schlechten Spaß, der aber das Resultat einer ernsten Ueberzeugung war, zu achten, – es beleidigt mich, wenn man meinen Namen in Deutschland zugleich mit dem seinigen ausspricht; sprich das in Deutschland für mich aus. – Ich habe es hiemit gethan, ernst und nachdrücklich, denn ich gebe Heine'n aus ganzer Seele Recht, und bin vollkommen der Meinung, daß es, bei dem Wege, den Börne in den letzten Jahren eingeschlagen hat, eine Ehre sei, von ihm angegriffen, ein Schimpf, mit ihm zusammen genannt zu werden.

Wir sprachen uns seitdem noch oft und noch von tausend Dingen, vom Pantheismus, der die Franzosen sehr interessirt, von Hegel und seinen Schülern, von der Berliner Belletristensippschaft und von Brockhaus literärischen Blättern; von seinen Jüngern und seinen Nachahmern; bei letzterer Gelegenheit fragte ich ihn, ob ich den Ton gut getroffen habe mit Folgendem:

Wie Heine.

Ich sah im Cölner Dome
Den großen Christoph steh'n;
Im Dom zu Cöln am Rheine
Hab' ich den Christoph geseh'n.

Im Dom zu Cöln am Rheine
Sah ich noch manches Bild:
Maria, die Mutter reine,
Maria, die Jungfrau mild.

Die heiligen Reliquien,
So heilig, wie in Rom,
Sah ich zu Cöln am Rheine,
Im heiligen Cölner Dom.

Ich hab' im Cölner Dome
Gar vielerlei geseh'n.
Im Dom zu Cöln am Rheine
Blieb ich vor Vielem steh'n.

Er lächelte – und unser Gespräch wandte sich weiter auf – was? –
ich will es mit Dante's Worten erzählen, denn wir gingen meistens
mit einander spazieren: nämlich:

Così n'andammo infino alla lumiera,
Parlando cose che il tacere è bello,
Si com' era il parlar colà dov'i'era;

denn – und das ist mein Grund – wer würde mich vor Mißverständ-
nissen sichern? [...]
Uebrigens versteht er es die Franzosen mit ihrer leeren Wichtig-
thuerei und ihrer hohlen Arroganz vortrefflich zu behandeln, da er
sich durch Nichts irre machen läßt. Nach Deutschland wird er jedoch
für's Erste wohl schwerlich zurückkehren, da er hier zu vielen Haß
auf sich geladen hat, was er zwar keineswegs fürchtet aber gar wohl
weiß. Die deutschen Verbannten hält er sich ziemlich vom Leibe, was
ihm nicht eben, bei der Petulanz und Dummheit gar Vieler unter denselben, zu verdenken ist, auf der anderen Seite erzeigt er ihnen jedoch
viel Gutes, und zwar auf die rechte Weise, indem die Linke nicht
erfährt was die Rechte thut. Auch mir sagte er nichts davon, ich erfuhr
es jedoch von Einem dieser unglücklichen Leute, den Unklarheit und
Unbesonnenheit in das Elend geführt, und den Heine mit edelster
Feinheit des Herzens verschiedentlich durch namhafte Summen unterstützt hatte. – So verwandte er sich gleichfalls während meiner Anwesenheit, auf das Lebhafteste für einen gewissen Venedy, den Redacteur eines deutschen, dort erscheinenden Journals »der Geächtete«
welchem die Regierung, ich weiß nicht aus welchen Motiven, die
Erlaubniß zu längerem Aufenthalt in Paris verweigerte und der dadurch in nicht geringe Verlegenheit gesetzt wurde. Es half ihm jedoch
nichts, da, wie es schien, wichtige Gründe sich von Außen in den Weg
stellten.
Ich forderte ihn dringend auf, einmal wieder etwas Größeres, rein
Poetisches zu schreiben; er erwiederte mir daß er damit umgehe ein
Trauerspiel zu dichten. Das freute mich außerordentlich und ich bat
ihn, mir das Versprechen zu geben es so bald wie möglich zu thun.

Er lächelte, mit jenem feinen, ironischen und doch so gutmüthigen Lächeln, das ich so wohl an ihm kenne und so sehr liebe. Mit einer herzlichen Umarmung trennten wir uns von einander, am Tage vor meiner Abreise von Paris, nachdem wir noch fünf Stunden mit einander zugebracht, und größtentheils in den Gängen und Gallerien des Palaisroyal auf und nieder gegangen waren. Wer weiß wann ich ihn wiedersehe! Aber das weiß ich, daß ich nie aufhören werde ihn zu lieben, denn von Allen die ich kenne, verdient es Niemand in solchem Grade wegen seiner unerschütterlichen Treue von seinen *Freunden* geliebt zu werden, wie Heinrich Heine. – (299)

390. GEORGE SAND   Frühjahr 1835

an Franz Liszt, Nohant, 21. April 1835

Une âme comme la vôtre doit vivre en un jour ce que les autres ont vécu en vingt ans. Et puis d'ailleurs, nous sommes nés *cousins*, comme dit Heine. Voilà qui est *fat* de ma part. (221)

Einer Seele wie der Ihren ist es gegeben, an einem Tag zu erleben, wozu andere zwanzig Jahre brauchen. Und außerdem sind wir als Cousins geboren, wie Heine sagt. Das zu sagen ist allerdings Angeberei von mir.

391. CAROLINE JAUBERT   4. April 1835

Heine-Erinnerungen   *(* 1879)*

Dans un bal donné à Paris durant l'hiver de 1835, Henri Heine me fut présenté. Il parlait alors le français avec quelque difficulté, toutefois exprimant sa pensée sous une forme piquante; des cheveux d'un blond chaud, taillés droits, un peu longs, le faisaient paraître plus jeune que son âge, qu'il m'indiqua en riant. «Je suis, disait-il, premier homme de mon siècle.» A travers une conversation animée, je remarquai qu'il s'impatientait à rencontrer sans cesse notre admiration française, placée sur les mêmes noms de Gœthe, Byron ou Victor Hugo. Aussi, apercevant Alfred de Musset dans un groupe de valseurs: «Je ne comprends rien aux Parisiens, dit-il; à vous entendre parler poésie, on vous croirait amateurs forcenés, et je vois là un poète par excellence, qui vous appartient par droit de *nativité*...

Eh bien, je constate que, parmi les gens du monde, il est aussi inconnu comme auteur que pourrait l'être un poète chinois!» [...]

La première impression qu'il m'avait laissée était de manquer de cette précieuse qualité *[la bonté]*, qui n'exclut nullement la malice, qu'on peut regarder comme le hochet de l'esprit. Fréquemment avivée par ses propos, cette impression empêcha longtemps mon amitié de répondre à la sienne. Toutefois l'attrait exercé par son imagination, l'amusement qu'éveillait son esprit faisaient fort goûter sa présence dans une petite réunion; il animait, brillait; son esprit, pailleté en quelque sorte, devenait un élément précieux; souvent, je lui demandais de se joindre à mes convives quand ils pouvaient lui plaire; il apportait une exactitude aimable dans tous les rapports de société. S'il était attendu, ne pouvait-il venir, un mot d'excuse vous prévenait à temps.   (117)

Auf einem Balle, welcher zu Paris während des Winters 1835 stattfand, wurde mir Heinrich Heine vorgestellt. Er sprach damals das Französische mit einiger Schwierigkeit, verstand jedoch seine Gedanken in pikanter Form auszudrücken; hochblonde, etwas lange, ganz gerade geschnittene Haare ließen ihn jünger scheinen, als er in Wirklichkeit war; lachend gab er mir sein Alter an: »Ich bin«, sagte er, »der erste Mann meines Jahrhunderts.« Während der lebhaften Unterhaltung bemerkte ich, daß es ihn unmuthig machte, unaufhörlich der immer für dieselben Namen von Göthe, Byron oder Viktor Hugo ausgedrückten Bewunderung der Franzosen zu begegnen. Und als er Alfred de Musset in einer Gruppe Tanzender bemerkte, sagte er:»Ich begreife die Pariser nicht; hört man sie von Poesie sprechen, so sollte man sie für außerordentliche Verehrer derselben halten, und hier sehe ich einen Dichter im wahrsten Sinne des Wortes, der ihnen schon durch seine Geburt angehört ... trotzdem aber habe ich die Beobachtung gemacht, daß er in den besseren Gesellschaftskreisen ebenso unbekannt ist, wie es nur ein chinesischer Dichter sein könnte!« [...]

[...] Der erste Eindruck, welchen er auf mich gemacht hatte, [war] gerade der [...], jener kostbaren Eigenschaft *[der Güte]* zu entbehren, welche keineswegs die Schalkheit, die man als den Flittertand des Geistes betrachten kann, ausschließt. Dieser, durch seine Reden noch häufig angefachte Eindruck verhinderte mich während langer Zeit seine Freundschaft zu erwidern. Jedoch der durch seine Einbildungskraft ausgeübte Reiz und die Unterhaltung, welche sein Witz belebte, machten seine Gegenwart in einer kleinen Gesellschaft sehr angenehm; er regte an, glänzte; sein sprühender Geist wurde ein schätzbares Ele-

ment; ich bat ihn oft sich meinen Gästen anzuschließen; mit liebenswürdiger Genauigkeit kam er allen gesellschaftlichen Verpflichtungen
nach. Erwartete man ihn und er konnte nicht kommen, so ermangelte
er nicht, sich bei Zeiten durch einige Zeilen zu entschuldigen. (118)

392. ADALBERT V. BORNSTEDT   April 1835

Bericht aus Paris   (*1836)*

Im Monat April 1835 wanderte ich in der Mittagsstunde über den
Platz des Victoires wo die ungeschickte Reiterstatue Ludwig XIV. vom
Baron Bosio, aber nicht von dem Bildhauer Bosio, mir ein schiefes
Gesicht zuschnitt.

An der Ecke der rue du Rempart stieß ich gegen Heine, der sich, in
seinen blauen Mantel gehüllt, an den Kupferstichen ergötzte. –
»Wo gehen Sie hin?« – fragte ich.
Antwort: »Ich weiß nicht.«
»Sie wollen originell scheinen mein Bester.«
[Heine:] »Ganz und gar nicht, wissen Sie, wo Sie hin gehen?«
»Ums Himmelswillen keine Philosophie und kein Wortspieltur-
nier.« –
[Heine:] »Nun ich gehe spazieren, je flâne.«
Gut, flânons.« –
[Heine:] »Sehr wohl, nous flânerons.«
»Sie haben Ihre Conjugationen noch nicht vergessen.«
[Heine:] »Die lateinischen ja, die französischen lerne ich täglich
besser.« –
Es fuhr ein Omnibus vorüber.
»Steigen wir ein.« –
»Wohin fährt der Kutscher?«
»Gleichviel wir sprechen hier bequemer und können nachher einen
andern Wagen wählen.«
Indem wir eben Platz nahmen, stieg eine mehrere Zentner schwere
Französin ein und pflanzte sich gewaltig zwischen uns. – Heine ver-
schwand hinter ihrer linken Hüfte, ich unter ihren unendlichen Gigot-
Aermeln. –
»Mein Gott, wir sind getrennt, das ist ein Bischen stark«, klagte
Heine –
»Die Frau ist es in der That –«
[Heine:] »Sie sehen, man weiß nicht, wohin wir gehen, wir wollten

zusammen plaudern und sind nun von diesem Fleischchimborasso, von diesem Brusthimalaja, von diesem lebendigen Montblanc getrennt.« –

Wir fuhren durch mehrere alte Straßen der Vorstadt Saint Antoine zu – wir hatten diese Straßen nie geahndet, die Häuser waren alt, viel öde Hôtels und hohe Mauern – wir sind im Marais – es werden Menschen ein und ausgeladen – wir sind auf dem Bastillenplatze. –

»Steigen wir aus und gehen wir den Boulevard zu Fuß hinab.« – Beide hatten wir Appetit und traten in einen Kuchenbäckerladen, der leidlich aussah. Die Pasteten waren trocken, der Liqueur schlecht. –

[Heine:] »Sie sehen, wir wissen nicht, wo wir hin gehen.« –

An der Ecke des Boulevard du Temple begegnete uns ein junger, eleganter, vornehmer Pole.

»Wo haben Sie so lange gesteckt«, fragte Heine.

»Ich war in London, und gedachte in Brüssel zu bleiben, mußte aber Umstände halber wieder nach Paris zurückkehren.«

[Heine:] »Sie sehen, wir wissen nicht wohin wir gehen.« –

»Leider nein«, erwiederte der Pole – »denken Sie Sich der junge X. ist in Lithauen gefangen worden.« –

[Heine:] »Sehen Sie, wir wissen nicht wohin wir gehen.« –

»Es ist in jetziger Zeit auch gar kein Vortheil mehr ein Revolutionair zu sein«, setzte Heine ironisch lächelnd hinzu! »Man kann keinen Schritt thun, ohne daß uns nicht hier ein Bekannter gefangen, dort eingesperrt, dort weggejagt und immer eine Leidensgeschichte erzählt wird. Wahrhaftig das ist sehr unangenehm. – Was waren das für glückliche Zeiten als ich noch in Deutschland der einzige Revolutionair war, seitdem aber die andern sich ins Handwerk gelegt haben, ist mir aller Appetit vergangen.« –

»Sie waren Deutschlands einziger Revolutionair wie der Hofrath Friedrich Förster der einzige preußige Hofdemagoge ist.« –

»Ich bitte ersparen Sie mir solche anstößige Vergleiche; mein Gott, werden Sie denn nie begreifen, wie schön es ist sein Vaterland zu retten« – bei diesen Worten flog ein malizieuser Spott über das Gesicht des kleinen Dichters, seine Augen blitzten und glänzten, seine Mundwinkel zuckten und schmunzelten. –

In dem Augenblick traten zwei anständig gekleidete Herren an uns heran, und sich äußerst höflich zu dem jungen Polen wendend überreichte ihm der Aeltere von beiden ein großgefaltetes Schreiben: den Befehl, Paris in acht und vierzig Stunden zu verlassen und sich ungesäumt nach Dijon zu begeben! »Wir haben Ihnen die Ministerialordre mitgetheilt, übermogen früh werden wir in Ihrer Wohnung sehen, ob Sie derselben Folge geleistet haben.« Die beiden Polizeibeamten grüßten höflich und entfernten sich, dem Polen eine Copie des Befehls zurücklassend. – Es folgte eine augenblickliche Pause. – [Heine:] »Wir wissen nicht, wohin wir gehen.« – »Ich weiß es wohl – ich habs ja schwarz auf weiß, erwiederte ruhig der Pole.« – [Heine:] »Nun so essen wir wenigstens heute zum Letztenmale zusammen.« – »Wo?« »Aux Vendanges de Bourgogne.« (30)

393. Eugen v. Breza   Juni 1835

an Johann Georg v. Cotta, Paris, 11. Juni 1835

Mr Henri Heine, m'a confié deux lettres ci incluses, en m'engageant à vous les envoyer et de vous developper dans une lettre, le projet d'un Journal allemand, politique et littéraire pour paraître à Paris. Les avantages d'une entreprise de ce genre, sont trop palpables pour que je me croye obligé de vous en parler longuement, à vous, Monsieur le Baron, qui dirigeant avec autant de succès que de gloire une des entreprises littéraires les plus populaires de l'Europe, en apprécierez plutôt que tout autre les conséquences. Je me borne donc à vous soumettre quelques réflexions spéciales sur la manière la plus avantageuse de mettre ce projet à éxécution [!].

Le Docteur Ritterbrandt n'est pas le seul qu'une pareille idée occupe, mon compatriote, le Comte Jelski, chef d'une maison de Banque à Paris, cherche aussi à la réaliser: il est donc plus que probable que l'un ou l'autre l'exécutera. Les avantages que ces messieurs pourraient en retirer, quelques considérables qu'ils soient, ne seront jamais comparables à ceux, Monsieur le Baron, que vous pourriez en retirer vous-même.

Le Journal étant votre propriété donnerait la plus forte garantie aux cabinets récalcitrants de Vienne et de Berlin, que les affaires de l'Allemagne y seraient traitées avec la plus grande discrétion et celles de la France avec impartialité: son entrée en Allemagne ne souffrirait donc aucune difficulté. Au reste quant à ce point, Mr Heine, qui dans ce moment est très-bien vu par les autorités françaises, a la promesse solennelle d'un personnage très influent en Allemagne qui lui a assuré qu'il procurerait cette admission pour un Journal dont Mr Heine serait le Rédacteur en chef. Il est indispensable que la partie politique de ce Journal se compose de la traduction des principaux articles des autres Journaux et d'une correspondance particulière à cette feuille; en sorte qu'elle soit non seulement une imitation, mais, pour ainsi-dire, une succursale de l'Allgemeine, sans pourtant nuire à cette dernière, puisque ces deux Journaux seront la propriété de la même personne.

Le but principal du Journal à établir serait de supléer aux Journaux français en Allemagne, sur lesquels il aurait l'immense avantage de présenter un feuilleton d'une grande importance pour votre pays, qui dirigé par Mr Henri Heine, se distinguerait certainement entre tous les travaux de ce genre. Il est à désirer que ce Journal paraisse à 2 heures de l'après-midi afin qu'on puisse y insérer les nouvelles les plus intéressantes, tant celles données par les Journaux du matin, que celles arrivées par la correspondance du même jour. De cette manière cette feuille apporterait les nouvelles de France à l'Allemagne, 24 heures avant les autres Journaux de Paris et elle donnerait en même temps à notre ville, le jour même, celles arrivées par le Courrier du matin.

Le format des grands Journaux français me paraît d'autant plus convenable pour cette feuille, qu'il aura en Allemagne le charme de la nouveauté.

L'insertion des annonces de librairies, nouveautés etc. de Paris sera d'un rapport considérable, attendu le besoin et le désir [!] qu'éprouvent les commerçants de cette grande ville, de faire connaître leurs articles en Allemagne.

Vous comprendrez facilement, Monsieur le Baron, que les frais de cette entreprise seraient beaucoup moindres pour vous que pour tout autre. Un administrateur qui posséd[e]rait votre confiance, quant à la partie financière, un Rédacteur en chef, deux autres Rédacteurs, l'un pour la partie politique, l'autre pour le feuilleton, aidés de quelques traducteurs habiles, suffiraient pour assurer la marche de cette feuille et la mener à bien.

Mr Ritterbrandt est prêt à conclure une affaire qui mettra à sa disposition les fonds nécessaires, le Comte Jelski cherche une personne qui veuille diriger l'entreprise; vous ne trouverez donc pas mauvais, Monsieur le Baron, que Mr Heine et moi, nous prenions la liberté de vous demander de ne pas tarder à nous faire connaître votre manière de penser sur cet objet.

Pour mon compte, je vous prie, Monsieur le Baron, de voir dans cette démarche une preuve combien je serais heureux de vous être agréable et de me procurer en même temps l'occasion d'entrer avec vous dans des relations plus immédiates: car je n'hésite pas de vous dire avec franchise que, dans le cas où ce projet aurait votre assentiment, je solliciterais auprès de vous une place dans la rédaction de ce Journal. (311 a)

Herr Heinrich Heine hat mir die beiden einliegenden Briefe anvertraut und mich gebeten, sie Ihnen zuzusenden und Ihnen in einem Brief den Plan einer deutschen politischen und literarischen Zeitung zu entwickeln, die in Paris erscheinen soll. Die Vorteile einer derartigen Unternehmung sind zu greifbar, als daß ich Ihnen noch lange davon sprechen müßte – Ihnen, Herr Baron, die Sie mit ebensoviel äußerem Erfolg wie geistigem Glanz eines der beliebtesten literarischen Unternehmen Europas leiten, und Sie werden deshalb eher als jeder andere die ersprießlichen Folgen einer solchen Gründung zu würdigen wissen. Ich beschränke mich also darauf, Ihnen einige besondere Erwägungen zu unterbreiten, wie dieser Plan am vorteilhaftesten ins Werk zu setzen wäre.

Dr. Ritterbrandt ist nicht der einzige, der sich mit einem solchen Vorhaben trägt; auch mein Landsmann Graf Jelski sucht es zu verwirklichen. Es ist also mehr als wahrscheinlich, daß der eine oder andere von beiden es in die Tat umsetzen wird. Mögen die Vorteile, die diese Herren aus einer solchen Unternehmung ziehen könnten, auch noch so beträchtlich sein, sie werden sich doch nie mit denen messen können, die Sie, verehrter Herr Baron, daraus zu ziehen imstande sind.

Die Tatsache, daß das Blatt Ihr Eigentum wäre, gäbe den argwöhnischen Regierungen in Wien und Berlin die sicherste Gewähr dafür, daß die Angelegenheiten Deutschlands darin mit der größten Zurückhaltung und diejenigen Frankreichs mit Unparteilichkeit behandelt würden: Es dürfte dann keinerlei Schwierigkeiten bereiten, dem Blatt Eingang nach Deutschland zu verschaffen. Im übrigen hat Heine, der sich im Augenblick des größten Wohlwollens der französischen Stellen erfreut, in dieser Angelegenheit das feierliche Versprechen einer sehr hochgestellten Persönlichkeit in Deutschland erhalten, ihm gegebenenfalls die Zulassung für eine Zeitung zu erwirken, als deren Chefredakteur er zeichnete. Es wäre unerläßlich, daß sich der politische Teil der Zeitung aus Übersetzungen der wichtigsten Artikel der übrigen Zeitungen sowie einer eigens für dieses Blatt geschriebenen Korrespondenz zusammensetzt; so hätten wir nicht nur eine Nachahmung, sondern sozusagen eine Filiale zur »Allgemeinen«, ohne indessen dieser letzteren zu schaden, da ja beide Zeitungen Eigentum einer und derselben Person wären.

Hauptziel dieser Zeitung wäre es, an die Stelle der französischen Zeitungen in Deutschland zu treten, denen sie den unschätzbaren Vorteil voraus hätte, ein Feuilleton von großer Bedeutung für Ihr Land zu liefern, welches sich unter der Leitung von Heinrich Heine sicherlich vor allen andern Arbeiten dieser Art auszeichnete. Es wäre zu wünschen, daß das Blatt um zwei Uhr nachmittags erscheint, damit darin die interessantesten Neuigkeiten berücksichtigt werden können, und zwar die aus den Morgenblättern wie auch die, welche mit der Korrespondenz vom selben Tage eingetroffen sind. Auf diese Weise brächte unsere Zeitung die Nachrichten aus Frankreich 24 Stunden vor den anderen Pariser Blättern nach Deutschland, und sie gäbe zugleich für unsere Stadt noch am selben Tag die Nachrichten, die mit der Morgenpost ankommen.

Das Format der großen Pariser Zeitungen scheint mir für unser Vorhaben umso mehr angemessen, als es in Deutschland den Reiz der Neuheit besitzt.

Die Pariser Buchhändler- und Neuigkeiten-Anzeigen dürften beträchtliche Summen einbringen, angesichts des Bedürfnisses und des Wunsches der hiesigen Handelsleute, ihre Artikel in Deutschland bekannt zu machen.

Sie werden sicher verstehen, Herr Baron, daß die Kosten dieses Unternehmens für Sie geringer als für jeden anderen ausfielen. Ein technischer Leiter für die finanziellen Angelegenheiten, der Ihr Vertrauen besäße, ein Chefredakteur, ein Redakteur für den politischen und einer für den literarischen Teil, sowie die Hilfe einiger gewandter Übersetzer dürften ausreichen, den Gang dieses Blattes und seine erfolgreiche Leitung zu sichern.

Herr Ritterbrandt ist bereit, ein Abkommen zu treffen, das die nötigen Mittel freistellt, Graf Jelski sucht jemand für die Leitung des Unternehmens; Sie werden es deshalb nicht falsch aufnehmen, Herr Baron, wenn Herr Heine und ich uns die Freiheit nehmen, Sie darum zu ersuchen, uns Ihre Ansicht von diesem Plan nicht zu lange vorzuenthalten.

Was mich betrifft, so bitte ich Sie, Herr Baron, in diesem Schritt einen Beweis dafür zu sehen, wie sehr ich glücklich wäre, Ihnen dienlich zu sein und bei dieser Gelegenheit gleichzeitig in nähere Beziehung zu Ihnen zu treten: Denn ich will Ihnen nicht verschweigen, daß ich für den Fall, daß unser Plan Ihre Zustimmung fände, bei Ihnen um einen Platz in der Redaktion dieses Blattes nachsuchen würde.

394. CAROLINE JAUBERT   Sommer 1835

Heine-Erinnerungen   *(* 1879)*

La campagne de Marly [...], était habitée par la princesse de Belgiojoso, chez qui aussi nous nous retrouvions souvent. Henri Heine admirait beaucoup son genre de beauté, à la fois étrange et classique, son intelligence vive et sérieuse, son esprit passionné et piquant. Cette riche nature, fortement contrastée, préoccupait l'observateur. Prompt à l'enthousiasme, l'esprit de la princesse était trop pénétrant pour ne pas l'obliger souvent à revenir sur ses pas. A ce sujet, le poète allemand avait essayé quelques plaisanteries, en traitant d'engouement les opinions de la belle Milanaise. Mais la réplique, dardée sans ménagement, le guérit bien vite de cette velléité. Désormais il préféra discuter ou ferrailler avec ceux que le hasard amenait tour à tour, littérateurs, académiciens ou philosophes, dans le cercle de Mme de Belgiojoso. Parmi ces derniers se rencontrait Victor Cousin, auquel alors Henri Heine était très hostile. C'était un faux savant, prétendait-il, qui se parait des plumes de tous les philosophes allemands. Sans cesse il s'ingéniait à le lui faire sentir. Entraîné par la conversation, Cousin commençait-il à systématiser sa pensée: «Je sais, je sais ce que vous voulez dire, interrompait Heine: c'est la théorie de Fichte, qui fut poursuivie par Schelling», et il entamait la controverse comme s'adressant personnellement au philosophe qu'il avait désigné. Une ou deux interruptions aussi déplaisantes coupaient court à la verve de Cousin, qui se retirait, préférant à ce pugilat philosophique l'auditoire enthousiaste auquel il était accoutumé.

Une fois maître de la place, le caractère germanique du poète se retrouvait dans la persistance qu'il mettait à poursuivre son attaque. Cet esprit qui, pour le trait incisif, plaisant ou délié, a si souvent, avec raison, été comparé à celui de Voltaire, n'avait pas toujours dans la conversation la légèreté de touche vraiment française; il ne savait pas lâcher un sujet, mais s'y obstinait. Ainsi, pour continuer son attaque contre Cousin, il établissait tout à coup un parallèle avec M. Mignet, opposant aux plagiats du premier, qu'il détaillait d'une façon piquante, l'honnêteté, la droiture consciencieuse, le talent de bon aloi de l'historien. «Jamais celui-là ne cache les sources où il puise! à la bonne heure! voilà un écrivain! vrai, juste, sobre, une belle âme!» Après cet éloge sincère, la pointe accoutumée de persiflage reparaissait:

«Oui, je dis: une belle âme! douée de cette beauté particulière comprise de suite par les femmes, parce qu'elle se manifeste dans la pureté des lignes du visage; elle saute aux yeux, peut-on dire, parle toutes les langues, constitue une âme cosmopolite!» (117)

Das Landhaus zu Marly [...] wurde von der Prinzessin Belgiojoso bewohnt, bei der wir uns oft trafen. Heinrich Heine bewunderte sehr ihre zugleich seltsame und klassische Schönheit, ihr lebhaftes und tiefes Verständniß, ihren leidenschaftlichen und pikanten Geist. Diese reiche, sich stark kontrastierende Natur beschäftigte den Beobachter. Leicht von ihrem Enthusiasmus hingerissen, war die Prinzessin scharfsichtig genug, öfters auf halbem Wege umzukehren. Der deutsche Dichter hatte einige Male gewagt, darüber zu scherzen, indem er die Ansichten der schönen Mailänderin als gehaltlos bezeichnete. Aber die ohne Schonung hingeworfene Antwort heilte ihn sehr rasch von dieser Anwandlung. Für die Folge zog er vor mit denjenigen zu diskutieren oder sich herumzustreiten, welche der Zufall abwechselnd in die Gesellschaft der Prinzessin Belgiojoso führte, den Schriftstellern, Akademikern oder Philosophen. Zu letzteren gehört Victor Cousin, welchem Heinrich Heine damals sehr feindlich gesinnt war. Dies war ein falscher Gelehrter, behauptete er, welcher sich mit den Federn aller deutschen Philosophen schmückte. Unaufhörlich war er darauf bedacht, ihn dies fühlen zu lassen. Wenn Cousin, von der Unterhaltung hingerissen, anfing, seinen Gedanken zu systematisieren, so unterbrach ihn Heine: »Ich weiß, ich weiß, was Sie sagen wollen; das ist die Theorie Fichte's, die von Schelling später weitergeführt wurde«, und er eröffnete dann den Wortstreit, als ob er sich persönlich an den Philosophen, den er bezeichnet hatte, wende. Eine oder zwei solcher unangenehmen Unterbrechungen machten die Begeisterung Victor Cousin's verstummen; er zog sich zurück, weil er die bewundernde Zuhörerschaft, an die er gewöhnt war, diesem philosophischen Faustkampfe vorzog.

Der germanische Charakter des Dichters zeigte sich, wenn er erst Herr des Platzes war, in der Beharrlichkeit, die er bewies, seine Angriffe fortzusetzen. Sein Geist, der um des schneidigen, witzigen oder verschmitzten Zuges halber so oft mit Recht demjenigen Voltaire's verglichen wurde, besaß in der Unterhaltung nicht immer die ächt französische Leichtigkeit. Er verstand nicht, ein Thema fallen zu lassen, sondern kam immer wieder darauf zurück. So zog er plötzlich, um seinen Angriff gegen Cousin wieder aufzunehmen, einen Vergleich mit Herrn Mignet, indem er den Plagiaten des Ersteren, die er in anziehender Form erzählte, die Ehrlichkeit, die gewissenhafte Rechtschaffenheit, das wahre Talent des Geschichtsschreibers gegenüberstellte. »Dieser verschweigt nie die Quellen, aus denen er geschöpft hat! Das laß ich mir gefallen! Das ist ein Schriftsteller! – wahr, ehrlich und zurückhaltend, eine schöne Seele!«

Nach diesem aufrichtigen Lobe drückte er sich wieder mit gewohnter scharfer Spöttelei aus:

»Ja, ich sage eine schöne Seele! – eine Seele, die mit jener eigenartigen Schönheit ausgestattet ist, welche sogleich von den Frauen verstanden wird, weil sie sich in der Regelmäßigkeit der Gesichtszüge offenbart; sie springt sozusagen in die Augen, spricht alle Sprachen, bildet eine kosmopolitische Seele!« (118)

---

395. Christine de Belgiojoso   Juni 1835

an Caroline Jaubert, Athen, Anf. Sept. 1850   (*21. 9. 1850)

Il *[Bellini]* était Sicilien, et, comme pour tous les gens de nos pays, il y avait des individus qui, à ses yeux, prenaient le caractère de *zettatores,* c'est-à-dire d'êtres méchants qui vous jettent un mauvais sort. De ce nombre lui semblait Henri Heine, avec lequel, un mois avant sa mort, il se trouvait à la campagne chez moi. Le poète allemand, très amusé de produire un tel effet, cherchait tous les moyens de manifester son pouvoir. Il avait vite découvert les faiblesses de Bellini, et la mort était le texte perpétuel de ses plaisanteries. Ainsi, le voilà qui commence à s'apitoyer sur le sort qui attendait infailliblement le jeune compositeur, s'il était, comme on l'assurait, doué de génie. Ils meurent tous si jeunes, disait-il, avec un attendrissement moqueur, ces hommes de talent! Voyons quel âge avez-vous? trente-deux ou trente-trois ans? hum! Mozart n'a vécu que trente-cinq.

Bellini entendant cela, ne manquait pas de mettre ses mains derrière les basques de son habit, en faisant les cornes, suivant la coutume italienne pour conjurer la zettature. Alors Heine reprenait d'un ton doucereux:

– Après tout, vous ne courrez peut-être aucun danger. Qui sait, si vous avez le génie qu'on vous accorde? Pour ma part, je l'ignore; je ne connais pas une seule de vos œuvres, et je demeurerai dans cette ignorance. Je vous trouve charmant, et je suis trop de vos amis, pour ne pas me sentir profondément affligé, si je venais à découvrir chez vous, ce don du ciel si funeste à qui le possède.

Sans en entendre davantage, Bellini prenait la fuite; non que, dans l'occasion, comme Mazarin, son compatriote, il ne fût pourvu d'une répartie piquante. Sous une apparence d'hésitation, faisant semblant de ne pas bien apprécier la valeur des mots, il trouvait des répliques plaisantes et mordantes; mais sa présence d'esprit lui manquait lorsqu'il était en proie à une crainte superstitieuse. Ces plaisanteries nous auraient semblé bien cruelles si l'avenir nous eût été révélé. Moi la première alors, je riais de bon cœur, en regardant le visage effrayé de notre cher compositeur.

Cependant peu de jours s'étaient écoulés lorsqu'il tomba malade. Il devait dîner chez vous, je m'en souviens, lorsqu'à sept heures arriva une lettre qui contenait l'expression de ses regrets. Une indisposition subite, disait-il, le privait de cet honneur. – Tournant dans vos doigts ce petit billet musqué, sur papier de couleur, avec une grande recherche d'enveloppe et de cachet, vous dites à vos convives:

– Allons, je ne suis pas inquiète; l'on est pas bien malade, quand on envoie un bulletin de santé si coquet. – Quinze jours après Bellini n'était plus! vous avez probablement reçu les dernières lignes que sa main ait tracées. (16)

Er [Bellini] war Sizilianer, und wie es bei allen unseren Landsleuten der Fall ist, gab es in seinen Augen Wesen, die zu Jettatores wurden, d. h. zu bösartigen Gestalten, die einem ein schlimmes Schicksal voraussagen. Von dieser Art schien ihm Heine, mit dem er sich einen Monat vor seinem Tode bei mir auf dem Land befand. Der deutsche Dichter war sehr belustigt, eine solche Wirkung auszuüben, und suchte mit allen Mitteln, seiner Macht Ausdruck zu verleihen. Er hatte die Schwächen Bellinis schnell herausgefunden und der Tod war der Gegenstand, um den seine Scherze beständig kreisten. So begann er etwa das Schicksal zu bejammern, das den jungen Komponisten unweigerlich erwarte, wenn er, wie man versichere, wirklich begnadet sei. »Alle diese begnadeten Menschen sterben so jung«, sagte er mit spöttischer Rührung. »Warten Sie – wie alt sind Sie? 32 oder 33 Jahre? Hm! Mozart wurde nur 35.«

Sowie Bellini das hörte, steckte er seine Hände hinter seine Rock-
schöße und machte ein Fingerzeichen, wobei seine Finger zwei Hörner
bildeten, um gemäß dem italienischen Brauch die jettatura zu be-
schwören. Da begann Heine von neuem mit süßlichem Ton:
»Na ja, vielleicht laufen Sie überhaupt keine Gefahr; wer weiß, ob
Sie wirklich so begnadet sind, wie man behauptet? Ich meinerseits
tappe darüber völlig im Dunkeln; ich kenne kein einziges Ihrer Werke,
und das wird auch so bleiben. Ich finde Sie ganz reizend und bin zu
sehr Ihr Freund, um nicht in tiefste Trauer zu verfallen, wenn ich bei
Ihnen diese unglückselige und verhängnisvolle Himmelsgabe entdeckte.«
Ohne noch ein weiteres Wort mitanzuhören, ergriff Bellini die
Flucht. Ansonsten war er wie sein Landsmann Mazarin um eine
schlagende Antwort nicht verlegen. Scheinbar zögernd und den eigentlichen Sinn der Worte nicht recht würdigend, fand er lustige und
manchmal beißende Antworten. Doch seine Geistesgegenwart ging
ihm völlig ab, wenn er Opfer einer abergläubischen Furcht wurde.
Heines Späße wären uns recht grausam vorgekommen, hätten wir die
Zukunft gekannt. Ich war damals die erste, die beim Anblick unseres
guten, vom Schrecken gezeichneten Komponisten aus vollem Halse
lachte.
Doch nur wenige Tage waren vergangen, da wurde er krank. Er
war, wie ich mich erinnere, bei Ihnen zum Essen eingeladen, als um
sieben Uhr ein Brief von ihm anlangte, in welchem er seinem Bedauern Ausdruck gab. Eine plötzliche Unpäßlichkeit, schrieb er, versage ihm das Vergnügen zu kommen. – Sie drehten und wendeten das
kleine, parfümierte Briefchen in Ihrer Hand, das auf getöntem Papier
geschrieben und dessen Umschlag und Siegel ausgesuchten Geschmack
bekundeten, und sagten zu Ihren Gästen:
»Das beruhigt mich; wenn man einen so koketten Gesundheits-
bericht verschickt, kann es mit der Krankheit nicht so schlimm stehen.«
– Zwei Wochen darauf war Bellini tot! Sie haben wahrscheinlich die
letzten Zeilen erhalten, die seine Hand schrieb.

396. CAROLINE JAUBERT   Sommer 1835

Heine-Erinnerungen   (*1879)

En 1835 ou 1836, un désespoir amoureux fit connaître aux amis du
poète son attachement, sa liaison avec une jeune et jolie ouvrière, et la

rupture de ce lien à la suite d'un violent accès de jalousie. Il en parlait à tous venants, au lieu de confier prudemment sa peine aux arbres et aux rochers muets, selon l'antique usage. Voulait-il nous dérouler ses griefs, on paraissait s'étonner de sa surprise. On lui rappelait ses propres paroles: «Le papillon ne demande pas à la fleur: As-tu déjà reçu les baisers d'un autre papillon? et celle-ci ne lui dit pas: As-tu déjà voltigé autour d'une autre fleur?» Cependant, ne voulant pas mourir de douleur, mais bien guérir, il s'appliquait assidûment à devenir épris ailleurs. Pouvait-il plaire en ramenant sans cesse le souvenir de celle qu'il pleurait, *de sa petite?* On lui imposait silence. La terminaison de cette crise amoureuse fut que, ne pouvant ni se déshabituer ni se consoler, après plusieurs mois de séparation, on s'était raccommodé. (117)

Im Jahre 1835 oder 1836 enthüllte ein Liebeskummer den Freunden des Dichters seine Zuneigung zu einer jungen, hübschen Arbeiterin, Juliette Mirat, seine spätere Frau und seine Verbindung mit derselben, sowie den Bruch dieses Verhältnisses in Folge eines heftigen Anfalls von Eifersucht. Er sprach mit Jedermann darüber, anstatt nach der Weise der Alten seinen Kummer den Bäumen und stummen Felsen anzuvertrauen. Wenn er uns seine Klagen vortrug, so stellten wir uns verwundert darüber, wie ernst er die Sache nähme und erinnerten ihn an seine eigenen Worte: »Der Schmetterling fragt die Blume nicht: Hat dich schon ein anderer Schmetterling geküßt? und diese fragt ihn nicht: Hast du schon eine andere Blume umflattert?«
Jedoch da er nicht vor Leid sterben wollte, sondern vollständig zu genesen wünschte, so bemühte er sich eifrig, anderwärts gefesselt zu werden. Konnte er gefallen, wenn er unaufhörlich an *die* dachte, welche er beweinte, an »*seine Kleine*«? Das brachte ihn zum Schweigen. Da er sich aber weder entwöhnen noch trösten konnte, so endigte diese Liebeskrisis damit, daß sie sich nach mehreren Monaten der Trennung wieder aussöhnten. (118)

397. GEORGE SAND   Sommer 1835

an Franz Liszt, Nohant, 18. Okt. 1835

On dit que notre cousin Heine s'est pétrifié en contemplation aux pieds de la princesse Belgiojoso. (221)

Wie man behauptet, hat sich unser Cousin Heine zu Füßen der Prinzessin Belgiojoso in Betrachtung versteinert.

398. ROSA MARIA ASSING   kurz vor dem 10. Juli 1835

an David Assing, Paris, 10. Juli 1835

Dann hatten wir auch die Überraschung Heine noch zu sehn, eine Freude, auf die wir schon verzichtet hatten, indem wir ihn schon nach Boulogne-sur-Mer abgereist glaubten. Wir haben uns außerordentlich gefreut, als er unvermittelt bei uns eintrat. Unser Wiedersehen war äußerst herzlich, er schien sehr bewegt, ich glaube, ihm standen die Tränen in den Augen, und mir [war] seine ganze Erscheinung in der tiefsten Seele erfreuend. Er blieb lange bei uns, wir haben viel gesprochen, er sprach durchaus ernst, tief, verständig, geistreich, sinnig; ich wollte diejenigen, die ihm immer Frivolität vorwerfen, hätten ihn gehört und gesehen. Es geht ihm übrigens hier über die Maßen gut, und daß er nicht nach Deutschland zurückverlangt, ist zu begreifen. Er lebt hier in der geistreichsten und gewähltesten Gesellschaft, in den ersten Kreisen, in denen, wie vom Publikum, sein Geist und Talent volle Anerkennung findet. Er hat mir versprochen, uns versprochen, uns nochmals zu besuchen, und leid wäre es mir sehr ihn zu verfehlen. *[Fortsetzung des Briefes am 13. Juli:]* Von Heine hatte ich erfahren, wo Frau von Chezy wohnt. Ich wollte sie besuchen, fand sie aber nach Baden abgereist.   (103)

399. ROSA MARIA ASSING   kurz vor dem 10. Juli 1835

an K. A. Varnhagen v. Ense, Hamburg, 7. Jan. 1836

Auch Heine vernahm in Paris von mir mit herzlichem Anteil, was ich ihm von Chamissos schlimmem Zustand erzählte.   (103)

400. ROSA MARIA ASSING   kurz vor dem 10. Juli 1835

an Adalbert v. Chamisso, Hamburg, 2. Mai 1836

Ich habe dort *[in Paris]* Heine wieder gesehn, und mich sehr über ihn gefreut. Auch er freute sich, über Freunde und über Deutschland von mir zu hören. Auch von Ihnen vernahm er mit lebhaftem Antheil meine Besorgniß über Ihren Zustand, dessen Gefahr das Gerücht vergrößert hatte. Er bat mich es Frau von Chezy, die in Paris lebt, nicht zu sagen, weil er glaube es würde auch sie tief betrüben. Doch war Frau von Chezy schon nach Baden abgereist, als ich sie besuchen wollte. Heine lebt sehr angenehm und angesehn in Paris, in jeder Hinsicht hatte ich Ursache mich über ihn zu freuen. (306 a)

401. KARL ROSENBERG   Sept. 1835

Artikel über Börne und Heine, Paris, 17. Okt. 1835

(* 31. 10. 1835)

So eben komme ich von Auteuil zurück, wo ich Börne besuchte, [...]. Ich gestehe, daß ich eine lebhafte Neugierde auf die persönliche Bekanntschaft des Mannes hatte, dessen literarische und politische Ansichten so oft in Deutschland der Gegenstand einer meist bittern und stets leidenschaftlichen Kritik gewesen waren. Dazu kam, daß ich vor Kurzem Heine in Boulogne hatte kennen lernen, der sich niemals anders als auf die gehässigste Weise über Börne äußerte und von ihm mit einer Geringschätzung sprach, die allerdings mein Verlangen, Jenen persönlich kennen zu lernen, hätte schwächen oder zerstören müssen, falls ich mich durch die Autorität eines Gegners, zumal von so geringer Wahrhaftigkeit, was ich später einsah, leiten lassen wollte. Denn leider hatte mir Heine das alte Sprichwort: praesentia minuit famam, nur allzu sehr bestätigt: was auch in öffentlichen Blättern gegen ihn und mit welcher Berechtigung es gesagt worden war, immer konnte ich in dem Verfasser der »Reisebilder«, in dem Dichter so vieler echt poetischer Lieder, einen Mann von Geist erwarten, der auch im täglichen Umgange, im gewöhnlichen Gespräch die vortheilhafte Meinung bestätigt, die er in seinen Schriften theilweise erregt hat. Doch wenn irgend jemals Schriftsteller und Mensch zwei verschiedene Wesen waren, so findet das bei Heine statt, dessen Unterhaltung eben so viel Fadheit und Geschmacklosigkeit verräth als seine Poesieen Witz und geistreichen Schwung zeigen; ein Uebelstand, der unwidersprechlich darthut, daß es nicht die überströmende Fülle einer nach allen ihren natürlichen Anlagen und Vermögen durchgebildeten Seele, sondern nur die momentane – den intermettirenden Springquellen nicht unähnliche – Begeisterung ist, welcher die dichterischen Ergüsse Heine's ihre Entstehung verdanken.

In dieser Ansicht wurde ich durch einen Umstand bestärkt, der zu charakteristisch ist, als daß ich ihn übergehen könnte. Horaz erzählt von sich, daß er zu seiner Erholungs-Lektüre, [...] den Plato und Menander mit genommen habe, [...]. An der Stelle jener klassischen Autoren [...] nahm ich unter Anderen den eben so klassischen Dichterphilosophen Friedrich Schiller mit, und eine Ausgabe seiner sämmtlichen Werke in einem Bande lag auf dem Tische, als Heine herein trat. Er schlug das Buch auf: »Ah, Schiller! sind die Gedichte gut?« (er meinte die lyrischen) »ich habe sie nie gelesen, so eben will ich's versuchen, ich habe mir die beiden Bände mitgebracht.«

»Wie? Sie haben Schiller's Gedichte nie gelesen? Wie kam das?«

»Ich hatte mit mir zu thun, das Hemde ist Einem näher als der Rock, begreifen Sie.«

»Allerdings, aber wer nur für's Hemde sorgt, steht am Ende in seiner Blöße da«, dachte ich. Daß ein Mann von Ruf, der Abhandlungen über die deutsche Literatur drucken läßt, von sich selber sagen kann, daß er, was diese Literatur Köstlichstes besitzt, nicht kennt, scheint unglaublich und findet nur seine Erklärung in dem maaßlosen Dünkel, in jener Verblendung über das eigne Verdienst, die eben in umgekehrten Verhältnissen zu den Leistungen zu stehen pflegt, [...].

(210)

402. ADALBERT V. BORNSTEDT   Okt. 1835

Geheimbericht an die österreichische Regierung,
Paris, 27. Okt. 1835

Heine lebt gespalten mit der deutschen demokratischen Jugend. Er haßt sie mehr wie man es glauben sollte, und sehnt sich unbeschreiblich nach Deutschland zurück. Sein Haß gegen die demokratische Parthei rührt daher, weil sie ihn lebhaft angegriffen hat und vorzüglich Boerne in einem feuilleton des Réformateur. – Früher war Heine in Deutschland einflußreich, jetzt hat die demokratische Parthei diesen Götzen zertrümmert, und Heine's Franzosen-Aefferei hat ihn selbst als Schriftsteller im Vaterlande niedrig gestellt und verdächtigt. Jedoch hat er die fixe Idee sobald er die Zeit *gelegen* glaubt, wieder auftreten zu müssen, und er will es daher nicht gern mit seinen ehemaligen Freunden verderben. Früher, als die deutsche Gesellschaft in Paris so ziemlich organisirt war, und ein gewisser, jetzt todter Wolfram *[Wolfrum!]* (aus Preußen) so wie Garnier u. s. w. eine Rolle spielten, drang erster viel in Heine ein Manifest gegen die deutschen Fürsten herauszugeben. Heine aber wies dieß immer mit großer Schlauheit ab; er wollte sich nie zu sehr aventuriren; – Garnier both selbst, vor seiner Abreise nach London, Heine eine Fraktion der deutschen Gesellschaft mit den Worten an: ihm ein Häuflein zur Disposition zu lassen, Heine erwiederte jedoch wie immer ironisch: »*er wolle das Vaterland nicht retten*« (einer seiner Lieblingsausdrücke). Wenn übrigens Heine mit der demokratischen Parthei *im Ganzen* zerfallen ist, so ist er es nicht mit jedem Einzelnen, denn diese sucht er sich ihm angenehm zu machen, und will sich gerne so stellen, daß er sich später zu der Parthei wenden kann, die ihm die mächtigste scheint, und er sucht selbst in der jetzt sehr kleinlauten demokratischen Parthei einige Freunde zu behalten. Daher thut er denn auch Manches was den Ultra-Revolutionärs nützlich ist; deßhalb prophezeihte er in der Revue des Deux Mondes eine *deutsche* Revoluzion, deßhalb trug er selbst in die radikale Zeitschrift»Den Geächteten« den deutsch geschriebenen Aufsatz, während er an anderen Orten dieses leugnete – aber dennoch dem jungen ganz unerfahrenen, unbedeutenden und ganz unpraktischen Venedey oftmals gefällig war. Als dieser Ultraradikale, stets einen Dolch bei sich tragende, von seinen Verdiensten äußerst eingenommene junge Mensch wegen seiner Umtriebe Paris und Frankreich verlassen sollte, war es Heine der, um sich bei den Demokraten ein Verdienst zu machen, zum Minister Thiers ging und für Venedey gut sprach, so daß dieser junge Skribler in Hâvre und später in Strasburg blieb, vorige Woche sogar wieder in Paris ankam, und damals bei seinem Abgange von Paris selbst eine Unterstützung von 150 Franken von der französischen Regierung als Reisegeld erhielt. Heine, obgleich er nur von der »*revoluzionnären Canaille*« spricht, wenn er glaubt daß er nicht von ihnen gehört wird, that dies, wie er sagte, »um Venedey in der Tasche und sich verpflichtet zu haben; man kann ihn vielleicht brauchen; überdem giebt mir das relief bei den Anderen und zeigt wie viel Einfluß ich in Paris habe und wie ich Alle zurichten kann, wenn ich will«. –

Diese grenzenlose Heinesche Eitelkeit hat ihn auch mit Spazier verfeindet; da aber Heine ohne alle Würde und Charakter ist, so hat er, nachdem er sich auf das Bitterste gegen den Polen-Geschichtsschreiber ausgelassen, sich wieder mit ihm versöhnt und verbündet. Heine ist in jeder Hinsicht als Revoluzionär unbedeutend, d. h. sobald er handeln soll. Persönlich feig, lügnerisch und seinem besten Freund untreu werdend, ist er jeder Festigkeit unfähig, veränderlich wie eine

Kokette, boshaft wie eine Schlange, aber auch glänzend und schillernd wie eine solche, giftig, ohne eine edle und wahrhaft reine Regung, ist er unfähig, ein gemüthliches Gefühl zu bewahren. Aus Eitelkeit würde er gern eine Rolle spielen, aber er hat sie ausgespielt, sein Kredit ist für immer begraben, aber sein Talent *nicht*. Er kann nur als Publizist für Deutschland gefährlich sein und würde sehr gerne seine Feder zur Ruhe legen, d. h. wenigstens äußerlich gemäßigt schreiben, wenn die Regierungen, anstatt ihn zu reitzen, seine Bücher zu verbieten, ihn zu benützen wüßten. Boerne lebt mit Heine in Todtfeindschaft; dieser spricht von dem ersten nie anders als mit den schmutzigsten Prädikaten; gegenseitig ist der Neid der Hauptgrund des Hasses. Boerne ist aber unstreitig als Schriftsteller und als Mensch bei weitem mehr werth und also auch in seiner Parthei sehr geachtet und ungefähr *das* für Deutschland, was Lamenais in Frankreich ist. Heine und Boerne sprechen sich nie, sehen sich nie, grüßen sich nie; es ist also Unsinn zu behaupten, sie arbeiten zusammen. Heine hat gar keine Meinung und affektirt im constituzionnellen, so wie er morgen im absolutistischen und übermorgen im radikalen Sinne ebenso gewandt und glänzend vertheidigen oder angreifen könnte. Heine ist ein moralisches und politisches Kamäleon, obgleich er behauptet er habe [sich] nie geändert und sei immer *königlich* gesinnt gewesen. Heine wünscht nichts mehr als mit den deutschen Regierungen gut zu stehen, »wenn sie nur wüßten wie ich denke, sie würden nur günstig für mich gestimmt sein«. – Heine lebt in Paris nicht ganz angenehm; er hat wenig Geld und braucht viel; die berühmten französischen Litteratoren gewinnen alle viel, er dagegen wenig, da er nicht französisch schreiben kann und sich durch einen gewissen Specht, bei der königlichen Post angestellt, seine schmutzige Wäsche durchkorrigiren und übersetzen läßt. Sein Onkel, der Banquier in Hamburg, sendet ihm 100. Louisd'or jährlich, seine Werke gehen nicht mehr in Deutschland so reißend wie früher ab, seine Übersetzung ins Französische vom Salon hat ihm fast gar nichts eingetragen und nur wenige Exemplare wurden davon verkauft. Heine klagt gegen alle seine Bekannte, wie er nur vegetire und wie ein Mann wie er (?) wenigstens 20.000 Franken jährlich einnehmen müsse. Heine schreibt Deutsch selbst nur mit großer Langsamkeit und seine Arbeiten in der Revue des Deux Mondes tragen ihm kaum jährliche 1000 Franken ein.

Schluß.

Heine wäre sehr leicht zu benützen und mit einer gewandten ihm gemachten Eröffnung würde seine bisher noch oft spitze Feder gänzlich
stumpf werden.

[Am Rande steht mit Bleistift geschrieben:] Heine's Gefährlichkeit
ist nicht im Verhältnisse mit dem Geldopfer, das man bringen müßte,
um ihn zu gewinnen und festzuhalten. (50)

403. Karl Noé (Deckname: Nordberg) 1835/1836

Geheimbericht an die österreichische Regierung,
Paris, 7. Jan. 1836

Spazier und Heine, die feindlich gegeneinander standen, haben sich
versöhnt. Heine sagte deshalb:»Ich mag nicht, daß Spazier überall
erzählt, er sei mein Feind; das gibt ihm einen Titel, einen Relief; denn
wenn er nicht mein Feind ist, so ist er nicht[s].« Spazier sagt hingegen:
»Heine ist zu mir gekommen; er fürchtet sich zu sehr vor meiner
Feder und so ist er zum Kreuz gekrochen.« So erbärmlich ist der
gegenseitige Neid und die Falschheit; alle Deutschen in Paris, selbst
die meisten Refugierten und Literatoren, die anscheinend zusammen-
halten, zerreißen sich hinter dem Rücken und leben wie Hunde und
Katzen. Übrigens hat das Verbot gegen Heines Werke in Paris einen
üblen Eindruck gemacht und gibt ihm eine Wichtigkeit, die zu vermeiden gewesen wäre. Da seine Schriften im Preußischen seit so vielen
Jahren verkauft wurden, so sieht man den Nutzen einer solchen Maß-
regel nicht recht ein, denn anstatt den Schriftsteller zur Mäßigung zu
stimmen, reizt so etwas vielmehr auf und wirft ihn immer mehr in die
Partei des Revolutionärs oder wenigstens der Opposition. Dabei ist
das schlimmste, daß Heine mit Thiers ganz intim ist und ein noch so
kleines Atom dennoch gegen die jetzt bestehende Ordnung mit Wort
und Schrift wirken kann. (69)

1836
Paris

404. Emmanuel Arago   Anf. Jan. 1836

an George Sand, Paris, Anf. Jan. 1836

Mais j'ai mille choses à te dire de la part de Heine qui est de retour à
Paris et que j'ai rencontré avant-hier aussi gai, aussi gras, aussi réjoui
qu'il a jamais été. C'est un brave garçon qui t'aime beaucoup et que
j'aime bien aussi. Il m'a parlé pendant deux heures de sa *cousine* et
des admirables livres de sa *chère cousine*; il se prétend radicalement
guéri de la folle passion qui l'a si cruellement tourmenté l'an dernier.

(122)

Doch ich habe Dir tausend Dinge zu sagen von Heine, der in Paris
zurück ist und den ich vorgestern traf; er ist so munter, so dick, so
fröhlich wie eh und je. Ein lieber Kerl, der Dich sehr gern hat und den
auch ich recht schätze. Er hat mir zwei Stunden lang von seiner *Cousine*
erzählt und von den wundervollen Büchern seiner *lieben Cousine*; was
ihn selbst betrifft, so behauptet er, gründlich von der närrischen Leidenschaft genesen zu sein, die ihn letzten Winter so grausam gequält hat.

405. Anonym   Jan. 1836

Pressenotiz   (*22. 1. 1836)

Ich höre, daß Heine des Contrastes wegen den Entschluß faßte, in der
Allgemeinen Zeitung sich als mitverantwortlich für die Handlungen
des jungen Deutschlands zu erklären. Als man ihm vorstellte, er thue
daran unklug, erwiederte er: »Ich weiß es, ich verliere dadurch zwei
Millionen Deutsche, die meine getreuen Anhänger waren, aber solchen Verlust kann ich schon aus Menschlichkeit tragen.« (1)

406. KARL NOÉ (DECKNAME: NORDBERG)   Jan. 1836

Geheimbericht an die österreichische Regierung,
Paris, 16. Jan. 1836

Die deutschen Republikaner gehen regelmäßig seit Wochen zu Börne;
der bekannte Hübotter erscheint dort auch, Harro Harring fortwährend, ebenso der Straßburger Refugierte Hundt-Radowsky, eine alte
Ruine der ehemaligen Altdeutschen, in Deutschland als radikaler
Schriftsteller bekannt, jetzt aber in viehischer Trunkenheit demorali-
siert. Heine hat mit allen diesen Menschen nichts gemein und hält sich
ganz zu den französischen Tagesliteratoren, macht diesen den Hof
und nennt Börne und seine Gefährten »Falstaff und seine Bande«. (69)

407. GUSTAV KOMBST   März 1836

an Georg Fein, Paris, 3. April 1836   *(* 1. 4. 1836)*

Heine genießt hier bei seinen Landsleuten keine besondere persönliche
Achtung. In politischer Beziehung gilt er als schwankend und einer,
der sich bekehren will. Mag er das; als Schriftsteller ist er aber immer
noch Revolutionär, namentlich in seinem zweiten Theile des Salons.
[...]
Was seine Bittschrift (wie er sie selbst nennt) an die B[undes-] V[er-
sammlung] angeht, so hat er sich darüber, wie ich aus zweiter Hand
weiß, also geäußert:»Andere würden bei dieser Gelegenheit wahrscheinlich anders handeln, und auf die Leute loshauen; dieß kommt
mir aber kleinlich vor, und eben darum sowohl, weil ich es kleinlich
finde, von fern aus sicherm Schlupfwinkel auf seine Gegner schießen –
und weil fast alle Andern so handeln würden – darum will ich es
nicht.« Diese Aeußerung klingt von vorn bis hinten abgeschmackt.
(129)

408. AUGUST LEWALD   ca. 20. März 1836

Bericht über Paris-Aufenthalt   *(* 22. 6. 1836)*

Wir hatten uns seit vier Jahren nicht gesehen, und ich fand meinen
Freund im Aeußeren sehr verändert. Er hatte die Magerkeit abgelegt
und ein Embonpoint dafür angenommen, das ihn nicht übel kleidet;
seine Röcke waren nach der letzten Mode, doch trägt er die Kleider

nachlässig, offen hängend, nicht mit der Sorgfalt eines fashionablen Dandys. Dabei weiß er sich über die herrschenden Moden Rechenschaft zu geben. So war es wahrhaft ergötzlich, ihn einst drei Silberhäkchen an dem breiten Sammtkragen seiner Redingote mit Wärme gegen George Sand vertheidigen zu sehen, die sie heftig als geschmacklos angriff und behaupten wollte, daß sich kein Mensch so trüge. Es war jedenfalls schmeichelhaft für unsern Dichter, daß die schöne Frau ihm diese Aufmerksamkeit allein bezeugte, denn es befanden sich in der That noch einige Herren zugegen, welche eben solche Röcke anhatten, die gerade damals sehr im Zuge waren.

Diese rücksichtsvolle Aufmerksamkeit für die Mode, so wie die eben frisch frisirten Haare ließen mich sogleich beim ersten Besuche errathen, daß Heine in einem engen Verhältnisse zu einem schönen Weibe stehen müsse, und ich hatte mich nicht getäuscht.

»Ich werde Sie meiner Frau vorstellen«, sagte er und führte mich zu einem kleinen, eleganten Salon, wo Madame Heine auf den schwellenden Polstern eines Divans saß und eine Tapisserie zwischen den niedlichen Fingern hielt. Ich will, um vorhinein breitem Geträtsche zu begegnen, hier erinnern, daß in Paris bekanntlich ein Gang zum Maire genügt, um eine giltige Ehe zu schließen, daß sich aber Niemand in der Gesellschaft darum kümmert, ob man die Formalität bereits befolgt habe, oder sie zu befolgen sich noch vorsetze. Die Frau, welche in Gemeinschaft mit einem Manne lebt, wird nie anders als Madame titulirt, und Monsieur Heine führte Madame Heine als solche in die anständigsten Cirkel.

Eine hübsche Brünette mit Feueraugen, aus denen Geist blitzt. Er lernte sie vor sechs Jahren, gleich nach seiner Ankunft kennen, und nach mannigfachen Abenteuern und Schwebungen auf- und abwärts gestaltete sich denn dieses angenehme Verhältniß daraus, das Heine in jenem Augenblicke sehr beglückend zu erfüllen schien.

»Es ist als ein Hauptvorzug an Mathilde zu rühmen«, sagte er scherzend, »daß sie von der deutschen Literatur nicht das Geringste weiß, und von mir und meinen Freunden und Feinden kein Wort gelesen hat.«

»Die Leute sagen«, fügte Mathilde dann hinzu, »daß Heinrich ein sehr geistreicher Mann sei und schöne Bücher geschrieben haben soll, ich merke aber nichts davon und muß mich begnügen, es auf's Wort zu glauben.«

Dies Verhältniß schmeichelt Heine's Eitelkeit nicht wenig. So wie sonst wohl Fürsten ihren Stand verbargen, um zu sehen, ob sie ihrer persönlichen Eigenschaft wegen von schönen Seelen geliebt werden konnten, so verschweigt Heine bei seiner Frau seine geistigen Anwartschaften, und ist entzückt, sich doch geliebt zu wissen und zwar – parcequ'il est bien! wie es in der zärtlichen Kunstsprache heißt. Heine's Leben ist zwischen angenehmen Genüssen der mannigfaltigsten Art getheilt. Da er zur eleganten Literatur gehört, und die romantische Schule Deutschlands, von der in gewissen Kreisen viel fait gemacht wird, einzig und allein in Paris repräsentirt, da ferner seine Schriften in Deutschland verboten sind, und er für den Chef der unsichtbaren Loge eines nirgends existirenden jungen Deutschlands angesehen wird, und endlich, da er wirklich als ein Mann voll Poesie, Geist und Witz, zu den angenehmsten und aufgewecktesten Gesellschaftern gehört, die man in Paris ihrem vollen Werthe nach zu schätzen weiß, und diese Eigenschaften doch wieder den Stempel der Originalität und des Fremdartigen an sich tragen, so ist es kein Wunder, daß er sich eine Menge bedeutender Freunde erworben und Zutritt in den besten Gesellschaften hat. Die Einladungen folgen unaufhörlich; im Winter sind es Soireen und Bälle, im Sommer eine angenehme Villeggeatura auf den Landsitzen eines Freundes oder einer Freundin. Ein Hang zur Zurückgezogenheit, der in ihm zu Zeiten erwacht, und die Lust, ein Nordseebad aufzusuchen – die Nordsee sei seine Geliebte, sagt er selbst irgendwo – stören allein die gewohnte Art zu leben.

Seine Laune scheint nie getrübt; was ihm auch in jüngster Zeit Unerwartetes und Widerwärtiges begegnet, es ist nicht im Stande, ihn zu verstimmen. Sein Witz ist ein sprudelnder, nie versiegender Born, und er verläugnet den Verfasser der Reisebilder keinen Augenblick. Die ergötzlichsten Schilderungen entwirft er mit bewundernswerther Leichtigkeit, die komischsten Charaktere entwickelt er im Gespräch, und eine lebendige Gallerie von Gumpelinos, Hyacinths, Schnablewopski's springen vor unsern Augen umher. (151)

409. August Lewald   März 1836

Artikel über Parisaufenthalt   *(* 4. 5. 1836)*

Wir waren die drei ewiglangen Stiegen in dem Hause Nr. 18 auf dem Quai Malaquai[s] vergebens hinaufgestiegen. »Madame schlafe«, hieß es, »sie sei fatiguirt – sie habe die ganze Nacht gearbeitet.« –

»Ob sie auch wirklich schlafe?« fragte mein Begleiter, der Niemand anders, als der sarkastische Heine selbst war.

»Er möge sich nur davon überzeugen«, erwiderte scherzend die Bonne, indem sie die Thür ein wenig öffnete, »dem lieben Cousin sei das schon erlaubt, doch solle er kein Geräusch machen.«

Heine warf einen flüchtigen Blick in das verdunkelte Schlafgemach, und zog mich mit sich fort; ein hübsches Mädchen mit langen flatternden Haaren lief ihm nach und reichte ihm die Hand, um den Cousin zu begrüßen und ihn zu bitten, andern Tages wieder zu kommen.

»Das ist ihre Tochter«, sagte er zu mir, »ein hübsches Kind, wie Sie sehen, doch die Mutter ist hübscher. Sie lebt von ihrem Gatten getrennt, größtentheils auf dem Lande; ich freue mich, daß sie gerade jetzt in Paris ist, um Sie vorstellen zu können.«

»Macht sie ein Haus?« fragte ich.

»Ein Zimmer macht sie«, antwortete er lachend; »um ein Haus zu machen, langen ihre Einkünfte nicht zu. Obgleich sie von allen Romandichtern am besten bezahlt wird, so nimmt sie doch nur höchstens 20,000 Franken jährlich ein. Und was ist das?«

Er sprach von Madame Dudevant oder Georges Sand, deren Wohnung wir so eben verlassen hatten; eine der pikantesten Erscheinungen auf dem weiten Felde der neueren französischen Literatur. Wir hatten Karten dort gelassen und uns für den nächsten Morgen angesagt. Es war vier Uhr; noch zwei ganze Stunden bis zum Essen; es konnten füglich noch zwei gewöhnliche Besuche abgestattet werden. Wir begnügten uns jedoch an diesem Tage nur noch mit einem einzigen, so lange währte er und so interessant war er.

»Nach den Archiven!« wurde dem Kutscher zugerufen. Eine tüchtige Strecke von dem Quai Malaquai[s]. Endlich hielten wir vor einem Portale; wir gingen über den Hof, die breite Stiege eines großen Hotels hinauf. Während uns der im Vorzimmer postirte Bediente melden ging, erblickte ich durch eine geöffnete Seitenthür einen zierlich gedeckten Tisch.

»Wir kommen zur Unzeit«, sagte ich meinem Begleiter, »es scheint, daß das Diner Ihren Freund bereits erwartet.«

»Er speist nicht im Hotel«, gab er mir zur Antwort, »sondern mit der Dame seines Herzens, der schönen Herzogin von B[elgiojoso], auf deren Landsitze ich im vergangenen Sommer himmlische Tage erlebte. Das hier ist für die Dienerschaft servirt.«

Der Bediente kam zurück und öffnete die Thür, um uns zu seiner Herrschaft einzulassen.

Wir traten in ein großes, reich decorirtes Arbeitszimmer; die Möbel und Vorhänge von blauem Atlas, der Kamin mit kostbaren Vasen und einer prächtigen Uhr geziert. Große Tische, mit Teppichen behangen, trugen schöne Wappen und elegante Schatullen aller Art und Größe, und die Schränke an den Wänden, deren zahlreiche, mit grünem Saffian und Gold bekleidete Schubladen mit Aufschriften versehen waren, so wie ein weiter, mit mannigfachem Material bedeckter Schreibtisch in der Mitte des Salons schienen anzudeuten, daß wir uns in dem Arbeitsgemache eines stark in Anspruch genommenen Geschäftsmannes befanden.

Mit freundlichem Anstande kam uns ein Mann entgegen, der wohl an dem Anfang der Dreißiger stehen mochte, von hohem Wuchse, das braune Haar in natürlichen Locken die breite Stirne beschattend, ein helles, verständig blickendes, dunkelblaues Auge auf uns gerichtet, eine freie Nase und ein überaus schön geformter Mund. Dies war Mignet, der Jugendfreund des damaligen Premier-Ministers [Thiers], und von Beiden der berühmtere Geschichtschreiber der französischen Revolution. (151)

410. August Lewald   März 1836

Artikel über Parisaufenthalt   (*4. 5. 1836)

Am andern Morgen waren wir glücklicher; Madame schlief nicht und wir traten unangemeldet in das kleine, seltsam ausgeschmückte Boudoir. [...] In einer fast dunkeln Nische, blau und weiß zeltartig drapirt, saß in den weichen hohen Kissen des Divans eine kleine, zierliche Frau, mit sehr großen braunen hervortretenden Augen, an jeder Seite der hohen Stirne dicke schwarze Locken, mit farbigen Schleifen durchflochten, die Hinterhaare dicht an das Haupt gesteckt, nach Art der Landmädchen in gewissen Gegenden Italiens, welches denselben ein fast männliches Aussehen gibt. Ihre Kleidung bestand in einem dunkelblauen Schlafrock, der gleichfalls zwischen einem männlichen und weiblichen die Mitte hielt; sie saß ungezwungen, eine kleine Porzellanschaale im Schooße, woraus sie kleine Blätter nahm, die sie in zierlich zugeschnittenes Papier wickelte; wenn sie sprach, zeigte sie ihre großen weißen Zähne, und eine starke, etwas gebogene Nase verlieh ihrem Gesichte einen Ausdruck von Entschlossenheit, dem jedoch die weibliche Grazie nicht fehlte. [...]
Man sprach von den neuesten Erscheinungen der Literatur.

»Ach, Jocelyn!« rief sie aus, »welch ein Werk, welch ein Gedicht! Wie beneid' ich die Glücklichen, die in Versen schreiben können, das ist die Weihe des Dichters! Unsere arme Prosa ist das Gewand des Bettlers – es ist nichts! Wie groß ist Lamartine!«

Man suchte sie zu widerlegen; man sprach von schöner Prosa, von ihren Werken, ohne jedoch in fade Schmeichelei auszuarten; sie wollte davon nichts wissen und blieb dabei, daß man nur in Versen Dichter sein könne. [...]

Wir sprachen von deutschen Schriftstellerinnen. Ich erwähnte Rahels und Bettina's, dieser neuen, so glänzenden Erscheinungen; ihre Namen waren nie bis hierher gedrungen, die liebenswürdige Madame Dudevant wußte nichts von ihnen, die anwesenden Franzosen hatten keine Ahnung davon – nur Marmier kannte sie vom Hörensagen. Nur *eine* deutsche Schriftstellerin war diesem Kreise bekannt; [...] es war die Frau von Chezy, die Chezy einzig und allein, die von der allerliebsten Dudevant außerordentlich geliebt wurde. Sie lächelte über die Toilette und über das Benehmen derselben, aber sie war entzückt von dem Fond von Poesie, die unbestreitbar in ihr schlummert, und sah sich hingezogen zu ihrem liebevollen Gemüthe. Es empörte sie zu hören, wie unglimpflich man über diese Frau hie und da in Deutschland urtheile. Sie hatte sie während ihres Aufenthalts in Paris oft gesehen und sich ihres Umgangs wahrhaft erfreut. [...]

Das Gespräch hatte eine ziemlich lange Zeit gedauert und Madame Dudevant war mit der Arbeit zu Ende, deren ich schon vorhin Erwähnung gethan. Sie holte jetzt zwei tüchtige Cigarrendosen aus dem Schranke und stopfte die kleinen Papierwickel sorgfältig hinein, denn was sie bis dahin gemacht hatte, waren nichts anders als kleine spanische Papiercigarren, die sie für die eigene Consumtion verfertigte. Während der Arbeit hat nämliche George Sand die Gewohnheit zu rauchen. [...]

Am Abende sah ich sie mit demselben Kopfputze in der großen Oper; dieselben dicken Locken mit den Bandschleifen durchzogen, gleich der Fenella in der Stummen von Portici; Alles trug kokette Häubchen, winkende Blumensträuße auf breitschirmigen Hüten, wie es die letzte Mode erheischte – George Sand erschien in der einfachsten, natürlichsten Coiffure. Der bekannte Republikaner Michel, ihr Anwalt in ihrem Scheidungsprozeß, der außer den unerläßlichen weißen Handschuhen nichts Elegantes an seinem Aeußern hatte, führte sie die Treppe hinauf, wo sie, den Kopf lieblich rückgewendet, heitere Worte mit uns wechselte. (151)

an Helmina v. Chézy, Paris, April (?) 1836

Quand je verrai Heine, je le gronderai de m'avoir présentée à une
espèce de montagne de futilités et de m'avoir montrée comme un
chien savant devant les jumelles de théâtre d'un monsieur qui m'ex-
ploite. C'est une trahison! Si le cher cousin avait connu les intentions
de son camarade, je suis sûre qu'il ne se serait pas livré à cette exhibi-
tion de ma personne. (221)

Wenn ich Heine wiedersehe, werde ich ihn schelten, mich einer per-
sonifizierten Anhäufung von Hohlheiten vorgestellt und mich wie einen
Zirkushund vor das Opernglas eines Herrn geführt zu haben, der nur
klingende Münze aus mir schlagen will. Das ist Verrat! Hätte mein
lieber Cousin die Absichten seines Kameraden gekannt, so hätte er
sich sicherlich nicht zu dieser Zurschaustellung meiner Person bereit-
gefunden.

412. AUGUST LEWALD   März/April 1836

Bericht über Parisaufenthalt   *(* 11. 5. 1836)*

Ich besuchte den Salon *[die jährliche Kunstausstellung im »Louvre«].*
[...]
Von den gemalten Köpfen wandte ich mich jetzt weg zu zwei lebenden, lachenden Gesichtern, nicht eben den schönsten beizuzählen nach
dem Sinne der Maler, aber würdige Gegenstände ihrer Kunst. Es war
Heine, der die Bilder mit aufgesetzter Brille musterte und einen kleinen Menschen am Arm führte, der viel sprach, viel lachte und dabei
stets auf so seltsame Weise sein Gesicht verzog, daß es während des
Lachens zu einem ganz andern wurde.
»Ich habe Sie schon lange mit Ste. Beuve bekannt machen wollen«,
rief mir Heine zu, »allein das ist schwer zu bewerkstelligen. Er hat
zwar wie jeder ordentliche Mensch seine Wohnung, dort ist er aber
nie anzutreffen, und wo er eben ist, weiß kein Mensch der Schöpfung;
weder sein Verleger noch sonst Jemand!«
Ste. Beuve mag ungefähr dreißig Jahre alt sein; er ist vielleicht der
erste Kritiker Frankreichs in diesem Augenblick und steht im größten
Ansehen. Ein lebhaftes Gespräch entspann sich, während wir durch

die langen Säle schritten, unsere Aufmerksamkeit ward darüber ganz
von den Bildern abgelenkt. (151)

413. AUGUST LEWALD ca. 7. April 1836

Bericht über Parisaufenthalt (*22. 6. 1836)

»Sagen Sie denen in Deutschland, die mich einen Zerrissenen nennen,
daß ich vielleicht der Ganzeste bin«, rief mir Heine lachend beim Abschiede zu.
Dieser Abschied kam uns Beiden zu schnell. Wir hatten uns wieder
an einander gewöhnt und kein Tag verging, an dem wir uns nicht
sahen. Ich gehöre zu den Wenigen, dessen darf ich mir schmeicheln,
mit denen Heine gerne spricht, und die er, nach seinem eigenen Aus-
drucke, »ohne alle Anstrengung lieben kann«. (151)

414. GEORGE SAND März/April 1836

an Franz Liszt, La Châtre, 15. Mai 1836

J'ai été à Paris passer un mois, j'y ai vu tous nos amis: Meyerbeer,
sur qui j'écris assez longuement à l'heure qu'il est (j'adore les Hugue-
nots); Mme Jal, pour qui j'ai eu le bonheur de faire quelque chose,
votre mère qui a eu la bonté de venir m'embrasser; Heine qui tombe
dans la monomanie du calembour etc., etc. (221)

Ich war einen Monat in Paris und habe dort alle unsere Freunde gesehen: Meyerbeer, über den ich mich gerade des längeren auslasse
(ich liebe die »Hugenotten«); Mme. Jal, der ich zu meiner Freude
einen Dienst erweisen konnte, Ihre Mutter, die mich liebenswürdiger-
weise besuchen kam; Heine, der in die Monomanie der Kalauer verfällt, etc. etc.

415. FRANZ GRILLPARZER 23.–27. April 1836

Tagebuch, Paris, 23. April 1836

Werde täglich erinnert, meinen Empfehlungsbrief an M^d. Rothschild
abzugeben, auch Heine soll ich besuchen, verschiebe es aber von Tag
zu Tag.

Kann nicht ausweichen heute der Frau Rothschild meinen Brief abzugeben. [...] Von der Frau sehr gut empfangen. Sie ist liebenswürdig, gebildet, spricht wahrhaft gut. Sie gehen aufs Land. Soll sie dort besuchen. Sie gibt mir die Adresse von Heine.

Paris, 26. April 1836

Gieng Heine aufzusuchen. Madame Rothschild hatte mir eine falsche Adresse *[4, rue des Petits Augustins]* gegeben. Er war ausgezogen.

Paris, 27. April 1836

Hatte endlich die Wohnung Heines erfragt, gieng heute zwölf Uhr zu ihm, cité Bergère N⁰ 3. Als ich schellte, öffnete mir ein hübscher, runder junger Mann im Schlafrock, der mir wie einem alten Bekannten die Hand reichte. Es war Heine selbst, der mich für den Markis de Cüstine hielt. Er zeigte große Freude als ich mich nannte und führte mich in seine tolle Wirthschaft hinein. Tolle Wirthschaft. Denn er wohnt da in ein paar der kleinstmöglichen Stuben mit einer oder zwei Grisetten, denn zwei waren eben da, die in den Betten herumstörten, und von denen er mir eine, eben nicht zu hübsche, als seine petite bezeichnete. Er selbst sieht aber auch wie die Lebenslust und, mit seinem breiten Nacken, wie die Lebenskraft aus. Machte mir einen sehr angenehmen Eindruck, denn mir ist der Leichtsinn nur da zuwider, wo er die Ausübung dessen was man soll, hindert.

Wir kamen gleich in die Literatur, fanden uns in unsern Neigungen und Abneigungen ziemlich auf demselben Wege und ich erfreute mich des seltenen Vergnügens bei einem deutschen Literator gesunden Menschenverstand zu finden. Er scheint durch die Bundestagsbeschlüße sehr alterirt und schrieb eben an einer Denkschrift an die abgeschmackte Versammlung. Vom Ultra-Liberalismus will er durchaus nichts wissen und spricht mit Verachtung von den deutschen Refugiés. Mit Börne steht er schlecht. Beklagt sich, daß dieser ihn für seinen Freund ausgegeben, was er nie gewesen. Gieng nach einer Stunde, herzlich entlassen.   (82)

416. FRANZ GRILLPARZER   27. April/6. Mai 1836

Autobiographie, 1853   *(* 1872, posthum)*

Von den Menschen in Paris waren mir die interessantesten zwei deutsche Landsleute, Börne und Heine. Mit Ersterem kam ich in ein fast freundschaftliches Verhältnis. [...]

Heine fand ich in Fülle der Gesundheit, aber, wie es schien, eben in sehr beschränkter ökonomischer Lage. Er bewohnte in der cité bergère zwei kleine Zimmer, in deren erstem sich zwei Weibsbilder mit Betten und Kissen zu schaffen machten. Das zweite noch kleinere, Heines Arbeitszimmer, bekam durch die Spärlichkeit der Möbel fast das Ansehen des Geräumigen oder doch des Geräumten. Seine ganze ostensible Bibliothek bestand in Einem, wie er selbst sagte, entlehnten Buche. Er hielt mich Anfangs für den Schriftsteller Custine, mit dem ich Aehnlichkeit haben sollte. Bei Nennung meines Namens zeigte er große Freude und sagte mir viel Schmeichelhaftes, das er wahrscheinlich in der nächsten Stunde vergessen hat. In der gegenwärtigen Stunde aber unterhielten wir uns vortrefflich. Ich habe kaum je einen deutschen Literator verständiger reden gehört. Er hatte aber mit Börne und überhaupt mit den selbst Verständigeren unter den Deutschen das gemein, daß er bei aller Mißbilligung des Einzelnen einen großen Respekt für das Ganze der deutschen Literatur hatte, ja sie allen andern voransetzte. Ich aber kenne kein Ganzes als welches aus Einzelnen besteht. Diesen aber fehlt der Nerv und der Charakter. Ich will mit Jemanden zu tun haben wenn ich ein Buch lese. Dieses Sichselbstaufgeben hätte noch einen Wert wenn es ein Aufgehen in den Gegenstand wäre. Aber auch der Gegenstand wird aus seiner ursprünglichen Prägnanz gerissen und zu Ansichten sublimiert, wo man sich denn in einer Mittelwelt befindet, in der die Schatten Geister und die Geister Schatten sind. Ich ehre die deutsche Literatur, wenn ich mich aber erfrischen will, greife ich doch zu einer fremden.

So sehr mir Heine im Gespräch unter vier Augen gefiel, eben so sehr mißfiel er mir, als wir ein paar Tage später bei Rothschild zu Mittage waren. Man sah wohl daß die Hauswirte Heinen fürchteten, und diese Furcht mißbrauchte er um sich bei jeder Gelegenheit verdeckt über sie lustig zu machen. Man muß aber bei Niemand essen, dem man nicht wohlwill, und wenn man Jemand verächtlich findet muß man nicht bei ihm essen. Es setzte sich daher auch von da an unser Verhältnis nicht fort. (82)

417. ADOLF STRODTMANN

nach anonymer Überlieferung   (*1869)

»Herr Doktor«, rief er *[J. de Rothschild]* ihm einmal bei Tische zu, »Sie sind doch ein Gelehrter, sagen Sie mir, warum dieser Wein Lacrymae

Christi heißt.« – »Uebersetzen Sie nur!« antwortete Heine; »Christus weint, wenn reiche Juden solchen Wein trinken, während so viel' arme Menschen Hunger und Durst leiden.« (249)

418. ADOLF STRODTMANN

nach anonymer Überlieferung (* *1869*)

Rothschild bewohnte jenen neuen, ganz im Renaissancestile erbauten Palast in der Rue Laffitte, auf dessen Ausschmückung er Millionen verwandt hatte. Er glaubte sehr geistreich zu sein, indem er jeden Besuchenden fragte: »Comment trouvez-vous mon chenil?« – »Wissen Sie, daß chenil Hundehütte heißt?« flüsterte ihm Heine ins Ohr. – »Nun, was ist?« fragte Rothschild. – »Und daß Sie der Bewohner dieses chenil sind? Wenn Sie so schlecht von sich denken, verschweigen Sie es wenigstens.« (249)

419. ADOLF STRODTMANN

nach anonymer Überlieferung (* *1869*)

Eines Abends kam das Gespräch auf das in Paris so schmutzige und trübe Wasser der Seine. Der Baron erzählte, daß er den Fluß in der Nähe seiner Quelle gesehen habe, und daß sein Wasser dort klar und hell wie Krystall sei . . . »Ihr Herr Vater soll auch ein sehr rechtschaffener Mann gewesen sein, Herr Baron«, warf Heine trocken dazwischen. Die Anwesenden bissen sich auf die Lippen – der Baron verstand nicht die Malice. – (249)

420. FRIEDRICH WILHELM ROGGE   Ende April 1836
       (»PAUL WELF«)

Memoiren (* *1877*)

Zunächst begab sich Rogge zu Heinrich Heine, um sich seiner Aufträge von Julius Campe in Hamburg zu entledigen. Der Verfasser des Buchs der Lieder stand damals in dem Alter von 36 Jahren, also in der ganzen Fülle jugendlicher Kraft und geistiger Frische. Er war mehr klein, als groß, machte jedoch durch seine persönliche Erscheinung auf Rogge einen angenehmen und gewinnenden Eindruck. Er war schwarz gekleidet, hatte dunkles, schlichtes Haar, das er ziemlich lang trug, mittelgroße Augen, mit viel Schmelz in denselben, und zu streiten schien. [...] In Lüneburg hatte man ihm Heine immer als ein kleines durchsichtiges Männchen geschildert, bleich und abgezehrt und verlebt. Er war daher nicht wenig überrascht, als er denselben, zwar nicht korpulent, aber doch frisch und wohlgenährt vor sich erblickte. [...]

Rogge theilte ihm seine Ueberraschung mit, und Heine schien an der mit ihm vorgegangenen Veränderung selber große Freude zu finden. Er wohnte nur sehr beschränkt und nichts weniger als elegant eingerichtet. Die kleinen Räumlichkeiten theilte mit ihm eine Dame, die später oft als seine Frau genannte Mathilde. Sie war längst über die Zeit des Pfirsichhauches auf den Wangen hinaus und für eine Französin ziemlich groß und voll. Sie hatte langes schwarzes Haar und große weitgeöffnete Augen, trug sich aber an dem Morgen, wo Rogge sie sah, nicht eben ladylike, sondern sah ziemlich ärmlich und wasserscheu aus. Campe hatte Heine einige Mittheilungen über den neuen Ankömmling und dessen bisherige Leistungen geschrieben. »Nun, sagte Heine, wie findet man in Deutschland meine Auslassungen über Platen?«»Sie haben, wie immer, entgegnete Rogge, die Lacher auf Ihrer Seite und man freut sich über den sprudelnden Humor, der Ihnen so vielgestaltig zu Gebote steht.« »Hat es ihm geschadet?« fragte er weiter. »Das möchte ich bezweifeln, gab ihm Rogge zur Antwort, denn Platen ist kein Schwächling, sondern eine granitene Gestalt und er steht namentlich in der philologischen Welt ungemein hoch angeschrieben, diese wirkt wieder auf die gebildete Jugend ein und der Jugend gehört die Poesie und die Welt obendrein.«

»Ja, freilich, sagte Heine; wie sehr beneide ich Sie, daß Sie noch so jung sind, was werden Sie noch Alles in der Lyrik leisten, mit der ich längst fertig bin. Lyrische Gedichte macht man nur, so lange man jung ist.«»Darin, meinte Rogge, scheinen Sie mir doch zu weit zu gehen; einmal sind Sie ja selber noch jung und dann kommt es doch weniger auf die körperliche, als auf die geistige Jugend und darauf an, wie lange die Welt der Gefühle sich frisch und blühend in uns erhält, und das Herz zu schwärmen vermag.«

»Ja, da liegt's, sagt Hamlet«, lächelte Heine. [...]

Heine wünschte auch zu wissen, was Rogge von seinem Stil halte? Ihr Stil, sagte derselbe, ist sehr pikant, sehr frisch und lebendig, und von glücklicher Mischung; Sie haben das stilistisch Schönste aus

Sterne, Görres und Jean Paul genommen und sich daraus eine eigene, Ihnen nunmehr eigenthümliche Schreibweise gebildet, die ebenso sehr besticht wie fesselt. »Daran ist etwas Wahres, gestand Heine, es macht mir Vergnügen, dies von Ihnen zu hören; aber Sie glauben nicht, was mir dieser Stil für Mühe und Arbeit macht. Du kannst es bezeugen, sagte er, indem er sich an Mathilde wandte, wie oft ich mich dabei in deinen Locken verwickelte.« [...]

Was Rogge weder an Heine, noch an Börne gefiel, war, daß sie sich gegenseitig herunterrissen und verklatschten, und wie Heine Börne's Freundin als Jedem zugänglich bezeichnete, so behauptete auch Börne von Heine's Mathilde, es könne sich Jeder für einige Franken mit ihren dreißig Schönheiten bekannt machen.

Da Heine bald darauf längere Zeit von Paris abwesend war, so hat er ihn nicht wieder gesehen; [...]. (208)

421. FRANZ GRILLPARZER   6. Mai 1836
        Tagebuch, Paris, 6. Mai 1836

[...] zu Rothschild zu Tische. Vortreffliches Diner. Man kann nicht gemeiner aussehen, und zum Theil sich benehmen als der Hausherr. Die Hausfrau gegen ihn eine Göttin, obschon sie mir weniger gefiel als das erstemal. Heine ist da, unwohl, leidend. Man fetiert ihn sehr, ne noceat, wie man sagt. Hambro aus Kopenhagen. Die Familie Neuwall, Rossini. Letzterer ist ganz Franzose geworden, spricht die Sprache wie kein Italiener sie je gesprochen und ich es am wenigsten Rossini zugetraut. [...] Heine war nicht sehr angenehm und gieng bald. Da man sich erst gegen 7 Uhr zu Tische setzte, war es bald 10 Uhr. (82)

422. JULES JANIN   ca. 12. Juli 1836
        an Léon Gozlan, Ende Juli 1836

Devine qui j'ai rencontré l'autre jour, sur le Luxor aussi amoureux que Léandre? H. Haine [!] (Reisebilder).

Il a placé Héro dans un petit village qui est en face Saint-Fort, et là ils s'aiment et ils vont entendre chanter le rossignol. (101)

Rate, wen ich neulich auf dem Platz des Luxor getroffen habe, so verliebt wie Leander? H. Haine [!] (Reisebilder).

Er hat seine Hero in einem kleinen Dorf bei Saint-Fort untergebracht, da lieben sie sich und lauschen dem Gesang der Nachtigall.

423. ALEXANDRE WEILL Dez. 1836

nach Mitteilungen Mathildes (*1883)*

Le souper de noce eut lieu dans un restaurant. Heine s'était chargé de
la robe nuptiale. [...]
De là Heine conduisit Mathilde dans son petit appartement de
poète.

A la pointe du jour, Mathilde, dans cet appareil qui relève et
montre la beauté, se leva, et voici les paroles qu'elle adressa à son
heureux vainqueur. C'est Mme Heine elle-même, je le répète, qui m'a
conté cette scène devant son mari:

«Henri, dit-elle, je t'ai donné tout ce qu'une honnête fille peut
donner à l'homme qu'elle aime et qu'il ne peut lui rendre. Si tu crois
que je ne sais pas que tu m'as achetée, tu te trompes. Si j'ai consenti à
être ta maîtresse, c'est d'abord parce que de tous les hommes qui
m'ont fait la cour, toi seul m'as plu, et parce qu'on m'a dit que les
Allemands étaient plus fidèles que les Français. Mais que tu m'aies
achetée ou non, *moi, je ne me suis pas vendue!* Apprends donc que
jamais je ne te quitterai, que tu m'aimes ou non, que tu m'épouses ou
non, que tu me maltraites ou non, jamais je ne te quitterai. Entends-tu
bien! Jamais! jamais! jamais!. – Mais je ne veux pas que tu me
quittes, répondit Heine, éclatant de rire. Je t'aime. Si je ne t'aimais
pas, aurais-je fait ce que j'ai fait pour toi? Je t'aime et t'aimerai
toujours! – Et moi donc, répondit-elle, aurais-je fait ce que j'ai fait
pour toi si je ne t'aimais pas? N'importe! En consentant à demeurer
avec toi je me suis dit: celui-là et pas un autre, et pour toujours!
toujours! toujours! – C'est une scène que tu me fais, disait Heine. (En
effet, c'était la première.) Jamais je ne cesserai de t'aimer. – Que tu
cesses ou non de m'aimer, dit-elle, moi je ne cesserai pas d'être ta
femme, car je suis ta femme et ta femme qui te suivra partout. – Et
qu'est-ce que tu ferais, demanda Heine, si je te quittais? – Je me
tuerais à tes pieds! Heine a dû respirer, car elle aurait aussi bien pu
lui dire: Je te tuerais à mes pieds. [...] Sur ce, dit Heine, allons
déjeuner. – Et tous les jours de la vie, continua-t-elle, nous irons
déjeuner ensemble. Quand j'ai quelque chose dans ma caboche, cinquante mille mulets ne l'en feront pas sortir. Je te le dis pour la

dernière fois, car je ne te le dirai plus, je ne te quitterai jamais! Partout où tu iras, j'irai, fût-ce au bout du monde, fût-ce au delà de l'enfer! Je suis bien à toi, puisque tu m'as achetée; mais toi aussi je t'ai acheté, tu en connais le prix, et tu es à moi pour la vie! (292)

Das »Hochzeitsmahl« fand in einem Restaurant statt. Heine selbst hatte Mathildes Brautkleid besorgt. [...] Von dort führte er sie in seine kleine Poetenwohnung.

Am andern Morgen erhob sich Mathilde in dem Gewand, das alle Reize des Weibes am vollsten zur Geltung bringt, und erklärte ihrem glücklichen Überwinder folgendes – die Worte stammen unmittelbar von Frau Heine, die mir im Beisein ihres Mannes den Vorgang genau geschildert hat:

»Henri, ich habe dir alles gegeben, was ein anständiges Mädchen dem Mann, den sie liebt, geben und was er ihr nie zurückgeben kann. Wenn du glaubst, ich wüßte nicht, daß du mich gekauft hast, so irrst du dich. Wenn ich bereit war, deine Geliebte zu sein, so geschah es, weil von allen Männern, die mir den Hof machten, du der einzige warst, der mir gefiel, und weil man mir sagte, daß ein Deutscher treuer sei als ein Franzose. Aber ob du mich nun gekauft hast oder nicht – *ich habe mich darum noch lange nicht verkauft.* Merke dir also: ich werde dich nie verlassen, du magst mich lieben oder nicht, du magst mich heiraten oder nicht, du magst mich mißhandeln oder nicht – ich werde dich nie verlassen. Hörst du? Nie! nie! nie!« – »Aber ich will doch gar nicht, daß du mich verläßt!« antwortete Heine laut auflachend. »Ich liebe dich. Wenn ich dich nicht liebte, hätte ich dann wohl alles das für dich getan? Ich liebe dich und werde dich immer lieben!« – »Und ich«, erwiderte sie, »hätte ich vielleicht alles das für dich getan, wenn ich dich nicht lieben würde? Aber das ist alles unwesentlich! Von dem Moment an, da ich bereit war, mit dir zusammenzuleben, sagte ich mir: Dieser und kein anderer! Und für immer, immer, immer!« – »Aber du machst mir ja eine Szene!« rief Heine. (Es war tatsächlich die erste.) »Ich werde dich lieben bis in alle Ewigkeit!« – »Das kannst du halten wie du willst«, entgegnete sie, »ich werde immer deine Frau sein, denn ich bin's, und als deine Frau werde ich dir überallhin folgen.« – »Was würdest du denn tun, wenn ich dich verließe?« fragte Heine. – »Ich würde mich zu deinen Füßen töten!« – Heine mußte tief Luft holen, denn ebensogut hätte es heißen können: »Ich würde dich zu meinen Füßen töten!« [...] – »Daraufhin wollen wir erst mal frühstücken«, erwiderte Heine. –

»Und alle Tage, die da kommen, werden wir zusammen frühstücken«, fuhr sie fort. »Wenn ich mir einmal etwas in den Kopf gesetzt habe, dann bringen es fünfzigtausend Maulesel nicht wieder heraus. Also nochmal, und zum letztenmal: ich halte dich fest! Wo du auch hingehst, ich komme mit, bis zum Ende der Welt oder auch durch die Hölle hindurch! Ich bin dein, denn du hast mich gekauft; aber ich habe auch einen Preis bezahlt – du weißt welchen –, und du bist mein dein Leben lang!«

424. XAVIER MARMIER   Dez. 1836

an Edouard de Lagrange, Paris, 13. Dez. 1836

Heine est revenu de son voyage dans le midi jaune de haine et de colère, criant contre tout le monde et proclamant partout qu'il a connu la femme de Loève Weimar, qu'elle est vieille, laide, et n'a pas le sou.   (101)

Heine ist von seiner Reise nach Südfrankreich zurück, gelb vor Haß und Wut; er schimpft auf jedermann und sagt überall herum, er habe sich mit Loève-Veimars' Frau eingelassen, sie sei alt und häßlich und arm wie eine Kirchenmaus.

425. AUGUST TRAXEL (»VIKTOR LENZ«)   Dez. 1836

Korrespondenz aus Paris, 12. Dez. 1836   (*30. 12. 1836)*

Ich warf einen Blick in die Kupfertabellen eines Engländers über Andalusien, aß im Fluge bei einem Patissier des Louvre drei Berliner Pfannkuchen, und durchlief in meinem Lesecabinet der Galerie Orleans die »allgemeine Zeitung« und das »Journal des debats«, das »Morgenblatt« und die »Abendzeitung«, worüber ich den Dichter Heine antraf, der folgenden Dialog passando anknüpfte:
»Sie sind ein böser Mensch, Sie schreiben gegen mich.«
»Ich thue Gutes denen, die mich hassen, und Böses denen, die mich lieben.«
»Gegen diesen Appendix des Worts protestire ich. Seyn Sie aufrichtig, wie es Ihrer Natur ist; gestehen Sie, daß man mich bei Ihnen verleumdet hat.«

»Aber wer wird denn so empfindlich seyn? Ich gebe Ihnen mein Wort, daß ich mich gar nicht ärgere, wenn Sie mir in einem Buche oder Journale meine Blatternarben zeigen.«

»Gelt, wie Sie schlau sind. Sie denken, ich soll über Sie schreiben, um Sie unsterblich zu machen.«

Aus solchen Lazzis ist der Verfasser der Reisebilder zusammengesetzt. Ein Neugieriger, ein Pflastertreter, ein Plauderer, eine cronique scandaleuse, ein Ueberall und Nirgends, der Spion seines Ruhms – aber eben darum ein äußerst interessanter Charakter.

Heine hört das Gras wachsen und wenn es darauf ankömmt, etwas in einer Sache zu thun, so ist er nicht zu Hause. Er will mit allen Publicisten gut stehen, und sagt demohngeachtet stets dem Einen etwas von dem Andern, wodurch er sich seine Politik und Hypokrisie verdächtig macht. Es wäre gewiß einfältig, einem solchen spitzohrigen Lacher etwas nachzutragen wegen seines Fraubasenthums; das Salonintriguiren ist ihm Bedürfniß.

Außer Heine waren um die zweite Nachmittagsstunde der Novellist Bornstedt, der Jurist Venedey und der Sprachlehrer Savage *[Savoye!]* in dem Cabinet. (258)

426. Eduard Beurmann   (Sept./)Dez. 1836

Geheimbericht an die österreichische Regierung,
Frankfurt, Jan. 1837

Heine ist das Gegentheil von Börne. Leichtsinnig, geschwätzig in der Unterhaltung ohne Geist, möchte man ihn leicht für einen geistreichen Parvenu halten, der Talent und Genie geerbt, ohne zu wissen, was er damit anfangen solle. Vor allen Dingen ist Heine ohne Charakter und ohne Tatkraft, ich möchte behaupten, er werde kaum noch etwas von Bedeutung liefern, weil ihm viel an dem Aufsehen liegt, das Geschrei macht, wozu ihm jetzt die Mittel benommen. Der Liberalismus war ihm nur ein Relief für sein Talent, er kokettierte mit ihm wie mit Napoleon, Grundsätze hatte er nie gehabt. Freilich nahm Heine an den modernen Bestrebungen der französischen Literatur teil, aber das sollte ihm nur zur Vermehrung seines deutschen Renommees dienen. Er sah von vorhinein ein, daß er es in Frankreich nie zu Resultaten bringen werde, aber er opferte Geld und Zeit auf, seine Werke übersetzen zu lassen, Artikel über sich selbst für die französischen Journale zu verfassen und zu der Europe litteraire gezogen zu werden, die

binnen kurzem einen ansehnlichen Fonds verdinierte. Ja seine Eitelkeit ging so weit, seinen Freund und literarischen Stubenheizer Lewald
zu einer rein erdichteten Schilderung seiner häuslichen Verhältnisse
zu vermögen, in welchen eine femme entretenue, Salons, Soireen und
hundert Details des Luxus und Wohllebens vorkommen, von welchen
Heine nichts weiß. Er lebt in der Tat sehr dürftig und beschränkt mit
einer Grisette; wie er sich gegen mich äußerte, der ich diese Wirtschaft
in der rue Cadet Nr. 18 mit ansah, en étudiant. Heine möchte eben so
gern wie Börne nach Deutschland zurück. Dieser wird sich nie dazu
verstehen, seinen Wunsch deutlich auszusprechen, jener würde vielleicht unter allen Bedingungen die Rückkehr erkaufen. Börne stand
sein Charakter in betreff einer einflußreichen Stellung in Paris entgegen, Heine seine Charakterlosigkeit.   (69)

427. EDUARD BEURMANN   (Sept./)Dez. 1836

Artikel über Heine   (* April 1837)

Wenn man bei Galignani in der rue Vivienne, oder in einem der Lese-
Institute des Palais royal einen etwas untersetzten Deutschen sieht,
mit dunklem Haare, langem Ueberrocke, sehr nachlässiger Cravatte,
listigem, stechendem, aber ziemlich gutmüthigem Auge, der hastig
eintritt, von einem Stuhle und aus einem Zimmer zu dem andern eilt,
so viel deutsche Zeitungen, wie möglich, auf diesen Hin- und Her-
zügen zusammenrafft, die Pariser Privatcorrespondenz in ihnen durch-
fliegt, und, wenn Alles durchgesucht und durchgelesen ist, die neuen
Gesichter fixirt, ob vielleicht ein bekanntes deutsches darunter sey –
ich sage, wenn man einen solchen Menschen dort umherkreisen sieht,
so kann man Hundert gegen Eins wetten, es ist Heinrich *Heine*. [. . .]
   Börne war Heine's Feind vom Gesichtspunkte der Partheien aus,
aber den poetischen Werth des Verfassers der *Reisebilder* hat er bis an
seinen Tod gewürdigt, er bedauerte nur, daß es ihm nicht so leicht
würde, *florentinische Nächte* in Paris zu schreiben. Anders aber urtheilen jene Deutschen, die aus den kleinen zerstreuten Revolutionen nach
Paris kamen, und das will eben Heine's mißliche Lage erklären. Sie
verlangten von ihm zuerst Sympathie für ihr Unglück, und der ge-
ängstigte Dichter steuerte ihnen mit Geld bei; später aber wollten sie
Anerkennung, Heine sollte in seinem »Salon« von der deutschen
Literatur in Paris sprechen und als er nicht gemeinschaftliche Sache
mit ihr machen konnte und wollte, drohte man ihn in die »Gallerie

denkwürdiger Israeliten« zu bringen. Heine, der sich stets darauf beruft, der es hat drucken lassen, daß er zur Hälfte von Adel, daß seine Mutter eine geborne von Geldern, daß er aber auch Protestant und zwar Einer der eifrigsten sey, in einer Gallerie von Israeliten! das war zu toll! *Börne* schürte das Feuer und rieb sich vergnüglich die Hände, als Heine trotz aller Einwendungen und Demonstrationen in demselben Hefte einen Platz fand, in welchem Spinoza abgebildet und besprochen ist. So spielt man dem armen Dichter aus purer Schadenfreude mit; denn es war durchaus keine andere Ursache vorhanden, ihn dort einzuführen. Börne sagte mir selbst:»Ich stehe nicht darin, und er ist geschildert vom Kopf bis zu den Zehen, selbst das haben sie nicht ausgelassen, daß er in Frankfurt in einem Kramladen gewesen ist.« Aber hätte man es bei der Gallerie denkwürdiger Israeliten bewenden lassen! Nein, man ging weiter, rechts und links correspondirte man in die deutschen Zeitungen allerhand Dinge hinein, die Heinen, der sie der Lage der Sache nach nicht berichtigen konnte, den Kopf verrückten. Hier verdrehte man ein Genrebild, das den Dichter neben seiner Mathilde schilderte, dort zweifelte man an seiner Reise in die Provence und daß er im Hafen von Marseille Schiffbruch gelitten hätte; ja man ging endlich so weit, Heine in vertraulichem Verhältniß zum Ministerium Thiers darzustellen, [...]. Jeder Tag konnte neue Gehässigkeiten aus Deutschland bringen, und er hatte keine Ruhe, bis er die jedesmaligen Zeitungen untersucht hatte.

So standen die Dinge, als ich Heine kennen lernte. Ich hatte ihn nicht besucht, weil er seit einiger Zeit die größte Antipathie gegen alle Genrebilder bekommen hatte, in Betreff deren er allerdings bei mir nicht sicher war. Heine hatte in der That der Buchhandlung Heideloff und Campe den Auftrag ertheilt, keinem Deutschen seine Wohnung anzugeben. Aber dies war die erste Hitze beleidigter Gastfreundschaft, Heine liebt die Deutschen. Venedey kam eines Tages bei Galignani zu mir, mich fragend, ob ich nicht Heine's Bekanntschaft machen wolle. Ich griff mit beiden Händen zu und der Dichter stand vor mir. Er jammerte über die Misère der Deutschen, die ihn in Paris umgäbe; ich tröstete ihn. [...]

[...] Heine, der geistreiche, witzige Heine, der mit der haute volée der französischen Literatur auf *Du* und *Freund* stand, sollte mit allen revolutionairen Schustern und Schneidern [...] Brüderschaft trinken! *Heine* war wahrhaftig in der größten Verlegenheit. Eines Tages ging man sogar so weit, ihn zur Unterzeichnung einer Protestaktion gegen den Pabst [...] aufzufordern, zu einer Protestaktion, die von 48 Handwerkern und Börne unterzeichnet worden war. [...] Heine half sich damit, daß er erklärte, es läge ihm fern, nun auch noch diesen guten Mann zu beunruhigen. Was ihn der Pabst anginge!

Das Alles erfuhr ich kurz nach meiner Ankunft in Paris von und über Heine, seine Feinde waren unermüdlich in Verläumdungen, die er, wenn auch mit Schmerz, doch standhaft ertrug, erklärend, ich kann nichts dagegen thun; denn trete ich gegen diese Ritter auf, so heißt es, Heine ist jetzt so weit, daß er sich mit Hans und Peter herumreißt. Und seine Lyrik machte ihm auch böse Stunden. »Sehen Sie, ich habe Scorpione gesäet und Flöhe geerndtet« sprach er in Bezug auf das Heer seiner Nachahmer in Deutschland. [...] Heine hatte alle Lust an der Lyrik, wegen jenes Ungeziefers, verloren, [...].

»Gott! die vermaledeiten Genrebilder!« seufzte Heine. [...] Man hatte den Dichter zu einer »Mise en scène« benutzt, und nicht nur ihn, sondern auch Mathilde, die kleine, hübsche Französin, mit der ländlichen Anmuth, wie man sie ungefähr sieben Meilen in der Runde von Paris antrifft. Was muß ein großer Mann nicht Alles erdulden! Es kömmt jemand aus Deutschland, [...] er besieht sich die Stühle und Tische bei Heine, die Geliebte des Dichters und seine Rockknöpfe. Jetzt geht er nach Deutschland zurück und stellt alle diese Dinge in das Proscenium eines Journals, putzt den Staub von den Stühlen, legt Teppiche, wo keine sind, etablirt ein Boudoir, wo ein Estrich-Zimmer war und zieht den Vorhang in die Höhe: »Meine Herren! hier sehen Sie Heinrich Heine an der Seite von Madame Heine.« So lange das Genrebild in Deutschland bleibt, geht Alles gut, aber es kömmt unglücklicherweise in einem Abdruck nach Paris und die Deutschen rufen: »Was, Madame Heine!« Und nun fragt man in allen deutschen Zeitungen von Paris aus: Wer Madame Heine sey? — »Die vermaledeiten Genrebilder!« seufzte Heine. »Nichts als: Mise en scène!«

Er lebt en garçon, so lustig und heiter, wie man es von ihm erwarten kann, und im quartier latin kann es kaum bei irgend einem Studenten nonchalanter und lyrischer aussehen, als in der rue cadet, No. 18, wo Mathilde wohnt. Hier unterhielt ich mich mit dem Dichter, der im Bette lag, über Tendenzen und über die Zukunft. Heine beschäftigt sich nur aus Langweile mit diesen Dingen, selbst seine Unsterblichkeit macht ihm keine bösen Stunden. Da hatte man ihm aus Deutschland geschrieben, es müsse sich um einen »westphälischen Frieden« in der Literatur handeln, und Heine, der jetzt den Frieden über Alles liebt, da er nicht mehr im Ganzen und Großen Krieg führen kann, interessirte sich sehr für den »westphälischen Frieden«. Er sollte die Größen und das Territorium des Besitzes feststellen. »Denken Sie, Traxel kömmt zu mir und verlangt, ich solle erklären, daß sein Styl nicht die geringste Aehnlichkeit mit dem meinigen habe.« Unter solchen Verhältnissen möchte man es Heine kaum verargen, daß er sich nach Anlehnungspunkten in Deutschland umsieht und nach einer Feststellung der literarischen Verhältnisse. [. . .] Es ist gewiß, daß Heine an die jüngere Literatur bis jetzt gar nicht den rechten Maßstab gelegt hat, in seinem »zur Literatur« gedenkt er ihrer nur vorübergehend und mehr emphatisch, als kritisch. Es wird Heine schwer, sich von persönlichen Interessen für seine Freunde zu emancipiren und einzusehen, daß nicht alle, die auf seine Worte und die Form schwören, seinen Geist besitzen. Mundt und Kühne [. . .] sind noch gar nicht von Heine berücksichtigt worden. Gutzkow, der Achilles der modernen Literatur, der selbst einen Hector nicht schont, ist ihm zu schroff und starr. Nur für Laube schwärmt er reciproce. Aber so wird sich kein westphälischer Frieden herausstellen. Und zu einer Schule ist es auch nicht Zeit, da Alles in Gährung und Zersetzung begriffen ist. [. . .]

Heine möchte um jeden ehrlichen Preis nach Deutschland zurückkehren. Wer einmal deutsch gedacht und gedichtet hat, kann nie französischer Schriftsteller werden. »Wie kommt es nur« – fragte Heine einen Deutschen, der seit zehn Jahren Feuilletonist in Paris ist – »daß man Ihre Artikel stets ohne Widersprüche und Monita annimmt? Die meinigen werden mir gar zu häufig mit dem Bemerken zurückgegeben, es sey Alles recht hübsch, aber kein Französisch.« Der Befragte war nur Schullehrer in Deutschland gewesen und ohne Gedanken und Geist, er hatte sich nicht von störenden Eindrücken, die diesseits des Rheins Wurzel geschlagen, zu emancipiren, als er auf die mechanischste Weise von der Welt sich die feine französische Form aneignete.

Aber Heine konnte es so weit nicht bringen, er mußte sich durch denselben Uebersetzer mit Frankreich vermitteln und das ist für einen Schriftsteller sehr langweilig.

Wenn wir aber in den deutschen Zeitungen lesen, Heine wolle bei der Herausgabe seiner Gesamtwerke den deutschen Regierungen dadurch Concessionen machen, daß er seine Schriften von anstößigen Stellen reinige, so mag man solcherlei Behauptungen nur aus dem Gesichtspunkte einer voreiligen Freundschaft betrachten. Die deutschen Regierungen bedürfen keiner Concessionen und Heine kann ihnen auf Kosten seines Geistes keine machen. So weit geht seine Macht nicht, sich selbst zu desavouiren. (23)

Biographie Börnes *(* 1840)*

Heine, jünger, weniger Meister seiner Leidenschaften, viel auf äußern Erfolg im Publikum gebend, mochte vielleicht nicht ganz unbefangen bleiben über das Aufsehen, das die Pariser Briefe machten. Nun kam über die in Paris wohnenden Deutschen außerdem noch das Assocationsfieber. Die zahlreichen deutschen Handwerker, Commis, Gelehrte, die in Paris wohnten, wollten durch Adressen und öffentliche Erklärungen die überrheinische Sache unterstützen; man schrieb Versammlungen aus und bezeichnete die, welche von ihnen fortblieben, mit Namen, die vom Verdacht in Zeiten politischer Aufregung bald erfunden sind. Heine, der nur Begriffe von kleinen literarischen Bundsgenossenschaften hat, erschrak vor diesen massenhaften Verbrüderungen und fühlte sich von allen den demokratischen Zumuthungen, die grade an ihn als einen Freiheits-Dichter ergingen, höchst belästigt. Aus frühern Lebensverhältnissen her, als gelernter Kaufmann, war er gewohnt, sich bei Namensunterschriften sehr schwierig finden zu lassen; da sollte nun alle Tage vermittelst einer Adresse ein Fürst vom Thron gestoßen werden, oder durch Subscriptionslisten für hunderttausend kleine politische Zwecke gewirkt werden, und immerzu die Feder in der Hand und seinen Namen da hinzuschreiben, – das war ihm wirklich sehr unangenehm. Gern hätte er die von den Fäusten der Handwerker ganz schmutzigen Subscriptionsbögen unter seinen glacirten Händen durchschlüpfen lassen, aber einige Terroristen paßten auf und drohten nicht undeutlich mit der Guillotine, die vielleicht über Nacht die Ordnung des Tages werden konnte. Besonders ärgerte es Heinen, daß Börne, der kränkliche Mensch, so einen fanatischen Königsfresser spielte und das ganze Ding mit der Revolution, das sich nur gedruckt, in Vorreden, datirt »*Paris am Tage der Bastille*« hübsch machte, so ernst nahm und jede Tollheit, die Einer auf's Tapet brachte, mitunterschrieb. Börne und Heine aßen zusammen an einem Orte, wo viele deutsche Handwerker verkehrten. Zwischen der Suppe und dem Rindfleisch kam regelmäßig eine schmutzige Subscriptionsliste den Tisch herunter. Heine war in Verzweiflung. Er wartete die Gelegenheit ab, wo er losbrechen konnte und ergriff diese endlich, als die Listen sich unter anderm einmal auch gegen den Papst und dessen politisches Verfahren in der Romagna aussprachen. *Was sie der Papst angienge* erklärte er unwillig und unterschrieb sich nicht mehr. Man kann nicht läugnen, daß Heine's Benehmen hier von vielem Verstande zeugte. Nur hätte er sich dann von dem Umgang mit so erhitzten Gemüthern ganz zurückziehen und nicht nach dem Ruhm einer Popularität bei den Handwerkern streben sollen. – Da erschienen der dritte und vierte Band der Briefe aus Paris und in ihnen Börne's strenges, aber durchaus nicht feindseliges Urtheil über Heine's französische Zustände. Die Folge war ein offenbarer Bruch, den natürlich die Zwischenträger nur noch erweiterten, und unheilbar machten. Heine sollte Drohungen ausgestoßen haben; Börne, wie immer tapfer bis zum Drolligen, bemühte sich, seine Furchtlosigkeit zu zeigen und sogar recht zur Schau zu stellen. Heine, der Börnen zu vermeiden suchte, kam in die größte Verlegenheit, weil Börne grade alles aufbot, daß sie sich begegnen mußten. Börne, der nie begreifen konnte, wie in Heine's Salon die Schlußfigur des kleinen Simson sich auf ihn beziehen ließ, kundschaftete die öffentlichen Orte aus, wo er Heinen treffen konnte. Wo Heine aß, wollte er auch essen. Seine Umgebungen hatten Mühe, ihn von dieser förmlichen Hetzjagd, die er auf Heinen anstellte, zurückzuhalten. Später begegneten sie sich noch oft in Soiréen, die die Mutter des Componisten Hiller gab. So unbefangen sich Börne zeigte, so nahm er es doch übel, wenn Mad. W[ohl], von Heinen angeredet, diesem nicht den Rücken kehrte. Wie Sie mit meinem Feinde sprechen können, begreif' ich nicht – sagte er unwillig zu seiner Freundin, die nicht wußte, wie sich hier Börnen und zu gleicher Zeit dem Anstande willfahren ließe. (88)

429. G. DE MASSARELLOS   Dez. 1836 – Frühjahr 1837
    an Maria Embden-Heine, München, 1881

Im freundschaftlichen Verkehr mit Ihrem berühmten Onkel stand ich nur im Winter und Frühjahr 1836 bis 1837, verließ dann Paris, wo ich meine Kindheit und erste Jugend verlebte, auf mehrere Jahre. [...]
Zu meiner Zeit war Dr. H. Detmold [...] sein intimster Freund.

(57)

1837
Paris

430. CAROLINE JAUBERT   1837 ff.

Heine-Erinnerungen   *(* 1879)*

A cette femme jeune *[Mathilde]*, si vivante, aimant le plaisir en Parisienne,
sans enfant, oisive d'esprit comme le comportait son éducation, la vie
qu'elle menait était lourde à porter, et l'on ne peut que louer sa
conduite dans ses rapports avec Henri Heine comme mari et comme
malade. Se promener à son bras, se montrer avec lui en public étaient
des jouissances de vanité dont elle avait rarement joui; elle l'entraînait,
avant sa séquestration, aux concerts payants, qui se donnaient dans
les salles Herz ou Erard. C'était pour elle une occasion de voir et
d'être vue; il nous est même arrivé de rencontrer le couple exécutant
ce genre de partie fine, ce qui jetait Heine dans une perplexité
plaisante: il voulait se comporter en célibataire, et cependant ne pas
quitter sa femme. Joignant à cela l'agacement que lui causait la musique, il avait vraiment l'air d'un diable dans un bénitier; il prétendait
n'aimer que la grande musique. Ce qu'il entendait par là serait diffi-
cile à préciser, fuyant également l'Opéra, les Italiens et le Conservatoire. Peut-être ne goûtait-il que les symphonies qu'il entendait en
rêve.   (117)

Seiner jungen, lebhaften, kinderlosen Frau, welche das Vergnügen
wie eine Pariserin liebte, deren Geist, wie dies ihre Erziehung mit sich
brachte, stets müßig war, wurde es schwer, das Leben, welches sie
führte, zu ertragen, und man kann ihr Verhalten in ihren Beziehungen
zu Heinrich Heine als Gemahl und Kranker nur loben. An seinem
Arm spazieren gehen, sich mit ihm in der Oeffentlichkeit zeigen, waren
Genüsse der Eitelkeit, deren sie sich selten erfreut hatte. Vor seiner
Sequestration schleppte sie ihn in die Concerte mit, welche in den

Sälen von Herz oder Erard gegeben wurden. Es war dies für sie eine Gelegenheit zu sehen und gesehen zu werden; mehrmals sind wir dem Ehepaar bei solchen *parties fines* begegnet, was Heine in drollige Verlegenheit brachte: er wollte sich wie ein Junggeselle benehmen, dennoch aber seine Frau nicht verlassen. Kam nun noch die Reizbarkeit, welche die Musik bei ihm verursachte, hinzu, so hatte er wahrhaft das Aussehen eines Teufels im Weihkessel. Er behauptete, nur die klassische Musik zu lieben. Was er darunter verstand, ist schwer zu sagen, da er weder die große, noch die italienische Oper, noch das Conservatorium besuchte. Vielleicht fand er nur Gefallen an den Symphonien, die er im Traume hörte. (118)

431. ANONYM   Frühjahr 1837

Pressenotiz   *(*Mai 1837)*

Heine soll Jemanden, der in fragte, werden Sie nicht nach Deutschland kommen, geantwortet haben: Recht gern, wenn mir erst sämmtliche deutsche Vestungen ausgeliefert sind. (254)

432. THEODOR MUNDT   Ende März/Anf. April 1837

an Gustav Kühne, Paris, 5. April 1837

Was Du [...] nicht vermuten wirst, ist, daß ich hier mit Heine in ein sehr freundliches Verhältnis getreten bin; obwohl auch er den Grundsatz hat, niemals zu Hause zu sein und besonders nie für die Deutschen in Paris, so machte er sich doch, nach Hinterlassung meines Namens, viel mit mir zu schaffen. Er sieht noch sehr jugendlich und ziemlich wohl aus, und lebt mit einer artigen petite femme. Er ist mit dem dritten Band seines Salon beschäftigt, der auch *Märchen* enthalten wird, und eine Vorrede, die von Wolfgang Menzel handelt. Er will sie mir heut im Mspt. vorlesen, da er fürchtet, die Zensur möchte sie nicht ganz so lassen. Auch ist er mit der Feilung und Redaktion der Gesamtausgabe seiner Schriften beschäftigt. Einige deutsche Journale streiten sich seit einiger Zeit über den Aufenthalt von Heine; die einen lassen ihn in der Provence reisen, die andern anderswo; ich kann aus Autopsie versichern, daß er hier ist, als mein Nachbar auf dem Faubourg Montmartre in der Cité bergère Nr. 3 wohnt, und sich ganz wohl befindet, übrigens nicht viel hier in Gesellschaft erscheint. (103)

an K. A. Varnhagen v. Ense, Paris, 7. April 1837

Von Heine habe ich Ihnen noch nicht gesprochen, und doch ist er es, mit dem ich mich bis jetzt am meisten hier ausgesprochen und mehr berührt habe, als ich es selbst dachte. Er ist *niemals* für Deutsche zu Hause, und nur erst nach Hinterlassung meines Namens gab er mir ein Rendezvous, dem seitdem mehrere folgten. Mit Ihrem Brief haben Sie ihm eine außerordentliche Freude gemacht, er will Ihnen inständigst empfohlen sein, und es liegt ihm daran, Sie wissen zu lassen, welche große Verehrung er unablässig für Sie hegt. Ich fand ihn ziemlich wohl aussehend, und er scheint sich sogar etwas zuzumuten, denn wir gingen gestern bei dem abscheulichen Schnee- und Regenwetter, das wir seit mehreren Tagen hier haben, miteinander im Palais Royal spazieren. Wie er sagt, ist er tätig jetzt, liegt aber freilich auch den ganzen Tag auf der Straße. Gesellschaften besucht er fast gar nicht. Er ist mit der Vorbereitung der Gesamtausgabe seiner Schriften beschäftigt, der er *sein Leben* vorausschicken will, was mir für den Moment ein sehr schwieriges Ding scheint. Er meint, er werde sich selbst darin am allerwenigsten schonen. Bald wird auch der dritte Teil seines »Salon« erscheinen, den er bloß der *Vorrede* wegen herausgibt, die lediglich von Menzel (!) handelt und deren Mitteilung im Manuskript er mir versprochen, da man sie nach der Zensur schwerlich ganz lesen dürfte. Er lebt hier mit einer petite femme und scheint froh und guter Dinge zu sein. Über unsere literarische Proskription hat er die versöhnlichsten Ansichten und Absichten und widerrät jedes Oppositionsverhältnis gegen die Regierung, das ihm selbst auch, in politischer Weise, nie in den Sinn gekommen wäre. Er hat etwas Feines, Elegantes in seinem Wesen, das ich nicht bei ihm suchte, das mir aber auch nicht mißfällt und das von vielem weiblichen Umgang zeugt. Er dreht es mir zum Kompliment, daß er mich öfter sieht, da er sonst alle Deutschen durchaus meidet. Die Briefe von Rahel sind ihm leider mit mehreren andern Papieren verbrannt. Von Laube meinte er, er habe recht gehabt, sich so zu stellen, aber er habe es nur nicht auf die rechte Art getan. Von deutscher Literatur und Wissenschaft lebt Heine hier völlig isoliert und liest fast nichts, außer den wenigen deutschen Blättern, die in dem Lesekabinett im Palais Royal ausliegen.   (103)

an Maria Embden-Heine, München, 1881

Ihr großer Onkel sprach oft mit inniger Liebe von den Seinen, und rühmte die Schönheit seiner Schwester. [. . .] Detmold's Bruder, Karl, ein junger Mann von 17 Jahren, kam zum Besuch nach Paris, war mit seinem Bruder oft in meiner Familie und ward auch in Berücksichtigung seiner *unschuldigen* Jugend oder *jugendlichen Unschuld*, wie Ihr Onkel sagte, gnädigst in dessen Familienkreis gezogen.

Einstmals von einem Spaziergang heimkehrend, lief Mathilde eiligst die Treppe hinauf, während wir drei Herren langsam nachfolgten. Da gewahrte nun der eifersüchtige Geliebte – o Graus! – wie der unschuldige Karl sich bückte, um . . . Mathildens Extremitäten zu bewundern!

In der Wohnung angelangt, rief Ihr Onkel den Doctor in sein Privatzimmer, ging mit verschränkten Armen ganz verstört auf und ab, und sagte, Detmold's Arm fassend: »Hermann! der Knabe Karl fängt an mir fürchterlich zu werden.«

Der nichts weniger als noch unschuldige Karl Detmold hatte von diesem Augenblick an das intime Familienleben bei Ihrem Onkel auf immer verscherzt.   (57)

435. G. DE MASSARELLOS   28. April – 1. Mai 1837

Zuschrift an die »Allgemeine Zeitung«,
München, 5. Dez. 1880   *(* 7. 12. 1880)*

Am 29. April 1837 kam in der Frühe mein Universitätsfreund Dr. Hermann Detmold [. . .] in großer Aufregung zu mir, und erzählte daß er Tags zuvor mit unserem Freunde H. Heine und dessen nunmehriger Wittwe, der damals reizend schönen Mathilde im »Boeuf à la mode, Rue des bons enfants«, einem in jener Zeit sehr beliebten Restaurant bourgeois dinirt habe. An einem Nebentisch dinirten sechs französische Studenten. Diese verfehlten nun nicht mit der schönen Nachbarin auf das auffälligste zu cokettiren und anzügliche Reden fallen zu lassen, bis endlich Heine in seiner bekanntlich gränzenlosen Eifersucht plötzlich aufstand und dem nächsten der jungen Herren eine eclatante Ohrfeige gab. Detmold machte dazu den Witz: der Wirth habe auf seiner Speisekarte unter den Omelette soufflée

nunmehr auch ein soufflet à la Heine zu setzen. Die jungen Leute
sprangen auf und gingen mit Messern und Stühlen auf Heine los, der
Scandal war natürlich arg, bis endlich der Wirth, die Kellner und noch
einige anwesende Gäste sich ins Mittel legten und Heine gegen seine
sechs Angreifer in Schutz nahmen. Karten wurden dann ausgetauscht
und an Heine erging sofort eine Forderung auf Pistolen. Der Beleidigte war ein étudiant de l'école de droit, de L. von altadeliger Familie. So die Erzählung Detmolds, mit welchem ich nun sofort zu Heine
ging. Diesen fand ich sehr aufgeregt; er bat mich den bösen Handel zu
entwirren und ihm zu secundiren. Als zweiten Secundanten – Detmold war zu zartfühlend um sich als Gibbosus eventuellen Spötteleien
auszusetzen – wählten wir den jungen Grafen Gurowski, einen in der
Haute volée, zumal im Jockeyclub, sehr beliebten Polen, intimen
Freund des bekannten russischen Weltreisenden Marquis de Custine.
[...] Als solchem standen Gurowski ein sehr reicher Marstall sowie
Equipagen nach Auswahl zu Verfügung. Dieses bestimmte uns auch
bei seiner Wahl als Secundanten, da Heine gern glänzend auftreten
wollte, und weder Detmold noch ich im Stande waren in dieser Rich-
tung einen ergiebigen Trumpf auszuspielen. Die Secundanten unseres
Gegners waren ein Baron Durand und ein Cavalleriecapitän Bérard.
Mit diesen beiden Herren setzten Gurowski und ich uns sofort ins
Benehmen, und es wurde bestimmt daß das Duell auf fünfzehn
Schritte Barrière mit einfachen Cavallerie-Feuersteinpistolen am 1. Mai
6 Uhr Morgens im Bois de St. Cloud stattfinden solle. Graf Gurowski
holte Heine und mich dann auch rechtzeitig in einer sehr eleganten
Equipage mit Vollblut-Viergespann ab. Er kutschirte selbst, der
Kutscher in brillanter Livrée saß neben ihm. Wir ließen die Equipage
im Restaurant du Parc und gingen ins Bois, wo unsere Gegner eben in
einem Fiaker angekommen waren. Waren wir auch von Anfang an
von der Hoffnung beseelt die ganze unangenehme Affaire friedlich
abmachen zu können, so wurde uns, den beiden gegnerischen Secundanten gegenüber, die Ausführung doch sehr schwer. Ich hob besonders die Persönlichkeit Heine's als hochstehenden lyrischen Dichter
hervor, betonte zumal seine Nervosität und Eifersucht. Provocirt
durch die Stichelreden der Studenten sei Heine höchstgradig aufgeregt
und ganz unzurechnungsfähig gewesen. Er bereue jetzt auf das tiefste
seine That, was er bereit sei dem Beleidigten gegenüber als Entschuldigung auszusprechen. Nach vielem Hin- und Herreden gaben sich
endlich der Beleidigte und seine Secundanten mit dieser Erklärung
zufrieden, erließen Heine jede persönliche Entschuldigung, wollten

aber von einer Versöhnung durch Händereichen nichts wissen. Der junge de L. fuhr mit einem seiner Secundanten sogleich davon, der andere frühstückte mit uns im Restaurant du Parc. Tags darauf erzählte ein Pariser Journal, zu meiner größten Verwunderung, Heine habe, von der Kugel seines Gegners nicht getroffen, großmüthig in die Luft geschossen. Dieß ist der thatsächliche Hergang der berühmten Duellgeschichte. (169)

436. ANONYM   Anf. Mai 1837

    Pressenotiz   *(* 19. 5. 1837)*

Heinrich Heine befand sich kürzlich zu Paris in einem Kaffeehaus, wo einige junge Franzosen sich beleidigende Aeußerungen über deutsche Sitten erlaubten. Als er hierauf einen derselben, der jedoch gerade an jenen Aeußerungen nicht Theil genommen, schwer insultirte, war ein Duell die Folge, das aber keine anderen Folgen hatte, als daß die beiden Gegner einander mit ihren Kugeln verfehlten. (194)

437. AUGUST TRAXEL (»VIKTOR LENZ«)   Anf. Mai 1837

   Korrespondenz aus Paris, 7. Mai 1837   *(* 24. 5. 1837)*

Heine hat sich für's Vaterland geschlagen, und das zum zweiten Male. Glücklicherweise war weder die Ohrfeige, die der Germania maltraitirende Franzose bekam, noch die Kugel, die darnach auf den Dichter abgefeuert wurde, gefährlich. Parteien nahmen Satisfaction, reichten sich die Hände, tranken Champagner und schlossen Freundschaft und Friede für ewige Zeiten und noch vierzehn Tage. Wenn sich Heine so fortduellirt, so kann er von mir den Spitznamen »Freischütz« bekommen. (259)

438. JOHANN HERMANN DETMOLD   13. Mai 1837

   an Johann Georg v. Cotta, Paris, 13. Mai 1837

Ew. Hochwohlgeboren
   übersende ich hieneben eine Fortsetzung des Aufsatzes über den Pariser Salon, der Schluß der vielleicht noch soviel betragen wird als das beiliegende Manuscript, soll in einigen Tagen nachfolgen. – Herr

Dr. Heine läßt sich Ihnen bestens empfehlen, er wird Ew. Hochwohlgeboren wie er mir aufgetragen hat zu melden, allernächstens schreiben. Da er in Kurzem Paris verlassen wird, so hätte ich mir etwaige Erörterungen in Bezug auf jenen meinen Aufsatz, falls Ew. Hochwohlgeboren mich damit beehren wollten, unter meiner unten bemerkten Adresse zu erbitten.

Ich benutze diese Gelegenheit wo ich zum erstenmale die Ehre habe direkt an Ew. Hochwohlgeboren mich zu wenden, um Ihnen die Freude auszudrücken die ich empfinde über die durch Herrn Heine freundlichst vermittelte Verbindung mit Ew. Hochwohlgeboren u[nd] Ihrem Blatte. (311 b)

439. THEODOR MUNDT   April/Mai 1837

Bericht über Parisaufenthalt (in Briefform),
Paris, 15. Mai 1837   *(* 1838)*

– Sie haben schon längst einen Brief von mir erwartet über H. Heine, mein Zusammentreffen mit ihm, wie ich ihn gefunden habe und was er Alles hier in Paris denkt und sagt. Es ist schwer, rhapsodische Bekenntnisse zu thun über Heine, der selbst da, wo man nicht mit ihm sympathisirt, immer ein außerordentliches Phänomen der Persönlichkeit bleibt und dessen Unterhaltungen mir unvergeßlich sein werden. [. . .]

Ich gerieth mit Heine zuerst in sehr scherzhafte Berührungen, indem unsere Begegnung unwillkürlich zu Erörterungen Anlaß geben mußte über das sogenannte junge Deutschland, zu dem man uns mit noch einigen anderen Herren aneinandergeschirrt hatte, ein Joch, das ich seitdem getreulich fortgeschleppt habe. Heine fragte mich mit seiner allerliebsten Naivetät, warum ich es denn damals unterlassen, in der Allgemeinen Zeitung wie so manche Andere eine *Erklärung* abzugeben: daß ich gar nicht zu Jungdeutschland gehöre! Dies wäre durchaus gegen meine Art gewesen, da ich überhaupt kein Freund von Erklärungen bin und glaube, daß bei keiner Erklärung, eine Liebeserklärung vielleicht ausgenommen, etwas Gescheidtes herauskommen kann. Liebeserklärungen aber abzugeben fand ich mich damals nach keiner Seite hin ermüßigt. Wenn mich die ganze Welt für verrückt hält, so wäre es in der That die schönste Verrücktheit, der ganzen Welt gegenüber zu erklären, daß man vernünftig ist, sondern man ist lieber so gutmüthig und hält sich selbst eine Zeit lang für toll, oder wird es auch allenfalls. Das junge Deutschland ist aber doch ein gar zu lächerliches und miserables Institut gewesen, die gefährlichen Ideen desselben will ich gern, wenn ich einige freche Ideenlosigkeiten von Gutzkow ausnehme, auf meine Schulter laden, aber ich will nur froh sein, wenn man mich von der *Dummheit* freispricht, die dazu gehören müßte, unter einem solchen Namen und mit solchen Mitteln eine so precaire Gesellschaft zu etabliren. [...] Heine theilte komischer Weise meinen Zorn, empfahl mir aber, es Gutzkow niemals entgelten zu lassen, daß durch ihn dieser schlimme Handel angezettelt worden, denn man dürfe ihn nicht allein in diesem Unglück stecken lassen, was freilich schon die Humanität gebietet. [...]

Heine äußerte sich überhaupt in dem vortrefflichsten Sinne über diese ganze Angelegenheit und rieth zu einem versöhnlichen Verhalten von Seiten der Angefochtenen in jeder Beziehung. [...]

Ueber sein eigenes Schaffen that mir Heine einige merkwürdige Bekenntnisse, die großen Anklang in meinem Herzen fanden. Er sprach während unseres Zusammenseins oft davon, wie hoch es an der Zeit sei, wieder etwas Positives zu geben in der Literatur und wie es ihn zu größeren Dichtungen hindränge. Er schien selbst große Lust zu haben, sich noch einmal der Bühne zuzuwenden, auf der die deutsche Poesie freilich das Höchste vollbringen könnte, wenn sie könnte. Sein Buch der Lieder, das ewige Schöpfungen enthält, war er am meisten geneigt, sich anzurechnen; den größeren Theil seiner übrigen Schriften, meinte er, habe er nur flüchtig und vorübergehend für den Moment gearbeitet. Seine Artikel über deutsche Philosophie und Religion entstanden vornehmlich auf Anregung der Vorträge, welche damals der geistvolle Ahrens, der sich gegenwärtig als Professor an der Universität in Brüssel befindet, im Auftrage des Gouvernements über diese Gegenstände in Paris gehalten. Heine selbst denkt sehr bescheiden von dieser Arbeit, aber aufrichtig gestanden, mir gefällt die Art nicht, tiefernste Gegenstände so hübsch und spaßhaft zuzurichten, daß selbst junge Pensionnairinnen und Nähmamsells es mit Vergnügen lesen und nachher sagen können: wir verstehen nun die ganze Philosophie! Es waren freilich Franzosen, für welche Heine die deutsche Philosophie so beschrieb, und dies Publikum fordert in vielen Fällen die Rücksicht, ihm ein Ding so mundrecht zu machen, wie man Kindern und jungen Mädchen durch Bonbons und Knackmandeln den Schulgang versüßt. – (187)

an George Sand, Paris, 19. Mai 1837

Je vous expliquerai quel fut le motif de ma visite, quai Malaquais. Mais il y avait en votre présence un lourd esprit qui disait en ostrogot [!] et qui avait l'air d'exiger qu'on ne s'occupe que de l'admirer; je n'ai sçu que dire devant cette manière allemande de singer Voltaire et ressemblant à ce grand modèle comme l'orang-outang eût pu être déclaré ressemblant à George Sand [...]
Bref, A. Musset avait mordu avec son instinct poétique aux idées panthéistiques de ma loi d'attraction du soi pour soi. «Et je lis votre ouvrage à une femme belle et spirituelle et nous l'analysons en poètes que nous sommes.» J'étais curieux d'entendre une riche imagination se rabattant sur mon ouvrage et je me flattais de découvertes à faire sur le sentiment que j'y prendrais. Mon malheur fut d'être heurté dans ma démarche par cette réflexion grossière, que je ne provoquai point – je parlais à un autre –; «Pour moi, je crois bien qu'il y a en Allemagne un quelqu'un du nom de Goethe.» M. Heine faisait la bête pour amuser à mes dépens: je l'ai pris, dans mon for intérieur, au mot, et cela me restera toute la vie. – Mais c'est trop de rancune [...]. (221)

Ich will Ihnen den Grund meines Besuchs bei Ihnen, quai Malaquais, erklären. Aber ich fand bei Ihnen einen ungehobelten Kerl, der auf eine barbarische Weise sprach und dabei Miene machte als habe man in Bewunderung zu ihm aufzusehen; ich wußte vor dieser deutschen Art, Voltaire nachzuäffen, nichts zu sagen – er gleicht dem großen Vorbild, wie man von einem Orang-Utang behaupten kann, er gleiche George Sand. [...]
Kurz, A. Musset hatte mit seinem poetischen Instinkt in meine pantheistischen Ideen eines Gravitationsgesetzes der Lebewesen untereinander eingearbeitet. »Ich lese Ihr Werk einer schönen und geistreichen Frau vor, und wir analysieren es gemeinsam auf unsere Poetenweise.« Ich war neugierig zu hören, wie sich eine reiche Phantasie an meinem Werk entzünden würde, und ich schmeichelte mir, Entdeckungen zu machen über das Gefühl, das mich dabei ergreife. Mein Unglück war es, in meinem Beginnen durch diese grobe Bemerkung angerempelt zu werden, die ich in keiner Weise provoziert habe – ich sprach zu einem anderen –: »Was mich betrifft, so glaube ich wohl, daß es in Deutschland einen gewissen Herrn namens Goethe gibt.«

Herr Heine spielte den Dummen, um mich zum Gespött zu machen. Ich habe ihn in meinem Innersten beim Wort genommen, und das wird mir mein ganzes Leben nachhängen. – Aber das hieße zuviel nachzutragen.

441. GEORGE SAND

Mitte Mai 1837

an Etienne Geoffroy Saint-Hilaire,
Nohant, 21. (?) Mai 1837

Je suis d'autant plus coupable que j'aurais dû tout de suite justifier mon pauvre cousin Heine de vos méfiances. Je suis heureuse de pouvoir vous dire que vous vous êtes bien trompé sur son compte quant à la circonstance en question. Je ne sais pas s'il s'est jamais permis d'avoir sur les sciences une autre opinion que la vôtre. Je ne sais même pas s'il a une opinion quelconque sur les sciences, c'est un poète, et je crains bien pour lui qu'il n'en sache sur ces grandes et importantes questions guère plus long que moi. Mais ce que je sais bien, et ce dont je puis vous donner ma parole, c'est que le jour où vous l'avez rencontré dans ma mansarde, il avait si peu l'intention de vous railler, qu'il ne savait même pas à qui il avait l'honneur de parler. (221)

Ich bin umso mehr schuldig, als ich meinen armen Cousin Heine sofort vor Ihrem Argwohn hätte rechtfertigen müssen. Ich bin froh, Ihnen sagen zu können, daß Sie sich seinetwegen gründlich getäuscht haben, was den in Frage kommenden Umstand betrifft. Ich weiß nicht, ob er es sich je erlaubt hat, über die Wissenschaften eine andere Meinung zu haben als die Ihre. Ich weiß nicht einmal, ob er überhaupt irgendeine Meinung über die Wissenschaft hat – er ist ein Dichter, und ich fürchte sehr für ihn, daß sein Wissen von diesen großen und wichtigen Fragen kaum weiter reicht als das Meine. Aber ich weiß wohl und kann Ihnen mein Wort dafür geben, daß er an jenem Tage, wo Sie ihn in meiner Mansarde getroffen haben, keineswegs die Absicht hatte, über Sie zu spotten. Er wußte nicht einmal, mit wem er die Ehre hatte zu sprechen.

349

an Gustav Kühne, Paris, 22. Mai 1837

Ich habe heute mit *Heine* etwas stark dejeuniert in der Passage des Panoramas und wir machten uns über die Borniertheit lustig, die in diesem [Gustav] Schlesier steckt, der in Lewalds Europa hat drucken lassen, Heine würde über Mundts Theorien von der Prosa nur lächeln können. Es wird Dir interessant sein, zu hören, daß Heine auch über die Prosa schreiben wird und daß ihm der Anbau derselben als das Wichtigste in unserer Zeit erscheint. Mir selbst aber ist niemals eingefallen, mit meinem mehr als Gelegenheitsschrift zu betrachtenden Buche, indem ich das Faktum von der modernen Prosa ins Bewußtsein erheben wollte, auf der andern Seite das Fortbestehen der lyrischen Poesie gewaltsam hindern zu wollen, was mir dieser unverständige Rezensent in der Europa in den Schuh schiebt. (103)

443. THEODOR MUNDT   23. Mai 1837

an K. A. Varnhagen v. Ense, Paris, 23. Mai 1837

Heine reiste in diesen Tagen nach der Bretagne ab, um den Sommer am Meere zu verleben. Er hat noch einen Brief von Rahel gefunden, worin die große Verewigte sich auf eine merkwürdige Weise über den St. Simonismus ausspricht, und wird Ihnen denselben mitteilen. Er gab ihn mir zu lesen, da es aber in seiner vertrauteren Menage in der Rue Cadet war und er unterdes mit seiner Dame scherzte, war ich sehr zerstreut bei der Lektüre. Er hat seiner Frau vorgeredet, daß Christus früher Archevêque von Paris gewesen, und sie glaubt es wirklich; der Coiffeur, der nachher kam, war ebenfalls zweifelhaft. So steht es mit den Intellektuellen des französischen Volkes. Heine hat übrigens ein eigenes Projekt, von dem er Ihnen schreiben will; er wünscht Sie als Vorredner und Einleiter der Ausgabe seiner gesammelten Schriften. Darüber ließe sich meinerseits mündlich sehr vieles mit Ihnen sprechen. Über mein eigenes literarisches Verhältnis zu Heine haben wir manches radotiert und besprochen [. . .] Eben tritt Heine in mein Zimmer, um Abschied von mir zu nehmen, er reist heute abend und teilt mir noch einen sehr schmeichelhaften Brief mit, den ihm der Fürst Pückler aus Alexandrien geschrieben. H[eine] grüßt Sie tausendmal! [. . .] Schlesier hat einen recht albernen und unverständigen Artikel über mich geschrieben; es tut mir leid, daß dieser junge Mensch in irgendeiner Beziehung zu Ihnen steht. Heine hält ihn für borniert und hat recht. (103)

444. JOHANN HERMANN DETMOLD   Mai 1837

an Johann Georg v. Cotta, Paris, 30. Mai 1837

Herr Heine ist vor einigen Tagen abgereist (in's Seebad v[on] Granville); er hat mir die herzlichsten Empfehlungen an Ew. Hochwohlgeboren aufgetragen. (311 b)

445. JOHANN HERMANN DETMOLD   Mai 1837

an Johann Georg v. Cotta, Düsseldorf, 1. Juli 1837

Ew. Hochwohlgeboren
  beehre ich mich einliegend einen Brief des Herrn Dr. Heine zu übersenden, den er mir für Sie übergeben hat um Ihnen denselben, falls ich meine Rückreise über Stuttgart nähme persönlich zu überreichen. Ich habe jedoch einen andern Weg eingeschlagen u[nd] übersende Ihnen dies Schreiben des Dr. Heine, das vielleicht nur eine Legitimation für mich enthalten sollte für Vorschläge die ich Ihnen im Namen des Dr. Heine machen sollte. Ich habe die Aenderung meines Reiseplanes dem Dr. H[eine] bereits angezeigt um ihn zu veranlassen sich über jene Vorschläge jetzt brieflich u[nd] direkt an Ew. Hochwohlgeboren zu wenden. Heine ist übrigens jetzt in dem Seebade von Granville, u[nd] wie er mir schreibt, sehr fleißig, unter anderm auch mit einer größeren Arbeit für eines Ihrer Institute beschäftigt. (311 b)

446. JOHANN HERMANN DETMOLD   Mai 1837

an Johann Georg v. Cotta, Hannover, 24. Juli 1837

Was das Honorar für diese Correspondenz *[für die Augsburger »Allgemeine Zeitung«]* betrifft, so überlasse ich dasselbe, wie mir Heine dies gerathen hat, in allen Verhandlungen mit der Cottaschen Buchhandlung zu thun, durchaus Ihrer Bestimmung: Sie werden die Gewissenhaftigkeit meiner Arbeit zu würdigen wissen, [. . .]. (311 b) *an K. A. Varnhagen v. Ense, Paris, 15. Juni 1837*

Je vois souvent M. Heine, dont l'esprit me ravit, et dont l'attachement pour vous et pour la mémoire de Rahel motivait à lui seul une liaison avec moi!   (44)

Ich sehe häufig Herrn Heine, dessen Geist mich entzückt, und dessen Anhänglichkeit an Sie und das Andenken Rahels für mich allein schon hinreichenden Grund zu einem freundschaftlichen Verhältnis bildet.
                                                                        (104)

448. Honore de Balzac   18. Juli 1837

an Eveline Hanska, Paris, 19. Juli 1837

Hier, je parlais à Heine de faire du théâtre, et il me disait: Prenez-y garde, celui qui s'est habitué à Brest, ne peut pas s'accoutumer à Toulon, restez dans votre bagne. C'est vrai que je travaille comme un forçat.   (11)

Gestern sprach ich mit Heine davon, ein Theaterstück zu schreiben, und er sagte mir:»Nehmen Sie sich in acht! Wer sich einmal an Brest gewöhnt hat, kann sich in Toulon nicht einleben; bleiben Sie in Ihrem Zuchthause!«Ich arbeite in der Tat wie ein Sträfling.

449. Anonym   1837

Artikel über Alfred de Vigny   *(*Frühjahr 1838)*

Die Unterhaltung ist in Vignys Salon anziehender als sonst irgendwo, weil dort für jeden die vollkommenste Freiheit herrscht, sich auszusprechen, nach seiner Bequemlichkeit seine Ansichten und seine Originalität zu entwickeln. Man sehe nur *Heinrich Heine*; nirgends, selbst nicht bei Thiers»seinem kleinen Freunde« wie er ihn nennt, hat er das Recht so geistreich, aber auch mit weniger Umständen und beide Hände in den Taschen nach seiner deutschen Weise, zu dociren, und seine Ansichten über Spinozas Philosophie zu entwickeln; während Büchez, ein guter, strenggläubiger Katholik, ihm gern begreiflich zu machen wünscht, von welchem Gesichtspunkt aus die Geschichte

Moses und Christus, und alle socialen und politischen Umwälzungen studirt werden müssen. Und unter der Gruppe der Zuhörer sind Kammerherrn des Selbstherrschers aller Reussen. Doch dreht sich das Gespräch nicht immer um solche ernste Gegenstände. Emil Deschamps, witzig wie der selige Mercutio, würde das nicht verzeihen. Sein Bruder Antony, dieser satyrische Elegiendichter, der so sehr das Recht hat, von Tugend und Menschenliebe zu reden, unterhält dort in einem Winkel einige junge Männer, worunter August Barbier. Leon de Wailly, der an einem bald vollendeten Roman arbeitet, fesselt die Aufmerksamkeit einiger jungen Engländerinnen, durch sein tiefes Eingehen auf die verstecktesten Schönheiten ihres Shakespeare. (60)

450. LUDWIG WIHL   Okt. 1837

Artikel über Heine in Paris   (* *Juli 1838*)

Es war in der Deutschen Leseanstalt der Herren Bär und Ettinghausen. Mein jetzt in London lebender Freund, Dr. Küntzel, flüsterte mir in's Ohr:»Wissen Sie, daß Ihr Nachbar kein Geringerer als Heinrich Heine ist?« Da kam es mir vor, als hätte es mir in's Ohr singen und klingen müssen. [...]

Ich fand Heine weit kräftiger und jugendlicher, als ich ihn gedacht hatte. Das ist nicht ein Mann, den die Wurfscheibe des Lebens zerschmettert, das ist eine eiserne Muskulatur, die eher auf einen Ringer, als Dichter schließen läßt. Nur im Flusse der Rede, wenn sein Auge freundlich, wehmüthig oder sarkastisch sich bewegt, oder wenn er bei komischen Vorfällen von innen herauslacht, fühlt man, daß diese Glieder ein gehaltreiches Leben verbergen. Meine Verwunderung, daß ich ihn so jugendkräftig fand, that ihm wohl.»Nicht wahr, ich sehe noch so ziemlich gut aus?« Er fragte mich um mein Alter und meinte, da ginge es noch an; ich hätte mich dann noch einige Zeit, wenn auch nicht lange mehr, lyrischer Begeisterung zu erfreuen. Hierauf folgte eine Einladung zu einem Spaziergange auf den Boulevards. Wir gingen hier mehre Mal auf und ab, vom Café Tortoni bis zum Café Montmartre im Gespräche über die neueren Literatur-Conflikte. Heine hatte kurz vorher in seinem »Denuncianten« seine Katapulten gegen Wolfgang Menzel geschleudert. Es war mir leid, daß er mich grade um ein Urtheil über diese kleine Schrift befragte, da ich ihm, meiner Liebe zur Wahrheit wegen, nichts besonders Günstiges über dieselbe sagen konnte. Ich verhehlte ihm auch nicht, daß mir der Ton gänzlich verfehlt, der Witz nicht fein genug geschliffen, kurz, daß dieser Angriff nicht mit Hülfe der Minerva, wie die Alten sich ausdrücken, ausgeführt schiene. Meine Aufrichtigkeit stand im Widerspruche mit seinen Wünschen, wenn er mir auch einräumte, daß dieselbe unter unfreundlichen äußern Verhältnissen geschrieben worden wäre. [...] Ich sprach von dem Schwanengesange Börne's und den gründlichen Angriffen des größten der neueren Theologen. Die Streitschriften des Dr. Strauß hatte er damals noch nicht gelesen. Man kann sich leicht denken, wie befriedigt er sie später aus Händen gelegt hat. »Was nun auch immer Ihre Meinung über den Denuncianten ist, glauben Sie wohl«, wandte er sich zuletzt an mich, »daß der Denunciant meine Herausforderung annehmen wird?« – Ich wunderte mich, daß er allen Ernstes darauf rechnete. Ich erinnerte ihn daran, daß an Menzel früher, nach seinen unerlaubten Angriffen gegen eine andre Persönlichkeit eine Forderung ohne allen Erfolg ergangen wäre; daß ich endlich auch dem Duelle, als den modernen Ansichten gänzlich widerstrebend, nicht leicht das Wort reden möchte. Ich erinnerte ihn an den allzufrühen Tod Armand Carrel's, ich bedeutete ihm, daß ihn ein ähnliches Schicksal treffen und warum er vor der Zeit die Musen auf seinem Grabe trauern lassen wollte. Seine Antwort bezog sich, so viel ich mich erinnere, ausschließlich auf den unsterblichen Redakteur des National. »Ich bin gewiß, daß ich im Kampfe nicht unterliegen werde; ich ahne nichts Schlimmes! – Das ist bei nahender Gefahr gewöhnlich der Fall – Carrel sagte mehrere Tage vorher, daß er dem Tode verfallen wäre.« Ich sah mich um, ob nicht neckische Geister der Schwäbischen Alb mir einen Possen gespielt; es war mir, als ob sie mir statt Heinrich Heine den Weinsperger Dichter an die Seite gespukt hätten. Was sollte ich gegen diese komische Tarnkappe, von der Heine träumte, vorbringen? Die Stunde zum Diner war unterdessen herangenaht. Heine verabschiedete sich von mir mit dem Wunsche, mich am andern Tage zur bestimmten Stunde im Lesekabinette wieder zu finden. Der erste Eindruck war über alle Erwartung günstig; die anspruchslose Haltung, das sans-façon seines Benehmens that mir wohl, wenn ich an den Ruhm und an die Bedeutung des Namens dachte. Ja, ich mußte mir gestehen: dieser Mann, der für eitel gilt, kann manchem prekär auftauchenden Namen als Muster des Umgangs dienen. (297)

Zur festgesetzten Stunde sahen wir uns wieder. Das Gespräch wurde da fortgesetzt, wo es am Tage vorher abgebrochen war. Heine war weniger mit den Literaturbegebnissen bekannt, als ich erwartet hatte. Seine Beurtheilung einzelner, junger Schriftsteller beruhte weniger auf gewissenhaftem Studium ihrer Leistungen, als der denselben vorschwebenden Tendenz und der stylistischen Gewandtheit, die er aus wenigen Blättern herauslas. [...] Es war vordem nicht so leicht, sich in Paris mit der laufenden Literatur in Zusammenhang zu halten. Das oben angeführte Institut, wo wir uns zuerst begrüßten, hat diese Erleichterung verschafft. Heine ließ sich um so lieber von mir über die junge Literatur unterrichten, als ich an der Wiege der Freuden und Leiden derselben in Frankfurt a. M. gesessen habe, als ich weder kalt für ihre Vorzüge, noch blind für ihre Mängel geblieben war, als ich einen Theil derselben persönlich kannte, mit einigen in genauer Freundschaftsbeziehung geblieben bin. Dieser Stoff reichte für lange Zeit aus und wurde durch die literarischen Tagblätter, die im Institut auflagen, erweitert. Die vorzüglichsten Namen der jüngern Richtung, für die Französische Zunge so schwer nachzusprechen, kamen so oft vor, daß sie der Madame Heine eben so geläufig wurden wie die von Lewald und Detmold, die sie persönlich kannte. Ich lege Gewicht auf die Worte: persönlich kannte, weil Heine, durch Erfahrung belehrt, nur Wenige bei sich einführt. Er hat diese Freundlichkeit oft, sehr oft theuer bezahlen müssen. Seitdem eine Klasse Schriftsteller, die man auteurs-voyageurs nennen möchte, herumzieht, um die Meubel, den Anzug, die Nase und sonstige Dinge, die nur den Besitzer angehen, in erster Reihe auch die Frau Gemahlin in Bildern, Skizzen u. s. w. darzustellen, ist es dem Ruhme anzuempfehlen, sein Haus so viel als möglich abzuschließen. Namentlich hat Heine große Furcht vor dem reisenden Vaterlande. Er theilt darum nur den Vertrauten seine Wohnung mit, und es ist ihm die Bezeichnung derselben in dem unfreundlichen Artikel des Herrn Beurmann weit verdrießlicher gewesen, als die Art und Weise, wie ihm für die Aufnahme, die er Herrn Beurmann hat angedeihen lassen, gedankt wird. Heine ist, wie er mir sagt, auf ein ziemlich sicheres Mittel gekommen, bei Anmeldungen, die ihm der Portier mittheilt, herauszubringen, ob der Besuchende Herrmann und Thusnelden unter seinen Vorfahren zählt oder ein Franzose ist. Das Mittel ist pikant; doch Discretion verbietet mir, dasselbe mitzutheilen.

Wie war ich überrascht, in Heines Wohnung Alles so überaus einfach zu finden! Mir schwebte die bekannte Schilderung Lewalds vor. Ich malte mir einen reich ausgeschmückten Pariser Salon mit Meubeln im Geschmack der Renaissance aus. Ich sah hohe, breite Spiegel wie im neuen Café de la Banque, blauseidne Divans lehnten an den tapetengeschmückten Wänden, auf dem größten und weichsten derselben saß eine nach neuester Mode gekleidete Dame. Weit gefehlt. Ich glaubte mich zu irren, und Heine, meine Verwunderung merkend, leitete von da aus das Gespräch ein. Wenn der Abstand zwischen der Lewaldschen Schilderung und der Wirklichkeit Heines vielfachen Gegnern leicht Gelegenheit zu Spott und Hohn in manchen Correspondenzartikeln geboten hat, wenn sie mit der Hand des Bamboccio statt mit der des Carlo Dolce gemalt haben, so fühlte ich mich auf das Unangenehmste berührt, daß ein Dichter wie Heine, ein Verbannter aus dem Vaterlande, gefeiert wie Wenige, in so knapper unangemessener Lage sich befinden muß. Beim unbedeutendsten Feuilletonisten in Paris sieht es behaglicher und glücklicher aus, von den Schriftstellern ersten und zweiten Ranges nicht zu reden. Wundert euch darum nicht, wenn man euch erzählt, daß Heine etwas auf Ruhm gebe, daß er bei Galignani, Bär und Ettinghausen und wo immer nur Journale sich vorfinden, dieselben durchblättert und nach gemachter Rechnung froh oder verstimmt die Anstalt verläßt – was bleibt ihm von allem Schönen, was er geboten, wenn nicht der Glanz des Ruhmes, das Bewußtsein, daß er auch bei den Nachgebornen seine Geltung habe! Der Ruhm muß ihm alles das ersetzen, wenn nicht geben, was Lewald aus übelverstandener Freundschaft ihm angedichtet hat.

(297)

452. FRIEDRICH LIST   Okt. 1837

an Johann Georg v. Cotta, Paris, 30. Okt. 1837

Ein allgemeines deutsches Korrespondenzbüro für den Zweck der Verpflanzung deutscher Erfindungen auf fremden Boden und fremder Erfindungen auf deutschen Boden dürfte in Verbindung mit diesen Frankfurter Anstalten nicht nur an und für sich Glück machen, sondern auch Ihren Publikationen bedeutenden Kredit verschaffen. In Hinsicht auf die Eisenbahnen ist ein solches Büro wahres Bedürfnis. Erlauben Sie mir die Bemerkung, daß Sie sich etwas näher an das junge Deutschland anschließen sollten. Ihrer früheren Fehlschritte ungeachtet ist

Zukunft in diesen Leuten, während Wolfgang Menzels Tendenz eine altgebackene beschränkt-philiströse ist, wodurch er den Kredit tötet, den früher das Literaturblatt bei allen aufgeklärten Leuten genossen hat. Das junge Deutschland, nachdem es sich purifiziert hat, ist offenbar imstande, einem Literaturblatt Glanz zu geben, zumal wenn, wie ich nicht zweifle, Herr v. Varnhagen sich damit vereinigen oder vielmehr sich an die Spitze stellen würde. Ich weiß bestimmt, daß man von seiten der Leipziger Allgem. Heine bedeutende Offerten gemacht hat, daß er aber, in der Hoffnung sich mehr und mehr mit Ihren Unternehmungen zu verbinden, dieselben ausgeschlagen hat. Haben Sie etwas in dieser Beziehung zu wünschen, so stehe ich zu Diensten. Doch dies unter uns. (155)

453. Anton Alexander v. Auersperg   Nov. 1837
(»Anastasius Grün«)
an Eduard v. Bauernfeld, Paris, 4. Dez. 1837

Zu meinen interessantesten hiesigen Bekanntschaften gehören Dr. Koreff und Heine. [...] Heine ist einer der liebenswürdigsten, aber zugleich characterlosesten Menschen, die es gibt, von außerordentlicher Feinheit und Durchdringlichkeit des Geistes und Gefühls, aber ebendaher auch von großer Reizbarkeit und Empfindlichkeit; das unbedeutendste, noch so unbefangen und sorglos ausgesprochene Wort, wenn es nur von ferne eine ihm nicht ganz zusagende Deutung zuläßt, wird er tagelang mit sich herumtragen und in sich verarbeiten. Daß man ihm Immoralität des Lebenswandels vorwirft, zeugt von Seite jener, die es thun, Einseitigkeit und Unbekanntschaft mit hiesigen Sitten und Verhältnissen, oder schwäbische Prüderie. Sein Zusammenleben mit einem Frauenzimmer, das er allerdings aus keinem Kloster empfangen hat, ist durch die Dauer der Jahre fast schon sanctionnirt und nichts anderes als eine auflösbare Ehe, wofür es hier tausende von Beispielen gibt und jedenfalls moralischer, als das Leben der Mehrzahl sogenannter Junggesellen, uns selbst (wenn Du auch vielleicht ein bischen protestiren solltest) nicht ausgenommen. Seine Schattenseite und zugleich sein Unglück ist seine Umgebung, ein schauerliches Mischmasch von politischen Flüchtlingen, Dichterlingen, verunglückten Handelscommis', Pflastertretern und Abenteurern aller Art, meistens Juden, so daß ich immer in große Verlegenheit komme, wenn ich Diesen fragen will, ob Jener ein Jude sei, da Dieser höchst wahrscheinlich selbst einer ist. (319)

an Adolf Strodtmann, Thurn am Hart, 16. Aug. 1868

Ich lernte H[eine] im J[ahre] 1838 *[1837!]* kennen während meines
ersten Aufenthaltes in Paris, im Winter 1838 auf 39 *[1837 auf 38!]*. Er
empfing und behandelte mich mit jener gewinnenden Liebenswürdigkeit und auszeichnenden Theilnahme, welche er mir bis an sein
Lebensende bewahrt hat und welche ich mit der aufrichtigsten Bewunderung seiner Geistesgaben und mit den freundschaftlichsten
Gesinnungen für seine Person jederzeit erwiedert habe. Einen späteren
bedauerlichen Zwischenfall, wo ich ohne erheblichen Anlaß in seinen
Konflikt mit dem Kompositeur Dessauer hineingezogen wurde, kann
ich nicht als Störung dieses mir so erfreulichen Verhältnisses ansehen.
Um jene Zeit (838 auf 839 *[1837 auf 1838!]*) erfreute sich Heine noch
seiner ungestörten physischen Gesundheit, wir begegneten uns sehr
oft in freundschaftlichstem Verkehre theils an öffentlichen Orten,
theils in unsern Privatwohnungen (er wohnte damals rue Cadet, ich
rue de Provence) und dieses vielfache persönliche Zusammensein ließ
uns wenig Anlaß zu schriftlichen Mittheilungen. So besitze ich aus
jener Zeit handschriftlich von Heine nur einige freundliche Wid-
mungsworte auf dem Exemplare seines »Buch der Lieder« (2te Aufl.
[1]837) welches er mir beim Abschiede verehrt hatte.   (319)

an Karoline List, Paris, 4. Dez. 1837

Ich habe seither alle Tage die Sache wegen Elise in Erwägung gezogen,
und das Resultat ist, daß Du sie im Januar hierherschicken solltest:
1. im Fall Du gute Gelegenheit fändest, z. B. mit Pflugrad, 2. voraus-
gesetzt, daß Herr Felix Mendelssohn der Meinung ist, daß Elise ein
Talent erster Klasse sei. Heine sagt mir aber, Herr Mendelssohn sei
nicht gut auf Paris zu sprechen, weil er hier nicht so gut aufgenommen worden, als er erwartet habe. Du mußt daher bei Mendelssohn
vorderhand nicht merken lassen, daß wir Elise nach Paris schicken
wollen, sondern überhaupt nur um seine Meinung ihn befragen, was
von den Talenten Elisens zu erwarten sei.   (155)

an K. A. Varnhagen v. Ense, Paris, 12. Dez. 1837

H. Heine hat mich sehr freundlich aufgenommen. Er kam mehrmals zu mir und ich war auch öfter bei ihm. Er lebt zurückgezogen, zur Seite einer Freundin, welche durch Naivität und lebhaften Geist anspricht. Einen Brief Ihrer seligen Frau Gemahlin, welcher durch die Bezüge zu Heine und Ansichten über den St. Simonismus mir so anziehend als wichtig erscheint, hat er mir, doch nur zum Kopieren, mitgeteilt; einen zweiten Brief sucht er noch. Ich beabsichtige, Ihnen diese ganz getreu gefertigte Kopie samt dem Hefte der »Revue de Paris« zu überschicken, welches des Marquis de Cüstine Aufsatz: Mme de Varnhagen enthält. [...] Heine hatte ich um einen Brief an Lerminier gebeten.   (103)

457. HONORE DE BALZAC   Dez. 1837

an Eveline Hanska, Chaillot, 20. Dez. 1837

Je n'ai point de nouvelles intéressantes à vous donner, car je n'ai pas quitté mon cabinet, et mes épreuves depuis la dernière lettre, cependant Heine est venu me voir, et m'a dit toute l'affaire Lincoln, elle dépasse tout ce que je pouvais imaginer, tant pour la maladie que pour les détails de la famille, les lords sont des infâmes. Koreff et Wolowski sont des demi-dieux, et je conçois qu'un million ne pouvait pas les payer. Ce sera matière à causerie au coin du feu.   (11)

Ich habe keinerlei interessante Neuigkeiten für Sie, denn seit Ihrem letzten Brief habe ich mein Arbeitszimmer und meine Druckfahnen nicht verlassen; jedoch hat mich Heine besucht und mir die ganze Lincoln-Affäre auseinandergesetzt. Sie übersteigt alle meine bisherigen Vorstellungen, sowohl was die Krankheit, wie was die Familieneinzelheiten betrifft, die Lords sind Schurken. Koreff und Wolowski sind Halbgötter, und ich begreife, daß eine Million nicht ausreichte, sie zu bezahlen. Das wäre Stoff für eine Plauderei am Kaminfeuer.

458. Edgar Quinet

an seine Mutter, Paris, 23. Dez. 1837

Tu sais que je me croyais brouillé avec Henri Heine: point du tout. Hier il est entré chez moi avec son sourire judaïque le plus douloureux: «On dit que vous êtes furieux contre moi?» – Oh! cela est vrai, dit-il en riant; mais je viens vous demander un service. Le service consiste à relire une traduction d'une partie de ses poésies. Mickiewicz et Heine, voilà certainement deux antipodes les plus distants l'un de l'autre: c'est l'ange et le démon. (201)

Wie Du weißt, glaubte ich mich mit Heine überworfen – keineswegs! Gestern kam er zu mir mit seinem schmerzlichsten jüdischen Lächeln: »Man sagt, Sie seien wütend auf mich?« – »O, das stimmt!« sagte er lachend, »aber ich bin hier, weil ich Sie um eine Gefälligkeit bitten möchte.«

Die Gefälligkeit besteht darin, für ihn die Übersetzung eines Teils seiner Gedichte zu überprüfen. Mickiewicz und Heine sind zwei Antipoden, wie man sie sich verschiedener nicht denken kann: Engel und Dämon stehen sich in ihnen gegenüber.

459. Ludwig Wihl

Artikel über Heine in Paris   (*Juli 1838)

Statt einer Theaterprinzessin, wie die Dame, welche Heine sich als Lebensgefährtin ausgewählt hat, von Lewald ausstaffirt wurde, fand ich eine schlichte, kindlichliebenswürdige Französin, die sich die größten Schmähungen im Gegensatz zu jener Schilderung hat gefallen lassen müssen. Sie mißtraut mit Recht jedem Deutschen; sie gestand es mir mit Thränen in den Augen. Es ist natürlich meine Sache nicht, zu untersuchen, welche Antecedentien Heine in sein Haus genommen; wie leicht hat es hier die Erfindung in Paris, wenn sie schwarz für weiß malen will! Wie oft prahlt männliche Eitelkeit, wie oft rühmt sich niedre Rachsucht, über die ehrlichsten Frauen gebieten zu können! Man kann daher nicht mißtrauisch genug seyn. Nur ungern berühre ich diesen zarten Punkt, der nie in die Öffentlichkeit hätte gebracht werden sollen. Aber die Laren, die der Dichter selbst so oft nicht mit gebührender Scheu bei Andern behandelt hat, haben sich an ihm gerächt – sie, nicht seine Feinde, diese sind nur die blinden Boten ihres

Willens, zertreten das Herz, das seine Liebe gefesselt hat. Ja, Heine ist wirklich festgebunden durch Liebe an ein Wesen, mit dem er Süßes und Bitteres theilt. Sie weiß es nur vom Hörensagen, daß sie einem célèbre *[!]* poëte allemand angehört. Ob ihm nicht eine Lebensgefährtin zu wünschen wäre, die sein Buch der Lieder lesen könnte, ist jetzt eine müssige Frage, die überhaupt ihn zunächst allein angeht. Ich würde ihm als Freund vor dem Beginnen des Verhältnisses abgerathen haben, jetzt aber nachdem sie Jahrelang an einander hangen, sich mit einander glücklich fühlen, muß ich seinen Entschluß, ihr immerdar treu zu bleiben, eben so löblich finden, als den ähnlichen bei Jean Jacques Rousseau. Möchten doch Viele, die mit Steinen bei der Hand sind, sich fragen, ob sie so viel Liebe bei ihren Sünden haben. Bei der Verlassenheit, in welcher sich der Einzelne in einer Welt wie Paris befindet, gestalten sich nur zu leicht ähnliche Verhältnisse, die wir niemals vom Deutschen Standpunkte mit unserer Strenge beurtheilen sollten. Es ist meine feste Überzeugung, die Sittlichkeit büßt oft weit weniger in solchen Fällen, wo zu ehelicher Consecration nur der Priester fehlt, als bei völliger Ungebundenheit ein. Ich schreibe diesen Satz sorglos nieder; es ist meine Schuld nicht, wenn ich von kopfschüttelnder Tugendhaftigkeit mißverstanden werde.

Vom ersten Augenblick meines Besuches an, war ich bei Heine wie im eignen Hause und genoß das unbedingteste Vertrauen. Das ging alles, als hätten wir uns seit langen Jahren gekannt. Wir sind Landsleute und so wurde viel über unsre Gegend und die Bildungselemente verhandelt. Die religiösen Zwiste, die kurz nach dieser Bekanntschaft, in Köln zwischen der Regierung und dem Erzbischof ausbrachen, boten vielfachen Stoff zur Discussion dar, nicht minder die Angelegenheit der sieben Göttinger Professoren und die Hannöverschen Vorgänge. Heine hatte nicht übel Lust, gegen Görres und seinen Athanasius herauszuschreiten und gab den Vorsatz nur auf, als er erfuhr, daß ein anderer Kämpe, Gutzkow, sich schon die Rüstung angelegt habe. Vom mittelalterlichen Görres existirt eine Schrift, worin das Christenthum als überlebt dargestellt seyn soll, die hätte Heine gar zu gern dem Athanasius mit einigen freundlichen Worten nachschicken mögen. [. . .] Es war ein günstiger Augenblick zu dieser Zeit der Gähre, eine Deutsche Zeitung in Paris zu begründen, worin unsre Zustände und Begebenheiten mit dem rechten Maaße von Freimuth, den plumpen Anfällen der Franzosen gegenüber, hätten vertreten werden können. Heinen wurden schon die Fonds dazu angetragen, aber mancherlei unvorhergesehene Hindernisse stellten sich ein, und die Sache hat für den Augenblick keinen Fortgang gefunden. Heine verließ sich auf meine Empfehlungen und ich durfte ihm Deutsche, die seine Bekanntschaft wünschten, gradezu und ohne vorherige Anfrage einführen. Ich erwähne die Doktoren Küntzel und Riedel und kurz vor meiner Abreise Niclas Müller. Die Ankunft des Grafen Auersperg bildete, da uns der dritte Mann fehlte, auf eine erfreuliche Weise endlich ein Collegium, wo jeder von uns in seiner Art einen Professor abgab. Auersperg wußte uns viel von Stuttgart zu erzählen. Heine konnte da nicht genug hören, auch das Tollste und Albernste war ihm nicht komisch genug. Als es unter Anderm hieß, daß der Buchhändler Frankh nicht, wie Heine behauptet, die rechte, sondern die linke Wange Menzels mit einer Ohrfeige beehrt habe, da wollte Heines Lachen kein Ende nehmen.

Wie gern hätte Heine ein heimisches Plätzchen im Vaterlande, wie gern würde er es für das schöne Paris vertauschen! Nicht ein tiefes Heimathsgefühl, nicht der lachende Traum der Kindheit, nicht der Gedanke an eine Linde, unter deren Schatten er mit den Eltern und Geschwistern gesessen, das Gefühl der Abgeschlossenheit, der Einsamkeit ist es, das ihn oft nach der Elbe oder dem Rheine wegtragen möchte. Ich weiß nicht, es ist zwischen dem Dichter und dem freundlichen Hamburg nie zum rechten Verständniß gekommen, und doch wie gern wäre er mit mir über Havre hinübergeschwommen. Aber was hält ihn ab? – Bande, die uns die liebsten sind. Nahverwandte Hamburger sprechen nicht mehr wie sonst mit dem gerechten Stolze von Heinrich Heine; man hat von ihm durch mancherlei Mißverständnisse die Hand abgezogen – die Hand, die ihn sonst nicht wie einen Tagelöhner im Schweiße des Angesichts den Musen huldigen ließ. Wäre es Jemanden möglich, die Herzen einander wieder näher zu bringen! Der Dichter hat durch diese Entziehung seine innere Freiheit verloren; er kann sich nicht mehr die Zeit vergönnen, die er zum Schaffen eines Kunstwerkes verwenden muß; er muß sich zum Schreiben von Vorreden und kritischen Artikeln herablassen. [...] Mit schwerem Herzen berühre ich bei Heinrich Heine diese Schaale, aber sie hängt zu sehr mit der Perle zusammen, daß nicht krankhafte Wahrnehmungen an der letztern sich großentheils aus der Beschaffenheit der erstern erklären ließen. Man kann sich Heine wahrlich nur im schönsten Anzug und in heiterster Umgebung denken; wir reden uns ein, er fliege von einem Salon in den andern; er käme vor lauter Zerstreuung nicht zur sichern Production, das ist ein lieber, aber ungeheurer Irrthum, nichts thäte ihm mehr Noth als Zerstreuung, die er aber eher bei passenden Freunden in Norderney, als in den Pariser Zirkeln finden könnte. Wer versteht ihn in Paris? – Man kennt seinen Namen, das will schon viel sagen in einer Stadt, wo man vielleicht eher eine Vorstellung von der Russischen Literatur, als der Deutschen hat, wo man im Durchschnitt nur die beiden Namen Göthe und Schiller radebrecht, die man vom häufigen Hörensagen und aus einzelnen Übersetzungen sich angeeignet hat – von wenigen Ausnahmen kann hier nicht die Rede seyn – ich wiederhole es, man kennt auch seinen Namen, aber wer hat mit ihm gefühlt und empfunden? Der lyrische Heine existirt nicht für die Franzosen, sie kennen nur stück- und übersetzungsweise den Heine mit der klingelnden Schellenkappe. Mehrere Franzosen glaubten mir Wunderdinge zu sagen, wenn sie von ihm als einem homme d'esprit sprachen, andere entblödeten sich nicht, ihn geradezu farceur zu nennen. [...] Darum, ändert sich seine Lage nicht, hat für Heine die innere Entwicklung aufgehört und wie schön auch immer seine Vorsätze sind, zur Ausführung derselben wird er schwerlich kommen. Was hilft es, daß er Tragödien schreiben, daß er zeigen will, er sey ein Dichter nach allen Richtungen im großen Umfange des Wortes. [...]

Gestehe ich es, daß ich Heine lieber als Hirtenknaben singen hörte [...], als daß er jetzt im Bewußtsein, daß er im großen Paris nicht gekannt ist, zuweilen selber seine Küche mit Mundvorrath versieht. Ich habe einmal, um ein Beispiel anzuführen, ihm einen Indischen Hahn verzehren helfen, den er in meinem Beisein selber eingekauft hatte. Dergleichen zieht den Geist herab und es war mir weh, wenn Heine sich etwas darauf zu Gute that [...]. Bei alle dem muß ich indessen gestehen, der Hahn war vortrefflich. (297)

460. LUDWIG WIHL   Okt. 1837 – Frühjahr 1838

Artikel über Heine in Paris   (*Juli 1838)

Jetzt ein Wort über den Menschen Heine. Heine ist mir auch als Mensch lieb geworden, er hat ein Herz voller Theilnahme. Sein Auge bleibt nicht thränenlos beim Anblicke fremder Leiden. Arme finden eine freigebige Hand. Er hat heute noch Schulden zu zahlen, für die er sich als Bürge eingestellt hat – die Summen, die er an Verbannte hergegeben, sind größer als Jemand vermuthen möchte. Das ist Wahrheit und verdient Lob; diese Wahrheit spinnt sich aber nur an den privatlichen Heine, nicht an Heine den öffentlichen Charakter.

Trennen wir beide scharf, da ich auch beim besten Willen letztern unmöglich auf gleiche Höhe mit dem Dichter stellen kann. Der tiefe Weltschmerz, den er sich aneignet, scheint mir eine dichterische Erfindung; ich habe davon bei Heine nicht viel verspürt. Wenn Prometheus klagt, daß ihm ein Geier die Brust ausweide, dann hat Heine den Geier an sich gelockt, um interessant klagen zu können. [...] Von diesem Gesichtspunkte aus ist Heine gerechten Angriffen unterworfen und kann unmöglich mit dem durch und durch wahren Börne parallelisirt werden. [...] Heine ist nichts weniger als zum Volkstribun geschaffen. Sich selber unterordnen, wo es Noth thut, sich mit Jedermann zu nivelliren, den Meister Handschuhmacher als solchen ebenso zu respektiren wie Horace Vernet, ist Heine unmöglich, ist zuletzt überhaupt jeder dichterischen Begabung widerstrebend. So kam es theils durch Zeitrichtung, theils durch ein Verkennen seiner Innerlichkeit, theils durch die lockende Sucht, Alles in Allem zu seyn, zu einer schiefen Stellung dem Publikum und sich selber gegenüber. Heine begnügte sich nicht mit dem Lorbeerkranze der Dichtung; er wollte Staatsmann, Philosoph, Religionsstifter, der Himmel weiß, was nicht Alles werden. Börne neidete ihm den Lorbeer nicht an, aber wenn er Göthe wegen dessen entschieden aristokratischer Richtung oder Theilnahmlosigkeit bei den Leiden des Volkes mit dem Ingrimm eines Jesajas verfolgte, so donnerte er gegen Heine's Französische Zustände, gegen Heine's philosophisch-theologischen Salon wegen des Spielens mit Fragen, für die er selber sein Leben hindurch, ein Märtyrer, sein Herzblut verspritzte. Der Kampf zwischen beiden Planeten war ein natürlicher, er konnte erst im Père Lachaise erlöschen. Diese meine Ansicht kommt nicht Heine hinter dem Rücken; ich habe sie ihm zu keiner Stunde verschwiegen, so oft sich auf Börne die Rede wandte; und ich lebe auch der Überzeugung, daß wir noch einmal schöne Bekenntnisse über seine Beziehungen zu Börne und den Zeitfragen, sey es in einer eigenen Schrift, oder in seinen Memoiren erhalten werden. Gehe Heine dann so offen und grade zu Werke als möglich, behalte er keine pensées de derrière la tête! Noch eine schwache Seite kann ich nicht ungerügt lassen. Heine geht bei allen Beurtheilungen allzusehr von sich aus. Wir können uns nicht ganz von uns losreißen, der subjektive Mensch ist an den objektiven mit einer unzerreißbaren Nabelschnur gehalten, wir nehmen auch die Arbeiten unsrer Freunde und Anhänger wohlwollender zur Hand, als die uns Fernstehender oder gar unsrer Gegner; so weit ist Bestechung erlaubt; aber auch da giebt es Grenzen, die das Gewissen nie überspringen sollte. Es freut mich, daß Heine eine solche Gerechtigkeit Platen nachträglich nicht entziehen will; ich hätte gewünscht, es wäre noch beim Leben des Dichters zum Verständniß, wenn auch nicht zur Aussöhnung gekommen. Findet Heine, wie gesagt, einige Gewissensbisse beim Grafen Platen, dem er es nur übel angerechnet, daß er ihn, einen ebenbürtigen, zum Kampf herausgefordert habe, freut er sich doch immer, wenn er es erzählt, wie er August Wilhelm von Schlegel durch seinen bekannten Artikel aus Paris vertrieben. Hätte er Polizei gehabt, meinte Heine, würde er ihn auf diese Weise in Ehren nach Deutschland transportirt haben, in Ermangelung derselben, hätte er den altjugendlichen Herrn mit der Feder annulliren müssen. Schlegel that in der Gesellschaft gar zu vornehm und kopfschüttelnd über Heine, das konnte ihm Heine nicht ruhig hingehen lassen. Ich fürchte, Herrn von Raumer könnte auch einmal so etwas begegnen. [. . .]

Große Menschen fühlen tiefer ihre glänzenden Fehler und beurtheilen sie härter, als es ihre Feinde sich träumen lassen. Doch wenn ich es nochmals überlege, glaube ich, Heine wird rückhaltig bleiben; er hat mir einmal erklärt: Ich kenne meine Fehler, aber ich werde kein Narr seyn, auf dieselben aufmerksam zu machen. Das Publikum ist gar zu geneigt, sie alle für wahr zu halten. Rückert, führte er beispielsweise mit einem Beisatze von Ironie an, Rückert hätte niemals aussprechen sollen, daß er kein *ganzer* Dichter wäre. Das ist ein arges Distichon, das Publikum glaubt es ihm auf's Wort. Hiermit habe ich auch eines seiner witzigen Impromptüs geboten. Diese kommen nicht so häufig, als man erwarten möchte, doch wenn sie von Zeit zu Zeit eintreffen, verfehlen sie selten ihre Wirkung. Am witzigsten ist er, wenn er den Stachel der Satyre wetzt, wenn er ihn gleich einer Biene an eine unerwartete Stelle seines Gegners hineinbohrt. Ich will statt der verwundenden eine harmlose Bemerkung hierher stellen, die sich Professor Schottky hat gefallen lassen müssen. Wer kennt ihn nicht, den Professor Schottky aus der witzigsten Todesanzeige, die ein Mensch erlebt hat! Gutzkow hat ihn, einem falschen Gerüchte über seinen Tod trauend, gar zu geschickt gezeichnet und der Mann ist unverändert geblieben. Es ist ein Mitleiden, er muß seit jener Stunde wie ein Todter unter den Lebenden wandern. Und noch jetzt geht er geschniegelt und gestriegelt wie ein Lebendiger und Alles liegt ihm eng und knapp, im Widerspruch zum schlottrigen Leichenhemd, und er lies't Journale und macht Excerpte. Beurmann's Buch war noch nicht erschienen, da erkundigte sich Schottky nach Heine's Wohnung und ließ ihm einen Brief überreichen, worin er ihn höflichst bat, ihm einen Besuch machen zu dürfen. Heine antwortete kurz: Er begreife nicht, was er als todter Mann bei ihm thun wolle, die Lebendigen machten ihm schon genug zu schaffen. Es sey ihm zwar schwer angekommen, er habe sich aber bereits über seinen Tod getröstet. (297)

461. (HEINRICH KÜNZEL)   Ende 1837/Anf. 1838

an August Nodnagel, Resümee seiner Erinnerungen
an Heine, 1842

Ich habe im J[ahre] 1837 längere Zeit mit ihm in Paris Umgang gepflogen. Zwischen heute und damals liegt ein langer Zwischenraum. Aber auch in der Erinnerung erscheint mir seine Persönlichkeit liebenswürdig und in menschlichen Beziehungen, auch in denen, welche ihm wie jedem Deutschen im Verlauf von mehreren Jahren das Pariser Leben aufnöthigte, ebenso ehrenwerth, wie damals, wo vielleicht sein Wohlwollen, das er gegen mich gleichmäßig bewies, mein Urtheil hätte zu seinen Gunsten bestechen können. Seine Persönlichkeit ist bei der ersten Begegnung nicht imponirend; ohne Prätension tritt er Jedem entgegen, und mitten unter den feinen Weltleuten ist er in seinem Äußern wie in seinem Benehmen ein guter Deutscher geblieben, der sich überall mit Anstand bewegt. Im Verlaufe des Gespräches wird der etwas untersetzte, zur Korpulenz hinneigende Mann, den man für jünger hält, als er ist, lebendiger; der Witz zündet hier und da, und erinnert an den scherzenden, wohlbekannten Reisebildner; der in Gang und Haltung gewöhnlich phlegmatische Mann wird dann auch im Äußern beweglicher, in seinen etwas kleinen Augen blitzt es auf, der Schalk wird sichtbar, die Mundwinkel zucken von satyrischem Lächeln. Aber der Witz stellt sich von selbst ein, er wird nicht mit den Haaren herbeigezogen, er scheint längst gemünzt, während doch der Gegenstand des Gesprächs beweist, daß er improvisirt seyn muß; dabei erinnert er an nichts Bekanntes. Heine versteht wie irgend ein Franzose das Geheimniß, über das Bekannteste, wie über die neuesten Vorfälle, angenehm zu plaudern (causer), ohne einen zu ermüden, wenn man nur in seine Laune einzugehen weiß, und sich mit fortreißen läßt. Heine gibt sich dem, den er mit seinem Takt als gut, ihm wohlgesinnt, ich möchte sagen, als kindlich erkannt hat, ohne Rückhalt hin; Nichts behält er dann für sich selbst; was er hofft und fühlt, was er thut oder thun will, Alles theilt er offen mit. Das ist seine deutsche, idyllische, ächtdichterische Rheinnatur, denn vom Rhein und

aus seiner idyllischen Natur stammen seine Dichterträume, seine See-
lenklänge, seine Liebeslieder und Mährchen, die Eigenthümlichkeit
und Musik seiner Sprache. Sein Herz hat das Alles gefühlt und fühlt
es bei jeder Gelegenheit wieder von Neuem mit. Diese Seite seines
Wesens ist oft von Andern mißbraucht worden. [...] Öfter hörte ich
ihn seine Gedichte vorlesen. Von durchdachtem, kunstgerechtem Vortrag kann man bei ihm ebensowenig sprechen, wie bei vielen andern
Dichtern. Er überläßt sich dabei ganz seinen beiden Naturen, die
Stimme läßt er auf der Ebbe und Flut seiner Gefühle auf- und ab-
wogen. Kein Dichter hat wohl mehr, aber ohne Ängstlichkeit und
Pedanterie an seinen Versen gefeilt, bei ihm entscheidet nicht allein
das Ohr, sondern auch die tiefere Bedeutung der Worte und der Gedanke des Ganzen. In dem Exemplar, nach welchem die dritte Auflage
seiner Lieder gedruckt wurde, war beinahe keine Strophe ohne eine
kleine Veränderung geblieben, eine Vergleichung der früheren Ausgaben mit der neuen würde manche andere Lesarten zeigen. Ich bin
überzeugt, daß H[eine] sehr leicht producirt, wenn er im Zuge ist;
aber ein gleichmäßiger Fortschritt ist ihm nicht wohl möglich. Wenn
er einmal ein Werk, ein Gedicht begonnen, dann ist es auch bald
vollendet. Zwischen seinen größeren Arbeiten finden sich längere
Pausen; man muß freilich dabei den öfteren Wechsel seines Aufent-
haltortes und den Lärm des Weltmarktes, auf dem er sich gerne bewegte, berücksichtigen. Ich hatte nie nöthig, seine Unterstützung in
Anspruch zu nehmen, aber ich weiß genau, daß er stets half, wo er
konnte, und in das Lebensschicksal vieler Landsleute in der Fremde
wohlthätig eingriff. Ein guter Haushälter mit seinen oft reichen Mitteln ist er nie gewesen; Kaufmännisches ist gar nichts an ihm zu finden.
Heine ist ganz Produkt seiner Verhältnisse und seiner Zeit.   (190)

462. Gottschalk Eduard Guhrauer   1837/1838

an K. A. Varnhagen v. Ense, Paris, 15. Jan. 1838

Ew. Hochwohlgeboren erhalten diesmal eine treu von mir gefertigte
Kopie eines Briefes von Rahel an Heine. Ich habe es nicht gewagt,
Ihnen ohne Heines Erlaubnis das Autograph zu schicken. Den andern
Brief zu bekommen, scheint in diesem Augenblick keine Aussicht. Ich
habe Heine seit einem Monat nicht gesehen; das letztemal traf ich ihn
sehr präokkupiert, weil seine Freundin an einer Entzündung krank
geworden und von ihm soeben in eine Maison de santé gebracht wor-

den war. Aufrichtig Anteil nehmend war ich ein paarmal an Heines
Tür und fand sie immer verschlossen. Endlich habe ich ihm geschrieben, aber er hat noch nicht geantwortet. (103)

463. HERMANN MAXIMILIAN V. SPECK-STERNBURG   1837/38

Heinrich Heine (Nach einem Besuche)   (*1852*)

Saß mit mir im kleinen Stübchen,
Plaudernd von dem kranken Liebchen,
Vom Pariser lust'gen Leben,
Dumas' Stück, das man gegeben
Neulich in dem Odeon –
Endlich gar vom Pantheon
Und dem Lärm der Boulevards
Und den schmutz'gen Trottoirs. –
Drob blickt' ich ihn staunend an:
Ist denn das der Wundermann,
Der die »Hohenlieder« sang,
Der in süßem Herzensdrang
Verse schrieb für Deine Schöne,
Wenn verlassen Dich Camöne?
Wie man vor sich hin oft spricht,
Sagt' ich: Heine ist das nicht!
Sieh', da schüttelt er die Mähne
Ungeduldig, und ich wähne
Mich bei »Helden und bei Göttern«,
Den »Poseidon« hör' ich wettern
Und der »Nordsee« wildes Tosen
Und die grauen »Wasserhosen«.
Aus dem Grund der schelm'schen Augen
Seh' ich »neuen Frühling« tauchen,
Und die »jungen Leiden« hangen
Eingefurcht an seinen Wangen.
Auf den Lippen schwebet gar
Seiner »Reisebilder« Schar;
Nur der Narr »Kunz von der Rosen«
Wollte nirgends auf mir stoßen!
Halt! an seinen Fingerspitzen –
Seh' ich lose Lieder sitzen.

Bist du, dacht' ich, erst hinaus,
Schüttelt er ein Dutzend 'raus.
Schnell griff ich nach seiner Hand,
Und er lachte – ich verschwand.
Irr' ich mich? Nein, bald nachher
Schrieb er: »Atta Troll«, den Bär.   (239)

1838
Paris

464. CHRISTINE DE BELGIOJOSO   Jan. 1838

an Franz Liszt, Paris, 19. Jan. 1838

Je n'ai presque pas vu M. de Musset qui travaille à ce qu'il prétend
[...] En revanche je vois plus souvent Heine qui a, dit-il, repris sa
liberté. Vous savez que j'ai toujours soutenu que le satanique Heine
était bon diable. Je persiste –, et je lui sais gré d'avoir été de tout temps
à peu près le même pour moi, malgré certains petits manèges au
moyen desquels on a tenté de m'en faire un ennemi. L'on a fait
fiasco, et sauf quelques quodlibets je suis persuadée qu'Heine ne me
ferait aucun mal pour beaucoup.   (315 a)

Musset habe ich fast gar nicht gesehen, er behauptet zu arbeiten [...].
Dagegen sehe ich des öfteren Heine, welcher, wie er sagt, seine Freiheit wieder gewonnen hat. Sie wissen, daß ich immer vertreten habe,
der diabolische Heine sei ein guter Teufel. Ich lasse mich davon nicht
abbringen – und ich weiß es Heine zu danken, daß er die ganze Zeit
dieselbe Gesinnung für mich bewahrt hat, und das trotz gewisser
kleiner Ränke, durch die man ihn zu meinem Feind zu machen versucht hat. Man hat dabei *Schiffbruch* erlitten, und ich bin überzeugt,
daß Heine mir, von einigen harmlosen Scherzen abgesehen, um nichts
in der Welt etwas Schlechtes antäte.

465. HECTOR BERLIOZ   Jan./Febr. 1838

an Franz Liszt, Paris, 8. Febr. 1838

Notre ami Heine a parlé dernièrement de nous deux dans la Gazette
musicale avec autant d'esprit que d'irrévérence, mais sans méchanceté

aucune toutefois; il a en revanche tressé pour Chopin une couronne
splendide qu'il mérite au reste depuis longtemps.   (21)

Unser Freund Heine hat letzthin von uns beiden in der »Gazette
Musicale« gesprochen, und zwar mit ebensoviel Geist wie Respekt-
losigkeit, aber allemal ohne irgendwelche Bosheit; dagegen hat er
Chopin einen prächtigen Kranz geflochten, den dieser übrigens schon
lange verdient hat.

466. MAX LÖWENTHAL   1837/1838

    Tagebuch, Wien, 15. März 1838

Auersperg fragte er *[Heine]*, wieso es komme, daß man auch ihn zur
schwäbischen Dichterschule rechne. »Sie gehen ja nicht auf die Käfer-
jagd.«   (24)

467. MAX LÖWENTHAL   1837/1838

    Tagebuch, Wien, 16. März 1838

Der formloseste der Dichter, Heine, sagt zu Auersperg, daß seine
Form nicht gut sei; nur Niembsch *[»Nik. Lenau«]*, bemerkte er, das
scheine ja ein deutscher Dante zu sein, und da habe er Respekt (d. h.
dem gehe er aus dem Wege); übrigens sprach er die Überzeugung
aus, daß es mit der metrischen Poesie in Deutschland zu Ende sei, daß
man damit unter uns nichts mehr wirken könne; eine Ansicht, welche
bei der sichtlich waltenden Übermacht der materiellen Interessen und
Tendenzen auch Niembsch teilt.   (24)

468. ANTON ALEXANDER V. AUERSPERG   Anf. Febr. 1838
     (»ANASTASIUS GRÜN«)

    an Wolfgang Menzel, Paris, 6. Febr. 1838

Heine wünscht gegenseitigen Waffenstillstand.   (179)

469. ANTON ALEXANDER V. AUERSPERG   Jan./Febr. 1838
(»ANASTASIUS GRÜN«)

an die Weidmannsche Buchhandlung, Thurn am Hart,
27. März 1838

Auf Ihren letzten Brief, den ich noch in Paris erhielt, antworte ich in
Kürze, daß Sie für den nächsten Musenalmanach mit Bestimmtheit auf
mich rechnen können, auf Heine, (den ich dafür zu werben mir alle
Mühe gab) aber durchaus nicht, da seine poetische Productionskraft,
wie er mir selbst gestand, versiegt zu sein scheint.   (319)

470. GOTTSCHALK EDUARD GUHRAUER   Febr. 1838

an K. A. Varnhagen v. Ense, Paris, 5. März 1838

Heine hat, sagte er mir, an Sie geschrieben. Den zweiten Brief Rahels
findet er nicht, und schreibt demselben keine höhere philosophische
Bedeutung zu, als einem nur persönlichen Schreiben.   (103)

471. GEORGE SAND   1838

an Scipion du Roure, Nohant, 28. März 1838 (?)

Ma fille est superbe. Moi je suis *pête et pon*, comme dit Henri Heine.
(221)

Meine Tochter ist großartig. Ich dagegen bin *pête et pon*, dumm und
gutmütig, wie Heine [mit übertriebenem deutschem Akzent] sagt.

472. LUDWIG WIHL   April 1838

an Heinrich Künzel, Paris, 15. April 1838

Du weißt, daß ich hier mit keinem andern Deutschen, als mit Heine in
naher Beziehung stehe. Diese Beziehung hat sich immer mehr gefestigt,
aber dennoch ist unsere Individualität zu verschieden, als daß sich
hier ein tieferes Herzensverhältnis gestalten könnte. [. . .]
   Heine will schreiben, ich habe ihn sehr oft daran erinnert. Es geht
ihm wie mir, aber er meint es sehr gut mit dir.   (227)

an Caroline Jaubert, Malta, Aug. 1850   (* 8. 9. 1850)

Puisque ce nom [*Victor Cousin*] vient sous ma plume, je vous demanderai ce que devient ce philosophe. Depuis votre révolution de Février, il me paraît n'être plus qu'un acteur en retraite. De fait, je crois son âme mieux trempée pour la dissertation que pour l'action. Je l'ai vu un jour aux prises avec Kisch, mon gros bulldog. La frayeur avait si bien éparpillé tous ses *fragments philosophiques*, que même hors de danger, il ne pouvait trouver une phrase ou un précepte pour se rassurer. Le lieu de la scène était le jardin de mon hôtel, rue d'Anjou, où nous nous promenions, MM. Mignet, Victor Cousin, et moi, tout en devisant. M. Cousin s'animait à nous démontrer que *la raison est tout à fait hétérogène et distincte de la personnalité et de la sensibilité*. A l'appui de ses arguments, il gesticulait avec une canne. Le bulldog qui passait par là, prend ce geste pour une provocation; il s'élance et empoigne au haut du bras le philosophe eclectique. M. Cousin qui sait tant de choses, n'ignorait pas sans doute que le trait distinctif de cette race canine, est de ne jamais lâcher une fois qu'elle mord. Aussi faut-il savoir au juste tout ce qu'un seul visage humain peut exprimer de terreur. Il criait comme un beau diable; tout le monde accourait et demeurait interdit devant ce spectacle. M. Mignet seul, ne perdait pas la tête: avec sang-froid il dictait des ordres salutaires. Qu'on se pende à la queue de Kisch, disait-il, et qu'on desserre la mâchoire avec un bâton. Mais avant de trouver un manche de balai, et le serviteur pour l'introduire dans la gueule, avant de trouver l'ami dévoué, qui devait tirer la queue, le temps s'écoulait, le chien tenait bon, et la *spirituelle charpente* de M. Cousin (selon l'expression de Heine) était fort compromise. Enfin le bâton arrive, pénètre et disjoint la mâchoire de l'animal carnivore, tandis qu'un élève enthousiaste du grand professeur pince fortement la queue du chien, pour le distraire de sa proie. Cousin est délivré! et porté plus mort que vif (à la lettre) sur un canapé!

  Combien notre pauvre malade, Henri Heine, s'amusait de cette anecdote. Sa verve, sur ce sujet, était intarissable. On reconnaissait qu'il eût pu ajouter un volume aux quelques pages si piquantes sur le ci-devant pair, qu'on rencontre dans l'ouvrage intitulé: *l'Allemagne*. Si Heine n'avait pas été modéré en parlant de Victor Cousin, du moins il prouvait qu'il avait été sobre. Il fallait bien lui conter les détails du pansement de la morsure. Ah! disait notre Allemand, comme il devait regarder avec attendrissement ce bras compromis, ce bras au bout duquel se trouve la main dont les doigts ont tenu cette plume merveilleuse qui traduit couramment les langues inconnues au cerveau même qui la guide! – Prenez garde à vous, princesse, continuait Heine; d'abord le philosophe peut être enragé; ensuite il ne vous pardonnera jamais le danger que vient de courir sa science en sa personne. De fait, ma bien chère amie, je crois que M. Cousin m'en a toujours voulu de la conduite de mon chien. Je ne veux pas donner tort à la victime, mais je vous assure que Kisch, d'ordinaire, était bon enfant. (16)

Da mir nun einmal der Name Victor Cousins unter die Feder geraten ist, möchte ich Sie fragen, was aus diesem Philosophen geworden ist. Seit Eurer Februarrevolution ist er, nach allem, was man hört, nur noch ein Schauspieler im Ruhestand. In der Tat glaube ich, daß seine Seele eher für theoretische Abhandlungen als für die Tat gebaut ist.

Ich habe ihn einmal in einer tätlichen Auseinandersetzung mit Kisch, meiner großen Bulldogge, erlebt. Das Entsetzen hatte alle seine philosophischen Fragmente so sehr durcheinander gebracht, daß er, selbst als er außer aller Gefahr war, keinen Satz oder keine Regel finden konnte, um sich zu fassen. Der Ort dieses Auftritts war der Garten meines Hauses in der rue d'Anjou, wo wir uns zu dritt plaudernd ergingen, Mignet, Victor Cousin und ich. Cousin bewies uns lebhaft, daß der Verstand völlig andersartig und unterschieden von der Persönlichkeit und dem Gefühlsleben sei. Um seine Argumente zu unterstreichen, fuchtelte er mit einem Stock herum. Die Bulldogge, die gerade vorbeilief, hielt diese Geste für eine Herausforderung; sie stürzte sich auf ihn und erwischte den eklektischen Philosophen oben am Arm. Dem allwissenden Cousin war es sicher nicht unbekannt, daß es das auszeichnende Merkmal dieser Hunderasse ist, niemals wieder loszulassen, worin sie sich einmal verbissen hat. Und so muß man den berühmten Philosophen in dieser Lage gesehen haben, um zu wissen, was ein menschliches Gesicht an Entsetzen ausdrücken kann. Er schrie wie ein Verrückter; alles lief herbei und blieb wie angewurzelt vor diesem Schauspiel stehen. Lediglich Mignet verlor nicht den Kopf: Kaltblütig gab er rettende Orders. »Man soll sich an Kischs Schwanz hängen«, sagte er, »und seine Kiefer mit einem Stock auseinanderstemmen.« Aber bis man einen Besenstiel und den Bedienten aufgetrieben hatte, der ihn in den Rachen des Hundes stecken sollte, bis man den ergebenen Freund gefunden hatte, der am Schwanz ziehen mußte, verrann die Zeit, Kisch ließ nicht locker, und Cousins geistreiches Knochengerüst (nach einem Ausdruck Heines) war stark kompromittiert. Endlich kommt der Stock, wird zwischen die Kiefer des fleischfressenden Tieres eingeführt und drückt sie auseinander, während ein enthusiastischer Schüler des großen Professors aus Leibeskräften in den Schwanz des Hundes kneift, um ihn von seiner Beute abzulenken. Cousin ist befreit! – und wird buchstäblich mehr tot als lebendig auf ein Sofa gebettet.

Wie königlich amüsierte sich unser armer kranker Heine über diese Geschichte. Seine Begeisterung bei diesem Thema war unerschöpflich. Den wenigen, so geistreichen Zeilen über den vormaligen Pair, die wir in seinem »De l'Allemagne« finden, hätte er offensichtlich noch einen ganzen Band zugesellen können. Wenn Heine hinsichtlich Cousins auch nicht zurückhaltend gewesen war, so hatte er doch zumindest Mäßigkeit bewiesen. Man mußte ihm in allen Einzelheiten auseinandersetzen, wie die Bißwunde verbunden wurde. »Ach!« sagte unser Deutscher, »mit welcher Rührung muß er diesen geschändeten Arm betrachtet haben, den Arm, an dessen Ende sich die Hand befindet, deren Finger diese Zauberfeder hielten, die dem sie lenkenden Gehirn völlig unbekannte Sprachen so fließend übersetzt! Nehmen Sie sich in acht, Fürstin!« fuhr Heine fort, »zunächst wird der Philosoph aufgebracht sein; und dann wird er Ihnen niemals verzeihen, welcher Gefahr die Wissenschaft in seiner Person ausgesetzt war.« Ich glaube in der Tat, meine liebe Freundin, daß mir Cousin das Benehmen meines Hundes immer nachgetragen hat. Ich will dem Opfer nicht Unrecht tun, aber ich kann Ihnen versichern, daß Kisch gewöhnlich ein gutmütiges Tier war.

474. GOTTSCHALK EDUARD GUHRAUER   1. Mai 1838

an K. A. Varnhagen v. Ense, Paris, 2. Mai 1838

Zum Schluß ein Wort über Heine und Custine. Erstern traf ich gestern auf der Straße und richtete Ihren Gruß aus; er wird jetzt nach der Barrière St.-Jacques ziehen, zu seiner immer noch leidenden Frau. Er hat von mir Ihre »Sophie Charlotte« verlangt.   (103)

475. NIKLAS MÜLLER   Mitte Mai/Juni 1838

an Heinrich Künzel, Paris, Juni 1838

Wihl hat mich wirklich recht freundlich aufgenommen, auch Heine,
mit dem er mich bekannt gemacht hat, und dem ich Ihren Brief
gegeben.   (227)

476. JAKOB VENEDEY   Juni 1838

an Ferdinand Friedland, Pontoise, 22. Juni 1838

[Kann Friedlands Einladung für Sonntag nicht annehmen.] Bitten Sie
daher Heine, mir einen andern Tag zu bestimmen [. . .] es würde mir
unendliche Freude machen, ihn recht bald zu sehen.   (322)

477. GOTTSCHALK EDUARD GUHRAUER   Juni 1838

an K. A. Varnhagen v. Ense, Paris, 7. Juli 1838

Mad. Goldstücker wird das Bild von Rahel an Savoie geben, er läßt
danach einen Kupferstich machen, Heine liefert den Artikel für das
»Panorama [de l'Allemagne«]. [. . .] Er wohnt vor der Barrière St.-
Jacques bei seiner Frau, die vermutlich wiederhergestellt ist. Er litt im
Frühling sehr an den Augen. Das letztemal ging ich ein Stück von den
Boulevards mit ihm; der Glanz, das Leben dieser in ihrer Art einzigen
Straße regt mich zu unermüdlicher Bewunderung auf, welchem gegen-
über dieses Mal Heine das Grauenvolle, das diesem Weltmittelpunkte
beigemischt sei, bedeutend hervorhob [. . .] Sie, Heine und mich hat
er *[Lerminier]* durch sein Benehmen gegen mich gleich sehr manquiert.
                                                              (103)

478. SALOMON HEINE   Okt. 1838

an Therese Halle, Paris, 7. Okt. 1838

Meine geliebte Therese, Harry hatt Dieses in einem Augenblick geschrieben, leider Gottes was für ein Talend. Aber ich fange an zuglau-
ben Er ist beßer als glaubte Er hatt mir versprochen, Sich zu bessern,
sein Geld besser zu verwenden und fürchte nur daß kein Wort haltet
für Carl hatt Er ein wurkliche Anhänglichkeit, ich wage das postgeld

daran, diesen Brief Dir zusenden da mein Brief schon hir fort ist, Meyer Beer geht so eben weg, Grüßt Dich, . .   Sl.

(101)

479. FERDINAND V. GALL   Anf. Winter 1838

Bericht über Paris-Aufenthalt   *(*1844)*

Unter vielen interessanten Bekanntschaften, wie z. B. mit Jules Janin, mit Meyerbeer, mit Herz u. s. w., machte ich hier *[im Salon Moritz Schlesingers]* auch die meines Landsmanns Heine. Meine persönlichen Berührungen mit ihm waren der Art, daß ich nur Weniges darüber sagen kann; aber auch Dies kann doch von einigem Interesse sein.

Heine stellte sich mir, als ich mit ihm bekannt gemacht wurde, mit der größten, ja der zurückstoßendsten Kälte entgegen. Erst nachdem ich ihm einen Gruß von einem intimen Jugendfreunde überbrachte, und seine Fragen über dessen Verhältnisse absichtlich etwas weitläufig beantwortet hatte, nahm er das, wie es scheint, ihm eigenthümliche freundliche Wesen an. Unser erstes Gespräch wurde jedoch bald unterbrochen und, obgleich wir uns noch oft in diesem Salon begegneten, nicht wieder erneuert, und zwar von meiner Seite aus dem folgenden Grunde: Von genaueren Bekannten Heine's erfuhr ich nämlich, daß er mit dem größten Mißtrauen gegen alle ihm nicht genauer bekannten Landsleute, und zwar mit gutem Rechte, erfüllt sei. In einer Zeit nämlich, in welcher Heine den vaterländischen Boden verließ, und sich Paris zum Aufenthaltsorte wählte, in einer Zeit also, wo nur zu häufig unbedeutende Erscheinungen durch Ueberschätzung einen gefährlichen Charakter erhielten, wurde Heine sogar in Paris von bezahlten Spionen umgeben, die, unter der Form der Freundschaft, seine Gesinnungen ausforschten, und darüber berichteten. So sind viele im Vertrauen von Heine gegen Landsleute ausgesprochene Gesinnungen dazu benutzt worden, um ihn bei dem französischen Gouvernement auf jede Weise zu verdächtigen. Nach solchen Erfahrungen kann ich es ihm denn freilich nicht verdenken, daß er kalt und zurückhaltend gegen Fremde und vorzugsweise gegen Deutsche ist.   (67)

480. HECTOR BERLIOZ   Jan. 1839

an Franz Liszt, Paris, 22. Jan. 1839

Pourquoi donc suis-je gai? nos amis sont pour la plupart assez tristes;
Legouvé a une cruelle gastrite; Schalck vient de perdre sa mère; Heine
n'est pas heureux; Chopin est souffrant aux îles Baléares; Dumas
traîne un boulet dont le poids augmente, de jour en jour; Mme Sand
a un enfant malade. Hugo seul reste tranquille et fort.   (21)

Warum bin ich nur so fröhlich? Unsere meisten Freunde sind ziemlich
traurig; Legouvé hat eine qualvolle Gastritis; Schalck hat kürzlich
seine Mutter verloren; Heine *ist nicht glücklich*; Chopin ist krank auf
den Balearen; Dumas schleppt an einer niederdrückenden Last, die
von Tag zu Tag schwerer wird; Mme Sand hat ein krankes Kind.
Allein Hugo bleibt ruhig und stark.

481. ALEXANDRE WEILL   18./19. März 1839

Heine-Erinnerungen   (*1883)

De 1836 à 1837, traducteur et collaborateur au *Journal de Francfort* français, rédigé par Durand, plus tard rédacteur en chef du
Capitole, à Paris, ayant à ma disposition tous les journaux, toutes
les revues de Paris, j'envoyais régulièrement une correspondance
datée de Paris au *Monde élégant* de Leipzig, bien entendu sans signer,
et le public me fit l'insigne honneur de mettre au bas de mes correspondances le nom de Henri Heine. Arrivé en 1837 *[1839!]* à Paris

avec la famille Durand, je me présentai chez Heine avec une lettre de recommandation de son ami Gutzkow. Il demeurait alors rue des Martyrs, et son logement ressemblait bien à celui d'un poète allemand. Ni tapis, ni tapisseries, pas de glace hormis les glaces dédorées et obligatoires à demeure de l'appartement. Une table, quelques chaises, un lit dans la chambre à coucher sans rideaux. Pas de bibelots, pas de pendule nulle part. Quelques statuettes, un vieux canapé, un bureau-secrétaire, quelques brochures et un tas de paperasses. Dans le salon, où il y avait une carpette, se trouvait le portrait de Mathilde, plus tard Mme Heine, par je ne sais plus quel peintre, admirateur du génie de Heine et de la beauté de Mathilde, et quelques gravures également données par leurs auteurs. Ce fut Mme Heine qui me reçut, et comme elle n'aimait guère les Allemands, bien que son amant fût un grand poète allemand, ayant eu à se plaindre de quelques curieux indiscrets qui avaient chargé son portrait dans des correspondances allemandes, elle me reçut fort mal et appelant son maître, elle s'écria à haute voix: «Henri, voilà encore un jeune homme qui arrive d'Allemagne et qui demande à te voir. Veux-tu le recevoir?» Dès que Heine parut sur le seuil de son cabinet, je lui récitai la phrase hébraïque d'Ib'n Esra, connue de tous les Talmudistes. [...] «Je suis venu dans ta maison, j'ai trouvé la porte ouverte, et ta femme s'est mise en colère dès ma première venue.» [...]

Ce fut en même temps un piège. Je voulais savoir si Heine, élevé comme juif jusqu'à l'âge de treize ans, n'avait pas oublié son hébreu. Il éclata de rire, bien qu'il n'en comprît pas tout à fait le double sens, puis, lui ayant dit mon nom et lui ayant présenté la lettre de Gutzkow, il me dit: «Vous n'avez pas besoin de recommandation. On vous a pris pour moi, il faut que vous ayez diablement d'esprit, car moi je n'ai lu aucune de vos correspondances.» La glace était rompue.

Nous allons sortir pour déjeuner, me dit-il, vous déjeunerez avec nous et nous causerons. Me sachant juif, Heine me présenta comme tel à sa maîtresse. Les Juifs, récemment émancipés tout à fait par Louis-Philippe, considérés comme des parias dans presque toute l'Europe, formaient alors encore une espèce de franc-maçonnerie d'opprimés et se liaient avec une grande facilité, surtout les savants, les artistes et les hommes de lettres, dans un but d'émancipation et d'affranchissement de dix-huit siècles de calomnies, d'oppression et d'infamies sociales. Il n'y avait d'exception que pour les juifs convertis, obligés de faire du zèle et évitant toute liaison, toute relation avec leurs anciens coreligionnaires, qu'ils étaient forcés de regarder comme des malheureux réprouvés, ayant un bandeau sur les yeux pour ne pas voir la clarté éblouissante d'un Dieu trinitaire. Mais Heine, ayant raillé lui-même son baptême, n'était pas de cette race hypocrite. Cela ne l'empêchait pas d'avoir des préjugés, comme tous les Allemands, contre ses coreligionnaires et de les poursuivre de ses railleries. Quand il eut appris que j'étais Alsacien et non Allemand, Français et non Prussien, il me félicita en me disant: «Vous pouvez venir me voir tous les jours, vous pouvez me demander à déjeuner quand il vous plaira, mais, *ne me demandez jamais d'argent!* D'abord, comme ses paysans à Henri IV pour les canons, je vous dirai que je n'en ai pas, que j'ai des dettes criardes et des parents silencieux, et puis je tiens à ne pas vous perdre comme ami. Puisque vous êtes correspondant du *Monde élégant* de Leipzig, et du *Télégraphe* de Hambourg, j'aurai besoin de vous et je compte sur vous.» (292)

1836/37 war ich Übersetzer und Mitarbeiter am französischen »Journal de Francfort«, das von Durand geleitet wurde, und später Chefredakteur des »Capitole« in Paris. Da mir also alle Pariser Blätter zur Verfügung standen, sandte ich regelmäßig Berichte an die »Elegante Welt« in Leipzig. Sie waren aus Paris datiert, aber, wohl gemerkt, nicht unterzeichnet, und die Öffentlichkeit tat mir die Ehre an, sie Heine zuzuschreiben. Als ich 1837 *[1839!]* mit der Familie Durand in Paris ankam, ging ich zu Heine mit einem Empfehlungsbrief seines Freundes Gutzkow. Er wohnte damals Rue des Martyrs, und seine Behausung sah ganz so aus wie die eines deutschen Dichters. Keine Teppiche, kahle Wände, keine Spiegel außer solchen in abgeschabten Goldrahmen, die zum festen Inventar der Wohnung gehörten. Ein Tisch, einige Stühle, ein Bett, das Schlafzimmer ohne Vorhänge. Keinerlei Nippsachen, nirgends eine Uhr. Einige Statuetten, ein altes Kanapee, ein altmodischer Sekretär, einige Broschüren und ein Haufen Papierblätter. Im Salon lag ein grober wollener Teppich und hing das Bild Mathildens, der spätern Frau Heines, von einem, ich weiß nicht mehr welchem, Maler, der Heines Genie und Mathildens Schönheit bewunderte; dazu vereinzelte Stiche, Geschenke der Künstler selbst. Frau Heine empfing mich. Sie mochte die Deutschen durchaus nicht, obgleich ihr Geliebter ein großer deutscher Dichter war, denn indiskrete Neugier hatte in deutschen Korrespondenzberichten ein höchst ungünstiges Bild von ihr entworfen. Sie begrüßte mich daher wenig freundlich und rief ihrem Mann mit lauter Stimme zu: »Henri, wieder ein junger Mensch aus Deutschland, der dich sprechen will.

Soll er kommen?« Sobald Heine auf der Schwelle seines Zimmers erschien, sprach ich den Satz des Ib'n Esra, den alle Talmudisten kennen [...]:»Ich betrat dein Haus, fand die Tür offen und dein Weib erboste sich, kaum daß sie mich sah.« [...] Das war zugleich eine Falle: Ich wollte wissen, ob Heine, bis zum dreizehnten Lebensjahr als Jude erzogen, sein Hebräisch nicht vergessen habe. Er lachte aus vollem Halse, obgleich er den Doppelsinn der Worte nicht ganz erfaßte. Nachdem ich meinen Namen genannt und ihm den Brief Gutzkows übergeben hatte, sagte er:»Sie brauchen keine Empfehlung. Man hat Sie mit mir verwechselt, Sie müssen also verteufelt viel Geist haben; ich selbst habe Ihre Berichte nicht gelesen.« Damit war das Eis gebrochen. »Wir wollen zusammen frühstücken gehen«, erklärte er:»Sie frühstücken mit uns und wir plaudern ein wenig.« Da er wußte, daß ich Jude war, stellte mich Heine seiner Geliebten als solchen vor. Die Juden, obzwar unter Louis-Philippe seit kurzem völlig emanzipiert, wurden damals in fast ganz Europa als Parias angesehen; sie bildeten eine Art Freimaurerloge der Unterdrückten und knüpften sehr leicht miteinander Beziehungen, vor allem unter Gelehrten, Künstlern und Schriftstellern; gemeinsam wollten sie sich emanzipieren und befreien von achtzehn Jahrhunderten der Unterdrückung, Verleumdung und sozialer Niederträchtigkeit. Eine Ausnahme bildeten nur die getauften Juden, die besonderen Eifer vortäuschen mußten und jede Beziehung, jede Verbindung mit ihren früheren Glaubensgenossen mieden, welche sie als unglückliche Verdammte zu betrachten gezwungen waren, die eine Binde vor den Augen daran hindere, die blendende Helle des dreieinigen Gottes zu schauen.

Heine, welcher selbst über seine Taufe gespottet hatte, war nicht von dieser heuchlerischen Sorte, was ihn nicht daran hinderte, wie alle Deutschen von Vorurteilen gegen seine Stammesgenossen befangen zu sein und sie mit seinem Spott zu verfolgen. Als er hörte, daß ich Elsässer und nicht Deutscher, Franzose und nicht Preuße sei, beglückwünschte er mich und sagte: Sie können mich alle Tage besuchen, Sie können mich zum Frühstück abholen, wann es Ihnen paßt, aber *bitten Sie mich niemals um Geld!* Einmal würde ich Ihnen sagen, wie ehemals die Bauern Heinrich IV., als er Geschütze brauchte: ich habe keins, ich habe Schulden, die zum Himmel schreien, und Verwandte, die keinen Ton von sich geben; und dann lege ich Wert darauf, Sie als Freund nicht zu verlieren. Da Sie für die »Elegante Welt« in Leipzig und für den Hamburger »Telegraphen« korrespondieren, brauche ich Sie und zähle auf Sie.

Je vais essayer d'esquisser la beauté de Mathilde, qui avait alors vingt-trois ans. Tout d'abord, au premier coup d'œil, je vis qu'elle était plus belle que son portrait, et ce fut le premier compliment que je lui fis, dont elle me sut gré. Quelqu'un de mes lecteurs a-t-il vu la photographie de la statue de Phryné de l'Académie des beaux-arts, à Madrid? On dirait que Mathilde Heine a posé pour modèle. Si la beauté plastique sans distinction peut être parfaite, celle de Mathilde était la perfection même. Elle était taillée en marbre. Ses dents étaient plus belles que les perles les plus blanches d'Ophir, et comme toutes les femmes aux belles dents, elle souriait à tout moment, car elle savait encore que chaque sourire creusait une fossette dans la joue, signe de bonté, tombe où s'abîme toute méchanceté. Ce sourire dégénérait facilement et fréquemment en un rire accompagné d'un clignement d'yeux malins, provocant, et ce rire argentin sonnait comme une clochette de joie. Ses lèvres étaient tellement couleur cerise, qu'on les aurait crues teintes, quoique Mathilde n'eût jamais rien de faux, ni poudre, ni fard, ni rouge, ni blanc; elle n'avait même pas de boudoir pour s'habiller. Bref, une fraîche bouche d'enfant sans défaut. Ce qu'il y avait d'extraordinaire dans ses grands yeux bruns, c'était son regard souriant, enveloppant; on eût dit la lune regardant à travers un léger nuage. Ses cheveux n'étaient pas longs, ils étaient châtains noirs et rehaussaient la blancheur de sa peau. Son pied, sa main, à l'avenant. Sa voix était claire, pénétrante, mélodieuse, son grand charme était dans cette voix et dans la bouche. Sa taille était admirable. Pendant très longtemps, elle ne portait même pas de corset, n'en ayant nullement besoin, et elle n'était pas fâchée, toute fidèle qu'elle fût à son amant, de laisser voir ces merveilles, ne fût-ce que pendant qu'elle nouait ses cheveux de ses deux beaux bras de marbre. Mathilde n'avait qu'un seul défaut, [. . .].

Son front, au lieu d'être haut et large, se mourait en ovale. On ne le voyait pas. Les femmes connaissent très bien leurs qualités et leurs défauts physiques. Ayant une raie au milieu de la tête, elle portait ses cheveux en bandeaux juste pour cacher ce défaut et se faire un front bas carré à la Vénus; [. . .].

Or, ce front indiquait un esprit d'enfant, peu de réflexion, peu de raison, mais une volonté têtue sans énergie vraie, dégénérant bien vite en trépignements et en pleurs. Et pourtant Mathilde, loin d'être méchante, était bonne jusqu'à la faiblesse, mais elle aimait les scènes. Elle était capable, dans un paroxysme, de se donner à elle-même des coups de poing; deux minutes après, cette colère se noyait dans des larmes et des sanglots. Elle sanglotait aussi facilement à la mort de sa perruche qu'à celle de sa mère. Et ces scènes se renouvelaient souvent, surtout dans certains moments où le sang la travaillait! Elle n'était plus alors une femme, mais une enfant, et comme une enfant elle se roulait par terre, trépignant et se tapant elle-même. Se croyant sérieusement très malheureuse, elle provoquait la compassion des assistants par des cris et des gémissements. C'était à pouffer de rire. Et, chose curieuse, mais très logique dans une nature comme celle de M\ME Heine, quand elle voyait, à la fin, qu'on ne la plaignait pas, qu'on ne prenait aucune part à ses douleurs factices et exagérées, elle se mettait à rire elle-même, et comme cela lui allait bien, attendu que ce rire provoquait de gracieuses ondulations de sa taille et de ses hanches de déesse, on ne pouvait lui en vouloir, et ces scènes conjugales finissaient toujours par de violents raccommodements entrecoupés de rires homériques. C'est à cause de ce caractère-là que Heine appelait Mathilde: *Ma chatte sauvage.* Elle avait en effet quelque chose de félin par ses bonds et ses caresses. Ces sauts d'un extrême à l'autre, si désagréables à l'apparence, au lieu d'engendrer l'ennui, tiennent la passion en haleine. Heine l'en aimait davantage, tout en la traitant parfois comme une fille mal élevée et même comme une bête bien-aimée, qu'on corrige avec une tape.

La première fois que Heine me demanda mon avis sur Mathilde, je lui dis: Physiquement, elle ressemble à Marie Stuart, moins, j'espère, le vice et le crime. Il me semble, dit-il, qu'elle ne ressemble à aucune figure connue. Elle est tout à fait originale et *sui generis.* C'est pourquoi je l'aime tant. Avec sa nature excessive elle ne ferait pas de mal à un chat. Elle adore les bêtes, surtout les perruches, et elle ne lit pas de romans. J'ai dépensé plus de dix mille francs pour lui apprendre à lire et à écrire, car quand je l'ai prise elle ne savait rien. Marie Stuart était jalouse, Mathilde ne l'est pas.

Je ne répondis pas, mais à mesure que j'étudiais le caractère de cette femme originale, je crus m'apercevoir que malgré sa coquetterie et son désir d'être adorée, elle était froide et n'aimait pas son amant avec la même passion qu'il l'aimait, qu'en vérité elle n'aimait aucun homme – je ne lui en ai pas connu au moins. (292)

Ich will versuchen, die Schönheit Mathildes zu beschreiben, welche damals 23 Jahre zählte. Gleich auf den ersten Blick sah ich, daß sie schöner war als ihr Porträt; diese Bemerkung war das erste Kompliment, das ich ihr machte, und sie wußte mir dafür Dank. Vielleicht kennt einer meiner Leser die Photographie der Phrynenstatue in der Akademie der schönen Künste zu Madrid? Man hätte Mathilde für das Modell dieser Statue halten können. Wenn die plastische Schönheit irgendeine Vollendung erreichen kann, so war diejenige Mathildens die Vollendung selbst. Sie war wie aus Marmor gemeißelt. Ihre Zähne waren schöner als die weißesten Ophir-Perlen, und wie alle Frauen mit schönen Zähnen, lächelte sie jeden Augenblick, denn sie wußte noch dazu, daß sich bei jedem Lächeln ein Grübchen in ihrer Wange bildete, welches ein Zeichen von Güte ist und jede Bösartigkeit ausschließt. Dieses Lächeln artete leicht und häufig zu einem vollen, ansteckenden Lachen aus, das sie mit einem schelmischen Augenzwinkern begleitete, und dieses silberhelle Lachen läutete wie ein Freudenglöckchen. Ihre Lippen waren so kirschrot, daß man sie für angemalt hätte halten können, obgleich Mathilde niemals etwas Künstliches auftrug, weder Puder, noch Schminke, noch Rot, noch Weiß; sie hatte nicht einmal ein Boudoir, um sich anzuziehen. Kurz, ein frischer Kindermund ohne Makel. Das Außerordentliche an ihren großen, braunen Augen war ihr lächelnder, bestrickender Ausdruck. Man könnte sie mit einem Mond vergleichen, der durch einen leichten Wolkenschleier schaut. Ihre Haare waren nicht lang, von kastanienbraun bis schwarzer Farbe, was die Weiße ihrer Haut erhöhte. Füße und Hände waren gleichermaßen schön. Ihre Stimme war hell, durchdringend und melodisch, ihr ganzer Charme lag in dieser Stimme und in diesem Mund. Sie hatte eine bewundernswürdige Figur. Während langer Zeit trug sie nicht einmal ein Korsett, denn sie hatte es nicht nötig. So treu sie auch ihrem Geliebten war, zeigte sie doch keinen Anstand, ihre Herrlichkeiten sehen zu lassen, und sei es auch nur, wenn sie ihr Haar mit ihren schönen Marmorarmen band. Mathildes Körper hatte nur einen Makel, [...]: Ihre Stirne war nicht hoch und weit gewölbt, sondern endete oval. Man sah es nicht. Die Frauen kennen ihre äußerlichen Vorzüge und Mängel sehr gut. Mathilde trug einen Mittelscheitel, und ihre Haare rahmten ihr Gesicht seitlich ein, eben um diesen Fehler zu verbergen und ihre Stirne niedriger zu machen, etwa nach Art der Venus [...]. Diese Stirn verriet einen kindlichen Geist, ein geringes Maß an Überlegung und Verstand, aber einen hartnäckigen Willen, der indessen ohne rechte Energie war und leicht in ein Füßestampfen oder in Tränen auslief. Doch war Mathilde keineswegs bösartig, sie war gut bis zur Schwäche, aber sie liebte die Szenen. In einem Anfall war sie imstande, sich selbst mit Fäusten zu schlagen; zwei Minuten später erstickte ihr Zorn in Tränen und Schluchzen. Sie schluchzte ebenso leicht beim Tode ihres Papageis wie bei dem ihrer Mutter. Und diese Szenen wiederholten sich oft, und besonders dann, wenn ihr Blut überschäumte. Sie war dann keine Frau mehr, sondern ein Kind, und wie ein Kind wälzte sie sich auf dem Boden, stampfte mit den Füßen und hämmerte auf sich selbst ein. Wenn sie sich im Ernst für sehr unglücklich hielt, versuchte sie das Mitleid der Anwesenden durch Schreie und Seufzer zu erregen. Es war zum Totlachen. Und – wunderlich, aber durchaus logisch bei einer Natur wie der ihren – wenn sie schließlich merkte, daß man sie keineswegs beklagte, daß man an ihrem eingebildeten und übertriebenen Schmerz keineswegs teilnahm, begann sie plötzlich selbst zu lachen, und da ihr dies gut stand und das Lachen ihre Gestalt und ihre göttlichen Hüften in graziöse Wellenbewegungen versetzte, konnte man ihr einfach nicht böse sein, und diese ehelichen Szenen endeten immer mit einer leidenschaftlichen Versöhnung, unterbrochen von homerischem Gelächter. Dieser Eigenschaft wegen nannte Heine Mathilde »meine Wildkatze«. Das plötzliche Aufbäumen und dann wieder die schmeichelnde Zärtlichkeit in ihrem Wesen erinnerten tatsächlich an eine Katze. Dieses Hin und Her von einem Extrem zum anderen, so unangenehm es auch erscheinen mochte, ließ nie Langeweile aufkommen und hielt die Leidenschaft in Atem. Heine hatte sie darum nur noch lieber, auch wenn er sie manchmal wie ein schlecht erzogenes Mädchen, manchmal sogar wie ein verzärteltes Tierchen behandelte, dem nur mit einem Klaps beizukommen ist.

Als Heine mich zum erstenmal fragte, was ich von Mathilde hielte, antwortete ich:»Äußerlich gleicht sie Maria Stuart, doch nicht, so hoffe ich, in der Neigung zu Laster und Verbrechen.« – »Meiner Meinung nach gleicht sie überhaupt niemandem«, entgegnete Heine,»sie ist durchaus original und *sui generis*. Eben deshalb liebe ich sie so sehr. Trotz ihres unbändigen Temperaments tut sie keinem Kätzchen etwas zuleide. Tiere liebt sie zärtlich, besonders Papageien, und sie liest keine Romane. Ich habe es mich mehr als 10 000 Franken kosten lassen, um ihr lesen und schreiben beizubringen; denn als ich sie zu mir nahm, war sie völlig ungebildet. Maria Stuart war eifersüchtig, Mathilde ist es nicht.«

Ich antwortete nicht; aber je mehr ich den Charakter dieser einzigartigen Frau studierte, glaubte ich zu bemerken, daß sie trotz ihrer Koketterie und trotz ihres Wunsches, angebetet zu werden, im Grunde kalt war und ihren Geliebten nicht mit derselben Leidenschaft liebte, die er für sie empfand; in Wirklichkeit hat sie wohl überhaupt keinen Menschen geliebt, wenigstens habe ich keinen gekannt.

483. ALEXANDRE WEILL 1839 ff.

Heine-Erinnerungen (*1883)

Mathilde n'entendait rien à la cuisine, on eût dit qu'elle était née et élevée dans un château, mais c'était une forte mangeuse. Chez elle, après avoir ingurgité une douzaine d'huîtres, elle déjeunait avec deux beefsteaks et buvait sec une demi-bouteille de vin, au risque d'être quelque peu allumée, bien qu'elle ne se grisât jamais, une des raisons de l'embonpoint qu'elle prit à l'âge de trente-cinq ans, tout en conservant sa beauté. J'ai remarqué, avec Karr, que les fortes mangeuses ne sont guère amoureuses. Elles n'ont pas d'ordre non plus. Tout s'en va par la gueule. Non que Mme Heine fût gourmande, ses repas de ménage étaient d'une simplicité patriarcale. Un poisson, un morceau de veau ou un gigot, une salade et du fromage. Mais ces morceaux étaient gros et juteux, et Mme Heine y faisait honneur plus que son mari, qui était une fine gueule, aimant le sauterne et le préférant au champagne, n'importe de quelle provenance. Aussi aimait-il mieux déjeuner et dîner au restaurant que chez lui. Mme Heine, d'ailleurs, faisait sauter l'anse du panier à son seigneur et maître pour tous les gros achats de provisions de maison. Souvent elle m'appelait comme témoin, bien entendu, en me prévenant d'avance. Elle lui comptait 150 francs de bois et charbons, quand elle n'avait dépensé que 50 francs, et avec ces 100 francs elle payait sa marchande de modes. Heine n'était pas toujours dupe de ces manigances de ménage. De ses petits yeux perçants il me regardait en souriant, pendant que sa femme éclatait de rire, mais il payait le jour où il avait de l'argent. D'une manière ou d'autre, il fallait toujours qu'il payât. Mieux eût valu pour lui de laisser sa femme maîtresse de la caisse, mais elle n'avait réellement pas le sens de l'ordre, et quand elle avait de l'argent on pouvait, par des flatteries, tout lui soutirer. Elle croyait tout ce qu'on lui disait, et plus d'une fois elle fut dupe des connaissances de passage, qui se disaient ses amies et qui n'étaient que des exploiteuses.

(292)

Mathilde verstand zwar nichts von der Küche – man hätte meinen sollen, sie sei als Schloßfräulein geboren und erzogen worden – aber sie war eine starke Esserin. Bei sich zuhause schlürfte sie zunächst ein Dutzend Austern, dann verspeiste sie zwei Beefsteaks und trank eine halbe Flasche puren Wein dazu, auf die Gefahr hin, etwas beschwipst zu werden, obgleich sie sich niemals betrank; daher ihr Embonpoint schon mit fünfunddreißig Jahren, was aber ihrer Schönheit keinen Abbruch tat. Ich habe dieselbe Beobachtung gemacht wie Karr: starke Esserinnen sind in der Liebe phlegmatisch. Sie sind auch unordentlich. Bei ihnen geht alles durch das Maul. Nicht als ob Frau Heine eine Feinschmeckerin gewesen wäre; ihr häusliches Menü war von patriarchalischer Einfachheit: ein Fisch, ein Stück Kalbs- oder Hammelbraten, Salat und Käse. Aber diese Fleischstücke waren dick und saftig, und Frau Heine sprach ihnen mehr zu als ihr Gatte, der eine feine Zunge hatte, den Sauterne schätzte und ihn dem Champagner gleich welcher Herkunft vorzog. Daher ging er zum Essen lieber ins Restaurant. Im übrigen führte Frau Heine ihren Herrn und Meister bei allen größeren Haushaltseinkäufen hinters Licht. Oft rief sie mich als Zeugen herbei, natürlich nicht ohne mich vorher eingeweiht zu haben. So berechnete sie ihm 150 Franken für Holz und Kohle, wenn sie nur 50 bezahlt hatte, und mit den restlichen 100 Franken beglich sie ihre Schneiderrechnung. Heine saß diesen Machenschaften nicht immer auf. Mit seinen kleinen stechenden Augen sah er mich lächelnd an, während seine Frau in lautes Lachen ausbrach; aber wann immer er Geld hatte, kam er bereitwillig dafür auf. Zahlen mußte er so oder so. Es wäre besser für ihn gewesen, wenn er seiner Frau die Haushaltskasse ganz hätte überlassen können, aber sie hatte einfach nicht genug Ordnungssinn, und hatte sie einmal Geld, konnte man ihr mit Schmeicheleien alles abluchsen. Sie glaubte alles, was man ihr sagte, und mehr als einmal wurde sie das Opfer von flüchtigen Bekanntschaften, die sich ihre Freundinnen nannten und sie nur ausnutzen wollten.

484. ALEXANDRE WEILL   1839 ff.

Heine-Erinnerungen   (*1883*)

Heine battait sa femme comme le premier charbonnier venu. Il avait l'habitude de me dire: «Ma femme a de nouveau besoin d'être battue.» Et le jour de batterie était ordinairement le lundi. Ce jour-là, et il ne se gênait pas pour moi, il tirait les petits rideaux des fenêtres et, de ses deux pauvres poings, il tapait sur les deux belles épaules de Mathilde, en s'écriant: «Voici ce que je te fais pour tel ou tel méfait, pour telle ou telle parole», jamais pour une chose sérieuse ou par effet de jalousie. Elle, trois fois plus forte que lui, elle qui aurait pu le broyer et le réduire en poudre (car elle était fière de sa force), ne bougeait pas et se laissait battre en pleurnichant et en s'écriant: «A-t-on jamais vu un homme qui bat sa femme!» tout en ne levant pas un doigt contre lui. «Venez à mon secours, Weill, s'écriait-elle. Ce n'est pas vous qui battriez votre maîtresse et votre femme!» Heine tapait toujours de plus belle en riant aux éclats. Soudain, elle se laissait choir sur le parquet en poussant un hurlement de tigresse, et tirant son mari par les pieds, qui étaient sa partie faible, car déjà la maladie de l'épine dorsale le travaillait, elle le renversait et se roulait avec lui sur la carpette, toujours en gémissant et en hurlant! Une ou deux fois j'intervins, en m'écriant: «N'avez-vous pas honte de vous chamailler comme de petits chiens!» puis je m'en allai. De roulements en roulements, ils se réconcilièrent couverts de poussière, et le prix de la paix était toujours ou un chapeau ou un châle ou une mantille. *Katzenjammer,* disait Heine, cela veut dire littéralement *«lamentation de chat»,* mais en allemand, cela se traduit aussi par découragement. C'était en effet décourageant, non pas tant pour les époux qui se réconciliaient toujours, mais pour les amis intimes de la maison. – «Ma femme a encore besoin d'être battue! – Et à quoi cela vous sert-il? lui répondis-je. – A la calmer pour un mois. Elle sait très bien que si elle levait la main sur moi, je la planterais là et ne la reverrais plus. – Vous, lui dis-je, vous courriez après elle et lui demanderiez pardon à genoux. Vous l'appelez chatte, vous êtes plus chat qu'elle et, de plus, vous courez le guilledou avec toutes les chattes du voisinage. – C'est qu'en effet, dit-il, je suis amoureux de la forme, j'aime la beauté de Mathilde, j'aime à la contempler. Je me figure être Pygmalion. Elle était une statue taillée de ma main. Je lui ai insufflé une âme, je lui ai donné la vie. Elle tient tout de moi! Elle me doit tout! – Malheureusement pour vous, lui répondis-je, vous ne pouvez plus la repétrifier et la faire retourner à l'état de statue. Cette statue marche, mange, elle mange même pour deux, et vous joue toutes sortes de tours. Loin de moi de la blâmer, ajoutai-je, elle est adorable»; car Heine n'aimait pas entendre dire du mal de Mathilde. Lui-même se plaisait à énumérer tous ses défauts, à ridiculiser son amour pour elle, mais il ne permettait pas à un autre de trouver sa femme en défaut, ce défaut fût-il flagrant. Il l'aimait malgré lui comme un damné, bien que cet amour eût dû être pour lui un enfer plutôt qu'un paradis, une expiation plutôt qu'une récompense.

Un jour, nous étions sept à table à un dîner d'apparat, c'est-à-dire de sauterne et de champagne, avec deux dames dont l'une était veuve, et qui, toutes deux, exploitaient la bourse de Heine, sous prétexte d'admiration et d'amour; moi, en habit noir, car je devais aller en soirée après dîner. On servit un brochet que l'on trouva mauvais. «Voyons, Weill, me disait Mme Heine, vous qui dites toujours ce que vous pensez, dites-moi sincèrement votre avis sur ce brochet, que j'ai acheté moi-même. – Madame, lui répondis-je, il est pourri.» J'avais à peine dit ces mots, que Mathilde prit le plat de plaqué où gisait le brochet dans sa sauce, et me le jeta en pleine figure, au risque de me casser le nez. Le poisson, heureusement, avait amorti le coup. Je ne savais que dire, et je me tenais courbé, les bras allongés comme si je sortais d'un bain de boue. Quant aux assistants, les uns stupéfaits et comme pétrifiés, ne soufflaient mot, tandis que les autres partirent d'un éclat de rire homérique. «Mon cher Weill, me dit Heine, il faut que Mathilde vous aime bien pour avoir fait cet éclat; mais soyez sans inquiétude, ajouta-t-il à voix basse, lundi elle sera battue.» Remarquez bien qu'il ne la battait pas d'instinct ou d'emportement, c'était une batterie prédite et préméditée. Je lui répondis: «Mais c'est lundi aujourd'hui.» Quant à Mathilde, elle m'essuyait de sa serviette en riant et en me demandant pardon de sa vivacité. Elle appelait cela une vivacité. Je savais que ces sortes de vivacités la prenaient à certains moments du mois; puis, je me levai et m'en allai changer de chemise chez moi pour ma soirée.

Le lendemain, Heine me dit: «Mathilde avait besoin d'un chapeau, mais si je ne vous connaissais pas, je serais jaloux de vous. Elle ne fait ces sortes d'incartades-là qu'à moi. – Dame, lui dis-je, je sais mieux que vous la cause réelle de ce mouvement. Mathilde savait ou soupçonnait que vous deviez aller au spectacle avec Mme B...; elle savait qu'on vous avait envoyé deux places de baignoire et qu'elle ne devait pas être de la partie. Elle a cherché un éclat, un scandale, et comme elle me connaît un ami dévoué, elle s'est jetée sur moi. Au fait, elle a atteint son but, vous n'êtes pas allé au théâtre avec Mme B...!

– Vous croyez? me dit-il. Mathilde ne se doute de rien de pareil!»

Et voilà les maris!

Le lendemain, quand je revis Mathilde, elle m'offrit une cravate toute neuve, qu'elle avait achetée pour remplacer la mienne, tachée de sauce mayonnaise. Je lui dis que je n'y pensais plus, que j'étais fier de sa prédilection pour moi. «Seulement, une autre fois, vous garderez le plat pour vous et vous ne m'enverrez que le poisson. – Et qu'est-ce que vous m'auriez fait si vous aviez été mon mari? me demanda-t-elle. Je savais qu'elle avait été battue. – Si j'étais votre mari? balbutiai-je en cherchant une réponse. – Oui, si vous étiez mon mari? – Eh bien, lui dis-je, je me jetterais moi-même les plats à la figure!» A-t-elle compris le sens de ma réponse? Elle courut le dire à Henri, et Henri vint me serrer la main, en souriant et en me disant: «Il n'y aurait pas assez de plats!»   (292)

Heine pflegte seine Frau zu prügeln wie der erste beste Droschkenkutscher. Dann sagte er gewöhnlich zu mir:»Meine Frau braucht wieder einmal Schläge.« Tag der Schlacht war meist der Montag. Dann genierte er sich vor mir nicht im geringsten, ließ die Fenstervorhänge herunter und mit seinen schwachen Fäusten hieb er auf die schönen Schultern Mathildens ein, wobei er rief:»Das ist für die und die Ungezogenheit, das für deine böse Zunge!« Es handelte sich immer nur um Bagatellen, Eifersucht war nie im Spiele. Sie war dreimal so stark wie er, sie hätte ihm die Knochen zerbrechen und ihn zermalmen können (sie war auch nicht wenig stolz auf ihre Kraft), aber sie hielt still dabei, weinte nur heftig und jammerte:»Daß es einen Mann gibt, der seine Frau mißhandelt!« Aber sie hob nie die Hand gegen ihn auf. »Helfen Sie mir, Weill«, rief sie,»Sie würden doch Ihre Geliebte und Ihre Frau nicht schlagen!« Heine schlug lustig weiter und lachte aus vollem Halse. Dann ließ sie sich plötzlich auf den Fußboden fallen, heulte wie eine Tigerin, faßte ihren Mann bei den Beinen – das war sein schwächster Teil, denn die Rückenmarksdarre nagte schon an ihm –, warf ihn um und wälzte sich mit ihm auf dem Teppich, immerzu heulend und schreiend! Ein- oder zweimal trat ich dazwischen: »Schämt ihr euch denn nicht, euch wie kleine Köter zu balgen?« und ging weg. Bei dieser Balgerei auf dem staubigen Fußboden versöhnten sie sich wieder, und der Friedenspreis war stets ein Hut, ein Schal oder eine Mantille.»Katzenjammer«, sagte Heine [. . .]. Es war in der Tat entmutigend, nicht so sehr für die Ehegatten – sie versöhnten sich immer – aber für die vertrauten Freunde des Hauses.»Meine Frau kann ohne Schläge noch nicht auskommen.« –»Aber wozu nur?« fragte ich. –»Um sie für einen Monat zu beruhigen. Sie weiß genau, daß, wenn sie die Hand gegen mich erhebt, ich sie sitzen lasse und sie mir nie wieder vor Augen kommen darf.« –»Sie würden ihr nachlaufen und sie auf den Knien um Verzeihung bitten. Sie nennen sie Katze, aber Sie sind mehr Katze als sie und außerdem treiben Sie sich nachts mit allen Kätzchen der Nachbarschaft herum.« – »Ich bin nun einmal in schöne Formen vernarrt«, sagte er, »ich liebe die Reize Mathildens, ich betrachte sie gern. Ich bilde mir ein, Pygmalion zu sein. Sie war ein Geschöpf meiner Hand. Ich hauchte ihr die Seele ein, ich gab ihr das Leben. Sie lebt nur durch mich. Mir verdankt sie alles.« – »Schade nur«, entgegnete ich ihm, »daß Sie sie nicht wieder in Stein verwandeln und zur wirklichen Statue machen können! Diese Statue geht, ißt, ja sie ißt sogar für zwei und spielt Ihnen alle möglichen Streiche. Aber ich denke nicht daran, sie zu tadeln«, fügte ich hinzu, »sie ist wirklich bezaubernd.« Denn Heine hörte nicht gern etwas Schlechtes über Mathilde. Er selbst gefiel sich darin, alle ihre Mängel aufzuzählen, seine Liebe zu ihr lächerlich zu machen, aber er erlaubte keinem andern, an seiner Frau etwas zu tadeln, auch wenn es noch so berechtigt war. Er liebte sie trotz allem wie ein Verdammter, diese Liebe mußte für ihn mehr eine Hölle als ein Paradies sein, mehr eine Strafe als eine Belohnung.

Eines Tages saßen wir zu sieben bei einem komfortabeln Diner, d. h. bei einem Diner mit Sauterne und Champagner; zwei Damen waren dabei, die – Witwe die eine – alle beide auf Heines Kosten schmarotzten unter dem Vorwand der Verehrung und Liebe. Ich war im schwarzen Anzug, denn ich mußte nach dem Diner noch in Gesellschaft. Ein Hecht wurde serviert, der keinem schmeckte. »Na, Weill«, sagte Madame Heine zu mir, »Sie sagen ja immer was Sie denken. Heraus mit der Sprache! Aber ehrlich! Was halten Sie von dem Hecht? Ich habe ihn selbst gekauft!« – »Madame«, antwortete ich, »er ist verdorben!« Kaum hatte ich das gesagt, als Mathilde die Platte ergriff, auf der der Hecht in seiner Sauce schwamm, und sie mir mitten ins Gesicht warf. Sie hätte mir die Nase zerschlagen können; der Fisch hatte glücklicherweise den Wurf abgedämpft. Ich war sprachlos und stand da in krummer Haltung, die Arme ausgestreckt, als wenn ich aus einem Schlammbad käme. Von den Anwesenden waren die einen bestürzt und wie versteinert, sie wagten nichts zu sagen, die andern brachen in ein homerisches Gelächter aus. »Lieber Weill«, sagte Heine, »Mathilde muß Sie schon sehr lieben, um sich so weit hinreißen zu lassen; aber beruhigen Sie sich nur«, fügte er hinzu, »am Montag bekommt sie ihre Prügel.« Wohlgemerkt, er schlug sie nicht aus plötzlicher Lust oder aus Zorn, es war vielmehr eine angekündigte und vorher überlegte Lektion. Ich antwortete: »Aber heute ist ja Montag!« Und Mathilde? Sie säuberte mich mit ihrer Serviette, lachte dazu und bat um Entschuldigung für ihre »Lebhaftigkeit«. So etwas nannte sie Lebhaftigkeit. Diese Art Lebhaftigkeit, das wußte ich, überfiel sie zu gewissen Tagen im Monat. Ich erhob mich und ging nach Hause, um mich für die Abendgesellschaft umzuziehen. Andern Tags sagte Heine zu mir: »Mathilde brauchte einen neuen Hut. Wenn ich Sie nicht besser kennte, würde ich eifersüchtig auf Sie sein. Solche Flegeleien erlaubt sie sich sonst nur mir gegenüber.« – »Na«, antwortete ich, »den eigentlichen Grund ihrer Erregung kenne ich besser; Mathilde wußte oder argwöhnte, daß Sie mit Madame B... ins Theater sollten; sie wußte, daß man Ihnen zwei Logenplätze geschickt hatte und daß sie nicht mit von der Partie sein sollte. Sie hat einen Krach, einen Skandal herausgefordert, und da sie weiß, daß ich ihr guter Freund bin, war ich das Opfer. Tatsächlich hat sie ja ihr Ziel erreicht, Sie sind nicht mit Madame B... ins Theater gegangen.« »Glauben Sie wirklich?« fragte er; »Mathilde denkt an so was nicht.« – So sind die Ehemänner.

Als ich Mathilde am andern Tag wiedersah, überreichte sie mir eine neue Krawatte, die sie gekauft hatte als Ersatz für die meinige, die mit Majonnaise beschmutzt war. Ich versicherte ihr, daß ich nicht mehr daran dächte, daß ich stolz auf ihre Vorliebe für mich sei. »Das nächste Mal aber behalten Sie die Platte für sich und geben mir nur den Fisch.« – »Was hätten Sie getan, wenn Sie mein Mann gewesen wären?« fragte sie. Ich wußte, daß Heine sie geprügelt hatte. »Wenn ich Ihr Gatte wäre!« stotterte ich etwas verlegen. – »Ja, wenn Sie mein Mann wären?« – »Dann würde ich mir selbst die Platten ins Gesicht werfen.« Ob sie den Sinn meiner Antwort wohl verstand? Sie sagte das sogleich zu Heine und dieser drückte mir lächelnd die Hand und sagte: »So viel Platten gibt's ja gar nicht!«

485. Alexandre Weill   1839 ff.

Heine-Erinnerungen   (*1883)

Elle a tenu parole *[s. Nr. 423].* Elle ne l'a jamais quitté. Elle n'a absolument rien fait pour être mariée. Au bout de plusieurs années de cohabitation, quand on lui annonça que Heine allait l'épouser, certes, elle était contente, mais elle ne donna aucun signe de transport ni de joie. Elle se contentait de ne pas le quitter et de vivre avec lui en société d'autres maîtresses de poètes et d'hommes de lettres, sans prendre jamais la moindre part à une discussion littéraire et artistique entre ces messieurs, et même sans jamais se lier avec leurs femmes. Non seulement elle n'était pas liante, mais les autres femmes ne recherchaient guère son amitié. Elle ne se plaisait qu'avec des subordonnées, avec des servantes dont elle faisait *ses choses,* quoiqu'elle n'eût jamais un secret à faire garder, ni un silence à acheter. Je ne lui ai connu, pendant quinze ans, qu'une seule amie, Mme Arnaut, directrice de l'Hippodrome, qu'elle avait connue demoiselle sous le nom d'Élisa Ponsin. Etait-elle jalouse? Non! car elle tolérait chez elle, à sa table, les maîtresses de son mari, il est vrai, moins belles qu'elle; mais elle était essentiellement envieuse de toute supériorité chez une autre femme. Savait-elle qu'elle était commune malgré son sourire, ses dents et son incomparable buste? [. . .] Mais ce qui était visible, c'est qu'elle ne savait pas s'habiller. Si parfaite qu'elle fût de formes, elle ne savait pas être élégante, même avec les plus belles toilettes. [. . .] Elle n'était réellement séduisante qu'en peignoir. Heine s'en doutait-il? Je ne lui en ai jamais parlé, mais à différents mots qui lui sont échappés, j'ai pu juger que tout en l'aimant avec passion, il ne l'estimait même pas à sa valeur. Un jour, il me dit dans la rue: Donnez votre bras à Mathilde. Une Française est bien vite séduite! Une autre fois il me dit – en ce temps il ne pouvait plus sortir, – «Mathilde est au bal. Mais je lui ai fait faire une robe neuve. Il n'y a pas de danger qu'elle se la laisse froisser.» (292)

Sie hat Wort gehalten *[s. Nr. 423].* Sie hat ihn niemals verlassen. Sie hat auch rein gar nichts unternommen, um seine Gattin zu werden. Als man ihr nach mehreren Jahren gemeinsamen Lebens mitteilte, daß Heine sie heiraten wolle, war sie's natürlich zufrieden, gewiß, aber sie gab keine Zeichen überschäumender Freude zu erkennen. Sie begnügte sich damit, ihn nicht zu verlassen und mit ihm zusammen in Gesellschaft anderer Geliebter von Dichtern und Schriftstellern zu leben, ohne jemals den geringsten Anteil an den literarischen und künstlerischen Unterhaltungen zwischen diesen Herren zu nehmen, ja selbst ohne je eine nähere Verbindung mit deren Frauen einzugehen. Nicht nur, daß sie nicht besonders gesellig war, auch die anderen Frauen suchten kaum ihre Freundschaft. Sie umgab sich nur gerne mit Untergebenen, mit dienstbaren Geistern, die sie zu ihren »Objekten« machte, obwohl sie diese nie zu Mitwissern irgendwelcher Geheimnisse zu machen oder von ihnen ein Schweigen zu erkaufen hatte. In fünfzehn Jahren habe ich bei ihr nur eine einzige Freundin gesehen, Madame Arnaut, Frau eines Zirkusdirektors, deren Bekannt-schaft sie schon gemacht hatte, als diese noch ein Mädchen war und Elisa Ponsin hieß. War sie eifersüchtig? Nein! Denn sie duldete an ihrem Tisch die Geliebten ihres Mannes, welche allerdings nicht so schön waren wie sie; aber jede Überlegenheit bei einer anderen Frau weckte ihren tiefen Neid. Wußte sie, daß sie trotz ihres Lächelns, ihrer Zähne und trotz ihrer unvergleichlichen Büste im Grunde gewöhnlich war? [...] Das eine war offensichtlich: zu kleiden verstand sie sich nicht. Trotz ihrer vollendeten Formen war sie niemals wirklich ele-gant, auch nicht in den schönsten Toiletten. [...] Echt verführerisch wirkte sie nur im Morgenkleid. War sich Heine darüber im klaren? Ich habe nie mit ihm darüber gesprochen, aber aus verschiedenen Andeutungen, die ihm entschlüpften, konnte ich heraushören, daß er sie, trotz seiner leidenschaftlichen Liebe, im Grunde nicht nach ihren wahren Qualitäten zu würdigen wußte. Eines Tages sagte er mir auf der Straße:»Geben Sie Mathilde Ihren Arm. Eine Französin ist schnell verführt!« Ein andermal – er konnte damals nicht mehr ausgehen – sagte er:»Mathilde ist auf dem Ball. Aber ich habe ihr ein neues Kleid machen lassen. Das wird sie nicht so leicht verknittern lassen.«

486. ALEXANDRE WEILL   1839 ff.

Heine-Erinnerungen   (* 1883)

On a vu que j'étais l'intime ami de la maison Heine; cela provenait d'abord de ce que, tout en admirant la beauté de Mme Heine, j'avais une confiance entière en sa vertu. Mais cela ne suffit pas pour devenir le confident d'un homme de génie comme Heine qui me disait tout, même ses vices. Il s'est établi entre nous, dès que ses querelles d'Alle-mand lui permirent de respirer, un échange d'idées qui, à la longue, devint un ciment indissoluble d'amitié.   (292)

Der Leser hat gesehen, daß ich der vertraute Freund des Hauses Heine war. Das kam zunächst daher, daß ich, bei aller Bewunderung für die Schönheit Frau Heines, ein unbegrenztes Vertrauen in ihre Treue hatte. Aber das allein reicht nicht aus, um der Konfident eines genialen Menschen wie Heine zu werden, der mir nichts verbarg, auch nicht seine Laster. Sowie seine nutzlosen Zänkereien ihm etwas mehr Ruhe ließen, entspann sich zwischen uns ein Gedankenaustausch, der mit der Zeit das festeste Fundament unserer Freundschaft wurde.

487. CLARA WIECK   März 1839

an Friedrich Wieck, Paris, 19. März 1839

Heine kann ich eigentlich aus gewissen Gründen nicht gut besuchen –
vielleicht gehe ich doch einmal mit Herrn [Friedrich] List dahin. (158)

488. GOTTSCHALK EDUARD GUHRAUER   März 1839

an K. A. Varnhagen v. Ense, Paris, 2. April 1839

Heine ist wohlauf, wir treffen uns manchmal, er beschäftigt sich mit
Philosophie, neulich sprachen wir über Realismus und Nominalismus.
                                                          (103)

489. CLARA WIECK   28. März 1839

Tagebuch, Paris, 28. März 1839

Zu Tisch waren wir bei Meyerbeer und trafen da mit den sehr inter-
eßanten Leuten Heine und Jules Janin zusammen. Ersterer ist melan-
cholisch und unglücklich, weil er das Unglück voraus sieht, seine
Augen zu verlieren; oft soll er aber auch so heiterer Laune sein, daß
er unwiederstehlich liebenswürdig ist. Er sprach mit vieler Erbitterung
über Deutschland.   (230)

490. CLARA WIECK   28. März 1839

an Robert Schumann, Paris, 3. April 1839

Neulich war ich bei Meyerbeer zu Tisch und traf da Heine und Jules
Janin. Ersterer ist sehr geistreich, letzterer aber roh ... macht fortwährend Witz, der nicht geistlos ist, doch schrecklich ist es mir, daß
er selbst am meisten über seine Witze lacht. Heine spricht mit Bitter-
keit von Deutschland – er will mich nächstens besuchen, sowie Auber,
Onslow, Halevy usw.   (158)

Tagebuch, Paris, 4. Mai 1839

Auch Heinrich Heine fand sich zu unserem Tisch. Es war mir ganz eigenthümlich zu Muthe, diese bedeutende und in vieler Beziehung interessante Figur so anspruchslos neben mir sitzen zu haben. Die Umstände erlaubten es nicht, sogleich auf ein weitergreifendes Gespräch einzugehen, doch ließ es mich nicht ruhen, doch über Einiges mit ihm anzubinden. – Ueber Börne, meinte er, habe er eben etwas zum Druck bereit. – Ueber die Ehe sprach er sich, zu meiner Verwunderung, fast zu vorteilhaft aus. Es ist jetzt, sagte er, zwar nicht mehr Mode, in der Liebe so unbeständig zu sein, wie man in Deutschland allgemein zu glauben pflegt, und es bleibt am Ende nichts übrig, als zur Ehe zu greifen. Er selbst habe nie eine Schwäche für das andere Geschlecht gehabt, sondern entweder seinen Studien obgelegen oder sehr vernünftig geliebt. Beiläufig bemerke ich, daß Heine nicht verheirathet ist, sondern nur, wie es hier fast allgemein Sitte ist, mit einem Mädchen und schon mehrere Jahre mit derselben lebt. Ich werde wohl noch Gelegenheit finden, diese höchst interessante Bekanntschaft auf meine Weise auszubeuten.   (236)

492. Sophie Gay   Mai 1839

an Hermann v. Pückler-Muskau, Paris, 16. Mai 1839

J'ai fait connaissance avec un homme de votre pays qui est bien spirituel, c'est Mr. Heine; il parle le français, et l'écrit aussi bien que vous; tout ce que je rencontre de gens supérieurs vous rappellent à moi; à moi, votre vieille amie, que vous oubliez peut-être.   (199)

Ich habe die Bekanntschaft eines sehr geistreichen Landsmannes von Ihnen gemacht, nämlich die Herrn Heines; er spricht und schreibt französisch ebensogut wie Sie; alle hervorragenden Menschen, die ich treffe, erinnern mich an Sie, mich, Ihre alte Freundin, die Sie vielleicht vergessen.

Korrespondenz aus Paris   (*26. 2. 1841*)

Der »ungezogene Liebling der Musen« ist [. . .] der Gefahr ausgesetzt, binnen einigen Jahren auch die leiseste Spur eines poetischen Aeußern im Fette zu verlieren. Sein Witz bekommt einen dicken Bauch, schrieb einmal Jemand, und ich zweifle sehr, daß er das Zeichen einer gesegneten Leibesfülle ist. Sein tiefblondes Haar wird dabei immer unordentlicher, sein etwas scheublickendes, graublaues Auge immer kurzsichtiger und in seinem ursprünglich sehr geistreichen Gesichte mit den feingeschnittenen, sarkastischen Zügen tauchen hier und da böse, philisterhafte Fettrunzeln auf. Dennoch ist er oft, sehr oft leider, kränklich und nur der Gebrauch der Seebäder stellt im Sommer seine im Winter in Paris angegriffene Gesundheit einigermaßen her.

Nie werde ich übrigens den Abend des Sommers 1839 vergessen, an dem mich mein als geistreicher Pariser Correspondent wohl bekannter Freund A. Weill, mit dem ich Arm in Arm über den Boulevard des Italiens schlenderte, dem uns begegnenden Verfasser der »Reisebilder« vorstellte. Er gab mich als einen Naturdichter [aus] und ich gestehe, mich überlief ein leiser Schauder von der äußersten Haarspitze bis zur letzten Linie der Zehen, denn ich kenne in dem ganzen dickleibigen Wörterbuche der deutschen Sprache kein unsinnigeres Wort als dieß: »Naturdichter«, als ob man auch ohne Natur und ohne durch die Natur allein Alles geworden zu sein, nur der Schatten des Schattens eines Dichters sein könne. Und ein solches Wort in Gegenwart des schneidendsten Sarkasm, des schonungslosesten Witzes ausgesprochen! Indessen, nach einigen gleichgültigen herkömmlichen Wechselreden legte H. Heine die Hand auf's Herz und seufzte tief, recht tief auf. Ich, mit meinen unseligen, dummen Illusionen, dachte, die rothe, flammende Sonne, welche er, (der Dichter ist ja im Grunde das Selbst, das einzige Modell aller seiner Gestaltungen), laut dem »Buch der Lieder« als Herz in der Brust trägt, hätte ihm ein Loch in die Haut und in den Rock gebrannt. Schon wollte ich: »Au feu!« rufen, als Weill fragte:

»Was haben Sie, Herr Doctor?«

»Zu viel gegessen«, antwortete der mit einem abermaligen übersatten Seufzer, indem er den Rock aufknöpfte; »ich komme aus dem Palaisroyal.«

Ich zupfte meinem Freund am Arm. Wir empfahlen uns und in mir kicherte ein höhnischer Dämon, die Verse verunstaltend, die mich einst so entzückt hatten. Er declamirte:

> »Groß ist das Meer und der Himmel,
> Doch größer ist mein Magen.« (176)

494. Rudolph Theodor Seeliger 14. Mai 1839

Tagebuch, Paris, 14. Mai 1839

Nach abgehaltenem Frühstück einen Besuch bei H. Heine. Das schöne Wetter, das uns nunmehr verlassen, schon Sonntag war es ziemlich kalt geworden, machte es doppelt nothwendig, daß wir einen Wagen nahmen. Heine wohnt in der rue ... au troisième. Wir *[Seeliger und F. Friedland]* fanden ihn im Schlafrock in sehr guter Laune. Er erzählte uns, daß er soeben die Mittheilung eines Angriffes von Wihl in Hamburg erhalten habe; wir lasen den wirklich lächerlichen, prätentiösen Artikel und als ich ihn darüber zu trösten suchte, meinte er: Eine einzige Weibergeschichte macht mir mehr Sorge als alle diese Ausfälle. – Ueber die soeben beendete Revolte sprach er sich ganz frivol aus: »Abends mit meiner Frau um ½ 10 Uhr nach Hause zurückkehrend, verschloß ich meine Stubenthür, verbarricadirte mich hinter meiner Frau, schlief die ganze Nacht tüchtig. – Des Morgens war ich neugierig, durch meinen Barbier zu erfahren, ob ich noch Royalist oder Republikaner sei. Als er mir zu meinem Bedauern das erstere verkündigte, so ließ ich es auch dabei bewenden.« Auf meine Bemerkung, daß er wohl nicht so bald werde nach Deutschland zurückkehren, erwiderte er, es scheint nicht so bald und wie ich vermuthe nicht eher, bis ich zur Regierung gelange. Uebrigens möchte ich auch nicht mit irgend einem kleinen Fürsten Deutschlands tauschen, schon des Essens wegen. Auf meine Frage, was wir von ihm für die Zukunft zu erwarten haben, meinte er, er habe zur Presse vorbereitet: 1. Eine poetische Arbeit, und dann 2. eine Broschüre über Börne. – Uebrigens würde man erst in einigen Jahren etwas Größeres zu gewärtigen haben. »Ich habe zwar viel Zeit, doch nicht genug Ruhe.« Auf eine frivole Bemerkung Friedlands meinte er, in seiner Unruhe liege allerdings etwas Geschlechtliches. Ueber Menzel äußerte er sich fast geringschätzig und meinte, ich hätte diesen bloß fragen sollen, weshalb er sich nicht mit ihm (Heine) geschlagen. – Seine Frau zeigt er niemand Fremden *[!]* aus – Eifersucht! – Was meinen Namen anbelangt, machte er noch einen guten Witz. »Ach, Sie heißen gerade wie mein Vater Seliger.«

Von Heine aus empfohlen, machten wir einen Besuch in der neuen, nun der Vollendung sehr nahen Kirche Notre Dame de Lorette [. . .].

(236)

495. RUDOLPH THEODOR SEELIGER 22. Mai 1839

Tagebuch, Paris, 22. Mai 1839

Bis in die 11. Stunde hatte ich mit der unvermeidlichen Morgenbeschäftigung und mit der Besichtigung von gravures piquantes zugebracht, dann nahmen wir, der geh. Rat Friedland und ich einen Wagen und fuhren in die rue des Marthyres Nr. 23, zu Heine. Wir fanden ihn, wie das erste Mal, im Schlafrock, an einem kleinen Tischchen bei seiner Arbeit. Er müsse jetzt fleißig sein, meinte er, denn er brauche Geld, beiläufig sagte er auf meine Bemerkung, daß er jährlich mehr als 12000 Francs ausgebe. Ueber Vaerst sprach er sich recht vortheilhaft aus und meinte, in dessen Kavalier-Perspective sei recht viel Schönes. Auf Venedey kam auch das Gespräch, und Heine äußerte, er schätze ihn sehr, es wäre ihm leid, wenn er sich wieder compromittirt hätte. Uebrigens sei die hiesige Polizei die charmanteste und namentlich habe Venedey dies erfahren. Als er nämlich vor 2 Jahren auf Betrieb der preußischen Gesandtschaft (v. Werther) Paris habe verlassen müssen, hätte der damalige Polizeipräsident Gisquet sich eine ganze Stunde mit ihm unterhalten und besprochen, wie seine Reise nach seinem Exil ihm am angenehmsten zu machen sei; ja man habe ihm sogar Geld gegeben! In politische Machinationen wolle er, Heine, sich nie einlassen, er tauge überhaupt nicht zum Parteihaupt, dies habe er auch Pagès einst gesagt, als dieser ihm 1000 deutsche Gesellen, die dieser Demokrat und Demagoge zu seiner Verfügung habe, ihm habe überlassen wollen. Unsere Einladung zu einem Diner lehnte Heine ab, versprach jedoch morgen ins Palais royal zu kommen, um uns zu sehen. (236)

496. RUDOLPH THEODOR SEELIGER 23. Mai 1839

Tagebuch, Paris, 26. Mai 1839

Von dieser gelehrten Unterhaltung wanderten wir ins Café Foy, wo, wie Steinitz uns berichtete, Heine auf uns gewartet hatte; er war eben mit Alexander Dumas fortgegangen. Wir wollten diese beiden Renom-

399

méen mit einander wenigstens in der Ferne sehen und zogen ihnen nach; Alexander Dumas ist ein ganz französisch aussehender, großer, hagerer Mann, wir streiften an ihm vorüber. Heine kam aber nicht mehr zurück. (236)

497. RUDOLPH THEODOR SEELIGER 26. Mai 1839

Tagebuch, Paris, 26. Mai 1839

Sonntag Abend, den 26. Mai. Ich komme soeben bei wunderschönem Mondschein nach Hause und will, da ich heute den ganzen Tag mit Heine verlebt habe, wenigstens die Erinnerung dieser herrlichen Stunden hier flüchtig niederschreiben.

Gestern hatten wir mit Heine verabredet, heute gemeinschaftlich eine Landpartie zu machen, wozu er – eine seltene Ausnahme gegenüber von Deutschen – seine Frau, die kleine Katze, mitnehmen wolle. Ich frug daher heute Früh in einem kleinen Billet bei ihm an, um welche Zeit ich mich bei ihm einzufinden hätte, und erhielt ebenfalls schriftlich die Weisung, daß er präcis 12 Uhr mich erwarten werde. Es mußte geeilt werden, denn noch war die ganze Toilette zu machen und ein Wagen aufzunehmen, welcher um so eleganter sein mußte, als Madame von der Partie war. A trente francs hatte ich eine elegante Voiture bourgeoise ohne Nummer, eine recht elegante, halb gedeckte Kalesche. Bei Heine angekommen, fanden wir ihn und seine Frau (Frau de facto seit fast 5 Jahren) bereit. Nach kurzer Berathung wurde auf Heines Vorschlag Versailles gewählt. Seine Frau ist eine recht angenehme Brünette, von hübschem Aeußeren und liebenswürdiger Naivetät, was ihr noch an wissenschaftlicher und gesellschaftlicher Bildung fehlt, läßt er ihr jetzt in einer Pension, wo sie seit 3 Monaten die ganze Woche bleibt, geben, und nur von Sonnabend Nachmittag bis Montag Mittag ist sie seine Ehefrau dans toute la force du terme. Sie hat es übrigens keinen Hehl, wie wenig ihr die klösterliche Stille der Pension zusagt und sagte: Alors je suis la plus malheureuse des femmes quand les lourds verrous de la grande porte de la pension se ferment derrière moi; aujourd'hui seulement je suis l'heureuse.

Das ungeheure Museum, selbst der dem Kaiserreiche angehörige Theil, wurde in Eile durchgemacht und dann ein Theil des mir schon bekannten Gartens durchpromenirt. Heine war größtentheils, was die Franzosen »préoccupé« nennen und was unser »zerstreut« oder »in Gedanken« nicht vollkommen sagt. Einen kleinen Besuch, den

Heine mit seiner Frau in der Stadt machte, benützte ich dazu, eine Cigarre zu schmauchen und unseren Wagen bei dem Theater vorfahren zu lassen. Meine liebe Cigarre war bis auf ein kleines Restchen zu Ende, als unser gastliches Paar wieder zu uns stieß. Unsere Rückfahrt nach Paris war schnell gemacht, und ich hatte, außer einigen flüchtigen Gesprächen mit Heine viel mit Madame verkehrt, die in ihrer charmanten naïveté viele ihrer Herzenswünsche ohne Rückhalt offenbarte. Heine preist sich im Besitz dieser Frau glücklich, und sagte, wie er darum zu beneiden sei, weil er habe, was er so sehr liebe, ein seltenes Loos deutscher Dichter. Nach seinem mir im Vertrauen gemachten Bekenntnisse hat er seine Kleine vor fast 5 Jahren mit List entführt, dann der Familie die Versicherung gegeben, daß er sie förmlich geheirathet habe; dagegen habe er nunmehr auch fürs ganze Leben für sie zu sorgen. Unser Mittag war im Café am Boulevard und ganz vorzüglich. Friedland mußte es seiner Zahnschmerzen wegen verlassen und wir blieben bis $^1/_2$ 9 Uhr à diner. Heine sowohl als seine Frau waren sehr freundlich und ohne allen Rückhalt, sie wurde bei einem Gläschen Champagner fast zutraulich. Nach dem Café gingen wir wieder einmal zu Musard, wo es äußerst besucht war. In der Mitte des Saales bemächtigten wir uns dreier Stühle und ich plauderte mit Heinen den größten Theil der neueren, deutschen Literatur durch. Auf Gutzkow ist er, wie begreiflich, am übelsten zu sprechen,»G[utzkow] wird wohl mit einem Selbstmord enden«, waren seine Worte, und er stimmte meiner Alternative bei, oder ein Philister werden. Die »Frauen« [»Shakespeare's Mädchen und Frauen«] nannte er sein schwächstes Werk und fügte entschuldigend hinzu, er habe es in 3 Wochen schreiben müssen. Für die Zukunft verspricht er außer dem Werkchen über Börne, wovon er mir gleich eines der ersten Exemplare zuzuschicken versprochen hat, einen Band Gedichte und dann Memoiren in 2 Bänden. »Es werden die Unschuldigeren sein, die Interessanteren will ich für den Fall meines Todes, als testamentarischen Nachlaß meiner Frau hinterlassen.« – Der Bundesbeschluß, bekannte er, hat mir unendlich geschadet, denn seit 2 Jahren habe ich aus Deutschland keinen Heller beziehen können, weil ich, wollte ich im Interesse der Censur schreiben, etwas thun müßte, was ich verabscheue, nämlich mich indirect verkaufen. Außerdem erzählte er mir, daß er an Campe, während dieser Zeit des Geldmangels, das Recht, seine gesammelten Schriften herauszugeben, um 2000[o] Francs verkauft habe. Er habe dies nur darum um diesen billigen Preis gethan, weil er wirklich Geld gebraucht; denn mit der Rente von 4500 Francs, die er von seinem Onkel erhalte, könne er seinen jährlichen Bedarf nicht decken. Wenigstens habe ihm sein Onkel, auf dessen Wort er sich verlassen könne, eine reichliche Bedachtnahme in seinem Testament zugesichert. Ich forderte ihn hierbei dringend auf, wenn er dereinst ein reicher Mann werde, doch gewiß nicht die Hände in den Schooß zu legen und nie aufzuhören, Schriftsteller zu sein. – Im Laufe des Gespräches erzählte mir auch Heine, daß ein Cousin von ihm am 12. d. M. das Unglück gehabt habe, bei der Emeute als Zuschauer getödtet worden zu sein. [...] Am 30. d. M. ist in der Akademie eine sehr interessante Sitzung, die Preisvertheilung. Heine versprach mir durch Mignet Billete zu verschaffen. – Laube wird von ihm von Tag zu Tag erwartet und er sagte mir von ihm: Laube hat auch eine Literaturgeschichte geschrieben, das dicke Manuscript, das Sie bei mir sahen, hat er mir zur Durchsicht gesendet, ich finde aber nicht viel daran. – Mit seiner kleinen Katze gingen wir dann zusammen über den Boulevard heim und er lud mich sehr freundlich ein, ihn wieder zu besuchen. (236)

498. Rudolph Theodor Seeliger   27. Mai 1839

Tagebuch, Paris, 28. Mai 1839

Als ich gestern Abend d. 27. Mai nach Hause kam und Friedland bei seinem Coucher die Honneurs machte, erzählte er mir von Heinen, den er im Palais royal getroffen, viel Freundliches und fast Schmeichelhaftes über mich. Auch übergab er mir die verheißenen zwei Billets für die Séance de l'Académie, welche Heine die besondere Gefälligkeit gehabt hat, für mich von Mignet zu holen. (236)

499. Anonym   Ende Mai/Anf. Juni 1839

Pressenotiz   *(* 23. 6. 1839)*

Laube ist in Paris eingetroffen und schon öfter mit seinem Freunde Heine zusammengekommen. Dieser soll sich über die literar. Zustände in Deutschland nicht eben günstig aussprechen. Auf Laube's Äußerung, daß der »Schwabenspiegel« und die »Schriftstellernöthen« vom deutschen Publ. mißfällig aufgenommen worden, soll Heine geantwortet haben: »Das deutsche Publikum! Was will das sagen? Es verdient nichts Besseres, so weit ist es herunter gekommen. Ich weiß, man wird meine neuesten Gedichte in der ›eleganten Zeitung‹ auch für

matt und *unheimisch* ausgeben. Das genirt nicht, ich habe meinen
Spaß dabei.«   (196)

500. Heinrich Laube   Mai/Juni 1839

   Nachträge zu den Memoiren   (* 6. 5. 1883)

Als ich über Holland und Belgien nach Paris kam und endlich Heine's
habhaft wurde, da erfuhr ich eine arge Enttäuschung *[hinsichtlich Heines Auskünften über die Saint-Simonisten].* Er lachte und lachte, und
erzählte nur witzige Ereignisse und komische Dinge, wodurch sie sich
lächerlich und in Frankreich unmöglich gemacht hätten, natürlich bei
ihm zuerst. »Denke dir« – rief er –»meine Mathilde hat sich beim
Enfantin zum Mère-Examen melden wollen. (Mathilde war seine Geliebte, später seine Frau.) Das war ein Schreck! Ich hab' ihr auseinandergesetzt, daß zu diesem Examen Philosophie erforderlich wäre.«
–»Was ist das, Philosophie?« fragte sie. –»Mögest du es nie erfahren«, antwortete ich, »denn das ist eine tödtlich schwere Wissenschaft.« – »Ah!« –»Ja. Und außerdem kriegt die Mère nur einen einzigen Anzug, sie darf die Kleidung nie wechseln, und dieser Eine
Anzug ist auch noch sehr unvollständig, er bedeckt nicht viel. – Das
hat gewirkt.«
   Ueber die Kleidung der St. Simonisten sprach der Spottvogel allerdings ausführlich. Weiße Hose, rothe Weste, blauviolette Tunique.
Weiß die Farbe der Liebe, Roth die der Arbeit, Blauviolett die des
Glaubens. Auf der Brust ein Schild mit dem Namen der würdigen
Person, für die Höheren auch der Titel, also für Enfantin »der Vater«,
für Duveyrier »der Poet Gottes«. »Die Hauptsache war« – so schloß
er sein Gespött –»die Leute hatten keinen Geschmack; die Künste
standen bei ihnen tief im Hintergrunde, wir Poeten wären in ihrem
Staate untergegangen.«
   Aber die Emancipation des Fleisches und der Frau stimmte ja doch
zu seinem Griechenthum, welches er immer predigte? Nein, bei aller
Aehnlichkeit seiner Ideen war er doch für eine positive Einführung
seiner Ideen nicht zu haben. »Was sollt' ich denn alsdann noch schreiben?« rief er –»worüber soll ich Witze machen, wovon Gedichte,
wenn Alles da ist, was ich bisher gewünscht oder vermißt habe? Durch
einen aus- und eingeführten St. Simonismus würde ich einfach pen-
sionirt.«   (144)

403

Memoiren   (*1875*)

Dort *[in Straßburg]* war aber nicht eine einzige Stimme zu vernehmen
für Louis Napoleon. Nichts als Spott und Spott war zu vernehmen.
Eine neue napoleonische Herrschaft in Frankreich galt für eine Phan-
tasterei. Heinrich Heine war damals der einzige Mensch, der an eine
Auferstehung der Napoleoniden glauben mochte. Ein Poet! Und nicht
ohne Manierirtheit! rief man, wenn seiner Napoleons-Gedichte erwähnt wurde. Er braucht einen glänzenden Mittelpunkt für dichterische Rede, was bedeutet das?!
    Ich kannte Heine noch nicht persönlich. Drei Jahre später erst *[Mai
1839]* sprach ich ihn zum ersten Male, und war nicht wenig erstaunt,
als ich ihn diese Frage viel ernsthafter und nüchterner vertreten hörte,
als er andere politische Fragen vertrat. »Geh' nur in die Provinz, verkehre nur mit den Bauern« – rief er – »und Du wirst nicht mehr
lachen über meine Träume. Ich träume mit aufgemachten Augen, und
die Augen sehen. Es fehlt nur an den Posaunen. Sobald die Posaunen
dröhnen, werden es Resurrectionsposaunen, und die Reste der großen
Armee sammt all ihren Kindern und Vettern stehen auf und schreien
Vive l'empereur! Es werden Millionen sein, und die Menge thut's. Die
Menge braucht eine greifbare Standarte. Die napoleonische Standarte
aber allein ist greifbar. Nuancen der Charte sind spitzfindiger Kram
für den Bauer; er glaubt nur an das was er erlebt, er braucht einen
sichtbaren Gott.«   (142)

502. Rudolph Theodor Seeliger   1. Juni 1839

Tagebuch, Paris, 1. Juni 1839

Bis nach 1 Uhr hatte ich mit der neuen Einrichtung zu thun und fuhr
dann zu Heinen, den ich zu Hause traf und von dem ich äußerst
freundlich aufgenommen wurde. Er sagte mir, daß Laube mit seiner
Frau angekommen sei, daß er ihm schon von mir gesprochen habe
und daß er mich ihm vorstellen werde. Seinen Streit mit Gutzkow erzählte er mir sehr ausführlich und meinte, er müsse doch wohl antworten; während dessen kam Stephen Heller. Gespräch über Musik,
Meyerbeer und Halevy. Heine machte den Witz und meinte: Halevy
sei durch Intriguen Meyerbeers bestochen, daß er jetzt so viel schreibe,
damit man um so deutlicher sähe, wie wenig an ihm sei. Unter seinen

Büchern und Kupferstichen herumsuchend fand Heine das Porträt von Ernst August [v. Hannover]. Er bot es mir zum Geschenk an, als ich es ablehnte, meinte er:»Nun – so wird er seinem Schicksal nicht entgehen, ich habe ihn gerade aufhängen wollen.« Das Wort fing bei mir und ich machte zur Bedingung des Geschenkes, daß er seinen Namen darauf schreiben müsse. Er thats und ich nahm meinen Kupfer und empfahl mich.

Ein heftiges Gewitter hatte die Straßen unter Wasser gesetzt und ich hatte Mühe in meinem Cabriolet nicht weggeschwemmt zu werden, das mich zum Lesecabinet von Brockhaus und Avenarius bringen sollte, wo ich Gutzkows Ausfall auf Heinen las. Während dieses Vorhabens kam erst Venedey und dann auch Heine, der mir den Artikel selbst empfahl. (236)

503. RUDOLPH THEODOR SEELIGER   2. Juni 1839
Tagebuch, Paris, 2. Juni 1839

Dann ging es nach Versailles und ich hatte das Vergnügen, Heinen bei mir zu sehen. Er zeigte mir die Erklärung, die er gegen Gutzkow als »Abweisung« an die »Elegante« schicken wolle. Er befrug mich um mein Urtheil und änderte dann einen Ausdruck »Ehre« in »Berühmtheit« auf meinen Rath. Gleicher Zeit forderte er mich auf, um 1 Uhr zu ihm zu kommen, wo ich ihn und seine Frau finden werde. Vorher mußte ich mir auf allgemeines Verlangen bei Gibus einen Hut kaufen und dann wollte ich Mr. Steinitz, um ihn nicht wieder zu beleidigen, besuchen, fand ihn aber nicht zu Hause und hinterließ meine Karte. Bei Heinen ward ich wieder sehr gut aufgenommen und bekam den offenen Brief an Campe, der Heinen doch jetzt viel Unannehmlichkeiten bereitet, zur Lectüre. Mittlerweile hatte Madame ihre Toilette gemacht und wir zogen gemeinschaftlich nach den Tuilerien, wo die belle monde im reichsten Flore war. Mittag oder besser Diner in der rue Castiglione an der Ecke der rue Rivoli gut aber auch theuer à frais communs. Dann nach den Boulevards und ganz gemüthlich um 10 Uhr zu Hause. Heines Umgang ist ein recht interessanter, aber durchaus nicht eben erquicklich. Größtentheils ist er mit seinem, wie mir scheint, eingebildeten Unwohlsein beschäftigt und wenn er in ein ernstes Gespräch eingeht, meistentheils nach Witzen haschend, ohne Würde. So sein Ausspruch:»Meine Freunde schreiben gut, meine Feinde schlecht« ist nicht bloß ein leeres Wort in seinem Munde, er ist wirklich zu frivol, um persönlich, wenigstens mich zu fesseln. (236)

Tagebuch, Paris, 3. Juni 1839

Gegen 12 Uhr kam Heine ganz unerwartet und sagte mir, wir wollten doch morgen gemeinschaftlich zu Laube gehen. Bei dieser Gelegenheit sagte er mir, er brauche 500 Francs, si je voulais et pouvais les lui prêter. Ich war nicht abgeneigt, gab ihm um 4 Uhr Rendez-vous im Palais royal und ging zu Cremière, mein Geld zu holen. Steinitz gab mir den sehr vernünftigen Rath, es nicht zu thun und ich schützte bei dem Zusammentreffen mehrere, zum Theile auch ganz wahre Gründe des Ablehnens vor. Heine war übrigens ganz cavalièrement damit einverstanden und bot mir sogar, für den Fall als ich davon Gebrauch machen wolle, seine Verwendung bei seinen Bekanntschaften an. Zum Glück hatte ich es nicht nöthig, seine Güte in Anspruch zu nehmen und begleitete ihn noch bis an die Ecke der rue Richelieu, wo er sich in einen Omnibus setzte. Während unserer Promenade im Palais royal war ein Herr Demmler zu uns gestoßen, der Heinen, wie dieser mir sagte, viel Neues aus Stuttgart gebracht hatte. (236)

Tagebuch, Paris, 4. Juni 1839

Gegen Mittag, [. . .] besuchte mich Heine. Es war besprochen worden, daß wir gemeinschaftlich zu Laube gehen sollten; Heine war aber pressirt und wie immer, nicht ganz wohl, deshalb begnügte ich mich gern mit seiner Empfehlungskarte *[für Laube]*. (236)

Tagebuch, Paris, 5. Juni 1839

Ich traf unseren Reise- und sonstigen Novellendichter *[Laube]* in einen deutschen Schlafrock gehüllt am Schreibtisch und als ich, das Gespräch einleitend, mich auf Heine bezog, durch diesen von meinem Namen und Vorhaben ihn zu besuchen soweit unterrichtet, daß es meiner Paß- und Entréekarte [von Heine] nicht bedurfte. Laube war sehr freundlich und ging willig auf den dargebotenen Gegenstand – die neuesten Erscheinungen unserer Literatur – ein, ja er las mir sogar einige Stellen seiner Literaturgeschichte, die gegenwärtig unter der

Presse ist und namentlich mehrere Gutzkow betreffende vor. Unser Gespräch konnte aber zu meinem Bedauern nicht gut in Fluß bleiben, denn es wurde durch den Besuch des Schauspielers Emil Devrient – gegenwärtig in Dresden engagirt – und den Heines und dann durch das Hinzukommen von Laubes Gemahlin unterbrochen und auf andere Themata geführt. Devrient sprach viel über das hiesige Theater, das er sehr fleißig und wie es scheint, rationell studirt. Heine sprach über seine Gutzkow'schen Händel, und als uns diese beiden Herren verlassen hatten, auch die Frau Gemahlin [...] sich in ihr Gemach zurückgezogen hatte, sah ich ein, daß es Zeit war, nach zweistündigem Besuche auch mich zurückzuziehen. [...] Für die Conversation ist er *[Laube]* [...] bei weitem besser zu brauchen als Heine, der größtentheils nur rhapsodisch aufflackernd an den Gesprächen Theil nimmt.

(236)

507. HEINRICH LAUBE   Juni 1839

an K. A. Varnhagen v. Ense, Paris, 18. Juni 1839

Heine, der nach Grandville (Dep. de la Manche) ins Seebad gegangen ist auf drei Monate, hat sich meiner sehr tätig angenommen, soweit es seine Präokkupiertheit von Gutzkowschen Ränken für den Augenblick zuließ. Ich muß darin wohl zu sorglos sein, aber ich kann mich nicht zur Teilnahme, auch nicht zur Teilnahme für mich selbst, an solchem Zeuge bringen. Nun, was ich an andern nicht verstehe, wie hier Heines Sensibilität, laß ich gehen. Er grüßt Sie herzlich, und hatte einen langen Brief an Sie vor. Er ist dick, wohl und rüstig, und hatte viel über Rahel teils in der Feder, teils auf dem Papiere.   (103)

508. HEINRICH LAUBE   Juni 1839

Nachträge zu den Memoiren   (*3. 4. 1883)

So kam das Jahr 1839. Ich war in Paris und verkehrte täglich mit Heine, welcher damals noch in voller Lebenskraft athmete, lachte, spottete, dichtete. Sogar der heftige Kopfschmerz, der ihn zeitlebens plagte, ließ ihn unbehelligt. Er hatte eine stete Neigung, über Schriftsteller, namentlich über die uns verwandten, zu sprechen. Da hatte er dann immer Gutzkow bei den Haaren und gab seiner Antipathie gegen ihn giftige Worte. »Er gehört nicht zu uns«, rief er, »er versteht die Schönheit der Welt nicht; er ist ein Nazarener wie der Börne, welcher Goethe verachtet.« (144)

509. Heinrich Laube   Juni 1839

    an Otto Wigand, Marseille, 7. Okt. 1839

Wie oft, lieber Wigand, hab' ich schreiben wollen und jetzt erst wird's. Bin in unaufhörlichem Trott gewesen, habe nun bald ganz Frankreich gesehen und komme eben aus Algier. In einer langen Galerie halten wir Quarantäne und denken an Deutschland. Ich hoffe, Sie lassen unsere literarischen Pläne nicht aus dem Auge, ich habe sie mit Heine bis ins Detail durchgearbeitet. Er grüßt Sie, Sie sind ihm als Tokayer-Sender sehr wohlbekannt, und er hofft, daß sich Ihr Name mit an eine neue Epoche unserer Literatur knüpfen soll mit dem Aufgange des Sterns. (103)

510. Heinrich Laube   Juni 1839

    Artikel über Besuch bei George Sand   (*28. 12. 1840*)

Ich war schon über drei Vierteljahr in Frankreich, ohne Notabilitäten der französischen Geisteswelt aufgesucht zu haben, und doch war es mir sehr um die Bekanntschaft mit solchen zu thun. Nicht bloß die Sprache ließ mich's so lange hinausschieben, obwohl die Sprache besonders. [. . .]

Warten Sie, sagte Heine *[hatte Heine gesagt!]*, bis Sie von Ihrer Reise in die Provinzen zurückgekehrt sind! Hier in Paris spricht man zu viel Deutsch, um gut Französisch zu lernen; in der Provinz hört man nicht überall das beste Französisch, aber man hört und spricht nur Französisch, und vom besten Französisch kann überhaupt erst nach einigen Jahren die Rede seyn, das ist wie Wein. Kaum gelesen und gekeltert, ist er nur für den ersten Durst. (138)

511. Rudolph Theodor Seeliger   9. Juni 1839

    Tagebuch, Paris, 9. Juni 1839

Nach der Kirche suchten wir Steinitz auf und dinirten bei Champeaux an der Place de la Bourse, wo Friedland und Steinitz meine Gäste

waren und ich auch von Heine, der zufällig mit seiner Mathilde dorthin gekommen war, Abschied nahm. (236)

512. HEINRICH LAUBE Juni 1839

Memoiren *(* 1875)*

[...] lesend saß ich eines Vormittags, und wollte eben zu meinen
Schätzen der Rue Richelieu übergehen, da trat ein kleiner Mann in
unser Zimmer. Er war einfach, aber sehr sauber angezogen, und neigte
den Kopf seitwärts ein wenig vorn über. Mit halblauter Stimme fragte
er, ob ich ich wäre? – Ja wol. – Dann sprach er deutsch. Es war Meyerbeer, [...]. Heine hätte ihm von meiner Ankunft gesagt, und hätte
uns miteinander bekannt machen wollen, aber es dauere doch gar zu
lange bis zu Heine's Rückkehr, und so belästige er den notablen
Landsmann mit seiner Visite. (142)

513. ALEXANDER WEILL 1839

Korrespondenz aus Paris *(* 16. 10. 1839)*

Heine gilt bei allen Franzosen von Bedeutung hier für einen Repräsen-
tanten (fast den einzigen) des deutschen Genius. Mir schien er weder
ein zerrissener Gott, noch ein armer Hiob, vielmehr ein lustiger ge-
müthlicher deutscher Dichter, der zwei Eigenschaften besitzt, die durchaus das Genie charakterisieren, ein gutes Herz und einen bösen Geist.
Ich glaubte in Heine einen Mephistopheles zu finden und traf nur den
deutschen Faust in ihm, mit der Ausnahme, daß sein Gretchen schwarze
Haare hat und ihn durchaus nicht (wie das wohl seinen deutschen
Freunden begegnet) katechisirt. [...] Als ich in einer artistischen Gesellschaft erzählte, daß sich einige deutsche Blätter von Heine's Geldbeutel
oder Teppichen unterhalten hätten, so antwortete Einer aus der Gesellschaft – es war Alexander Dumas – »ça prouve que vos hommes de
lettres sont encore plus misérables que votre presse. Si l'Allemagne ne
veut pas de Heine«, fügte er hinzu, »nous l'adoptons volontiers, mais
malheureusement Heine aime plus l'Allemagne qu'elle ne mérite!«
Auch Jules Janin sagt mir, daß Heine Deutschland mit vielem Geist ver-
theidige. Man sieht hieraus, daß man den pariser Heine nicht nach dem
Maßstabe beurtheilen kann, den einige Deutsche, die in die hiesigen
Lesecabinets kamen, an ihn legten, sondern daß man die höhern Cirkel

besuchen muß, um ihn im Stillen beobachten zu können. Denn Heine ist
so satyrisch, daß er sich selten einem Deutschen, den er gerade nicht sehr
hochschätzt, zeigt, wie er ist, da er bekanntlich schon viel Unangenehmes
von seinen Landsleuten zum Geschenk erhielt. Es giebt nur ein Mittel,
sich eines lästigen Menschen zu entledigen, man muß ihm Geld leihen
und dieß Mittel hat Heine bei Herrn W[ihl] richtig gebraucht. – Ich sah
Heine zum ersten Male bei Meyerbeer, bei einem Diner, wo auch Jules
Janin zugegen war. Heine ist nur Heine, wenn er lächelt – alle seine
Gedichte entspringen seinem Mundwinkel, Heine lächelt aber nicht
allein mit dem Munde, sondern auch mit den Augen, ich bemerkte das
gleich, nur bedaure ich, kein Maler zu sein. Heine lud mich ein, ihn oft
zu besuchen; zugleich bemerkte er mir lächelnd, daß seine Gardinen in
der Wäsche seien und daß er dieß Beurmann zu sagen vergessen habe.
Mit Liebe sprach er von Mundt, Laube, Wienbarg und seinen sonstigen Freunden. Unter den neuesten Dichtern erwähnte er oft Anastasius Grün; zu meiner Verwunderung lobte er Platen sehr und gestand
mir, daß er ihm Unrecht gethan.»Es war eine Parteisache«, sagte er,
»und der Gegner war bedeutend.« Heine nimmt wenig Notiz von
Persönlichkeiten und mit Recht. Ich berühre hier absichtlich die neuesten Streitigkeiten, da ich selbst Herrn W[ihl] kenne.»Ich bin nicht so
dumm«, sagte Heine, »um zu antworten, meine Absicht war nur, zu
zeigen, daß ich zu keiner literarischen Bande gehöre.« Uebrigens
sprach er sich sehr günstig über Gutzkow aus und während des Gesprächs citirte er mir einen tiefen Witz Gutzkow's, den dieser über
Lenau's Faust gemacht. Herrn W[ihl] charakterisirte Heine unnach-
ahmlich. Wir lachten in Gesellschaft über die vielen Mystificationen,
die alle aus der Idee entsprangen, welche W[ihl] von sich als Dichter
hat. Mir war dieß nichts Neues, ich weiß so manche Geschichte von
Frankfurt aus. Endlich sagte Heine: »W[ihl] ist wahnsinnig, hat aber
lichte Momente, wo er bloß dumm ist!« Besser und treuer kann man
ihn nicht schildern. – Heine lebt moralischer, als so manche deutsche
Philister, doch der mittelmäßige Mensch, der die Psychologie nicht an
sich selbst kennt, weiß nicht, daß es zwei Menschen im Dichter giebt;
daß derjenige, welcher nicht ein verneinendes Princip in sich trägt, nie
etwas Großes schaffen wird, und daß die Sonne und die Mädchen en
se couchant am schönsten sind. Schuf doch Gott das Licht aus der
Finsterniß, daher der beständige Schatten, der es verfolgt. – Heine hat
mehrere Werke unter der Feder, mehr aber noch im Kopfe. Wenn
man hier auf dem Feuerheerde der Geschichte, wie Kühne sagt, lebt,
erweitern sich die Begriffe sowohl, als die Ideen, das deutsche öffent-

liche Leben ist ein Zwerg gegen das französische, und den deutschen Literaten möchte ich sehen, der so lange in Paris und so anerkannt ist und zurück nach Deutschland möchte, um beständig dort zu bleiben.

(276)

514. ALEXANDRE WEILL   1839

   Heine-Erinnerungen   (*1883)

Quand Meyerbeer arriva à Paris, car il était presque toujours en voyage, dans un déjeuner avec Heine au restaurant, sans Mathilde, car Meyerbeer évitait, je ne sais pourquoi, de se trouver en société avec la maîtresse de son ami, je leur parlai des cabarets de la halle, surtout d'un caboulot appelé «*Au Hasard de la Fourchette*» où l'on vendait pour un sou un bol de soupe avec un morceau de viande. Meyerbeer et Heine, curieux de voir ce salon du peuple, plein de voleurs et d'Alphonses de bas étage de cette époque, me proposèrent de les y accompagner. Rendez-vous fut pris. Il fut décidé qu'on serait en casquette et en jaquette, comme de simples commis sans place. Meyerbeer ne revenait pas de ce spectacle et de cette misère, bien que nous ne puissions rester longtemps nulle part. On nous prenait pour des mouchards. Il riait à se tordre quand il vit arriver des hommes en guenilles, une soucoupe à la main, demander pour un sou de soupe et la recevoir par un clysoir à lavements, contenant juste la capacité de cette valeur, qu'on plongeait dans un chaudron plein de ce brai. Après force libéralités, ce qui nous compromettait encore davantage, nous hâtâmes le pas pour rentrer. Chemin faisant, Heine dit à Meyerbeer que je vivais à Paris avec cent francs par mois, et que je mettais de l'argent de côté. – «Comment! s'écria le grand homme, il ne vous faut que cette somme! mais vous mériteriez une médaille. – Que voulez-vous qu'il fasse d'une médaille? lui dit Heine, en riant, une pension lui irait bien mieux! – Je n'ai qu'une grosse dépense, lui dis-je à mon tour, j'aime une grande chambre pour appartement. Quant à la nourriture, mon père a appris à ses enfants à manger peu et à travailler beaucoup. Du pain, du fromage, de l'eau, de temps en temps un morceau de bœuf bouilli, c'est tout ce qu'il me faut.» Le lendemain, Meyerbeer vint à l'hôtel où je demeurais, car j'avais quitté Morin. Ayant pris des renseignements sur moi, il dit à l'hôtesse: Vous donnerez à M. Weill la plus grande chambre de l'hôtel, et c'est moi qui en paierai le loyer pendant deux ans. J'avais toujours fait un grand éloge du génie de Meyerbeer, mais je n'ai accepté ce don qu'à condition de ne plus rien écrire sur lui, ni en bien ni en mal, et Meyerbeer n'a pas cessé un jour de rester mon ami. (292)

Als Meyerbeer nach Paris kam, er war ja fast ständig auf Reisen, frühstückte ich mit ihm und Heine in einem Restaurant; Mathilde war nicht dabei, denn Meyerbeer vermied es, ich weiß nicht warum, mit der Mätresse seines Freundes zusammen zu sein. Ich sprach mit ihnen über die Kneipen bei der Halle, besonders über eine Spelunke »Zur glücklichen Gabel«, wo man für einen Sou einen Kumpen Suppe mit einem Stück Fleisch bekam. Meyerbeer und Heine waren neugierig, dieses volkstümliche Dorado zu sehen, wo es von Dieben und Zuhältern schlimmster Sorte wimmelte, und baten mich, sie dahin zu führen. Das Rendezvous wurde verabredet. Wir beschlossen, in Mütze und Jacke hinzugehen wie stellenlose Kommis. Meyerbeer konnte von diesem Schauspiel und diesem Elend nicht genug sehen, obgleich wir nirgends lange bleiben durften, denn man hielt uns für Spione. Er krümmte sich vor Lachen, wenn diese verlumpten Kerle daher kamen, mit einem Gefäß in der Hand, für einen Sou Suppe verlangten und ihnen der Wirt mit einer Klistierspritze, die er in den Kessel mit der finstern Brühe steckte, genau die verlangte Portion zuteilte. Wir spendierten einige Portionen, das machte uns nur noch verdächtiger, so daß es bald Zeit war, sich zu drücken. Unterwegs erzählte Heine Meyerbeer, daß ich hier in Paris mit 100 Franken auskäme und dabei noch Ersparnisse mache. »Was?« rief der Maestro, »damit kommen Sie aus? Sie verdienen ja einen Orden!« – »Was soll er mit einem Orden«, sagte Heine lachend, »eine Pension könnte er eher vertragen.« – »Ich bin nur in einer Beziehung verschwenderisch«, sagte ich darauf, »ich hätte gar zu gern ein großes Zimmer. Was das Essen anlangt, so hat mein Vater seine Kinder dazu erzogen, wenig zu essen und viel zu arbeiten. Brot, Käse, Wasser, ab und an ein Stück gekochtes Rindfleisch, mehr brauche ich nicht.« Am andern Tag kam Meyerbeer in mein Hotel. Nachdem er sich nach mir erkundigt hatte, sagte er zur Wirtin: »Geben Sie Herrn Weill das größte Zimmer im Hause; die Miete bezahle ich zwei Jahre lang.« Ich hatte Meyerbeers Genie immer sehr gepriesen, aber ich nahm dies Geschenk nur unter der Bedingung an, daß ich keine Zeile, weder für noch gegen ihn, mehr veröffentliche, und Meyerbeer ist stets mein Freund geblieben.

515. CHARLES HALLÉ (KARL HALLE) 1839 ff.

Memoiren (*1895, posthum*)

From the Rue d'Amsterdam I moved to the Rue Lafitte, where I had charming, quiet rooms with a view upon some beautiful gardens, and here it was that Heller first brought Heinrich Heine to me. They knew each other from being both contributors to the »Augsburger Allgemeine Zeitung«, Germany's most important paper then. Heine, then only about forty-two years of age, of handsome and winning appearance, strong and healthy, with no indication of the sufferings that were to be his fate later on, was, of course, a most welcome guest. He came often, always with Heller – in fact, I cannot remember a single occasion on which our trio developed into a quartet, and many were our discussions on music, in which he took great interest – perhaps without really understanding, as some of his remarks seemed to show. I had brought with me, after an excursion to Germany, the book of songs by Mendelssohn, in which the first is the setting of Heine's »Auf Flügeln des Gesanges.« I spoke of it with enthusiasm to Heine, who came the same evening with Heller to the Rue Lafitte, most eager to hear this version of his poem. I had a feeble, but not altogether disagreeable tenor voice, and sang the »Lied« to him with all the expression I was capable of, and certainly correctly as regards the music. Great was my astonishment, and Heller's also, when at the conclusion he said in a disappointed tone, »There is no melody in it.« As there is nothing but melody in it, we long puzzled over the riddle – What sort of melody may satisfy a poet when he hears his own words sung? An insoluble one, I am afraid.

Irresistibly charming was Heine when, the conversation flagging, which often happens when three smokers sit together, he would, after a more or less long silence, suddenly recite one of his shorter poems, clothing it with undreamt-of beauty by his manner of delivery. We sat in mute wonder, and it seemed quite natural that he should add musingly in a half unconscious tone: »Beautiful!« The oddity of the remark, coming from himself, never once struck us: it was so perfectly true. (92)

Von der rue d'Amsterdam zog ich in die rue Lafitte um, wo ich hübsche, ruhige Zimmer mit Blick über einige schöne Gärten bewohnte und wohin Heller zuerst Heinrich Heine mitbrachte. Sie kannten sich, weil sie beide Mitarbeiter an der »Augsburger Allgemeinen Zeitung«

waren, zu der Zeit Deutschlands wichtigstem Blatt. Heine, damals erst
etwa 42 Jahre alt, von angenehmem und gewinnendem Äußeren,
kräftig und gesund und noch ohne jedes Anzeichen seiner späteren
Krankheit, war selbstverständlich ein sehr willkommener Gast. Er
kam öfter wieder, immer in Hellers Begleitung; tatsächlich kann ich
mich an kein einziges Mal erinnern, wo unser Trio zu einem Quartett
erweitert worden wäre. Häufig diskutierten wir über Musik, woran
Heine lebhaften Anteil nahm – vielleicht ohne dem Gespräch immer
ganz folgen zu können, wie manche seiner Bemerkungen zu verraten
schienen. Ich hatte von einer Reise nach Deutschland Mendelssohns
Liederbuch mitgebracht, das mit der Vertonung von Heines »Auf Flügeln des Gesanges« beginnt. Ich sprach Heine begeistert davon, der
noch am selben Abend mit Heller in die rue Lafitte kam, äußerst
gespannt, diese Fassung seines Gedichts zu hören. Ich hatte einen
schwachen, aber im ganzen nicht üblen Tenor. Also sang ich ihm das
Lied vor und legte allen Ausdruck hinein, dessen ich fähig war – ganz
bestimmt sang ich es sicher und fehlerlos. Groß war mein und auch
Hellers Erstaunen, als sein einziger Kommentar die enttäuschte Bemerkung war: »Es ist keine Melodie drin.« Da es aber nur aus Melodie
besteht, rätselten wir lange, welche Art von Melodie einem Dichter
gefallen kann, wenn er seine eigenen Verse gesungen hört. Ich fürchte,
das Rätsel ist unlösbar.

Unwiderstehlichen Charme konnte Heine entfalten, wenn das Gespräch ins Stocken geriet, wie es nicht selten geschieht, wenn drei
Raucher zusammensitzen. Manchmal begann er dann nach kürzerem
oder längerem Schweigen plötzlich eines seiner kleinen Gedichte zu
rezitieren, welches er traumhaft schön auf seine typische Weise vortrug. Wir saßen in stummer Bewunderung, und es hatte nichts Un-
natürliches an sich, wenn er halb unbewußt hinzufügte: »Wunder-
schön!« Daß diese Bemerkung von ihm selber kam, verwunderte uns
nie: sie war so völlig wahr.

516. Heinrich Laube   Dez. 1839

an Hermann v. Pückler-Muskau, Paris, 7. Dez. 1839

Heine empfiehlt sich zu Gnaden, und, ein eingefochtener auteur d'ici,
wird er das erschienene französische Buch *[die geplante französische
Übersetzung von Pücklers »Gartenkunst«]* nach allen Seiten in das
richtige und günstigste Licht stellen lassen.   (199)

517. HEINRICH LAUBE   Dez. 1839

an K. A. Varnhagen v. Ense, Paris, 14. Dez. 1839

Wir möchten so gern etwas über Sie wissen, Heine und ich, wie's mit
Ihrer Gesundheit, mit Ihrem Leben geht [...] Gelänge es mir nur,
Heine über die Gutzkow-Klatscherei zu erheben, aber in diesem
Punkte find' ich seit Ihnen so gar selten einen Gefährten.   (103)

518. HEINRICH LAUBE   Dez. 1839

an Hermann v. Pückler-Muskau, Paris, 22. Dez. 1839

Umgearbeitet muß es *[die im Manuskript vorliegende Übersetzung
von Pücklers »Gartenkunst«]* nach Heine's Ausspruch durchaus werden, und das Beste geht mit diesem trägen Abwarten verloren. Ich
möchte so gern vor meiner Abreise noch das dafür Nöthige besorgen.
                                                              (199)

519. HEINRICH LAUBE   Dez. 1839

an Gustav Schlesier, Paris, 24. Dez. 1839

Heine erweist sich sehr treu u[nd] liebenswürdig u[nd] viel reicher, als
ich erwartet. Er grüßt Dich schön. [...]
   Heine bringt ein Buch über Börne, was die jacobinische Börnewelt
Gutzkows niederhalten soll. Es ist in ein paar Wochen fertig.   (112)

520. HEINRICH LAUBE   Ende Mai 1839 – Jan. 1840

Nekrolog auf Heine, Leipzig, 6. Aug. 1846

Als ich ihn 1839 das erste Mal sah, war er ein wohlgenährter, beinahe
feister Mann von kleiner Mittelgröße, mit einem Antlitz der feinsten
Züge, äußerst schelmischen Augen und fein geschnittenem Munde.
Er trug das Haupt leicht vorgebeugt, und da er die kleinen Augen
gewöhnlich zur Hälfte zudeckte mit den Augenlidern, so hatte das
ganze Gesicht etwas Verschleiertes, welches ungemein interessant war
und mit dem schönen Teint unter braunem Haar, mit dem fleischigen
Körper und der weißen kleinen Hand an die jungen Abbés im vorigen
Jahrhundert erinnerte. Sein Sprachorgan war weich und angenehm.

Er litt oft an den Kopfnerven, war aber übrigens ein kerngesunder Mensch, und selbst nach einleitender, fast stereotyper Klage über den Kopf verriet er keine Spur mehr von Unwohlsein, sobald sein Geist angeregt wurde. »Ihr Kopfübel«, pflegten wir ihm zu sagen, »ist die Furcht vor Langerweile.« Diese Furcht war denn auch allmählich zu einer unangenehmen Manieriertheit ausgeartet, welche ihn für alle Fremden und für alle Menschen, die ihn nicht interessierten, unleidlich machte. Wo er Anregung fand oder auch nur voraussetzte, verschwand diese Manieriertheit vollständig, und derselbe Mann, welcher soeben Augen und Mund kaum geöffnet hatte, blitzte sogleich und sprudelte Geist, wenn der Bann seiner Stimmung gelöst war durch Entfernung eines Menschen oder durch eine Wendung des Gespräches. Demgemäß sprach er auch auffallend ungleich. Oft dergestalt stockend, als ob er keinen Satz bilden, keinen Gedanken finden könne, und im Handumkehren ergiebig, nach allen Seiten überraschend ergiebig, fließend, bezaubernd. Er war eben ein Poet, welcher den leisesten Stockungen oder Schwingungen seiner Nerven gehorchte, und es war sein eigentümliches Schicksal, daß er mit lauter poetischen Eigenschaften in einer durchaus politischen Gesellschaft auftrat. Diese verlangte mit Recht politische Folge in den Aeußerungen und schalt über poetische Sprünge; er selbst aber wollte und konnte sich diese nicht nehmen lassen, denn sie waren sein eigentliches Leben, und Politik war ihm nur ein Thema wie irgend ein anderes. Er war eine Künstlernatur, die unter anderem auch den Tribun spielte, und die politische Welt sagte entrüstet: Du sollst nicht bloß spielen, du sollst sein, was du vorstellst, und du sollst nicht unter anderem Tribun sein, du sollst nur Tribun sein! Das hätte er gar nicht gekonnt, auch wenn er gewollt hätte. Aus diesem Mißverständnisse und Mißverhältnisse erwuchsen ihm Legionen von Feinden, und besonders bei der Entstehung seines unglücklichsten Buches, des Buches über Ludwig Börne, habe ich das ganze innere Geflecht dieses Schicksals in der Nähe betrachten können. Er schrieb dies Buch in der zweiten Hälfte des Jahres 1839, und ich habe das Manuskript Wochen lang in Händen gehabt, und täglich und oft Stunden lang hab' ich in ihn hineingeredet: er solle es in solcher Gestalt nicht herausgeben, er thue Börne und thue sich Unrecht, und all' das Schöne darin könne nur richtig erscheinen und wirken, wenn er die persönlichen und politischen Fragen sondere und scheide von der Frage des höchsten Gesichtspunktes. Umsonst! Eben weil er Poet war, konnte er nur dichten, nicht sondern und scheiden, und konnte er die Fragen nur als verschlungenes Gewächs bringen, welchem leider die befangene Zuschauerwelt die getrennten Wurzeln nicht ansehen konnte. Es war denn auch wie auf jeden eigensinnigen Poeten kein Einfluß auszuüben auf ihn. Der eigene Sinn ist ja die Kraft des Poeten! Wenn ich ihm die gefährlichsten Stellen des Buches vorlas und die Gefahr derselben auseinandersetzte, so lächelte er, hörte offenbar nur mit halbem Ohr zu und sagte endlich bloß: »Aber ist's nicht schön ausgedrückt?« – Mag sein, und doch ist's am falschen Orte! –»Und ist's nicht wahr?« – Nein, in diesem Zusammenhange ist's nicht wahr! –»Ah, pardon, in meinem Zusammenhange ist es gründlich wahr; ich kann nicht schreiben, wie die Dinge in Ihnen zusammenhängen, ich kann nicht Ihre Bücher schreiben!«

Man sieht, hier war nicht die geringste Aenderung durchzusetzen. Nur in einem Punkte gab er scheinbar nach. Ich behauptete – und die Folge hat meine Behauptung nur zu sehr bestätigt! – das Buch werde mit all seinem Geist und Witz nur den Eindruck persönlicher Feindschaft und verletzender Impietät gegen einen von der ganzen Nation geliebten Toten machen –»der aber mein Feind war«, unterbrach er mich,»und Feind dessen, was das beste in mir ist, Feind meiner größeren Weltanschauung!« –»Mag sein«, entgegnete ich,»so muß das Buch seinen Höhepunkt darin zeigen, daß Sie im Gegensatze zu Börnes bloß politischen Gedanken Ihre höhere Weltanschauung nachdrücklich und schwungvoll entwickeln. Können Sie die persönliche Feindschaft nicht unterdrücken, so müssen Sie einen Berg in dem Buche errichten, neben welchem die persönliche Feindschaft nicht nur in den Schatten tritt, sondern von welchem sie als ein Schatten, als eine Konsequenz erscheint. Dieser Berg allein erfüllt die Form des Buches und bringt das, was jetzt grell erscheint und verletzt, in ein besseres Licht.«»Darin können Sie recht haben«, sagte er nach einer Pause, und seinen Hut nehmend, setzte er hinzu:»Ich werde den Berg errichten!« Und nun sagte er täglich, wenn er in der Dämmerungsstunde vor dem Diner zu uns kam, oder wenn wir auf den Boulevards einhergingen im Abendnebel, den er so liebte in der Vergoldung durch Gasflammen, täglich wiederholte er:»Ich baue am Berge!« Und das war sein letztes Wort am Postwagen. Er wollte äußerlich nachgeben, aber nur äußerlich, denn ganz richtig hatte er einmal gesagt:»Wenn der Berg ein wirklicher Berg werden soll, so muß er ein Buch werden, größer als das, in welches er jetzt verlegt werden soll«. – Allerdings! –»Ich bin aber froh, daß ich mit dem einen Buche fertig bin, ich will ein Lustspiel schreiben.« – Kurz, aus Malice sendete er mir mit dem Postwagen einen ganzen Ballen des neuen Buches, und der Berg bestand aus nichts weiterem als den »Briefen aus Helgoland«, welche er in das Manuskript hineingeschoben hatte. Sie bildeten aber weit eher ein Thal, als einen Berg, denn sie ließen recht geflissentlich die Gedanken in die Julirevolution hinablaufen, und gerade über diese und deren Gedankenwelt hatte er sich neben Börne erheben sollen. Das wußte er so gut und besser als ich. Er spottete meines Rates, wohl wissend, daß ich ihm treu bleiben würde, auch wenn die ganze Welt Zeter schrie. Letzteres geschah, und doch schrieb er mir nie in einer Silbe, daß ich richtig prophezeit, und daß ihm dies eine Buch drei Vierteile seiner Verehrer in zornige Widersacher umgewandelt; ja endlich schrieb er einmal in seiner großartigen »Süffisanz«: »Die Klügeren wissen jetzt schon, daß ich in diesem Buche recht habe mit meinen ›Göttern der Zukunft‹, welche ich auf meinem Schiffe zu retten hatte, und die anderen werden es später einsehen, falls sie ebenfalls klüger werden.« – Jene »Süffisanz« hat ihm so viele Menschenherzen entwendet, und es wird immer die Mehrzahl davon beleidigt werden, wenn jemand einfach von sich sagt: Ich bin ein großer Dichter! Ist es denn ein Fehler, so was zu wissen? »Nein, es ist eine Eigenschaft«, erwidert er lächelnd. »Warum hat man es Goethe nicht übel genommen, wenn er herabsehend von Tieck sagt, daß sich dieser damit abgequält, es ihm (dem Goethe) gleich zu thun und es doch nicht zu stande gebracht! Und wenn Goethe hinzusetzt: ich kann das von mir sagen, denn ich habe mich ja nicht gemacht! Warum hat man es ihm nicht übel genommen?« – Man hat es auch übel genommen! – »Aber wer?« – Heine besaß eine olympische Sicherheit in betreff seiner Schriften, und er wußte genau, was das beste darin sei, mochte auch gerade dies am ärgsten bestritten oder bespöttelt worden sein. Diesen aristokratischen Zug der Ueberlegenheit verlor er nie, auch nicht in den Stunden tiefster Niedergeschlagenheit. Man durfte ihn nur an solch ein Wort, ein Bild, einen Gedankengang erinnern, und auf einen Augenblick erheiterte sich sein Antlitz, und er hatte Freude daran, als ob er es zum erstenmale entdeckte. Wäre dies gewöhnliche Eitelkeit? O bewahre! Dieselbe Heiterkeit entstand auf seinem Antlitze, wenn ein großer Zug von einem anderen Autor, namentlich von Goethe, erwähnt wurde. Er wußte nur eben bestimmt, felsenfest, was er wußte und liebte, und gegenüber dem tödlichen Hasse, dessen er fähig war, webte eine reizende Kindlichkeit in ihm, eine Kindlichkeit, welche sich an dem selbsterfundenen Spielwerk ausgelassen freuen konnte. Diese Kindlichkeit war am ausführlichsten zu beobachten in seinem Verkehr mit seiner Frau. Diese Französin hatte nicht den mindesten Bezug zu dem Schriftsteller und Dichter Heine; von dessen Werken und Kämpfen wußte sie gar nichts, sie hatte also auch nicht ein Sterbenswörtchen der Teilnahme oder des Lobes für den berühmten Autor. Und das war seine größte Freude. Sie spielten wie die Kinder zusammen, und er lehrte ihr die Namen phönizischer Könige und warnte sie vor der beunruhigenden Litteratur Europas und vor dem Lesen überhaupt und liebte sie ganz und gar unlitterarisch auf das zärtlichste.   (124)

521. HEINRICH LAUBE   Mai/Juni 1839 – Dez. 1839/Jan. 1840

Heine-Erinnerungen   (*Jan. 1868)*

Um diese Zeit – 1839 – hatte er ein Liebesverhältniß zu einem Eheverhältnisse erhoben. Das heißt im Pariser Sinne, welcher dazu weder Zeugen noch Autoritäten in Anspruch nimmt und trotz dieser fehlenden Bestätigung zu den Pflichten der Monogamie sich bekennt. Er stellte ein junges, stattliches Mädchen als seine junge Frau vor. Sie war eine volle Figur mit heiterem runden Antlitz und von angenehmem Wesen. Heine hatte die größte Freude an ihrem naiven fröhlichen Naturell und hat diese Freude an ihr nie verloren. Stets, bis zu seinem letzten Athemzuge, hat er sich glücklich gepriesen in ihrem Besitze, und er selbst hatte immer etwas Naives und Kindliches, wenn er von ihr erzählte und sie schilderte. In keinem andern Verhältnisse habe ich ihn so viel kleine liebenswürdige Züge und Wendungen enthüllen sehen, welche aus seinen besten Gedichten mit Kindesaugen hervorblicken.

Er war durchaus lieb und gut und fein und liebenswürdig mit seiner sogenannten »kleinen Frau«. Daß sie nichts von seinen Schriften verstand, war für ihn ein Triumph. »Sie liebt mich persönlichst, und die Kritik hat dabei gar nichts zu thun!« rief er vergnügt. In der That war das sehr drollig, wenn sie fragte, ob es denn wahr wäre, daß ihr Henri ein berühmter Dichter sei? Sie fand das sehr anmuthig und wollte mit der Zeit auch Deutsch lernen. Ich erinnere mich nicht, daß ihr diese Zeit gekommen wäre. Heine war aber doch darauf bedacht, sie auch systematisch in Kenntnissen und Bildung weiter zu bringen: er gab sie in ein Pensionat und besuchte sie nur Sonntags. Eines Sonntags nahm er uns mit. Die jungen Pensionärinnen hätten einen kleinen Ball, und wir sollten seine »kleine Frau« tanzen sehen. Sie war bei Weitem die größte unter allen, tanzte aber zum Entzücken ihres Mannes mädchenhaft und graziös, wie der kleinste Backfisch. Wie glücklich war er damals, wie unbefangen im Zauberkreise der Neigung! Jede Stufe der fortschreitenden Schulbildung gab ihm Stoff zu lustigen Betrachtungen, besonders in Geographie und Geschichte. Daß sie die Reihe der ägyptischen Könige jetzt besser auswendig wußte, als er selbst, und daß sie ihn belehrt habe über den wunderlichen Vorfall mit der wollespinnenden Lucretia, das fand er reizend über die Maßen.   (141)

522. HENRICH LAUBE   Mai/Juni 1839 – Dez. 1839/Jan. 1840

Heine-Erinnerungen   (*Jan. 1868*)

In so behaglicher Epoche seines Lebens hatte er das polemische Buch über Börne geschrieben, treu seiner innersten Natur, immer auf dem Kriegsfuße zu bleiben und für jede Stunde sich eines siegreichen Feldzugs fähig zu erweisen. Lächelnd gab er mir das Manuscript und war sehr erstaunt ob meiner Bestürzung. Ich war aus tausend Gründen dagegen. Zunächst aus strategischen im Sinne der liberalen Operationsarmee. Wozu diesen Zwiespalt der liberalen Kräfte enthüllen und erweitern?! Ganz ohne Noth und Zwang. Alsdann aus literarischen Gründen. Ich suchte ihm auseinander zu setzen, wie tief der Unterschied sei zwischen ihm und Börne, der Unterschied der Aufgaben und Fähigkeiten; daß Börne einen Parteikampf zu führen gehabt und mit scharfem Talente, mit unleugbarer Bravour geführt; daß Heine dagegen größere Fähigkeiten, größere Aufgaben zu lösen habe. Das Schicksal des Menschen, nicht blos das Schicksal des Staatsbürgers, sei ihm überantwortet für sein Talent und seinen Geist. Heine verleugne seinen weiteren Beruf, wenn er ohne dringende Nöthigung ein Duell aufführe wegen persönlicher Differenzen in untergeordneten Dingen.

Es war umsonst. Der Trieb nach persönlicher Rache, oder wenigstens nach persönlicher Genugthuung, war zu stark in Heine's Naturell. »Aug' um Auge, Zahn um Zahn«, war jüdisch-biblisch tief eingeprägt in sein Wesen. – »Nun denn«, schloß ich nach tagelangen Debatten, »wenn Du also dem Gelüste absolut nicht entsagen kannst, dann adle es wenigstens durch eine Zuthat, welche über Börne hinaus ragt!«

»Wie das?«

»Setze mitten in diese Invectiven hinein einen Berg, welcher Deine höheren und weiteren Anschauungen der Welt erhebend darstellt. Sein Inhalt wird den Lesern die Ueberzeugung einflößen, die Polemik vor und hinter diesem Berge sei eine leichte Zuthat, welche erklärt und entschuldigt werde durch Dein persönliches Bedürfniß, historisch vollständig zu sein, historisch aufzuräumen.«

Das leuchtete ihm ein.»Das ist der Rede werth!« sagte er und ging fort. Und als er wieder kam, legte er die Hand über beide Augen, wie er zu tun pflegte, wenn er etwas reiflich Ueberdachtes aussprechen wollte, und sprach:»Mit dem ›Berge‹ hast du Recht. Ich werde ihn errichten.« Und so sprach er nun Tag um Tag:»Der Berg ist angefangen! Der Berg wächst, der Berg erhebt sich!«

Dies war sein letztes Wort, als wir Abschied nahmen. Ich verließ Paris, ehe das Buch fertig war, und war recht enttäuscht, als ich einige Monate später in Deutschland das Buch erhielt, und als angekündigten Berg darin nichts weiter fand, als die Freiheitshymnen aus Helgoland, welche er in die Mitte eingeschoben. Das war freilich meine Meinung nicht gewesen, so wohlfeil hatte ich mir den Berg nicht vorgestellt. Aber kleinlaut mußte ich mir doch auch eingestehen, daß man auf einen Künstler nicht einwirken könne, wie auf einen bloßen Schriftsteller, und daß Heine auf dem letzten Grunde seiner innersten Natur immer Künstler sei und bleibe, welcher nicht lehrsam sich äußern könne, sondern immer eine Strömung der Leidenschaft suche. (141)

523. Heinrich Laube   1839

Memoiren   (*1875)*

Ich hielt es deshalb immer für ein Irreführen, daß man stets Börne und Heine nebeneinander nannte, als gehörten sie eng zu einander. Das war gar nicht der Fall; sie waren grundverschiedene Leute. Für Börne war die Politik wirklich die Lebensfrage, das Ein und Alles, und der weiter schweifende Heine mußte ihm bei näherer Bekanntschaft gründlich mißfallen. Das war denn auch eingetreten, nachdem sie eine Zeitlang neben einander gelebt hatten in Paris. Der redliche Parteimann Börne hatte sich entsetzt über den leichtfliegenden Heine, und der poetisch trachtende Heine hatte sich gelangweilt und geärgert über den eng einher schreitenden Börne. Der Verkehr zwischen ihnen hatte völlig aufgehört, und mit Groll über Heine war Börne gestorben.

Jetzt, 1839, wollte nun Heine ein Buch schreiben über Börne. Davon sprach er mir. Ich fand das falsch, und rieth ihm dringend davon ab. Der liberalen Sache konnte das nur schaden, und Heine's Schilderung des Börne'schen Wesens kam der Welt zurecht, wenn sie in späteren Jahren erschien. Sie würde dann auch reifer und gerechter auftreten. Das war denn bald ein Gegenstand täglichen Streites zwischen uns. Heine war in solchem Streite niemals gröblich, niemals unangenehm. Er erfand immer große Gesichtspunkte. Riß man sie ihm nieder unter der Bemerkung, daß er ja selbst nicht an sie glaube, da lachte er wol, beharrte aber doch zäh auf seiner Ansicht, auf seinem Willen. Er hatte sich das Thema einmal aufgebaut, und an vielen Stellen geistreiche Wendungen hinein gezeichnet, sogar gute Witze – wie kannst Du verlangen, schrie er, daß ich das Alles aufgeben soll vor Deiner Parteiweisheit! Ich gehöre zu keiner Partei, oder doch nur – schloß er lachend – zu *meiner* Partei.

Im Laufe des Jahres schrieb er bekanntlich das Buch dennoch und brachte mir triumphirend das Manuscript mit den Worten: Lies, und bleibe Deiner Sinne Meister! Es ist außerordentlich.

Ich blieb meiner Sinne Meister und nannte das Buch leer und blos ärgerlich. Leer?! sagte er erstaunt. Ja, leer und ärgerlich, weil es sich in bloßer Polemik herumtummelt, und keine eigentliche Heine'sche Welt aufrichtet. In der Mitte wenigstens, schloß ich, müßte ein Berg stehen Heine'scher Weltanschauung, welcher die Börne'sche Welt überragt.

Zu dieser Kritik schwieg er verdrießlich und ging fort.   (142)

524. HEINRICH LAUBE   Dez. 1839/Jan. 1840

Memoiren   (*1875)

Wir sahen uns dann lange nicht mehr, weil ich Paris verließ. Ich ging auf die Reise durch Frankreich, um die Lustschlösser aufzusuchen, von denen aus die Könige Frankreichs Geschichte dictirt hatten seit Franz dem Ersten. Die Reise dauerte ein halbes Jahr, und hat den Inhalt geliefert zu meinem Buche »Französische Lustschlösser«.

Erst im Winter kam ich nach Paris zurück, und das erste Wort, welches mir Heine entgegenrief, war: »der Berg ist errichtet!«

Er hatte die Dithyrambe von Helgoland in die Mitte hineingeschrieben.

Mir genügte das nicht. Er aber machte sich nichts aus meiner Ungenügsamkeit, und war heiter und guter Dinge. Diesen ganzen Winter 39 und 40 war er's, wie ich ihn nie wieder gesehen. Verliebtheit spielte dabei eine Rolle. Verliebtheit ist immer bei ihm daheim gewesen, und jetzt hatte er eine junge feiste Französin von der belgischen Grenze her in den Sinnen, sogar im Herzen, wie es schien. Die beschäftigte und belustigte ihn vollauf. Sie besaß den großen Vorzug einer gleichmäßigen, angenehmen Heiterkeit, für jeden Liebhaber ein Schatz, für Heine ein doppelter; denn Kopfschmerzen und arge Empfindlichkeit des Gemüthes verstimmten ihn nur zu oft. – Eines Tages kam er strahlend und sagte: ich habe das große Frauenzimmer in eine Mädchen-Pension gegeben draußen in der Vorstadt; heute ist dort Ball. Ihr müßt mitkommen, und meine Mathilde tanzen sehen! – Das geschah denn, und es war wirklich unterhaltend, das kindliche Vergnügen Heine's zu beobachten. Ganz der Dichter eines Märchens trippelte er umher. Wie ein ausgelassener Knabe, der fröhliche Witze reißt über sich selbst, erklärte er uns stets im Vorüberhuschen den Grund seines Wohlbehagens.

Bezeichnend für ihn ist es immerhin, daß er dieser Mathilde über fünfzehn Jahre lang ergeben und treu geblieben ist bis an sein Ende. Sie war, wie es mit der Heiterkeit verbunden zu sein pflegt, ein gutmüthiges Naturell, welches kaum ein paar Worte deutsch erlernte, von seinen Poesien nichts verstand und ganz naiv bemerkte: die Leute sagen, daß mein Henri ein großer Poet sei; ist es nicht schnurrig, daß ich gar nichts davon verstehe? – Und gerade das fand Heine reizend, denn sie liebe ihn also nur um seiner Person willen, nicht um seiner Talente, seines Ruhmes halber. »So triumphirt trotz der deutschen Philister meine persönlichste Liebenswürdigkeit, die unwiderstehlich ist!« rief er lachend. (142)

525. Heinrich Laube   25. Dez. 1839

an Arnold Ruge, Paris, 25. Dez. 1839

Was ich soeben von Heine höre, lieber Ruge, übersteigt all meine Vorstellungen, und ich muß Sie selbst fragen. Die Hegelsche Philosophie sei indirekt verboten, Ihnen quasi offiziell eröffnet, daß nie eine Professur für Sie offen, Sie im Begriffe, nach Leipzig auszuwandern – und die [Hallischen] Jahrbücher, sind sie auch bedroht? Wie sich das in Paris ausnimmt!   (103)

an Robert Schumann, Paris, Dez. 1839

Vor allem danke ich Ihnen für die Kritik der Sonate. [...] So fein, so duftig und zart schreibt doch niemand. Ich habe sie Heine gezeigt, und er sagte »sie sei außerordentlich geschrieben«. (230)

527. Heinrich Laube Dez. 1839/Jan. 1840

Memoiren (*1875)

Mir schmeichelte er in diesem Winter gröblich mit meiner Literatur-Geschichte, deren Form und Tendenz ihm zusagte. »Ich werde nächstens auch literarische Charakteristiken schreiben«, sagte er, und er hat's ja auch gethan. Mein Buch wollte er durchaus ins Französische übersetzt haben. Er warb denn auch wirklich einen armen Franzosen, welcher zur Noth deutsch verstand, und brachte mir ihn mit dem ersten übersetzten Bogen, der mit Lessing begann. Ich fand indeß das Unternehmen gar nicht rathsam, weil die Ausdehnung auf drei Bände doch eine zu große Zumuthung wäre für die Franzosen, und ich suchte, es ihm auszureden. Es dauerte lange, ehe ich ihn davon abbringen konnte; denn er war in seinen Vorsätzen überaus hartnäckig. Die literarische Vermittelung mit den Franzosen war ihm an's Herz gewachsen, seit die Uebersetzung seiner Gedichte so überraschend günstigen Eingang gefunden hatte in Paris.

Es war auch in der That erstaunlich, welche geachtete Stellung er dadurch bei den französischen Schriftstellern erworben hatte. Der witzig poetische Reiz seiner Schreibweise fesselte sie in hohem Grade. Sie respectirten ihn höchlich, ja sie fürchteten ihn sogar, wie sie Jedermann fürchten, der mit Geist lächerlich machen kann.

Ich konnte das genau beobachten, weil er in diesem Winter eine wahre Passion hatte, mich mit allen literarischen Notabilitäten in persönliche Bekanntschaft zu bringen. Alle, auch die sonst verschlossensten Thüren öffneten sich ihm, und die George Sand, Balzac, de Vigny, Victor Hugo, Janin und wie sie weiter hießen, behandelten ihn wie einen Pair.

Eines Abends kam er in seiner braunrothen Sammtweste, auf welche er stolz war, und weißer Cravate, und schleppte mich zu einem Marquis de Custine, der eine große Soirée gab. Da würde ich, lachte er, den ganzen »Krempel« von Berühmtheiten finden. Denn der Marquis, welcher ein Buch über Rußland geschrieben, sei nur ein halber Literat, müsse also für vollen Besuch sorgen, um selber voll auszusehen.

Ich sah da auch wirklich Balzac, Lamartine, Herr und Frau von Girardin und tutti quanti, und mit allen scherzte er wie ein eingeborener Franzos. Namentlich mit Balzac, der etwas Behagliches, um Eleganz Unbekümmertes, also auch nicht einmal eine so schöne braunrothe Weste hatte. Ich glaube, er trug sogar einen blauen Shlip statt der weißen Kravate, und es war ihm deutlich abzumerken, daß dieser geputzte Plunder von Geselligkeit ihn gar nicht interessirte. Er war eine untersetzte Gestalt, ein dicker Kopf – tête carrée – aus welchem feste Augen schauten, und dessen Mund gutmüthig lächeln konnte. Ich sah ihn erstaunt an, hörte ihm erstaunt zu, wie er im bequemsten Geschwätz mit Heine tändelte, dieser unerschöpfliche Beobachter der Menschen, welcher so unerbittlich alle Hüllen wegzieht vom Menschenschimmer, welcher so unermeßlich viel zu schreiben versteht und immer mit überlegenem Geiste schreibt. [. . .]

Unvergleichlich war Heine in seinen Schilderungen der gesehenen Personen, wenn wir aus solchen Gesellschaften nach Hause fuhren. Er sah die Leute durch und durch, wenn er sich auch gewöhnlich nur mit einer Seite derselben beschäftigte. Allerdings meist, um sie zu geißeln. Mitunter jedoch auch, um sie zu preisen. Im Gespräch war er billiger als in der Schrift.

Mich förderte er in Allem wie ein Bruder. Er war Gefälligkeit und Güte durchweg. – Man traut ihm wol die Güte nicht zu? Ganz irrthümlich! Er hatte sogar einen weichen, wohlthätigen Sinn. Oft entschuldigte er ihn vor sich selbst, indem er sich selber deshalb schalt, und sich »ein albernes altes Weib« nannte. Aber mit dem Munde schalt er, mit der Hand gab er. (142)

528. Friedrich Pecht   Dez. 1839

Memoiren   *(*1894)*

In dieser ersten Pariser Zeit war es auch, wo mir Laube nach der Wagners zugleich die lang ersehnte Bekanntschaft Heinrich Heines vermittelte, indem er, mit ihm schon längst näher befreundet, uns beide zu einem kleinen gemeinsamen Diner bei dem der Oper gegenüber befindlichen Restaurant Brocci einlud, wohin auch Heine samt seiner Frau kommen wollte. Diese bildschöne Französin trug nun zunächst allerdings einen glänzenden Sieg über die beiden deutschen

Frauen davon. Toll, naiv-anmutig und unwissend wie ein Kind, verdunkelte sie sowohl die unendlich geistvolle, aber ziemlich verblühte Frau Laube, als die seelengute, aber etwas hausbackene Frau Wagner. Allerdings blieb sie mit ihrer üppigen Figur und dem wundervoll matten, sammtartigen Teint ein bloßes Schaugericht, aber ein entzückendes, obwohl sie schwerlich in ihrem Leben über das gefährliche Kind hinausgekommen ist, dessen bloßes Lachen einen aber schon froh machen konnte. Heine, von dem sie nur ungefähr wußte, daß er ein poëte allemand sei, behandelte sie denn auch kaum viel anders wie einen Kanarienvogel, liebte sie aber trotzdem offenbar zärtlich. Ihn selber hatte ich mir niemals so sehr als blinzelnden Jupiter vorgestellt. Aber ein Jupiter mit viel zu kurzen Beinen allerdings, dem sein wohlgenährtes Bäuchlein wie sein behäbiges Auftreten das Aussehen eines Bonvivants gab. Er war damals in seiner vollen Kraft [...], aber trotz seines herrlichen Dichterkopfes mit der mächtigen Stirn, der Adlernase und dem sinnlichen, aber sehr anmutig zuckenden Mund machte er keinen eigentlich imponierenden Eindruck, weil er, sehr kurzsichtig, seine an sich schönen Augen immer unangenehm zusammenkniff, sie nur selten aufschlug, und weil er seine jüdische Abstammung, von der in seinem blonden und blauäugigen, ganz germanischen Kopf keine Spur zu entdecken war, umso deutlicher durch seine schlechte Haltung aussprach, da er, obwohl von Hause aus breit und gut gebaut, doch den schleppenden, nachlässigen Gang seiner Rasse hatte. Er sprach fast nie zusammenhängend, sondern machte nur immer Ausfälle und unendlich drollige Bemerkungen, besonders wenn er durch Widerspruch gereizt ward. Auch brachte er offenbar immer schon einige kostbare Witze fertig mit und leitete die Unterhaltung dann so, daß er sie wirksam anbringen konnte. Da Laube auch Meister in scharf zugespitzter Sprechweise war, Wagner aber im sprudelnden Erzählen seinesgleichen suchte, so war das Gespräch dieser durch die schönen Frauen und den guten Wein ohnehin animierten Männer allerdings wohl eines der glänzendsten, die ich je gehört. Das schienen auch andere zu finden, denn ich bemerkte später, daß am nächsten Tische Deutsche saßen, die uns beständig beobachteten und zuhörten. Bald nahm ich dasselbe an einem zweiten Tisch wahr und hörte endlich auch an den anderen allen deutsch sprechen, so daß also wir uns unbelauscht Glaubende, zufällig unter lauter Landsleute, möglicherweise auch unter spionierende, geraten waren, was uns damals schlecht bekommen konnte. (193)

529. RICHARD WAGNER   Dez. 1839

Memoiren, Okt. 1866   (*1911, posthum)

Bei ihm *[Laube]* lernte ich auch Heinrich Heine kennen, und beide
unterhielten sich oft in gutmütigen Scherzen, die mich selbst gern zum
Lachen brachten, über meine wunderliche Lage.   (268)

530. HEINRICH LAUBE   Dez. 1839

Artikel über Besuch bei George Sand   (*28./29. 12. 1840)

Sind Sie mit Madame Dudevant genauer bekannt? fragte ich Heine,
als wir an einem Wintermorgen in den Stadttheil hinaus fuhren, der
gegen den Montmartre hin sich allmählich erhebt, und wohin sich
jetzt wegen gesündester Lage die vornehme Welt zieht. –»O ja! Aber
ich habe sie zwei Jahre lang nicht gesehen; vor zwei Jahren war ich
oft bei ihr.« – Sie sind aber doch beide in diesen zwei Jahren großentheils hier in Paris gewesen? – »Ja; aber Paris ist groß.« – Hat aber
nur Eine George Sand. – »Hat auch nur Einen Louvre, nur Eine
italienische Oper, und man kommt manchmal zwei Jahre lang nicht
in den Louvre, nicht in die italienische Oper, der Tag ist zu mächtig.« –
Wird die Dudevant Ihnen diese Vernachlässigung nicht übel genommen haben, und Sie jetzt kalt aufnehmen? – »Ich denke nicht; sie lebt
ja auch in Paris, und ihre Bücher les' ich doch alle. Der französische
Autor ist nicht so ehemännisch empfindlich wie der deutsche.« – Wer
ist jetzt ihr Cavalier? – »Chopin, der Claviervirtuos, ein liebenswürdiger Mann, dünn, schmal, vergeistigt wie ein deutscher Poet aus der
Trösteinsamkeit.« – Virtuosen müssen ihr besonders angenehm seyn;
war nicht auch Liszt lange Zeit ihr Liebling? – »Sie sucht Gott, und er
ist ja nirgends schneller zur Hand als in der Musik. Das ist so allgemein, das fordert keinen Widerspruch heraus, das ist niemals dumm,
weil es niemals klug zu seyn braucht, das ist alles, was man eben will
und kann – das erlöst vom Geiste, der uns peinigt, ohne doch geistlos
zu machen.«

Es war einer jener schönen Wintermittage, mit denen die Sonne so
gern Paris beglückt. Heine fürchtete, daß sie die Sonne so zeitig hin-
ausgelockt haben könnte. In den kleinen bergigen Straßen dieses Vier-
tels hielt der Wagen vor einem unscheinbaren Hause. Dieß bildete
nur den Eingang zu einem Garten, der sich zu einem freundlichen
Hause hinaufzog. Der Schnee war geschmolzen und der große Rasen-

platz vor den Fenstern sah grün aus, als ob es Frühling werden wollte. Ist die Frau Marquise zu Hause? – »Sie ist so eben ins Boulogner Holz gefahren.« – Bah! da standen wir, und das erst so freundliche Haus mit seinem Rasenrund sah mich verlassen, uninteressant an. Zu Custine denn, der in der Nähe wohnt, und wenn auch der nicht daheim, zu Balzac, und wenn auch der nicht daheim, zu Janin, der ist immer zu Hause, und nimmt immer an, der arbeitet bei offenen Thüren. – Der stolze Titel »Madame la Marquise« hatte mich überrascht, und ich fragte Heine darnach. Sie stammt von einem alten Geschlecht aus dem Berry, und dort in der tiefsten, ebnen Mitte Frankreichs hat sie auch ihr Landgut, und verbringt sie Sommer und Herbst, wenn sie nicht reist. [...]

Wir kamen des andern Tags gegen 2 Uhr Mittags wieder: sie war zu Hause, aber noch zu Bett. Heine zeigte sich bekannt im Hause und wurde gemeldet. Wir sollten ein wenig warten, hieß es, sie würde aufstehen und uns annehmen. Sie bewohnt das Haus allein; das Zimmer, in welches man uns führte, war einfach reich ausgestattet, das lebensgroße Porträt eines wunderschönen Knaben mit langem schwarzem Haar, interessant und vortrefflich gemalt wie ein Van Dyk, sah von der Wand herab auf uns mit großen, fragenden Augen. – Es ist ihr Sohn, ein Knabe von 12 oder 14 Jahren. Sie liebt ihn sehr, und als wir ihr später ausdrückten, wie interessant und schön uns der Knabe erschienen wäre, schien sie das höchlich zu freuen. Nicht wahr, sagte sie in naivster Zuversichtlichkeit einer Mutter, es ist ein liebes Menschenantlitz? [...]

Sie saß in der Mitte ihres kleinen Salons auf einem niedrigen Sessel, als wir eingeführt wurden, in einen eigenthümlich geschnittenen braunen Morgenmantel gehüllt. Der volle, runde Kopf war unbedeckt, schwarzes, überaus volles Haar, griechisch gescheitelt und in einen tief hinabgehenden Knoten geschlungen. [...]

Chopin bereitete ihr den Kaffee am Kamin, und sie trank ihn, uns mit heiterer Herzlichkeit empfangend und mit Lebhaftigkeit anredend. Heine schien ihr sehr werth zu seyn; sie fuhr ihm mit der Hand über das Haar, und schalt ihn äußerst anmuthig, daß er sie so lange nicht aufgesucht habe.

Von Schriftstellerei war zunächst gar nicht die Rede, sondern von einigen öffentlichen Personen, und vermittelst solches Uebergangs von allgemeinen Interessen. Heine, der sehr aufgeweckt war, führte das Wort, und die Sand, noch Kaffee trinkend, nahm nur hie und da eine Partie der Unterhaltung auf und erledigte sie in ruhiger, wohlwollender, sehr bestimmter Sprache. Auch später, als die Gesellschaft größer und das Gespräch sehr lebhaft wurde, nahm sie auf dieselbe Art am Gespräch Theil: sie hörte lange, erklärte sich in wenig Worten für eine ausgesprochene Meinung, oder machte eine von allen andern abweichende geltend. Drängte ihr einer seine andere Meinung auf, oder bekämpfte er das, was sie für richtig hielt, so hörte sie ernsthaft und schweigend hin, unterbrach selten mit einem Worte und erklärte zumeist am Ende der Entgegnung, daß sie diese Ansicht nicht theilen könne. Zur Bekräftigung führte sie noch ihren Hauptgrund an, ließ sich aber wenig oder gar nicht darauf ein, im Hin- und Herstreiten einer Wahrheit nachzugehen. Die Resultate schienen ihr sicherer und wichtiger zu seyn als die dialektische Bewegung derselben. Ihr Ausdruck dabei war vorherrschend ein milder Ernst, der, gewöhnlich nur wenn sie sich an Heine wandte, in eine milde Heiterkeit spielte, und wohl auch in ein kurzes herzliches Lachen überging bei dessen meist witzigen, meist unerwarteten Repliken. Nachdem sie den Kaffee getrunken, rollte sie sich aus leichtem Tabak kleine Papiercigarretos zusammen und, sich umsehend unter den Gästen, die unterdeß zahlreicher geworden waren, und die Cigarrchen in der flachen Hand präsentirend, suchte sie sich die wahrscheinlichen Raucher aus. Ein Rochefoucauld, Nachkomme des berühmten Frondeurs und Sevigné-Freundes, ward zuerst gemustert in diesem Betracht. Sosthènes, unter welchem Vornamen er bekannt ist als viel sprechender, überall zu treffender Cavalier der Legitimität, der immer von einem kleinen garstigen Hündchen begleitet wird, war rasch übergangen: starker Schnupfer, Hofmann, rauchen nicht? – Nein, Madame. Ein berühmter Schauspieler, Namens Bocage, war ebenfalls noch frei von der in Paris eindringenden Sitte; Heine deßgleichen – Ah, Sie kommen aus Deutschland, sagte sie zu mir, Sie rauchen mit mir eine Cigarre.

Bald darauf trat ein kleiner dürftiger Mann ein, in einen altmodischen dunkelgrünen Rock gehüllt, auf starkledernen Niederschuhen einhergehend, die mit grauen Strümpfen nach der bescheidensten Provinz aussahen. Die Sand hieß ihn freundlich und vertraut willkommen. Er verbeugte sich schüchtern und ohne die sonstige französische Sicherheit hierhin und dahin, und sein kurzsichtiges Auge bedurfte einiger Zeit, ehe es sich in der Gesellschaft orientirt hatte. Dann kam er neben mich zu sitzen, bewaffnete sich mit einer großen und solid gefaßten Brille, und hörte eine Zeitlang schweigend dem Gespräche zu, das Heine in diesem Augenblicke auf sein Lieblingsthema, den Sensualismus, zu werfen wußte. Die Sand, dieß bemerkend, sah lächelnd mit halbem Blicke auf den neuen Ankömmling und dann auf Heine, und nannte diesen einen Wildfang.

Der Ankömmling war Lamennais, jener bretonische Priester, welcher der Curie schon so viel Kummer gemacht hat. [...] Daß er aus der Bretagne stammt, hat ihm sicherlich zu der speculativ religiösen Bahn verholfen, denn die Bretonen, ein hartnäckiger, compacter und alter Stamm, sind von allen Stämmen Frankreichs vorzugsweise mit religiösem Drange begabt: [...]. Dieß bretonische Tiefleben ist nicht französisch, ist viel verwandter mit englischem und deutschem Wesen als mit dem gallischen Grundfonds, auf dem noch heute ganz Frankreich liegt. [...]

Ganz so, ganz unmächtig zeigte sich Lamennais in jener Gesellschaft, wo es einen praktischen Zusammenstoß seiner Welt gab mit den weltlichen Mächten des Gedankens, mit den leichtsinnigen aber scharfen Waffen Heine's. Dieser, der sonst selten in geschlossener Folge spricht und noch seltner in systematischer Geschlossenheit seine Gedanken vertheidigt, war in dieser Gesellschaft ein völlig anderer, als man ihn sonst zu sehen gewohnt ist. Er griff übermüthigen Geistes allen bretonischen Spiritualismus so schonungslos witzig an, daß Alles in Bewegung gerieth. Die Sand, ganz ohne Witz, weil ein inniges, nach Versöhnung der Gegensätze trachtendes Gemüth, suchte abzulehnen, und that doch auch dieß nur halb, weil das bei ihr selbst aufgejagte Lachen den völligen Willen und die völlige Ueberzeugung beeinträchtigte. Alles sah auf Lamennais. Die Angriffe waren zu geistreich und zu fein, als daß er sie wie gesellige Unschicklichkeit oder Zudringlichkeit hätte ignoriren können; bei den mannichfachen Wendungen ferner, die das Gespräch schon genommen, und bei den ächt französischen tactvollen Erledigungen, die es trotz der innerlichst uneinigen, aus Legitimisten, freien Monarchisten und Republicanern bestehenden Gesellschaft immer gefunden hatte, erwartete Jedermann, Lamennais werde dieser Gesprächsrichtung einen bedeutenden Abschluß geben, besonders da die Sand zum öftern dafür behülflich Bemerkungen einschob. War es Mangel an innerlicher Freiheit, was Lamennais abhielt, diese andere Welt, die sich so heiter und lustig ankündigte, mit einem augenblicklichen Abondon aufzunehmen? Er lächelte, er lachte, aber säuerlich, unerquicklich, wie einer der kein freies Lachen besitzt. Vergebens hatten wir gehofft, er werde den spitzigen Waffen des geistreichen Plänklers gegenüber die breiten, scharfen Waffen einer dogmatischen Festigkeit auch nur mit einem Griff enthüllen. – – Mit großer Theilnahme fragte mich Lamennais

nach unsern kirchlichen Wirren, nach dem Kölner und Posener Erz-
bischofe, nach den Principien und Zuständen in München, und versicherte, daß er den Deutschen das Beste in diesen Fragen zutraue,
daß er die größte Hochachtung für deutsche Wissenschaft und Bildung
hege, daß er die deutsche Sprache gern verstehen und Deutschland
kennen lernen möchte.»Mehr können Sie doch nicht verlangen!«
flüsterte mir Heine zu.

*[In seinen Memoiren (1875) führt Laube die Szene mit Lamennais
noch etwas weiter aus:]* Bis in sein Mannesalter war dieser Bretone
ein Vorfechter des allmächtigen Papstthums gewesen, und Leo XII.
hatte ihm den Cardinalshut angeboten. Erst seit der Juli-Revolution
war er zur Volkspartei übergetreten, und hatte in seinem Journale
»L'Avenir« den Staat und die Kirche gleichzeitig herausgefordert,
»Gott und Freiheit« zum Motto wählend. Der Papst verdammte ausdrücklich diese Lehren Lamennais', und dieser schien 1832 reuig in
sich zu gehen, ja, er schrieb eine Erklärung, daß er fernerhin die ortho-
doxen Lehren der katholischen Kirche streng befolgen werde. Es war
ihm nicht möglich geworden, und zwei Jahre später gab er eine Schrift
heraus, welche ganz Europa in Bewegung setzte. In alle Sprachen
wurde sie übersetzt – Börne selbst übersetzte sie für uns – und hundert Auflagen wurden von ihr gemacht. Sie hieß »Paroles d'un
croyant«. Man nannte sie das hohe Lied der Revolution, weil sie auch
im edelsten Französisch, im Style Bossuets geschrieben war. Und als
sie wiederum vom Papste verdammt wurde, gab er»Affaires de Rome«
heraus, worin die Tendenzen des Papstthums dargestellt wurden als
widerstreitend jedem natürlichen und christlichen Rechte.

Auf diesem Standpunkte des theologischen und politischen Radi-
calismus befand er sich damals, als er bei der Sand eintrat, und sich
mit leisen Bewegungen und Aeußerungen unter uns niederließ. Es
herrschte eine Seelenfreundschaft zwischen ihm und George Sand,
und Niemand paßte ungeschickter zu diesem Verhältnisse als Henri
Heine, welcher gerade heute von ausgelassener Stimmung und Geistes-
frische war. Die Hauswirthin erkannte auch sogleich die Gefahr, und
suchte das Gespräch zu vereinzeln. Heine aber ließ nicht ab, sich an
den sanft und wohlwollend ausweichenden Priester zu wenden und
dem Gespräche allgemeine Grundsätze zuzuführen. Es war nicht zu
verkennen: er hatte die freche Neigung, Lamennais aufzuziehen, was
die Franzosen »railler« nennen. Der Begriff »Pfaff« war ihm stets
antipathisch. Um mein Vergnügen zu erhöhen, flüsterte er mir ins

Ohr: »Dieser sentimentale Pfaff war einmal nahe daran, Papst zu werden; hör' zu!« Und nun rückte er hervor mit immer schärferen Fragen, Behauptungen und so witzigen Wendungen, daß er die Lacher auf seiner Seite hatte. [...] Die Sand war in größter Verlegenheit, wenn sie auch süßsauer lächelte zu den spitzkomischen Worten, und bat ihn immer wieder mit den Augen, er möchte doch aufhören! Lamennais selbst lächelte ebenso, und ließ sich Alles gefallen von dem unbequemen Weltkinde.

Nie habe ich Heine so mächtig gesehen in gesellschaftlichem Verkehre. Oft sprach er sein Französisch – das er übrigens fein cultivirte – zähe und stockend, hier floß es ihm wie die Welle des Sturzbaches von den Lippen, und er fand, ohne zu suchen, die schlagendsten Ausdrücke wie ein überlegener Franzose; er herrschte bei diesem Lever wie ein Imperator des Geistes. (138. 142)

531. Heinrich Laube   Dez. 1839/Jan. 1840

Nekrolog auf Heine, Leipzig, 6. Aug. 1846

Ihm öffneten sich alle Pforten, ich möchte sagen: alle Arme; er gehörte ganz und gar und ohne Vorbehalt zu der glänzenden Familie von französischen Notabilitäten, welche sonst gegen den Ausländer so kühl und so höflich sind. Und nicht etwa bloß, weil sie ihn und seinen Geist fürchteten, obwohl auch dies kein verächtliches Symptom wäre, o nein, in der Würdigung litterarischer Größe herrscht bei den Franzosen ein viel tieferer Konservatismus als bei uns. Wer einmal die Litteratur durch etwas Ausgezeichnetes bereichert hat, den berührt die nagende Kritik nicht mehr an der Wurzel, wenn sie ihm noch so viel Blätter abreißen sollte, was ebenfalls nicht leicht geschieht. Man ehrt dort sich und seine Nation in treuer Wertschätzung dessen, was jemals die Nation ausgezeichnet hat, und in demselben Geiste betrachteten dort George Sand, Hugo, Lamartine, Thiers, Mignet, Balzac, Dumas, und wie sie weiter heißen, den deutschen Autor Heine, von dem sie nur Bruchstücke kannten; an der Kralle erkannten sie den Löwen, und es war ihnen immerdar zweifellos, daß er eine geistige Macht ersten Ranges und als solche zu behandeln und zu achten sei. Ich schweige davon, daß viele, und darunter George Sand, seinem Geiste innige Liebe widmeten, ich erwähne den ganzen Spiegel fremder Welt auch nur beiläufig, weil ich mich in so schmerzlichem Augenblicke jener Szenen erinnere, in denen gerade Heine mächtiger als irgend eine deutsche Macht die Schlagfertigkeit unseres Vaterlandes mitten unter den begabtesten Franzosen zur Geltung brachte. Konnte es für einen Deutschen etwas Erquickenderes geben als die Teilnahme an solchen Gefechten, in denen die Franzosen immer den Sieg in Anspruch nehmen für ihr Talent der Rede und des Esprits, und in denen nun plötzlich ein Deutscher als Deutscher links und rechts ein Vorpostentreffen begann und allein, ganz allein, allmählich die ganze Linie der Gegner auf sich zog und mit Hieb und Stoß und Schuß beschäftigte, und nicht nur beschäftigte, sondern bedrohte und, wie oft! vollständig aus dem Felde schlug? Ja, die er in deutscher Sprache oft so bitterlich verspottete, indem er nur den Zopf derselben, den dicken und steifen und langen, ins Auge faßte, deutsche Wissenschaft und Kunst und Sitte vertrat er, ein gefürchteter Gladiator, gegen jedes herausfordernde Lächeln der Franzosen, vertrat er wie eine Herzens-angelegenheit mit jenem blitzenden Geiste, welcher ihm nur eigen war, und in welchem ihm selbst jene begabten Franzosen die eigentümliche Ueberlegenheit einräumen mußten. Nie vielleicht ist deutsches Interesse so eigentümlich und so schmetternd verteidigt worden als von Heine in solchen Kämpfen; ich sage, so eigentümlich, denn die Franzosen wissen heute noch nicht, welch eine nationale Form des Geistes aus diesem Manne wetterte, den sie doch so gern für einen adoptierten Franzosen ausgaben. Die tiefer Blickenden erkannten gar wohl, daß hier nicht bloß von angeeignetem französischen Esprit die Rede sein könne, und daß es sich vielmehr um eine Verbindung von Eigenschaf-ten handle, die nicht in ihrer, nicht in unserer Nation ausschließlich zu finden sei, und Heine selbst ließ ihnen, wie höflich er auch sonst war, er ließ ihnen bei solchen Gelegenheiten nicht den geringsten Zweifel übrig, daß er kein Franzose, sondern ein im letzten Grunde vollkommen deutsches Menschenkind sei. (124)

532. HEINRICH LAUBE   Dez. 1839/Jan. 1840

Heine-Erinnerungen   (* *Jan. 1868*)

Die älteren [französischen] Schriftsteller, mit denen Heine damals be-freundet oder wenigstens bekannt war, verkehrten sehr zuvorkom-mend mit ihm und sehr artig. Ich konnte die Nuancen dieses Verkehrs studiren, denn Heine nahm sich die Mühe, mich mit den meisten derselben persönlich bekannt zu machen. Nicht in Gesellschaften, wo man eben nur vorgestellt wird, sondern indem er mich zu ihnen in's

Haus führte. Dies ist in Frankreich nicht leicht, der französische Schriftsteller ist sehr karg mit seiner Zeit, und namentlich Ausländer interessiren ihn herzlich wenig. Einer Heine'schen Anfrage aber zeigten sie sich alle zugänglich, selbst Victor Hugo, dessen Schwulst und Bombast dem Spotte Heine's näher lagen als der Verehrung. So lange die gegenseitige Abneigung nicht schriftlich und grell manifestirt werden, verdecken die französischen Autoren die inneren Antipathien recht geflissentlich und zeigen sich freundlichst als Männer von Welt, die Höflichkeit einschiebend als einen Wall von Blumen. Davon hatte auch Heine viel mehr gelernt, als ich ihm zugetraut, und sein artiger Umgang mit französischen Poeten, deren Poesien ihm gar nicht zusagten, verrieth keinen Zug des rücksichtslosen deutschen Schriftstellers. Nur gegen den deutschen Landsmann, gegen mich, verleugnete er bei diesen Besuchen nicht immer die heimathliche Art. Bei Alfred de Vigny zum Beispiele, der mit einer recht langweiligen, dicken Engländerin verheirathet war, überantwortete er mich unbarmherzig dieser Ehehälfte und unterhielt sich abgesondert mit de Vigny. Glücklicherweise kam mir dieser selbst, ein feiner, etwas melancholischer Cavalier, endlich zu Hülfe, Heine aber lachte wie ein Straßenjunge der »Reisebilder«, als wir herauskamen und ich ihn ernstlichst versicherte: es sei mir weniger um die Bekanntschaft dieser gewiß sehr braven Engländerin zu thun gewesen. »Sehr brav!« fügte er seinem Lachen hinzu, »und de Vigny ist sehr dankbar, wenn ihm die Kosten häuslicher Unterhaltung eine Weile abgenommen werden.«

(141)

533. HEINRICH LAUBE   1839/40

Heine-Erinnerungen   (* Jan. 1868)

Im Grunde war es mit seiner deutschen Rede nicht viel anders. Kopfweh war seine immer wiederkehrende Noth. Er glich oft einer hysterischen Frau, die ewige Krisen in Migräne durchmacht. Da sprach er dann abgebrochen und wüst, die Sätze nur halb fertig, die notwendigsten Worte oft mühsam suchend. Man meinte, eine verdrießliche Unfähigkeit vor sich zu haben. Hunderten von deutschen Besuchern hat er damit den widerwärtigsten Eindruck gemacht, denn Geringschätzung Anderer, Ungezogenheit vielfältigster Art fehlten selten dabei; wohl aber fehlte Alles, was man human nennt. Und derselbe Mensch war in der nächsten Stunde ein ganz anderer. Körperlich wohler und gut angeregt von den Gegenständen des Gesprächs, oder auch nur von den Sprechenden, denen er schmeicheln oder die er bekämpfen wollte, entwickelte er eine Suada voll Inhalt, Raschheit und Lebendigkeit. Seine Stimme war Tenor, weich und angenehm, wenn er guter Laune war. Er konnte dann fein schmeicheln und so liebenswürdig sein, wie er's mit Franzosen war, auch mit denen, die ihm gleichgültig waren. Sein Auge war nicht groß, aber sehr fein. Es schloß sich auch noch zur Hälfte, wenn sein Antlitz in Bewegung gerieth. Trotzdem war es sehr beredt, und besonders für alles Schalkhafte und Schlimme äußerst hülfreich. Ebenso sein Mund, welcher die abwechselnden Stimmungen treulich begleitete. Er spielte eine große Rolle im Gesicht, da Heine immer sauber und vollständig rasirt war. Ich habe ihn nie mit einem Barte gesehen. Sein länglich volles Gesicht war von zartem Teint und wohlgefärbt, das weiche Haar blondbraun, die Nase leicht gebogen und gut geformt, Stirn und Kinn kräftig. Der ganze Kopf, reich ausgebildet, trat Einem entgegen wie der Kopf eines sinnlichen Weltgeistlichen, oder auch wie der eines hinterhaltigen Diplomaten, welcher geneigt ist, die wichtigsten Dinge rasch und beiläufig abzufertigen. Dieser Kopf saß auf einem kurzen Halse und auf einem mittelgroßen Körper, welcher wohlgenährt, ganz ohne Taille und von weißem, schönem Fleische war. Seine Hände namentlich waren weiß und fleischig. Nichts an ihm – vielleicht der etwas platte Fuß ausgenommen – erinnerte an den Typus der jüdischen Race. Er erschien immer sauber, auch wenn er sich vernachlässigte, und trug feine Wäsche. Ueberhaupt war in seinen Bewegungen etwas Weiches und Geschmeidiges, so daß man auf den Gedanken kam, er habe viel mit Frauen verkehrt. (141)

534. HEINRICH LAUBE   Dez. 1839/Jan. 1840

Nekrolog auf Heine, Leipzig, 6. Aug. 1846

Einst haben wir uns bei nächtlicher Weile auf dem Konkordienplatze, der so weit und lieblich schauerlich ist im magischen Flimmern der Gaslichter, fest versprochen: der Gestorbene wolle dem Ueberlebenden eine Kunde bringen aus der Welt hinter dem menschlichen Tode – die verwegene Seele Heines hat nichts vermocht über den Bann der Elemente; nicht die leiseste Kunde oder Erscheinung ist zu mir gekommen [...]. (124)

Heine-Erinnerungen (* *Jan. 1868*)

Daß seine Mutter von Adel und eine Christin gewesen, das war etwas, was er betont sehen wollte. Als ich ihn später einmal auf diesen Gedankengang aufmerksam machte, nickte er mit dem Kopfe und sagte: »Allerdings!« Es hat nicht an Genealogen gefehlt, welche diesen Familienstolz einen erkünstelten nannten und das ›von‹ in ein gleichgültiges ›van‹ verwandelten. Eine holländische israelitische Familie, welche in das nahe Düsseldorf eingewandert, habe sich dies »van« beigelegt, welches nur eine geographische Bedeutung habe. Dies ist auch wahrscheinlich, denn Heinrich Heine ging niemals näher auf diese Frage ein. Es war ihm ein verführerischer Witz, daß er aus einer Mischung christlichen Adels und jüdischer Race entsprossen sein könne, und von Mutterleibe aus romantisches Mittelalter, eingeweicht in zersetzende Geistesschärfe, darstelle. Sein literarisches Wesen wird ja durch solche gemischte Abstammung prächtig erklärt. Wenn ich ihn mit dieser Racentheorie aufzog, so lachte er und sprang auf ein anderes Thema über. Es war ein Zug seiner Eitelkeit aus seiner poetischen Jünglingsperiode. Das Leben hatte diesen Zug später in ihm verwischt. Aber die halbe Lüge war durch eine Widmung an »die geborene von Geldern« gedruckt und eingeführt; er trug sie auf leichter Schulter weiter und schüttelte sie von der rechten auf die linke Achsel, wenn zudringlich daran getippt wurde. (141)

Heine-Erinnerungen (* *Jan. 1868*)

1839 und 1840, die Zeit während welcher ich fast ein Jahr persönlich mit ihm verkehrt, war noch frei von jeder schweren körperlichen Sorge. Er war glücklich und heiter, soweit er dies eben sein konnte bei einem Wesen, welches für seine Sicherheit und seinen Ruhm Tag und Nacht sorgen zu müssen glaubte, welches der Mehrzahl gebildeter Menschen schlechte Absichten und tief angelegte Intriguen zutraute. Er hatte etwas von einem Raubthier, das ununterbrochen auf der Hut ist, und hierin am meisten zeigte sich seine Herkunft von einem verfolgten Geschlechte. Wenn ich ihn mahnte, diese Unruhe doch endlich einmal aufzugeben, dann rief er halb grimmig, halb komisch: »Wie kann ich aus meiner Haut, die aus Palästina stammt, und welche von den Christen gegerbt wird seit achtzehnhundert Jahren! Das Taufwasser von Langensalza *[Heiligenstadt!]* hat daran nichts verbessert, und der Ausdruck ›ewiger Jude‹ hat tausendfache Bedeutung!« (141)

537. Heinrich Laube   1839/1840

Memoiren   (*1875*)

Ueber seine bürgerliche Beziehung zu Juden- oder Christenthum hat Heine nie zu mir gesprochen. Auch nicht in vertrautestem Gespräche. Er liebte dafür einen romantischen Schleier. So hat er mir nie erzählt, daß er sich in Langensalza *[Heiligenstadt!]* habe taufen lassen. Und dabei sprach er doch hundertmal über Eigenthümlichkeiten der Juden und Christen. Das that er immer wie ein Neutraler, als ob es ihn persönlich gar nicht anginge. Er pries plötzlich einen Vorzug des jüdischen Wesens, und er verspottete eben so plötzlich einen Fehler desselben. Eben so lobte und verspottete er nach verschiedenen Seiten das Wesen des Christenthumes. Man konnte allenfalls daraus entnehmen, daß er weder dem Judenthume, noch dem Christenthume angehören wollte. Dabei konnte man nicht einmal an seinen Jugenderinnerungen merken, daß sie jüdische wären und daß sie wärmer athmeten. [...]
Sein Aeußeres hatte gar nichts vom jüdischen Nationaltypus. Er war jetzt vierzig Jahre alt und stand in voller Kraft der Entwickelung, körperlich wie geistig. Ganz wie ein französischer Abbé muthete er uns an. Eine Mittelfigur, fleischig und von feiner rosig angehauchter Haut. Sehr wohl geschnittenes Antlitz mit zierlicher Nase, mit nicht großen, schalkhaften Augen, mit graciösem, sehr ausdrucksvollem Munde, und braunem Haare, welches er halblang trug. Er sprach rasch, meist in kurzen, vielfach witzigen Wendungen, welche ein sarkastisches Lächeln, zuweilen auch ein kurzes, helles Lachen begleitete. Der Stimmton war Tenor, ein fast hoher Tenor, wenn er in längeren Reden etwas beweisen oder vertheidigen wollte, und dabei steigernd die Stimme anstrengte. Sie wurde indeß nie zu hoch, nie zu dünn, wenn auch in ärgerlichem Affecte etwas scharf. Gewöhnlich zwang er sie dann selbst nach der Tiefe, weil er auch in erhöhter Stimmung gern abtönend mit einem unerwarteten Sarkasmus schloß. Seine schöne Hand – er war überhaupt sauber – spielte dabei immer mit, und gerade in seinen geselligen Manieren hatte er etwas von einem französischen Weltgeistlichen, welcher sich mitten in der Lebhaftigkeit zurückhielt, innerlich aber zu lachen schien über seine Zurückhaltung.

Er war ganz Epikuräer aus der ersten Kaiserzeit Roms, den Stoicismus höhnend durch sehr menschliche Bemerkungen, und doch augenblicklich bereit, den schlimm lächelnden Mund ernsthaft festzuhalten, sobald eine Weltfrage berührt wurde, welche poetisch aufgefaßt werden konnte. Augenblicklich war dann der jüdische Denker in ihm erweckt, und bei allem Epikuräismus sprach er dann wie ein Geistlicher über die Geistesfreuden peinlicher Enthaltsamkeit. Die Opferlust mit ihren geistigen Reizen erschien dann wie eine raffinirte Erweiterung epikuräischer Grundsätze. Diese Opferlust hielt sich nur nicht lange auf in seiner Seele, das lebenslustige Naturel vertrieb sie rasch. Beim Disputiren und beim Schreiben wußte er sie jedoch anzubringen als einen magischen Hintergrund.

So steht er mir in der Erinnerung halb Jude, halb Heide zur Zeit Cäsars, als keine Religion mehr Stich hielt, und man sich doch sehnte nach dem geheimnißvollen Reize irgend eines Cultus, stammte dieser auch von den wilden Parthern jenseits des Euphrat.

Bei einem solchen Manne war es durchaus irre führend, wenn man ihn nach politischen Grundsätzen beurtheilte. In der Politik lag sein Schwerpunkt gar nicht. Wie sein Napoleon-Cultus zeigt, welcher ganz unzeitgemäß war, hätte ihm wol ein geniales Kaiserthum à la Cäsar am Besten zugesagt, unter welchem alle Tage ein Geniestreich ins Leben treten könnte, ohne von Kammern und Grundgesetzen behindert zu werden. Er stimmte freilich dem herrschenden Liberalismus bei in allen wesentlichen Punkten, aber den Consequenzen dieser Punkte entzog er sich vielfach. Theils aus Schwäche, theils aus Stärke. Aus Schwäche, weil er eben ein Epikuräer war, welcher sich vom Genusse nicht abhalten ließ durch ein Gesetz. Das Gesetz hab ich selbst gemacht, rief er dann lachend, ich kann's auch abändern, oder wie er im französischen Jargon zu sagen pflegte: ich kann's suspendiren, suspendiren! – Aus Stärke, weil er eine poetische Potenz war, welche über alle Schranken hinaus drängte, um Eigenes, um Neues, um Unerhörtes zu veranlassen. (142)

538. Heinrich Laube   Dez. 1839/Jan. 1840

Einleitung zu »Monaldeschi«   (* *1845*)

Gegen die klassische Tragödie der Franzosen war ich eingenommen wie jeder Deutsche. Das Schlegelsche Urteil ist uns ins Blut übergegangen. Selbst die Rachel bekehrte mich nicht. Aber je länger ich in Frankreich war, desto deutlicher wurde es mir, daß Schlegel die französische Seele der Tragödie nicht erkannt hat. Sie ist im Verhältnis zu heute allerdings ein wenig erstarrt in der Tragödie des Théatre français, aber sie hängt noch heute innig zusammen mit den besten Eigenschaften der Nation. Sie ist dürr und mager im Vergleich zu dem dramatischen Musterbilde, welches wir aus den Alten, aus Shakespeare und aus unsern Klassikern gestalten können; aber sie hat mehr richtige Grundsätze und mehr Reiz, als Schlegel an ihr entdeckt hat. Ich wurde zum Teil dadurch aufmerksam, daß Heine einmal mit Entzücken von dem süßen Reize Racines sprach, Heine, der sich gewiß auf poetischen Zauber versteht und außerhalb aller gedankenlosen Phrasen denkt und spricht.   (139)

539. HEINRICH LAUBE   Dez. 1839/Jan. 1840

an Hermann v. Pückler-Muskau, Paris, 12. Jan. 1840

Im Hintergrund liegt ein großer Plan von Heine und mir, an den wir Durchlaucht zu Ausgang des Jahres gern fesseln möchten. Aber ich weiß, wie sehr sie ein wiederkehrend litterarisch Engagement scheuen. Ich spreche später davon, wenn ich gesünder bin. Heine war ganz beschämt von dem Füllhorn, was Durchlaucht über ihn schütteten – er ist blöder Natur! – und erhofft, am litterarischen Hofe zu Muskau über Kurz oder Lang die Klage anbringen zu können gegen Attentat durch Schmeichelei. Der litterarische Hof zu Muskau gehörte vielleicht zu einer Konsequenz des großen Journals, was wir unternehmen sollten, und wovon ich oben nur andeutete; ein monatlich wiederkehrender Theil, groß, klein nach Ihrem jedesmaligen Bedürfnisse, hieße »der Park« und umschlösse all das Ihrige. –   (199)

540. FRIEDRICH PECHT   Dez. 1839–Febr. 1840
Memoiren   (* 1894)

Von nun [s. Nr. 528] an sah ich Heine noch öfter und lernte ihn trotz meiner Inferiorität ziemlich gut kennen. Daß er mir das gestattete, hing wohl mit meiner Bewunderung zusammen. Entzückt von ihm und längst sein glühender Verehrer in einem Grade, daß ich das Buch der Lieder ziemlich auswendig wußte, hatte ich in der glücklichen Täuschung über das Maß meiner Kräfte, die so oft die Begleiterin der Jugend ist, ihn gebeten, mir doch einmal zu seinem Bildnis zu sitzen, und er sagte mir auch zu, was mich heute noch wundert. Ja, er kletterte sogar mehrmals in mein armseliges Zimmer im vierten Stocke hinauf, um mir zu sitzen, wohl weil er mit den von ihm vorhandenen Bildern nicht zufrieden war. Da bot mir nun die Unterhaltung während des Sitzens reichlich Gelegenheit, ihn würdigen zu lernen, wenn ich sie nur besser verstanden hätte, d. h. in Welterfahrung und Urteil nicht viel zu tief unter ihm gestanden hätte, um ihm immer folgen zu können! Einiges kann ich indes heute noch nachtragen, obwohl ein halbes Jahrhundert seit jenen so hochinteressanten Gesprächen verflossen. Natürlich drehten sich dieselben zunächst um seine Dichtungen, deren Zauber ich so naiv genossen hatte, daß ich [. . .] in meiner Eselei einmal meinte, »er müsse diese köstlichen Verse nur so aus dem Ärmel geschüttelt haben«. Da kam ich aber schön an; er erwiderte mir mit einem Seitenblick tiefster Verachtung: »ja, wenn Sie es nur wüßten, wie ich oft tage-, ja wochenlang an einem einzigen Verse herumgefeilt habe!« Auf alle damaligen deutschen Dichter hielt er nicht sonderlich viel, und selbst Laube traute er nicht die Fähigkeit zu, noch weiter zu wachsen. Nur von Goethe und seiner wie anderer Polemik gegen ihn sagte er lachend, daß er sie so rasch aufgegeben, weil er glücklicherweise bald eingesehen, daß keine Ehre mit ihr zu holen sei. – Im übrigen machte er aus seiner Verachtung des deutschen Volkes kein Hehl, so wenig als aus seiner Bevorzugung der Franzosen, und als ich gereizt erwiderte, daß ich im Gegenteil diese langweilig finde, weil sie alle einerlei Geist oder doch Schliff hätten, so gab er das wohl zu, meinte aber, die reine, absolute Eselei sei eben doch nur in Deutschland in solchem Grade zu finden. – Weit mehr als die deutschen interessierten ihn die französischen Schriftsteller und Künstler, und nicht ohne Selbstgefälligkeit bemerkte er von der damals auf der Höhe ihres Ruhmes stehenden George Sand: »Wir haben uns einst sehr geliebt und lieben uns noch.« Bald darauf führte er Laube bei ihr ein, wo sie auch Lammenais trafen. Da behauptete Laube nun, daß ohne Märtyrer keine große Idee sich durchsetzen lasse, Heine aber bekannte lachend, daß es ihm nicht einfalle, sich zum Märtyrer zu machen, obwohl er in der Rue des Martyrs wohne. Das war denn auch durchaus charakteristisch für ihn, wie seinerzeit für Voltaire. Wenn ich ihm gelegentlich einwandte, daß die Franzosen gerade in der lyrischen Dichtkunst sich doch nicht mit uns, am allerwenigsten mit ihm selber messen könnten, so bestritt er das nicht, machte aber doch immer wieder aus seiner Vorliebe für Frankreich und die Franzosen so wenig ein Geheimnis, als von seinem Widerwillen gegen Deutschland. Daran hatte selbst der alte, tief eingefressene Judenhaß gegen alles Germanische, als Folge jahrhundertelanger Mißhandlung, offenbar weniger Anteil, als die schon im Blute steckende Antipathie zwischen beiden

in ihrem Naturell und ganzen Empfinden so grundverschiedenen Volks-
stämmen. [. . .]

Darüber aber kann ich mir heute keine Illusion mehr machen, daß
Heine durchaus der Sklave seines Talents war, wie so viele Künstler
vor und nach ihm, und alles andere daneben für ihn nicht in Betracht
kam. – Dieses Talent wirkte aber durchaus ätzend und zerstörend. Wie
sein Witz nichts verschonte, waren auch seine Urteile immer lieblos.
Von den Frauen hatte er speziell eine sehr geringe Meinung, hielt sie
für untergeordnete Wesen – wohl im Hinblick auf die seinige, bei der
er mich besonders warnte, ihr ja von nichts zu sprechen, was man
kaufen könne, da sie es sonst gleich haben wolle. Paris war damals sehr
unruhig, und so ward auch einmal, gerade während er mir saß, Gene-
ralmarsch unter meinem Fenster geschlagen. Da litt es mich nicht daheim, und ich schloß die Sitzung früher als gewöhnlich, wo er mich
dann warnte, nicht unvorsichtig neugierig zu sein, da erst vor einem
Jahre einer seiner Neffen auch von ihm weggegangen sei, um die Unruhen zu sehen, den er dann später nur in der Morgue mit einer Kugel
im Kopf wieder gefunden.

Endlich ward auch das Bildnis halbwegs fertig, ähnlich, wenn auch
meiner untergeordneten Kraft entsprechend herzlich roh. Ich aber war
um eine fesselnde Erinnerung reicher an diesen hochinteressanten, uns
allen an Weite des Horizonts so überlegenen Geist. Auch fortan kam
ich noch öfter mit ihm zusammen, wie wenig ich auch zu ihm paßte.
Wenn man ihm aber neuerdings gar in Deutschland ein Monument
errichten wollte, worauf er als Dichter von so ungeheurem Einfluß
gewiß ein Recht hätte, so kann ich dies aus anderen Gründen doch nicht
für angezeigt halten. Das wäre höchstens Sache der Franzosen, die er
liebte, während er für das Wesen unseres Volkes absolut kein Verständnis, sondern nur Spott und Hohn hatte, nur seine Schwächen, aber
nicht seine Größe sah, indes wir anderen alle doch schon dessen nahen-
den Aufschwung ahnten. – Speziell seine Preußenfeindschaft ging über
alle Vernunft hinaus und bildete den widerwärtigsten Gegensatz zu der
Zärtlichkeit, die er überall für die Franzosen zeigte, in deren Sold er ja
zuletzt auch stand, da er von Louis Philippe eine Pension bezog. Und
solchem Charakter sollten wir ein Monument errichten? – Es war daher
eine Ironie des Schicksals, daß er in Paris fast nur mit Deutschen verkehrte, da nur diese sein Genie zu würdigen vermochten, während er
doch für die Franzosen so viel mehr Interesse hatte. So ist er denn,
zwischen beiden Nationen hin und her gezogen, dem alten Fluch des
Judentums nicht entgangen, keiner recht angehören zu können. (193)

Artikel über Somnambülismus   (* *3. 5. 1843*)

Ich begegnete dort *[in Paris]* eines Mittags dem berühmten Nationalökonomen List. Er sah verdrießlich aus, und ich fragte ihn, ob er unwohl sei und wohin er wolle? Ach, erwiderte er, weil ich unwohl bin, stehe ich im Begriff einen dummen Streich zu machen; à propos, es könnte mich trösten, wenn Sie ihn mitmachten! – Mit Vergnügen! – Sie halten ja auch streng auf Besonnenheit in unerklärten Dingen, und ich will eben eine Somnambüle über meinen kranken Leib befragen, blamiren Sie sich mit mir, begleiten Sie mich, und lassen Sie sich auch mit diesem tollen Zeugs ein! – Ich habe nichts dagegen! – Heine, welcher dazu kam, lachte uns aus, und rieth uns ab. Wenn's nun aber doch außer den fünf Sinnen noch unbekannte Auffassungskräfte im Menschen gäbe! wurde ihm erwidert. – Ach was! sagte er, und wenn's wahr wäre, dürfte man's nicht aufkommen lassen! 's wär ja nicht auszuhalten, wenn der Magen eines Frauenzimmers alle Staatsgeheimnisse und gar alle persönlichen Geheimnisse verrathen könnte!   (278)

1840
Paris

542. MARIE D'AGOULT   Jan. 1840

an Franz Liszt, Paris, 21. Jan. 1840

Un joli mot de Heine que vous ne trouverez peut-être pas joli; il souffrait
des dents: «Oh! s'écrie-t-il, je donnerais dix ans de la vie de mon meil-
leur ami pour ne pas souffrir ainsi!»   (157)

Hier ein hübscher Witz von Heine, den Sie vielleicht gar nicht hübsch
finden werden: Er hatte Zahnschmerzen. »Ach!« rief er aus, »ich gäbe
zehn Jahre von dem Leben meines besten Freundes, um nicht solche
Schmerzen zu leiden!«

543. RICHARD WAGNER   Winter 1840

an Robert Schumann, Paris, 29. Dez. 1840

Ich höre daß Sie die Heineschen Grenadiere componirt haben, u[nd] daß
zum Schluß die *Marseillaise* darin vorkommt. Vorigen Winter habe ich
sie auch componirt, u[nd] zum Schluß auch die *Marseillaise* angebracht.
Das hat etwas zu bedeuten! Meine Grenadiere habe ich sogleich auf
eine französische Uebersetzung componirt, die ich mir hier machen
ließ u[nd] mit der Heine zufrieden war. Sie wurden hie u[nd] da gesungen, u[nd] haben mir den Orden der Ehrenlegion u[nd] 20,000 fr[ancs]
jährliche Pension eingebracht, die ich direkt aus *Louis Philippe's* Privat-
Casse beziehe.   (269)

an Hermann v. Pückler-Muskau, Jagdhaus, 28. Febr. 1840

Die Uebersetzung des Gartenwerks hab' ich vor meiner Abreise noch definitiv abgemacht mit dem Franzosen und mit Hallberger – die Sache kostet Durchlaucht 25 Thaler, wäre aber ohne dies kleine Opfer in Ewigkeit liegen geblieben, da Hallberger vielleicht 100, allein aber nicht 10 gegeben hätte, ganz in guter Krämerrechnung. Ich denke, in diesem Augenblicke ist die Arbeit schon fertig in Heine's Händen, der sie kontrollirt, und an Hallberger zum Druck abgiebt. Trödelt dieser nicht wieder – und ich werd' ihn kitzeln – so kann das Buch im Frühsommer für die französische Welt erscheinen. Durch Heine etc. werd' ich die dort nöthigen Journaltrompeten schon besorgen.   (199)

545. Jonas Collett   Anf. Febr. 1840

an Camilla Collett, Paris 4. Febr. 1840

Heine wohnt in der Rue Martyre, also fast an einem der äußersten Enden von Paris, au quatrième, wo er – soweit ich merken konnte – 3 Zimmer hat. Ich schrieb auf eine Visitenkarte, daß ich Norweger wäre und daß ich innerhalb weniger Tage Paris verlassen müßte und ging eines Morgens um 9 Uhr zu ihm hinauf, und sandte meine Karte hinein. Er bat mich um 11 Uhr wiederzukommen, wenn es mir bequem wäre, und es war mir natürlich bequem. Um 11 Uhr kam er im Schlafrock und öffnete die Tür zu seinem Zimmer für mich und begann sehr lebhaft zu plaudern. Die Bilder ähneln nur halbwegs, am besten ist ein ziemlich altes in einem Taschenbuch vor mehreren Jahren, er hat nicht die schweren Augen, ganz im Gegenteil, sie sind sehr lebhaft, wenn auch klein. Sein Haar ist sehr dick und lang und die Stirn schön, aber sein Gesicht ist nun etwas voll wie die ganze Person. Er ist nicht groß. Wenn ich ihn auf der Straße getroffen hätte, würde ich ihn nicht erkannt haben, obwohl ich gleich gesehen hätte, daß es germanische Züge waren. Als ich die Treppen zu ihm hinauf ging, dachte ich an Bettina, als sie das erste Mal zu Goethe kam; wie sie hatte ich ja für ihn geschwärmt und ihn geliebt, in dessen Nähe ich jetzt war; [. . .]. Nun saß ich kaum eine Elle von diesem Manne, aber ich fühlte nichts von Bettinas Gelüsten, weder zu weinen noch zu schlafen. Meine Begeisterung für Heine fand in dieser Begegnung nicht ihren Kulmina-

tionspunkt, ihren Entladungsaugenblick, ich hatte eher ein ganz anderes Gefühl. Ich war so ruhig wie nie, ich habe niemals so gut französisch
gesprochen wie gerade da, ich wußte so genau die Materien, über die
ich mit ihm sprechen wollte, als ob ich daheim säße. [...] Heine war
so schlicht und unbefangen in seinem ganzen Wesen; er ist hinaus über
Eitelkeit, falsches Pathos, Affektion und Bescheidenheit etc.: er war
ganz schlicht und natürlich und redete so ehrlich von der Leber weg,
wie der tut, der weder Furcht noch Falschheit kennt. Dahin muß man
es bringen, daß man wieder wahr und nackt steht, nachdem man alles
Fremde und alle Zufälligkeiten von sich abgearbeitet hat. Er fragte
mich nach den dänischen Dichtern, und erzählte mir, daß er hier in
Paris Bekanntschaft gemacht hätte mit Andersen, den er ein archi-bête
nannte, obschon einen talentvollen Dichter. Ich erzählte ihm, daß man
seine (Heines) Werke sehr in Norwegen und wenig in Dänemark liebt,
und er fand dies ganz begreiflich. Er fragte viel über Norwegen und
sagte, daß er oft große Lust gehabt hätte, unser Land zu sehen, aber
daß er nun wohl merkte, daß daraus nie etwas würde. Er bat mich
zuletzt, ihn noch einmal zu besuchen, ehe ich reise, aber ich weiß nicht,
ob ich es tun will; solche Besuche können oft zur Unzeit kommen. (18)

546. SCHÄFER   1839/40

Geheimbericht an die österreichische Regierung,

                                          Paris, 26. Febr. 1840
Die Flüchtlinge hatten bis gegen September hin keinen anderen Zentral-
punkt als in dem von Savoye gestifteten Lesekabinett bei Brockhaus
und Avenarius. Diese Stiftung ist indessen mit Mangel an Beiträgen
eingegangen. Savoye beeilte sich einen neuen Vereinigungspunkt zu
stiften und zwar im Café Valois, galerie vitrée du palais royal. Hier
werden aus gemeinsamen Kosten zwölf deutsche politische und literarische Blätter gehalten. Alle Flüchtlinge versammeln sich hier. Neben-
bei kommen auch andere Deutsche dahin. Namentlich Sprachlehrer,
Literaten und Handelskommis. Es ist ein gewisses Feld der Beobachtung, was aber nur sparsam Früchte abwirft. Heine spielt eine große
Rolle daselbst. Diese Zusammenkunft fängt schon an sich aufzulösen,
da nur der kleinere Teil die eingegangenen pekuniären Verpflichtungen
hält. Die Versammlung hat täglich abends von 7 bis 10 Uhr statt.
   Um auf die einzelnen zu kommen, nur folgendes: Venedey hat vor
kurzem eine erbärmliche Broschüre herausgegeben unter dem Titel

»Das Preußentum«. Savoye hat eine gemeinnützige Anstalt gestiftet, unter dem Protektorat des Engländers Robertson: eine Allsprachlehranstalt, wo englisch, deutsch, spanisch, französisch, italienisch, lateinisch und griechisch gelehrt wird, und zwar nach der Robertsonschen Methode. Für die deutsche Sprache sind Savoye und Driesch angestellt. Savoye, Heine, Rochau, Kolhoff, Duesberg, Müller und andere begründen in diesem Augenblicke eine revue etrangére [!], welche die Redakteure und Mitarbeiter verpflichtet, selbst Aktien (zu 150 Fr.) zu nehmen. Verlorenes Geld und verlorene Zeit. (69)

547. RICHARD MONCKTON MILNES 1840

Artikel über Heine (* 1873)

I had made his *[Heine's]* acquaintance in 1840, when he was apparently in robust health and a brilliant member of the society of *Frondeurs* against the Government of King Louis-Philippe, of which the intellectual leader was George Sand, and the political the Abbé Lamennais. It was at that time that the latter was imprudently prosecuted for the tract 'De l'Esclavage moderne', which would have been regarded with us as a very harmless diatribe, and sentenced to several months' imprisonment. I remember Heine expressing to the condemned politician the fear that the confinement might be injurious to his health, and the Abbé's reply, 'Mon enfant, il manque toujours quelque chose à la belle vie, qui ne finit pas sur le champ de bataille, sur l'échafaud, ou en prison.' (181)

Ich machte Heines Bekanntschaft 1840; damals war er sichtlich von kräftigster Gesundheit und ein glänzendes Mitglied der Gesellschaft der Frondeure gegen die Regierung des Königs Ludwig Philipp; ihr geistiger Leiter war George Sand, ihr politischer Abbé Lamennais. Letzterer wurde damals törichterweise wegen seines Aufsatzes »Die moderne Sklaverei«, den wir als eine recht harmlose Abhandlung betrachteten, verfolgt und zu mehreren Monaten Gefängnis verurteilt. Ich erinnere mich, daß Heine dem verurteilten Politiker seine Besorgnis ausdrückte, die Gefangenschaft könne seiner Gesundheit schaden; Lamennais antwortete: »Mein Kind, nur das Leben ist wirklich schön, das auf dem Schlachtfeld, auf dem Schafott oder im Gefängnis endet.«

548. ALEXANDER WEILL   Frühjahr 1840

Korrespondenz aus Paris   (* 4. 6. 1840)

Liszt gab ein Concert, zu welchem er seine Freunde einlud. Wie es scheint, so kennt Liszt die Zeitungen nicht, denn auch ich hatte die Ehre, unter den Geladenen zu figuriren. Heine sagte zu mir: Kommen Sie, wir stellen uns hier in die Ecke, da sind wir am Besten vor der Musik geschützt!   (277)

549. (JOHN MITCHELL)   ca. 1840

Artikel über Heine   (* Dez. 1842)

The first time I met Heiné was in the great reading room of the Messrs. Galignani at Paris; even in that dark, dingy, dirty saloon. He was conversing with Theodore Morawski, the foreign Polish secretary of state, during the period when Warsaw fought and bled for Polish independence. The contrast of their features was striking. Morawski was pale, dejected, thin, thoughtful; Heiné was round, ruddy, smiling sardonically, as Morawski was speaking plaintively; and the former was turning over leaf after leaf of a file of German journals, while, ever and anon, he glanced at it to see how many of his own letters they contained. [. . .]

Well, – Morawski introduced me to Heiné. The little man surveyed me, looked at my frame, my head, my arms, and then into my eyes. It was a survey which occupied some two or three minutes – most minute, certainly, but by no means agreeable. He did not rise from his chair, nor did he take off his hat, but smiled most satirically, and then recommenced turning over the leaves of *Austrian Observer* and of the *Augsburg Gazette*. [. . .] Morawski made a signal to walk in the garden, and Heiné came rolling after us. His hands were in his pockets as if searching for coin; his shoulders were raised so high that his head seemed buried between them, his under lip had dropped most sardonically, and his smile indicated that he had something very wicked or very witty to utter, – perhaps both.

"It is high time that the schoolmaster should go abroad," said Heiné, "for kings and emperors cannot write grammatically. I am serious. It is not the people who want instruction, but their rulers." What could be the matter? It was soon explained. The German papers contained a Russian edict, in which there were five mistakes in German grammar. I reminded him that the edict was originally written in the Russian language, and was *translated* into German. At first Heiné frowned, but afterwards laughed outright, and exclaimed, "I will not forget *that*. The *Gazette* (– meaning the *Augsburg Gazette* –) shall hear of its ignorance." Heiné then turned the conversation to the subject of the phrase with which he had commenced his conversation – "the schoolmaster is abroad"; and then he abruptly asked me, "What do you think of Lord Brougham?" I begged him to give me his opinion, as that of an *enlightened* foreigner. Oh, how he did laugh at the word "enlightened"; but his opinions of his lordship were the following:

"I always think of Lord Brougham as I should of a mighty mountain placed on an uncertain pedestal. The mountain is vast, splendid, gigantic, fearful, and yet pleasing to gaze upon; but it is placed on so very insecure a pedestal, that every breath of wind threatens to overturn it. How so great a mountain could be so curiously and uncertainly placed I can never discover; but there it is – and I am in an agony for its fate. So it is with Lord Brougham. The powers of his mind are prodigious; the influence he exercises over other minds is vast and proportionate; his eloquence is of the highest order; he is a walking encyclopædia: but I am always in an agony when I hear of him. I fear to listen lest some new phase in his variable being should be brought before me; in fact I tremble lest he should fall. He is neither Whig, Tory, nor Radical; and yet he is all. When Toryism was triumphant, he was almost a Cobbett-ite; when Whiggism was in the ascendant, he eyed it with jealousy. What will he do next? I am constantly asking myself; and why? Because his pedestal is so rickety. He knew the guilt of Queen Caroline, but yet pronounced her pure as the virgin snow; he obtained the examination of all the charities of England, but he left his work incomplete. Now he is taking up the question of education. But what does he want? what does he mean to obtain? He knows not. He has no one defined result to bring about; no one obvious, palpable, vast system to defend. I should not be surprised to see him lord-chancellor in a cabinet with the Duke of Wellington, or chief baron with his old friend Scarlett as chief justice." [. . .]

Heiné is an extraordinary man, but his aversions are at once multitudinous and bitter. He is not angry at his position in society, for, although he is an exile, le loves Paris *"à la folie"*. He has but little of the phlegm of the Germans, and sympathises much more with the French. How I have seen him stand at the entrance of a saloon and rub his best yellow kid gloves together with rapture, as he witnessed the gallopade, or a succession of whirling, whizzing waltzers. He is there the gayest of the gay, but still never lays aside his habit of *critical* observation. The gestures of one delight him because they are graceful and natural, but the antics of another offend him; and then away he lashes with almost superhuman power. Heine has a greater perception of what is really ridiculous than any man I ever met with. I do not speak of that which is simply physically, but of what is morally absurd. Some of Thier's leading articles in the *Constitutionnel* relative to himself (Thiers) in which Thiers the journalist has eulogised Thiers the minister, have made Heine laugh with delight. Even the acts of public men, which were contradictory with their declarations, or not in harmony with their positions, would afford him a fund of amusement; for he only seized that portion of the acts which presented themselves to his mind in a droll or ludicrous aspect. In good truth, Heine looks upon himself as he does upon all men – as actors, some playing farce, others comedy, and a few tragedy; but all actors. And yet he has fixed principles in politics – not in religion, but in politics. He believes that all constitutional governments are only introductory to republics. He believes that republics are the perfection of human governments, and ridicules the British constitution with all the vehemence of a man who is in his heart satisfied that it is a great practical evil. He thinks and feels that if the British constitution had never been invented, neither would the French, Spanish, Portuguese nor Belgian charters have been framed; and that men would have been driven from the government of a monarchy to that of a republic. He regards, therefore, the establishment and the development of the British constitution as a prodigious evil; and all the poetry, fire and acumen of his mind and soul are alike arrayed against it. (182)

Das erstemal traf ich Heine im großen Lesesaal von Galignani in Paris, genauer gesagt in dem dunklen, schmierigen und dreckigen Salon. Er unterhielt sich mit Theodor Morawski, dem früheren polnischen Außenminister aus der Zeit, als Warschau für die polnische Unabhängigkeit kämpfte und blutete. Der Unterschied ihrer Physiognomien sprang ins Auge: Morawski war bleich, niedergeschlagen, abgezehrt und gedankenvoll; Heine war rund, rosig und lächelte sardonisch, während Morawski in klagendem Tone sprach, und er blätterte Seite um Seite einer Reihe deutscher Zeitungen durch, wobei er jeweils innehielt, um mit einem Blick festzustellen, wie viel von ihm darin stand. [. . .]

Also – Morawski stellte mich Heine vor. Der kleine Mann beobachtete mich, betrachtete meine Stirn, meinen Kopf, meine Arme und sah mir dann gerade in die Augen. Diese Musterung nahm gute zwei oder drei Minuten in Anspruch; sie war zwar sehr genau, aber keineswegs angenehm. Weder stand er von seinem Stuhl auf, noch nahm er seinen Hut ab; vielmehr lächelte er ironisch und fuhr dann fort, die Seiten des »Oesterreichischen Beobachters« und der »Augsburger Allgemeinen« umzublättern. [. . .] Morawski gab mir ein Zeichen, in den Garten zu gehen, und Heine trudelte hinter uns drein. Seine Hände steckten in den Taschen, als suchte er nach Kleingeld; seine Schultern hatte er so hochgezogen, daß sein Kopf dazwischen begraben schien, seine Unterlippe hatte er sehr verächtlich heruntergezogen, und sein Lächeln deutete darauf hin, daß er etwas schrecklich Bissiges oder schrecklich Geistreiches äußern wollte – vielleicht beides.

»Es ist höchste Zeit, daß Bildung allgemein zugänglich wird«, sagte Heine, »denn Könige und Kaiser können nicht grammatikalisch richtig schreiben. Ich meine es ernst. Nicht das Volk braucht Bildung, sondern seine Herrscher.« Was konnte das heißen? Es war schnell erklärt. Die deutschen Blätter enthielten eine russische Verordnung, die fünf deutsche Grammatikfehler aufwies. Ich erinnerte Heine daran, daß die Verordnung ja wohl ursprünglich in russischer Sprache verfaßt und ins Deutsche *übersetzt* sei. Zuerst runzelte er die Stirne, dann aber lachte er laut heraus und rief: »Das will ich mir merken. Die Allgemeine (er meinte die ›Augsburger Allgemeine‹) soll von ihrem Mangel an Bildung zu hören kriegen.« Dann wandte Heine das Gespräch dem Gegenstand zu, mit dem er begonnen hatte: »Bildung wird allgemein zugänglich«; und plötzlich fragte er mich: »Was halten Sie von Lord Brougham?« Ich bat ihn, den hellsichtigen Außenstehenden, mir seine Meinung zu nennen. Bei dem Wort »hellsichtig« lachte er lauthals; seine Ansicht über Seine Lordschaft war die folgende:

»Ich denke mir Lord Brougham immer als einen mächtigen Berg, den man auf ein wackeliges Podest gestellt hat. Dieser Berg ist mächtig, herrlich, riesig und furchtbar, und er macht solchen Eindruck, daß man immerfort hinaufstarren muß; nur steht er auf einem so unsicheren Sockel, daß jeder Windstoß ihn umzuwerfen droht. Ich werde nie verstehen, wie ein so großer Berg einen so merkwürdigen und unsicheren Unterbau haben kann; aber da steht er nun, und ich zittere um sein Schicksal. So verhält es sich mit Lord Brougham. Mit Geistesgaben reich gesegnet, übt er einen mächtigen Einfluß auf andere aus; er ist ein glänzender Redner und eine wandelnde Enzyklopädie – und doch bin ich immer in höchster Angst, wenn die Rede auf ihn kommt. Ich fürchte, von einer entscheidenden Wendung seines ereignisreichen Lebens zu hören; in der Tat zittere ich, er könne stürzen. Er ist weder Whig, noch Tory, noch Radikaler; und doch ist er alles in einem. Wenn die Tories am Ruder waren, war er immer Cobbettist; stiegen die Whigs auf, beäugte er es neidisch. Was wird er als nächstes tun? Ich stelle mir selbst dauernd die Frage. Und warum? Weil sein Podest von der englischen Krankheit befallen ist. Er kannte sehr wohl die Schuld der Königin Caroline und erklärte sie doch für so rein wie die Schneejungfrau. Er setzte die Überprüfung aller Wohltätigkeitsunternehmen durch, aber er ließ seine Untersuchung unvollendet. Jetzt greift er die Frage des Unterrichtswesens auf. Aber was will er eigentlich? Was glaubt er damit zu erreichen? Er weiß es nicht. Er hat nichts Bestimmtes im Auge und kein einleuchtendes, greifbares System zu verteidigen. Ich würde mich nicht wundern, ihn als Lordkanzler in einem Kabinett mit dem Herzog von Wellington zu sehen, oder als Oberrichter zusammen mit seinem alten Freund Scarlett.« [. . .]

Heine ist ein außerordentlicher Mensch, aber seine Abneigungen sind zahlreich und heftig. Er grämt sich nicht um sein Verbanntenschicksal, denn er liebt Paris »à la folie«. Er hat wenig vom deutschen Phlegma und sympathisiert mehr mit den Franzosen. So sah ich ihn an der Tür eines Salons stehen und seine besten gelben Ziegenlederhandschuhe im Takt der Galopade oder zu einer Folge wirbelnder, schwindelnder Walzer zusammenschlagen. Da ist er der fröhlichste von allen, aber selbst da setzt seine kritische Beobachtung niemals aus. Die Bewegungen des einen gefallen ihm, weil sie natürlich und voller Grazie sind, aber die lächerlichen Verrenkungen eines anderen beleidigen ihn; und dann holt er mit fast übermenschlicher Kraft zum Schlage aus. Heine hat ein feineres Unterscheidungsvermögen für das Lächerliche als irgendein anderer, den ich kenne. Ich spreche nicht vom rein äußerlich, sondern vom moralisch Absurden. Einige von Thiers' Leitartikeln im »Constitutionel« über sich selbst, in denen Thiers, der Journalist, Thiers, dem Minister, Hymnen singt, haben Heine herzlich zum Lachen gebracht. Ebenso bildeten ihm die Handlungen von Politikern, die ihren Erklärungen widersprachen oder nicht in Einklang mit ihren Ansichten zu bringen waren, einen unerschöpflichen Quell der Belustigung. An den Taten der Menschen nahm er nur das wahr, was ihm komisch und lächerlich vorkam. In aller Aufrichtigkeit betrachtet Heine sich selbst und alle anderen Menschen als Schauspieler; die einen spielen Possen, die anderen Komödien, und einige wenige Tragödien – aber sie sind alle Schauspieler. Und doch hat er feste Prinzipien in der Politik – nicht in der Religion, aber in der Politik. Er glaubt, daß alle konstitutionellen Regierungen in Republiken münden. Er hält die Republik für die beste menschliche Regierungsform und spottet über die britische Verfassung mit aller Heftigkeit eines Mannes, der in seinem Herzen überzeugt ist, daß sie ein großes, aber praktisches Übel ist. Er glaubt und fühlt, daß ohne die britische Verfassung die französische, spanische, portugiesische und belgische nicht denkbar gewesen wären; und daß die Menschen unausweichlich von der Monarchie auf die Republik zulaufen. Er sieht darum die Festigung und Entwicklung der englischen Verfassung als ein nützliches Übel an; und alle Poesie, alles Feuer und alle Schärfe seines Geistes sind gleichsam dagegen verschworen.

550. (K. A. Varnhagen v. Ense)   1840

    Heine-Anekdoten   (* 20. 3. 1856)

Heine traf mit Louis Blanc, als dieser eben seine *Organisation du travail* hatte drucken lassen, auf dem Eisenbahnhof zusammen, und sagte ihm: »Je vous félicite, Monsieur, de tout mon cœur, d'être devenu maintenant l'homme le plus guillotinable de France.«   (261)

551. Stephen Heller   Mai 1840

    an Robert Schumann, Paris, 16. Mai 1840

Schicken Sie doch Lieder, für mich u[nd] Heine, dem ich sie mit verschiedenen Worten geben werde.   (230)

552. Edouard de La Grange   17.–20. Juni 1840

    Tagebuch, Paris, 17. Juni 1840

Heine.

                                     18. Juni 1840
Correspondance avec M. Delmar au sujet de M. Heine.

                                     20. Juni 1840
Vu Henri Heine.   (307 d)

553. FRANZ WALLNER   Juni (?) 1840

   Memoiren   (*April 1862)

»Wer ist da?« rief mein Reisegefährte Honeck (Cohen) verdrießlich
in die raucherfüllte Stube hinaus, die in der Faubourg Poissonnière in-
mitten unserer beiden Schlafzimmer lag. »Wer ist da?« wiederholte er,
als nicht gleich Antwort kam.
    »*Heinrich Heine*«, tönte es zurück.
    Was ein berühmter Name für Wirkung hervorbringt! Mit einem
Sprunge waren wir Beide aus dem Bette auf die kalten Steinfließen
gesprungen, im Nu in die Morgenkleider geschlüpft, um den verehrten
Gast, an den wir Tags vorher unsere Empfehlungsbriefe abgegeben
hatten, nicht warten zu lassen. Damals hatte Heine noch keine Ahnung
von den namenlosen Leiden, von welchen er später heimgesucht wurde,
nur ein heftiger nervöser Augenschmerz, von dem die entzündeten
Deckel und Ränder Zeugniß ablegten, wollte, wie er sagte, nicht wan-
ken und nicht weichen. Ein eben von ihm erschienenes größeres Portrait von Pecht, welches er mir zum Andenken mitgab, gab seine aus-
drucksvollen Züge zum Sprechen ähnlich wieder und ziert noch jetzt
mein Arbeitszimmer, nachdem es mich auf allen Kreuz- und Querzügen
meines wechselvollen Wanderlebens begleitet hatte. Wir gaben uns ein
Rendez-vous in der Gallerie Orleans im Palais Royal, wo wir ihn, da
wir gestern das Malheur hatten, ihn nicht in seiner Wohnung zu treffen,
nach Hause begleiten sollten. Dort wolle er uns »seine Mathilde«
(Heine's nachmalige Frau) vorstellen, wir sollten dann Alle zusammen
in Rocher de Cancale diniren und Abends die damals neue Oper »*die
Hugenotten*« hören. Die Billets würde uns Heine schaffen, da die Er-
werbung von solchen, ohne ganz besondere und außerordentliche Protection, bei dem Fanatismus und dem massenhaften Andrang, den die
geniale Schöpfung Meyerbeer's hervorrief, zu den Unmöglichkeiten
gehörte.
    Von den zahllosen kleinen Scherzen und witzigen Impromptus
Heine's ist mir Weniges im Gedächtniß geblieben, weil ich in fieber-
hafter Unruhe und Spannung den Theaterabend kaum erwarten
konnte. Ich äußerte dies gegen ihn. »Ja«, entgegnete er, »wir werden
heute von 7 Uhr Abends bis 1 Uhr Morgens viel Vergnügen auszu-

stehen haben.« – »Wie?« rief ich erstaunt, »das sagen Sie, der Sie
jüngst die prächtige Kritik über die Hugenotten in die Augsburger Allgemeine Zeitung geschrieben haben?« – »Ja, lieber Wallner, ich hatte
leicht eine gute Kritik schreiben, *ich werde die Oper heute zum ersten
Male hören.*«

Und so war es auch, Heine hatte sich aus den vorhandenen Urtheilen
über das Meyerbeer'sche Werk sein eigenes geschaffen, und dieses mit
allem Aufwand der nur ihm zu Gebote stehenden geistreichen Schilde-
rungskraft veröffentlicht. Auf dem Wege nach dem Theater erzählte
der Schalk, daß er Spontini heute recht ärgern wolle, weil er mit Meyerbeer viel zu sprechen gedenke. (271)

554. FRANZ WALLNER   Juni (?) 1840

Memoiren   (* 1862)

Bei Gelegenheit eines Ausfluges nach Paris, den ich mit Moritz und
dem Schriftsteller Cohen (Honeck) – Letzterer starb im Irrenhause –
unternahm, lernte ich Heinrich Heine zuerst kennen. Weder an ihm,
noch an Moritz zeigte sich damals eine Spur jener unseligen Krankheit,
der Beide so qualvoll unterliegen mußten. Stark geröthete Augenlider
waren das Einzige, das in Heine's geistreichem Antlitz auf eine krankhafte Organisation schließen ließ. Wir wohnten im Hotel »Violet«,
als uns der hochverehrte Besuch überraschte. Moritz hatte immer etwas
von einer Waschbärennatur in sich, er wußte dies nützliche Element
fortwährend zu verwerthen, entweder als Getränk, oder, darin herum-
plätschernd, als Reinigungsmittel. »Geht Eure Reise auf gemeinschaftliche Kosten?« frug Heine, als Moritz zum so und so vielten Male die
Klingel in Bewegung setzte, um eine frische Caraffe Wasser zu befeh-
len. Auf die Bejahung dieser Frage ergriff er Moritz mit Vehemenz an
der Hand, die eben wieder nach der Glocke langen wollte, und rief
heftig: »Mensch, wollen Sie denn Ihre Reisegefährten ruiniren, wissen
Sie denn nicht, daß jede Flasche Wasser hier fünf Sous kostet?« –
Abends unternahmen wir einen gemeinschaftlichen Spaziergang, auf
welchem der galante Moritz der nachmaligen Frau Heine's, von ihm
schlechtweg »Mathilde« genannt, den Arm reichte.

Wenige Schritte nur ging das Paar vor uns und doch frug Heine alle
zehn Minuten: »Wo ist denn der Moritz mit der Mathilde?«

Als sich diese Phrase: Wo steckt denn wieder der Moritz mit der
Mathilde, zum Xten Male wiederholte, zeigte ich ihm das vorangehende

Paar, während Honeck scherzend rief:»Ich glaube, Heine ist am hellen Tage, auf offener Straße, eifersüchtig.«

»Lieber Freund«, antwortete dieser mit seinem hohen Organ, »Mathilde ist eine Pariserin; jede Pariserin ist in fünf Minuten verführt.«

Heute noch weiß ich nicht, ob jene ganz ernst ausgesprochene Behauptung wirklich so gemeint war, oder nicht. (270)

555. AUGUST GATHY   ca. 8. Aug. 1840

an Robert Schumann, Paris, 17. Aug. 1840

Meinen ersten flüchtigen Gruß auf fränkischem Boden, lieber Schumann! [. . .] Der erste Bekannte den ich hier antraf war H. Heine, von dem, wie Sie wissen, die Sage geht, er habe von Thiers hunderttausend francs erhalten um seine Artikel der Augsburger Allgem. Zeitung im Sinne der Regierung zu schreiben. Ich war erfreut ihn wiederzusehen. Er ist nun nach Granville ins Bad gereist. – (230)

556. IGNAZ KURANDA   19. Sept. 1840

an Adolf Neustadt, Paris, 19. Sept. 1840

Am 19. Nachmittags um 5 Uhr. Heine sitzt in diesem Augenblick an meinem Schreibepult und schreibt einen schnellen Bericht über die Damasker Judengeschichte für die Allgemeine Zeitung; ich habe mir diese Blätter vom Kasten genommen und schreibe Dir die Fortsetzung, während Heine's Feder hinter meinem Rücken knistert. Heine war nicht hier in den ersten Tagen meiner Ankunft; als er von seiner Reise zurückkam, erzählte ihm der kleine Weill von meinem Hiersein. Er ließ mich einladen; ich ließ ihn jedoch wissen, daß ich nicht wohl ihn besuchen könnte, da er einmal drucken ließ, wie sehr er erschrecke, so oft ihm ein deutscher Literator einen Besuch abstattet. Darauf war Heine so liebenswürdig, mich zuerst zu besuchen. Seitdem sind wir fast täglich mehre Stunden beisammen. Er ist anders, als wir ihn gedacht; ich hätte ihn sogar etwas stolzer gewünscht. Man hat überhaupt in Deutschland nicht den rechten Begriff von ihm. Heine ist ein corpulenter hübscher Mann in der Gestalt von Ludwig Löwe in Wien und in einem Alter von 40 Jahren, mit etwas schwachgrauen Haaren und salopper Toilette. Im Charakter einige Aehnlichkeit mit –, versteht er doch nicht, sich das rechte Air zu geben, und hat hier nichts weniger als Freunde. Er lebt das Leben eines Journalisten, *der nicht Redakteur ist!* Herzzerschneidend ist es, zu sehen, wie ein so großer Poet – – – –. Er ist mit der oft erwähnten Mathilde verheirathet, eine angenehme corpulente Französin. Ein deutscher Dichter bedarf eines deutschen Weibes; was deutsche Frauen aber sind, das lernt man erst in Paris kennen. Der Begriff Familienleben, wie wir ihn in Deutschland haben, ist hier nicht zu übersetzen. Erst jetzt verstehe ich die Georg Sand'schen Confusionen von dem freien Weibe; solche Gedanken können in Paris wohl aufkeimen, ohne unnatürlich zu sein, aber Gott sei Dank, in Deutschland sind sie Frazze. Nun denke Dir einen deutschen Dichter mit seinen Träumen und Bestrebungen, der eine Frau zur Seite hat, die kein Wort von seiner Sprache versteht, der er nichts vorlesen kann, die ihn nicht auf die Auswüchse, in die jeder Dichter sich bisweilen verirrt, mit seinem Sinne aufmerksam macht, und Du wirst begreifen, wie Heine sich bisweilen so grob vergreifen kann, wie dies wieder in seinem letzten Buch geschehen ist, wo die Anzahl herrlicher Stellen kaum die Flecken, die darin sind, verstecken können. Dazu kömmt noch die Entfernung vom Druckort und vor Allem die Entfernung von dem Lande, für das man schreibt. Heine kennt noch immer nur das Deutschland von 1830; was in diesen zehn Jahren in unsrer Anschauungsweise sich geändert, hat sich zwar auch bei ihm geändert, aber auf französische Weise, und dieses ist eine unglückliche Quelle von Mißtönen zwischen dem Dichter und seiner Nation. Heine ist in diesem Augenblicke fieberisch aufgeregt durch die – – – –. Er war heiß damit beschäftigt, eine Broschure gegen – zu schreiben, – – – – ich habe das Verdienst, daß ich ihn von dieser Idee zurückgebracht habe. Ich glaube, ein gutes Werk gethan zu haben. Ich sagte ihm, daß er statt eine Streitschrift zu schreiben, lieber etwas Neues produziren soll, und daß er seine Feinde dadurch eher auf den Mund schlagen wird. Er *will*; aber er hat zu viel Sorgen, um die Ruhe dazu zu gewinnen. Der Arme! – Es erscheint nächstens ein neuer Band »Salon« bei Campe, der nebst dem Abdruck einiger bereits erschienenen Gedichte und Aufsätze eine Judennovelle enthalten wird, wie nur Heine sie schreiben kann. (136)

557. IGNAZ KURANDA   Sept. 1840

an Adolf Neustadt, Paris, 24. Sept. 1840

Künftige Woche führt mich Heine bei George Sand auf; [. . .]   (136)

558. FRANZ LISZT   Mitte Okt. 1840

an Christine de Belgiojoso, Dinant, 20. Okt. 1840

Je n'ai fait que traverser les Boulevards de Paris. Heine m'aborde
jovialement comme de coutume, me demande de vos nouvelles, et finit
par le plus colossal, le plus enthousiaste et le plus juste panérigique *[!]*
de la belle princesse. Il ne s'habitue nullement à votre absence et vous
pleure davantage de jour en jour. Du reste il vous écrira tout cela infini-
ment mieux un de ces matins, car il m'a demandé votre adresse que je
ne lui ai point donnée.   (164)

Ich bin während meines Parisaufenthalts nur über die Boulevards ge-
schlendert. Heine spricht mich in altgewohnter Weise freundlich an,
fragt mich nach Neuigkeiten von Ihnen und stimmt schließlich den
großartigsten, begeistertsten und gerechtesten Lobgesang auf die schöne
Fürstin an. Er kann sich gar nicht an Ihre Abwesenheit gewöhnen und
weint Ihnen täglich mehr nach. All dies wird er Ihnen übrigens in diesen
Tagen unendlich besser selbst schreiben, denn er hat mich um Ihre
Adresse gebeten, die ich ihm allerdings nicht verraten habe.

559. HEINRICH BROCKHAUS   4. Nov. 1840

Tagebuch, Paris, 4. Nov. 1840

Er *[Heine]* hat immer allerhand Händel mit uns gehabt, uns häufig in
den von uns geleiteten Unternehmungen angegriffen, und in unsern
»Blättern [für literarische Unterhaltung«] ist er denn auch zu wiederholten malen sehr streng und bitter beurtheilt worden, sodaß eigentlich
nicht das beste Verhältniß zwischen uns stattfand. Er empfing mich indeß sehr artig und auch ich muß gestehen, daß der Eindruck, den er auf
mich machte, günstiger war, als ich gedacht. Es ist eigentlich viel Gutmüthigkeit in seinem Wesen, aber der Teufel der Eitelkeit beherrscht
ihn völlig und dem opfert er im Nothfall sich selbst. Ich habe lange mit
ihm gesprochen und ihm im Anfange meine Ansicht gesagt über die
harten und rohen Angriffe, die er namentlich immer gegen Tieck und
Raumer gerichtet hat. Die Aufnahme, die sein Buch über Börne in
Deutschland gefunden, hat ihn sehr betrübt und beschäftigt ihn mehr,
als er gern merken lassen möchte. Er führte mehreres an, was sein Verfahren in einem milden Lichte erscheinen lassen sollte: er habe es nicht
so schlimm gemeint; das Publikum habe ihn misverstanden; er habe

das Buch vor mehrern Jahren geschrieben und wisse kaum noch, was darin stehe; den Titel habe Julius Campe gemacht und dieser habe durch das ihm zur zweiten Natur gewordene Geklatsch viel zur schlechten Aufnahme und zur Verhetzung der Leute untereinander beigetragen. Im Grunde ist wol seine Ansicht von Börne die richtige, aber indem er Börne im Grabe schmäht, tritt er auch zugleich gegen den Liberalismus auf, und das hat einen so schlechten Eindruck in Deutschland gemacht, wo Börne eine Art von Symbol ist, wozu dann noch der freche und frivole Ton und die vielen Angriffe nach allen Seiten kommen. Heine bat mich sehr, ich möge für eine recht unbefangene Kritik in den »Blättern für literarische Unterhaltung« sorgen; ich glaube aber, daß es ihm hier auch nicht besonders ergehen wird; er thäte wohl daran, meinen Rath zu befolgen und sich selbst gegen das Publikum über sein Buch und die vermeintlichen Misverständnisse auszusprechen. Bei dieser Gelegenheit der Ausspruch einer Pariserin, mit der Heine gelebt, über ihn, der wenigstens mit der gewöhnlichen Ansicht über ihn sehr wenig übereinstimmt. »Heine, c'est un très-bon garçon, très-bon enfant; mais quant à l'esprit, il n'en a pas beaucoup!« Heine gutmüthig, aber dumm!!　(31)

560. Heinrich Brockhaus　Dez. 1840

Tagebuch, 10. (?) Dez. 1840

Neulich traf ich im Institut Heine, der erwähnte, daß er jetzt Thiers wiedergesehen, seitdem er nicht mehr Minister sei. Ich faßte das auf und bat am nächsten Tage Heine schriftlich, ob ich durch ihn bei Thiers eingeführt werden könne. Heute holte mich Heine ab und so fuhren wir nach der Place Saint-Michel, wo Thiers jetzt wohnt.　(31)

561. Caroline Jaubert　Dez. 1840

an Christine de Belgiojoso, Paris, 14. Dez. 1840

Heine est venu me voir, il est en colère de votre séjour à Milan, du reste parlant de vous comme il le doit, et démontrant admirablement par A plus B la sottise des bruits que Ulysse a fait circuler – j'étais fort de son avis et nous avons parlé d'or [?] Il a une névrose – il lui faut éviter tout ce qui fait porter le sang à la tête, par ordonnance. Il est comique en contant comme quoi cette pensée seule le rend rouge comme un coq, et comment qu'on lui demande de l'argent il a un coup de sang.　(316 c)

Heine hat mich besucht, er ist wütend über Ihren Mailandaufenthalt, sonst spricht er von Ihnen, wie es ihm zukommt, und er bewies auf bewundernswerte Weise durch A plus B, wie ungereimt die Gerüchte sind, die Ulysses in Umlauf gesetzt hat – ich war ganz seiner Meinung, und wir haben von Gold [?] gesprochen. Er hat eine Nervenentzündung, und muß auf ärztliche Anweisung alles vermeiden, was ihm das Blut in den Kopf treibt. Er ist drollig, wenn er erzählt, wie ihn dieser Gedanke allein rot wie einen Hahn macht und wie ihm, sobald man ihn um Geld bittet, das Blut sofort in den Kopf schießt.

562. ALEXANDER WEILL   Jahreswende 1840/1841

an Rudolf Glaser, Paris, 8. Jan. 1841

[Bittet, ihm einen Artikel von Kuranda über Heine zuzuschicken:] Heine wünscht dies zu lesen [...] schadete sie jedoch Kuranda in seinem Geiste, so würde ich sie ihm nicht geben, denn er hält K[uranda] für einen Freund. Ich selbst bin ein Freund von ihm, aber nicht von seinem Buche [...] Heine ist ein guter Mensch, besser als sein Ruf.

(321)

563. (ALEXANDRE WEILL)   1840/1841

Pressenotiz   (*27. 4. 1846)

Nous avons parlé hier du perroquet de Mme la duchesse Decaze. Parlons aujourd'hui de la perruche de Mme Heine. C'est une histoire ancienne, mais complètement inédite.

Il faut savoir que la femme du poète allemand, Française de nation, est aussi naïve que spirituelle. Son mari lui doit plus d'un bon mot, plus d'une observation malicieuse. Or, Mme Heine aime et adore avant tout sa perruche. Il y a quatre ans, M. et Mme Heine revenant du théâtre, trouvèrent la perruche chérie morte dans sa cage. Désolation générale!

Frappée de cet horrible malheur, Mme Heine se met à pleurer comme un enfant de seize ans. La douleur était si forte et si vraie, qu'elle lui ôta la parole. Enfin, après avoir sangloté sans dire un mot pendant un quart d'heure, d'un ton douloureusement naïf, en présence de son mari et de ses amis, elle s'écria tout à coup: – Me voilà seule au monde!

Le mot fit tellement éclater les assistants, que la belle éplorée elle-même ne put s'empêcher de sourire.

Elle porta un deuil de huit jours en souvenir de sa bien-aimée perruche; mais après ce laps de temps, la noble veuve consentit à en accepter une autre qu'elle n'aime pas moins que la première.

M. Heine, pour se venger noblement de ce joli mot, a dit à cette
occasion: – Si je meurs, je déshériterai ma famille au profit de ma
femme seule (le grand poète n'a pas d'enfants); mais à condition qu'elle
se remarie. Du moins, je suis sûr qu'il y aura un homme au monde qui
regrettera ma mort! (282)

Gestern haben wir vom Papagei der Herzogin Decaze erzählt, heute
wollen wir vom Papagei Frau Heines sprechen. Die Geschichte ist
schon älter, aber noch völlig unbekannt.

Man muß nämlich wissen, daß die Frau des deutschen Dichters,
ihrerseits Französin, so naiv wie geistreich ist. Ihr Mann verdankt ihr
mehr als ein Bonmot. Nun liebt und vergöttert Frau Heine vor allem
ihren Papagei. Vor vier Jahren kamen Herr und Frau Heine aus dem
Theater nach Hause und fanden den geliebten Papagei tot in seinem
Käfig. Allgemeine Verzweiflung!

Von diesem schrecklichen Unglück heimgesucht, fing Frau Heine wie
ein sechzehnjähriges Mädchen zu weinen an. Der Schmerz war so stark
und so echt, daß es ihr die Sprache verschlug. Als sie eine Viertelstunde
wortlos geschluchzt hatte, rief sie plötzlich mit schmerzlich naiver
Stimme aus, in Gegenwart ihres Mannes und seiner Freunde: »Nun
bin ich ganz allein auf der Welt!«

Das Wort brachte die Anwesenden so zum Lachen, daß sich auch die
in Tränen aufgelöste Schöne ein Lächeln nicht versagen konnte.

Sie trug acht Tage Trauer um ihren heißgeliebten Papagei: doch als
diese Zeitspanne verstrichen war, willigte die edle Witwe schließlich
ein, einen neuen zu kaufen, den sie nun nicht weniger als den ersten
liebt.

Um ihr diesen hübschen Ausspruch gebührend heimzuzahlen, sagte
Heine bei diesem Anlaß: »Wenn ich sterbe, enterbe ich meine Familie
völlig zugunsten meiner Frau (der große Dichter hat keine Kinder); auf
diese Weise bin ich dann sicher, daß es wenigstens einen Menschen auf
der Welt gibt, der meinen Tod bedauert.«

Heine-Erinnerungen

Un jour (ici j'anticipe), elle était mariée alors et demeurait rue Bleue; Heine, jaloux de l'amour de sa femme pour sa perruche, qu'elle adorait, me dit: «Je vais la lui empoisonner, mais pour Dieu, ne lui dites rien, je serais perdu dans son esprit pour toujours!» Je lui achetai donc du persil et le lui remis en cachette. Ce jour-là, nous dînâmes dehors ensemble dans un restaurant. Rentrés rue Bleue, car Heine, prévoyant une scène, me pria de rentrer avec eux, Mathilde, trouvant sa perruche morte, poussa un cri terrible, un vrai cri du cœur; puis se pâmant, et comme s'il n'y avait qu'elle, en présence de son mari et de moi, elle se roula sur le parquet en sanglotant et en criant: «*Me voilà seule au monde!*» Nous éclatâmes de rire. «Comment! s'écria Heine, je ne te suis donc rien!» Brusquement alors elle se leva, et prenant l'air d'Alice devant Bertram, elle lui dit: «Rien! rien! rien!» Heine riait toujours; mais comme je prévoyais une forte scène conjugale, car j'avais déjà assisté à plusieurs batteries et roulements sur le parquet, je m'éclipsai. Le lendemain, la paix était faite, mais ces paroles: «Me voilà seule au monde!» jaillies involontairement de son cœur comme une source du rocher, ont fait pendant des années le sujet de nos conversations de table. Mme Heine n'a jamais su que son mari lui avait empoisonné sa perruche. Elle ne le lui aurait pas pardonné. Mais lui, au bout de huit jours, lui en acheta une autre, moins jolie, il est vrai, et beaucoup moins chère, et pour laquelle elle n'eut plus la même passion exclusive. (292)

Mathilde war schon verheiratet und wohnte in der Rue Bleue, als Heine, voll Eifersucht über die abgöttische Liebe seiner Frau zu ihrem Papagei, mir eines Tages sagte: »Ich werde ihn vergiften, aber sagen Sie ihr um Gottes willen nichts, ich hätte für immer bei ihr verspielt.« Ich kaufte also Schierling und gab ihn ihm heimlich. An diesem Tag aßen wir zusammen außerhalb in einem Restaurant und gingen dann gemeinsam wieder heim; in Erwartung einer Szene hatte Heine mich gebeten mitzukommen. Als Mathilde sah, daß ihr Papagei tot war, stieß sie einen schrecklichen Schrei aus, einen wahren Herzensschrei; sie wurde fast ohnmächtig und wälzte sich, ohne Rücksicht auf Heine und mich, auf dem Boden umher, schluchzte und schrie: »Nun bin ich ganz allein auf der Welt!« Wir mußten lachen. »Was!« rief Heine, »ich bin dir also nichts?« Da sprang sie mit einem Satz auf, und in der Pose Alicens vor Bertram rief sie: »Gar nichts! Gar nichts!« Heine lachte immerzu; da ich eine heftige eheliche Szene voraussah – ich hatte ja schon manch solchem Handgemenge auf dem häuslichen Parkett beigewohnt – verdrückte ich mich. Andern Tags war der Friede geschlossen, aber der Schrei: »Nun bin ich ganz allein auf der Welt!«, der jäh aus ihrem Herzen hervorbrach wie ein Springquell aus einem Felsen, bildete noch Jahre hindurch das Thema unseres Tischgesprächs. Mathilde erfuhr nie, daß ihr Gatte der Mörder ihres Papageis war; sie hätte es ihm nie verziehen. Heine aber kaufte ihr nach acht Tagen einen neuen; er war allerdings häßlicher und bedeutend billiger, und Mathilde war in ihn nicht so ausschließlich vernarrt wie in seinen Vorgänger.

1841
Paris

565. Elie Furtado   Anf. Jan. 1841

an Cécile Heine-Furtado, Paris, Anf. Jan. 1841

Ton beau père *[Salomon Heine]* t'a-t-il laissé ignorer l'ordre formel
qu'il m'a donné de réduire la pension du poète (Heine) à 50 francs par
semaine, au lieu de 100 francs? J'ai dû lui en faire part tout à l'heure,
car toujours en avance pour toucher son argent, il est venu quoique
fête réclamer son mois de Janvier, et n'a pas été peu surpris de ma
communication; il est parti furieux contre Mr. Heine et moi, et résolu,
m'a-t-il dit, de conduire sa femme malade à l'hôpital; puisqu'il n'avait
pas les moyens de la faire soigner chez lui, ce n'est qu'une menace qu'il
ne réalisera pas – et dont il est inutile de parler à ton beau père.   (101)

Hat Dein Schwiegervater *[Salomon Heine]* Dich darüber im Unklaren
gelassen, daß er mir den formellen Auftrag gegeben hat, die Pension
des Dichters (Heine) von 100 auf 50 francs pro Woche zu ermäßigen?
Ich mußte Heine gerade selbst davon Mitteilung machen, denn da er
sein Geld immer im voraus abholt, kam er trotz der Festtage sein Geld
für Januar entgegenzunehmen, und er war von dieser Nachricht nicht
wenig überrascht; er ist wütend auf Herrn Heine und auf mich weg-
gelaufen und entschlossen, wie er sagte, seine kranke Frau ins Hospital
zu bringen, da er nun nicht die Mittel dafür habe, sie zuhause pflegen
zu lassen; aber das ist nur eine leere Drohung, die er nicht in die Tat
umsetzen wird – Du brauchst es also Deinem Schwiegervater gegenüber
nicht zu erwähnen.

566. GEORGE SAND   7. Jan. 1841

Tagebuch, Paris, 7. Jan. 1841

Heine a des mots diablement plaisants. Il disait ce soir en parlant
d'Alfred de Musset: «C'est un jeune homme de beaucoup de passé.»

(220)

Heine macht verteufelt witzige Bemerkungen. Heute abend sagte er
von Alfred de Musset:»Ein junger Mann mit viel Vergangenheit.«

567. RICHARD WAGNER   Febr. 1841

Memoiren, Okt. 1866   (* 1911, posthum)

Mit [...] der Novelle unter dem Titel »Das Ende eines Musikers in
Paris«, französisch »Un musicien étranger à Paris«, nahm ich Rache für
alle mir widerfahrene Schmach. Sie [...] trug mir von H. Heine den
Lobspruch: »So etwas hätte Hoffmann nicht schreiben können« ein.

(268)

568. RICHARD WAGNER   Winter 1841

an August Lewald, Paris, 4. März 1841

In Erwartung dieses glorreichen Futurums schreibe ich Novellen u[nd]
andre schöne Dinge. Ueber das, was ich Ihnen hierbei zukommen lasse,
hat mir Heine ganz gegen seine blasirte Gewohnheit lebhafte Elogen
gemacht; da es nun unrecht wäre, mein sehr geehrter Herr, Ihrer Europa
so etwas Vortreffliches zu entziehen, so beeile ich mich, es Ihnen als
Beitrag für dieselbe zu schicken.   (269)

569. RICHARD WAGNER   Winter 1841

an Heinrich Laube, Paris, 13. März 1841

Hier, werthester Laube, erhalten Sie Stücke, die ich nach Ihrem Verlangen Ihnen Sous-Bande zuschicke. Die Auswahl machte mich zuerst
verlegen; ich ergriff jedoch das beste Auskunftsmittel und durchlief das
Repertoire der Theater während der letzten Monate, wählte die Stücke,
die am meisten gegeben und am meisten besprochen sind, und war, als
ich sie endlich gekauft, so glücklich, meine Auswahl von jemandem, der

in allen Theatern gewesen war, belobt zu sehen. Das Geld dazu habe
ich mir von Heine geben lassen. (269)

570. GERARD DE NERVAL   13. März 1841

an Paul Bocage, Paris, 14. März 1841

J'ai vu H. Heyne hier.   (189)

Gestern sah ich H. Heyne.

571. JOSEPH MENDELSSOHN   27. März 1841

Korrespondenz aus Paris   *(*1841)*

Ich hörte den Fürsten der Pianisten *[Liszt]* zum ersten Male, und war
daher, wie es wohl auch manchem Andern ergangen sein mag, berauscht,
verwirrt, betäubt fast von diesem wilden Tonsturme, von dieser trotzig
dahin wirbelnden Energie, einer Hand innewohnend, die nothwendig
Stahlnerven haben muß, um ihre an das Fabelhafte grenzende Thaten
auszuführen. Neben mir stand Joseph Mainzer, der Componist der
»Jaquerie« und Begründer einer trefflichen Volks-Gesangschule, der
noch immer regsame, im Correspondiren ergraute Depping, Ritter der
Ehrenlegion und des Cottaschen »Morgenblattes«, und Heinrich Heine
in seinem bescheidenen blauen Paletot, mit den verwilderten dunkel-
blonden Locken, den kurzsichtig blinzelnden Augen, den immer pro-
saischer sich anfettenden Satyrzügen und den eng auf einander gekniffe-
nen Lippen à la Voltaire. Neben mir stand auch ein Herr in ziemlich
nachlässigem Anzuge, mit etwas riscant abgestülpter Nase, dick auf-
geworfenem Munde, sonst regelmäßig häßlichem Gesichte und schwarzem, wollig gekräuseltem Haare. Ein Blick, eine Gedächtnißzuckung,
und ich hatte ihn remis, wie die Franzosen sagen. Das war der Pascha
der Rue Richelieu 97, mit den sechs Roßschweifen: Meyerbeer, Halevy,
Donizetti, Auber, Berlioz und Liszt. Ich versuche gar nicht, sein wüthen-
des Entzücken, seine wie in einem Zustande seliger Verzückung heraus-
gestoßenen Exclamationen: »Heine, Heine, das war göttlich! – Der Kerl
ist einzig! – Mainzer, den Lauf da spielt ihm kein Mensch nach! – Wie
klar diese drei Melodien eben heraustreten! Herrlich! Herrlich!« »Deli-
cieux! C'est divin, vraiment plus que divin même!« näher zu bezeichnen. Sie genirten allerdings die Umstehenden ein wenig durch ihre stete

Wiederholung, aber Jeder war vernünftig genug, zu bedenken, wie Hr. Schlesinger, Rue Richelieu 97, Franz Liszts Pianocompositionen verlege und daher um eine Stunde Enthusiasmus nicht verlegen sein dürfe.

(176)

572. Anton Schindler April 1841

»Erwiderung«, Aachen, 29. Mai 1841

In Paris lebt seit vielen Jahren ein deutscher Schriftsteller, der einst der Stolz seines Vaterlandes zu werden versprach. Diese einstens geistige Größe, Heine, ohne moralischen Unterbau leider sehr früh zur Ruine geworden, leidet nun häufig an übler Laune. In solchen Stunden fällt es ihm öfters ein, kritische Berichte über französische Staatsmänner und ihre Politik, über Kunst und Künstler in Paris in deutsche Blätter zu senden, wobei nach gewohnter Weise die meisten schlecht wegkommen, besonders die Tonkünstler, da er von Musik nichts versteht (was auch Börne bezeugte), ja mehr ihr Feind als Freund ist. So fiel es ihm auch bei, in seinem letzten Bericht (siehe Beilage zur augsburger Allgemeinen Zeitung vom 29. April d. J.), der einige sehr geachtete Künstler hart verletzt, auch meiner und meines Aufenthaltes in Paris zu gedenken, und ließ mir einen Nachruf erschallen, der mit folgenden Worten beginnt: »Minder schauerlich als die Beethoven'sche Musik war für mich der Freund Beethoven's, l'Ami de Beethoven, wie er sich hier überall producirte, ich glaube sogar auf Visitenkarten« u. s. w., in Heine's Manier, wo jede Zeile den giftigen Verfasser nennt.

Auf gemeine, schmutzige Verleumdungen nicht zu antworten, soll Grundsatz eines jeden Mannes von Ehre sein, seien sie auch in dem abgeglättetsten und *abgeriebensten* Styl ausgesprochen. Jedoch es treten Fälle ein, wo man von diesem Grundsatz abzugehen bemüßiget wird, und man verpflichtet ist, laut und öffentlich auf jene unlautere Quelle hinzuweisen, woraus so viele Verunglimpfungen und grundlose Verurtheilungen kommen; andererseits ist man auch schuldig, seinen Freunden in der Ferne die Beruhigung zu geben, daß man noch immer Derselbe ist, seinen Feinden aber allezeit nur ein *kurzes* Frohlocken zu gönnen.

Wäre es Herrn Heine in seinem Berichte um Wahrheit zu thun gewesen, so war es ihm ein Leichtes, bei jenen Künstlern, in deren Gesellschaft er »den Freund Beethoven's« öfters gesehen, die genauesten Erkundigungen über ihn einzuziehen. Er würde von ihnen, die alle wahrheitsliebend sind, gehört haben, daß dieser Freund Beethoven's sich von einem großen Theile der pariser Künstlerwelt einer so warmen und andauernden Theilnahme zu erfreuen hatte, wie noch selten ein fremder Künstler; er würde gehört haben, daß das Conservatoire, von Cherubini und Habeneck angefangen, ihn mit Auszeichnung behandelte, daß die »Société des Concerts« im Conservatoire, jenes in seiner Art erste musikalische Institut der Welt, ihm ihre Aufmerksamkeit dadurch gleichsam bescheinigte, indem sie ihm kurz vor seiner Abreise den ausführlichen Status der Gesellschaft, von ihrer Gründung an, durch ein Comitémitglied zum Andenken überreichen ließ: eine Ehre, die dort noch Keinem widerfahren ist, von der die deutsche Musikwelt durch einstige Mittheilung jenes interessanten Documents profitiren soll. – Wäre es dem tief gefallenen und schmähsüchtigen Sohne Germanias nicht blos zu thun gewesen, mich blindlings zu verleumden, er hätte leicht erfahren können, daß mein Verhältniß zu Beethoven den französischen Künstlern und Kunstfreunden seit Jahren schon durch die Gazette musicale und andere pariser Journale so gut bekannt war, wie der Schlag von Heine's Hand nach dem Schatten seines Freundes Börne ganz Deutschland bekannt ist; – ein Verhältniß, trotz der großen Verschiedenheit im Alter so innig und wahr, daß der große Tondichter sich nur von diesem seinem jungen Freunde auch sogar nach dem Kaiserhof begleiten ließ, um in der Conversation mit den allerhöchsten Herrschaften durch *sein* Ohr zu hören, wie er es gewohnt war; ein Verhältniß endlich, dessen Bedeutung beinahe allen deutschen Künstlern in Paris aus meinem Buche über Beethoven (wovon Heine freilich keine Notiz genommen) klar geworden, – daher die einfache Zeichnung meines Namens auf den Visitenkarten hinreichte, mich nach Verlauf von zwei Wochen in dem großen Paris schon so *be-* und *ge*kannt zu machen, als Andere vielleicht ein halbes Jahr hierzu brauchen. Doch wozu viele Worte über Dinge, die seit lange aller Welt bekannt sind, nur Herrn Heine nicht! Er *wollte* Skandal machen, und Einer, der mit solcher Absicht ans Werk geht, kümmert sich weder um bekannte Facta noch um Schicklichkeit.

Um aber zugleich die Plumpheit jenes Ausfalles gegen mich zu zeigen, erkläre ich, daß ich mit Herrn Heine kaum zwanzig Worte gewechselt, welche einen hier lebenden Gelehrten betrafen, um den sich Heine bei mir erkundigte. Dies geschah in Liszt's Wohnung und im Beisein der Künstler Ernst, Heller und Rosenhain. Und hieraus solche schamlose Folgerungen und Verleumdungen wie aus der Feder des ordinairsten Scriblers! – Wenn ein so heller Kopf aber sich noch vollends bei der

reinen Wäsche aufhält, die man trägt, und diese zum Gegenstande seiner kritischen Bemerkungen macht, so beweist er doch gar zu deutlich,
daß er die Welt um sich herum eben so unsauber liebt, als er selbst ist.
(Daß Börne auch die Gewohnheit hatte, stets reine Wäsche zu tragen,
ist bekannt.) Deshalb glaube ich Herrn Heine einen Gefallen zu thun,
wenn ich ihm beigehend die Adresse meiner Wäscherin in Paris mittheile, von der die »entsetzlich weiße Cravatte« gekommen, die ihm die
Augen geblendet. Er findet sie Nr. 12, Rue Richelieu. Möge er davon
Notiz nehmen und sich von ihr innerlich und äußerlich reinigen lassen!
Die Folgen dieses Reinigungsprocesses dürften vielleicht auch die sein,
daß Herr Heine in Zukunft seine Urtheile und Meinungen über Ton-
kunst für sich behalte, da er doch nichts davon versteht, weshalb ich ihn
im Namen aller von ihm *mishandelten* und *gelobhudelten* Tonkünstler
in Paris höflich ersuche, indem doch keines von beiden eine Bedeutung
hat. – Zugleich erlaube ich mir auch noch die deutschen Redactionen
auf die Fabrikate aus jener Quelle einstweilen hiermit aufmerksam zu
machen, und behalte mir vor, über den Unfug des Correspondenz-
wesens in Kunstsachen aus Paris überhaupt am passenden Ort ausführ-
licher zu sprechen. Ich hatte Gelegenheit, ihn dort ganz in der Nähe
kennen zu lernen.   (226)

573. Alexandre Weill   1841?

Heine-Erinnerungen   (*1883)

Un jour, après dîner, Mathilde se plaignait d'avoir la migraine; Heine
qui demeurait au quatrième, faubourg Poissonnière, sortit avec moi.
Arrivé au bas de l'escalier, il me dit: «J'ai oublié ma bourse; comme
vous avez de meilleures jambes que moi, veuillez remonter, ma bourse
doit se trouver sur la cheminée de la chambre à coucher.» Je monte
quatre à quatre, vais droit à la chambre à coucher sans frapper et trouve
quoi? Mme Heine qui changeait de chemise. Elle poussa un petit cri et
laissa tomber sa chemise. J'étais parti. Ayant rejoint Heine, je lui dis:
«J'ai vu votre femme nue, comme celle du roi Gygès *[!]*. – Eh bien; dit-il,
vous avez vu là quelque chose de très beau. Je ne crois pas que celle du
roi Gygès *[!]* fût plus belle.» Et nous parlâmes d'autre chose. Le lendemain, j'allai déjeuner exprès chez eux. Mathilde, en robe de chambre,
me reçut en souriant et dit à Heine: «Tu sais, il m'a vue nue, je chan-
geais de chemise quand il est entré sans frapper. – Je n'ai rien vu
d'extraordinaire, lui répondis-je, Suzanne est aussi belle que vous. –

Vous mentez! Ce n'est pas vrai! s'écria-t-elle. Chéri, ajouta-t-elle, je te conduirai chez Suzanne, tu verras qu'elle est loin d'être aussi belle que moi. – Voulez-vous parier? lui dis-je. Ah! fit-elle, je vois où vous voulez en venir, vous voudriez me revoir, mais nini, c'est fini. Une fois n'est pas coutume.« Et là-dessus, nous bûmes à sa beauté nue et dénue.

(292)

Eines Tages nach Tisch klagte Mathilde über Kopfschmerzen. Heine und ich gingen aus; er wohnte damals vier Treppen hoch, Faubourg Poissonière. Als wir unten waren, sagte er: »Ich habe mein Portemonnaie vergessen; Sie haben jüngere Beine als ich, gehen Sie hinauf und holen Sie es mir bitte, es liegt auf dem Kamin im Schlafzimmer.« Ich laufe die Treppe hinauf, immer vier Stufen auf einmal, trete geradewegs ohne anzuklopfen, ins Schlafzimmer, und was sehe ich? Mathilde, die ihr Hemd wechselt. Sie stieß einen leisen Schrei aus und ließ ihr Hemd fallen. Im Nu war ich wieder verschwunden. Wieder bei Heine angelangt, sagte ich ihm: »Ich habe Mathilde nackt gesehen, wie das Weib des Königs Gyges [Kandaules!].« – »Da haben Sie etwas sehr Schönes gesehen«, antwortete er, »das Weib des Gyges [Kandaules!] wird sicher nicht schöner gewesen sein.« Und wir sprachen von etwas anderem. Tags darauf ging ich eigens zu ihnen zum Essen. Mathilde, die mich lächelnd im Morgenrock empfing, sagte zu Heine: »Denk mal, er hat mich nackt gesehen, ich wechselte gerade mein Hemd, als er ohne anzuklopfen eintrat.« – »Etwas Besonderes habe ich eigentlich nicht gesehen«, sagte ich zu ihr; »Susanne ist ebenso schön wie Sie.« – »Sie Lügner, das ist nicht wahr!« rief sie. »Schatz«, fügte sie hinzu, »ich bringe dich zu Susanne, du wirst sehen, sie ist längst nicht so schön wie ich!« – »Wollen wir wetten?« antwortete ich. – »Ach so«, meinte sie, »ich weiß schon, worauf Sie hinauswollen; Sie möchten mich gern noch einmal sehen, aber damit ist Schluß. Einmal ist keinmal!« Und darauf tranken wir auf ihre – nackte und nicht nackte – Schönheit.

574. EDOUARD DE LA GRANGE   11. Mai 1841

Tagebuch, Paris, 11. Mai 1841

M. Heine vient me parler d'un journal qu'il veut fonder.   (307 d)

Heine hat mich besucht und mit mir über eine Zeitung gesprochen, die er gründen will.

575. RICHARD WAGNER 1841

Autobiographische Skizze (1842)

Der »fliegende Holländer«, dessen innige Bekanntschaft ich auf der See gemacht hatte, fesselte fortwährend meine Phantasie; dazu machte ich die Bekanntschaft von H. Heine's eigenthümlicher Anwendung dieser Sage in einem Theile seines »Salons«. Besonders die von Heine erfundene, echt dramatische Behandlung der Erlösung dieses Ahasverus des Oceans gab mir Alles an die Hand, diese Sage zu einem Opernsüjet zu benutzen. Ich verständigte mich darüber mit Heine selbst, verfaßte den Entwurf und übergab ihn dem Herrn Leon Pillet mit dem Vorschlage, mir danach ein französisches Textbuch machen zu lassen. (269)

576. ANONYM 14. Juni 1841

Korrespondenz aus Paris, 19. Juni 1841 (* 23. 6. 1841)

Paris, 19. Juni. Herr Heinrich Heine hat am 14. Juni auf öffentlicher Straße Ohrfeigen erhalten. Es wird Ihre Leser interessiren, die nähere Veranlassung und den thatsächlichen Hergang zu erfahren, da H[er]r Heine seither so viel von sich sprechen machte. Vor mehreren Jahren, als Börne mit H[er]rn Heine bereits zerfallen war, wurde von Jemand im Scherz das Gerücht ausgesprengt, Börne werde eine Biographie Heine's für die von Spazier redigirte »Gallerie der ausgezeichnetsten Israeliten« schreiben. H[er]r Heine, den nichts mehr ärgert, als daß man ihn zu den Juden zählt, drohte, falls Börne seine Biographie schreibe, die Freundin Börne's, Madame S[trauß], zu verunglimpfen und sich empfindlich zu rächen. Von dem Gatten der Mad. S[trauß] hierüber zur Rede gestellt und zur Satisfaktion mit den Waffen der Ehre aufgefordert, benahm sich H[er]r Heine auf eine Weise, die seine gedruckte Ausforderung an Menzel als lächerlich erscheinen läßt; er lehnte jedes Duell ab. Nun erschien nach dem *Tode* Börne's das berüchtigte Buch Heine's, über das sich in ganz Deutschland nur Eine Stimme des Abscheus vernehmen ließ, und das auch hier von allen Deutschen seiner Frivolität wegen getadelt wurde. Die Rancüne gegen die edle Freundin Börne's war darin auf's Höchste getrieben. Ein Weib wurde auf das Schändlichste verunglimpft. Am 14. nun begegnete H[er]r S[trauß] in der Straße Richelieu dem H[er]rn Heine. Nach einigen heftigen Worten gab Herr S[trauß], dem gegen den Beleidiger seiner Frau keine andere [!] Waffen mehr zu Gebote standen, Herrn Heine eine derbe Ohrfeige. Sogleich versammelte sich eine große Menge Menschen. Herr S[trauß] sagte Herrn Heine, daß er zu allem Ehrenkampfe bereit sei und nannte ihm seine Wohnung. Herr Heine, in der Bestürzung, hob seinen Hut auf und gab Herrn S[trauß] gleichfalls seine Karte. Man erwartete, daß der Streit nun in der Region ausgefochten werde, die Männern von Bildung und Ehre ziemt; aber Heine reiste schnell den andern Tag *nach den Pyrenäen* ab. Es wird Jedem sehr leicht sein, hierüber das gehörige Urtheil zu fällen, und Herr Heine hat nächst der literarischen nun auch die persönliche Infamie auf sich sitzen. (163)

577. SALOMON STRAUSS   14. Juni 1841

an die Redaktion des »Telegraphen« (K. Gutzkow),
Auteuil, Aug. 1841   *(* Anf. Sept. 1841)*

Nur mit Widerstreben kann ich mich entschließen, brieflich auf eine Angelegenheit zurückzukommen, die mir schon so traurige Nothwendigkeit auferlegt; aber ich halte es für Pflicht, den Ehrenmännern in Deutschland, die die Glaubwürdigkeit meiner Aussage im Voraus verbürgen, genauen Bericht über alles Vorgefallene zu geben. Und Sie, geehrter Herr, scheinen in der No. 120 Ihres Telegraphen eine solche Erklärung über die Heine'sche Sache zutrauensvoll von mir zu fordern. So kann ich Ihnen denn auf Ehre versichern, daß der Vorfall mit Heine völlig wahr, so wie es in den Zeitungen berichtet. Ich begegnete ihm am 14. Juni Nachmittags in der Rue Richelieu; erst als er einige Schritte an mir vorüber war, erkannte ich im Umdrehen Heine, und er wohl gleichzeitig mich, denn er bog schnell in die Straße St. Marc. Ich ihm nach, und unter Ausstoßen einiger nicht sehr höflichen Epitheten gab ich ihm die wohlverdiente Züchtigung: eine Ohrfeige. Er reichte mir seine Karte und ich rief ihm meine Wohnung zu, da ich keine Karte bei mir hatte; er erwiederte: »Ich werde Sie schon finden.« Ich that ihm nun die unverdiente Ehre an, zu glauben, daß er Genugthuung von mir fordern würde, aber in den nachfolgenden Tagen schon war er nach den Pyrenäen abgereist. Von dort aus beginnen seine neuen Schändlichkeiten; aber was selbst die überraschen mußte, die die geringste Meinung von seinem Charakter hatten, war das freche Läugnen. Es widerstrebte meinem Gefühle, nun in den Zeitungen sofort, so zu sagen, zu bescheinigen, daß ich wirklich die Ohrfeige gegeben; seitdem sind ja auch, wie Sie wohl wissen, Männer aufgetreten, die die Wahrheit des Vorfalls in deutschen Zeitungen verbürgen. (255)

578. Edouard de La Grange   6. Aug. 1841

   Tagebuch, Paris, 6. Aug. 1841

Vu M. Heine – Rue du Frg Montmartre, 46.   (307 d)

Heine gesehen – rue du Faubourg Montmartre, 46.

579. Alphonse Royer und   8. Aug. 1841
   Theophile Gautier

   an Salomon Strauß, Paris, 8. Aug. 1841

Nous avons communiqué à M. Heine, comme c'était notre devoir, les
noms des deux témoins que vous avez choisis, M. Heine nous a répondu qu'il récusait M. Kolloff pour témoin dans cette affaire, comme
il aurait récusé MM. Schuster et Hamberg signataires de la lettre qui
affirme les faits niés par M. Heine. Nous avons l'honneur, Monsieur,
de vous soumettre cet incident et nous espérons que vous voudrez bien
aplanir cette difficulté en adjoignant un autre témoin à M. Raspail. Il
serait utile que vous puissiez, Monsieur, nous communiquer ainsi qu'à
M. Raspail votre nouveau choix d'ici à demain soir, car un rendez-vous
a été fixé par vos témoins pour mardi et nous venons de répondre à
M. Raspail que son jour et son heure nous conviennent.   (314)

Unseren Pflichten gemäß haben wir Herrn Heine die Namen der von
Ihnen gewählten Zeugen mitgeteilt; Herr Heine hat uns geantwortet,
daß er Herrn Kolloff in dieser Sache als Zeugen ablehne, gerade so, wie
er auch die Herren Schuster und Hamberg ablehnen würde, da sie alle
drei Unterzeichner des Briefes sind, welcher die Wahrheit der von
Herrn Heine geleugneten Vorfälle bestätigen will. Wir haben die Ehre,
verehrter Herr, Sie von diesem Zwischenfall in Kenntnis zu setzen,
und wir hoffen, Sie werden diese Schwierigkeit aus dem Wege räumen,
indem Sie Herrn Raspail einen anderen Sekundanten beiordnen. Es
wäre von Nutzen, wenn Sie uns und Herrn Raspail das Ergebnis Ihrer
erneuten Wahl bis morgen abend mitteilen könnten, da Ihre Sekundanten ein Treffen für Dienstag vorgeschlagen und wir ihnen soeben
geantwortet haben, daß wir mit Ort und Uhrzeit einverstanden sind.

580. Alphonse Royer und   8. Aug. 1841
Theophile Gautier

an François Vincent Raspail, Paris, 8. Aug. 1841

Nous venons d'écrire à M. Strauss que M. Heine récusait M. Kolloff comme témoin. Nous espérons que M. Strauss consentira à vous adjoindre une autre personne, ce qui lèvera toute difficulté et nous permettra de régler définitivement cette affaire. L'heure et le jour que vous avez fixés nous conviennent et nous vous attendons, M. Royer et moi, rue de Navarin N⁰ 14 et nous nous félicitons du choix de M. Strauss qui nous procure l'honneur d'entrer en relation avec vous.

(314)

Wir haben soeben Herrn Strauß geschrieben, daß Herr Heine Herrn Kolloff als Sekundanten ablehnt. Wir hoffen, Herr Strauß wird einwilligen, Ihnen eine andere Persönlichkeit beizuordnen; so wären wir aller Schwierigkeiten enthoben und könnten diese Angelegenheit endgültig regeln. Mit Tag und Uhrzeit, die Sie uns bestimmt haben, sind wir einverstanden und erwarten Sie also rue de Navarin Nr. 14; wir beglückwünschen uns zu der Wahl, die Herr Strauß getroffen hat und die uns die Ehre verschafft, mit Ihnen in Beziehung zu treten.

581. François Vincent Raspail

an Alphonse Royer und Théophile Gautier,
Montrouge, 9. Aug. 1841

Les lettres ne m'arrivant à Montrouge que le lendemain, je m'empresse de vous répondre sur la difficulté élevée par M. Heine, d'après la lettre que vient de me communiquer M. Strauss. C'est moi, Messieurs, qui ai proposé à M. Strauss de m'associer M. Kolloff parce que M. Kolloff est le seul des auteurs allemands qui se trouvent actuellement à Paris, avec lequel j'ai eu des rapports assez intimes, pour me citer garant de sa moralité et de la délicatesse de ses procédés. Or dans cette affaire, j'avais besoin d'être assisté d'un auteur allemand. M. Heyne n'a pas le droit d'exercer une telle récusation; aucun précédent ne me paraît l'y autoriser; il me mettrait moi-même dans l'embarras, et je suis persuadé, qu'après cette franche explication, vous comprendrez, Messieurs, que nous ne devons pas nous trop arrêter à une difficulté, que nous aurons du reste [l']occasion mardi de discuter tous les quatre ensemble.   (314)

Da mich Briefe in Montrouge immer erst mit einem Tag Verspätung erreichen, beeile ich mich, Ihnen auf die von Herrn Heine aufgeworfene Schwierigkeit, wie sie in dem Brief dargestellt ist, den mir Herr Strauß soeben zukommen ließ, zu antworten. Ich war es, meine Herren, der Herrn Strauß vorschlug, mir Herrn Kolloff zuzugesellen, und zwar deshalb, weil Herr Kolloff der einzige deutsche Schriftsteller in Paris ist, mit dem ich hinreichend enge Beziehungen unterhalte, um mich für seine moralische Integrität und den Takt seiner Handlungsweise zu verbürgen. Und die Unterstützung eines deutschen Schriftstellers war mir in dieser Angelegenheit unerläßlich. Herr Heine hat nicht das Recht, eine solche Ablehnung zu betreiben; kein Präzedenzfall scheint ihn mir dazu zu ermächtigen; mich selbst brächte er dadurch in die ärgste Verlegenheit, und ich bin überzeugt, Sie werden nach dieser freimütigen Erklärung verstehen, daß wir uns nicht zu lange bei einer Schwierigkeit aufhalten dürfen, über die wir übrigens am Dienstag alle vier Gelegenheit haben werden zusammen zu sprechen.

582. ALPHONSE ROYER UND   10. Aug. 1841
     THEOPHILE GAUTIER

an François Vincent Raspail, Paris, 10. Aug. 1841

Nous avons fait part à M. Heine de la conversation que nous avions avec vous et M. Kolloff. M. Heine maintient toujours qu'il a le droit de choisir les armes et il ajoute qu'il n'acceptera que le pistolet. Quand à la question du témoin il consent à retirer sa récusation contre M. Kolloff à condition toutefois que ces deux messieurs prendront mutuellement l'engagement de ne pas s'adresser la parole pendant toute la durée de cette affaire. M. Heine ayant cédé sur un point espère que M. Strauss voudra bien céder sur l'autre. S'il a besoin d'un délai de quelques jours pour s'exercer, M. Heine nous charge de régler avec vous ce délai.

Soyez assez bon, Monsieur, pour achever de régler cette difficulté avec M. Strauss et nous donner une réponse après laquelle nous n'aurons plus besoin de vous déranger d[an]s vos importants travaux que pour une dernière occasion.   (314)

Wir haben Herrn Heine von unserer Unterredung mit Ihnen und Herrn Kolloff Mitteilung gemacht. Herr Heine vertritt nach wie vor, daß ihm das Recht der Waffenwahl zusteht, und er fügt dem hinzu, daß er sich nur zur Pistole verstehen wird. Was nun die Sekundantenfrage betrifft, so möchte Herr Heine seine Zustimmung Herrn Kolloff nicht mehr versagen, jedoch nur unter der Bedingung, daß beide (Herr Kolloff und er) sich gegenseitig verpflichten, während der ganzen Angelegenheit kein Wort aneinander zu richten. Da Herr Heine nun in dem einen Punkt nachgegeben hat, so erwartet er von Herrn Strauß, es ihm in dem anderen Punkt gleichzutun. Sollte Herr Strauß, um sich zu üben, einige Tage Aufschub benötigen, so sind wir von Herrn Heine beauftragt, uns mit Ihnen über diesen Aufschub zu verständigen.

Seien Sie so gut, mein Herr, diese Schwierigkeit mit Herrn Strauß endgültig zu beheben, und geben Sie uns eine Antwort, nach welcher wir Sie nur noch ein letztes Mal bei Ihren bedeutenden Arbeiten zu stören haben werden.

583. ALPHONSE ROYER UND   12. – 14. Aug. 1841
     THEOPHILE GAUTIER

an François Vincent Raspail und Eduard Kolloff,
Paris, 14. Aug. 1841

Nous avons communiqué à M. Heine votre lettre en date du 11 courant dans laquelle vous déclarez, au nom de M. Strauss, que celui-ci se regardant comme l'offensé, persiste à se battre seulement au sabre ou à l'épée.

M. Heine soutient toujours, de son côté, que le choix des armes est dans son droit, et pour prouver que c'est lui qui est l'offensé, il rappelle que la satisfaction est demandée par lui. Puis, laissant le droit pour ne considérer que le fait, M. Heine affirme qu'il regarde le sabre comme une arme trop peu sérieuse pour terminer un différend aussi grave. Quant à l'épée, il nous a déclaré ne savoir pas en faire usage. Je ne pense pas, a-t-il ajouté, qu'il soit loyal de persister à demander un combat à l'épée après la déclaration que je vous fais. Le pistolet (dit aussi M. Heine) est une arme que tout le monde peut et doit accepter parce qu'il égalise les forces et qu'on peut d'ailleurs en régler l'usage comme on veut.

Par tous ces motifs, M. Heine persiste plus que jamais dans sa ferme résolution d'amener M. Strauss à se battre avec lui au pistolet. Nous devons déclarer, Messieurs, que cet incident qui fait cesser vos pouvoirs de témoins, annulle [!] également les nôtres. Notre opinion personnelle est que MM. Strauss et Heine doivent faire décider leur discussion par un jury d'honneur choisi parmi leurs compatriotes présents à Paris.

(314)

Wir haben Herrn Heine Ihren Brief vom 11. d. M. mitgeteilt, worin Sie im Namen des Herrn Strauß erklären, daß dieser sich für den Beleidigten hält und deshalb darauf beharrt, sich lediglich auf Säbel oder Degen zu schlagen.

Herr Heine seinerseits ist immer noch der Ansicht, daß ihm die Wahl der Waffen zusteht, und um zu beweisen, daß er der Beleidigte ist, erinnert er nur daran, daß er es ist, der Genugtuung fordert. Wenn er außerdem einmal die Rechtsfrage beiseite lasse und nur das Faktum an sich erwäge, so versichert Herr Heine, den Säbel für eine zu harmlose Waffe zu halten, als daß man damit eine so schwerwiegende Auseinandersetzung beilegen könnte. Den Degen, sagte er uns, wisse er nicht zu handhaben. »Ich glaube nicht«, setzte er hinzu, »daß man nach der Erklärung, die ich Ihnen abgegeben, noch mit Anstand auf einem Degenkampf bestehen kann. Die Pistole«, sagt Herr Heine des weiteren, »ist eine Waffe, der jedermann zustimmen kann und muß, da sie die Körperkräfte ausgleicht und man im übrigen nach Belieben festlegen kann, in welcher Weise man von ihr Gebrauch machen will.«

Aus allen diesen Gründen besteht Herr Heine mehr denn je auf seinem festen Entschluß, sich mit Herrn Strauß auf Pistolen zu schlagen. Wir müssen nun erklären, daß dieser Zwischenfall, welcher Sie Ihrer Zeugenschaft enthebt, auch die unsere zum Erliegen bringt. Unsere persönliche Meinung ist, daß die Herren Strauß und Heine ihren Streit vor ein Ehrengericht bringen sollten, dessen Mitglieder unter ihren in Paris anwesenden Landsleuten ausgewählt werden müßten.

584. Julius Sichel · Mitte Aug. 1841

an Salomon Strauß, Paris, 15. Aug. 1841

Werther Herr Strauß!

So eben habe ich von Herrn Dr. Schuster eine Erklärung erhalten und Herrn Heine mitgetheilt, welche beweist, daß in Ihrer Angelegenheit kein Augenzeuge vorhanden ist. Zu gleicher Zeit ersehe ich aus einem Brief der Zeugen des Herrn Heine, daß Sie Sich weigern Sich mit ihm auf Pistolen zu schlagen. Nach dem einstimmigen Urtheil mehrerer höchst ehrenwerther und erfahrener Männer (unter denen sich einer unserer Landsleute befindet, der in Frankfurt allgemein gekannt und geachtet ist) kann diese Weigerung, nachdem Sie allgemein verbreitet haben, Sie hätten Herrn Heine geohrfeigt, für Sie und Ihren Ruf nur die übelsten Folgen haben; H. Heine wird Sie öffentlich als einen Lügner und einen feigen Prahler darstellen, wogegen Sie durchaus nichts thun können, da Sie keine Augenzeugen haben. Ich habe Herrn Heine gebeten, keine weiteren Schritte zu thun, ehe ich Sie gesprochen; wollen Sie also meinen Rath anhören, so bin ich morgen früh zwischen sieben und neun Uhr oder morgen Abend von sieben bis neun zu Ihrer Verfügung, sei es bei mir, sei es in Ihrer Wohnung; allein es versteht sich, daß wir *allein* sein müssen; es wäre mir nicht angenehm, mich im gegenwärtigen Augenblicke mit Ihrer Frau Gemahlin zu begegnen.

(314)

585. ANONYM   Aug. 1841

Korrespondenz aus Paris   (* *4. 9. 1841*)

Heine hat H[er]rn Strauß ein Cartel geschickt und ihn auf Pistolen gefordert. Strauß schützt ältere Rechte vor, wonach *ihm* die Wahl der Waffen zustehe, und will sich auf Säbel schlagen. Dagegen wendet Heine ein, er wolle für die früher ihm, dem H[er]rn Strauß, zugefügte Beleidigung Rede stehen, – obgleich sie längst verpufft sei und jener nie dafür Satisfaction verlangt; – für diese wolle er sich späterhin auf jede beliebige Waffenart schlagen, aber jetzt habe *er* die Wahl und dringe auf sein Recht; es soll ein ernsthaftes Duell sein. Diese Abneigung des H[er]rn Salomon Strauß gegen Pistolen macht seine besten Freunde stutzen und es wäre Zeit, daß er sich entschlösse. Uebrigens sollen Heine von mehreren Seiten Cartels zugeschickt worden sein. Einem dieser unberufenen Gegner antwortete er lachend: wenn Sie des Lebens satt sind, so hängen Sie sich.   (302)

586. PROTOKOLL DER SEKUNDANTEN   26. (?) Aug.–4. Sept. 1841
     ZUR UNMITTELBAREN VORGESCHICHTE
     DES DUELLS HEINE–STRAUSS

Paris, 4. Sept. 1841

Nous soussignés F. V. Raspail et E. Kolloff d'une part témoins mandataires de M. Strauss, et Mrs. Cyprien Tessié du Motay et H. Seuffert témoins mandataires de M. Heine d'autre part, avons rédigé d'un

477

commun accord le procès verbal de nos discussions pour valoir ce que de droit aux deux adversaires.

Mrs. Th. Gautier et A. Royer, premiers témoins de M. Heine, s'étant retirés et ayant été remplacés du consentement de M. Heine par Mrs. Tessié du Motay et Seuffert, le présent procès verbal ne saurait remonter plus haut qu'à l'époque où les deux nouveaux témoins de M. Heine sont entrés en communication avec les deux témoins de M. Strauss. Avant toute réunion il avait été convenu par écrit que les témoins seraient de part et d'autre investis de pleins pouvoirs en sorte que les deux adversaires seraient tenus à se conformer aveuglément à la décision quelconque que la réunion des témoins aurait pu prende. Ce point important une fois constaté, la discussion s'est engagée sur deux faits principaux: l'un relatif aux tentatives d'une conciliation également honorable pour les deux adversaires, et l'autre relatif au choix des armes dans le cas où toute tentative de conciliation paraîtrait impossible.

Dans une conversation précédente et qui n'avait encore aucun caractère authentique, M. Raspail avait ouvert un moyen de conciliation qui lui paraissait également favorable aux intérêts de l'un et de l'autre adversaire. M. Heine, disait-il, a publié un livre contenant des inculpations qui m'ont paru outrageantes non seulement contre la mémoire d'un philosophe, ami intime de M. Strauss, de M. Boerne enfin, mort trois ans avant l'apparition du livre, mais encore contre M. Strauss et surtout contre son épouse. Les passages de ce livre qui concernent M. et Mme Strauss étant à mes yeux une mauvaise action, il importe à la réputation morale de M. Heine de les effacer. La littérature allemande ne saurait qu'applaudir à cette noble rétractation, et je l'attends de M. Heine, moi qui ai connu aussi bien Boerne que Mme Strauss et qui ne crains pas de me porter garant de la pureté de la liaison qui a existé entre eux pendant la vie de Boerne et du culte que Mme Strauss professe pour la mémoire de l'illustre défunt. M. Tessié du Motay, partageant cette idée d'après les assertions de M. Raspail et d'un autre côté s'étant assuré auprès de M. Heine que l'intention de ce dernier n'avait jamais été d'insulter directement Mme Strauss, il se fait fort d'obtenir de M. Heine une lettre conçue dans ce sens laquelle serait insérée dans la *Gazette d'Augsbourg*, mais à la condition expresse que de son côté dans une lettre rendue également publique, M. Strauss déclarerait n'avoir jamais donné un soufflet à M. Heine. M. Raspail répondit, qu'on pouvait réparer une calomnie par l'aveu de la vérité, mais qu'on ne saurait exiger d'un adversaire qu'il ait à réparer par un mensonge officieux une insulte dont il s'avouait l'auteur. M.

Strauss, à la véracité duquel je crois, ajouta M. Raspail, certifie avoir donné un soufflet à M. Heine, il se prépare à trouver la mort à l'occasion de cet unique fait, ce n'est pas à mes yeux dans ces conditions qu'un homme continue à soutenir un mensonge ou prend le parti d'en proférer un. Cependant, je propose d'amener M. Strauss à user dans sa lettre de termes tellement voilés et de circonlocutions tellement discrètes, que M. Heine en soit aussi satisfait que le public. Puisque M. Heine, dira en substance M. Strauss, vient de réparer d'une manière si loyale les malheureux effets de la publication de sa brochure, moi qui ne m'étais jeté sur lui que par souvenir de ses torts, je déclare les effacer de ma mémoire et prie le public de ne conserver de cette affaire que l'impression de notre réciproque réparation.

Mrs. Tessié du Motay et Seuffert tout en se conservant le droit de penser que les considérations précédentes ne changent en rien les faits dont ils ont de leur côté affirmé la véracité au nom de M. Heine et auxquels ils déclaraient croire fermement, s'engagèrent à parler à ce dernier d'un moyen conciliateur qui mettrait à couvert aussi bien sa bonne foi que celle de M. Strauss et de rapporter le résultat de cette mission à la prochaine réunion.

La réunion eut lieu le 28 août 1841. Là, Mrs. Raspail et Kolloff témoignèrent leur étonnement de voir M. Heine continuer par lui ou par ses amis dans les journaux allemands une polémique offensante contre M. Strauss. Mrs. Tessié du Motay et Seuffert firent observer que les publications qu'ils avaient vues avec regret, étaient parties de Paris avant leur constitution comme témoins et que M. Heine n'était pour rien dans la rédaction de cette correspondance. Mrs. Tessié du Motay et Seuffert ayant déclaré ensuite que M. Heine ne consentirait à écrire dans la *Gazette d'Augsbourg* la lettre dont nous avons plus haut indiqué la substance, qu'à la condition expresse que M. Strauss de son côté déclarerait ne lui avoir pas donné un soufflet, mais pour rendre ce désaveu plus facile, et pour que la vérité en se faisant jour n'entachât pas M. Strauss de mensonge, il consentirait à ce que ce dernier voilât cette déclaration sous la forme qui lui semblerait la plus favorable à son honneur. Les quatre témoins n'ayant pu s'entendre, ont rompu sur ce point et ont passé à l'autre: celui du combat, qui malgré leurs efforts conciliateurs n'en aurait pas moins été tôt ou tard inévitable. La difficulté qui se présentait à cet égard, résidait dans le choix des armes: qui était l'offensé de M. Heine ou de M. Strauss? qui était l'agresseur? M. Heine, ont dit Mrs. Raspail et Kolloff, a insulté M. Strauss dans tout ce que ce dernier a de plus cher au monde par la publication de son pamphlet intitulé: *Heine sur Boerne*. M. Heine est donc jusque là l'agresseur et M. Strauss l'offensé. C'est en souvenir de cet écrit que M. Strauss avait porté sa main sur la figure de M. Heine: un mois plus tard M. Heine adresse un cartel à M. Strauss: or, ou bien M. Strauss a donné un soufflet à M. Heine, ou bien il ne l'a pas donné: dans le premier cas le soufflet était la riposte et non une attaque, dans le second cas M. Heine est doublement agresseur et par son livre et par son cartel. En outre, et antérieurement au cartel, M. Heine a envoyé à la *Gazette d'Augsbourg* une «*déclaration préalable*» dans laquelle il se sert de nouveau d'expressions injurieuses contre l'honneur de M. Strauss. Sous ce rapport, il devient encore l'agresseur, M. Strauss n'ayant jamais rien écrit, ni avant ni depuis le cartel, contre M. Heine. Le choix des armes appartient donc à M. Strauss ainsi qu'il l'avait prétendu par ses témoins devant Mrs. Th. Gautier et A. Royer. En conséquence M. Strauss avait offert à M. Heine le sabre ou l'épée ce que M. Heine avait refusé en proposant le pistolet.

Mrs. Tessié du Motay et Seuffert, comme l'avaient dû faire leurs prédécesseurs, Mrs. Th. Gautier et A. Royer, ont répondu aus prétentions des témoins de M. Strauss par les arguments suivants: ou M. Heine a reçu le soufflet de M. Strauss, ou il ne l'a pas reçu; or dans l'un et l'autre cas, à notre sens, il demeure l'offensé et comme tel il a le choix des armes. Car 1^0 nous ne pouvons admettre que M. Strauss dans sa rencontre avec M. Heine l'ait souffleté dans le but de venger l'honneur de son épouse et qu'il ne le lui ait pas dit en le souffletant; et 2^0 que ce soufflet pour ce motif nous paraissant inadmissible, nous sommes portés à croire avec M. Heine que M. Strauss a été emporté par la colère jusqu'à proférer une calomnie dont il doit dans tous les cas subir la conséquence. Quant à l'offense par inculpation que les témoins font valoir au sujet d'une lettre de M. Heine écrite par lui de Cauterets à la *Gazette d'Augsbourg*, nous répondons que cette lettre n'était et ne pouvait être qu'une réponse aux prétendues calomnies de M. Strauss, ces calomnies s'étant répandues non seulement à Paris, mais aussi en Allemagne et étant venues troubler M. Heine jusque dans les Pyrénées. Le droit qu'avait M. Heine d'écrire cette lettre, étant ainsi établi par nous, témoins de M. Heine, nous passons outre sur les deux autres griefs.

Mrs. Kolloff et Raspail font observer que les raisons alléguées par Mrs. les témoins de M. Heine n'infirment en rien le droit que les témoins de M. Strauss pensent appartenir à ce dernier. Car M. Strauss n'ayant rien écrit, M. Heine aurait pu protester dans les journaux contre le fait, sans profiter de l'occasion pour insulter de nouveau M. Strauss. Cette insulte nouvelle publiée à l'insu de M. Strauss et sans que M. Strauss eût été préalablement mis en demeure de s'expliquer, constitue, aux yeux de Mrs. Kolloff et Raspail, M. Heine l'agresseur en dernier lieu. Pour en finir cependant avec les discussions irritantes que se permet chaque jour la presse allemande contre M. Strauss, Mrs. Kolloff et Raspail ont consenti à faire le sacrifice de ce droit, et ils ont déclaré qu'ils acceptaient pour M. Strauss le pistolet.

Mrs. Tessié du Motay et Seuffert continuent à ne pas reconnaître ce droit à M. Strauss et acceptent à leur tour le pistolet. La distance a été réglée à trente pas et vingt pas de barrière.

M. Raspail a demandé alors à ces Mrs. qu'il lui fût loisible de se faire remplacer le jour du combat par M. Hamberg, ami de M. Strauss, la maladie de son fils ne lui permettant pas de s'éloigner à de trop grande distance. M. Heine a récusé ce témoin comme ayant signé la lettre qui a accrédité en Allemagne le bruit que M. Heine aurait reçu un soufflet de la main de M. Strauss. Mrs. Raspail et Kolloff protestent contre un droit que, d'après eux, n'a jamais revendiqué aucun adversaire; du reste M. Hamberg a signé la lettre en question avec M. Kolloff, et déjà M. Heine avait dû renoncer à récuser à ce titre M. Kolloff sur les observations de ses premiers témoins; or d'après Mrs. Kolloff et Raspail, M. Heine aurait cette fois-ci doublement tort de récuser M. Hamberg, d'abord parce que M. Strauss ne récusait pas M. Seuffert, lequel avait écrit dans les journaux allemands en faveur de M. Heine et au détriment de M. Strauss. Cependant pour aller au-devant de toutes les difficultés, M. Raspail consentait à se faire remplacer par M. Heim, qui a été accepté.

Mrs. Tessié du Motay et Seuffert objectent aux précédentes considérations qu'ils pensent que tout homme a le droit de récuser un témoin proposé par un adversaire quand il regarde ce témoin comme un ennemi personnel et comme dérogeant de la sorte à l'impartialité qu'exige cette haute mission. Or, M. Heine en ne récusant pas M. Kolloff, signataire d'une déclaration qualifiée par lui calomniatrice, a montré assez de modération pour que sa fin de non-recevoir à l'égard de M. Hamberg soit déclarée par eux contradictoirement à l'opinion de Mrs. Raspail et Kolloff non seulement juste, mais encore nécessaire.

Mrs. Kolloff et Raspail persistent nonobstant dans leur appréciation du fait ci-dessus et continuent à regarder la récusation, par M. Heine, comme contraire aux règles adoptées dans ce cas.

Les quatre témoins se rendent cette justice que tous leurs efforts ont tendu à une honorable conciliation, qu'ils se sont dégagés dans cette affaire de tout esprit de partialité et de haine personnelle, laissant désormais à Dieu le soin de faire la part des torts et de régler les chances. P.S. Le jour, le lieu, et l'heure du combat seront un secret. Cette pièce authentique, signée et paraphée par les quatre témoins, sera la propriété des adversaires après le combat mais à la condition expresse qu'elle ne pourra être publiée qu'*en totalité* dans le cas où l'un des deux voudrait en faire usage.

Clos à Montrouge le quatre septembre mille huit cent quaranteetun.

Approuvée l'écriture ci-dessus   approuvée l'écriture ci-dessus
    C. Tessié du Motay   F. V. Raspail
Approuvée l'écriture   Henri Seuffert   E. Kolloff.   (314)

Wir Unterzeichnete, F. V. Raspail und E. Kolloff als beauftragte Sekundanten des Herrn Strauß auf der einen Seite, und Cyprien Tessié du Motay und H. Seuffert, beauftragte Sekundanten des Herrn Heine auf der anderen Seite, haben aufgrund eines gemeinsamen Abkommens dieses Protokoll unserer Unterredungen verfaßt, um herauszustellen, was für beide Gegner rechtens und verbindlich ist.

Da sich die Herren Th. Gautier und A. Royer, die ersten Sekundanten des Herrn Heine, zurückgezogen haben und in Einklang mit Herrn Heine durch die Herren Tessié du Motay und Seuffert ersetzt wurden, kann das vorliegende Protokoll nicht weiter zurückreichen als bis zu der Zeit, wo die beiden neuen Sekundanten mit den beiden Sekundanten des Herrn Strauß Verbindung aufgenommen haben. Vor jeder Versammlung war man schriftlich übereingekommen, daß die Sekundanten von beiden Seiten Vollmacht erhielten, und zwar dergestalt, daß die beiden Gegner verpflichtet seien, jede Entscheidung, die die Versammlung der Sekundanten träfe, blind zu befolgen. Nachdem dieser wichtige Punkt einmal festgehalten war, begann die Beratung. Zwei Hauptgegenstände wurden behandelt: Einmal der Versuch einer für beide Teile gleichermaßen ehrenhaften Versöhnung, und zum zweiten die Wahl der Waffen, für den Fall, daß sich jeder Versuch einer Versöhnung als unmöglich erweise.

In einer vorhergehenden Unterhaltung, die noch keinen verbindlichen Charakter trug, hatte Herr Raspail ein Mittel zu einer Versöhnung vorgeschlagen, welches ihm den Interessen beider Gegner gleichermaßen zu entsprechen schien. »Herr Heine«, sagte er, »hat ein Buch veröffentlicht, das Beschuldigungen enthält, die mir beleidigend scheinen, und zwar nicht nur gegen das Andenken eines Philosophen, engen Freundes von Herrn Strauß, nämlich gegen Börne, welcher drei Jahre vor Erscheinen des Buches gestorben ist, sondern auch gegen Herrn Strauß und vor allem gegen dessen Gattin. Da die Passagen dieses Buches, in denen von Herrn und Frau Strauß die Rede ist, in meinen Augen eine schlechte Handlung sind, obliegt es dem sittlichen Ansehen des Herrn Heine, sie auszulöschen. Die deutsche literarische Öffentlichkeit könnte einen solchen edlen Widerruf nur beifällig begrüßen, und ich erwarte diesen Widerruf von Herrn Heine, ich, der ich Börne und Frau Strauß gleichermaßen gut kannte und keinerlei Scheu trage, mich zum Garanten für die Reinheit der Beziehungen zu machen, die beide zu Lebzeiten Börnes verband, zum Garanten schließlich für die Verehrung, die Frau Strauß dem Gedächtnis des berühmten Verstorbenen weiht.« Herr Tessié du Motay, welcher diesen Gedanken des Herrn Raspail teilte und sich andererseits bei Herrn Heine dessen versichert hatte, daß es nie in seiner Absicht gelegen habe, Frau Strauß direkt zu beleidigen, machte sich dafür stark, einen Brief in diesem Sinne von Herrn Heine zu erhalten, der in der »Augsburger Allgemeinen« veröffentlicht werden würde, aber nur unter der ausdrücklichen Bedingung, daß Herr Strauß seinerseits in einem ebenfalls öffentlichen Brief erkläre, Herrn Heine niemals eine Ohrfeige gegeben zu haben. Herr Raspail antwortete, daß man wohl eine Verleumdung durch das Geständnis der Wahrheit wiedergutmachen könne, aber daß man von einem Gegner nicht verlangen dürfe, mit einer öffentlichen Lüge eine Beleidigung wiedergutzumachen, deren Urheberschaft er für sich in Anspruch nehme. »Herr Strauß, an dessen Wahrhaftigkeit ich glaube«, fügte Herr Raspail hinzu, »versichert zuverlässig, Herrn Heine eine Ohrfeige gegeben zu haben, er bereitet sich aus Anlaß einzig dieses Faktums auf den Tod vor, und unter diesen Bedingungen hält in meinen Augen ein Mann keine Lüge weiter aufrecht oder faßt den Entschluß, eine Lüge zu verbreiten. Ich schlage indessen vor, Herrn Strauß zu veranlassen, in seinem Brief so verschleierte Ausdrücke und so diskrete Redewendungen zu gebrauchen, daß Herrn Heine dadurch ebenso Genugtuung geschehe wie dem Publikum. ›Da Herr Heine‹, wird Herr Strauß ungefähr sagen, ›auf eine so loyale Weise die unglücklichen Auswirkungen seines Buches wiedergutgemacht hat, erkläre ich, der ich mich nur im Gedanken an sein Unrecht auf ihn gestürzt habe, dies aus meinem Gedächtnis auszulöschen, und bitte das Publikum, von dieser Affäre nur unsere wechselseitige Versöhnung im Gedächtnis zu bewahren.‹«

Wenn die Herren Tessié du Motay und Seuffert sich auch das Recht vorbehielten, daß die vorhergehenden Ausführungen nichts an den Fakten änderten, deren wahren Ablauf sie ihrerseits im Namen des Herrn Heine bestätigten und an welchen sie festhielten, verpflichteten sie sich doch, mit diesem letzteren von einem Versöhnungsmittel zu sprechen, das in gleicher Weise seinem guten Glauben wie dem des Herrn Strauß Rechnung trage, und über das Ergebnis dieses Auftrags auf der nächsten Versammlung zu berichten.

Die Versammlung fand am 28. August 1841 statt. Zunächst bezeugten Herr Raspail und Herr Kolloff ihr Erstaunen, daß Herr Heine selbst oder seine Freunde nicht davon abließen, in den deutschen Zeitungen eine beleidigende Polemik gegen Herrn Strauß zu führen. Die Herren Tessié du Motay und Seuffert wendeten ein, daß die Artikel, die sie mit Bedauern zur Kenntnis genommen hätten, aus Paris weggeschickt worden seien, bevor sie selbst als Zeugen eingesetzt wurden, und daß Herr Heine keinen Anteil an der Abfassung dieser Berichte habe. Die Herren Tessié du Motay und Seuffert erklärten darauf, daß Herr Heine darauf eingehe, den Brief, dessen Inhalt wir oben angegeben haben, an die »Augsburger Allgemeine« zu schreiben, aber nur unter der ausdrücklichen Bedingung, daß Herr Strauß seinerseits erkläre, ihm keine Ohrfeige gegeben zu haben. Um Herrn Strauß diesen Widerruf zu erleichtern und damit die an den Tag kommende Wahrheit Herrn Strauß nicht offen einer Lüge bezichtige, würde er zustimmen, daß Herr Strauß diese Erklärung in einer Form verschleiere, die seiner Ehre am zuträglichsten sei. Da sich die vier Zeugen über diesen Punkt nicht verständigen konnten, brachen sie ihre diesbezüglichen Unterhandlungen ab und gingen zum nächsten Punkt über, der Frage des Kampfes, der trotz ihrer Bemühungen um eine Versöhnung früher oder später unvermeidlich gewesen wäre. Die Schwierigkeit, die sich in dieser Hinsicht auftat, lag in der Wahl der Waffen: Wer war der Beleidigte, Herr Heine oder Herr Strauß? Wer war der Angreifer? »Durch die Veröffentlichung seines Pamphlets ›Heine über Börne‹«, sagten die Herren Raspail und Kolloff, »hat Heine Herrn Strauß in dem beleidigt, was diesem auf der Welt das Liebste ist. Bis dahin ist also Herr Heine der Angreifer und Herr Strauß der Beleidigte. Im Gedanken an diese Schrift schlug Herr Strauß Herrn Heine ins Gesicht. Einen Monat später schickte Herr Heine Herrn Strauß ein Kartell. Nun sind zwei Fälle zu beachten: Entweder hat Herr Strauß Herrn Heine eine Ohrfeige gegeben oder er hat dies nicht getan. Im ersten Fall war die Ohrfeige eine Antwort und nicht ein Angriff; im zweiten Fall ist Herr Heine zweifacher Angreifer, nämlich durch sein Buch und durch sein Kartell. Außerdem hat Herr Heine noch vor dem Kartell eine ›vorläufige Erklärung‹ an die ›Augsburger Allgemeine‹ geschickt, in welcher er sich von neuem beleidigender Ausdrücke gegen Herrn Strauß bediente. In dieser Hinsicht wird er nochmals zum Angreifer, während Herr Strauß niemals etwas gegen Herrn Heine geschrieben hat, weder vor noch nach dem Kartell. Die Wahl der Waffen steht also Herrn Strauß zu, so wie er dies auch durch seine Zeugen gegen Herrn Gautier und Herrn Royer versichern ließ. Nun hatte Herr Strauß Herrn Heine den Säbel oder den Degen vorgeschlagen, was Herr Heine zurückgewiesen hatte, indem er die Pistole vorschlug.«

Wie schon ihre Vorgänger, die Herren Gautier und Royer, antworteten die Herren Tessié du Motay und Seuffert auf die Behauptungen der Zeugen des Herrn Strauß mit den folgenden Argumenten: »Entweder hat Herr Heine von Herrn Strauß eine Ohrfeige erhalten oder nicht. In beiden Fällen bleibt er nach unserer Ansicht der Beleidigte, und als solcher hat er die Wahl der Waffen. Denn erstens können wir nicht zugeben, daß Herr Strauß bei seiner Begegnung mit Herrn Heine diesen mit dem Ziel geohrfeigt habe, die Ehre seiner Gattin zu rächen, zumal er dies bei der angeblichen Ohrfeige nicht ausdrücklich gesagt hat; und zweitens, da uns diese Ohrfeige aus einem solchen Motiv nicht zulässig erscheint, glauben wir mit Herrn Heine, daß sich Herr Strauß in der Wut hat so weit hinreißen lassen, eine Verleumdung zu verbreiten, für deren Folgen er in jedem Fall einzustehen hat. Was nun die Beleidigung in einem Brief des Herrn Heine aus Cauterets an die ›Augsburger Allgemeine‹ betrifft, welche die Zeugen hervorheben, so entgegnen wir, daß dieser Brief lediglich eine Antwort war (und nichts anderes sein konnte) auf die sogenannten Verleumdungen des Herrn Strauß, da diese sich nicht nur in Paris, sondern auch in Deutschland verbreitet hatten und Herrn Heine bis in die Pyrenäen verfolgten. Nachdem wir, die Zeugen des Herrn Heine, dessen Recht zu diesem Brief dergestalt begründet haben, übergehen wir die zwei anderen Anklagepunkte.«

Die Herren Kolloff und Raspail machten darauf aufmerksam, daß die von den Zeugen des Herrn Heine vorgebrachten Gründe in keiner Weise das Recht entkräften, das nach ihrer Ansicht dem Herrn Strauß zustehe. Denn da Herr Strauß nichts geschrieben habe, hätte Herr Heine in den Zeitungen gegen das Faktum als solches protestieren können, ohne die Gelegenheit zu benutzen, Herrn Strauß von neuem zu beleidigen. Diese neue Beleidigung, ohne Wissen des Herrn Strauß veröffentlicht und ohne daß Herr Strauß zuvor aufgefordert worden sei, sich zu erklären, mache Herrn Heine zum Angreifer an letzter Stelle. Um indessen den aufreizenden Erörterungen, die sich die deutsche Presse täglich gegen Herrn Strauß herausnehme, ein Ende zu machen, erklärten sich die Herren Kolloff und Raspail bereit, das Recht der Waffenwahl zu opfern und die Pistole im Namen des Herrn Strauß zu akzeptieren.

Die Herren Tessié de Motay und Seuffert bestritten dieses Recht Herrn Strauß weiterhin, stimmten aber ihrerseits der Pistole zu. Die Entfernung wurde auf 30 Schritte und 20 Schritte Barriere festgelegt.

Darauf bat Herr Raspail, sich am Tage des Duells von Herrn Hamberg, einem Freund des Herrn Strauß, ersetzen zu lassen, da es ihm die Krankheit seines Sohne nicht gestatte, sich zu weit zu entfernen. Heine wies diesen Zeugen zurück, da er den Brief unterzeichnet habe, in welchem in Deutschland das Gerücht beglaubigt worden sei, er habe von Herrn Strauß eine Ohrfeige erhalten. Die Herren Raspail und Kolloff protestierten gegen ein Recht, das ihnen zufolge nie ein Gegner für sich in Anspruch genommen habe. Außerdem habe Herr Hamberg den in Frage stehenden Brief zusammen mit Herrn Kolloff unterzeichnet, und von dessen Zurückweisung habe Heine auf Einspruch seiner ersten Sekundanten Abstand nehmen müssen. Heine habe diesmal doppelt Unrecht, Herrn Hamberg zurückzuweisen, einmal, weil Herr Strauß keine Einwendungen gegen Herrn Seuffert gemacht habe, welcher doch in deutschen Blättern Heine verteidigt und Herrn Strauß angegriffen habe. Um indessen alle Schwierigkeiten aus dem Wege zu räumen, stimmte Herr Raspail zu, sich durch Herrn Heim ersetzen zu lassen, was angenommen wurde.

Die Herren Tessié du Motay und Seuffert wendeten gegen diese Erörterung ein, daß nach ihrer Meinung jeder Mensch das Recht habe, einen von der Gegenseite vorgeschlagenen Sekundanten zurückzuweisen, wenn er diesen für einen persönlichen Feind ansehe, der der Unparteilichkeit abträglich sei, welche dieses hohe Amt erfordere. Nun habe Herr Heine, indem er Herrn Kolloff nicht zurückwies, obwohl dieser eine von ihm als Verleumdung bezeichnete Erklärung unterzeichnet habe, genug Mäßigung bewiesen, als daß seine Abweisung Herrn Hambergs – gegen die Meinung der Herren Raspail und Kolloff – nicht nur gerecht, sondern auch notwendig sei.

Die Herren Kolloff und Raspail beharrten dennoch in ihrer Betrachtungsweise dieses Faktums und hielten die Zurückweisung Herrn Hambergs durch Herrn Heine weiterhin für ein Verhalten, das den für diesen Fall vorgesehenen Regeln nicht entspreche.

Die vier Sekundanten erweisen sich die Gerechtigkeit festzustellen, daß alle ihre Bemühungen auf eine ehrenhafte Versöhnung abgezielt haben, daß sie sich in dieser Angelegenheit aller Parteilichkeit und allen persönlichen Hasses entäußert haben, und sie stellen es nunmehr Gott anheim, Recht und Unrecht zu scheiden und das Schicksal sprechen zu lassen.

P. S.: Tag, Ort und Stunde des Duells bleiben geheim. Dieses authentische Aktenstück, paraphiert und signiert von den vier Sekundanten, wird nach dem Duell Eigentum der beiden Gegner sein, aber unter der ausdrücklichen Bedingung, daß es nur *vollständig* veröffentlicht werden kann, für den Fall, daß einer der beiden Gegner davon Gebrauch machen will.

Abgeschlossen in Montrouge, den vierten September 1841. Gebilligt und gelesen, C. Tessié du Motay. F. V. Raspail. Henri Seuffert. E. Kolloff.

---

587. Henri Julia   31. Aug. 1841

nach Mitteilungen Mathilde Heines   *ca. 1883*

En sortant de l'église, Henri Heine, s'essuyant le front, disait: «Je me marie par quarante degrés de canicule: Puisse le Dieu tout puissant me maintenir toujours à une température aussi élevée!»   (307 c)

Als Heine aus der Kirche trat, wischte er sich die Stirn und sagte: »Ich heirate bei vierzig Grad Hundstagshitze. Möge mich der allmächtige Gott immer bei derart erhöhter Temperatur halten!«

---

588. Anonym   6. Sept. 1841

Pressenotiz   *(* 8. 9. 1841)*

A la suite des polémiques dans les journaux allemands une rencontre vient d'avoir lieu à Saint-Germain entre M. Henri Heine et M. Strauss, un de ses compatriotes. L'affaire n'a eu d'autre résultat qu'une forte contusion reçue à la hanche par M. Heine et produite par un ricochet de balle.   (197)

Im Gefolge einer Polemik in den deutschen Zeitungen fand soeben in Saint-Germain ein Duell zwischen Heinrich Heine und Herrn Strauß, einem seiner Landsleute, statt. Die Angelegenheit hatte keine andere Folge als eine starke Prellung an der Hüfte Heines, die von einer abgeprallten Kugel hervorgerufen wurde.

589. Caroline Jaubert

Aug./Sept. 1841

Heine-Erinnerungen

(*1879)

[...] à la veille d'un duel, il avait trouvé du devoir d'un honnête homme d'assurer le sort *de sa petite*. A cet effet, la partie de pistolet fut différée jusqu'après la cérémonie du mariage. Tout cela fut débité avec une certaine gêne, contrastant avec son aisance accoutumée. Mais quel est l'homme qui ne témoigne quelque embarras en annonçant qu'il vient d'engager sa liberté? Je ne fis aucune question, ne marquai point d'étonnement, et lui demandai en riant la permission d'annoncer cet événement à Rossini, que cela rendrait particulièrement heureux.

«Et pourquoi? s'enquit d'un air inquiet Heine.

– Par esprit de corps sans doute, répondis-je; il se plaît à compter d'illustres confrères. Ici même, il y a peu de jours, m'entendant nommer Mme Berryer: «Comment? demanda Rossini tout surpris, est-ce que mon ami Berryer serait marié? – Vraiment, oui, dis-je, et depuis nombre d'années, avec une très jolie femme.» Alors le grand maëstro, ivre de joie, s'écria: «Quel bonheur! penser que lui aussi possède une femme légitime, une légitime épouse! Tout comme moi! Voilà une idée qui me donne autant de satisfaction que la vue d'un excellent macaroni!

– Eh bien, reprit bravement Heine, ajoutons à son bonheur celui de connaître que je suis désormais exposé comme lui à toutes les intempéries du mariage, et qu'il mette la chose en musique, tandis que je la poétiserai. Qu'il sache aussi que c'est le pistolet sur la gorge que mon bonheur s'est décidé.»

Il revenait alors sur ce duel, où son adversaire était un Allemand. Il fit une charmante peinture de l'endroit du rendez-vous où le combat avait eu lieu et de la singularité de ses émotions.

«Le ciel était si pur, si bleu! tous les pommiers en fleur! autour de moi s'exhalaient des parfums champêtres qui centuplaient ma vitalité; j'adressai une invocation à Flore et Pomone. En face de la mort, tout

mon paganisme m'est revenu au cœur. Dieu sans doute n'a pas voulu
que je fusse frappé d'une balle au moment où je n'avais en tête que les
belles choses de ce monde ... celles qui parlent aux sens.» (117)

[...] Am Vorabend eines Pistolenduells hatte er es als rechtschaffener
Mann für seine Pflicht gehalten, die Zukunft »*seiner Kleinen*« sicher-
zustellen. Das Duell wurde deshalb bis nach der Heirat verschoben.
All' das trug er mit einer gewissen Verlegenheit vor, die sehr mit seiner
gewohnten Ungezwungenheit kontrastirte. Aber welchen Mann
brächte es nicht in Verlegenheit, anzeigen zu müssen, daß er seine
Freiheit verpfändet habe? Ich stellte keinerlei Fragen, bezeugte gar
kein Erstaunen, sondern bat ihn lachend um die Erlaubnis, dies Ereignis Rossini mittheilen zu dürfen, welchen es außerordentlich glücklich
machen würde.

»Und weshalb?« erkundigte sich Heine mit besorgter Miene.

»Aus Kastengeist wahrscheinlich«, antwortete ich, »er findet Gefallen daran, berühmte Kollegen gleich ihm verheirathet zu wissen. Als er
mich vor einigen Tagen von Madame Berryer sprechen hörte, frug er
ganz erstaunt: ›Was! ist mein Freund Berryer denn verheiratet?‹ –
›Ja, ja‹, sagte ich, ›seit einer Reihe von Jahren und mit einer sehr hübschen Frau!‹ Darnach rief der große Maëstro freudetrunken aus: ›Welches Glück! zu wissen, daß auch er eine legitime Frau besitzt, eine
legitime Frau! Gerade wie ich! Dies Bewußtsein giebt mir ebensoviel
Befriedigung, wie die Aussicht auf ein vorzügliches Makaroniegericht!‹«

»Nun«, fing Heine tapfer wieder an, »so wollen wir denn sein Glück
vermehren und ihm zu wissen thun, daß ich wie er von jetzt ab allen
Unbilden der Ehe ausgesetzt sein werde, und während ich die Sache
dichterisch ausschmücke, soll er sie in Musik setzen. Auch wisse er,
daß mit der Pistole auf der Brust mein Glück sich entschieden hat.«

Er kam alsdann auf dieses Duell zurück, in welchem ein Deutscher
sein Gegner war. Er machte eine reizende Beschreibung von der Umgebung des Stelldicheins, wo der Kampf statt gehabt hatte, und von
seiner seltsamen Bewegung.

»Der Himmel war so klar, so blau! Alle Aepfelbäume standen in
Blüthe! Rings um mich stiegen Felddüfte auf, die meine Lebenskraft
verhundertfältigten; ich rief Flora und Pomona an. Im Angesicht des
Todes ist mir all' mein Heidentum in's Herz zurückgekehrt. Gott hat
ohne Zweifel nicht gewollt, daß ich in dem Augenblicke von einer
Kugel getroffen würde, wo mir nur die schönen Dinge dieser Welt im
Kopfe herumgingen ... die, welche nur zu den Sinnen sprechen.« (118)

Lors donc du duel avec M. Strauss, plusieurs amis vrais et faux engagèrent Heine à régler sa situation avec Mathilde et à l'épouser bel et
bien avant de se battre. Dans ce temps j'étais en Allemagne, rompant
plusieurs lances en sa faveur, car on tirait sur lui de bâbord et de tri-
bord. [...]
    Quand je revins à Paris, il était marié depuis quinze jours. Il me dit,
en présence de sa femme: «Cette horreur de Mme Wohl a pris sur moi
une vengeance cruelle. Grâce à elle je suis marié, mais je saurai me
venger à mon tour. En sortant de l'église j'ai fait mon testament. Je
lègue tous mes biens à ma femme, mais à une seule condition, savoir:
qu'elle se remarie tout de suite après ma mort. Je veux être sûr qu'il y
ait au moins un homme sur terre qui regrettera ma mort tous les jours,
en s'écriant: Pourquoi ce pauvre Heine est-il mort? S'il n'était pas mort
je n'aurais pas sa femme!» Et Mathilde de rire et de lui dire: Tu as beau
faire de l'esprit, tu sais bien que mort ou vivant je ne te quitterai pas;
que tu meures demain, jamais je ne me remarierai! Elle a tenu parole.
Heine n'a mis qu'une condition à son mariage: sa femme a dû lui pro-
mettre de ne jamais se confesser à un prêtre. S'il te faut absolument
un confesseur, ajouta-t-il, prends le petit Weill, il sera aussi discret que
toi.   (292)

Bei Gelegenheit des Duells mit Strauß drangen einige Freunde – wahre
und falsche – in Heine, sein Verhältnis zu Mathilde vorher in Ordnung
zu bringen und sie kurzweg zu heiraten. Damals war ich in Deutschland und brach für ihn einige Lanzen, denn man hieb von allen Seiten
auf ihn ein. [...]
    Als ich wieder nach Paris kam, war er seit vierzehn Tagen verheira-
tet. In Gegenwart seiner Frau sagte er mir: »Frau Wohl, dieses Ekel,
hat sich fürchterlich an mir gerächt. Sie ist schuld, daß ich verheiratet
bin, aber ich werde auch meine Rache nehmen. Als ich aus der Kirche
kam, habe ich mein Testament gemacht. Meine Frau wird Universal-
erbin, aber – wohlgemerkt – unter einer Bedingung: daß sie sich sofort
nach meinem Tode wieder verheiratet. *Ein* Mensch auf der Welt soll
mich auf jeden Fall betrauern: ›Warum ist dieser arme Heine bloß
gestorben!‹ wird er ausrufen, ›wenn er noch lebte, hätte ich wenigstens
nicht seine Frau auf dem Halse.‹« Lachend sagte Mathilde: »Mach' du
nur deine Witze, du weißt ja, daß ich dich im Leben und im Tod nicht

verlasse; und wenn du morgen stirbst, verheiraten werde ich mich nie
wieder.« Sie hat Wort gehalten. Heine hatte nur eine Bedingung bei
der Heirat gestellt: seine Frau mußte ihm versprechen, niemals bei
einem Priester zu beichten. »Brauchst du durchaus einen Beichtvater«,
fügte er hinzu, »nimm den kleinen Weill, er wird ebenso verschwiegen
sein wie du.«

591. Gervais Charpentier   14. Okt. 1841

an Eugène Renduel, Paris, 14. Okt. 1841

Mon cher Renduel, Henri Heine sort de la maison où il était venu me
proposer l'impression de son Allemagne, il m'a dit vous avoir racheté
le droit de le publier. Je ne sais trop ce que je déciderai car j'ai
beaucoup de besogne sur le chantier. Quoi qu'il en soit j'ai besoin de
prendre connaissance du livre et je viens vous prier de me donner un
bon sur Hachette pour l'obtenir de lui. Vous feriez bien de me prendre
dans ce bon les deux autres ouvrages du même Heine; je les lirai et
peut-être me déciderai-je enfin à les imprimer dans quelque temps.

Envoyez-moi ce bon aussitôt la présente reçue, car Henri Heine me
presse beaucoup. Il n'a pas, m'a-t-il dit, un seul exemplaire du livre;
c'est ce qui me fait recourir à vous.   (120)

Mein lieber Renduel, eben verläßt mich Heine; er hat mir einen Neu-
druck seiner »Allemagne« vorgeschlagen und behauptet, die Rechte
von Ihnen zurückgekauft zu haben. Ich weiß noch nicht recht, wie ich
mich entscheiden werde, denn ich habe viele Sachen in Arbeit. Jedenfalls muß ich mir das Buch erst einmal ansehen, und ich möchte Sie
deshalb bitten, mir eine Anweisung auf Hachette zu geben, damit ich es
von ihm erhalten kann. Es wäre schön, wenn Sie in jener Anweisung
auch die beiden anderen Werke Heines aufführen würden; ich werde
sie lesen und mich vielleicht in einiger Zeit zu drucken entschließen.

Schicken Sie mir die Anweisung doch, sobald Sie diesen Brief erhalten, denn Heine drängt mich sehr. Er selbst hat, wie er mir sagte,
zuhause kein einziges Exemplar mehr; deshalb wende ich mich an Sie.

592. FRANZ DINGELSTEDT   Nov./Dez. 1841

an Friedrich Oetker, Paris, 5. Dez. 1841

Deutsche sind hier genug, aber ich kultivire außer Heine und Herwegh, welcher letztere zufällig und nur zum Besuche hier ist, Keinen.
[. . .] Ich fürchte beinahe, in Paris verloren zu gehen, à la Heine.   (48)

593. FRANZ DINGELSTEDT   1841/1842

an Friedrich Oetker, Herbst 1850

Ich [. . .] kam mit dem Nachtwächterhorn und 125 Franken nach Paris,
litt furchtbar an Heimweh, pumpte Heinrich Heine an, welcher mich
noch für keinen deutschen Dichter hält, weil ich ihn wiederbezahlte –
mach's wie ich!   (207)

1842
Paris

Aufenthalt in Boulogne-sur-mer

594. HEINRICH BÖRNSTEIN   Anf. 1842

Memoiren   *(* 1884)*

[. . .] und dann ging ich mit Bornstedt zu Heinrich Heine.
Wir schickten unsere Karten hinein und nach einer Weile kam der
geniale Dichter heraus in die Küche, entschuldigte, daß er uns hier
empfangen müsse, da Madame Mathilde noch im tiefsten Negligé
und der Salon noch nicht aufgeräumt sei; dann setzte er sich auf den
Küchentisch und bat uns, auf zwei Holzstühlen Platz zu nehmen. –
Obwohl es schon neun Uhr war, war Heine ebenfalls noch im tiefsten
Negligé, ein großes Foulard um den Kopf gebunden, eine weiße Nacht-
jacke, eben solche Unterhosen, deren ungeknüpfte Bänder an den Knö-
cheln, wie Merkursflügel, flatterten und schlarrende Pantoffeln bildeten seinen Anzug. Welch' ein Abstand von dem idealen Bilde, welches
ich mir in der Phantasie von meinem Lieblingsdichter gemacht hatte.
Aber das freundliche und geistvolle Gesicht, das schöne Auge, sein
liebenswürdiges Wesen versöhnten mich bald mit seinem unpoetischen
Negligé. »Ja, meine Herren«, sagte er, nachdem wir ihm die Sachlage
vorgetragen, »ich helfe meinen undankbaren Landsleuten gerne, so
viel ich kann, aber Geld habe ich keines, ich bin selbst ein literarischer
Proletarier, Journal-Correspondent, ›Feuilletonistischer Lump‹, wie
sie uns in Deutschland nennen. Aber ich habe einige Freunde in Paris
und bei diesen will ich mich verwenden.« – Er gab mir eine Anzahl von
Adressen deutscher Familien, lud mich ein, ihn bald wieder zu besuchen, was ich auch that, und ich blieb mit ihm bis zu seiner schweren
Erkrankung in den freundschaftlichsten Beziehungen.–   (28)

Memoiren (*1884)

Zu den für mich interessantesten und wichtigsten Bekanntschaften, die ich in jener Zeit machte, gehörte vor Allem Meyerbeer; durch Heine und Liszt mit ihm bekannt gemacht, schien er bald eine große Neigung für mich zu fassen, ich mußte ihn wöchentlich regelmäßig ein paar mal besuchen und in seinem Absteige-Quartier »Hôtel des quatre Empereurs, rue de la Paix«, plauderte ich oft stundenlang mit ihm allein, oder es war auch Heine da, oder es kamen Panofka, Kreutzer, Chopin, Caraffa, Adam und andere Kunstnotabilitäten und es bildete sich ein höchst interessanter Kreis um den hochgeehrten Maestro. (28)

596. Edouard Grenier 1842?

Heine-Erinnerungen (*Aug. 1892)

Je fis sa connaissance d'une façon singulière. J'entends encore le rire jeune et frais de sa vieille et charmante amie, Mme Jaubert, quand je lui contai cette histoire qui l'amusait fort et qu'elle se plaisait à me faire répéter.

En revenant d'Allemagne, à la fin de l'année 1838, un de mes premiers soins avait été de chercher, à Paris, un cabinet de lecture qui reçût des journaux allemands, et où je pusse continuer à suivre, même de loin, le mouvement politique et littéraire du pays que je venais de quitter avec tant de regrets. J'en avais trouvé un, place Louvois. J'y allais fréquemment. Un jour je m'assis à la table verte recouverte de journaux, entre deux lecteurs que je ne regardai pas tout d'abord. Mais l'un attira bientôt mon attention par une toux obstinée, presque aussi fatigante pour les autres que pour lui. Mon autre voisin finit par s'en impatienter et, à une quinte plus forte que les précédentes, se mit à faire un chut! très distinct. La quinte passée, le calme se rétablit, mais pas longtemps; la toux ne tarda pas à recommencer; elle fut suivie d'un chut! plus impératif. Le pauvre cacochyme, irrité, se tourna vers le chuteur et lui demanda assez vivement: «Est-ce à moi, monsieur, que s'adresse ce chut?» Mon second voisin, ainsi interpellé, baissant le journal qu'il tenait tout près de ses yeux, comme un myope, regarda son interpellateur avec une surprise vraie ou feinte très comique, et lui répondit de l'air du monde le plus étonné: «Oh! monsieur, je croyais que c'était un chien.» Je partis d'un éclat de rire et regardai avec curiosité l'auteur de cette repartie inattendue. C'était un homme frisant la quarantaine, de taille moyenne, assez replet, sans barbe, avec de longs cheveux blonds, le front haut, des yeux clignotants à demi fermés, surtout quand il lisait, sans vraie distinction; rien qui trahît le poète ou l'artiste, ou même l'homme du monde; un bon bourgeois du Nord, avec un léger accent tudesque. C'était Henri Heine. En entendant mon éclat de rire, il rit aussi, et m'adressant la parole en français, se mit à me donner quelques explications sur son erreur, sans doute pour convaincre mon autre voisin de sa bonne foi à l'égard du chien supposé. Puis la conversation continua entre nous à voix basse, et, comme je tenais la *Gazette d'Augsburg,* où il écrivait, il me demanda ce que je pensais de la correspondance de Paris marquée d'un certain signe. Je lui en fis l'éloge naïvement, ne me doutant guère que je parlais à l'auteur même. Je m'apprêtais à sortir et je venais de le saluer, quand il se leva aussi et sortit avec moi. Dans la rue, la conversation reprit de plus belle. Il avait l'air aussi étonné que ravi de voir un jeune Français au courant de l'Allemagne et familiarisé avec sa langue; il me demanda mon nom, me dit le sien et me pria de l'aller voir. Je répondis à sa politesse par quelques mots d'éloge bien sincères et mon admiration pour ses *Lieder,* et j'allai le voir. Lui aussi vint chez moi, et bien plus souvent. Il ne se passait guère de semaine qu'il ne grimpât dans ma mansarde d'étudiant. Et voilà comment j'entrai en commerce régulier et je puis dire très intime avec Henri Heine.

Je l'ai dit: rien dans son extérieur ne révélait le poétique et charmant esprit que ce nom évoque désormais. Sa conversation était vive, spirituelle, aisée, quoiqu'il parlât le français avec accent et parfois même avec incorrection. Je vais sans doute étonner bien du monde, en Allemagne et en France, en ajoutant que, tout en étant un causeur alerte et possédant bien des finesses de notre langue, il n'était pas capable de l'écrire tout seul avec sûreté et de manière à présenter son œuvre sans retouches devant le public français. J'ai reçu bien des billets de lui: pas un qui ne portât, par quelque faute ou négligence, la marque de son origine étrangère. Et, quant à ses articles écrits et parus dans la *Revue des Deux-Mondes,* je sais par expérience que, bien que signés de son nom, ils avaient toujours été traduits de l'allemand en français par un autre, ou que, s'il avait voulu se charger lui-même de ce travail, cette traduction avait dû forcément être toujours revue et corrigée par un écrivain français. Avant moi, il avait eu recours à Lœwe-Weimar, Gérard de Nerval; plus tard, après moi, ce fut Saint-René Taillandier et sans doute d'autres encore que je n'ai pas connus.

Il mettait beaucoup d'art et de coquetterie à dissimuler cette insuffisance et à faire croire au public des deux côtés du Rhin qu'il écrivait aussi bien en français qu'en allemand. Il y a réussi, et j'aurai sans doute grand'peine à détruire cette légende en rétablissant ici la pure et simple vérité. Mais ma remarque n'en subsiste pas moins, comme disait je ne sais plus quel savant obstiné. (76)

Seine Bekanntschaft machte ich auf merkwürdige Weise. Noch höre ich das junge frische Lachen seiner reizenden alten Freundin, Madame Jaubert, als ich ihr diese Geschichte erzählte, die sie sehr amüsirte, und die ich zu ihrem Ergötzen oftmals wiederholen mußte.

Als ich gegen Ende des Jahres 1838 aus Deutschland zurückkehrte, war es eine meiner ersten Sorgen, mir in Paris ein Lesekabinet zu suchen, wo deutsche Zeitungen gehalten wurden, und wo ich, wenn auch nur von weitem, die politische und litterarische Bewegung eines Landes verfolgen konnte, das ich mit solch tiefem Bedauern verlassen hatte.

Ich hatte ein solches gefunden, Place Louvois. Ich besuchte es sehr häufig. Eines Tages nahm ich an dem grünen, mit Zeitungsblättern bedeckten Tische Platz zwischen zwei anderen Lesern, die ich zuerst gar nicht beachtete. Aber der eine zog bald meine Aufmerksamkeit auf sich durch einen sich immer wiederholenden Husten, der für die anderen bald ebenso ermüdend wurde wie für ihn selber. Mein anderer Nachbar wurde schließlich unwillig, und rief bei einem noch stärkeren Anfall als die vorherigen ein energisches »Pst!« Der Anfall ging vorüber, es herrschte Ruhe, aber sie dauerte nicht lange. Der Husten begann von neuem, und wiederum folgte ihm ein noch kategorischeres »Pst!« – Der arme Kranke wandte sich ärgerlich an den Rufer dieser »Psts!« und fragte ihn ziemlich erregt: »Soll dieses Pst! mir gelten, mein Herr?« Mein so angeredeter zweiter Nachbar ließ die Zeitung, die er wie ein Kurzsichtiger dicht vor den Augen hielt, herabsinken, betrachtete den Fragenden mit wirklicher, oder zum mindesten sehr komisch erheuchelter Ueberraschung, und antwortete ihm mit der erstauntesten Miene von der Welt: »Aber, mein Herr, ich dachte, das wäre ein Hund.« Ich brach unwillkürlich in ein Gelächter aus, und betrachtete neugierig den Sprecher dieser unerwarteten Bemerkung. Es war ein Mann, nahe den Vierzigern, von mittlerer Statur, ziemlich beleibt, ohne Bart, mit langen blonden Haaren, hoher Stirne, halbgeschlossenen zwinkernden Augen, namentlich, wenn er las, und durchaus ohne jede besondere Auszeichnung; nichts an ihm verriet den

Dichter oder den Künstler; oder selbst nur den Weltmann: ein braver Spießbürger aus dem Norden, mit einem leicht germanischen Accent. Das war Heinrich Heine. Als er mein Gelächter vernahm, lachte auch er, und indem er mich französisch anredete, begann er mir Aufklärungen wegen seines Irrtums zu geben, wahrscheinlich, um meinen anderen Nachbar davon zu überzeugen, daß er bezüglich des vermeintlichen Hundes wirklich in gutem Glauben gesprochen habe. Die Unterhaltung zwischen uns wurde dann mit leiser Stimme weiter geführt, und da ich die »Augsburger Allgemeine Zeitung«, für die er schrieb, in der Hand hielt, fragte er mich, was für eine Meinung ich über die mit einer bestimmten Chiffre gezeichneten pariser Korrespondenzen darin hätte. Ich lobte sie ganz unbefangen, ohne zu ahnen, daß es der Verfasser selber war, an den ich sie richtete. Ich machte mich fertig zum gehen und grüßte ihn, als auch er sich erhob, und mit mir zugleich hinausging. Auf der Straße setzte sich unsere Unterhaltung fort. Er schien ebenso erstaunt wie entzückt darüber, einen jungen Franzosen zu sehen, der mit Deutschland und mit seiner Muttersprache vertraut war. Er erkundigte sich nach meinem Namen und bat mich, ihn zu besuchen. Ich erwiderte seine Höflichkeit durch einige Worte des aufrichtigen Lobes und meine Bewunderung für seine »Lieder«, und bald besuchte ich ihn. Er besuchte auch mich, und sogar noch viel öfter. Kaum daß eine Woche verging, wo er nicht zu meiner Studenten-Mansarde emporgeklommen wäre. So kam ich in einen regelmäßigen, und ich kann sagen, sehr intimen Verkehr mit Heinrich Heine.

Wie ich schon bemerkte: nichts in seiner äußeren Erscheinung verriet den dichterischen und bezaubernden Geist, den man sich bei seinem Namen seitdem vorstellt. Seine Konversation war lebhaft, geistreich, gefällig, obwohl er das Französische mit starkem Accent, ja manchmal sogar unrichtig sprach. Ohne Zweifel werde ich viele Leute in Deutschland wie in Frankreich sehr überraschen, wenn ich hinzufüge, daß er, obwol er ein lebhafter Causeur war, und viele der Feinheiten der französischen Sprache beherrschte, doch nicht im Stande war, mit Sicherheit allein zu schreiben, und so, daß er seine Arbeit ohne Nachfeilung dem französischen Publikum hätte unterbreiten können. Ich habe eine Menge Briefe und Briefchen von ihm erhalten; aber darunter auch nicht einen, der nicht durch irgend eine Nachlässigkeit oder einen Fehler seine ausländische Herkunft verraten hätte. Und was seine Artikel in der »Revue des deux mondes« anlangt, so weiß ich aus Erfahrung, daß, obwol sie seine Namensunterschrift trugen, sie stets aus dem Deutschen ins Französische von einem anderen übersetzt worden waren, oder daß, wenn er auch selber diese Arbeit gemacht hatte, die Uebersetzung stets von einem französischen Schriftsteller hatte durchgesehen und korrigirt werden müssen. Vor mir hatte er hierzu Loewe-Weimars und Gérard de Nerval gebraucht; später, nach mir, kam Saint-René Taillandier an die Reihe, und zweifellos noch viele andere, die ich nicht gekannt habe. Er wandte viel Kunst und Koketterie an, um diesen Mangel zu verbergen, und um das Publikum auf beiden Seiten des Rheins glauben zu machen, daß er ebenso gut französisch schriebe wie deutsch. Das ist ihm auch in der Tat gelungen, und ich werde gewiß viele Mühe haben, diese Legende zu zerstören, indem ich hier die glatte reine Wahrheit erzähle. Aber es ist darum nicht weniger wahr. (77)

597. EDOUARD GRENIER 1842 ff.

Heine-Erinnerungen (* *Aug. 1892*)

Sa fameuse Mathilde, Frau Mathilde, qu'il venait d'épouser et qu'il peignait aux Allemands comme un type de parisienne élégante et spirituelle, était simplement une bonne fille, à plantureuse beauté, dont il s'était amouraché et qu'il avait trouvée, je ne sais où, sur le pavé de Paris ou dans le fond de quelque boutique interlope de nos passages. Il avait fini par l'installer chez lui; il en était très épris et fort jaloux, la laissait peu voir, et naturellement il finit par l'épouser. Elle était sans esprit et sans instruction, belle et indolente comme une odalisque. Je trouve dans une de mes lettres de 1839 *[!]* ce paragraphe irrévérencieux: «Je viens de me promener aux Champs-Élysées avec H. Heine. Le grand homme a été assommant et sa femme bête comme une oie.» [. . .]

Ils vivaient très simplement, dans un appartement du faubourg Poissonnière: les Allemands ont rarement le besoin du confortable et le goût de l'élégance. [. . .] J'y allai peu du reste. Je vis tout de suite que Henri Heine préférait me voir chez moi. J'ai dit qu'il était fort jaloux. [. . .]

Il grimpait donc l'escalier étroit de ma mansarde sur le pont Neuf, et il y venait fréquemment. Dans les premiers temps de notre connaissance, j'avais été – et je devais l'être – très flatté de cet empressement d'un homme de son âge et de sa valeur. J'avais pu croire que c'était pour les charmes de ma conversation qu'il prenait cette peine; mon amour-propre avait facilement accepté cette interprétation. Mais je dus en rabattre. Je m'aperçus bientôt du vrai motif de ses visites. Tantôt c'était une poésie qu'il me priait de lui traduire, tantôt des articles de la *Gazette d'Augsbourg,* pour les montrer, me disait-il, à son amie la princesse Belgiojoso que j'avais vue un jour de courses au Champ de Mars et qui m'avait inspiré la plus vive admiration. Il le savait et m'avait promis de me présenter à la princesse. Grâce à cette amorce, j'avalais l'hameçon, c'est-à-dire que je me mettais à traduire articles et poésies, complaisamment, par amitié, pour le roi de Prusse, comme on dit. Plus tard, bien longtemps après, j'ai découvert pour qui je traduisais ces articles de la *Gazette* et pourquoi leur auteur tenait tant à les voir tournés en français: ce n'était pas pour les beaux yeux de la princesse, ces grands yeux cruels, comme les appelait Musset; non, c'était pour ceux de M. Guizot. Henri Heine touchait quatre mille francs par an sur les fonds secrets, et il fallait de temps en temps montrer au ministre qu'il avait mérité cette haute paye. Il me faisait donc probablement traduire les articles qui étaient surtout favorables à la France. Les papiers trouvés aux Tuileries en 1848 m'expliquèrent tout le mystère. J'en fus du reste pour mes frais de traduction: jamais Heine ne me présenta à la princesse. (76)

Seine berühmte Mathilde, die er später *[!]* heiratete, und die er den Deutschen schilderte als einen Typus der eleganten und geistreichen Pariserin [...] war ganz einfach eine gute Dirne, eine Schönheit von üppigen Formen, in die er sich verschossen hatte und die er – ich weiß nicht wo – auf dem Pflaster von Paris gefunden hatte. Er hatte sie ganz zu sich genommen, war fabelhaft verliebt in sie und sehr eifersüchtig, ließ sie wenig von anderen sehen, und die Sache endete natürlich damit, daß er sie heiratete. Sie besaß weder Geist noch Erziehung und war schön und indolent wie eine Odaliske. In einem meiner Briefe aus dem Jahre 1839 *[!]* finde ich folgenden sehr unehrerbietigen Satz:
»Ich machte heute einen Spaziergang in den Champs-Elysées mit Heinrich Heine. Der große Mann war von einer tötenden Langweile und seine Frau dumm wie eine Gans.« [...]
Sie lebten sehr einfach in einer Wohnung im Faubourg Poissonnière: Die Deutschen empfinden nur selten das Bedürfnis nach Behaglichkeit und haben wenig Sinn für Eleganz. [...] Ich war übrigens auch nur selten dort. Ich sah sehr bald, daß Heine es vorzog, mich bei mir zu sehen. Ich bemerkte oben bereits, daß er sehr eifersüchtig war. [...]
Er zog es also vor, die enge Treppe zu meiner Dachkammer auf dem Pont Neuf zu erklettern, und er kam sehr häufig. In der ersten Zeit unserer Bekanntschaft war ich – und hatte auch Grund dazu – sehr

stolz auf dieses liebenswürdige Entgegenkommen eines Mannes von seinem Alter und seiner Bedeutung. Ich hätte wohl glauben können, daß es die Anziehungskraft meiner Unterhaltung gewesen wäre, um derentwillen er sich diese Mühe machte; meine Eigenliebe hätte diese Erklärung gern als richtig acceptirt. Aber ich mußte sie dennoch ablehnen. Denn bald lernte ich das wahre Motiv seiner häufigen Besuche kennen. Bald war es ein Gedicht, das ich ihm übersetzen sollte, bald wieder Artikel aus der »Augsburger Allgemeinen Zeitung«, die er, wie er mir sagte, seiner Freundin, der Fürstin Belgiojoso, zeigen wollte, die ich eines Tages bei den Rennen auf dem Marsfelde gesehen, und die mir die lebhafteste Bewunderung eingeflößt hatte. Das wußte er, und hatte mir versprochen, mich der Fürstin vorzustellen. Dank dieses Köders, biß ich an den ausgeworfenen Angelhaken, d. h. ich übersetzte Artikel und Gedichte, aus Gefälligkeit, aus Freundschaft, *pour le roi de Prusse*, wie man zu sagen pflegt. Später, viel später, fand ich erst aus, für wen ich diese Artikel aus der Allgemeinen Zeitung übersetzt hatte, und warum ihr Verfasser auf ihre Uebertragung ins Französische einen so großen Wert legte: für die schönen Augen der Fürstin – »diese großen, grausamen Augen« wie Musset sie nannte – war es nicht, nein, aber für die des Herrn Guizot. Heine bekam 6000 *[vom Übersetzer veränderte Summe]* Francs pro Jahr aus den geheimen Fonds, und mußte folglich von Zeit zu Zeit dem Minister zeigen, daß er diese hohe Besoldung auch verdiente. Er ließ mich also vermutlich die Artikel übersetzen, die besonders günstig für Frankreich waren. Erst im Jahre 1848 klärten die in den Tuilerieen vorgefundenen Papiere mich über dieses Geheimnis auf. Uebrigens kam ich doch nicht auf meine Uebersetzer-Kosten: Heine hat mich niemals der Fürstin vorgestellt.   (77)

598. FRIEDRICH SZARVADY,   1842

nach Mitteilungen von David Gruby (* 23. 2. 1856)

Schon vor vierzehn Jahren wurde Gruby einmal zu einer Consultation bei Heine gerufen, der damals am Auge litt. Gruby erklärte, die Ursache der Krankheit stecke im Rückenmarke, und wurde vom Patienten wie von dessen damaligen Aerzten ausgelacht.   (251)

Ich wußte durch die Bekannten, daß er *[Heine]* nicht Jedem, der ihn mir nichts Dir nichts besuchte, den Zutritt gestattete. Einige schienen keine rechte Lust zu haben, mich zu ihm zu führen, wahrscheinlich weil sie nicht auf dem besten Fuße mit dem losen Spötter standen. Zudem war er damals mißtrauisch gegen die Deutschen, weil sie auch mit Gutzkow verkehrten, der ihn grade in seinem Buche über Börne heftig angegriffen hatte. Dingelstedt wollte aber doch mein Führer sein. Indeß auch hier zeigte sich das Mißgeschick thätig. Wir verabredeten mehrere Male uns zu treffen, um den Gang zu unternehmen und verfehlten uns. Da erhielt ich eines Morgens einen Brief, der ungefähr folgendermaßen lautete: »Une dame, que vous connaissez, desire vous parler. Trouvez vous demain vers midi rue Rivoli à la porte de la maison No. 22.« Das ging nun über die Erfahrung des Pariser Neulings hinaus, und ich stieg hinab in das Zimmer Seufferts, der mit mir in demselben Hause wohnte, um mir seinen Rath zu holen. Er meinte, es würde mich wohl eher eine Attrappe als ein Abenteuer erwarten; man hätte übrigens auch Beispiele, daß solche Stelldichein gegeben würden, um irgend einen Diebstahl auszuführen, es wäre deshalb gut, Uhr und Börse zu Hause zu lassen und einen Dolch mitzunehmen, ich solle übrigens thun, was ich wolle. Ich beschloß zu erfahren, was sich für ein Abenteuer hinter dieser Aufforderung verstecke.

Es war ein launenhafter Märzmorgen, an dem Hagel- und Regenschauer neckisch mit blitzenden Sonnenstrahlen durch die Lüfte zogen, als ich von der Seine kommend durch den Tuilleriengarten schritt und in die Rue Rivoli lenkte, um mir dort die besagte Hausnummer zu suchen, die ich denn auch ohne Schwierigkeit fand. Die genannte Straße hat nur eine Häuserreihe, welche sich gegenüber den Gärten und Terrassen des kaiserlichen Palastes hindehnt, jedes Haus gleicht dem andern in der Bauart, wie ein Ei dem andern, dabei ziehen sich längs den Erdgeschossen rundbogige Arcaden hin, in denen sich Laden an Laden mit einer Ausstellung der mannigfaltigsten Waaren und Luxusgegenstände reiht. In die Straße aber münden aus dem Innern der Stadt eine Menge von andern Straßen. Die Hausthür, an welcher sich mein Posten befand, war die zweite von einer Ecke. Im Eckhause aber wurde gebaut, weshalb vorsichtshalber der Bogengang neben meinem Standpunkte mit Brettern zugenagelt war, deren ziemlich breite Ritzen mir indeß gestatteten, in die fortgesetzten Arcaden zu sehen, ohne daß ich selbst gesehen wurde. So konnte ich denn das Feld, auf dem sich mein Abenteuer entwickeln sollte, nach allen Richtungen überschauen. Ich stand denn auch und blickte hinauf und hinab in das Gewühl der Dahinwandernden, ich ließ die Augen über die Straße schweifen, ich warf meine Blicke auf das nächste Thor, das in die Tuilleriengärten führte. Alles vergebens! Sie wollte nicht erscheinen – la dame, que je connaissais.

Und wieder schaute ich durch die Zwischenräume der Planken. Siehe, da hatte sich plötzlich ein Tischgenosse aus der Rue Richelieu eingefunden. Es war Rochau, der dort mit seltsam lächelnder Miene bald stand, bald ein Paar Schritte auf- und abwärts ging und sich, wie ich es gethan hatte, nach allen Seiten umsah. Mir drängte sich plötzlich und unwiderstehlich der Gedanke auf, ich, der Neuling in der großen Weltstadt, sei zum Gegenstand eines schlechten Witzes auserkoren worden, der von meinen deutschen Bekannten ausgesponnen wäre: Dingelstedt, Venedey, Haller und wie sie sonst hießen, würden sich nun auch einfinden und mit Rochau, der als Vorbote gekommen, ver-bunden, um die Planken treten und mich gemeinsam verhöhnen. Ein heller Zorn kochte in mir auf, ich machte mir einen Sack voll grober Redensarten zurecht und blieb, statt dem drohenden Ungewitter zu entfliehen, in germanischer Verstocktheit nur desto hartnäckiger auf meinem Platze. Aber der erwartete Act ließ schließlich doch zu lange auf sich warten. Da ich sah, daß Rochau noch immer mit derselben erwartungsvollen Miene hin- und herwanderte, so dachte ich mit ihm allein die Sache abzumachen und trat plötzlich zu ihm heran: »Nun, was machen Sie denn hier?« fragte ich, »sonst sind Sie ja um diese Stunde im Lesecabinet der Galerie Montpensier!« »O, o«, sagte er mit einiger Verlegenheit, »ich schöpfe hier Luft!« In die Ansicht verrannt, daß er an der Spitze des Complotts gegen mich stehe, fuhr ich dann bitter fort: »und um eine wohlfeile Komödie zu spielen!« Dabei zeigte ich ihm das Billet. »Wie, Sie haben auch einen Brief?« rief er aus. »So lassen Sie uns eilen, daß wir fortkommen, denn es werden sicher noch Mehrere zum Stelldichein erscheinen!« Wir nahmen sofort Reißaus, er äußerte sich sehr grimmig, zumal da nicht einmal der erste April war, an dem einst einer unserer Pariser Bekannten stundenlang auf dem Montmartre vergeblich auf eine Dame gewartet hatte.

Aber wir waren kaum zwanzig Schritte gegangen, so rief er laut lachend: »Da kommt auch Heine, er hat sich auch an der Nase herum-führen lassen.« Und dann redete er eine kleine dicke Figur an: »Nun, Heine, haben Sie auch einen Brief erhalten?« »Ei freilich!« tönte die

Antwort, und der Angeredete zog ein Billet aus der Tasche. Wir verglichen die Handschrift, es war in allen dreien Zetteln dieselbe. Wer hatte diese Intrigue ausgeheckt? Keiner wußte eine Lösung des Räthsels. War Rochau nichts weniger wie erbaut, daß er in die Falle gegangen war, so zeigte sich Heine im höchsten Grade verdrießlich, und schalt solche Späße sehr wohlfeil, er habe wohl etwas gewittert, aber eher geglaubt, dieser Streich sei von seinen alten Feinden ausgegangen, die ihn noch vor Kurzem auf die gemeinste Weise verfolgt hätten. Zugleich bezog er sich mit der größten Unbefangenheit auf die bekannte Ohrfeigengeschichte und meinte, diesmal habe er für einen solchen Fall eine scharfe Waffe zu sich gesteckt, die er auch wirklich in der Gestalt eines kleinen Dolches aus der Brusttasche zog. Ich kann aber nicht anders sagen, als daß mir die Attrappe das größte Vergnügen machte, denn ich hatte den pikanten Dichter auf eine sehr pikante Weise kennen gelernt. Ja, ich wußte dem geheimen Urheber dieses seltsamen Stelldicheins den besten Dank. Lange Zeit hielt ich Dingelstedt für den Schalk, der diese Begegnung anzettelte. Später aber hörte ich in Cöln auf einem Balle von einer jungen Dame, daß ihre Freundinnen, unter denen sich einige lustige lebensfrische Rheinländerinnen befanden, sich den Spaß gemacht haben, uns in der Rue Rivoli aufzupflanzen, [. . .].

Heine's Außenseite machte damals durchaus keinen hervorstechenden Eindruck. Er sah eher einem behäbigen Geschäftsmanne, wie einem Poeten ähnlich, der die Reisebilder geschrieben hat. Sein ziemlich fettes Gesicht mit den kleinen Augen, die sich überdies hinter einer Brille versteckten, sein etwas feister Leib und seine durchaus nicht reizenden Bewegungen verleugneten eher die leichte, neckische, übermüthige Psyche, die dies Gefäß zur Wohnung auserkoren hatte. Aber nachdem ich ihm als rheinischen Landsmann von Rochau, der dann in das Palais royal in sein Lesecabinet eilte, vorgestellt worden war, fand ich bald an den mannigfaltigsten leicht hingeworfenen Bemerkungen über deutsche Zustände und Persönlichkeiten jenen glänzenden Witz, der ihn auch im Gespräche in der eigenthümlichsten Weise auszeichnete. Ich mußte ihm von seiner Heimath erzählen, von der er geschrieben hat: »Die Stadt Düsseldorf ist sehr schön und wenn man in der Ferne an sie denkt und zufällig dort geboren ist, wird Einem wunderlich zu Muthe.« Freilich hatte er keine anderen Beziehungen zu ihr, als daß er seine Jugend in der schönen Gartenstadt verlebte. Nach Verwandten brauchte er nicht zu fragen, denn seine Familie war längst nach andern Orten übergesiedelt, die Mutter nach Hamburg, ein Bruder, der Arzt geworden, nach Rußland, ein anderer, der Schriftstellerei trieb, nach Wien.

Nach vielfachen Erkundigungen, die ich in Düsseldorf angestellt hatte, mußte ich mich sogar verwundern, daß das Angedenken an den Dichter dort fast gänzlich erloschen war. Alte Leute wußten sich nur noch zu erinnern, daß Heine's Eltern auf der Bolkerstraße in dem später Bender'schen Hause eine Handlung von wollenen und seidenen Stoffen führten. Auch wurde mir als Knabe ein kleiner alter Mann gezeigt, der ein Oheim des Dichters war und als Schreiber bei einem Advocaten Diderich arbeitete. Dann hörte ich von einem alten Geheimen-Regierungsrath, Namens Fasbender, der seit dem Anfange des Jahrhunderts in Düsseldorf lebte und mit dem Professor Schallmeier befreundet war, von dem Heine, wie er in den Reisebildern sagte, viel Deutsch gelernt hatte, daß dieser würdige Geistliche sich über das Genie des kleinen Gymnasiasten, der sich als Jude bloß zur genauen Einsicht christlichen Religionsunterricht geben ließ, außerordentlich günstig ausgesprochen und geäußert habe, der kleine Schüler werde ein großer Mann oder ein großer Hallunke, was denn auch wohl beides in einem gewissen Sinne eingetroffen ist. Indeß von all diesen Dingen war nicht die Rede unter uns. Der einzige Mann in Düsseldorf, für den er sich interessirte, war Immermann, den wir längst begraben hatten, indessen bekundeten sich seine Urtheile über diesen Freund nicht mehr so anerkennend, wie die Zeugnisse, die er ihm im Beginne seiner schriftstellerischen Laufbahn ausgestellt hatte. Wahrscheinlich hatte er sich der tiefsittlichen Natur Immermann's, die sich von Jahr zu Jahr veredelte und läuterte, mehr und mehr entfremdet. So gelangten wir allmälig zu seiner Wohnung im Fauburg Poissonière, wo wir uns verabschiedeten. Seit jenem Tage habe ich Heine noch verschiedene Male gesehen und ihn stets höchst witzig, geistreich und voll von guten Einfällen gefunden. (185)

600. Theodor Hagen (»Joachim Fels«) 1842
Artikel über Deutsche in Paris (* 21. 5. 1842)

In der Rue Faubourg Poissonnière [. . .] lebt ein Schriftsteller, ein deutscher Dichter und gar bekannter Mann, der sich von allem deutschen Verkehr fast gänzlich fern hält. Es ist Heine. Als ich in Deutschland zum ersten Male ein Buch von Heine las, fühlte ich gleich [. . .] eine Zuneigung, eine Sympathie für diesen Schriftsteller in mir entstehen, die wie gesagt, weniger seinem Buche, als ihm selbst galt. Man hat seinen Lieblingsschriftsteller, Heine wurde der meinige. So piquant, so verletzend er auch schreiben mochte, immer sah ich neben dem Geist und Witz, die sein Styl wiederspiegelte, auch das Herz Heine's, das der eigene Witz bluten machte. Schon damals ahnte ich den Conflikt zwischen dem Menschen und dem Schriftsteller Heine, dessen Vorhandensein mir nur durch die persönliche Bekanntschaft dieses Schriftstellers zur Gewißheit geworden ist. Geist oder vielmehr Witz und Gemüth haben sich in Heine zu zwei feindlichen Elementen herangebildet, deren Kampfplatz die Bücher sind. Man weiß, daß ersterer fast immer die Ueberhand gewinnt. (90)

601. JOSEPH DESSAUER   Frühjahr 1842
an George Sand, Graz, 10. Nov. 1854

J'ai réfléchi quelque temps sur le *motif* de la haine d'un homme *[Heine]* que je n'ai jamais offensé, et voilà ce que j'ai trouvé dans ma mémoire. Il manquait d'argent pour entreprendre un voyage aux bains des Pyrénées, c'était, je crois, au printemps 1842, il venait m'en demander, mais de sa manière ironique, peu obligeante. Je lui refusai et j'ai eu doublement tort, d'abord parce qu'il me soupçonna de la méfiance en sa probité à restituer la somme, – cette idée m'était tout à fait étrangère, – ensuite, par manque de *politique.* «Voyez-vous, disait-il, vous avez eu grandement tort, car ma plume valait bien une petite obligeance de cette sorte.»   (122)

Ich habe eine Weile über den Grund für den Haß nachgesonnen, den mir ein Mann *[Heine]* widmet, den ich nie beleidigt habe. Folgendes fand ich in meinem Gedächtnis: Er brauchte Geld zu einer Reise in die Pyrenäenbäder, ich glaube, es war im Frühjahr 1842; er bat mich darum, ihm etwas zu geben, aber auf seine ironische, wenig angenehme Art. Ich schlug es ihm ab und tat doppelt unrecht daran, denn einmal argwöhnte er, ich mißtraue ihm und seiner Ehrlichkeit, die Summe zurückzuerstatten – dieser Gedanke war mir völlig fremd –, und zweitens zeigte ich mangelndes politisches Fingerspitzengefühl.»Sehen Sie«, sagte er zu mir, »Sie haben einen großen Fehler gemacht, denn meine Feder dürfte wohl eine kleine Gefälligkeit dieser Art wert sein.«

602. MAX LÖWENTHAL   Frühjahr 1842
Tagebuch, Wien, 27. Sept. 1842

Heine betrug sich äußerst freundschaftlich gegen Dessauer und besuchte ihn fast täglich. Eines Morgens kam er aber mit dem Anliegen hervor, daß er nun eine Reise mache, Geld brauche und Dessauer ihm 500 Franken borgen möge; dieser schien zu zögern, gleich hatte der andere eine spitze Rede zur Stelle. Nun habe ich gar kein Geld für Sie, entgegnete Dessauer. Da verließ ihn Heine mit der Versicherung, daß er sehr unklug handle, daß er ihm in der Allgemeinen Zeitung weit über den Wert von 500 Franken hätte nützen können, und daß er ihm nun weit über diesen Wert schaden könne und werde. Und er setzte die Drohung sogleich durch einen bitterbösen Aufsatz in einer musikalischen Zeitung ins Werk. Dies der Charakter einer der Zierden des deutschen Parnasses! (149)

603. GUSTAV ADOLPH VOGEL   Frühjahr 1842
Artikel über Besuch bei Heine   (* *13./16. 8. 1843*)

Dingelstedt [...] führte mich eines Morgens in die Rue Faubourg de Poissonieres *[!]* Nr. 46 au quatrième zu Heinrich Heine.

Ich hatte mir in dem Dichter der Reisebilder, getäuscht durch ein Portrait von ihm, welches schon seit Jahren mein Zimmer schmückt, einen blassen, schlank aufgeschossenen Mann gedacht, und vor mir stand eine kleine untersetzte, behäbige Figur, die eher einem wohlhabenden Mäkler angehören konnte, als dem gefeierten, vielleicht größten deutschen Dichter. Nie hat das Aeußere Jemandes mit der Vorstellung, die ich mir von ihm gemacht, mehr contrastirt, als das von Heine. Kaum kann sich in einer Persönlichkeit mehr Gutmüthigkeit und *Deutschheit* aussprechen, als in seiner, und nur eine kleine Narbe auf der linken Seite der hohen Stirn und die etwas getrübten Augen lassen, wenn er sie, ähnlich wie Gutzkow, prüfend und lauernd zudrückt, den schelmischen Beobachter ahnen. Heine ist ein lieber, lieber Mann und in der Unterhaltung *viel witziger, als irgend eins seiner Bücher!* Wenn er selbst gern über seine pikanten Einfälle lächelt, so dürfen wir ihm das schon zu Gute halten. Möge es mir vergönnt sein, hier Einiges aus jener ersten Morgenunterhaltung zum Besten zu geben; natürlich wird, da ich aus dem Gedächtniß niederschreibe, bei manchem Witzwort die Spitze nicht so scharf erscheinen, als sie uns an jenem Morgen erschien, wo Laune und Ton sie schärften, indeß will ich hier ja auch nur seine Einfälle, nicht die Form derselben, auf die freilich viel ankommt, wiedergeben.

Als Dingelstedt Döbler vorstellte und die Bemerkung hinzufügte, daß es diesem lieb sein würde, wenn sich Heine bei seinen Freunden für ihn verwende, sagte er: Es thut mir leid, daß ich Ihnen aber keinen guten Trost geben kann. In Paris macht nur dann ein Künstler gute Geschäfte, wenn er in seinem Fache als der größte dasteht. Wir haben aber jetzt einen Escamoteur hier, dessen eminente Talente in der Jonglerie Sie schwerlich erreichen werden! Verwundert und fast pikirt fragte Döbler nach dem Namen seines Nebenbuhlers.

Ei, sagte Heine, Sie sind nun schon fast einen Monat hier und sollten das nicht wissen? Louis Philipp ist es! –

Später entfernte sich Döbler und bat Heine, daß er ihm doch gelegentlich einmal die Ehre seines Besuches geben möchte. Heine sagte zu. Du mußt aber auch Wort halten, bemerkte Dingelstedt nach einigen Minuten, Döbler ist etwas empfindlich und könnte sonst leicht glauben, du mißachtest den Schauspieler in ihm. Ach Gott! erwiederte Heine hierauf. Die ganze Welt weiß ja, wie freundlich ich mit Lewald stehe!

Das Gespräch nahm nun eine andere Richtung. Habe ich Sie vorhin gefragt, wandte er sich zu mir, ob Sie lange hier bleiben werden? Ich verneinte. Da muß ich Sie um Verzeihung bitten, fuhr er fort, denn dann habe ich Ihnen ein Compliment entzogen, welches ich sonst denen, die mir empfohlen werden, gern mache. Wie so? fragten wir. Nun, lautete seine lachende Antwort, weil die Deutschen nach einem längern Aufenthalte in Paris gern verrückt werden.

Er zählte nun deren zwölf auf, deren Namen mir jedoch, außer dem Traxels, entfallen sind. Hm hieß es, was sind aber zwölf gegen die vielen Tausende, die hier sind. Ja, gegenredete er, bei den anderen hat schon die *Natur* gesorgt, daß sie es nicht werden *können*. Sie sehen also, daß ich bei Ihnen wegen der unterlassenen Frage wieder etwas gut zu machen habe. Ich dankte dem boshaften Complimente durch die Gegenmalice, daß die Natur selber, da er nun schon lange in Paris sei, eine so glänzende Ausnahme, wie seine Person biete, bei ihm wieder gut zu machen habe.

Heine war so gütig, über diese plumpe Retourchaise zu lächeln, fuhr dann aber fast ernst fort: In der That, es überfröstelt mich jedesmal ein ganz eigenes Bedauern, wenn mir Jemand vorgestellt wird, von dem ich erfahre, daß er, was die Deutschen einen gescheuten Kerl nennen, ist. – Es ist doch Schade für das junge Blut, denke ich, denn berühmt wird es hier doch nicht werden.

Nach einigen von Dingelstedt und dem gleichfalls anwesenden Pianisten Evers aus Stuttgart eingeschalteten Bemerkungen über das Wesen und die verschiedenen, oft sonderbaren Ursachen des Wahnsinns sagte Heine: Eine gewiß recht traurige Erscheinung ist es, wenn sich Jemand irgend einer Idee zum Opfer bringt, die später nicht realisirt wird. Mir fällt dabei Charlotte Stieglitz ein. Das hochherzige Weib hat sich wahrscheinlich nur deshalb umgebracht, um Hrn. Stieglitz berühmt zu machen, oder doch, um ihm einen traurigen Vorwurf zu geben, an dem er sich sonnen könne. Wir Alle wissen, daß sie das leider nicht durchgesetzt; im Gegentheil ist Stieglitz seit der Zeit erst recht unberühmt geworden.

Evers hatte von seinem Freunde Lenau Grüße, und irre ich nicht, auch Briefe für Heine mitgebracht, die Veranlassung gaben, daß nun über Lenau's Unthätigkeit gesprochen wurde. Daran ist Niemand weiter Schuld, erklärte Evers, als eine »Quasiliebe«, die ihn sowohl in Wien, als in Stuttgart verhätschelt hat und ihm keine Zeit zum Produciren ließ. Ei, mein Gott, lachte Heine, kann man denn auch quasilieben? Daß man *quasi-verheirathet* sein kann, wußte ich wohl. Was doch die Deutschen nicht Alles erfinden, um den Franzosen den Rang abzulaufen!

Als gelegentlich die Rede auf Heine's geschwächten Gesundheitszustand kam und Dingelstedt in ihn drang, daß er den Rath der Aerzte befolgen und einen Sommer auf dem Lande zubringen möchte, sagte Heine: Du weißt nicht, was Du von mir forderst, Freundchen; mein ganzes inneres Sein ist mit dieser Stadt so vernervt, daß ich auf dem Lande zu sterben fürchten müßte. Kennst Du denn die Dorfzeitungsphilosophie nicht: Gar schrecklich ist die Hungersnoth, doch wer erfriert, ist gleichfalls todt! Wenn es einmal gestorben sein muß, will ich doch lieber als homo urbanus Linn. sterben; zudem trinke ich die Milch zwar recht gern, aber die persönliche Bekanntschaft der Käse liebe ich nicht, und macht es Dir etwa besonderes Vergnügen, die Gänse in ihrer Ursprache zu hören? Ich sollte denken, es sei ein weit schönerer Beruf, die Uebersetzungen in den Salons zu vernehmen.

Erst spät kam die Rede auf deutsche Literatur und die bedeutenderen Erscheinungen derselben. Heine's Urtheil über diese war in der Regel scharf und richtig. Ueber das damals noch nicht aufgehobene Verbot des Hoffmann-Campe'schen Verlages in Preußen äußerte er manches bittere Wort, erklärte aber dabei, daß er gerade deshalb nie von Campe abgehen würde. Vom 4. Bande seines »Salon« urtheilte er selbst sehr ungünstig, und zwar so witzig, so sich selbst persiflirend, daß ich es jetzt noch bedaure, nicht die Indiscretion begangen und mir unter irgend einem Vorwande kleine Notizen in mein Feuilleton gemacht zu haben.

Außer einigen Poesien, auf deren Censur er in Deutschland wohl kaum gerechnet, hatte er nichts von Bedeutung unter der Feder. Mehrere ziemlich werthlose (z. B.: »Mit Brünetten hat's ein Ende, ich gerathe dieses Jahr wieder in die blauen Augen, wieder in das blonde Haar« etc.) sind seitdem in der »Eleganten Welt« abgedruckt worden. Die unnachahmliche Possirlichkeit, mit der er sie vortrug, bleibt mir indeß stets unvergeßlich. Eins, um dessen Original-Mittheilung ich ihn bat, ist, so viel ich weiß, in Deutschland noch nicht abgedruckt und soll hier folgen. Es ist ein Gespräch zwischen ihm und dem kosmopolitischen Nachtwächter: [folgt: »Bei des Nachtwächters Ankunft zu Paris«.]

Auch auf sein Buch über Börne wandte sich das Gespräch, und ich muß gestehen, daß ich seit jenem Morgen ganz anders darüber urtheile. Wiedergeben kann ich das Glaubensbekenntniß, welches Heine darüber ablegte, nicht, mir wird aber die Wehmuth, mit der er sich über die harten Urtheile deutscher Literaten ausließ, unvergeßlich bleiben. – Alle, sagte er, werfen mir vor, daß mein Buch zu viel Persönlichkeiten enthielte: ist aber nicht jeder dieser Herren bei Besprechung des Buches in einem weit größeren Maaße persönlich gegen mich geworden? Wenn sie Jemandem einen Fehler vorwerfen wollen, so sollten sie doch nicht, während sie es thun, in denselben verfallen! – Dies Argument hat allerdings viel für sich, und wenn man noch berücksichtigt, daß Heine mit seiner individuellen Auffassungsweise *allein* dasteht in der großen Stadt, ganz allein, ohne rathenden Freund, so wird man die extravaganten Stellen und Uebergriffe in dem Buche weniger lieblos beurtheilen. Heine hatte sich gerade in diesem Sommer auf das wiederholte Drängen der Aerzte und seiner Frau nach langem Kampfe entschlossen, seine geschwächte Gesundheit in den Pyrenäen zu pflegen: da ertönte das Geschrei in den Zeitungen und Heine mußte zurückkehren, um die angetastete Ehre in dem oft besprochenen Duell mit Strauß rein zu waschen. Noch einmal wird sich der Starrsinnige, dessen ganzes Sein in den Anregungen der Weltstadt eine so gefährliche Lust findet, nicht bereden lassen, sie mit dem Still-Leben des Landes zu vertauschen. Wie sehr aufreibend jenes aber auf den Körperzustand des Gereizten einwirkt, vermag nur der zu beurtheilen, der Gelegenheit hatte, ihn in seiner eigenthümlichen Weise in der Nähe zu beobachten. Vielleicht, daß wir gerade jener erschrieenen Rückreise aus den Pyrenäen wegen viele Jahre früher den Tod eines Dichters zu beweinen haben, der – trotz aller Fehler – doch immer zu unseren größten gehört. – (266)

604. KARL GUTZKOW   April 1842

Autobiographische Skizze   (*1869)

In Paris angekommen, erhielt ich durch einen noch in Paris lebenden
Boten, einen gemeinschaftlichen Freund, im Interesse eines Buches, das
ich, dem Gerüchte zufolge, über Paris schreiben wollte, nachstehende
Aufforderung: »Besuchen Sie sofort Heine! Er verspricht Ihnen hiemit,
Ihnen zu Ehren ein Diner zu geben, wozu er alle Spitzen der französischen Literatur einladen will –!« Dieser, auf ein Heine'n zu widmendes
Capitel meines Buches berechneten Aufforderung mußte ich erwidern:
»Sagen Sie Heine, daß ich ihn nicht wenig schätze und von seiner guten
Absicht gerührt bin! Ich habe aber das ›Leben Börne's‹ geschrieben,
habe Börne gegen die Besudelung seines Namens durch Heine ver-
theidigen müssen. Abgesehen davon, daß man um ein Diner, wenn
auch in noch so interessanter Gesellschaft, die Standpunkte seiner Gesinnung nicht ändern wird, so habe ich auch auf die nächsten Freunde
Börne's in Paris Rücksicht zu nehmen, charaktervolle Personen, die mir
nimmermehr vergeben würden, wenn ich zu dem Manne, der diese
Alle und sogar eine edle Frau so schmählich mit Koth beworfen hat,
halten und Champagner bei ihm trinken wollte –!« Die Folge dieser
Erklärung war jene Rache. Heine dictirte einem seiner Freunde Namens
Seuffert einen Erguß voll Bosheit in die Feder für die Allgemeine Zeitung.   (89)

605. THEODOR HAGEN   April 1842

an Ludmilla Assing, Paris, 18. April 1842

[...] Gutzkow [...] bewegt sich hier in den höchsten Sphären. [...] Wie
ich höre, bietet Heine alles auf, sich Gutzkow zu nähern. Daß ein
freundschaftlicheres Verhältnis zwischen beiden zustande kommen
wird, bezweifle ich. Übrigens mag Gutzkow über Heine manches gehört haben, das ihm eine wohlwollendere Meinung von diesem, auch
als Schriftsteller, gibt [...].   (103)

606. FRANZ DINGELSTEDT   Anf. Juni 1842

an Johann Georg v. Cotta, St. Cloud, 2. Juni 1842

Da fällt mir ein, daß ich für Freund Heine noch eine Anfrage bei Ew.
Hochwohlgeboren wagen soll, [...]. Er hat eine Reihe von Liedern

fertig, sehr hübsch, zusammen eine Art episches Gedichtlein im ko-
misch-romantischen Genre, die Ausbeute seiner Pyrenäenfahrten.
Dieses möchte er dem Morgenblatt zuwenden, jedoch, wie bei seiner
Stellung zu Pfizer begreiflich und verzeihlich ist – *nicht* durch die
Redaction, sondern unmittelbar durch die Hand des Herrn Barons.
Wollen Sie sich einmal, sei es auch nur zu eigener Unterhaltung, sein
Mscpt. durchsehen? Was ich daraus kenne, ist ganz reizend, ein Bären-
Idyll, freilich mit sehr picanten Digressionen. Vielleicht gäbe es ein
artiges Bändchen für sich in 12⁰ nach Art der kleinen Taschen-Ausgabe
der Klassiker in der J. G. Cotta'schen Buchhandlung. Alles dieß nur
unvorgreiflich und unmaßgeblich, salvo meliore. (311 c)

607. ANONYM   Juni 1842

   Pressenotiz   *(* 8. 7. 1842)*

Heine hat in Paris eine Nothkasse für hilfsbedürftige Deutsche, die
dort leben, gestiftet. (303)

608. LARS JOHAN HIERTA   Sommer 1842

   Bericht über Begegnung mit Heine   *(* 1871)*

Der Schreiber dieses hatte während einer Reise im Sommer 1842 Gelegenheit, in Paris einige Male den geistvollen deutschen Schriftsteller
Heinrich Heine zu besuchen. Er fragte eines Tages Heine, was seiner
Meinung nach die Sozialisten eigentlich wollten, und wie es kommen
könnte, daß die Arbeiterklasse nicht einsähe, daß ihre Lehren sich nicht
rentieren könnten. Hierauf antwortete Heine folgendes: »Ja, was
wollen Sie, lieber Herr? Man hat den Leuten den Himmel genommen;
nun wollen sie auch etwas von der Erde mit.« In dieser Äußerung ist
ein Zustand angedeutet, dem keine reaktionären Maßnahmen abhelfen können; das hat sich am besten nach der Revolution von 1848
gezeigt, die unseres Verfassers Entsetzen ausgemacht hat, aber deren
notwendige Folgen die despotischsten Regierungen wider Willen beachten mußten durch Erweiterung der Rechte und des Anteils an der
Staats-Leitung der Völker. (18)

He *[Heine]* is a poet, a dramatist, a sketcher of nature to the life, but in philosophy he is a Zeno. Yet he has no objection to the courtesies or the civilities of life, and can drink chambertin or champagne as well as any *bon vivant* at a London clubhouse. I remember on one occasion, I met Heiné in the French provinces – his fine large forehead and his little grey quizzing eyes, I saw in a moment – he was seated at the *table d'hôte*, and was discussing with himself the merits of stewed eels, or, more properly, of a *"Matelotte d'Anguille"*. He looked very happy.

"My dear Heiné", I said, "how joyous you look; how merry and jovial is your air!"

"That should not surprise you", he retorted, "when was a man unhappy whilst eating a good dinner?"

I rallied him a little upon this, and expressed my apprehensions lest he should become fat and unpoetical; but he ate and laughed, and drank and ate, and went on, and on, and on, till at last he thought it was high time to indulge in his usual vein of satire and quizzicality; and he did it to perfection. The odd people he had seen, the odder positions, both physical and moral, in which he had discovered men, women, systems and propositions, were all shewn up with a grace, life, and nerve, which would at once have compelled even his bitterest enemy to admit that in satire he was a master. It is this weapon he continues to use; in politics, in religion, in society, in his writings, his volumes, his pamphlets, his correspondence, – every where [. . .].   (182)

Heine ist Dichter, Dramatiker, er zeichnet die Natur, nach dem Leben, aber in der Philosophie ist er ein Zeno. Er hat indessen nichts gegen die Sitten und Gebräuche des gepflegten Lebens einzuwenden und versteht einen Chambertin oder einen Champagner geradeso zu trinken wie irgend ein Lebemann in einem Londoner Club. Ich entsinne mich, wie ich Heine einmal in Frankreich auf dem Lande begegnete – seine feine breite Stirn und seine kleinen, grauen und spöttischen Augen hatte ich sofort erkannt – er saß an der Table d'hote und besprach mit sich selbst die Vorzüge eines Räucheraals, oder – genauer gesagt – einer »Matelotte d'Anguille«. Er sah ganz glücklich aus.

»Lieber Heine«, sagte ich, »wie fröhlich Sie aussehen! wie glücklich und heiter!«

»Das sollte Sie doch nicht wundern«, erwiderte er, »wann war je ein Mann unglücklich, während er eine gute Mahlzeit einnahm?«

Ich zog ihn ein bißchen damit auf und gab meiner Befürchtung Ausdruck, er würde noch fett und unpoetisch. Aber er aß und lachte und trank und lachte, und so immer fort und fort, bis er schließlich meinte, es sei nun höchste Zeit, seiner Neigung zu Satire und Spott nachzugehen; das tat er auch bis zur Vollendung. Die komischen Menschen, die er gesehen hatte, die noch komischeren Haltungen und Konstellationen – physisch und moralisch –, die er an Männern und Frauen, hinter Systemen und Äußerungen entdeckt hatte, das alles wußte er derart anmutig, lebens- und kraftvoll darzustellen, daß selbst seine erbittertsten Feinde ihn für einen Meister der Satire hätten erklären müssen. Diese Waffe ist es, die er fortwährend benutzt – in der Politik, der Religion, in Gesellschaft, in seinen Schriften, seinen Büchern, seinen Broschüren und Briefen, überall [. . .]

610. HEINRICH BROCKHAUS   13. Sept. 1842

Tagebuch, Paris, 13. Sept. 1842

Heute sprach ich lange mit ihm, der sich in der frühern Weise bewegt. Er amusirt in der Unterhaltung, aber wohl könnte mir auf die Länge bei ihm nicht sein; er raillirt über alles, und mir ist diese negative Richtung, die am Ende zur wahren Gesinnungslosigkeit wird, recht zuwider.   (31)

611. THEODOR HAGEN   Ende 1842

an Ludmilla Assing, Paris, 5. Jan. 1843

Den ersten Band von Gutzkows Briefen aus Paris habe ich nun endlich gelesen. Ich habe wenig Gutes erwartet und sehr viel gefunden [. . .]. Übrigens meinte auch Heine, das Buch sei gar nicht so schlecht, als man es mache. G[utzkow] müßte hier nur für vieles büßen, was er früher begangen habe.   (103)

1843
Paris

Erste Reise nach Hamburg

612. Alfred de Musset   6. Jan. 1843

an Paul de Musset, Paris, Febr. 1843

J'étais donc à souper chez Buloz le jour des Rois. Toute la Revue [des Deux Mondes] s'y trouvait, plus Rachel. C'était un peu froid; on aurait dit un dîner diplomatique. Le hasard facétieux a donné la fève à Henri Heine, qui a fait semblant de ne pas savoir ce qu'on lui voulait, de sorte que le gâteau sur lequel la maîtresse de la maison devait compter pour égayer la soirée, a été pour le roi de Prusse. Heureusement Chaudes-Aigues s'est grisé, ce qui a rompu la glace.   (188)

Ich war also am Dreikönigstag bei Buloz zum Abendessen. Die ganze »Revue [des Deux Mondes«] war da, dazu noch Rahel. Es war ein bißchen frostig, wie auf einem diplomatischen Diner. Der drollige Zufall hat Heine die Bohne gegeben, welcher so tat, als wüßte er nicht, was man von ihm wollte, und so war der Kuchen, auf den die Herrin des Hauses stark gerechnet hatte, um ihre Gäste zu unterhalten, für die Katz' [*eigentlich:* für den König von Preußen, d. h. für nichts]. Glücklicherweise hat sich Chaudes-Aigues betrunken, und das Eis war gebrochen.

613. Theodor Hagen (»Joachim Fels«)   1843

Kritik von R. Wagners »Cola Rienzi«   *(* 18. 4. 1844)*

Heinrich Heine fragte mich einmal, was ich von dem Talente Richard Wagner's hielte? Auf meine Bemerkung, daß ich nichts von diesem Componisten kenne, sagte er mir: »Wissen Sie, was mir an dem Talente verdächtig ist? Daß es von Meyerbeer in Schutz genommen wird.« (91)

Bericht über Parisaufenthalt, Paris, 18. April 1843   (* *1844)*

Schon vor einiger Zeit hatte ich mich darum bemüht, mir Zutritt zu
den berühmten Irrenanstalten und Hospitälern, Bicêtre und Salpétrière
zu verschaffen. Doctor J ... aus Berlin hatte sich erboten, deshalb mit
dem hier ansässigen deutschen Arzt Doctor S[ichel] Rücksprache zu
nehmen. Anderen Tages schon brachte mir J ... die überraschende
Nachricht, daß Doctor S[ichel] mich sehr wohl kenne, sich meiner aus
Berlin her, wo wir am dritten Ort häufig zusammen getroffen waren,
erinnere, und sich freuen werde, die alte Bekanntschaft zu erneuern, mir
auch zugleich jede nöthige Anweisung und Empfehlung zum Besuch
der beiden Anstalten geben wolle. Ich ging daher in den nächsten
Tagen schon zu ihm. Der Bediente führte mich, da ich, wie man hier
bei einem Arzte ausdrücklich erklären muß, nicht pour consultation,
sondern seulement pour visite kam, in ein Zimmer, wo ich nur noch
einen einzigen Herrn fand gegen den ich mich stumm und ohne besonders aufmerksam auf ihn zu sein, verbeugte. Wenige Augenblicke
nachher trat Doctor S[ichel] ein, begrüßte mich aufs freundlichste als
einen alten Bekannten, aus dem M[endelssohn]schen Hause in Berlin,
und sprach auf den Fremden deutend: Die beiden Herren kennen sich
doch? – Es war Heine, mit dem ich hier so unvermuthet zusammentraf,
nachdem wir uns seit vierzehn Jahren nicht gesehn hatten. Auch für
uns knüpften sich die alten Beziehungen schnell und natürlich wieder
an, und ich danke es dem Zufall, daß er es so wendete, da ich bei den
mancherlei Reibungen und Spaltungen im literarischen Verkehr, obwohl direct zwischen uns nie etwas der Art vorgekommen war, doch
unsicher gewesen wäre, ob nicht durch dritte und vierte Hand auch
hier Entfremdendes eingetreten sein möchte. Diese *Möglichkeit* hätte
mich daher wahrscheinlich gehindert, directe Schritte zur Erneuerung
der alten Verhältnisse zu thun; so konnte ich mich nur freuen, daß
unsere Pfade sich kreuzten: denn, was die dichterischen Gaben anlangt,
*steht Heine doch an der Spitze aller Erscheinungen der neueren Lite-
ratur*, welche mehr oder weniger nur die von ihm so reich, bisweilen
freilich auch nachlässig, hingeworfenen Perlen und Goldkörner, die
ersten anders faßt, die andern breiter ausschlägt, ohne ihren innern
Gehalt zu erhöhen. Sie legirt sie vielmehr mit bedeutend geringerm
Metallen! –
     Unser Gespräch war nach alter Weise bald lebhaft und scherzend im
Gange. Der Witz erweckt sich am Witz, wie der Funke durch Stahl

und Stein. Wir brachten eine sehr heitere Viertelstunde miteinander im Dreigespräch zu, Doctor S[ichel] schrieb mir zugleich die nöthigen Billets an die Aerzte der beiden Anstalten, die ich besuchen wollte, und wir schieden in bester Stimmung. (205)

615. HANS CHRISTIAN ANDERSEN   27. April 1843
    an Henriette Wulff, Paris, 27. April 1843

Heute morgen [. . .] um 10 Uhr ging ich zu Heine, der so gut aufgelegt, so amüsant, so reizend zu mir war; wir sprachen von Oehlenschläger und dänischer Literatur. – »Oehlenschäger ist doch der König!« sagte er und sprach sich hübsch und echt Heinisch aus. (4)

616. LUDWIG RELLSTAB   3. Mai 1843
    Bericht über Parisaufenthalt, Paris, 3. Mai 1843   (* 1844)

Heut habe ich auf der östlichen Seite von Paris meine Abschiedskarten abgegeben, bis zur Place royale. Es gelang mir nicht mehr Victor Hugo nochmals anzutreffen. Dagegen fand ich, nach wiederholtem gegenseitigen Verfehlen Heine zu Haus. Unser neulich nur scherzendes Gespräch nahm jetzt eine fast nur ernste Richtung. Nicht mit Unrecht beschwerte er sich über die jüngere deutsche Presse, über die Unwürdigkeit ihrer Machinationen und Gesinnungen, die sich namentlich gegen ihn ganz systematisch gerichtet, und ihn mit einem Gewebe von Entstellungen und Verläumdungen umsponnen habe, dessen Fäden heimlich und unversehens überall her, selbst an den harmlosesten Dingen angeknüpft würden. – Es ist nicht abzuweisen, daß Heine ernste Angriffe verschuldet, sie wahrhaft herausgefordert hat; doch diese sollten sich offen und frei gegen ihn richten, und sich durch die Charakterwürdigkeit der Gegner rechtfertigen. Dann hätten sie festen Grund, und würden auch, mit *Maß* und *Achtung* geführt, vielleicht einen sehr glücklichen Einfluß auf das so außerordentliche Talent Heine's geübt haben. [. . .]
Es ist *noch* Zeit, denn für eine Kraft wie die seinige ist das Vergangene nur ein Jugendrausch und Traum, [. . .].
Ich schied von Heine mit dem warmen Wunsch, und der *angeregten Hoffnung*, daß wir noch einen Mann von ihm zu erwarten haben, der für das Unrecht des Jünglings die vollste Genugthuung selbst dem gibt,

dem die schönen Blüthen seines Frühlings sie nicht längst und stets
gegeben haben. (205)

617. HANS CHRISTIAN ANDERSEN   März–Mai 1843

Memoiren   *(* 1845)*

Mit Heine traf ich auch wieder zusammen, er hatte sich verheirathet,
seitdem ich das letzte Mal hier war; ich fand ihn etwas leidend, aber
doch voller Energie, und so herzlich, so natürlich gegen mich, daß ich
keine Scheu fühlte mich ihm zu geben, wie ich bin. Er hatte eines Tages
seiner Frau mein Märchen von dem standhaften Bleisoldaten erzählt,
und indem er sagte, daß ich der Verfasser dieser Geschichte sei, stellte
er mich ihr vor; sie war eine lebhafte nette junge Frau. Eine Kinder-
schaar, die, wie Heine sagte, dem Nachbar angehörte, spielte in ihrem
Zimmer; wir spielten Beide mit, während Heine im Nebenzimmer
eines seiner letzten Gedichte für mich abschrieb. – Ich nahm kein ver-
letzendes bitteres Lächeln an ihm wahr, ich hörte nur den Pulsschlag
eines deutschen Herzens, welcher ewig in den Liedern vernommen
wird, die leben *müssen*. – (3)

618. HANS CHRISTIAN ANDERSEN   März–Mai 1843

Memoiren   *(* 1855)*

Mit Heinrich Heine traf ich auch wieder zusammen. Er hatte hier in
Paris geheiratet, seit ich das letztemal da war; ich fand ihn etwas
leidend, aber doch voller Energie und so herzlich gegen mich, so natürlich, daß ich dieses Mal keine Scheu fühlte, mich bei ihm zu geben, wie
ich bin. Eines Tages hatte er seiner Frau auf französisch mein Märchen
»Der standhafte Zinnsoldat« erzählt, und indem er mich als dessen
Verfasser vorstellte, führte er mich zu ihr. »Geben Sie Ihre Reise hierher heraus?« fragte er erst, und da ich »Nein« sagte, fuhr er fort: »Ja,
dann werde ich Ihnen meine Frau zeigen!« Sie war eine lebhafte, nette
junge Pariserin; eine Kinderschar, »wir haben sie bei Nachbarn aus-
geliehen, da wir selbst keine haben!« sagte Heine, spielte um sie in der
Stube. Sie und ich spielten mit, während Heine im Nebenzimmer
schrieb: »Ein Lachen und Singen! Es blitzen und gaukeln [...]«. (5)

Heine-Erinnerungen (* Aug. 1892)

Un jour, j'étais au café Foy avec Ch. Brenot, l'aimable bibliothécaire du Palais-Royal, et nous causions bien tranquillement dans un coin, quand des voix s'élevèrent tout à coup d'une autre partie de la salle; c'était une dispute et assez vive. Je levai les yeux et je reconnus Henri Heine, debout, un journal à la main, aux prises avec deux messieurs à tenue militaire dont l'un était manchot. Brenot me dit que c'était le général Lesourd, je crois, avec un colonel de ses amis; je me levai bien vite et j'accourus au secours du poète. Il était furieux, et il y avait de quoi. En quête d'un journal, il avait quitté sa place, et quand il avait voulu y revenir, il l'avait trouvée occupée par les deux vieux officiers. Sans doute il s'y était mal pris pour la réclamer: on l'avait envoyé promener. Il s'était fâché, et le général, le regardant du haut en bas, l'avait tout bonnement appelé imbécile. De là fureur et tumulte: «Moi, imbécile! criait Henri Heine avec autant de surprise que d'indignation. Savez-vous à qui vous le dites?» Il était hors de lui. J'arrivai à ce moment-là; je le pris par le bras, l'entraînai de notre côté et tâchai de le calmer en lui disant à qui il avait affaire, qu'il ne seyait pas à un homme comme lui de se colleter avec un vieux grognard qui avait perdu un bras à Waterloo, une vieille culotte de peau qui n'entendait sans doute rien à la poésie ni à la politesse, et qui certes n'avait pas lu son chant immortel des *Deux Grenadiers*, etc. Je le ramenai à notre table, je le présentai à Brenot comme le premier poète vivant de l'Allemagne. Il se calma enfin. Nous sortîmes, et il ne fut plus question de rien. (76)

Eines Tages befand ich mich im Café Foy mit Ch. Brenot, dem liebens-würdigen Bibliothekar des Palais Royal, und wir plauderten ruhig in einer Ecke, als sich plötzlich in einem anderen Teil des Saales Stimmen erhoben; es war ein ziemlich lebhafter Streit. Ich sah auf und erblickte Heine, aufrecht stehend, eine Zeitung in der Hand, im Streit mit zwei Herren von militärischer Haltung, von denen der eine einarmig war. Brenot sagte mir, daß es der General Lesourd sei, ich glaube, mit einem befreundeten Oberst; ich erhob mich sofort und eilte dem Dich-ter zu Hilfe. Er war ganz wütend und hatte auch Grund dazu. Er hatte seinen Platz verlassen, um eine Zeitung zu suchen, und als er zurück-kehrte, fand er ihn besetzt von den beiden alten Offizieren. Wahr-scheinlich hatte er den Platz in heftigem Tone zurückgefordert; man hatte ihn jedenfalls kurz abgefertigt. Er war darob wütend geworden, worauf der General ihn von oben bis unten gemustert und Dummkopf genannt hatte. Darauf Zorn und Lärm. »Was? Ich, ein Dummkopf?« schrie Heine, ebenso erstaunt wie empört, »Wissen Sie, zu wem Sie das sagen?« Er war außer sich. In diesem Moment langte ich bei ihm an; ich ergriff ihn beim Arm, zog ihn auf unsere Seite hinüber und versuchte ihn zu beruhigen, indem ich ihm sagte, mit wem er es zu tun habe, und daß es sich für einen Mann seinesgleichen nicht schickte, sich mit einem alten Brummbär einzulassen, der bei Waterloo einen Arm verloren habe, mit einem alten Gamaschenknopf, der ganz sicherlich weder von Dichtkunst noch von Höflichkeit etwas verstände, und ganz gewiß sein unsterbliches Gedicht von den beiden Grenadieren nie gelesen hätte u. s. w. Ich führte ihn fort, an unseren Tisch und stellte ihn Brenot vor als den ersten lebenden Dichter Deutschlands. Endlich beruhigte er sich. Wir gingen und es wurde von der Angelegenheit nicht weiter geredet. (77)

620. Nicolas Martin   1843?

Abschnitt über Heine aus einer Anthologie
zeitgenössischer deutscher Dichter   (* 1846)

Un autre mot du spirituel écrivain me frappa également par la naïveté railleuse de la saillie. Je n'avais jamais vu Henri Heine, mais j'avais ouï dire souvent que cet esprit si fin s'était affublé dans ces derniers temps d'un corps très gros. Je témoignai donc ma surprise au poète de ne pas retrouver en lui l'idéal d'obésité que je m'étais créé. – «Que voulez-vous, mon cher monsieur! c'est encore là une des nombreuses calomnies dont je suis victime!»   (166)

Ein anderer Ausspruch des geistreichen Schriftstellers setzte mich durch seine Verbindung von Naivität und Spott in Erstaunen. Ich hatte Heine noch nie gesehen, aber oft sagen hören, daß sich sein feinsinniger Geist letzthin in einen recht dicken Körper vermummt habe. Ich bezeugte dem Dichter also meine Überraschung, in ihm nicht das Fettleibigkeitsideal vorzufinden, das ich mir vorgestellt hatte. »Was wollen Sie da machen, mein lieber Herr! Auch das ist noch eine der zahlreichen Verleumdungen, deren Opfer ich bin!«

Nachdem ich in Paris mich häuslich eingerichtet, galt mein erster Besuch dem Meister Meyerbeer. [. . .].

Leider traf ich ihn beschäftigt – er studirte mit einer Sängerin – ließ aber durch seinen Diener mich bitten, meinen Besuch am Abend 7 Uhr wiederholen zu wollen. Selbstverständlich fand ich mich pünktlich ein. Eine Wolke dicken Rauchs entströmte bei meinem Eintritt in den Salon dem Kamin – bei stürmischem Wetter etwas ganz gewöhnliches in Paris – und ich befand mich, sehr belästigt von der Malice des Kamins, etwa 8 bis 10 Herren gegenüber, welche wahrscheinlich bei Meyerbeer dinirt hatten. Auf das Liebenswürdigste stellte mich derselbe als einen in Deutschland bereits populär gewordenen jungen Gesangscomponisten vor. Ich hörte alsdann die Namen: Scribe, Jules Janin, Alexander Dumas, Berlioz, Pixis – die übrigen weniger verständlich – nennen. Von all' den Herren war mir nur einer persönlich bekannt: »Pixis«, mit ihm hatte ich im vorigen Sommer in Baden-Baden vielfach verkehrt. Dieser trat mir denn auch gleich entgegen, und um einer möglichen, mich damals sehr genirenden französischen Conversation überhoben zu sein, suchte ich absichtlich unser Gespräch lebhaft fortzuführen. Ich beachtete es deshalb auch kaum, daß sich eine, nicht besonders auffallende Persönlichkeit zu uns wandte, aber einige Schritte entfernt stehen blieb, und sich alsdann wieder zu der übrigen Gesellschaft zurückbegab. Beim Fortgehen lud mich Meyerbeer noch ein, in seiner Loge einige Acte der »Hugenotten« mit anzuhören. [. . .].

Zunächst war nun mein sehnlichster Wunsch, mit Heinrich Heine bekannt zu werden. Seine Wohnung war nahe der meinigen und zur üblichen Besuchszeit klopfte ich schon Tags darauf bei ihm an. Es erschien eine Dienerin. Ich nannte meinen Namen und bat, mich zu melden. Sie kam leider umgehend mit der Nachricht »Herr Heine ist nicht zu Hause« zurück. Am nächsten Tage befand ich mich in gleicher Absicht an Heine's Thür; abermals hieß es: »Herr Heine ist nicht zu Hause« und dies wiederholte sich mehr als ein Dutzend mal.

Nun ließ ich einige Wochen vergehen in der Hoffnung, Heine vielleicht an einem dritten Orte zufällig zu begegnen; aber vergebliches Hoffen! Ich fing also wieder an – so alle 8 Tage – mich an Heine's Thür einzufinden und erlebte, daß statt des weiblichen Wesens ein Mann erschien, den ich schon freudig als Heine begrüßen wollte, welcher aber, kaum mich erblickend, entrüstet ausrief: »Herr Heine ist nicht zu Haus!« Es blieb mir kein Zweifel, daß Heine selbst mir die Thüre vor der Nase zugeschlagen hatte. So vergingen etwa 6 Monate, als der Zufall doch endlich mich mit dem Ersehnten zusammenbrachte. Der bekannte, und man darf wohl sagen, damals berühmte Musikverleger Moritz Schlesinger beabsichtigte mehrere meiner beliebtesten Lieder in französischer Uebersetzung herauszugeben. Näherer Besprechung wegen hatte er mich eines Tages zum Déjeuner eingeladen, und hier erschien unangemeldet ein Herr, den Schlesinger mit den Worten empfing: »Das ist schön, Heine, daß Sie gerade jetzt kommen, der Kücken ist schon ganz unglücklich, mit seinem liebsten Dichter noch nicht persönlich bekannt geworden zu sein.« Heine, obwohl er sah, wie sehr ich mich freute, blieb sehr zugeknöpft, sagte dann: »wir kennen uns schon, lieber Kücken« – meine Verwunderung war groß! – »erinnern Sie sich doch des Abends bei Meyerbeer, als er Sie vorstellte, und auch alle Namen der Anwesenden Ihnen nannte? Allerdings bemächtigte der alte Pixis sich Ihrer sogleich, aber ich dachte: sollst doch den Landsmann begrüßen; ging zu Ihnen und obwohl ich eine ganze Zeit das Gewäsch des Vaters der Debütantin mit anhörte, fanden Sie es nicht der Mühe werth, mich zu beachten. Natürlich ließ ich Sie Beide stehen und begab mich wieder zu den Franzosen. Dem Alexander Dumas war dies nicht entgangen und Sie müssen noch wissen: Alexander Dumas ist ein Schandmaul! Er sagte: ›Lieber Heine, mit Ihrer Popularität in Deutschland muß es doch auch nicht weit her sein, denn der kennt Sie ja gar nicht mal!‹ Sehen Sie, lieber Kücken, *dergleichen kann man in Paris nicht vertragen*!«

So sollte sich das: »Herr Heine ist nicht zu Hause«, sowie das persönliche Thürzuschlagen aufklären.

Während meines mehrjährigen Pariser Aufenthalts entspann sich nach dieser Begegnung ein wirkliches Freundschafts-Verhältniß zwischen uns, [...].   (134)

622. ARNOLD RUGE   27. Aug. 1843

an Ludwig Ruge, Paris, 28. Aug. 1843

Gestern habe ich auch Heine gesprochen. Er war im Lesecabinet *Montpensier*. Du glaubst nicht, wie radical der Fuchs unter 4 Augen ist, grade wie Schelling in Carlsbad. Diese Lumpen! Und das Komische, daß er sich fürchtet, nach Deutschland zu gehn. Er bildet sich ein, man würde ihm die Ehre anthun, ihn ins Gefängnis zu setzen, und so witzig

er über andre judicirt, über sich selbst hat er weder Witz noch Judi-
cium. Aber es ist gut mit ihm zu verkehren, denn er jagt immer nach
Späßen und trifft's oft sehr gut. (216)

623. ARNOLD RUGE 27. Aug. 1843

an seine Mutter, Paris, 4. Sept. 1843

Heine hatte uns sehr nahe gelegt, daß wir ihn doch zuerst besuchen
müßten. Er bemüht sich sonst sehr für mich und hat so eine Art scheue
Neigung zu mir. Er traut mir nicht, aber er will mit mir zu thun haben
und stellt sich schrecklich frei an; ja, er meinte, man würde ihn sicher
ins Gefängniß werfen, wenn er nach Deutschland ginge, und war
nicht wenig verwundert, als ich das sehr lächerlich fand. Ueber alles
Andre riß er Witze, nur nicht über diesen delicaten Punct. Es ist ihm
eben so unangenehm, nicht die Festung zu verdienen, als es ihm unangenehm wäre, sie zu genießen. Er kennt hier allerlei Leute und wird
mich zu ihnen führen. Es ist ein komischer Kauz, im Aeußern so was
von [Ludwig] Pernice, so klein, ein großes Gesicht, kleine Augen, roth
im Gesicht, ohne Bart und schiefe Beine mit schauerlichen Stiefeln, die
in Bobbin nicht schlechter gemacht werden könnten. Ich dachte wunder,
was für einen Stutzer ich finden würde, aber er hat eine brave Nase
und eine gute Stirn, auch ein großes Kinn. Wir fanden ihn nicht zu
Hause, haben also auch seine Frau, die sehr hübsch sein soll, nicht
gesehn. (216)

624. ARNOLD RUGE 27. Aug. 1843

Heine-Erinnerungen *(* Okt. 1867)*

Heinrich Heine hat mich den Trommelschläger der Hegel'schen Philosophie genannt; ich habe deswegen geglaubt, im vierten Bande meiner
Erinnerungen aus früherer Zeit Reveille für die Philosophie schlagen
zu müssen, und trage es Heine nicht nach, daß er mir noch zum Abschiede eins versetzt hat. Ich hatte es reichlich verdient durch meine
unbarmherzige Kritik im Anfang der Jahrbücher, die Heine lange
genug geduldig ertragen hat. Ja, ich war überrascht von seiner Freundlichkeit, als ich 1843 nach Paris kam. Im Palais royal ging ich eines
Abends mit einem jungen israelitischen Freunde an den Springbrunnen
entlang. »Heinrich sitzt in der Rotunde«, sagte er mir, »er wünscht

Ihre Bekanntschaft zu machen; erlauben Sie mir, daß ich Sie vorstelle.«

»I der alte Fuchs! Das ist ja recht menschlich von ihm!«

»Denken Sie nicht, daß er Ihnen Ihre Kritik nachträgt.«

»Was sagt er denn?«

»Er meinte, wenn man ordentlich gekreuzigt würde, stände man auch ordentlich wieder auf.«

»Nun, so lassen Sie uns hingehen.«

Heine war ein kleines, etwas corpulentes Männchen, unbefangen und eine freundliche Erscheinung. Mit kleinen schlauen Augen, erregte er keinen Argwohn, als lauerte er Einem auf. Man war sofort mit ihm vertraut.

»Wie geht's in Deutschland? Sind die Gefängnisse bald voll? Ich höre, Jeder will sich sein Zimmer zum Gefängniß einrichten, um der Regierung unter die Arme zu greifen«, begann er.

»Ihre Nachricht bezieht sich wohl zunächst nur auf Preußen«, erwiderte ich.

»O nein, im Gegentheil, die Preußen sind es schon gewohnt, Staatsgefangene zu sein; die Anderen aber streben ihnen jetzt nach!«

»Sehen Sie dort, da sitzt ein preußischer Spion –« fiel mein junger Israelit ein.

»Es giebt keine preußischen Spione«, unterbrach ich ihn, »die Preußen bezahlen sie nicht.«

»Die unbezahlten«, erwiderte Heine, »sind die schlimmsten: die hoffen erst was zu kriegen.«

So verlief die Unterredung weiter, wie zwischen alten Bekannten, ja, in Kurzem kamen wir sogar auf Privatangelegenheiten, und Heine erzählte, in Paris könne man immer Geld brauchen, wäre es auch nur um bei Véfour zu essen, und ordentlich zu essen, das sei doch Jeder sich selbst schuldig. So brauche er jetzt gerade zweihundert Franken.

Ein dritter Israelit, der nicht zu unserer Gesellschaft gehörte, im Gegentheil für eine Art Pariah der Zeitungsliteratur galt und mit Recht so angesehen wurde, hatte sich immer in nicht großer Entfernung mit auf- und abgeschwungen, wie wir durch den Garten gegangen waren. Sowie er von den zweihundert Franken hörte, schoß er zu Heine heran und rief aus: »Ich will sie Ihnen leihen.«

Heine trat wie betroffen zurück, sah ihn einen Augenblick prüfend an und erwiderte dann: »Sie sind mir nicht sicher!« womit der Andere ganz verdutzt abzog.

Wir lachten laut auf. »Gut«, sagte Heine, »die zweihundert Franken minus sollen uns nicht abhalten, bei Véfour zu essen. Da, die Glasthür steht offen, treten wir ein. Die Mysterien von Eleusis sind hier zu haben.«

Der »Unsichere« wagte uns nicht zu folgen, und die Aristokratie aß allein. Das Essen war so gut, daß Heine bemerkte, es verdiene knieend eingenommen zu werden, und als er fertig war, rief er aus: »Nun fühle ich mich besser!«

Ueber Tisch fragte er: »Nun die Jahrbücher, mein Pranger, eingegangen, was wird denn in Deutschland an die Stelle treten?«

Ich theilte ihm mit, Schwegler, ein Schwabe, wolle Jahrbücher der Gegenwart herausgeben, um Alles wiederherzustellen, was wir demolirt hätten.

»Also auch mich, das hab' ich gehofft. Aber Jahrbücher der *Gegenwart*? Da sind sie ja schon Maculatur, wenn man sie in die Hand nimmt.«

Nach Tische gingen wir in's Lesecabinet. Heine gerieth in einer Revue auf einen Aufsatz über die neueste deutsche Literatur. Als ich bemerkte, er sei nicht des Lesens werth, legte er ihn weg mit den Worten: »Ich wollte auch nur sehen, wo ich ausgelassen wäre!«

Während des Lesens der Zeitungen wurde ein alter Herr lästig, der sich fortdauernd mit lautem Geräusch räusperte. Heine rief: »Hsch! hsch!« Dies nahm der Räusperer übel, trat heran und fand sich beleidigt. »Oh! c'était vous, Monsieur!« sagte Heine entschuldigend, »pardon! Je croyais que c'était un chien!« (O! Sie waren 's, mein Herr; Verzeihung, ich glaubte, es wäre ein Hund!) Der alte Herr verneigte sich und gab sich mit der Erklärung zufrieden. (215)

625. ARNOLD RUGE   9. Sept. 1843

an seine Frau, Paris, 11. Sept. 1843

Vorgestern schon wollt' ich Dir wieder schreiben, mein liebes Herz – [...]. Da kam Heine dazwischen, dieser Zerstörer aller Gemüthlichkeit, und hat er mich damals verhindert zu schreiben, so soll er mir jetzt selbst Stoff dazu geben. Denke Dir, er machte sich in allem Ernst daran, sich wegen seines Buches gegen den noblen, braven Börne zu rechtfertigen, und als wir beharrlich schwiegen und ihm nicht einmal die Verwerfung des Buches auszusprechen Gelegenheit gaben, da verwarf er es endlich ohne Gelegenheit, nur daß er dabei blieb, die Frau zu verunglimpfen, die er auch in dem Buche so gottlos mitnimmt. Nicht Börne, diese Frau und Börne's Umgebung sei in jenem Buche

eigentlich gemeint, und wenn er die ungeschickten Freiheitshelden angegriffen, so sei er doch damit nicht von der Freiheit abgefallen. Ueberhaupt hält er seine ganzen Gedichte für Freiheitslieder, während es
nur Lieder der weichlichsten und verdorbensten Sklaverei sind. Er
reißt Witze, wie es einem Sklaven in der großen Weltkomödie, wo es
gar keine ernsthafte Angelegenheiten giebt, zukommt, und daß er aus
der Liebe eine Narrheit und aus dem Hause ein Serail machen will,
stimmt auch ganz gut zu dem allgemeinen Sklavenstaat der Zeit. Nun
kommt Hegel und aus ihm die wirkliche ernstliche Befreiung von dem
alten Joch und dem furchtbaren Druck sklavischer Gedanken in Religion und Staat; er und seine Pajazrolle wird verworfen. Das versteht er
nicht. »Sie greifen mich mit der Tugend an!« sagt er mir jedesmal,
wenn er mich sieht, »und ich war doch grade damals am tugendhaf-
testen, ich verheirathete mich eben!« Ich muß lachen über diese Auffassung; aber wenn ich ihm sage: »mit viel mehr, als mit der Solidität
eines Philisters, mit der Freiheit und der ernstlichen Poesie der Freiheit
greift man Sie an«, so kommt er wieder auf seinen Gedanken zurück;
seine Persifflage, seine Witze, sein Atheismus, seine Schriften gegen
den Despotismus, d.h. seine Witze auch über Religion und die alten
Staatsformen, das wäre die Freiheit, während alles Witzreißen immer
nur die Freiheit des Sklaven ist, des Bajazzo, den der Herr Stallmeister
mit der Peitsche haut und der ihm nun dafür eins anhängt durch eine
Redensart. Ein Possenreißer kennt die Freiheit nicht, und mit Possen
läßt sie sich nicht erobern. Es ist wahr, daß seine, ich meine Heine's,
Satiren gegen die politische Misere besser sind als seine Satiren gegen
die Liebe, die Poesie, die Religion. Diese politische Misere verdient
zunächst die Satire, und man kann sich's nicht verhehlen, daß vor der
Hand eine andere Befreiung als die Witzreißerei dem großen Haufen,
für den der Poet schreibt, nicht möglich ist. So elend sind wir wirklich
wieder geworden, daß Heine's Zeit, wenigstens theilweise, noch einmal
kommen würde, wenn er mehr solche Gedichte machte wie das:
»Nachtwächter mit den langen Fortschrittsbeinen« und wie das an
Herwegh, welches ich Dir hier mitschicke. Es ist wohl wahr, man muß
sich täuschen, um einem großen »Bedientenschwarm« begeisterte Freiheitslieder zu dichten. Wer aus dem Himmel fällt, kann nur Witze
reißen. Herwegh hat daher in letzter Zeit, wie es scheint, auch nur
Satiren gemacht, und es wäre möglich, daß hierin Heine ihn überträfe.
Will man sich nun nicht die Augen zuhalten, so muß man mit der
Neuheit der Jugend an die Poesie kommen, um immer von Neuem
den Aufschwung zu versuchen und immer von Neuem eine Welt voll

Eis sich auf die Flügel zu laden. Ich habe ihn, den Heine, in dem politischen Genre bestärkt. Kann er dergleichen gute Sachen mehr publiciren, so mag er übrigens sein, was er Lust hat, man muß es anerkennen. Man erkennt damit zugleich ein großes Unglück der Menschheit, den Verlust der Freiheit und aller ihrer höchsten Güter an; aber es wäre noch viel schlimmer, wenn man sich diese Thatsache verheimlichen wollte. (216)

626. K. A. Varnhagen v. Ense   1843

Handschriftliche Notiz

Als Ruge in Paris Heinen besuchte, kam auch die Rede auf Prutz. »Was ist Prutz?« fragte Heine sehr eifrig. »Ist das die Bezeichnung eines wirklichen Menschen, ist das ein wirklicher Name?« –

»Ja freilich«, versetzte Ruge, »haben Sie denn nicht Kritiken, nicht Gedichte von ihm gelesen?«

»O ja, manches, was so unterschrieben war, aber ich dachte nicht, daß darunter ein eigener Verfasser sei, ich dachte, das sei eine bloße Maske, ich dachte, das wären Sie, der bisweilen als Prutz auftreten wolle, um nicht immer Ruge zu heißen.«

Früher hatte er gemeint, Prutz, das sei ein bloßer Schlafrock von Ruge, in dem er sich's bequem mache. –   (103)

627. Alexander Weill   Sept. 1843

an K. A. Varnhagen v. Ense, Paris, Sept. 1843

Ich sehe Heine, aber ich gestehe, ich liebe ihn nicht mehr wie früher, seitdem ich alles weiß. Seine Artikel in der »Eleganten« sind langweilig.

(103)

628. Friedrich Hebbel   14. Sept. 1843

an Elise Lensing, Paris, 16. Sept. 1843

Herr Hagen war Anfangs nicht zu Hause, ich ging wieder fort, [. . .]. Dann ging ich wieder hin, er war noch nicht da, wurde aber abgeholt und kam bald mit Herrn la Roue *[Pierre Leroux!]*. Erst wollte mir der Landsmann nicht recht gefallen, während der Franzose mit seinen langen blonden Haaren und seinen großen aufrichtigen Augen mir gleich zusagte. Doch ist dieser Eindruck fast schon verwischt, der junge Mann fühlt sich freilich und da ich mich auf Musik nicht verstehe, so weiß ich nicht, ob er Grund dazu hat, aber ich sehe, daß man auf ihn wirken kann. [...]

Am nächsten Morgen führte er mich zu Gathy, den er kannte. [...] Bei Gathy erfuhren wir, daß auch Heine wieder in Paris sey. Wir gingen also zu ihm; Hagen war auch mit ihm bekannt. Wir trafen ihn im Hausflur, er war eben im Begriff, einen Besuchenden, den er mir später als A. Weill nannte, bis an die Thür zu begleiten und ließ uns in sein Visitenzimmer eintreten. Er wohnt hoch, aber elegant. Als er zurückkehrte, gab ich ihm Campe's Brief. Er öffnete ihn, hatte aber kaum einen Blick hinein gethan, als er ihn wieder aus der Hand legte und mit den Worten: »Sie sind Hebbel? Ich freue mich außerordentlich, Sie persönlich kennen zu lernen!« auf mich zueilte. »Sie sind Einer von den sehr Wenigen – fügte er hinzu – die ich schon zuweilen beneidet habe; ich kenne Ihre Judith noch nicht, nur Ihre Gedichte, aber die haben den entschiedensten Eindruck auf mich gemacht, ich hätte Ihnen manches Sujet stehlen mögen, namentlich den Hexenritt.« Er recitirte aus diesem einige Strophen; ich unterbrach ihn mit der Bemerkung, daß die Kritiker gerade dies phantastisch-bizarre Gewächs zum Tode verurtheilt hätten. Es kam nun gleich ein lebhaftes Gespräch zwischen uns in den Gang, wir wechselten die geheimen Zeichen, an denen die Ordensbrüder sich einander zu erkennen geben, aus, und vertieften uns in die Mysterien der Kunst. Mit Heine kann man das Tiefste besprechen und ich erlebte einmal wieder die Freude einer Unterhaltung, wo man bei dem Anderen nur anzuticken braucht, wenn man den eigensten Gedanken aus seinem Geist hervor treten lassen will. Das ist sehr selten. Er erzählte mir seltsame Dinge über Immermann und Grabbe, welchen Letzteren er sehr hoch hält. Von Immermann behauptete er, er habe sich dadurch getödtet, daß er das Jahre lang bestandene Verhältniß mit der Frau von Lützow aufgehoben und ein neues mit einer jungen Person angeknüpft habe. Der Tod, sagte er, ist nicht so zufällig, als man denkt, er ist das Resultat des Lebens, und man bedenke sich wohl, wenn man in späteren Jahren noch eine Haupt-Veränderung machen will. Dies finde ich außerordentlich wahr. Gegen Gutzkow zog er mit allen Waffen seines Witzes zu Felde. Ein Dichter, der keine Gedichte macht, sey wie ein Baum ohne Blüten; aber Gutzkow, meinte er, werde nicht zu kurz kommen, denn wenn er stürbe, so würde Wihl sich hinsetzen und die zur Completirung nöthigen Gedichte aus Freundschaft für ihn abfassen und seinem Nachlaß einverleiben. Auch auf einen sehr kitzlichen Punct, auf sein Buch über *Börne,* brachte er das Gespräch und ich verhehlte ihm meine Ansicht nicht. Im Allgemeinen hat Heine einen unerwartet günstigen Eindruck auf mich hervorgebracht. Er ist allerdings etwas angeründet, aber keineswegs dick und in seinem Gesicht mit den kleinen scharfen Augen liegt etwas Zutrauen-Einflößendes. Daß er Dichter ist, tiefer, wahrer Dichter, ein solcher, der sich nicht bloß auf gut Glück in's Meer hinunter taucht, um einige Perlen zu stehlen, sondern der unten bei den Feen und Nixen wohnt und über ihren Reichthum gebietet, das tritt aus seiner Gestalt, wie aus seiner Rede hervor. Seine Bemerkungen über Grabbe, Kleist, Immermann u. s. w. trafen jedes Mal den innersten Lebenspunct. Ich glaube, er ist der unerbittlichste Feind aller Mittelmäßigkeit, auch der wahrhaft poetischen, die es zu Nichts bringt, aber die Kraft weiß er zu respectiren. Uebrigens gab er sich Mühe, wie ich merkte, und darin folgte er Campe's Rath. Dieser schrieb ihm: »nehmen Sie Sich Selbst zusammen, denn Sie sehen in Hebbel einen Dichter, der bald –« Weiter konnte ich nicht lesen, aber was folgte, kann nichts Schlimmes gewesen seyn. Ich bitte Dich sehr, den vielleicht in Dir aufsteigenden Verdacht, als ob ich den Brief geöffnet hätte, fahren zu lassen. Ein solches Verbrechen habe ich nicht begangen, obgleich es für einen Schriftsteller nicht ganz gleichgültig seyn kann, wie Campe an Heine über ihn schreibt. Das Papier des Briefs war so durchsichtig, daß ich die Stelle lesen mußte, sobald mein Auge nur auf die Adresse fiel. [. . .]

Was Heine über Immermann sagte, das gilt auch von mir. Ohne Dich bin ich Nichts. (97)

629. Friedrich Hebbel   14. Sept. 1843

an Elise Lensing, Paris, 3. Okt. 1843

Herr Hagen hat, denke Dir!, schon Brochüren für Gutzkow geschrieben! Das erfuhr ich, als er mich zu Heine führte, von Heine. Er behauptet jetzt allerdings, daß die Zeit, worin das geschehen konnte, längst vorbei sey, auch will ich es glauben, wenn ich nicht annehmen soll, daß er der ärgste Heuchler ist, aber es ist und bleibt doch auffallend. (97)

630. Eduard Kulke   14. Sept. 1843

nach Mitteilungen Friedrich Hebbels   (*1878*)

»Ich sollte Sie eigentlich hassen« – sagte Heine, als Hebbel das erste
Mal nach Paris kam – »denn Sie sind die personificirte Widerlegung
meines Ausspruches, daß unsere Zeit nicht fähig sei, ein dramatisches
Genie hervorzubringen. Nun, da Sie doch da sind, seien Sie mir willkommen.«   (135)

631. Theodor Althaus   14. Sept. 1843

Gespräch mit Friedrich Hebbel über eine
Unterhaltung Hebbels mit Heine   (*1886, posthum*)

Heine hatte die Meinung ausgesprochen, kein Dramatiker sei Shakespeare näher gekommen als Grabbe, worauf Hebbel erwiderte: »Ich
sage Ihnen, niemand ist Shakespeare ferner gewesen als Grabbe, fern
wie die Krankheit von der Gesundheit.« Heine hatte dann viel von der
neueren Lyrik gesprochen, womit er natürlich seine eigene meinte.
Hebbel seinerseits hatte die ältere Lyrik hervorgehoben und der Versuchung widerstanden, als Pendant zu Heines Bemerkung über Shakespeare und Grabbe, die Ansicht zu äußern: Niemand sei Goethe näher
gekommen als Heine.   (2)

632. Friedrich Hebbel   Anf. Okt. 1843

an Elise Lensing, Paris, 3. Okt. 1843

Heine habe ich noch nicht wiedergesehen, da ich Sonntag erst in Paris
wieder eingetroffen bin, eben so wenig Gathy. Ich werde Beide in den
nächsten Tagen besuchen, um ihnen meine Adresse mitzutheilen; in
St. Germain hatte ich nicht das Recht, eine Gegenvisite zu erwarten.
Heine hat, wie mir Dr Bamberg sagt, sehr günstig über mich gesprochen; ich zweifle nicht an der Wahrheit, weiß aber nicht, ob es aus dem
rechten Grunde oder aus Klugheit geschieht. Mein Name fängt an,
etwas zu bedeuten, das merk' ich an allerlei Zeichen.   (97)

an Elise Lensing, Paris, 6. Okt. 1843

Heute morgen, es ist Freitag, ging ich zu Heine. Ich traf ihn in seiner Thür, im Begriff auszugehen. Er wollte umkehren, ich gab es nicht zu, wir gingen also auf den Boulevards mit einander spatzieren. Er klagte über Campe und wieder über Campe und noch einmal über Campe. Der behandle ihn noch immer, wie vor 15 Jahren; er werde sich gezwungen sehen, von ihm abzugehen u. s. w. Nachdem er mir seine Verhältnisse mit Campe lang und breit auseinander gesetzt hatte, ersuchte er mich geradezu, den Vermittler zu machen und Campe über ihn und seine Lage zu schreiben. Ich sah nichts Verfängliches darin, und versprach es ihm, werde es auch thun, vielleicht noch heute, aber natürlich mit höchster Vorsicht. Besonders wurmte es ihn, daß das einzige Blatt, das Campe zu Gebote stehe, der Telegraph, nur dazu da sey, ihn herunter zu reißen. Ich sehe, Campe verfährt mit allen Autoren auf gleiche Weise; auch gegen Heine beklagt er sich über Mangel an Absatz, und druckt dabei Auflagen, die für die Ewigkeit ausreichen könnten. Heine wäre übrigens auch ohne meinen Besuch zu mir gekommen; er hatte sich gestern von Hagen meine Adresse geben lassen, wie er mir sagte. Bei alledem gefiel er mir heute weniger, als das erste Mal, freilich klagte er über Kopfweh. Auch er fängt an, alt zu werden und deshalb die Welt für alt anzusehen; er meint, mit den großen Schriftstellern in Deutschland sey es wohl vorbei, ich erwiederte ihm: er möge sich hüten, in's feindliche Lager überzugehen und die frostige Anschauung, die er sein Lebelang bekämpft habe, selbst zu gewinnen. Er bat mich, ihm die Judith zu schicken, ich werde es thun, und wenn er das Werk nicht auffaßt und aufnimmt, wie dasselbe es verdient, so wird unser Umgang aufhören. Ich weiß, was es werth ist. (97)

634. FRIEDRICH HEBBEL 6. Okt. 1843?

Tagebuch, Wien, 1. März 1863

Heinrich Heine glaubte, unser gemeinschaftlicher Freund und Verleger habe nur die Eine gute Eigenschaft, daß wir ganz sicher bei ihm wären, indem er sich nie durch Großmuth ruiniren würde. (96)

Tagebuch, Paris, 14. Okt. 1843

Heine war bei mir und sprach mir über die Judith. Er habe sie in einer Sitzung gelesen und sie habe einen tiefen Eindruck auf ihn gemacht. Ein Urtheil über das Werk als Werk habe er noch nicht, aber über Einzelnes sey ihm schon Manches klar geworden. Daß dies Werk in unsrer Zeit möglich gewesen, sey ihm wunderbar; ich gehöre mit meiner außerordentlichen Gestaltungskraft noch unserer großen Literatur-Epoche an, in die jetzige Epoche der Tendenzen passe ich nicht hinein. Das Schöne des Werks, und besonders das Große, sey ihm gleich entschieden entgegen getreten; Vieles habe er bewundert und angestaunt. Es sey aber auch etwas Gespenstisches darin, und jedenfalls mehr *Wahrheit,* als *Natur,* ...... Natur wie man sie bei Shakespeare finde. Dies Gespenstische walte vorzüglich in der Schilderung der ersten Hochzeitsnacht, die sehr schön sey. Auch Holofernes in seiner Selbst-Vergötterung sey sehr tief angelegt und ich hätte ihm, dem blassen jüdischen Spiritualismus gegenüber, gern noch mehr kecke Lebenslust geben können. Doch sey Holof. nicht ganz so, wie das Uebrige, zum Vorschein gekommen, sondern gebrochen, wenigstens die Masse werde ihn nie verstehen. Die Darstellung der Zeit und des Volks sey mir ebenfalls, ohne daß ich nach Art der Romantiker in weitläuftigen Einzelheiten luxuriirt hätte, außerordentlich geglückt; ein einziger Zug gebe oft das Bild. Ich ginge denselben Weg, den Shakespeare, Heinrich Kleist und Grabbe gegangen. – Einige Tage zuvor sagte mir Dr Bamberg schon, daß Heine mit größter Anerkennung zu ihm über die Judith gesprochen und geäußert habe, ich sey der Bedeutendste von Allen.

(96)

635. FRIEDRICH HEBBEL   14./21. Okt. 1843

an Elise Lensing, Paris, 23. Okt. 1843

Du fragst nach Heines Urtheil über Judith. Es ist das Günstigste, Anerkennendste. Er sprach, als er mir sie wieder brachte, von Bewundern und Anstaunen; er hat hinter meinem Rücken gesagt: ich sey der bedeutendste Dichter von allen, und zu mir selbst: er begreife nicht, wie ein solches Werk in uns'rer Zeit möglich sey. [...] Uebrigens ist Heine, zum Theil wohl auf meinen Rath, vor 3 Tagen nach Hamburg abgereis't. Doch darf dies, falls er noch nicht da ist, Keiner wissen, denn er denkt zu überraschen.

(97)

an Sigmund Engländer, Wien, 25. Mai 1854

Hiebei mein Aufsatz über Heine zur gelegentlichen Uebergabe an ihn; er mag daraus ersehen, daß ich seine große Begabung nicht bloß schweigend verehre. Auch von ihm wäre mir ein Urtheil, z. B. über M[ichel] A[ngelo] von hohem Werth und ich darf das wohl aussprechen; vielleicht können Sie es in irgend einer Form, die mündliche nicht ausgeschlossen, vermitteln. Als er die Judith gelesen hatte, erklärte er mich persönlich für den letzten Römer uns'rer großen lit. Periode, ohne von Grabbe u. s. w. zu reden, meinte aber freilich zugleich und hatte sehr Recht, ich sey zu einer noch schrecklicheren Einsamkeit verdammt, wie selbst Lessing. Es wäre seiner nicht unwürdig, dieß Urtheil, das in seiner ganzen Ausdehnung und Wortfassung in meinem Tagebuch steht, einmal zu wiederholen; hat er denn nicht auch ein Michel-Angelo-Schicksal?   (97)

an Adolf Strodtmann, Wien, 3. März 1862

[Heine sagte im Herbst 1843, als er meine »Judith« und »Genoveva« gelesen hatte, zu mir:] »Nun bin ich an allen meinen Feinden gerächt: Sie schreiben Dramen, und Sie sind da, wie der Walfisch neben den Heeringen.« Er nannte auch die Leute, die er meinte, aber er schloß sein langes und geistreiches Gespräch über den Gegenstand (aus mehr als Einem Grunde merkwürdig) mit den Worten: »Ich sollte mich eigentlich über Sie ärgern, ich habe das Ende der Kunstperiode vorausgesagt und Sie beginnen eine neue. *Aber Sie sind genug gestraft; Lessing war einsam, Sie werden noch viel einsamer seyn.*« Dieser Worte, denen ich damals kein besonderes Gewicht beimaß, habe ich später oft, sehr oft gedenken müssen, und jetzt, mit den »Nibelungen«, stehe ich an dem Wendepunct, wo sich's entscheiden wird, ob sie für immer gelten sollen oder nicht.   (97)

Tagebuch, Paris, 21. Nov. 1843

Heine meint, es sey mit der Nationalität der Völker vorbei. Unstreitig, aber darum noch nicht mit ihrer Poesie. Im Gegentheil bin ich überzeugt, daß sie Alle noch Werke produciren werden, die, indem sie nicht mehr die streng-nationale Physiognomie tragen, die Welt-Literatur zugleich begründen und die National-Literatur abschließen.   (96)

640. FRIEDRICH HEBBEL   Okt. 1843

an Elise Lensing, Paris, 21. Nov. 1843

Ueber Heine erfahrt Ihr wohl Nichts. Es ist mir sehr unangenehm gewesen, daß er gerade jetzt nach Deutschland gegangen ist, nicht seines Umgangs wegen, sondern weil sich andere Folgen daran knüpfen können.   (97)

641. FRIEDRICH HEBBEL   Okt. 1843

an Julius Campe, Paris, 10. Dez. 1843

Heines Ankunft wird Sie so überrascht haben, wie mich seine Abreise, die ich aus einer mir von ihm gesandten Karte erfuhr. Ich wollte Ihnen über ihn schreiben, denn ich habe eine sehr entschiedene Ansicht über ihn gewonnen und es ist mir im Allgemeinen doch lieb, daß ich Ihrem Rath gefolgt bin und seine Bekanntschaft gemacht habe. Aber als ich Ihnen wegen des Geldes schrieb, war keine Zeit, weil die Post drängte, und ich konnte Sie bloß vorbereiten; nachher reis'te er und stellte sich Ihnen selbst als Object. Ich glaube nicht, daß er seine Thaten schon hinter sich hat, nur sollte er – aber ganz entre nous! – sich am wenigsten mit Leuten verbinden, die er selbst in's Leben rief, denn durch die Verbrüderung mit *seinem eignen Schatten* ward noch Keiner stark. Ich denke hiebei an einen Glacé-Handschuh, der allerdings angenehm duftet. Ich habe sein Urtheil auch speciell sehr schätzen lernen, er hat mir, als er bei mir war, über meine Judith mehr Wichtiges und Tiefes gesagt, als alle meine Recensenten – mit alleiniger Ausnahme von Wihl und Nielsen – zusammen, und ich habe auch für ihn einen Gesichtspunct. –   (96)

642. ANONYM   Okt. 1843

Pressenotiz   *(* Anf. Nov. 1843)*

Heine befindet sich in diesem Augenblicke in Hamburg; seine kranke Mutter wünschte ihn vor ihrem Tode noch zu sehen. Der preußische

Gesandte in Paris wollte ihm den Paß nicht visiren; Heine antwortete jedoch, daß es ihm in diesem Augenblicke nicht um seine persönliche Freiheit zu thun sei, und daß er selbst auf die Gefahr hin, diese zu verlieren, den Wunsch seiner Mutter zu erfüllen entschlossen sei. Er ist über Brüssel gereist, um sich in Antwerpen einzuschiffen.   (78)

643. François Wille   Okt./Nov. 1843

Heine-Erinnerungen   (1867)

Es war im Winter 1843, als er nach Hamburg kam und bald wie 1831 in dem Pavillon der Alster ziemlich regelmäßig in einem Kreise jüngerer Männer erschien, die meist alle – übermütige Jugend, nicht nach Würden suchend – zu der durch die Unterdrückung der »Rheinischen Zeitung« und der Ruge'schen deutschen Jahrbücher getroffenen Partei gehörten. Sein Buchhändler, der auch regelmäßig kam, hatte uns seine Ankunft von Paris schon lange vorher angekündigt und daß er ihn sogleich zu uns bringen werde. Julius Campe kam also an einem Abend mit dem Vater des jungen Deutschland in die Gesellschaft, welche Campe noch immer das »junge Deutschland« zu nennen pflegte. Mit behaglichem Selbstgefühl stellte er den Schriftsteller vor, der seinem Verleger so viel Geld und Ansehen eingetragen hatte: »Herr Doctor Heinrich Heine von Paris!« und dann Heine an die Hand nehmend und dicht zu mir führend: »Heine, das ist Wille!« Heine sagte dann mit einer sanften, etwas hohen Stimme, nachdem er mich, nach Weise sehr kurzsichtiger Leute die Augen halb schließend und dabei nervös mit den Lidern zuckend, genau ins Auge gefaßt: »Ja, man hat mir in Paris gesagt: wenn Sie in Hamburg einen Mann treffen, dessen blasses Gesicht ganz von roten Narben geteilt ist, so ist es Wille.« Ich lächelnd: »Leider ist mein Gesicht noch immer ein Stammbuch, nur nicht der Freunde, sondern der Feinde. Erlauben Sie mir, Herr Dr., Ihnen Hr. Dr. Fucks, den persönlichen Feind Gottes vorzustellen.« Heine hat sich bekanntlich dieser beiden Scherze erinnert und sie im Wintermärchen an unsere Namen geknüpft. Wie Molière sagte, wenn er irgendein vergeßnes spanisches Lustspiel benutzt hatte: ich nehme das Meine, wo ich es finde, nahm Heine keinen Anstand Einfälle, die er brauchen konnte, zu benutzen und durch die Art der Aneignung sein Eigentumsrecht zu beweisen. Mancher Wechselmakler der Hamburger Börse beansprucht noch heute ein Wortspiel der ersten Bände der Reisebilder und denkt, daß Heine mit durch ihn berühmt geworden.

Viele von Heines besten Witzen sind dagegen nicht gedruckt, aus Rücksicht auf die Persönlichkeiten, welche von der treffenden Bosheit zu arg verletzt worden wären, oder aus Rücksicht auf die gegen Worte immer sehr strenge moderne Anständigkeit.

Nun erschien H[eine] fast jeden Abend in unserem Kreise, immer gleich liebenswürdig, anspruchslos und sanft, leise auftretend, wenig mitteilsam, dagegen durch gut gestellte Fragen unsere Meinungen über die politisch-literarischen deutschen Zustände aushorchend, oft das Taschenbuch hervorziehend und sich Bücher oder Flugschriften und Blätter notierend. Zuweilen verabredete er mit mir noch kleine Spaziergänge am Mittag um die Alster herum, er klagte dann viel über seine jetzige Unpopularität (wahrscheinlich wegen des Buches »Heine über Börne«), daß er nichts mehr wagen dürfe, und ließ sich aber von meinem Glauben an ihn gern widerlegen und sagen: er könne nie genug wagen und nie genug seinem Genius vertrauen, alle Jugend sei für ihn und er habe eine treue Kirche an allen Leuten von Geist, gegen welche zuletzt die ganze Pöbelwelt und das gesamte ehrbare Philistertum ohnmächtig bleibe. Obgleich er öfter auf dieses Thema wieder zurückkam, neue Bedenken vorbrachte, wobei er immer wieder die Allgemeine Zeitung und die Kölner Zeitung, als die Blätter, aus denen er in den zehn Jahren des Exils seine deutschen Nachrichten zog, zitierte, so muß er doch unserer begeisterten Sympathie mehr geglaubt haben; denn es entstand in diesen Monaten das Wintermärchen »Deutschland«. (298)

644. François Wille   Okt./Nov. 1843

Heine-Erinnerungen (1867)

Allein, rühmte er sich gern mal seines Mutes, so geschah das in höchst unschuldiger und leicht durchschaubarer Weise, und naiv kindlich gab er im nächsten Augenblick ehrlich die Wahrheit zu. »Ja« – sagte er einmal von der Tücke seiner Feinde redend – »sie haben mir sogar das Persönlichste, das man hat, den Mut abgesprochen, sie haben mich der Feigheit beschuldigt, und bin selbst tollkühn zu nennen« und dann ging er zur unglücklichen Pariser Straußiade über. Ich erwiderte, als ob ich die Aufschneiderei gar nicht gehört hätte, einfach in bezug auf den Straußenhandel: »Hätten Sie nur einen guten Sekundanten gehabt, der sofort nach dem Straßenangriff den Strauß scharf gefordert hätte, so hätte der Kerl klein beigegeben und das Maul halten müssen.« »Ja«

535

rief Heine, die frühere Ableugnung des Angriffs und die jüngste Fan-
faronade total vergessend: »Ach, ich habe schon oft gedacht, wenn ich
Sie da gehabt hätte, wäre alles anders gekommen und gut gegangen!«

(298)

645. Charlotte Embden   Nov. 1843

Heine-Erinnerungen   *(ca. 1866)*

Bei seiner Anwesenheit in Hamburg baten meine Freunde mich, eine
soarée *[!]* zu veranstalten, um die Unterhaltung meines Bruders genießen zu können. Es war eine zahlreiche Gesellschaft um uns versammelt, und manch interessanter Name war dabei. Ich empfahl meinem
Bruder recht liebenswürdig den Abend zu sein, da er die Hauptpersohn
vorstellte; aber wie wurde ich getäuscht, gleich bei dem Eintrit[t], in
den Salon, erhaschte er eins meiner klein Töchter, setzte sich mit ihr in
einen Winkel, erzählte der Kleinen Märchen, und nahm alle mögliche
Nekkereien vor, um die Kleine in guter Laune zu halten, und ehe ich
mich versah, war er verschwunden. Den folgenden Tag als ich ihm
bittere Vorwürfe machte, gab er mir zur Antwort: ja mein liebes
Schwesterchen, du hast versäumt mich an einer Kette zu legen, mich
herum zu führen, und auszurufen, hier sehen sie den Dichter Heine,
der den lieben Gott den Tag abstiehlt, und nur dichtet.   (307b)

646. Julius Campe   Okt./Nov. 1843

an Karl Gutzkow, Hamburg, 23. Nov. 1843

Heine finde ich fast ganz unverändert, *ohne* dicken Bauch u[nd] alle die
Betisen welche man über ihn in den Cours gesetzt hat. Verändert ist er
allerdings, 13 Jahre ist er älter, ruhiger, besonnener, männlicher u[nd]
anspruchsloser, kurz nett u[nd] durchaus liebenswürdig ist er geworden. Seine Vornehmheit welche er dem Journal-Jammer entgegensetzte,
bewährt er ganz offen. Mit den deutschen Literaten ist er außer aller
Beziehung; für meine Bedürfnisse kann er mir nicht dienen; überhaupt
vom vielen Berathen u[nd] Rathen – kommt Verrath und davon bin ich
kein Freund. Pariser konnte er mir wohl empfehlen, aber aus dieser
Schule will ich keinen Redacteur haben, – das führt auf Abwege! (309)

Vom »Telegraphen« sagte er einmal in Hamburg: »Ich will nicht länger leiden, daß Campe mit dem Gelde, das er an mir verdient hat, ein Journal am Leben erhält, das gegen mich schreibt.«   (298)

648. Salomon Heine   Okt. – Dez. 1843

an Max Heine, Hamburg, 24. Jan. 1844

Harry von Paris wahr hier, hatt mir sehr gefallen, zu seinem Vortheil sehr gebessert.   (323)

649. Georg Schirges   Ende Nov./Anf. Dez. 1843

an Ludmilla Assing, Hamburg, 4. Dez. 1843

Sie haben sich [. . .] darauf gefreut, Heine in Berlin zu sehen. Es tut mir leid, Ihnen sagen zu müssen, daß er nicht nach Berlin gehen, sondern direkt in den nächsten Tagen nach Paris zurückkehren wird. Er fürchtet sich, seinem Besuch irgendwelche allgemeine Bedeutung beigelegt zu sehen; seine Reise ist eine Familien- und Geschäftsreise, nichts weiter. Vor einigen Tagen besuchte mich Heine. Ich hatte die Grippe in ziemlich starkem Grade und erkannte ihn nicht gleich. Er war liebenswürdig; wir sprachen selbst von Gutzkow, aber die wunden Stellen schmerzten nicht. Er wollte schon vorgestern fort, aber das war ein Freitag; gestern reiste er nicht, denn auf einem Sonnabend starb sein Vater; heute bleibt er noch, weil man Sonntags nirgend wegkommt, wo man gern gesehen. Sein Geschäft mit Campe scheint ihn befriedigt zu haben. Wir bekommen einen neuen Band »Buch der Lieder«, vielleicht später eine Gesamtausgabe sämtlicher Werke. – Er mag sich verändert haben, ich stellte mir Heine als einen Elegant vor. Das ist er nicht. Er hat Embonpoint, trägt keine *Strippen* unten an den Beinkleidern, keine Vatermörder, noch Manschetten, noch Handschuh; sein Gesicht ist rot, glattrasiert, die linke Seite partiell gelähmt, namentlich das Auge. Nur der Mund hat auf beiden Winkeln das satirisch-diabolisch-gemütliche Lächeln – »wenn ich wollte«, sagte er, »ich schriebe einen Kommentar zu den Par[iser] Briefen [von Gutzkow]; aber er (Sie wissen wer) kann es nicht leiden, daß man sich über ihn lustig mache.« – Wie H[eine] übrigens Gefallen an Leuten wie Wille, Campe und Kons[orten] finden kann, begreif' ich nicht und erwehre mich nicht des Spruchs: Sag' mir, mit wem du Umgang pflegst und ich will dir sagen, was an dir ist. Da sitzen sie abends in der Alsterhalle, im Tabaksqualm und Krämergelärm – nun, er mag sich wohl lustig machen. (103)

650. JOHANN HERMANN DETMOLD   10. Dez. 1843

an Karl Andree [?], Hannover, 10. Dez. 1843

Obzwar Ihnen persönlich unbekannt, wage ich es doch auf die Verbindung hin, in welcher ich mit dem von Ihnen geleiteten Institute stehe, [. . .] Ihnen zu schreiben und einen Freund an Sie zu adressieren, der Niemand anders ist als Heinrich Heine. Derselbe wünscht seinen wenn auch nur flüchtigen Aufenthalt in Köln zu benutzen und Ihre Bekanntschaft zu machen. [. . .] Sollte Heine noch andere Ihnen erreichbare Bekanntschaften dort anzuknüpfen wünschen, z. B. die des Herrn Dumont-Schauberg, so hätten Sie wohl die Güte dies zu vermitteln.

(324)

(1828/1837 und) 8.–10. Dez. 1843
651. JOHANN HERMANN DETMOLD

an Dr. Hirsch, Hannover, 10. Jan. 1844

Ich bin mit Heine seit 1828 bekannt und befreundet. In Paris haben wir 10 Monate hindurch zusammen gelebt: d. h. wir waren den ganzen Tag und wie's dort gehört, auch einen Theil der Nacht beisammen. Er ist mir als Mensch sehr lieb geworden und ich habe darüber ganz vergessen, daß er auch Dichter und berühmter Autor ist. Sein Besuch hatte für mich nicht die mindeste andere Bedeutung als wie jeder Besuch eines lieben Freundes, den ich seit 7 Jahren nicht gesehen, [. . .]. Als Heine mir in Campes Namen [die Redaktion des »Telegraphen«] offerirte, lehnte ich's natürlich sofort und für alle Eventualitäten ab, Heine aber, dem daran zu liegen schien, daß Campe alle Gutzkowschen Tendenzen von der Redaktion entferne, bat mich, wenn ich's Campe abschriebe, dem nicht alle Hoffnung zu nehmen, sondern in Aussicht zu stellen, daß ich über kurz oder lang dennoch die Redaktion übernehmen werde. Ich hab Campe die Sache rund abgeschlagen und nur gesagt, ich würde des weiteren mit ihm mündlich reden. Da hat er denn unterm 3. d. M. seine Anträge schriftlich und dringender erneut, worauf ich denn [. . .] ihm ausführlich geschrieben, daß weder jetzt noch je daran zu denken sei. (46)

652. Hermann Ebner   12.–14. Dez. 1843

Geheimbericht an die österreichische Regierung,
Frankfurt, 3. Jan. 1844

Dr. Karl Andree in Köln sprach sich jüngst in einem längeren Briefe über die dortigen Zensurverhältnisse aus. [. . .] Er glaube nicht, daß er es in Köln lange aushalten werde. [. . .] Heinrich Heine sei bei seiner Rückreise nach Paris bei Andree gewesen und habe ihn für das Unternehmen in Paris zu gewinnen gesucht. Nach Heines Aussage hätten alle liberalen Publizisten Deutschlands ihre Mitwirkung zugesagt und das Gedeihen der neuen Zeitschrift werde eine Lebensfrage für Deutschland werden. Andree will aber nur eine wahrhaft nationale Entwicklung und das Extreme vermieden haben. (69)

653. Friedrich Hebbel   Okt./Ende Dez. 1843

an Elise Lensing, Paris, 2. Jan. 1844

Heinrich Heine ist zurück. Ich bin mit ihm – ganz entre nous! – in einem eigenen Fall. Ich versprach ihm, an Campe wegen gewisser Mißhelligkeiten zwischen diesem und ihm zu schreiben. Dies geschah den Tag, an dem ich ihm die Judith mittheilte. Nachher fiel mir ein, daß ich vergessen habe, ihn zu fragen, ob es ihm auch recht sey, wenn ich Campe sagte, daß es auf seinen ausdrücklichen Wunsch geschehe. Da es an ihm war, mich zu besuchen, so konnte ich nicht zu ihm gehen, ich konnte Campe also, als ich des Geldes wegen an ihn schrieb, nur darauf vorbereiten, daß ich über Heine an ihn schreiben werde, aber noch nicht in's Specielle gehen. Hierauf kam er zu mir und sprach mir über die Judith; dann fragte er mich, ob ich geschrieben habe, ich antwortete: Ja, aber nur vorbereitend, ich muß erst wissen, ob u. s. w. Wir wurden unterbrochen, Mons: Hagen kam, wir veränderten das Gespräch, Heine bat mich um Genoveva und ging mit den Worten fort: Lassen Sie mich Sie recht bald sehen! Ich zögerte acht Tage, indem ich an meinem Stück arbeitete, da erhielt ich auf einmal gegen Mittag eine

Karte von ihm, des Inhalts: ich reise heute nach Deutschld und sehe
Sie erst in 6 Wochen wieder. Ich zog mich an und ging – er wohnt ganz
in meiner Nähe – zu ihm, er war nicht »chez lui«, aber als ich die
Treppe wieder herunter kam, begegneten wir einander. Nun blieb er
stehen, sagte, daß er um 6 Uhr abreise, sprach noch Allerlei, lud mich
aber nicht ein, mit herauf zu kommen. Dies verdroß mich (mit Recht
oder mit Unrecht?) und ich ging. Ich war in Zweifel, ob ich jetzt noch
an Campe schreiben solle, oder nicht, da er sich in Person stellte, die
Todes-Nachricht ging – jenes war am Freitag – am Sonntag ein, ich
unterließ es, ich dachte nicht mehr daran. Nun ist er wieder hier. Hätte
ich mich nicht durch den letzten Auftritt verletzt gefühlt, so würde ich
zu ihm gehen, denn er wohnt in Paris und ich halte mich hier nur auf,
er hat eine Gegen-Visite gemacht und ich kann nicht mehr prätendiren.
Aber jetzt? Neulich begegnete ich ihm im Palais royal, er sah mich, ich
ihn, wir sahen Beide unbefangen aus, aber er grüßte mich nicht, und
ich ihn nicht; ich dachte, er, als der aus Deutschland Zurückgekehrte,
müsse den Anfang machen, Dr Bamberg ist anderer Meinung. [...]
Etwas Herzliches kommt zwischen uns Beiden nie zu Stande, das ist
gewiß, aber ich stehe in der Sache nicht ganz, wie ich stehen mögte.

(97)

654. Julius Fröbel   Ende 1843

Memoiren   (*1890*)

In die letzte Zeit des Jahres 1843 fällt ein mehrmonatlicher Aufenthalt
in Paris, wo sich, mit dem Plane der »Deutsch-französischen Jahrbücher« beschäftigt, seit kurzem Ruge befand. Das Litterarische
Comptoir sollte dort eine Filiale gründen, in deren Verlage die Zeitschrift erscheinen sollte; das Unternehmen ist aber aus inneren und
äußeren, geistigen und materiellen Gründen ein totgeborenes gewesen,
und Ruge, welcher sich auf gut hegelisch durch die logische Konsequenz der revolutionären Idee in die Verbindung mit den Krethi und
Plethi der in Paris lebenden Deutschen hatte treiben lassen, welchem
Heine daneben die Frivolität hatte seine »Lobgedichte auf den König
Ludwig von Bayern« aufzuhängen, hat die Kosten des einzigen erschienenen Heftes, welches fast in seiner ganzen Auflage an der Pfälzer
Grenze konfisziert wurde, auf seine Privatrechnung übernommen.
Meine Reise nach Paris, auf welche ich meine Frau und diese ihr Kind,
unseren damals vierjährigen Sohn, mitnahm, wurde also in geschäft-

licher Beziehung zwecklos; für mich persönlich hatte sie aber den großen Wert, meine Welt- und Menschenkenntnis zu erweitern. Von Landsleuten traf ich dort, außer Ruge und Herwegh samt Frau, auch Heine, den ich besuchte und öfters bei Herwegh sah. (66)

655. HEINRICH BÖRNSTEIN   1843/1844
Memoiren   (*1884)

[...] der Gedanke eine *deutsche Zeitung in Paris* zu gründen, hatte mich schon lange beschäftigt; ich hatte oft mit Meyerbeer darüber gesprochen und ihn aufgefordert, im Interesse der deutschen Musik und Kunst sich daran zu betheiligen; aber er suchte die Idee mir immer auszureden und meinte, die Deutschen, die stabil in Paris wohnten, läsen französische Blätter, von den blos durchreisenden Deutschen könnten deutsche Journale keine Unterstützung erhalten, auch seien schon mehrere derartige Versuche gemacht worden und alle jämmerlich mißglückt.

Ich aber ließ nicht ab von dem Gedanken, verrannte mich förmlich darin, und suchte Mittel aufzutreiben, um ihn zu verwirklichen. – Da verließ Meyerbeer wieder einmal Paris, um sich nach Berlin zu begeben, wo er zum königl. General-Musik-Direktor ernannt worden war. Bei dem Abschiedsbesuche, den ich ihm machte, sagte er mir beim Scheiden: »Lieber Freund, ich bin zu Neujahr nicht hier und kann Ihnen daher meine Glückwünsche nicht abstatten; nehmen Sie also hier meine Gratulationskarte und behalten Sie Ihren aufrichtigen Freund in liebevoller Erinnerung.« – Ich nahm das kleine Couvert, das er mir gab und steckte es ein; – wie groß aber war mein Erstaunen, als ich, zu Hause angekommen, das Briefchen öffnete und darin eine Anweisung an M. Gouin, Meyerbeer's alten Freund, fand, mir *drei tausend Francs* auszuzahlen, nebst einigen Zeilen, worin er sagte, er glaube mir keine größere Freude bereiten zu können, als indem er mir die ersten Mittel liefere, meine Lieblingsidee einer deutschen Zeitung verwirklichen zu können; – wollte ich aber seinem wohlgemeinten Rathe folgen, so solle ich das Geld lieber für mich verwenden und es nicht in einem Zeitungsunternehmen nutzlos opfern.

Mit einer ähnlichen Ueberraschung hatte er, wie ich später erfuhr, auch Heinrich Heine bedacht, der ihm ebenfalls manchen Freundschaftsdienst erwiesen hatte. So waren denn alle Hindernisse und Schwierigkeiten mit einem Schlage beseitigt und am 1. Jänner 1844 erschien die erste Nummer des deutschen Blattes »Vorwärts«, das ein ganzes Jahr dauerte und fortbestanden hätte, wäre es nicht zuletzt von der französischen Regierung, auf die Reklamation fremder Höfe, unterdrückt worden.

Das »Vorwärts« war im Anfang ein constitutionelles Oppositionsblatt, ein Journal des *gemäßigten Fortschrittes,* mehr Unterhaltungsblatt, als politischer Tendenz huldigend und wurde in den ersten sechs Monaten, außer einigen Mittheilungen aus Deutschland, von mir, Bornstedt und Maretzek ganz allein geschrieben; – es kostete jährlich 24 Francs und erschien zweimal in der Woche. Es begann in Paris mit einem Kreise von fünfhundert Abonnenten, der sich aber jeden Monat mehrte, andere fünfhundert Exemplare gingen in die Departements, in die Schweiz, nach Belgien, nach Amerika und auch auf Schleichwegen, durch Mr. Alexandre in Straßburg, in die deutschen Rheinprovinzen; – in Deutschland und Oesterreich war das Blatt, trotz seines gemäßigten Tones, augenblicklich *verboten* worden, ja es durfte in deutschen Zeitungen nicht einmal *genannt,* viel weniger daraus citirt werden. Es war bei alledem eine eigene Schickung, daß dieses Blatt, welches später *ultra-radikal* und der eigentliche Vorläufer der Achtundvierziger-Bewegung wurde und besonders der preußischen Regierung unbequem ward, mit dem Gelde des *königlich preußischen General-Musikdirektors Meyerbeer,* der Persona gratissima am Hofe Friedrich Wilhelms war, gegründet werden mußte. Habent sua fata libelli. – (28)

656. KARL KAUTSKY   Dez. 1843 – Jan. 1845

nach Mitteilungen von Eleanor Marx-Aveling   (*1895)

Das freundschaftliche Verhältniß zwischen Beiden [Marx und Heine] war ein höchst herzliches, wie uns Eleanor Marx-Aveling aus ihren Erinnerungen an die Erzählungen ihrer Eltern mittheilt. Aber in diesen Erzählungen über Heine spielte die Politik keine Rolle. Eine viel größere die Dichtkunst und das Familienleben.

Es gab eine Zeit, wo Heine tagaus tagein bei Marxens vorsprach, um ihnen seine Verse vorzulesen und das Urtheil der beiden jungen Leute einzuholen. Ein Gedichtchen von acht Zeilen konnten Heine und Marx zusammen unzählige Male durchgehen, beständig das eine oder andere Wort diskutirend und so lange arbeitend und feilend, bis alles glatt und jede Spur von Arbeit und Feile aus dem Gedicht beseitigt war.

Dabei hieß es aber sehr geduldig sein, denn Heine war krankhaft empfindlich für jede Kritik. Er kam mitunter buchstäblich weinend zu Marx, weil irgend ein obskurer Literat in einem Blatt ihn angegriffen. Marx wußte sich dann nicht anders zu helfen, als ihn zu seiner Frau zu schicken, deren Witz und Liebenswürdigkeit den verzweifelten Poeten bald zur Raison brachte.

Aber nicht immer kam Heine Hilfe suchend, mitunter auch Hilfe bringend. Ein Fall wurde in der Marxschen Familie besonders gut in Erinnerung gehalten.

Die kleine Jenny Marx, ein Säugling von einigen Monaten, wurde eines Tages von heftigen Krämpfen befallen, die das Kind zu tödten drohten. Marx, seine Frau und ihre getreue Gehilfin und Freundin, Helene Demuth, standen verzweifelnd und rathlos um die Kleine herum. Da kam Heine, sah sie an und sagte: »Das Kind muß in ein Bad.« Mit eigener Hand richtete er das Bad her, legte das Kind hinein und rettete, wie Marx sagte, Jennys Leben.

Heine als praktischer Kinderwärter – dies Bild dürfte Manchen überraschen.

Marx war ein großer Verehrer Heines. Er liebte den Dichter ebenso sehr wie seine Werke und urtheilte auf das Nachsichtigste über seine politischen Schwächen. Dichter, erklärte er, seien sonderbare Käuze, die man ihre Wege wandeln lassen müsse. Man dürfe sie nicht mit dem Maßstabe gewöhnlicher oder selbst ungewöhnlicher Menschen messen.

(126)

1844
Paris

Zweite Reise nach Hamburg

657. (K. A. Varnhagen v. Ense)   Jan. 1844

Heine-Anekdoten   (* 20. 3. 1856)

Fürst Felix Lichnowsky war, so lange sein Vater lebte, oft schlecht bei
Gelde. Eine Weile lebte er von dem Clavierspieler Lißt und reiste mit
ihm. Davon nahm Heine Gelegenheit zu sagen: »Franz Lißt, dieser
großmüthige Beschützer talentvoller Fürsten.«   (261)

658. Friedrich Hebbel   14./20. Jan. 1844

an Elise Lensing, Paris, 21. Jan. 1844

Mit Heine ist schon Alles ausgeglichen. Wir begegneten uns in der
Dämmerung in der Rue Richelieu und grüßten uns fast zu gleicher Zeit.
Er sagte: ich habe an Sie sehr viel gedacht, wohin gehen Sie, gehen Sie
mit mir? Ich: ich habe einen anderen Weg. Er: dann geh' ich mit Ihnen.
In dem Augenblick aber bekam er etwas in den Hals, das er im Mund
gekäut hatte, konnte nicht weiter sprechen und mußte sich zu Hause
verfügen, lud mich aber natürlich ein, ihn zu besuchen. Ich that's, er
erkundigte sich mit großem Interesse nach meinen Arbeiten und hatte,
als ich ihm von der Existenz meiner neuen Tragödie sprach, die große
Aufmerksamkeit, mich um Mittheilung derselben zu ersuchen, er müsse
dazu aber einen Tag abwarten, wo er hell im Kopf sey, weil ihm sonst
zu viel in dem Werk entgehen würde; er klagt nämlich über Kopfweh
und mag auch wohl sehr damit geplagt seyn. Wir verabredeten nun,
daß er zu mir schicken solle, das ist noch nicht geschehen, aber er
spricht gegen dritte Personen mit der größten Achtung von mir; ich sey
einer der ersten Dichter, nicht bloß der Gegenwart, sondern die
Deutschland je gehabt habe. Du siehst, ein Genie ist gegen seines Glei-

chen immer gerecht, nur die Halb- Dreiviertel- oder Ganz-Talente, die ihm zwischen die Beine gerathen, zerstampft es. Er hatte gestern zu Bamberg, der ihn um 1 Uhr noch im Bett getroffen, gesagt, er sey nur seines Kopfwehs wegen noch nicht bei mir gewesen, er denkt mir also alle Visiten zu erwiedern, und das ist, da er Niemand besucht, sondern sich nur besuchen läßt, alles Mögliche. Du weißt, wie ich immer über ihn gedacht und gesprochen; Du kannst Dir also leicht denken, daß die Ausgleichung des Mißverständnisses mir lieb ist. (97)

659. Friedrich Hebbel   Jan./Febr. 1844

   an Elise Lensing, Paris, 13. Febr. 1844

Heine hat von sich bis jetzt Nichts hören, noch sehen lassen. Wenn man ihn sieht, so klagt er immer über Kopfweh. Ich sah ihn übrigens seit jenem Sonntag, von dem ich Dir schrieb, nicht wieder. Es ist gleichgültig. Vielleicht hätte ich ihm sagen sollen, daß und warum ich im Herbst nicht an Campe geschrieben habe. Ich glaube, er will mich lieber zum Freund, als zum Feind haben, und das ist ja auch so ganz unvernünftig nicht, aber er scheut jedes tiefere Gespräch, weil ihm die freie Beweglichkeit des Geists nicht, oder nicht mehr, so zu Gebote steht, wie mir. Da er, als ich zuletzt bei ihm war, davon sprach, daß er mich nächstens ersuchen würde, ihm mein Drama vorzulesen, so kann ich nicht wieder zu ihm gehen, sonst würde ich es mit den Gegenvisiten nicht so genau nehmen, um so weniger, als sein Besuch mich in meinem kalten Zimmer nur in Verlegenheit setzen könnte. Vielleicht ist er auch hier gewesen und die Concierge hat es mir nicht gesagt. (97)

660. (Alexandre Weill)   1844?

   Pressenotiz   (* 4. 10. 1846)

Un soir, M. Henri Heine fut invité, par Mme la comtesse Merlin, à assister dans sa loge à une représentation des Italiens. Il y avait à ce théâtre un ténor qu'on soupçonnait avoir appartenu à une famille privilégiée de Rome. Juste au moment, où M. Heine ouvrit la porte de la loge, occupée par la comtesse avec un monsieur et une dame, le ténor exécutait une roulade magnifique.
   – C'est admirable! s'écria la noble châtelaine de la loge. Et en se tournant vers le poète: – Que donneriez-vous, lui dit-elle, pour chanter si bien?

– Pas la moitié de ce qu'a donné cet homme, répondit le malicieux Allemand. (285)

Die Gräfin Merlin hatte Henri Heine eingeladen, eines Abends einer Vorstellung der italienischen Oper in ihrer Loge beizuwohnen. Es wirkte damals an diesem Haus ein Tenor, dem man nachsagte, zu einer der angesehensten Familien Roms gehört zu haben. Just, als Heine die Tür der Loge öffnete (in der sich außer der Gräfin noch ein Herr und eine Dame befanden), sang der Tenor eine großartige Koloratur-Passage.

»Wunderbar!« rief die edle Logenherrin aus. Und sich zu Heine umwendend, sagte sie: »Wieviel gäben Sie darum, so gut singen zu können?«

»Nicht die Hälfte von dem, was dieser Mann gegeben hat«, antwortete der spitzzüngige Deutsche.

661. FRIEDRICH HEBBEL　　　　　　　　　　　　März 1844
an Elise Lensing, Paris, 4. April 1844

Der edle Gutzkow hat seinen bisherigen Heldenthaten jetzt die Krone aufgesetzt. Er ist bekanntlich seit Januar nicht mehr Redacteur des Telegraphen, schreibt dafür aber das Feuilleton der Kölnischen Zeitung. In dieser ließ er neulich einen aus Berlin datirten Artikel erscheinen, worin er erklärte, daß Shakespeare nach seiner Ansicht nicht – *alleiniger* Verfasser seiner Dramen sey, sondern daß Andere, namentlich die Schauspieler, *mitgearbeitet* hätten! Heine hat sich über die Absurdität sehr gut gegen Dr Bamberg geäußert, er hat ausgerufen: das fehlte noch, der Schurke mußte auch noch einen *Königsmord* begehen! –
(97)

662. ARNOLD RUGE　　　　　　　　　　　　　Frühjahr 1844
an Ludwig Feuerbach, Paris, 15. Mai 1844

Mit Ihrem Urtheil über unsern Anfang der Zeitschrift, der zugleich ihr Ende ist, haben Sie mich nicht überrascht. [...] Mein Plan vom Jahr 1843, auf dem Wege der Subscription ein Kapital zur Gründung einer großen Verlagshandlung für Deutschland in Paris zusammenzubringen, war gescheitert. Fröbel fing nun dennoch – obgleich ich es für unmöglich hielt und ihn noch einmal ernstlich fragte – den Druck unsers Journals an; und als er nicht fortfahren konnte, fanden wir natürlich keinen neuen Verleger dieser hochverrätherischen Sachen. Der alberne Hochverrath, der, wie Heine sagt, in Deutschland es höchstens dahin bringt, daß er einen Burgemeister vertreibt und [. . .] dem Könige von Bayern die Fenster einschlägt, war nun gleich zur Vogelscheuche für die Philister geworden, obgleich er das Geringste in dem Hefte ist, denn erstlich existirt er gar nicht, weil z[um] E[rsten] Heine gar kein Bayer ist, und zweitens ist die englisch-französische Social-Theorie viel radicaler als die Auflehnung gegen die deutschen Bürgermeister. Der Hauptübelstand bei der ganzen Unternehmung war der Mangel an Geld und die Abgelegenheit von Paris. (216)

663. ARNOLD RUGE   1843/44
    an Ernst Kapp, Brighton, 18. Febr. 1870

Der arme Heine kommt auf seinen Judengott zurück, d. h. er kokettirt mit ihm. Als er hülflos dalag, sagte er einmal: »Wenn ich auf Krücken gehn könnte, ginge ich in die Kirche, wenn ohne Krücken, ins Hurenhaus!« Daß er mich zum Zerberus des philosophischen Schattenreichs gemacht, ist mehr, als er denkt; denn der Thürhüter weiß doch, wie's im Hause aussieht, was sein Fall ganz und gar nicht ist. Er hält nichts von der Philosophie, »weil man sie nicht essen kann«, und legt mir unter, »ich hätte ihn mit meiner Kritik am Austernessen oder vielmehr -Schlucken verhindern wollen«; und als ich sein Wintermärchen lobte, führte er mich dafür zu Eis und stellt sich so unempfindlich gegen die Kritik an! Aber er behandelt mich eigentlich nicht schlecht, denn daß ich harmlos mit ihm gelacht und gescherzt habe, ist wahr; nur hätt' er es nicht verschweigen sollen, wer ihn denn auf die politische Satire gebracht hat. Diese Wendung verdankt er Marx und mir. Wir sagten ihm: »Lassen Sie doch die ewige Liebesnörgelei und zeigen Sie den poetischen Lyrikern mal, wie man das richtig macht – mit der Peitsche.«
(216)

664. FRIEDRICH HEBBEL   April/Mai 1844
    an Elise Lensing, Paris, 17./18. Mai 1844

Heine habe ich seit seiner Zurückkunft aus Deutschland nur zwei Mal gesehen. Einmal – doch, das weißt Du! Als ich das zweite Mal zu ihm ging, fand ich ihn um 12 Uhr noch im Bett, wie er sagte, krank bis zum Sterben. Er ließ mich die Hand auf seinen Kopf legen, damit ich fühlen mögte, wie heiß er sey; ich gab ihm bei dieser Gelegenheit meinen Segen. Ich ging gleich wieder und sagte zu ihm, als er mir nachrief: Sie werden Sich doch nicht abhalten lassen, wieder zu kommen, ich erwarte ihn nun erst einmal wieder bei mir zu sehen. Ich hätte es nicht thun sollen, da er ja hier wohnt und jede Rücksicht gegen mich beobachtet hat, aber es war nun einmal geschehen. Vor 5 oder 6 Tagen fand ich seine Karte vor und nun will ich ihn morgen, Sonntag, besuchen, um so mehr, als ich Gelegenheit habe, einen wackern scandinavischen Landsmann, den Dr Lammborg aus Christiania, der für Rechnung der Schwedischen Regierung reis't, und Heine vor seiner Abreise gern zu sehen wünscht, dadurch, daß ich ihn zu ihm führe, zu verbinden.   (97)

665. FRIEDRICH HEBBEL   19./25. Mai 1844

  an Elise Lensing, Paris, 26. Mai 1844

Neulich war ich bei Heine. Ich führte ihm den Dr Langberg aus Christiania zu. Er hat immer Kopfweh, aber in dem Sinne, wie man Visite hat. Ich war gerade sehr gut aufgelegt und trug die Kosten der Unterhaltung ganz allein. Ich glaube, das innere Leben ist in ihm so ziemlich erloschen und nun schützt er beständig Krankheit vor, damit man nicht merke, daß er todt ist. Gestern traf ich ihn im Palays royal und wir gingen zusammen spatzieren. Ich berührte den Punct mit dem Telegraphen, aber nur ganz von fern. Er wurde augenblicklich Feuer und Flamme, und sagte: Sie müssen allerdings *herab* steigen, aber der Erfolg würde für *Sie* und, im schlimmen Sinn, auch für Herrn Gutzkow ein großer seyn, und wenn Sie den Telegraphen haben wollen, so betrachten Sie ihn nur gleich so, als ob Sie ihn hätten! – Ich weiß dieß recht gut; wozu soll ich mich entschließen? [. . .] Ich denke, der Dichter in mir ist doch auch etwas werth, und ob das Journal den nicht in 2 Jahren tödten würde, ist die Frage. Was ist nicht Alles zu erwägen! Ich kann nicht *viel* schreiben; lasse ich ihn aber durch die Mitarbeiter füllen, so gehen die auch mit dem Gelde davon. Dann Oehlenschläger! Du wirst verstehen. Selbst Heine! Niemand bilde sich ein, auch auf dem *Schlachtfelde* im *Hohepriester-Kleide* wandeln zu können!   (97)

Hebbel saß eines Tages in Paris in einem Kaffeehause; er hatte eben seinen »Haideknaben« gedichtet, und diese Ballade, weil ihm kein Blättchen Papier zu Gebote stand, auf die Umschlagseite eines Exemplares des »Buches der Lieder« von Heine niedergeschrieben. Neben ihm saß ein Herr (es war ein schwedischer Professor), der mit ihm unbekannterweise ein Gespräch anknüpfte. Nachdem derselbe zu Hebbel einiges Zutrauen gefaßt zu haben schien, sagte er: Sehen Sie, ich bin eigentlich wegen zweier Menschen nach Paris gekommen, um sie kennen zu lernen. Es soll sich nämlich, wie ich gehört habe, der deutsche Dichter Friedrich Hebbel gegenwärtig hier aufhalten. Das ist der Eine, und der Andere ist – Heine. Ich weiß nicht, ob es mir gelingen wird, das Ziel meiner Reise zu erreichen.

Nichts leichter, als das – sagte Hebbel.

Wie so?

Ich führe Sie zu Heine.

Ist's möglich? Sie kennen Heine?

Sehr gut.

O! wie sehr verpflichten Sie mich. Und Hebbel?

Den kennen Sie bereits; denn Hebbel bin ich selbst.

Man kann sich das Entzücken des Professors nun vorstellen, der sich da flugs am Ziel seiner Wünsche sah. Hebbel führte ihn zu Heine. Heine mochte gerade gut aufgelegt sein und glaubte nichts Anderes, als daß Hebbel ihm ein Opfer zuführe, welches er mit Behagen schlachten könne. Heine fing sogleich an, auf den harmlosen Professor einige Pfeile seines Witzes abzuschießen. Hebbel aber gefiel das durchaus nicht, und rasch fand er die geeigneten Mittel, um Heine von der beliebten satyrischen Richtung abzulenken.

Die Folge dieses Besuches war, daß der schwedische Professor sich von Heine möglichst ferne hielt, an Hebbel aber sich desto inniger und zutraulicher anschloß, [...]. 						(135)

Denken Sie sich, Heine nimmt sich unserer Sache sehr eifrig an und obgleich ich nicht glaube, daß er einen goldenen Ausweg finden wird, so muß man ihn doch in seinem radikalen Eifer liebenswürdig finden. Er hat sich um Buchhändler bemüht und ist noch dabei begriffen. (320)

668. ARNOLD RUGE   Frühsommer 1844
    Bericht über Parisaufenthalt   (* *1846*)

Unter den Deutschen in Paris gehört Heine zu den talentvollsten. An einer periodischen deutschen Publication in Paris nahm er das regste Interesse. [...]. Vor seiner Reise nach Hamburg, als die »deutsch-französischen Jahrbücher« eingingen, ließ Heine mehrere kleine Satiren in das tendenz- und bewußtlose Blättchen »Vorwärts« drucken und bemühte sich, aus dieser Publication etwas zu machen. Er gab in der That dadurch den Anstoß zu den späteren Schicksalen dieses kleinen Freibeuters. Zuerst bewog er mich, einen Brief an die »New-Yorker Schnellpost«, als ich ihn eben absenden wollte, dem »Vorwärts« mitzutheilen, und drang sehr in mich, die Leitung des Blättchens zu übernehmen, ja, er wollte sogar, wenn ich ein Gleiches thäte, zur neuen Begründung und Fortführung eine Summe beisteuern. Sowohl die Vergangenheit des Blättchens, als auch seine wahrscheinliche Zukunft, die schwerlich eine Wirkung über Paris hinaus versprach, ließ mir die Sache als unpassend erscheinen. Dagegen übernahm Bernays, der früher eine Zeitlang die Mannheimer Abendzeitung redigirt hatte, die Leitung des »Vorwärts«, er übernahm sie, d. h. er hatte sich auf eine merkwürdige Weise durch die stärksten und directesten Angriffe der ursprünglichen Redaction imponirt. Ich habe solche Erfolge, die gegen alle Kriegsregeln sind, früher für unmöglich gehalten und eben deswegen eine Weile auch an fernere Eroberungen des kleinen regsamen Menschen geglaubt. Diese waren aber von der niederschlagendsten Art. Das Blatt wurde allerdings etwas, es wurde communistisch; aber der Exceß und die Ohnmacht erschienen unter ihm und dem späteren Redactions-comité als der Charakter desselben, bis zuletzt die Herren Redacteure ihre Liebesabentheuer beschrieben und aus der Aufrichtigkeit, mit welcher die armen Betrogenen blosgestellt und bezeichnet wurden, eine »sociale« Maxime machten. Seltsamer Weise erhitzte sich die deutsche Diplomatie wegen einiger Neckereien gegen hohe Häupter so sehr, daß sie es im Laufe des Jahrs 1844 zu einer Verurtheilung des Redacteurs und im Januar 1845 zu der bekannten Verweisung von zwölf deutschen Schriftstellern aus Paris brachte.   (214)

669. (Theodor Creizenach)   Sommer 1844

nach anonymen Mitteilungen   (* *19. 4. 1856*)

Heine's Verbindung mit Ruge und der ganzen äußersten Linken des Hegelthums war ebenso wie seine Annäherung an communistische Lehren rein äußerlich. Von beschaulicher Natur, der Grundanlage seines Wesens nach vielseitig und über jede Richtung billig urtheilend, hatte er das Unglück, sein Leben in einer Parteisphäre zuzubringen, in welcher active Einseitigkeit eine Tugend ist. Er fühlte wohl, daß zwischen ihm und jenen kategorisch absprechenden Feinden jeder Schwärmerei und »Schrulle« eine Kluft war. »Sind Sie mit der Richtung meiner Freunde einverstanden?« fragte ihn ein Mitarbeiter jener »deutschfranzösischen« Jahrbücher. »Mit der Hinrichtung Ihrer Feinde wäre ich allenfalls eher einverstanden«, war die Antwort.   (42)

670. Friedrich Kücken   1844/1845

an Johann Vesque v. Püttlingen, Paris, o. D. (1844/1845)

Vielleicht finden Sie einen kleinen Gegendienst darin, daß ich dem Heine, mit dem ich viel zusammentreffe u[nd] der mich sehr oft besucht, all' Ihre Compositionen zu seinen Gedichten vorgesungen u[nd] gespielt habe. Er läßt Ihnen viel Schönes darauf erwiedern. Ganz besonders hat ihm »Das schlechte Wetter« gefallen. Es ist auch wirklich eine vortreffliche, in allen Theilen gelungene Composition. Schade daß eine französische Übersetzung der Heineschen Gedichte fast eine Unmöglichkeit ist. Maurice Bourges, der 8 meiner Lieder übersetzt hat, *weiset* jedes Heinesche Gedicht entschieden zurück. Dem Schlesinger geht es aber schlecht mit diesen Liedern. Kaum erschienen kündigt die Schönenbergersche Musikhandlung ebenfalls eine Übersetzung an und wahrscheinlich wird sie auch den Preis ermäßigen.   (101)

671. Friedrich Hebbel   Juni 1844

an Elise Lensing, Paris, 19. Juni 1844

Von dem früheren und späteren Eintreffen der Antwort Campe's, und von ihrer Beschaffenheit, hängen nun meine weiteren Schritte ab. Wenn er das geforderte Honorar für das Stück bewilligt, so thut er sehr viel, denn es sind doch fast 600 Mark, und Heine hat für sein neuestes Werk

nur 1000 Mark gefordert, und zweifelt stark, ob er sie erhält. »Er wird
sich den Hirnschädel einstoßen, wenn er meinen Brief lies't – sagte
Heine – denn er wird so hoch springen, daß er den Boden berührt.« Ich
gestehe, dieß hat mich sehr bedenklich gemacht. Heine, der seit 1826
einer der gefeiertsten Autoren ist, dessen Reisebilder 4 Auflagen erlebt
haben, fordert noch nicht ein Mal so viel, wie ich, und glaubt, sich auf
ein Nein gefaßt machen zu müssen. [...]

Heine habe ich in der letzteren Zeit wieder öfter gesehen. Neulich
war er bei mir und ergoß sich in guten Einfällen über Gutzkow, den er
über alle Maaßen, und mehr als der Wicht seiner Potenz nach verdient,
zu hassen scheint. Glauben Sie mir, sagte er, der Mensch wird nicht
wiedergeboren; nur in Napoleons Zeitalter war er möglich, denn wie
die Natur in Napoleon alles Große, so faßte sie in Gutzkow alles Kleine
zusammen, er ist der Abtritt der Natur! Und eigentlich, setzte er hinzu,
hat ihn gar nicht die Natur gemacht, sondern Schiller hat ihn auf dem
Gewissen; er ist der Schufterle aus den Räubern.   (97)

672. FRIEDRICH HEBBEL   Juli 1844

    Tagebuch, Paris, 4. Juli 1844

»Auf einem Weibe liegend und Shakespearsche Tragödien dichtend!«
(H.)   (96)

673. FRIEDRICH HEBBEL   10. Juli 1844

    an Elise Lensing, Paris, 11. Juli 1844

Ich ging Nachmittags um 3 Uhr aus und empfing ihn *[Deinen Brief]* in
der Loge der Portière, [...] und da mir auf Boulevard Heine begegnete
und ich mit diesem bis 5 spatzieren ging, so ließ ich ihn bis dahin un-
eröffnet und ungelesen. [...]

Von Campe habe ich noch keine Antwort. Das kann mich nicht *befremden,* da er nicht in Hamburg ist, und um so weniger, als er auch
Heine, der schon länger wartet, als ich, noch nicht geantwortet hat.
Heine hat schon nachgeschrieben, er hat seine Reise in's Bad aufgegeben, bloß wegen dieses Stillschweigens von Campe, und wird
nächstens wieder persönlich nach Hamburg gehen.   (97)

an Elise Lensing, Rom, 26. Juli 1845

Ein Schriftsteller, wie Lewald, hat für seine sämmtlichen Werke 12 000
Ich ging Nachmittags um 3 Uhr aus und empfing ihn *[Deinen Brief]* in
Thaler bekommen, welches 600 [Thale]r Zinsen macht; eine ähnliche
Summe kann mir in 8 bis 10 Jahren nicht fehlen, und das ist ein hin-
reichendes Fundament eines unabhängigen Daseyns. Das Factum mit
Lewald weiß ich von Heine.   (97)

675. Charlotte Embden   ca. 23. Juli 1844

Heine-Erinnerungen   *ca. 1866*

Nach langer Tren[n]ung, sah ich meinen Bruder im Jahre 43 wieder,
und das in Hamburg, nach dem großen Brande. Er schrieb vorher: ich
komme mit Familie, nemlich Frau und Cocotte den Papagei. Seine Frau
wollte sich nicht von ihrem Liebling trennen, und machte wirklich die
Reise von Paris über Haver *[!]* nach Hamburg mit ihrem Cocotte. Das
erste Wort was Mad. Heine mit mir sprach, war, daß der arme Vogel
Seekrank war, sie schien in dem Augenblick auch nur Sinn für ihren
gefiederten Liebling zu haben. Sie trug den kleinen Vogel in einem
hölzernen Kasten, und vertraute ihn Niemand an, sein schöner messing
Käfig wurde nach geschlep[p]t. Mein Mann der sehr höflich, und vorzüglich galant gegen Damen war, empfing seine Gäste am Hafen, er
erbot sich den kleinen Kasten zu tragen, ohne zu wissen was er enthält;
aber nein, er wurde ihm nicht anvertraut. Als aber Md. Heine die ein
ziemliches en bon point hatte im Wagen steigen wollte, konnte es
mit dem Kasten nicht glükken, sie war also gezwungen die Galanterie
meines Mannes in Anspruch zu nehmen ihm den Kasten so lange
anzuvertauen bis sie es sich bequem gemacht hätte; aber o Himmel,
der kleine Gefangene steckte das Köpfchen heraus, und biß meinen
Mann in den Finger. Da er nur Augen für die schöne Frau hatte, und
nicht ahnte daß der Kasten etwas lebendiges enthielt, schleuderte er
ihn vor Schreck weit weg. Das zetergeschrei der Mad. Heine, das
Lachen meines Bruders, das HülfeGeschrei des Papageis, und die
Erstarrung meines Mannes, war eine der komischsten S[c]enen. Mad.
Heine weinte, mein Mann entschuldigte sich, und mein Bruder kam von
einem Lachen ins Andere. Glücklicherweise war der Vogel unbeschädigt
geblieben.   (307 b)

Allein, als es [»*Deutschland. Ein Wintermärchen*«] vollendet war und in
Hamburg gedruckt werden sollte, war es Julius Campe, der Furcht
hatte, der da meinte, es ginge wirklich nicht, das Gedicht jetzt heraus-
zugeben, es werde sich ein Sturm erheben, noch stärker als bei dem
»Heine über Börne«, man riskiere, den ganzen Erfolg der früheren
Werke zu untergraben, die öffentliche Meinung, die Kritik, Polizei und
Bürger würden in Harnisch geraten, dabei sei von den zu erwartenden
Verboten noch gar nicht gesprochen usw. Heine war in heller Verzweif-
lung, als er mir diese Einwendungen Campes mitteilte. Nach einigen
Tagen kam er indes etwas beruhigter zu mir: »ich bin – sagte er – mit
Campe darüber eins geworden, daß Sie entscheiden sollen, ob man den
Druck wagen soll und daß, was Sie streichen, wegbleibt. Wann darf ich
Ihnen das Manuskript zu lesen geben?« Es wurde ausgemacht, daß ich
es am nächsten Morgen bei ihm lesen solle. Als ich zu ihm kam, drückte
er mir eine Rolle in die Hand und begab sich in seinen veilchenblauen
Sammetschlafrock gehüllt ins Nebenzimmer, aus dem ich ihn, sobald
ich gelesen, durch Anklopfen erlösen solle. Ich war mit der Handschrift
allein. Von mehreren vorhergehenden Umarbeitungen, deren die Vorrede zur zweiten Auflage der »Neuen Gedichte« Oktober 1844 später
erwähnt, weiß ich nichts. Gewiß ist, daß das Gedicht, wie es gedruckt
worden, dasselbe ist, das ich auf Heines Zimmer zu Hamburg auf der
Esplanade gelesen, und welches keine weiteren Änderungen erlitten, als
daß die wenigen Verse, gegen welche ich Bedenken hatte, weggeblieben
sind. Ich las die von des Dichters großer deutlicher Hand geschriebenen
Bogen so rasch durch, daß er, als ich an die Tür pochte und »So kommen Sie doch heraus« rief, scheinbar wie erschrocken sagte: »Sind Sie
schon fertig? Was sagen Sie denn nun?« Das, was ich ihm sagte, ist
ungefähr folgendes, und ich hörte hernach von ihm, daß meine Stimme
und der Ausdruck meiner Züge meine glückliche Stimmung sichtbar
machten und meine Worte bestätigten, als ich seine beiden Arme faßte
und ihm sagte: »Ich kann Ihnen nur erklären, daß ich, um mich eines
Herderschen Ausdrucks aus der ›Kalligone‹ zu bedienen, mit dem
Gedichte congenial geworden bin, das heißt, daß in mir beim Lesen
die gleiche göttliche Lust aufgegangen, mit welcher der Genius es
gezeugt und empfangen. Der lachende, alle Dummheit und Lüge der
Welt spielend überwindende Humor, der selige Übermut des Scherzes
und Witzes, die ganze Glückseligkeit der Weltbefreiung durch Kunst

und Poesie sind mit den preciösen Versen auch in mir eingezogen. Ich freue mich über Sie, über die Welt, über mich, daß Sie das prächtige tolle Ding gemacht, daß ich es zuerst genossen, und daß es zur Welt gekommen ist. Aber einige Verse müssen notwendig weg, nicht aus Rücksicht auf Thron und Altar, um die wir uns nicht zu scheeren haben, sondern in Ihrem Interesse und des Gedichts wegen.« Hätte auch nicht eine so besondere Veranlassung und bestimmte Aufforderung vorgelegen, so würde doch die nicht nur Unwahrheit, sondern jede vorsichtige Rückhaltung ausschließende Höhe der Stimmung, Liebe und Bewunderung für den Dichter mich die Erfahrungen haben vergessen lassen, die ich bisher noch immer bei allen ausgezeichneten Künstlern und Dichtern erlebt hatte: die leichtesten, freundschaftlichst gemeinten Ausstellungen begegneten meist von Gereiztheit oder schmerzlichem Befremden zeugenden Einwendungen, einem »das gerade ist andern als meine beste Leistung erschienen« oder stolzem Schweigen. Anders das Genie, im Bewußtsein eines aus unerschöpflichen Quellen fließenden Reichtumes. Heine fragte »welche?« und strich sie durch ohne weitere Einwendungen. Ich darf aus den mir noch erinnerlichen die folgenden anführen, weil Ähnliches auch sonst in seinen Werken vorkommt. Da war im dritten Kapitel hinter den Worten

> »Nur fürcht ich wenn ein Gewitter entsteht
> Zieht leicht so eine Spitze
> Herab auf Euer romantisches Haupt
> Des Himmels modernste Blitze«

ein Vers, dessen Spitze eine Warnung auch von den hohen Reiterstiefeln war, die einmal am Davonlaufen hindern könnten. Ich sagte ihm: »Das schickt sich nicht für Sie, ein ganzes tapferes Volk dürfen Sie nicht beschimpfen wollen, und wenn Sie die Officiere allein meinen, so haben Sie auch Unrecht, mögen noch so viele einfältige, ungebildete Esel und hochmütige Gecken darunter sein, aber davon laufen werden sie wahrhaftig nicht, darauf können Sie sich verlassen.« Er strich den Vers. Kapitel IV hieß es:

> »Die Enkelbrut erkennt man heut
> An ihrem Judenhasse«

Ich: »Was gehen Sie noch die Juden an? Sie haben ja weder für ihre Nationalität noch ihre Religion Sympathie? und warum im Moment, wo Sie dort den einen Nationalismus verhöhnen, hier für einen andern Schwäche zeigen?« Er änderte das Wort »Judenhaß« in »Glaubenshaß«

usw. Das Opfer einiger reizender, aber sehr mutwilliger Verse, gegen die aber schon Campe's Veto vorlag, durfte uns mehr Leid tun.   (298)

677. ANONYM   Aug. 1844

Korrespondenz aus Hamburg   (*Sept. 1844)*

Heine hat [...] weniger Embonpoint, als bei seiner Anwesenheit im vorigen Spätherbst. Sein Witz hat sich vielleicht der blassen Fettwangen geschämt – Hier noch eine Anekdote, [...] die mir als vollkommen wahr erzählt wurde. An der Tafel seines Onkels kam das Gespräch neulich auf Heine's Polemik in Versen gegen den König von Baiern. »Hör' mal, Du!« sagte der alte wackere Salomon zu seinem Neffen, »ich begreif' nicht, wie Du Dir so was herausnehmen kannst gegen 'nen König. Was bist Du gegen den? 'n Lump bist Du!« – »Da hast Du freilich recht, Onkel«, antwortete der Dichter äußerst gelassen: »aber siehst Du, das Versemachen ist mein Geschäft. Der König von Baiern macht auch welche, beeinträchtigt mir mein Handwerk und das brauch' ich nicht zu leiden, – also –«   (79)

678. AUGUST SCHMIDT   Aug. 1844

Bericht über Hamburg-Aufenthalt   (*1846)*

Nach Hamburg zurückgekehrt *[von Altona]*, machte ich einen Besuch bei Heinrich Heine. Ich fand den Dichter nicht zu Hause, von einer Dienerin erfuhr ich, daß Heine am sichersten in den Frühstunden zu sprechen sei. Ich übergab ihr meine Karte und ersuchte sie, mich für den künftigen Morgen bei ihrem Herrn anzusagen. [...] Den andern Morgen fand ich jedoch weder sie noch irgend Jemand, der mich anmeldete, und mußte mich daher selbst introduciren. – Eine halbe Stunde darauf stand ich auf der Esplanade und ging dem neuen Jungfernstieg zu. Ich rieb mir die Stirne, als wollte ich den gehabten Eindruck aus meinem Gedächtnisse verwischen [...] – zuletzt ärgerte ich mich über mich selbst, über meine mondscheinige Sentimentalität, und gewaltsam unterdrückte ich jedes Urtheil über ihn, das aus meinem gährenden Innern aufsteigen wollte. »Sie werden mich morgen gewiß besuchen?« hatte er zu mir gesagt, als ich mich empfahl, und dieß war das einzige freundliche Wort, das er mit mir gewechselt. [...] Er hatte die Verehrung seines Talentes, die ich in ungeschminkten Worten gegen ihn aussprach, mit kalter Indifferenz aufgenommen und ich kann mich darüber ärgern! Wie oft mag Heine dieses Thema in den verschiedenartigsten Variationen schon vorgespielt worden sein und ich bin erstaunt, daß es ihn nachgerade anekelt? [. . .] Doch nein, ich streute ihm keinen Weihrauch, ich warf ihm nicht fade Schmeicheleien an den Kopf, ein paar schlichte, herzliche Worte, die sich unwillkürlich aus meinem Innern herausdrängten; ich konnte sie nicht zurückhalten, sie galten dem Dichter Heine, dem Dichter, mit dem ich einst in jugendlicher Begeisterung geschwelgt; was konnte der Herr im violettsammtnen Schlafrocke mir gegenüber davon wissen, wußte er doch nicht einmal, daß Lenau von seinen Landsleuten gelesen wird.   (228)

679. AUGUST SCHMIDT   Aug. 1844

Bericht über Hamburg-Aufenthalt   (* 1846)

Der nächste Morgen fand mich wieder bei Heine. Ich war ruhig geworden und hatte die überschwenglichen Ideen, jene Phantasmagorien einer verkörperten Lyrik in der Person Heine's zu Hause gelassen und siehe, heute war Heine ein Anderer, weil ich selbst ein Anderer war. Wir sprachen über Musik im Allgemeinen, und seine Bemerkungen überraschten mich. Heine ist Musiker, er sagt selbst, daß sie ihm vom wissenschaftlichen Standpunkte aus ferne liege, und doch sind seine Ansichten so richtig, seine Urtheile so treffend. So sprach er mit mir über Meyerbeer und Mendelssohn, und ich gestehe, noch nie einen geistreicheren Vergleich zwischen beiden vernommen zu haben. Heine geht nicht ein auf die einzelne Kunstrichtung dieser beiden Tonmeister vom musikalischen Standpunkte aus, sein Gesichtskreis ist ein weit ausgedehnter, ein übersichtlicher; er zieht sein Urtheil aus den Wirkungen. Der Einfluß, welchen die Leistungen des Künstlers auf's Allgemeine üben, gibt ihm den Maßstab zur Ermittlung der Kunstgröße. Er hält an dem Principe der Popularität und dehnt ihren Begriff auf die einzelnen Theile der Künste aus. Heine ist kein Redner, sein Wort wirkt nicht elektrisch zündend auf den Hörer, allein seine Rede, so schmucklos sie erscheint, ist durchdacht, sie umspinnt langsam und zieht Jenen, an den sie gerichtet, unwillkürlich ins Interesse. Fehlt seinem Gespräche auch nicht der ironische Beigeschmack, der mitunter sogar sarkastisch wirkt, so verliert er doch nimmer den Gegenstand aus den Augen; und so wenig es ihm darum zu thun ist, seinen Humor in einzelnen Witzfunken leuchten zu lassen, eben so wenig ist er bemüht, seinen Worten eine tiefsinnige Bedeutung zu unterlegen. Er weiß den Verstand zu beschäftigen, und wollte er es ja, er vermöchte gewiß auch das Gefühl anzuregen. Wir sprachen über jene seiner Gedichte, die bereits in Musik gesetzt worden. Er kannte wenige von ihnen, drückte jedoch gegen mich den Wunsch aus, ihn auf einige aufmerksam zu machen. Ich versprach ihm alle derlei Compositionen, die mir unterkämen, wenigstens dem Titel nach ihm bekannt zu geben. Bei der Gelegenheit theilte er mir die Idee mit, die ihn sehr zu beschäftigen schien, nämlich: die Feststellung des Eigenthumsrechtes der Dichter gegenüber dem Componisten. Ich gestehe zu, daß sie allerdings viel für sich hat, vielleicht auch in Frankreich ausführbar sein mag, ob sie sich jedoch in Deutschland als praktisch erweist, das ist eine Frage, die ich jetzt nicht zu entscheiden wage. [. . .]

Die Zeit war in Heine's Gesellschaft schnell geschwunden, und es würde der Mittag herangerückt sein, ohne daß ich es gemerkt hätte, wäre nicht ein Besuch gekommen, der mich aufbrechen hieß. Beim Abschiede nahm er mir noch einmal das Versprechen ab, ihm nach Paris zu schreiben, und das freundschaftliche Verhältnis mit ihm auch in der Entfernung fortzusetzen; er zeichnete sich deshalb selbst in mein Tagebuch ein, und ich verließ den Dichter in einem Gefühle, das sehr verschieden war von dem des vorigen Tages.   (228)

680. LUDWIG V. EMBDEN   Sommer 1844

Heine-Erinnerungen   (* *1892*)

Heine nahm seine Mahlzeiten gewöhnlich im Hause meiner Eltern ein, und blieb dort oft die Abende im fröhlichen Geplauder bei einer Tasse Thee. Meine Schwester Anna, sein Liebling, bereitete denselben und hatte vorzugsweise viel von seinen Pikanterien zu erdulden.

Fast jedesmal neckte er: »Ist das auch eine Tasse Thee, als wenn Du sie für Dich selber bestimmt hättest, oder ist es Camillenthee?« – Dieser sich wiederholenden Neckerei müde, reichte sie dem Onkel eines Tages eine Tasse wirklichen Camillenthee, welche er schaudernd vom Munde setzte, ausrufend: »Brr! das Backfischchen hat sich gerächt!«

Heines Lieblingsaufenthalt war der Pavillon am Alsterbassin, wo er fast täglich verkehrte und mit seinen Freunden Dr. Wille, Julius Campe, Dr. Fuchs, Mich[a]elis, Dr. Carl Toepfer, Professor Zimmermann und dem Maler Kizero plaudernd verweilte. –

Manchmal war es mir vergönnt, ihn begleiten zu dürfen, und dann saß er entweder wortkarg, träumerisch in die sich kräuselnden Wellen der Alster blickend, mit den Augen einen vorüberziehenden Schwan verfolgend, oder gesprächig mir vortreffliche Anweisungen gebend, welche Bücher ich für meine Lektüre wählen sollte. Er warnte mich vor zu vielem Zeitungslesen, da weniger davon im Gedächtniß bliebe, als selbst von einem nur mittelmäßigen Buche. Für Jean Paul habe er eine hohe Werthschätzung, und müsse ich seine Werke langsam und aufmerksam lesen, was für mein ganzes Leben Früchte tragen würde. Auch könne er mir nicht genug empfehlen, in Ermangelung des so wenig vertretenen komischen deutschen Romans mich mit Charles Dickens Werken vertraut zu machen. –

Das schöne Zusammensein nahm für uns alle ein zu frühes Ende, denn Heines französischer Verleger verlangte dringend seine Anwesenheit in Paris, und nach zärtlichem Abschied kehrte er Anfangs October mit dem Dampfschiff über Amsterdam nach Paris zurück. – (55)

---

681. FRANÇOIS WILLE   Sommer 1844

Heine-Erinnerungen   *(1867)*

Einmal hatte der besonders durch die in der Schweiz erlittenen Verfolgungen bekannte Kommunist, der Schneider Weitling, der eben 1844 aus Amerika zurückgekehrt war, uns seine Ideen zur schnellen Weltverbesserung auseinandergesetzt und ich mich hinreißen lassen, ihm Einwendungen zu machen, Heine ihm aber immer freundlich beigestimmt. Als Weitling uns verlassen, sprachen wir davon, daß es immer die gefährlichste Klippe der autodidaktischen Halbwisser sei, daß sie alle ihre Einfälle für noch nie dagewesen hielten und nichts von den ungeheuren Arbeiten der Vergangenheit ahnten. »Dergleichen Autodidakten« sagte Heine – »erinnern mich immer an den polnischen Judenjungen, der sich einbildete, die Onanie erfunden zu haben und nach Berlin kam, um ein Patent darauf zu nehmen.« (298)

---

682. ANONYM   Aug./Sept. 1844

Korrespondenz aus Hamburg, 23. Sept. 1844   *(* 9. 10. 1844)*

Heine führte während seines Hierseins *[in Hamburg]* ein eingezogenes, stilles Leben, das seiner Persönlichkeit am Meisten zusagt. Abends sieht man ihn zu Zeiten im Theater, oder, trotz des Tabakdampfes, in der Alsterhalle, in Gesellschaft seines Verlegers und einiger Freunde. Seine Unterhaltung ist belebt, und an ihr besonders merkt man, daß Heine gute Gesellschaft in Paris frequentirte. Er trägt die Kosten der Unterhaltung nie über die schicklichen Grenzen hinaus, läßt gern Andere zu Worte kommen, und geht auf den Ideengang derselben ein. Von den Franzosen hat er die Tugenden des geselligen Lebens angenommen, dabei aber einen deutschen Zug von Gemüthlichkeit nicht eingebüßt; nur dann und wann wirft er eine Bemerkung mitten in das Gespräch, an der man merkt, daß der Schalk Ohr und Zunge immer gespitzt hält. (267)

683. ANONYM   Aug. – Okt. 1844

Korrespondenz aus Hamburg   *(* Ende Okt. 1844)*

Heinrich Heine hat uns vor einigen Tagen verlassen, um zu seiner Familie nach Paris zurückzukehren. Ich habe in den letzten Wochen manch' angenehme Stunde mit ihm verplaudert und die Bemerkung gemacht, daß sein Hamburger Habitus von seinem Pariser äußerst verschieden ist. Hier die liebenswürdige Offenheit und zutrauliche Gesprächigkeit selbst, dort meist zurückstoßend, wortkarg, voll Mißtrauen. In Paris hatte er, nicht ohne Grund, vor der Mehrheit der Deutschen eine oft an das Verdächtige grenzende Scheu. Hier freilich war er gezwungen, mit den Deutschen zu leben und sich selbst manche unangenehme Bekanntschaft gefallen zu lassen. (80)

684. HEINRICH ZEISE   Sommer 1844

Memoiren   *(* 1888)*

Heinrich Heine soll sich bei seiner Anwesenheit in Hamburg, im Beginn der vierziger Jahre, sehr anerkennend über [Wilhelm] Hocker's Dichtungen ausgesprochen haben. (301)

685. HERMANN EBNER   Herbst 1844

Geheimbericht an die österreichische Regierung,
Frankfurt a. M., 2. Nov. 1844

Nach Nachrichten aus Hamburg wird bereits eine neue Auflage der Heineschen »Neuesten Gedichte« gedruckt. Heine soll ein Vorwort dazu geschrieben und Gutzkow stark angegriffen haben. Letzterem, der viele Freunde in Hamburg hat, ist dies bereits bekannt und er behauptet, Campe habe Heine dazu aufgestachelt. Campe könne es Gutzkow nicht vergessen, daß er den »Telegraph« habe fallen lassen, sich überhaupt von Campe abgewendet habe. Heine aber bemerkte schon im vorigen Jahre gegen Dr. Löwenthal: »Ich werde das Männchen (Gutzkow) noch einige Jahre leben lassen, dann auf immer abtun.« Aus dieser Bemerkung geht die große Eitelkeit hervor. Gutzkow wird aber Heine scharf antworten. (69)

686. CHARLES HALLÉ (KARL HALLE) 1844

Memoiren (* *1895, posthum*)

Our relations remained for years the most friendly; then suddenly and unexpectedly he showed the cloven hoof. I had already begun to give concerts and had been treated most kindly by him, when one day, after one of them which he had attended, I met him on the Boulevard, went up to him to shake hands, and was cut dead. There was no mistake, and often as we met after that he took no notice of me. At that time he wrote to the 'Augsburger Zeitung' that I was a small prophet whom the whale would have spat out promptly if it had swallowed him. I had reason to believe that a mistake made in the tickets sent him for my concert was the source of his anger, and was extremely sorry for it; but as he ought to have known that the mistake could not have originated with me, I was too proud to seek an explanation. So we passed each other for many months without so much as a look, until one day, meeting on the same Boulevard, he came up to me, shook my hand warmly in the old friendly manner, and after a few commonplace questions, asked: 'Were you at Doehler's concert yesterday?' and hearing that I had not been there, he added *à brûle-pourpoint*, 'I do not like him. No, no; to hear somebody who plays *really* well, one must come to you!' 'Hallo!' I said, 'and what about the whale?' Upon which he laughed most heartily, shook my hand again, and departed without further explanation. After that we were the same old friends again. (92)

Unsere Beziehungen blieben über Jahre hinaus die allerfreundlichsten; dann plötzlich und unerwartet zeigte er mir seinen »Pferdefuß«. Ich hatte schon begonnen, Konzerte zu geben, und war von ihm sehr freundlich behandelt worden, als ich ihn eines Tages nach einem dieser Konzerte (das er besucht hatte) auf dem Boulevard traf, zu ihm hinging, um ihm die Hand zu schütteln, und er mich eiskalt abwies. Es war kein Mißverständnis, denn sooft wir später zusammentrafen, nahm er keine Notiz von mir. Zur selben Zeit schrieb er an die »Augsburger Zeitung«, ich sei ein kleiner Prophet, und der Walfisch hätte mich sogleich wieder ausgespien, wenn ich in seinen Magen geraten wäre. Ich hatte Grund zu der Annahme, daß eine Verwechslung der Karten, die ich ihm zu meinem Konzert geschickt hatte, die Quelle seines Unmutes war; ich bedauerte es zutiefst. Aber da er hätte wissen müssen, daß der Irrtum nicht meine Schuld war, ging es mir gegen meinen Stolz, die Sache aufzuklären. So gingen wir denn monatelang aneinander vorüber, ohne einen Blick zu wechseln, bis er mir eines Tages auf dem Boulevard entgegenkam, mir in der alten freundschaftlichen Weise warm die Hand schüttelte und sich nach einigen belanglosen Fragen erkundigte: »Waren Sie gestern in Döhlers Konzert?« Als er hörte, daß ich nicht dort gewesen sei, fügte er »à brûle-pourpoint« (unvermittelt) hinzu: »Ich mag ihn nicht. Nein, nein, wenn man jemanden hören will, der wirklich gut spielt, dann muß man schon zu Ihnen gehen.« – »Hoppla!« sagte ich, »und was ist mit dem Walfisch?« Er lachte überaus herzlich, schüttelte mir nochmals die Hand und ging ohne jede weitere Erklärung davon. Von da an waren wir wieder die guten alten Freunde von einst.

687. Adam Oehlenschläger   Okt./Nov. 1844

Reimbrief, Paris, 14. Nov. 1844

Aber denk nur, mit Heine habe ich auch Bekanntschaft gemacht; er öffnete mir die Pforte seines Herzens. Als er mich sah, war er sehr verwundert und es donnerte fast in der Stube von den Stühlen, die er zurückzog, um beim Fenster meine Gesichtszüge recht zu erforschen. Er sagte: Nein! Ist dies Oehlenschläger? Oh – noch ein so junger und kräftiger Mann, der es mit uns allen aufnimmt. Was ich geschrieben habe, kannte er gut, und freundlich leuchtete mir sein Auge entgegen. Er lobte unsere Literatur und sagte: Ihr habt mehr Natur als wir und »dichtet« mehr als wir, in Allem ist bei Euch doch Poesie, groß oder klein, aber es ist doch etwas da, bei uns geht man mehr im Nebel daher. – Von Andersen sprach er auch und auf scherzhafte Weise malte er das Genie unseres Freundes, die Naivität, auf eine eigene Weise gesehen. Mit Witzen kam er nie zu Ende, und er war wirklich liebenswürdig. Ich hatte geglaubt, einen scharfen Satiriker zu treffen, – einen ausgelassenen Jungen fand ich in ihm – dessen Scherzgedicht jedoch leider – an Gicht leidet wie er! (18)

688. KARL GRÜN   5. Nov. 1844

Aufzeichnung, Paris, 6. Nov. 1844

Heine sagte mir gestern, als wir von seinem Buche über Börne sprachen: »Man verlangte von mir politischen Parteigeist – ich war noch keine 24 Stunden in Paris, als ich schon mitten unter den Saint-Simonisten saß.« (86)

689. ARNOLD RUGE   ca. Anf. Nov. 1844

an Moritz Fleischer, Paris, 23. Nov. 1844

Vor einigen Wochen kam auch Heine wieder. Er hat mich besucht. Er wünscht, daß ich ihm in Deutschland etwas beistehn möchte, weil er es schmerzlich empfindet, daß er sich damals mit dem Buch über Börne um allen Credit gebracht. Denken Sie, er bat mich sogar, ich möchte Stahr über seine Gedichte schreiben. Er fürchtet, daß Stahr ihn noch einmal verdonnern hilft. Denn verdonnern müssen sie ihn, er ist zu »übermüthig«, zu hochverrätherisch, zu gottlos. Sie wissen, daß ich seine Satiren für gut halte, ohne seine Niederträchtigkeit gegen Börne und Frau Strauß und was er sonst dergleichen fähig ist, zu vergessen; ich habe über die »Neuen Lieder« und »Die Reise durch Deutschland« ein paar Worte an den Telegraphen geschickt; vielleicht werden sie darin abgedruckt, vielleicht sind sie nicht censurfähig; [. . .]. (216)

690. KARL GRÜN   12. Nov. 1844

Aufzeichnung, Paris, 13. Nov. 1844

Gestern blieb er *[Heine]* auf einem Spaziergange an der Porte St. Denis stehen und sagte zu mir: »Es freut mich doch, wenn es in Deutschland einmal losgeht, damit wir den Franzosen *imponiren!*« (86)

Ueber seine Dichtungsart hatte ich verschiedene interessante Unterredungen mit ihm, und er gab zu, daß er die politische Satire besser in Schwung setzen sollte, da er es besser könnte, als die übrigen »sogenannten« politischen Dichter. Er gab auch wirklich bald darauf sein »Deutschland, ein Wintermärchen«, heraus, mit dem er ein verdientes Glück machte. Ich war natürlich sehr davon erbaut.

»Wollen Sie es kritisiren, da Sie doch damit zufrieden sind? Gut, dann will ich Ihnen einen Abdruck verehren«, sagte er.

Ich nahm es mit Dank an, hatte aber so viel Gefallen an dem Gedicht, daß ich das Geschenk nicht erwarten konnte, sondern mir das Buch gleich aus der Buchhandlung holte und auch sogleich eine äußerst günstige Kritik niederschrieb, – sie ist in meinen gesammelten Schriften abgedruckt.

Als ich den Brief mit der Recension eben fertig hatte und absenden wollte, trat Heine herein, legte das Buch auf den Tisch und wiederholte seinen Wunsch.

»Ei so lang' hab' ich nicht warten können und gute Bücher muß man sich kaufen. Sehen Sie her! Hier ist es und hier die Kritik!« erwiderte ich.

»Wollen Sie sie mir anvertrauen? Ich schreibe gerade an Campe.«

Der Brief war schon versiegelt; er drehte ihn hin und her. Als ich sagte: »O, Sie können das Siegel erbrechen und Alles lesen«, freute er sich und schlug vor, wir wollten zusammen auf den Boulevard gehen und ein Glas Eis zusammen essen.

Wir wanderten höchst vergnügt und offenbar gründlich versöhnt mit einander diese civilisirte Straße der Hauptstadt des Continents entlang, und Heine rief höchst befriedigt aus: »Es ist doch was werth, daß wir hier so zu sagen zu Hause sind und auf dieser Hauptader der Geschichte zusammen umhergehen können!«

So wußte er einen günstigen Augenblick zu schätzen und festzuhalten. Ich fand einen höchst gemüthlichen Gesellschafter an ihm und blieb fortdauernd mit ihm in dem besten Vernehmen. (215)

an Friedrich Hebbel, Paris, 3. Dez. 1844

Heine habe ich gesprochen. Er wollte Ihnen, wie er mir sagte, schreiben. Seine Gedichte wollte er mir nicht borgen, erzählte mir aber, sie machten beispielloses Aufsehen, hätten innerhalb 6 Wochen eine neue Auflage erlebt u. s. w. Dabei zeigte er mir eine im »*Vorwärts*« abgedruckte Vorrede zu den besonders in Druck erschienenen *politischen* Gedichten, in welcher er Gutzkow, Anführer einer Bande von Strauchdieben nennt. Mittlerweile habe ich mir sein »*Deutschland, ein Wintermährchen*« zu verschaffen gewußt: es enthält im Ganzen Nichts, im Einzelnen schlechte und zuweilen bessere Witze, sehr viel Gemeines und ebensoviel Lügen. Heine irrt. Auch Freiligrath's Gedichte, in deren Vorrede er erklärt, daß er die 300 Thlr. vom König v[on] P[reußen] nicht mehr beziehe, (worauf Heine den Witz gemacht haben soll: Dies wird den König veranlassen, künftig größere Pensionen zu geben) sind mir zu Gesicht gekommen. F[reiligrath] ist ein edler Mensch, jedoch sind diese Gedichte mittelmäßig. [...]
Heine sagte mir: Campe zählte darauf, daß Sie den Telegraphen übernehmen, indeß merkte ich ihm an, daß es ihm unlieb wäre. Sie schreiben ihm nicht gemein genug, und er meinte: Ihr Vorwort [zu »Maria Magdalena«] verstehe kein Mensch. (95)

Heine-Erinnerungen (*Okt. 1867)

Freunde von Jacoby aus Königsberg waren bei uns zum Besuch. Sie brachten »Das Königliche Wort Friedrich Wilhelm des Dritten« mit, das Jacoby, trotz Macchiavelli's Recept, immer noch erfüllt haben wollte und das ich glücklicher als die französisch-deutschen Jahrbücher wieder über die Grenze in seine Heimath zurückbeförderte. Als wir lebhaft mit der Zukunft des störrischen Vaterlandes beschäftigt waren, wurde uns plötzlich Heine angemeldet. Ich meinte er käme uns gerade recht, und ließ ihn bitten, hereinzukommen. Er blieb aber in meinem Arbeitszimmer und ließ sagen, er habe dringend mit mir allein zu sprechen.
Ich war auf eine solche Geschäftsmiene von seiner Seite gar nicht gefaßt und wurde neugierig, was er mit mir vorhabe.
Kaum hatten wir uns begrüßt, so rief er mir zu: »Sie müssen mir secundiren, ich will mich mit Armand Marrast schlagen.«

Ich erwiderte, das Secundiren schlüge gar nicht in mein Fach, und das Duelliren, dächte ich, sei ein Aberglaube, dem er entwachsen wäre.

»Das verstehen Sie nicht. Ich muß mich schlagen. Sie kennen Paris nicht. Sehen Sie her, was der National da von mir sagt.«

Der National hatte einen kurzen Paragraphen, worin es ungefähr so hieß: »Heine habe ein Gedicht ›Deutschland ein Wintermärchen‹, publicirt, der freien Partei könne Heine aber nicht dienen, er, der Lamennais einen ›prêtre abominable‹ genannt habe.«

»Nun«, fragte ich ganz verwundert, »und darüber wollen Sie sich schlagen? wenn Lamennais auch nicht gerade ›abominable‹ ist, so ist es doch wahr genug, daß er ein ›prêtre‹ ist; und wie kann Marrast über den Nutzen Ihrer Satiren für unsere Partei urtheilen? Es hat ihm irgend Jemand etwas weis gemacht.«

»Das ist ja eben, diese verfluchten Juden!« fuhr Heine heraus.

»Also ein Familienzwist?« fragte ich.

»Ich bin kein Jude und bin nie einer gewesen«, sagte Heine pikirt. Ich weiß nicht mehr, in welcher Generation sein Geschlecht schon getauft worden war, auch sah er wirklich nicht jüdisch aus, wie sich jeder durch seine Photographien überzeugen kann. Daß er mich aber ganz ernsthaft, auf's Kamin gestützt, wie ich ihn noch vor mir sehe, überreden wollte, er sei kein Jude, machte einen komischen Eindruck auf mich. Strauß, der Freund Börne's, hatte mich gründlich über diesen Punkt aufgeklärt. Die Börnianer waren aber auch an dem Artikel im National schuld, und das war es, was Heine daran ärgerte. Er kam immer wieder auf das Duell zurück und daß ich ihm secundiren müsse.

»Wenn Sie sich durchaus durch ein Duell blamiren wollen, so müssen wir irgend einen polnischen General zum Secundanten auftreiben. Für mich schickt sich die Metzelei nicht, auch stehe ich mich mit Marrast so freundschaftlich, daß ich ihm unmöglich als kriegführende Partei entgegentreten kann. Wenn Sie aber meine Vermittelung und den Versuch, ihn aufzuklären, annehmen wollen, so glaube ich, ließe sich die Sache wohl ausgleichen.«

»Es ist wahr, Marrast ist nur irre geführt; wollen Sie das thun? Da bin ich Ihnen sehr verbunden.«

Er ging in dieser Stimmung weg und wollte die Königsberger, zu denen ich ihn nun nochmals einlud, nicht sehen. Sogar meine Versicherung, daß hübsche Mädchen mit dabei wären, half nichts. Als ich zu Marrast kam, war dieser sehr ärgerlich und fuhr heraus, an die dreißig Frankfurter Juden hätten ihn überlaufen und nicht eher geruht, als bis sie ihn bewogen, den Paragraphen in den National zu setzen. Ob denn

die Geschichte mit Lamennais nicht wahr und ob Heine nicht ein
›mauvais sujet‹ wäre?

»Nichtsdestoweniger«, erwiderte ich, »hat er sich jetzt mit ganz vortrefflichen Satiren gegen das deutsche Unwesen nützlich gemacht. Ich
selbst habe sie gelobt und warm empfohlen.«

»Gut«, sagte Marrast, »wir wollen also sagen, daß er ein gutes Gedicht gemacht habe, mit dem die Opposition vollkommen zufrieden
sei, was er auch sonst gesündigt haben möge.«

So ungefähr fiel die Berichtigung aus, mit der dann Heine ganz zufrieden gestellt war. Und wirklich waren die Börnianer zu weit gegangen, indem sie es versuchten, das Wintermärchen für ein schlechtes
Gedicht auszugeben. Heine hatte sich Freunde unter den Franzosen
gemacht. Denn seine witzige Behandlung politischer und religiöser
Gegenstände sagte ihnen zu. Einmal sagte ein Franzose zu ihm: »Je
comprends le rationalisme, mais je ne comprends pas l'athéisme.« (Mit
dem Rationalismus kann ich mich befreunden, aber den Atheismus
begreife ich nicht.)

»Il est facile à comprendre«, erwiderte Heine, »l'athéisme est le
dernier mot du théisme.« (Es ist leicht zu verstehen; der Atheismus ist
das letzte Wort des Theismus.) Das »letzte Wort« hat einen Anklang
von »letztem Willen«.

Solche klare und doch zweideutige Wendungen sind eine Feinheit,
die man bei Heine häufig findet.   (215)

694. ALEXANDRE WEILL   Okt. 1844/Anf. Jan. 1845

Heine-Erinnerungen   *(* 1883)*

Heine, tout en adorant sa mère, n'aimait pas à parler de sa famille. Il ne
parlait jamais non plus de ses deux frères, [. . .].

Heine, en revenant de Hambourg, se croyait réconcilié avec son
oncle. A un dîner assez gai, il me disait: Je suis un gueux maintenant,
mais je serai un jour riche. Mon oncle me laissera sûrement au moins
un million. Et là-dessus le sauterne coulait à flots et Mathilde, après
force rasades de champagne, me fit chanter son air favori: *O Mathilde,
idole de mon âme!* [. . .]

Qu'on se figure sa déception à la mort de son oncle, mort qui suivit
de près son voyage à Hambourg, quand il apprit que dans son testament, l'oncle, pour tout potage, lui avait légué (on ne le devinerait
jamais!) *seize mille francs de capital!* Je dis *seize mille francs!* Heine,

à cette nouvelle, en ma présence, tomba raide sur le parquet, et, quand Mathilde et moi nous l'eûmes remis au lit, il pleura à chaudes larmes, *les seules larmes que je lui aie vues!* Ce fut pour lui un coup mortel. Sa grande maladie date de là! (292)

Obwohl Heine seine Mutter vergötterte, sprach er nicht gern von seiner Familie. Auch von seinen beiden Brüdern sprach er nie. [...]

Als er von Hamburg zurückkehrte, glaubte er sich mit seinem Onkel wieder im besten Einvernehmen. Bei einem vergnügten Diner sagte er mir: »Ich bin jetzt noch ein Bettler, aber ich werde einmal ein reicher Mann sein. Mein Onkel wird mir sicher mindestens eine Million hinterlassen.« Und daraufhin floß der Sauterne in Strömen, und nachdem Mathilde fleißig dem Champagner zugesprochen hatte, mußte ich ihre Lieblingsarie singen: »O Mathilde, idole de mon âme! [...]« Man stelle sich seine Enttäuschung beim Tode des Onkels vor, welcher bald nach der Hamburgreise erfolgte, als er erfuhr, daß sein Onkel ihm (kaum zu glauben!) alles in allem *sechzehntausend Franken* vermacht habe! Ich sage *sechzehntausend Franken!* Bei dieser Nachricht fiel Heine, in meiner Gegenwart, wie tot zu Boden, und als Mathilde und ich ihn zu Bett gebracht hatten, weinte er heiße Tränen – *die einzigen Tränen, die ich je an ihm gesehen.* Das war für ihn ein tödlicher Schlag. Seine schwere Krankheit datiert von da.

695. WILHELM ZIRGES 1844/1845
Memoiren (*1859)

Ich kann wohl sagen, »bebenden Herzens« suchte ich in der Rue-Faubourg Poissonnière das Haus auf, welches den begeisterten Freiheits-Sänger, den Autor der fürchterlichen Vorrede zu dem Buche »Französische Zustände«, den Verfasser lieblicher Märchen, den kecken Gegner des edeln Börne beherbergte. Ein warmer Empfehlungsbrief von einem gemeinschaftlichen Freunde in Deutschland sollte mich bei *dem,* damals noch sich voller Gesundheit erfreuenden Mann einführen, für dessen Dichtungen ich von Herzen eingenommen war.

Vom Portier in die vierte Etage gewiesen, empfing mich oben ein weibliches dienendes Wesen mit der Erklärung, daß Herr Heine noch (es war elf Uhr Vormittags) im Bette liege und nicht visible sei; doch ließ ich mich dadurch nicht abschrecken, übergab der Bonne mit dem Empfehlungsbrief meine Karte, und hoffte solchergestalt mir Aufnahme zu erringen.

Wirklich führte wenige Minuten später besagte Domestique mich in ein kleines, unscheinbares Zimmer, wo aus einem Bett, dem Fenster gegenüber, eine Stimme mir »guten Morgen« zurief und Platz zu nehmen gebot. Letzteres war nicht ohne Schwierigkeit zu bewerkstelligen, da auf dem Stuhl vor dem Bette das Kaffeezeug, von Brod und Butter umgeben, stand, und ein zweiter und letzter, sich meinen forschenden Blicken darbietender Stuhl, allerhand Effecten trug, die ich faute de mieux auf den Fußboden legte, den Stuhl an's Bett rückte, und – sogleich einen Theil meiner schönen Illusionen einbüßte, da statt der sich mir gebildeten Individualität, ich einen, selbst im Liegen kleinen, ziemlich wohlbeleibten Mann mit rundem, und nur durch den von wirklich schönen Augen belebten orientalischen Typus ausgezeichneten Gesicht erblickte. Doch nahm ich mich wohl zusammen, mein Erstaunen auf keine Weise merken zu lassen, und gab mich mit der gespanntesten Aufmerksamkeit unserm Gespräch hin, das sich um den augenblicklichen Stand der deutschen Literatur, und zunächst um Heine's geistige Productionen drehte. Mein Desappointement (ich weiß *dafür* kein *ganz* passendes Wort, wenn man nicht *Enttäuschung* nehmen will) wurde vermehrt durch den Familien-Dialect des Dichters, und wie dieser rücksichtslos gegen mich beklagte, contraktlich fest an seinen deutschen Verleger gebunden zu sein, und aus seinen Schriften nicht den größeren finanziellen Nutzen ziehen zu können, der ihm nach den brillanten Honorar-Offerten Seitens anderer Buchhändler, hätte zu Theil werden müssen. Er rechnete mir nun weitläufig vor, was allein an den *Märchen* verdient worden sei, während er sich mit einem unverhältnißmäßig geringen Honorar habe begnügen müssen. Ich durfte darauf wenig mehr erwiedern, als ihn auf manchen trügerischen Schein bei Verlagsunternehmungen aufmerksam machen, und ihm meine Ueberzeugung aussprechen, daß sein Verleger seinen wohlerworbenen Ruf der höchsten Rechtlichkeit, sowie die Ehre seiner berühmten Firma auch ihm gegenüber bethätigen werde.

Genug, unsere länger als eine Stunde dauernde Unterhaltung, war entschieden *die* zweier Geschäftsmänner, und ich vermochte nicht, den Dichter von dem profanen Thema des Geldes und der Einnahme abzubringen.

Herr Heine lud mich ein, meinen Besuch zu wiederholen, wozu ich jedoch nach dem eben Erlebten keinen Drang weiter fühlte. Wohl aber begegneten und sprachen wir uns noch mehrmals auf der Straße, und bei dem bekannten Literaten und früheren Schauspieler Heinrich Börnstein, der damals ein telegraphisches Correspondenzblatt herausgab und ein Agentur-Bureau in der Rue Montorgeuil hielt. Dort war ich auch Zeuge, *wie* Herr Heine von Herrn Börnstein die Nachricht empfing, daß sein eben verstorbener, reicher Onkel Salomon Heine in Hamburg, ihm 20 000 Mark *[!]* vermacht habe: der Ausdruck seiner Freude über dieß Ereigniß war eines Börsen-Speculanten würdig, aber nicht eines reinen Dichtergemüths. (304)

1845
Paris

696. HEINRICH BÖRNSTEIN

Memoiren

Anfang 1845

(*1884)

[...] wer ihn nicht kannte, wird unmöglich glauben, daß er, der unerbittliche Satyriker, der geistreiche Spötter über Alle und Alles, daß Heine, der Niemanden schonte, selbst so empfindlich für Angriffe, selbst für die kleinen journalistischen Nadelstiche war. Mißgünstige Beurtheilungen seiner Werke, Tadel und Beurtheilung seines schriftstellerischen Wirkens ertrug er mit ziemlichem Gleichmuthe; aber Bemerkungen über seine Persönlichkeit, über seine Privatverhältnisse, besonders über sein häusliches Leben, verletzten ihn auf das Tiefste und Nachhaltigste; – wie oft bat er mich nicht, diese oder jene Angabe in einem Pariser Briefe irgend einer deutschen Zeitung, ihn persönlich betreffend, zu berichtigen, ja meist stylisirte er diese Berichtigungen selbst, und ich besitze noch einige von diesen Aufsätzen von seiner Hand. Einmal sah ich ihn in einer wirklich außerordentlichen Aufregung und zwar wegen einer unbedeutenden Kleinigkeit; – es war nämlich ein kleines Gedicht veröffentlicht worden; unterzeichnet Heinrich Heine, – ich glaube, in einem kleinen deutschen Blatte, das eine Zeit lang in Brüssel erschien, – und Heine war wüthend darüber, daß man ihm die Vaterschaft unterschiebe, und bat und beschwor mich, in meinen Correspondenzen die Autorschaft des Gedichts in seinem Namen auf das Bestimmteste zu desavouiren. [...]

Das Gedicht cirkulirte unter den Deutschen in Paris, wurde viel belacht und nach drei Tagen – vergessen. Heine aber konnte es nicht so schnell verwinden und forschte noch Monate lang nach dem Verfasser, – wie ich glaube, aber ohne Erfolg. (28)

697. FRANZ WALLNER

Memoiren

Jan. (?) 1845

(* April 1862)

Im Jahre *1846 [!]* traf ich ihn wieder, aber schon leidend, verstimmt und ängstlich, obgleich noch lange keine Aussicht zu ernstlicher Befürchtung da war. Ich hatte ihm und einer Baronin von Santeuwel Briefe von Freiligrath mitgebracht, und an letzterer eine ebenso liebenswürdige, als geistreiche Dame kennen gelernt, die sich ungemein warm für den verbannten, damals in Brüssel lebenden Freiligrath interessirte. Ihren Wunsch, einen Abend in der Gesellschaft, in welcher sie jeden Mittwoch die bedeutendsten Menschen bei sich versammelte, zuzubringen, lehnte ich dankend ab, da ich Paris als Fachstudium besucht hatte und keinen Abend versäumen wollte, ohne in irgend ein, manchmal auch in zwei oder drei Theater zu gehen. »Da die Theater hier monatelang dieselben Stücke geben«, meinte meine gefällige Gönnerin, »so wird sich schon während Ihres Hierseins noch ein Abend finden, wo Ihnen sämmtliche Bühnen nichts Besonderes bieten, dann lassen Sie es mich 24 Stunden vorher wissen, und Sie sollen am Abend bei mir etwas finden, was Sie in ganz Paris vergebens suchen würden.« Die Neugierde, was dies wohl sein könne, bestimmte mich, von der freundlichen Einladung Gebrauch zu machen und der Dame einen Abend zu nennen, an welchem ich bei ihr erscheinen würde. Bei meinem Eintritt in den eleganten Salon, in dem bereits eine zahlreiche Gesellschaft versammelt war, trat sie mir, der ich mich selbst immer über meine Gespanntheit mit Meidinger lustig machte, mit den scherzhaften Worten entgegen: »Heute können Sie sich einmal ungenirt gehen lassen; reden Sie, wie Ihnen der Schnabel wuchs; Sie finden heute in meinem Hause *nur Deutsche*, keinen einzigen Franzosen.« Welch' eine Menge damals im Exil lebender Landsleute: Heine, Ruge, Herwegh, Börnstein etc.! Letzterer gab damals ein, später unterdrücktes, Journal »Vorwärts« heraus, in welchem unter dem Namen H. Heine eben ein kleines Gedicht erschienen war, von dem er die Vaterschaft aber entschieden ableugnete; [. . .].

Das Gedichtchen machte damals viel Glück, [. . .].   (271)

698. (ALEXANDRE WEILL)

Pressenotiz

Anf. 1845 ?

(* 26. 3. 1845)

Le roi de Bavière est beaucoup plus jaloux de ses vers que de sa couronne. Pour n'être pas le roi des poètes, il est du moins le poète des rois. Malheureusement S. M. a l'ouïe un peu dure, ce qui a fait dire à Henri Heine que le roi ne ferait pas ses vers s'il les entendait.

(279)

Der König von Bayern ist weit mehr auf seine Verse als auf seine Krone bedacht. Wenn er auch nicht der König unter den Dichtern ist, so ist er doch zumindest der Dichter unter den Königen. Unglücklicherweise ist Seine Majestät etwas schwerhörig, und dies veranlaßte Heine zu der Bemerkung: der König würde seine Verse nicht machen, wenn er sie selbst hören könnte.

---

699. ARNOLD RUGE   25. Jan. 1845

an seine Mutter, Paris, 26. Jan. 1845

[...] hier in Paris war ich kaum wieder eingetroffen, als man mir ein Decret des Ministers des Innern vorlegte, welches mir befahl in 24 Stunden Paris und Frankreich sofort zu verlassen. Stell' Dir vor, Preußen hat es durchgesetzt, daß Guizot 12 Deutsche, man weiß noch nicht welche, aber nach einer Liste, die der Gesandte übergeben hat, verweis't. [...]

Es versteht sich, daß die Vorwärtser alle dabei sind, Heine, Marx u.s.w. Heine glaubt es noch nicht, aber er steht auf der Liste. Er ist aber naturalisirt, also nicht auszuweisen. Die Schriftstellerei der unberufenen Schweinigel wird damit zu gleicher Zeit aufgehoben, und wenn Herr von Arnim, der preußische Gesandte, mich consultirt hätte, ich würde ihm im Interesse der Freiheit zu diesem Schritt gerathen haben, denn eine Blamage der Opposition ist eine Niederlage der Opposition, und das *Vorwärts* war nichts weiter.   (216)

---

700. FRIEDRICH KÜCKEN   Febr. ff. 1845

Heine-Erinnerungen   (* 1882)

Alexander Weil, der Erfinder der Dorfgeschichten [...] war d. Z. der Uebersetzer aller Heine'schen für französische Zeitungen bestimmten Aufsätze. Ich fragte einst Heine, weshalb er, da er doch der französischen Sprache so vollkommen mächtig, seine Artikel nicht selbst französisch schreibe? Er erwiderte: »Man sagt, ich schreibe im Deutschen einen guten Styl, den will ich mir nicht verderben. Weil besorgt das Geschäft vortrefflich, und ich zahle nach Verdienst.« Obwohl ich mit Weil nicht näher bekannt, – wir besuchten uns nicht – waren wir doch wie ich glaube, gegenseitig erfreut, uns zu begegnen. Seine jüdischen Dorfgeschichten hatte ich mit besonderem Vergnügen gelesen; auch wußte ich, daß er durch literarische Arbeiten sich und seine Schwester, wenn auch damals nur in bescheidener, so doch anständiger Weise durchzubringen suchte. Mir war er ein angenehmer Mann. Eines Tages begegnete ich ihm und fragte so zufällig, ob er Heine gestern oder heute gesehen? Ich wollte wissen, ob er von dem Geheimen Rath Koreff eine Einladung zum nächsten Tage erhalten. »O ja!« war seine Antwort; »aber ich muß schon kurzweg sagen: Heine ist doch ein Lump!« Ho, ho! »Nun Sie wissen doch, Rothschild hat die Concession zum Bau der Paris-Straßburger Eisenbahn erhalten, hat all' seinen Leuten, bis auf den Kutscher, Actien gegeben, denn, so wie diese an die Börse kommen, ist ein erheblicher Gewinn selbstverständlich, ohne daß sie den Inhabern auch nur einen Sou gekostet. Da geht nun Heine auch zu Rothschild und läßt sich 20 Actien geben. Was sagen Sie dazu? Muß nicht Rothschild zu Heine kommen, statt Heine zu Rothschild? Natürlich müssen dafür nun wieder geistreiche Artikel geschrieben werden u. s. w.« Ich verstand damals von Actien-Angelegenheiten gar wenig, doch schien mir die Sache nicht gerade correct.

Schon des nächstfolgendes Tages traf ich Heine beim Geheimen Rath Koreff in einer großen Abendgesellschaft, wo der berühmte dänische Dichter Oehlenschläger sein neuestes Trauerspiel las. Außer Alexander v. Humboldt, Graf Luxburg – damaliger bairischer Gesandter, mit dem Heine wegen der im »Stern« *[!]* erschienenen Gedichte auf den König Ludwig von Baiern recht schief stand – befanden sich noch viele distinguirte Deutsche und deutsch sprechende Franzosen dort. (Bei diesem berühmten, später etwas in Mißcredit gerathenen Arzt fanden Künstler und Künstlerinnen von Namen stets die freundlichste Aufnahme.) Ich erwähnte gegen Heine Weil's Entrüstung betreffs der Eisenbahn-Actien. Heine, nicht im geringsten betroffen, erwiderte: »Also hat er Ihnen auch davon gesprochen? Nun, so erfahren Sie auch den Grund seiner Entrüstung! Als er mir über die Annahme der Actien Vorwürfe machte, mußte ich ihm sagen: lieber Weil, ich komme soeben von Rothschild und er läßt durch mich sie benachrichtigen, daß es ihm recht leid thue, ihnen keine Actien, *um welche sie ihn schriftlich gebeten,* geben zu können. Natürlich hat Weil dies bitter übelgenommen, und ich muß mich nun wohl nach einem anderen Uebersetzer umsehen.«

Man muß es nun dahingestellt sein lassen, ob obige Aeußerung nur ein Heine'sches Impromptu war, oder stricte Wahrheit. (134)

701. K. A. Varnhagen v. Ense   17. März 1845

Tagebuch, Homburg, 16. Juli 1845

Einen Witz von Heine erzählte mir Koreff: Oehlenschläger hatte bei Koreff's eines seiner neuen Trauerspiele vorgelesen, schlecht, mit seiner dänischen Sprachverderberei des Deutschen; Humboldt war der Einladung glücklich ausgewichen, Heine aber hineingefallen, und dafür rächte er sich nach der Vorlesung, indem er statt des erwarteten Lobes nur sagte: »Ich hätte mir doch nie vorgestellt, daß ich so gut Dänisch verstünde!« (262)

702. (Theodor Creizenach)   Frühjahr 1845 (/Frühjahr 1846)

Heine-Erinnerungen   (* 19. 4. 1856)

Gern erzählte er *[Heine]* folgenden kleinen Vorfall: Als er vom Lesekabinet heimkehrend die vier Treppen zu seiner Wohnung im Faubourg Poissonière hinaufkam, empfing ihn an der Thür seine Frau und bemerkte ihm im Ton des Vorwurfs, ein ganz alter Herr sei da gewesen; sie habe ihn sehr bedauert, daß er ganz umsonst so hoch steigen müssen. Heine besah die Visitenkarte; »tröste dich, mein Kind, sagte er; der Mann ist schon höher gestiegen als zu uns«; – es war die Karte Alexander von Humboldts. (42)

703. Felix Bamberg   März 1845

an Friedrich Hebbel, Paris, 16. März 1845

Heine ist sehr unglücklich, er kann nicht vergessen, daß er einst gehofft hat ein reicher Mann zu werden. [. . .] Längst würde ich direct an die Allg[emeine] Zeitung geschrieben haben, wenn ich nicht ganz genau wüßte, daß sie von *Nicht-Correspondenten* ein für allemal Nichts nimmt. Heine scheint dort über Sie nicht sprechen zu wollen. [. . .] Wie steht es denn mit dem Telegraphen? Hat Campe seither gar nichts darüber verlauten lassen? An Heine müssen ihn sonderbare Bande knüpfen, denn er hat die Verwaltung der Familien-Angelegenheiten bei Carl Heine in Hamburg für ihn übernommen. (95)

704. EDUARD V. BAUERNFELD 5. Juni 1845

Tagebuch, Paris, 8. Juni 1845

Am 5. im Jardin des plantes, dann führte mich Goldschmidt zu Heine. Er leidet an einem Augenübel und sonst, ist auf dem Punkte, aufs Land zu ziehen. Seine dicke Mathilde packt ein. Er macht gern Witze, mitunter schlechte, will aber bewundert werden. Ich kam mit der besten Meinung, da mir Auersperg, der ihn näher kennt, viel Gutes von ihm erzählt hatte. Wir sprachen cursorisch über deutsche Literatur, doch scheinen ihm die Geldspeculationen stark im Kopfe zu liegen. Es handelt sich um Actien von rive droite und rive gauche, woran ihn Rothschild, wie es scheint, theilnehmen läßt, wenigstens erkundigte er sich angelegentlich und wiederholt nach dem Stand der Dinge bei Goldschmidt. Die Politik scheint ihn wenig zu kümmern. Im Ganzen machte mir der Dichter, den ich so hoch halte, als Mensch keinen besonderen Eindruck. Ich ihm vermuthlich auch nicht. Jedenfalls ist er weibisch eitel. (12)

705. FRIEDRICH KÜCKEN (Mai/)Sept. 1845

an Johann Vesque v. Püttlingen, Paris, 17. Sept. 1845

Ihre mir für Heine übersandten Lieder hat derselbe, nachdem ich sie ihm habe alle spielen und singen müssen dankbarlichst in Empfang genommen. Fischhof hat ihm überige von Ihnen zugestellt, womit sich Heine aber noch nicht bei mir eingestellt hat, da er aufs Land gezogen ist. Besonders gefiel ihm »Don Henrico« er hat sich sehr dabei ergötzt; die Begleitung namentlich sei ganz seinem alten Freunde abgelauscht. (101)

706. FELIX BAMBERG Sept. 1845

an Friedrich Hebbel, Paris, 29. Sept. 1845

Heine ist fortwährend krank, blind auf einem Auge. Alte Uebel. Neulich sagte er mir in geheimnißvollem Tone: »Der Geist! Wissen Sie was der Geist ist? Nun – die Krätze der Natur!« (95)

707. ANONYM   Herbst 1845

Korrespondenz aus Paris   *(* ca. 14. 11. 1845)*

Wenn Sie in deutschen Zeitungen lesen, Heinrich Heine sei gelähmt
auf der linken Seite, blind auf dem linken Auge, so müssen Sie das
nicht so buchstäblich nehmen. Heine ist ein Hypochonder, der sich
immer kränker glaubt, als er ist. Sein Arzt, der Dr. W[ertheime]r aus
Wien, hat mir oft Beruhigung gegeben, wenn ich den Patienten wirklich gefährlich glaubte. – Heine schickt des Tages oft ein halbes
Dutzendmal zu seinem Arzt, um ihn zu consultiren und ihm am Ende
doch nicht zu folgen. Aber leidend, sehr leidend ist unser armer Dichter allerdings. Sein nervöser Kopfschmerz, den er schon als junger
Mensch in Berlin gehabt hat, nimmt immer mehr und mehr überhand,
und er ist allerdings von einem Schlagflusse bedroht, wie auch sein
ganzer Körperbau und der kurze Hals es verräth. Leider fehlt einem
der größten deutschen Dichter [...] die pflegende Hand eines deutschen Weibes. Mad. Heine ist eine herzensgute, liebe Frau, aber die
Hingebung, die weiche Sorge einer deutschen Pflegerin ist ihr nicht
verliehen.   (81)

708. FRIEDRICH KÜCKEN   Okt./Dez. 1845

an Johann Vesque v. Püttlingen, Paris, 17. Dez. 1845

Heine ist und bleibt ein großer Dichter und ein ausgezeichneter Lump.
Sie wißen, Schlesinger hat ihm 6 neue Gedichte für mich abgekauft
und jedes mit 50 francs bezahlt. 4 dieser Gedichte hat er abgeliefert.
Die beiden fehlenden wollte er mir in einigen Tagen geben und ersuchte mich, da er das Geld gebrauche den Empfang zu quitiren. Jetzt
laufe ich ihm schon 3 Monate nach und kann die Gedichte nicht bekommen. Wahrscheinlich hat er sie in irgend einem Journal veröffentlicht und abermals Geld davon gezogen; hofft nun ich werde
abreisen müssen und wie ich [mich] mit Schlesinger arrangire wird ihm
sehr gleichgültig sein, wenn er nur die 100 francs in der Tasche behält. Er irrt sich aber sehr; so ganz ruhig reise ich ohne die Gedichte
nicht ab. Überhaupt ist mir die eingegangene Verpflichtung diese
6 Lieder zu componieren, sehr unangenehm. Ich ging darauf ein, um
mit Heine näher bekannt zu werden. Um aber von Heine eine Gefälligkeit zu erhalten, muß man mehr Geld haben, als worüber ich zu
disponiren vermag. Die Gedichte wäre ich gern wieder los, denn ich

möchte keine Lieder mehr schreiben. Es mag allerdings ein gewißes Ansehen haben wenn es auf dem Titel heißt Manuscripte. Wenn Sie Lust zu den Gedichten hätten und sich mit Schlesinger (den Berliner) einigen wollten, würde ich sie Ihnen mit Vergnügen abtreten. Sie sind ja überhaupt als Compositeur der Heinischen Muse so sehr beliebt, vielleicht deshalb eher geneigt zur Composition, dieser wirklich schönen Gedichte.

[Am Rande:] Levy sagte mir: daß Ihre neuen Lieder nach Heinischen Gedichten so sehr hübsch wären. Haben Sie sie Heine schon zukommen lassen? Wo nicht so senden Sie sie doch gefälligst an mich, damit ich sie bei dieser Gelegenheit auch kennen lerne. Ich werde sie nach Kräften dem Heine vorsingen. (101)

709. FERDINAND LASSALLE   Ende 1845

Mitteilung vor der »Philosophischen Gesellschaft«,
Berlin, 25. Mai 1861

Heine gestand ein, von der Hegel'schen Philosophie Nichts begriffen zu haben: dennoch sei er immer überzeugt gewesen, daß diese Lehre den wahren geistigen Culminationspunkt der Zeit bilde. Dieß sei so zugegangen. Eines Abends spät habe er, wie häufig, als er in Berlin studirte, Hegel besucht. Hegel sei noch mit Arbeiten beschäftigt gewesen; und er, Heine, sei an das offene Fenster getreten und habe lange hinausgeschaut in die warme sternenhelle Nacht. Eine romantische Stimmung habe ihn, wie oft in seiner Jugend, ergriffen, und er habe zuerst innerlich, dann unwillkürlich laut zu phantasiren angefangen über den Sternenhimmel, und die göttliche Liebe und Allmacht, die darin ergossen sei u. s. w. Plötzlich habe sich ihm, der ganz vergessen gehabt habe, wo er sei, eine Hand auf die Schulter gelegt, und er habe gleichzeitig die Worte gehört: »Die Sterne sind's nicht; doch was der Mensch hineinlegt, *das* eben ist's!« Er habe sich umgedreht, und Hegel sei vor ihm gestanden. Von diesem Moment ab habe er gewußt, schloß Heine, daß in diesem Manne, so undurchdringlich dessen Lehre für ihn sei, der Puls des Jahrhunderts zittere. Er habe den Eindruck dieser Scene nie verloren; und so oft er an Hegel denke, trete ihm dieselbe stets in die Erinnerung. (238)

710. FELIX BAMBERG 1845/46

Spätere Anmerkung zu seinem Brief an Friedrich Hebbel vom 18. März 1846

Ich bedauere heute noch daß der Umgang mit Heinrich Heine, der mir wiederholt versicherte daß das innere Leben des Dichters mit seiner Poesie durchaus nichts zu schaffen hat, mich zur Vernichtung dieser Jugendschrift [*»Phänomenologie des Kunstprozesses«*], der die gegentheilige These zu Grunde lag, veranlaßte. (95)

711. ALEXANDRE WEILL Dez. 1845/Febr. 1846

Heine-Erinnerungen (*1883)

Et ces seize mille francs étaient maudits! Quelque temps après arriva à Paris un certain Friedlaender, qui venait d'épouser à Breslau la sœur du fameux Lassalle, qui dans ce temps était un jeune homme de vingt et un ans. Mme Friedlaender, une jolie petite créature, avec des cheveux de corbeau, une figure de crème et une taille sautelante, était une héroïne de la *Jeune Allemagne*. Outre son mari, un brasseur d'affaires, elle était accompagnée de deux gaillards prussiens, grands émancipateurs de chair, qui l'accompagnaient tous les jours à cheval au bois de Boulogne. Elle logeait à l'hôtel de Castille et menait la vie à grandes guides. Elle admirait les poésies de Heine et récitait par cœur ses vers à ses déjeuners au champagne du faubourg Poissonnière. Heine l'aimait. Elle était très romanesque et faisait de mauvais vers elle-même. A l'un de ces déjeuners, car j'étais de toutes les fêtes, je fis la connaissance du jeune Lassalle, un grand beau gars aux cheveux crépus, brûlant d'impatience de faire parler de lui. [...] Heine lui prédit un grand avenir en Allemagne. «Qu'est-ce que vous appelez un grand avenir? lui demanda le jeune homme. – D'être fusillé par un de vos disciples,» répondit Heine en riant. C'est à peu près ce qui lui est arrivé. «Je veux être le Mirabeau de l'Allemagne! s'écria Lassalle, un jour, en agitant sa longue canne au pommeau d'or, qui ne le quittait pas. – Mais vous n'êtes pas grêlé, lui dit Heine, vous êtes trop beau garçon. Ah! si vous étiez poète comme Goethe, toutes les belles Frédérique et toutes les laides Mme de Stein vous aimeraient; mais tel que vous êtes, je ne vois en vous qu'un futur comédien. Vous serez enlevé par une cabotine quelconque!» C'est ce qui lui est encore arrivé. Quoi qu'il en soit, Friedlaender, qui dans ce temps avait fondé une Compagnie financière pour le gaz de Prague, engagea Heine à prendre des actions pour ses seize mille francs. Il avait à peine signé, qu'il me dit: «Je crois que j'ai fait une sottise! – Comment! lui dis-je, vous avez donné vos seize mille francs à Friedlaender? Vous êtes frit! – Mais non, dit-il, le gaz de Prague a un grand avenir. – Il y aura des fuites, lui répondis-je. Vous ignorez donc l'histoire du coton de sapin? Apprenez que Friedlaender m'a offert trois cents francs pour faire des articles dans le *Corsaire-Satan* sur une nouvelle invention dont, dit-il, il a le privilège, consistant à faire une espèce de laine des aiguilles de sapin. – Et vous les avez refusés? – Je lui ai dit qu'il me prenait pour un mouton. Mais comme je chante des romances à sa femme, le soir au crépuscule, je lui ai promis de le présenter au gérant du *Corsaire,* qui l'a tondu. – Comment! vous aussi! s'écria Heine. Elle est si jolie. Avec cela une ingénuité gracieuse comme si elle n'était pas mariée! – Pas si naïve que vous croyez, lui dis-je. Moi, je n'ai aucun espoir, je ne suis pas de conséquence, et puis je ne suis pas le véritable amphitryon, mais vous, vous en êtes pour vos seize mille francs! Etes-vous payé, au moins?» En effet, il a tout perdu. L'argent était maudit. La Compagnie a eu une fuite!   (292)

Und diese sechzehntausend Franken waren verflucht! Einige Zeit später kam ein gewisser Friedländer nach Paris, der kurz zuvor in Breslau die Schwester des berühmten Lassalle geheiratet hatte, welcher damals noch ein junger Mann von einundzwanzig Jahren war. Frau Friedländer war ein reizendes kleines Geschöpf, und mit ihrem rabenschwarzen Haar, ihrem hellen Gesicht und ihrer leichten Gestalt war sie eine Heroine des »Jungen Deutschland«. Außer ihrem Mann, einem Hansdampf in allen Gassen, begleiteten sie zwei preußische junge Männer, eifrige Vertreter der Emanzipation des Fleisches, und mit ihnen ritt sie täglich in den bois de Boulogne aus. Sie wohnte im Hotel de Castille und lebte auf großem Fuß. Sie schwärmte für Heines Gedichte und rezitierte seine Verse auswendig bei seinen Champagnerfrühstücken im Faubourg Poissonière. Heine liebte sie. Sie war sehr romantisch veranlagt und machte selbst schlechte Verse. Bei einem dieser Frühstücke (ich war immer mit von der Partie) lernte ich den jungen Lassalle kennen, einen großen, hübschen Bengel mit Kraushaar, der nur darauf brannte, von sich reden zu machen. [...] Heine sagte ihm eine große Zukunft in Deutschland voraus. »Was nennen Sie eine große Zukunft?« fragte ihn der junge Mann. – »Von einem Ihrer Schüler erschossen zu werden«, erwiderte Heine lachend. Ungefähr so erging es ihm auch. »Ich will der Mirabeau Deutschlands werden«, rief Lassalle eines Tages, wobei er seinen Stock mit dem Goldknauf schwenkte, der ihn nie verließ. – »Sie sind nicht pockennarbig«, meinte Heine, »Sie sehen zu gut aus. Ja, wenn Sie Dichter wären wie Goethe, dann würden Ihnen alle schönen Friederiken und jede häßliche Frau von Stein nachlaufen; aber so wie Sie sind, sehe ich in Ihnen nur einen künftigen Schauspieler. Sie werden einmal durch eine hergelaufene Bretterheldin gekapert.« Auch das ist später eingetroffen. Wie dem auch sei, Friedland hatte damals eine Finanzierungsgesellschaft für die Prager Gasbeleuchtung gegründet und veranlaßte Heine, seine sechzehntausend Franken in Aktien anzulegen. Er hatte sie kaum gezeichnet, als er sagte: »Ich glaube, ich habe eine Dummheit gemacht!« – »Was«, sagte ich, »Sie haben Ihre sechzehntausend Franken dem Friedländer gegeben? Da sind Sie schön hereingefallen!« – »Aber nein, das Gas der Stadt Prag hat eine große Zukunft!« – »Das wird sich schön verflüchtigen«, erwiderte ich. »Kennen Sie denn nicht die Geschichte mit der Fichtenbaumwolle? Friedländer hat mir dreihundert Franken geboten für Artikel im ›Corsaire-Satan‹ über eine neue, ihm patentierte Erfindung, nach der man aus Fichtennadeln Baumwolle machen kann.« – »Und Sie haben das abgelehnt?« – »Ich fragte ihn, ob er mich für einen Schafskopf halte. Aber da ich nun einmal mit seiner Frau, im Schein der Abendröte, romantisch schwärme, versprach ich, ihn dem Chef des ›Corsaire‹ vorzustellen, und er hat ihn tüchtig geschoren.« – »Was? Auch Sie?« rief Heine. »Sie ist so süß. Dabei eine köstliche Unbefangenheit, als wäre sie gar nicht verheiratet!« – »So naiv, wie Sie denken, ist sie nicht«, antwortete ich. »Aber ich mache mir keine Hoffnungen, ich bin ohne Bedeutung, auch bin ich nicht der richtige Amphitryon, Sie mit Ihren sechzehntausend Franken passen schon eher dazu. Hält man Sie denn wenigstens schadlos?«

Tatsächlich verlor er alles. Ein Fluch haftete an dem Geld. Die [Prager] Gesellschaft machte Pleite.

1846
Paris

712. FERDINAND MEYER   Anf. 1846

Artikel über seine Begegnungen mit Heine   (*28. 11. 1849)*

Bis zum Anfange des Jahres 1846, wo ich, von England kommend,
einige Tage in Paris verweilte, hatte ich viel von Heine gehört, und
noch mehr von ihm gelesen, ihn aber nicht wieder gesehen, ich konnte
es daher nicht unterlassen, ihn in Paris aufzusuchen. Zu meiner Verwunderung fand ich den schlanken, interessanten jungen Mann, mit
dem sarkastisch feinen Lächeln, dem blassen feingeformten Gesichte,
dem geistreich verschmitzten Auge, in einen fast unförmlich starken,
beinah gänzlich erblindeten alten Mann verwandelt, dessen lebhaftes
Mienenspiel gänzlich verschwunden war. – Obgleich wir uns seit
16 Jahren nicht gesehen hatten und Heine, wie gesagt, fast gar nicht
sehen konnte, erkannte er mich dennoch an der Sprache, bevor ich
mich genannt hatte. – Er klagte sehr über seinen Gesundheitszustand
und versprach sich nur Heil von den deutschen Bädern, besonders
aber von Gastein, zu dessen Besuch freilich der damals nicht zu er-
langende Widerruf seiner Verbannung aus Deutschland nöthig war.
Indem er sich darüber aussprach, wurde er sehr bitter und prophezeite
dem ganzen Deutschland eine recht baldige traurige Zukunft, worüber ich damals lachte, die aber leider in der letzten Zeit theilweise in
Erfüllung zu gehen drohte.   (180)

713. ANONYMER KONFIDENT   Anf. 1846
   Geheimbericht an die österreichische Regierung,
   Paris, 29. Jan. 1846

Die Juden spielen jetzt im politisch-liberalen Treiben der Deutschen in
Paris eine gewisse Rolle; nach Heine und [...] Weill und anderen

macht sich auch ein gewisser Kohen bemerklich, der den Titel Baron annimmt, aus Hamburg ist, mit Heine, Freiligrath, Ruthenberg gut steht. (69)

714. Felix Bamberg   Jan./Febr. 1846

an Friedrich Hebbel, Paris, 9. Febr. 1846

Meine Schrift [*»Über den Einfluß der Weltzustände auf die Richtungen der Kunst und über die Werke Fr. Hebbels«*] [...] ist bereits in Händen des Herrn Campe. [...] Heine, der sehr unglücklich und krank ist, wollte mich, mehrmaligen Äußerungen zu Folge, Campe dringend empfehlen, was ich aus Achtung vor Ihrer Empfehlung ausschlug. (95)

715. Hermann v. Pückler-Muskau   Jan. 1846

an Carl Heine, 28. Jan. 1846

Verzeihen Ew. Hochwohlgeboren, wenn ich, dessen Bekanntschaft sich nur auf ein kurzes Begegnen im Hause Ihres würdigen Herrn Vaters vor 20 Jahren beschränkt, mich dennoch heute in einer Angelegenheit an Sie wende, und *dringend* wende, die zwar meiner Person fremd ist aber nichtsdestoweniger mein Interesse und meine Theilnahme aufs innigste erregt. Also ohne weitere Vorrede zur Sache.

Ein Freund Ihres berühmten Verwandten H. H[eine] auf dessen hohen wundervollen wenn auch zuweilen auf Abwege gerathenen Genius Sie mit ganz Deutschland stolz zu sein Ursache haben, dessen Blutsverwandtschaft Sie daher ehrt; wie ich schon Ihrem Herrn Vater dazu Glück wünschte, einen Glückwunsch, den er nicht zurückwies – ein Freund H. H[eine]'s sage ich benachrichtigte mich, und mehrere gleichgesinnte und zugleich einflußreiche Männer, deren Namen einen guten zum Theil hohen Klang im Vaterlande, ja in der Welt hat, daß in diesem Augenblick der geniale Dichter, dessen tiefe Innigkeit uns so oft eine süße Thräne ins Auge gelockt, dessen unnachahmlicher Witz uns so oft ein frohes, und selbst wo wir ihn nicht billigen konnten ein unwiderstehliches Lächeln abgezwungen – jetzt von körperlichen Schmerzen niedergebeugt, mit Erblindung bedroht ist, und in dieser traurigen Lage noch dem gräßlichsten aller Übel, dem vollständigen Mangel, entgegensieht, weil, wir können es kaum glauben, Ew. Hochwohlgeboren, der Sohn und Universalerbe Ihres Vaters, der doppelte Millionär, Ihrem Vetter die unbedeutende Pension von einigen Tausend Franken, welche Ihr Herr Vater ihm so lange er lebte gab, seit dessen Tode verweigern, sich darauf stützend daß Ihr Vetter nicht im Testamente ausdrücklich erwähnt sey, obwohl ich im gleichen Falle mich befindend der Meinung sein würde, daß bey Leuten von Ehre so etwas sich von selbst verstehe, so wie ich zugleich von einem hochgefeierten Freunde Ihres verewigten Herrn Vaters vernommen habe, daß jener edle und wohlthätige Mann nie das seinem Neffen bewilligte Jahrgeld anders als für Lebenszeit verliehen ansah.

Es ist unmöglich, daß Ew. Hochwohlgeboren aus einem bloßen Geldinteresse das schwer zu qualifizieren sein möchte, diesen Schritt gethan haben. Ohne Zweifel haben Sie andere Umstände persönlich gereizt, oder fremder Einfluß ist bei Ihnen thätig gewesen. Aber bedenken Sie daß gerade dann der edle Mann, wenn er über sich selbst nachdenkt, *solche* Mittel am wenigsten gebrauchen möchte, noch mehr aber den Verdacht scheuen würde, aus bloßer Furcht vor fremdem mächtigen Einfluß gegen seinen eigenen Namen und sein Blut zu handeln.

Bedenken Sie auch daß Ihr Vetter trotz mancher Verirrungen, die ich nicht ableugnen will, doch nicht isolirt steht, sondern durch sein Genie ganz Deutschland angehört, wenigstens Allem was in Deutschland *Geist* besitzt. Unter diesen Geistern wird es auch *Herzen* geben, die H. H[eine] im Unglück leicht verzeihen werden, was er sich im Übermuth des Glückes zu viel erlaubt hat, und daß endlich Alles dies eine öffentliche Meinung laut werden lassen kann, die sehr schwer auf Ihnen lasten würde, denn Gottlob! wir sind in eine Zeit getreten wo weder Könige noch Millionäre mehr der öffentlichen Meinung ohne gerechte Besorgnis trotzen dürfen.

Man hat uns zwar gesagt, daß Ew. Hochwohlgeb[oren] Ihrem Vetter ein *verkürztes* Jahrgeld angeboten hätte, aber nur unter der Bedingung daß er nichts mehr schreibe was Ihnen nicht vor dem Drucke vorgelegt, und von Ihnen recensirt worden sey. Dies kann wohl nur ein Scherz sein, denn Ew. Hochw[ohlgeboren] sind ein gentleman, und ein großer Kaufmann, dessen Beruf nicht nur ehrenwerther, sondern großartiger, ja meiner Meinung nach poetischer ist, und *mit dem Genius zu markten* würde im Ernste ja selbst der gemeinste Krämer verschmähen.

Ew. Hochw[ohlgeboren] sehen daß ich mit deutscher Offenheit zu Ihnen spreche, ein Beweis meiner regsten Theilnahme an Ihrem Herrn Vetter (den ich übrigens nur rein geistig durch seine Schriften und nicht

584

persönlich kenne) so wie meiner Achtung für Sie. Demungeachtet gebe ich Ihnen alle Freyheit mich, dafür daß ich mich so feurig einer mir ganz fremden Sache annehme, für eine Art von Don Quichote anzusehen, aber ich will tausend mal lieber diesem tapfern und edlen Narren gleichen, als zu der Fahne des infamen Egoismus unserer Tage schwören, der für alle niedrigen Seelen als Hauptaufgabe aufgestellt hat, thue nie etwas für andere wo nicht dein eigner Vortheil mit ins Spiel kommt. Ich hoffe Ew. Hochwohlg[eboren] werden uns den schlagendsten Beweis geben, daß Sie dieser Klasse nicht angehören, dadurch daß Sie großmüthig Ihrem Vetter gerecht werden, denn wäre es nicht eine Schmach für Ihr Haus, wenn in Deutschland für dessen geistreichsten jetzt lebenden Schriftsteller, für den Sprößling einer Familie, deren Reichthum wie der der Rothschild sprichwörtlich geworden ist, zu dessen *Lebensunterhalt* eine Collecte gesammelt werden müßte.

Herr H. H[eine] wird bald in Berlin erwartet, wo der gleich ihm wenn auch in anderer Weise berühmten Dieffenbach die Operazion an H[eine]'s kranken Augen zu verrichten übernommen hat. Benutzen Sie, mein geehrter Herr, ich bitte Sie inständig darum, diese günstige Gelegenheit Ihrem Vetter wenn auch keine glänzende doch eine vom Mangel entblößte Zukunft zu sichern, und seyn Sie dafür im Voraus des wärmsten Dankes vieler hochachtbarer Männer versichert, vor allem aber des Unterzeichneten [...]. (101)

716. Carl Heine   (1845/)1846

an Hermann v. Pückler-Muskau, Hamburg, 2. Febr. 1846

Ew. Durchlaucht

geehrte Zuschrift vom 28. Januar habe ich heute zu erhalten die Ehre gehabt; meine Handlungsweise gegen den Dichter H. Heine hat derselbe sich selbst zuzuschreiben.

Stets Anhänger seines großen Talents und ihn von Jugend auf vertheidigend, können Ew. Durchlaucht denken, daß es mir sehr schwer fällt, sein Betragen durchaus tadeln zu müssen; um so fataler ist es mir, wenn dem Anschein nach nur eine Geldverlegenheit als Motiv dient und der Welt gegenüber zu meinem Nachtheil entschieden werden mag.

Ich habe leider bittere Klagen gegen H. Heine zu führen und briefliche Beweise in Händen, die mich nöthigen, in meiner Handlungsweise zu beharren. Die Pietät, die ich meinem verstorbenen geliebten

Vater schuldig bin, gebietet mir selbst, der Bosheit Schranken zu setzen.

Aus meinem eigenen »ich«, und nicht ohne Widerstreben, bin ich schon hervorgegangen, indem ich ihm unter gewissen Voraussetzungen eine Unterstützung zukommen ließ. Er hatte diese verscherzt, und ich klage mich selbst der Schwäche an, daß ich meine Hand ihm nicht ganz entzogen habe.

Ew. Durchlaucht werden mich entschuldigen, wenn ich nicht weiter auf diese Angelegenheit eingehe, und erlaube ich mir schließlich zu bemerken, daß mein Gewissen frei von aller Schuld ist, und wenn ich weitere Erörterungen Ihnen gegenüber vermeide, es nur geschieht, um dem Charakter des Dichters nicht in Ihrer guten Meinung zu schaden.

Ich bin gewiß nicht hart, auch wegen des Geldpunktes nicht unversöhnlich, aber es gibt Dinge, die erst durch Reue und gutes Betragen ausgemerzt werden müssen. (100)

717. GIACOMO MEYERBEER (Dez. 1845/) Febr. 1846

Tagebuch, Berlin, 19. Febr. 1846

Besuch von Lassalle, der mir mit verblümten Worten, aber unter einer sehr diaphonen Allegorie ankündigte, daß Heine gegen mich schreiben würde. Der wahre Grund dieser Feindseligkeit ist, daß ich ihm vor meiner Abreise von Paris 1000 Franken, die er verlangte, nicht borgen wollte, nachdem ich ihm so viele Tausende schon in meinem Leben geborgt habe, von denen natürlich er mir nie einen Pfennig wiedergab. (14)

718. GIACOMO MEYERBEER (1838/)1846

an Carl Heine, Berlin, 14. Juni 1846

Verzeihen Sie wenn ich von 2 verschiedenen Empfindungen unwiderstehlich angeregt, es wage Ihnen gegenüber einen vielleicht indiskret scheinenden Schritt zu thun. Die eine dieser Empfindungen gründet sich auf die hohe unbegrenzte Achtung, die ich für Ihren ehrenhaften, gütigen und menschenfreundlichen Charakter, sowie für das Andenken Ihres unvergeßlichen Herrn Vaters hege. Die 2te dieser Empfindungen findet ihren Ursprung in meiner langjährigen Freundschaft für H. H[eine] und in der Bewunderung, die ich diesem großen Dichtergenius zolle, auf den sein deutsches Vaterland mit Recht stolz ist!

Durch Herrn Ferd. Lassalle, einen Freund Heines, der mit demselben in stetem Briefwechsel, habe ich in neuester Zeit erfahren, daß leider H[eine]'s Gesundheitszustand, längst erschüttert, in den letzten Monaten immer mehr verfällt. Diese üble Wendung seines Gesundheitszustandes wird bedeutend durch die moralische Agitation und den Trübsinn vermehrt, der bei ihm durch die Unsicherheit über die pekuniäre Existenz seiner Zukunft gebracht wird, da Sie ihm seiner Meinung nach weder die volle Summe seiner bisherigen Pension, noch die Dauer derselben für seine Lebenszeit fest versprechen wollen. Ich würde mir nicht erlauben in dieser Familienangelegenheit meine, des Fremden Stimme vernehmen zu lassen, wenn ich Ihnen nicht bestimmte Data über die Gesinnungen Ihres seligen Hrn. Vaters in dem Momente der Gestattung dieser Pension mitteilen könnte, da ich selbst der Veranlasser der Gewährung derselben von Ihrem im Wohlthun unerschöpflichen Hrn. Vater gewesen bin.

Als der edle Greis nach Paris zu Ihrer Hochzeitsfeier kam, bis zu welcher Zeit H. H[eine] zwar stets temporäre Zuschüsse, aber keine bestimmte regulierte Pension erhalten hatte, war ich so frei, diesen Gegenstand bei ihm in Anregung zu bringen und der treffliche Mann, der in Erinnerung seiner Freundschaft für meine guten Eltern (mir) ein herzliches Wohlwollen bezeugte, besprach die Sache nach allen ihren Details öfters mit mir. Und aus dieser Kenntnis her kann ich es als meine bestimmte Überzeugung aussprechen, daß Ihr Hr. Vater die H. H[eine] gewährte Pension als eine lebenslängliche betrachtete, wie dies auch schon aus der Phrase hervorgeht, mit der er ihm diese Gunst ankündigte, indem er ihm sagte »nun brauchst Du wenigstens nicht zu fürchten einst in Deinen alten Tagen auch Dein Brod durch Bücherschreiben erwerben zu müssen«.

Da ich von mehreren Seiten her weiß, mit welcher Pietät Sie, hochgeehrter Herr, jede Willensäußerung, jede wohltätige Intention des edlen Verblichenen im weitesten Umfang zu erfüllen suchen, so habe ich es für meine Pflicht gehalten unter den gegenwärtigen Umständen Ihnen diese ergebene Mittheilung zu machen, hoffend, daß Sie in derselben nicht bloß den Ausdruck meiner Freundschaft z. H. H[eine] sondern auch meiner innigen Hochachtung für Sie und für das Andenken Ihres mir unvergeßlichen Hrn. Vaters erblicken wollen. (101)

an Giacomo Meyerbeer, Hamburg, 20. Juni 1846

Hochgeschätzter Herr!

Ich habe die Ehre gehabt Ihre werthe Zuschrift vom 14ten zu erhalten. – Es ist gewiß nicht meine Absicht dem Dr. H. Heine in Ihren Augen zu schaden, und daher ist es für mich schwer Ihnen einige Détails über sein Betragen und die nothwendig dadurch entstandenen Differenzen zu geben; bis zur heutigen Stunde habe ich ihn auch geschont, da ich in früheren Zeiten viel Freundschaft für ihn hatte, aber jede Sache hat ihr Ziel; ich wünschte Dr. Heine hätte lieber weniger Talent und honettere Gesinnungen.

Obschon derselbe mich mit einem Prozesse bedrohte, wenn ich ihm nicht Zahlung leiste, so habe ich doch die Schwäche gehabt (ich muß dieses Wort gebrauchen, da mich nach seinem Betragen keine Freundschaft fesselt) ihm reichlich Geld zu geben, so daß ich nicht weiß, was er noch will. Ueber die persönlichen Beleidigungen, die er mir zugefügt, kann ich mich hinwegsetzen; aber keineswegs wenn er die Proben seines Talents in seinen brieflichen Mittheilungen dazu anwendet das Gedächtniß meines seligen Vaters zu schmähen, der sein Wohlthäter war, wie so Vielen Anderen, und dem er Alles verdankt. Das ist ein Frevel, den ich nie vergessen werde und einen solchen Menschen dürfte ich nach Recht und Natur keine andere Soulagements, als mit dem Stocke gewähren. Sie sehen wohl ein, hochverehrter Herr, daß ich unter diesen Umständen, dem Dr. Heine unmöglich eine rente förmlich zusichern kann; denn erdreistet er sich gegen meinen geliebten, seligen Vater in seinem genre etwas zu schreiben – so wird er den Sohn kennen lernen. – Gott sei Dank! haben wir nicht die entfernteste Ursache eine Veröffentlichung, eine Biographie des Seligen zu fürchten, aber jeder Sterbliche, so groß er auch sein mag, hat vielleicht einige kleine Schwächen, die auf die Heinesche Manier wiedergegeben, die Lachlust erweckt und die gewöhnliche Menge kitzelt; es mag noch so viel gutes, der Wahrheit gemäß, in einer Lebensbeschreibung gesagt sein, diese kleinen Schwächen haben die Ueberhand und bleiben länger im Gedächtnis der Menge als das Gute; der honette Mann mag noch so sehr davon angewidert werden. – Die Beweise der Fähigkeit hat mir Dr. Heine gegeben und ich will und darf nie dergleichen lesen, wenn er Unterstützung von mir in der Folge wünscht.

Was die pecuniären Verhältnisse desselben übrigens anbelangt, so habe ich kein besonderes Mitleiden nöthig, wenn er in den Gränzen der Bescheidenheit bleibt; schon im Anfang des Jahres hat er f. 4000 – von mir bekommen; dem ohnerachtet hetzt er den Fürsten Pückler, Rothschilds und Viele Andere auf mich und thut sein Möglichstes mir durch Schmähungen in der öffentlichen Meinung Schaden zuzufügen. – Gott mag es ihm verzeihen; ich begnüge mich mit meinem Gewissen abzurechnen und kann wohl sagen, daß ich für Dr. Heine nach dem Vorgefallenen zu viel thue.

Ich bedaure es ungemein, mein hochgeschätzter Herr, daß ich Ihnen, den ich in jeder Beziehung hoch verehre, eine so traurige Entgegnung auf Ihr gesch[ätztes] Schreiben zukommen lassen muß, aber Dr. Heine hat auf solche Art meine besten Empfindungen verletzt, daß ich Ihnen nur schreiben kann wie ich fühle und wie mir ums Herz ist. – Genehmigen Sie, hochgeschätzter Herr, die Versicherung meiner größten Hochachtung [. . .].   (14)

720. (THEODOR CREIZENACH)   Frühjahr 1846

Heine-Erinnerungen   (*19. 4. 1856)

Im Jahre 1846 las Heine die Geschichte der Israeliten von J. M. Jost mit dem größten Antheil. »Hätte ich die Gewißheit, noch zehn Jahre zu leben, sagte er, so würde auch ich jüdische Geschichten schreiben. Zur Vorbereitung aber müßte man ein ganzes Jahr kein Buch als den Herodot lesen.«   (42)

721. (THEODOR CREIZENACH)   Frühjahr 1846

Heine-Erinnerungen   (*19. 4. 1856)

Um dieselbe Zeit wandte sich Heine an den Schreiber Dieses mit der Bitte um Auskunft über das letzte Religionsgespräch, welches zwischen Christen und Juden stattgefunden, und über die daran betheiligten Personen. Folgendes Ergebniß unseres Nachlesens wird man wohl nicht ungern hier finden.

Josua Eschel, geboren 1691, der Sohn eines Juweliers in Frankfurt an der Oder (seine Mutter war eine geborene Pinto aus Amsterdam) hatte eine sehr abentheuerliche Jugend verlebt. Die Erzählungen der palästinischen Juden, welche alljährlich zum Einsammeln von Almosen für Jerusalem nach Europa kommen, entzündeten in dem Knaben eine mächtige Sehnsucht nach dem gelobten Lande. Trotz aller Abmahnungen seiner Mutter trat er mit einem jener Abgesandten, Namens Jekutiel, die Landreise nach Jerusalem an. In der Nähe von Oczakow wurden sie von tatarischen Räubern überfallen; Josua wurde von seinem Herrn getrennt und in einer Stadt am schwarzen Meere als Sclave verkauft. Als solcher kam er später nach Smyrna, wo er sich standhaft weigerte, zum Islam überzutreten. Um 150 Piaster kaufte ihn die Judenschaft in Smyrna los. Er reiste zurück und widmete sich in Krakau der talmudischen Gelehrsamkeit. Hier entlarvte er einen jüdischen Wunderthäter (Baalschem). Durch seine Kenntnisse bewogen, nahm ihn der Hofjude Wallich zu Sondershausen in sein Haus und gönnte ihm den Gebrauch seiner reichen Bibliothek. Josua studierte besonders die prophetischen Bücher; in Gesprächen mit dem Hofprediger Reinhard und anderen Theologen kam er zu der Ueberzeugung, die Weissagungen Jesaias seien auf Christum zu beziehen. Er nahm, begleitet von Reinhard, von seinen Glaubensgenossen in der Synagoge Abschied. Die Juden der umliegenden Gegend forderten ihn zu einem Religionsgespräch auf, welches im Anfange des Jahres 1722 vor der Synagoge in Dessau statt fand (also sieben Jahre bevor in derselben Stadt Moses Mendelsohn geboren wurde). Eschel war begleitet vom Hofrath Janus, von einem fürstlich dessauischen Rath und mehreren Geistlichen. Die jüdischen Lehrer waren billigdenkend genug, ihm auf Janus' Anfrage über seine sittliche Aufführung das beste Zeugniß zu ertheilen; das Gespräch selbst aber blieb ebenso erfolglos, wie alle früher stattgefunden. Am zweiten Weihnachtstage 1722 wurde Eschel in Sondershausen getauft; seine Pathen waren die regierenden Herzoge von Sachsen-Gotha und Braunschweig; als Taufzeugen wohnten die Fürstin von Schwarzburg-Sondershausen, die Pfalzgräfin am Rhein der Handlung bei. – Im Jahre 1779 feierte der Doctor der Theologie, Pfarrer Augusti zu Eschenberga in Thüringen sein fünfzigjähriges Amtsjubiläum; dies war der ehemalige Jude Eschel aus Frankfurt an der Oder. Drei Jahre später verschied er sanft in seinem einundneunzigsten Jahre.

Diese Mittheilung beschäftigte Heine'n lebhaft; doch fand er bald die Schwierigkeiten für eine dichterische Behandlung zu groß. »Ich glaubte anfangs, sagte er, ich könnte die thüringisch-protestantische Scenerie bewältigen, weil mir die Holländer oft gelungen sind; es ist aber doch eine andere Sache.« Die Disputation als Motiv einer humoristischen Dichtung trug er lang mit sich herum; er gab ihr aber zuletzt ein durchaus verschiedenes Gewand, indem er sie in das mittelalterliche Spanien, in die Zeit Pedro's des Grausamen verlegte. (42)

Memoiren   *(* 1901)*

Frau Friedland, eine hübsche, sehr gefallsüchtige Frau, liebte es, Leute
von Geist und Talent bei sich zu sehen, und so fanden sich allabend-
lich Dichter, Musiker und Journalisten in ihrem Salon ein. Zu den
ständigen Besuchern gehörte auch Heinrich Heine, der sich mit dem
alten Lassalle mit ganz besonderem Behagen zu unterhalten pflegte.
    Heinrich Heine hatte ich mir ganz anders vorgestellt. Mir schwebte
das bekannte Bild von ihm vor, auf welchem er schwärmerisch da-
sitzt und vor sich hinblickt. Mit diesem Bilde hatte er keine entfernte
Aehnlichkeit. Als ich Heine kennen lernte, war er schon leidend. Den
Bart am Kinn mußte er wachsen lassen, da ihn das Rasieren an dieser
Stelle nervös machte. Auf sein Aeußeres schien er gar keinen Wert zu
legen. Er war einfach und unmodern gekleidet und bewegte sich
langsam und, wie es schien, ungern. Am liebsten lehnte er sich bequem in einen Lehnsessel, sprach wenig und nahm nur gelegentlich
an der Unterhaltung teil.
    Die Abende bei Friedland waren sehr unterhaltend. Es erschienen
fast täglich der damals rühmlichst bekannte Violinvirtuose Panofka,
der Klavier-Komponist Stephen Heller und ein Hausfreund Friedlands, Herr Reinhold Heinke, Sohn des Polizeipräsidenten in Breslau.
Der angenehme Humor, die burleske Art und Weise, der Ton dieses
echten und gemütlichen Schlesiers veranlaßten Heine wiederholt herzlich zu lachen, während er sonst still und müde vor sich hinblickend
dasaß. Vergebens wartete ich auf den ihm nachgerühmten Witz oder
Sarkasmus. Auch seine Gattin kam zuweilen zu Frau Friedlands
Abenden. Sie schien sich aber in der deutschen Gesellschaft nicht sehr
wohl zu fühlen. Französin durch und durch, die kein Wort deutsch
sprach, verließ sie immer sehr bald das Hotel.   (248)

nach Mitteilungen Friederike Friedlands   *(* 1856)*

Wenn die Anwesenheit von Freunden, die er liebte, Heine auf Augenblicke vom Gefühl seiner Leiden abzog und das Geplauder hübscher
Frauen ihn anregte, war er unerschöpflich in drolligen Einfällen und
sie schossen raketenartig nach allen Seiten. Eine lebhafte und noch
immer hübsche Frau, Madame F[riedland], eine Deutsche, die er schon

vor Jahren gekannt und die nun nach längerer Abwesenheit wieder nach Paris gekommen, war heute mit ihrem Gemahl unter den Gästen. Das Wiedersehn und die Erinnerung an bessere Tage verjüngten den Kranken. Man sprach von der Vergangenheit und Madame F[riedland] warf Heine den Flattersinn vor, mit welchem er damals von einer weiblichen Erscheinung zur andern zu wandern pflegte.

»Que voulez vous?« erwiderte der Dichter, »das Ideal kömmt beinahe gar nicht vor. Große Schönheit und seltene Tugend sind fast niemals zusammen, es bleibt nichts übrig als holde Weiblichkeit stückweise zusammenzulesen. Endlich hat man ein vortreffliches Herz gefunden, auch das Aeußere ist herrlich gelungen, aber die Farbe des Haars stimmt nicht zu unserm Schönheitsbegriff. Hier ist eine Stirne, welche uns entzückt; hier ein Wuchs, dort eine Nase, hier ein niedlicher Fuß, dort ein schwärmerisches, meertiefes Auge. Diese lächelt holdselig, aber sie tanzt abscheulich, jene manoeuvrirt entzückend mit Lorgnette und Fächer, aber es steckt nichts als leere Gaukelei dahinter. Es ist wie mit den Kaffeehäusern. Hier giebt es alle möglichen Zeitungen und Revuen, aber schlechtes Getränk, dort gutes Getränk, aber harte Sopha's. Wo endlich die Sopha's vortrefflich sind, giebt's nichts, was lesbar oder trinkbar ist. Man muß umherwandern und kann nirgends ein Stammgast werden. So hat auch manche Schöne, die uns ein halbes Jahr lang fesselt, eine schwarze, verrätherische Seele, aber der Schnitt ihres Ohres ist von einer Vollendung, wie man sie noch nirgends getroffen.«

Madame F[riedland] lächelte und schlug dem Dichter mit dem Sonnenschirm über die Hand, denn er hatte mit dieser letzten Anspielung sie selbst gemeint. Man ging zum Diner, welches ziemlich lange dauerte und recht geräuschvoll war.

»Wer führt Sie umher, wer zeigt Ihnen Paris?« fragte Heine zu seiner Nachbarin gewendet.

»Der gute P[anofka]«, antwortete die Dame und nannte den Namen eines ziemlich bekannten Musikers.

»O, das ist recht!« rief Heine, »das kömmt uns allen zu Statten, es wird ihn wenigstens einige Tage lang vom Componiren abhalten. Als der Gute neulich eine Symphonie in der Salle Valentino aufführen ließ, hatte sich eine Schaar von Verschwörern eingefunden, welche diese musikalische Arbeit einmal ganz besonders auspfeifen wollte. Dieser Rachesturm sollte nach fester Verabredung am Schlusse des Finales losbrechen. Aber die Verschwörer hatten ihren Plan entworfen ohne den eigenthümlichen Geist des Maestro in die Rechnung gezogen zu haben. Als die einzelnen Sätze nämlich sich immer unerträglicher in die Länge zogen, schlich Einer nach dem Andern leise und heimlich aus dem Saal und zählte auf die Zurückbleibenden. Aber – da die Verschwörer eben die Kenner waren – blieb keiner darin und so kam es, daß der Treffliche noch zuletzt gar von den Mitgliedern seiner Clique applaudirt wurde.«

Als sich das Gelächter gelegt hatte, fragte Heine: »Was wollen Sie denn zuerst besuchen?«

»Es ist noch nichts bestimmt«, erwiederte die Dame, »aber Madame K[oreff?] wollte mich gegen zwölf Uhr mit ihrer Equipage abholen.«

»Madame K[oreff?]?« rief Heine. »O liebe Freundin, lassen Sie sich warnen, zeigen Sie sich nicht in der Equipage dieser Dame, wahrlich, das hieße Spießruthen fahren.«

»Ich erinnere mich eben«, gab Frau F[riedland] ein wenig betroffen zur Antwort, »Madame K[oreff?] schlug vor, wir sollten uns das Pantheon ansehn.«

»Das Pantheon«, rief Heine. »Ach, was will Frau K[oreff?] im Pantheon? Frau K[oreff?] ist ja selbst ein Pantheon, wo große Männer ruhten.« (172)

724. JOSEF SAMUEL TAUBER   Ende Febr./Ende April 1846

Artikel über Besuch bei Heine   (* ca. 21. 8. 1846)

»Heine ist gestorben!« schallte es jüngstens durch unsere Zeitungs-blätter. Es ist rührend, wie sie ihn successiv immer schwächer, immer kränklicher vorführten, vom Boulevard in's Spital, von da in's Bad, dann in's Irrenhaus, und endlich, nachdem sie ihn in Charenton an dramatischer Gerechtigkeit haben sterben lassen, sehen wir ihn am Père la Chaise unter einem schöngeschliffenen marmornen Grab-beschwerer liegen. [...]. So viel Talent er auch für Charenton von jeher gezeigt, so viele tolle Streiche er gemacht, so hoffnungslos krank er auch ist – verläßt ihn sein Geist doch nie, und nichts versetzt ihn in so heitere Stimmung, als die Notizen, Nachrichten und Zeitungs-schlangen über ihn, die sich seit einiger Zeit durch alle deutsche[n] Blätter ziehen. Freilich ist die linke Hand gelähmt, aber die Rechte reicht er freundlich noch den Landsleuten, die ihm mehr oder minder Grüße und frisch gepflückte[n] Lorbeer aus der Heimat bringen, [...]

Es sind kaum drei Monate, daß ich bei Heine war. Zu den unver-geßlichen Stunden edleren Genusses in der glücklichen Weltstadt, dem

Mekka der Geister wie des Materiellen, in dem einzigen Paris, rechne ich den Vormittag, den ich bei Heine verlebte. In die Faubourg Poissonnière biegt links ein enges Gäßchen ein, das dadurch entstehende Eckhaus ward mir als Nr. 41 und als Heine's Wohnung bestimmt. Ich stieg drei holzbelegte, polirte schmale Treppen, wie man sie so oft in Pariser Privathäusern findet, hinauf, und stand bald athemlos vor einer kleinen gelben Thür. Mein geistreicher und liebenswürdiger, so schnell bekannt gewordener Landsmann Moritz H[artmann] hatte vor einigen Tagen schon von mir mit Heine gesprochen; furchtlos und hoffnungsvoll also zog ich die grünseidene Glockenschnur. Eine Dame, mit italienischem Haar und Auge, französischer Toilette und dabei ein gutdeutsches freundliches Lächeln im schalkhaften Gesichte, öffnete die Thür und sagte, nachdem sie einen kritischen Blick auf meinen vaterländischen schwarzen Frack geworfen: – Monsieur Eene n'est pas chez lui. – Das war unangenehm! Ich freute mich schon auf Heine, seitdem ich seine ersten Lieder gelesen, und besonders seit einigen Tagen, da er mich durch Freund H[artmann] zu sich laden ließ. – C'est déjà longtemps qu'il est sorti? – frug ich mißmuthig. – Il n'est pas encore sorti, – scholl jetzt eine dünne hohe Stimme aus der halboffenen Cabinetsthür, und gleich darauf erschien ein kleiner Mann, weder mager noch dick, nicht jung und nicht alt; der etwas gebückte Kopf neigte sich oft zur linken Schulter, das blasse Gesicht trug deutlich die Spuren einer noch nicht überstandenen Krankheit; kurze braune Haare fielen ordnungslos auf die hohe gewölbte Stirne und einige graue, die sich zudringlich unter die dunklern mengten, riefen still ihre Sarkasmen über die Eitelkeit, womit der Besitzer noch vor wenigen Jahren mit der Hand durch die romantischlangen Locken fuhr. Es war Heinrich Heine! der Mann, den viele Deutsche liebten, den Alle eifrig lasen, dem alle Frauenherzen zuflogen, und der nun gebrochen, lebenssatt und müde vor mir stand. Die linke Hand war regungslos in die Tasche eines gelben Schlafrocks gesteckt, die Rechte reichte er mir freundlich zum Grüße.

– Entrez toujours, Sie bekommen sonst keinen Pariser in seinem Zimmer zu sehen, wenn Sie den Thürhütern immer glauben wollen, – rief er lachend und so laut, als ob ich taub wäre, dabei lief er schnell voran, daß ich kaum folgen konnte.

– Ich glaubte der ehrlichen Miene der brünetten Dame, – sagte ich, von dem Cours durch die drei Zimmer etwas außer Athem. – Geniren Sie sich nicht, sagen Sie nur: noirette! – lachte er wieder, indem er mir einen Sitz anbot, – Madame Heine, oder Eine, wie sie sich nennt, läßt

Vormittags keinen Deutschen zu mir, überhaupt nichts, was nicht fränkischer Abkunft ist, nicht ein Mal deutsche Briefe, wenn sie nicht frankirt sind. – Nach einer Pause, in welcher sich Madame zu ihm gesetzt und er wie gewöhnlich sich belacht hatte, sagte er: – Merkwürdig, mit welchem richtigen Blick sie die Deutschen erkennt, obgleich sie kein deutsches Wort versteht, außer wenn ich mit Damen deutsch spreche, oder wenn sie die ... Zeitung liest, n'est[-ce] pas ma biche? – rief er und fuhr recht väterlich mit der Hand über ihre[n] schwarzen Scheitel. – Ja, mein Err« – sagte sie lächelnd in gebrochenem Deutsch. – Ich habe Sie in den ersten Worten als Deutschen erkannt, – fuhr er zu mir gewendet fort, – und mußte so die Gute zur Lügnerin machen.

In diesem Augenblick rief eine heisere, versoffene Stimme im Vorhofe die Siege der polnischen Insurgenten aus, wie zweihundert Krakauer zwölftausend Feinde in die Flucht geschlagen haben; im Nu war Madame auf der Treppe und nach einigen Minuten kam sie mit freudetrunkenen Blicken und einem großen Blatte hereingelaufen. – Die Polen siegen, – rief sie und eilte in ihr Zimmer, um die Freudenbotschaft noch ein Mal zu überlesen.

– Die Katze kann das Mausen nicht lassen! – rief Heine, – und die Franzosen sind glücklich, wenn es irgendwo eine Revolution, und wär's in Peking, gibt, und gar gegen Rußland! ich glaube, wenn Luftballons stabil wären, es verkaufen morgen dreißigtausend Pariser ihre Garde-National-Uniform und fliegen nach Krakau. – Wir sprachen lange und kamen vom Hundertsten in's Tausendste. Er frug mich, da ich eben aus Italien kam, über mehrere italienische Städte, deren Verhältnisse und Politik, über Roms Schätze, die er leider nicht gesehen, obgleich das Gerücht ganz ungegründet sei, daß ein Deutscher (er meinte mit diesen trockenen Worten keinen Anderen als Börne) von ihm schrieb, er habe Rom nicht besucht aus Furcht vor einigen gedungenen Stiletten.

Ich erzählte ihm Manches vom italienischen Leben und Treiben, von meinen sonstigen Reiseplänen, von meinen Hoffnungen, bald wieder Deutschland zu sehen, und wie viele Deutsche in Paris mich darum beneiden, weniger des Genusses als um des Stoffes willen, den jede ähnliche Reise zu – Reisenovellen und einbändigen Skizzen gibt. – Setzen Sie sich doch gütigst hier herüber, – unterbrach er mich, – ich höre nicht auf dieser Seite. Ich beneide Sie auch, – sagte er dann mit einem rührend-ernsten Ton, den ich dann nie wieder von ihm hörte, – denke ich zurück, wie jung ich damals war, als ich das Alles so schön gesehen, mit welcher Liebe ich es geschrieben und von welchen elenden Recensenten ich herabgerissen wurde, dann sehe ich erst, welches Glück ich immer gehabt habe und – nimmer haben werde. – Machen Sie unsere Hoffnung nicht zu Schanden, – rief ich, seine Hand innig fassend; – was liegt auch an den scheelsüchtigen Urtheilen! Der edle Hirsch hat immer die Meute unter sich, und je vollzähliger das Geweih, desto eifriger die Hetze, desto lauter das Gebell. Deutschland erwartet, wenn auch noch nicht Ihre Memoiren, doch wenigstens – O, es ist aus, – unterbrach er mich wieder, schmerzlich lächelnd, – es ist aus! was soll ich mit einem halben Hirne anfangen, was mit einem halben Herzen schreiben? Ich überlasse es den Andern, – schloß er höhnisch lächelnd und der ganze Heinische Egoismus schwamm in diesem Lächeln. – Es ist wahr, – erwiederte ich etwas verletzt durch den Eigendünkel dieses Mannes, der durch kleinliche Züge oft den großen Dichter vergessen machte, – Sie haben es ihnen Allen, wenn auch nicht verdorben, doch sehr erschwert; es erreicht Keiner die Prosa von Heine, reden wir in der dritten Person von ihm. – Ich kenne ihn leider von der ersten, – schaltete er, lange lachend, ein. – Aber, – fuhr ich lauter und ernst fort, – es regt sich jetzt ein anderer Geist im jungen Deutschland! Die Lyrik, die früher alle Kräfte – alle Federn besaß und sie von den gewichtigen Vaterlandsfragen und Arbeiten entfernte, die Jungfrau, die keusch, ohne Interesse an weltlichen Dingen zu nehmen, vereinzelt dastand und sich von Frühlings-Stanzen und Liebessonetten ernährte, hat das Alleinleben jetzt langweilig gefunden, die alten Anbeter sind gestorben und vergessen, die jungen finden sie monoton und sie hat den Heiligenschein abgelegt und hört nicht nur Apollo, sondern auch sehr gern Mars' Erklärungen an. Es ist das Wort zur Zeit jetzt in Deutschland an der Zeit, der deutsche Ernst lispelt nicht mehr Geßnerische Idyllen, er ruft tönend seine Wünsche – ja seine Forderungen, und nimmt er auch noch manchmal den lyrischen Mantel um, so geschieht's, um die Zeitgenossen, die der Nacktheit noch ungewohnt sind, nicht zu erschrecken, so geschieht's leider noch aus Furcht, daß einige zimperliche Federn es nicht für ästhetisch erklären werden, die Glieder, so edel sie auch sind, blos zu zeigen, von den Uebeln, so schädlich die wärmende Decke auch ist, zu sprechen.

– Und Sie glauben, das hält sich? – frug er bitter, – ich bereue es, die wenigen politischen Gedichte veröffentlicht zu haben, die ich schrieb. Gehen wir auf Ihre lange Metapher ein – Apollo und Mars werden aber sich nicht lange verhalten; es ist überhaupt nicht mehr die Zeit für Gedichte, weder hier noch in Deutschland – in Deutschland schon gar nicht! In Frankreich darf der Poet von der Galeere kommen, schreibt er etwas Neues, liest es alle Welt, loben es Alle! Bei uns zu Hause liest Keiner eher ein Buch, bis er sich über die solide Conduite des Dichters erkundigt – von seiner Tendenz überzeugt hat. Und wie Deutschland selbst Hartnäckigkeit für Consequenz nimmt und eher Menschenwürde und Recht, als die traditionellen Codexe läßt, so glaubt und urtheilt es auch von anderen Staaten wie von jedem Einzelnen; sie glauben daheim nicht, daß man die Selbstüberschätzung gar bald verliert und, den Leichtsinn bitter bereuend, in der Fremde bei Seite wirft; sie wissen nicht, was das heißt, eilf lange Jahre auf den Sprossen des Exils auf- und absteigen; sie werden ihrer Dichter nimmer froh; Jeder schätzt sich glücklich, Marterwerkzeuge für einen vom Volk geliebten Namen herbeizuschaffen, wen das Volk hoch anschlägt, kreuzigen sie hoch an, so war's und bleibt's bei uns – von Wieland bis Heine. – Er schwieg erschöpft. Die gelähmte Zunge hatte schon lange nicht so viel gesprochen und ermüdete bei den letzten Worten so sehr, daß man die gestammelten Laute kaum verstand. – Sie sehen in der Ferne Alles trüber und nebelumhüllter als daheim, – begann ich nach einer Pause – kommen Sie nach Deutschland. – Wohin soll ich? – rief er leidenschaftlich; – nach Hamburg will ich nicht, nach Berlin kann ich nicht! Sollten Sie es glauben, die österreichische Regierung machte mir, wie ich aus gewissen Quellen weiß, weniger Umstände und Schwierigkeiten zur Hinreise als Preußen! Ich gebe auch den Plan nicht auf, wenn Pyrmont Wort hält und seine Bäder mich stärken, versuche ich eine Reise nach Deutschland und wenn's glückt, besuche ich noch ein Mal Wien, ich habe einige Bekannte dort. – – – Auch Herrn Grillparzer, wenn Sie ihn sehen sollten, bringen Sie meine herzlichsten Grüße. Wünsche erspare ich wohl, er hat ja jetzt einen großen Titel und damit glauben sie ja überschwenglich jedes Verdienst belohnt zu haben! Er war so gütig, mich hier zu besuchen, und ich unterhielt mich so gut mit ihm; er ist so gut, gemüthlich und die Zeit war so kurz, daß ich nicht Gelegenheit hatte, mit ihm Wichtigeres zu besprechen, wie ich es wollte. Er soll mich anders kennen, als aus Zeitungsnotizen; wäre er hier, ich stünde ihm für die erste deutsche Unsterblichkeit gut, so muß ich *mir* sie aufheben. –

– Um von Ihrem Manuscripte, das mir Hr. H[artmann] gab, zu sprechen, nehme ich mit wahrem Vergnügen die Dedication an, ich muß Ihnen aber Vieles als Haarbeutel bezeichnen; ich besuche Sie nächstens, wir sprechen dann mehr darüber.

Und er hielt Wort. Wie man auch seine überaus freundliche Zuvorkommenheit auslegen mag, so viel ist gewiß, daß er sich wahrhaft und innig gegen Alles, was deutsche Zunge spricht, benimmt, und Manche mit Rath und – That unterstützt, obgleich die letzte Onkelerbschaft nicht so immense war und Campe für die Nutznießung seiner Werke ihm nur etwa 3–4000 Fr[anken] jährlich zahlt. (253)

725. (Theodor Creizenach)   Frühjahr 1846

Heine-Erinnerungen   (* 6. 10. 1855)

Als [Gustav] Schwab im Jahr 1839 eine dichterisch geschmückte Beschreibung der schweizerischen Ritterburgen herausgab, schilderte er mit besonderer Liebe ein aus dem Schutte neuerdings aufgegrabenes Bergschloß und war freimüthig und arglos genug, dieselbe seinem Gegner Heine mit dem Spruche zu widmen:

Diese Burg hast du ersungen;
Nimm sie hin aus Sängerhand.
Laß uns einzieh'n armumschlungen,
Laß uns singen liedentbrannt.
Laß uns eins zusammen bechern
In dem Rittersaal geschwind,
Eh' uns einfällt, trotz'gen Zechern,
Daß wir ew'ge Feinde sind.

Da dies Buch von Schwab (Bern und Chur 1839) nur langsam Verbreitung fand, hörte Heine erst nach Jahren vom Schreiber Dieses den an ihn gerichteten Vers. Er bemerkte darauf: »Es ist schrecklich, daß Derjenige, den ich ganz behaglich heruntermache, mir Schlösser dedicirt; in dieser verdorbenen Welt kann man sich nicht einmal mehr auf seine Feinde verlassen!« (41)

726. (Theodor Creizenach)   Frühjahr 1846

Heine-Erinnerungen   (* 19. 4. 1856)

Ein Bedenken, das im Gespräch mit Heine oft angeregt wurde, betraf seine Angriffe gegen bedeutende und berühmte Personen; es wurde gefragt, ob solche in künftigen Ausgaben unverkürzt ihren Platz einnehmen sollten. Die Frage bezog sich zumeist auf die Verspottung Platens und auf das Buch über Börne. Was das letztere betrifft, so fühlte Heine wohl, daß er mit dem Ausspruch »es sei süß der Leiche eines Feindes zu folgen« sich selbst herabgesetzt habe. Im Uebrigen behauptete er standhaft, daß er, trotz mancher von Börne's Freunden erfahrenen Unbill, demselben doch gerecht gewesen sei. (42)

727. ADOLF STRODTMANN   April 1846

nach Mitteilungen von Moritz Hartmann (?)   (*1869*)

Daß Heine auch in späteren Jahren sein Auftreten gegen Platen durch dieselben Doppelgründe persönlicher Nothwehr und principieller Parteitaktik zu rechtfertigen suchte, bezeugen die Unterhaltungen, welche er mit dem Dichter Moritz Hartmann und dem ungarischen Schriftsteller K. M. Kertbeny gelegentlich über dies Thema führte. Gegen Ersteren äußerte er bei einem Besuche im April 1846, seine Polemik gegen Platen sei nichts Anderes gewesen, als ein Kampf gegen die Pfaffen. Hinter Platen hätten die Pfaffen gesteckt, deren Hauptlager damals München gewesen, und er habe es für ein verdienstliches Werk gehalten, in Jenem einen Verbündeten derselben zu vernichten. (249)

728. LEVIN SCHÜCKING   15. April 1846

an Luise Schücking, Paris, 20. April 1846

In der Erzählung meiner Erlebnisse wurde ich neulich durch Heine gestört. [. . .] Am 15., als ich Dir schreiben wollte, kam also Heine, bei dem ich tags zuvor, weil er ausging, eine Karte gelassen. Er war höchst liebenswürdig, ein merkwürdiger Kerl! Er machte mir und den Westfalen viele Komplimente, mokierte sich über die Schwaben, Liszt, alles mögliche und saß wenigstens zwei Stunden da. Er ist übrigens in bedauerswürdigem Zustande, halb blind, halb gelähmt. (103)

729. KARL GUTZKOW   April 1846

an Luise Gutzkow, Paris, 27. April 1846

Wenn ich fort bin, werd' ich mir doch Vorwürfe machen, so manche der hiesigen Berühmtheiten nicht besucht zu haben. Heines Intrigen gegen mich und meine hiesige Geltung sind sehr gefährlich. Er hat

Sorge getragen, daß eine geringschätzige Meinung verbreitet wurde, und von den hiesigen Herren Deutschen ist auch noch nicht einer, der etwas für mich unternähme. (103)

730. KARL GRÜN
April 1846

an Georg Schirges, Paris, 29. April 1846

Uebrigens habe ich Gutzkows Seigbeutelei hier in Paris persönlich abermals kennengelernt, und Heine, der Dir sehr wohl will, meinte, Du habest eine durch nichts zu rechtfertigende Furcht vor dem Räuberhauptmann. (103)

731. LEVIN SCHÜCKING
5. Mai 1846

an Luise Schücking, Paris, 6. Mai 1846

Heine war wieder gestern einen ganzen Morgen bei mir. (103)

732. LEVIN SCHÜCKING
23. Mai 1846

an Luise Schücking, Paris, 24. Mai 1846

Gestern war es wieder Heine, der den ganzen Morgen dasaß und plauderte! er hatte meine Gedichte durchgelesen, und sie hatten ihn sehr interessiert, vor allem war er über die Landsknechtslieder entzückt, sprach auch sonst noch viel über dieselben. Kurioser Kerl das! Wenn man in ihn dringt, einen zur Sand zu führen, sagt er: »Ich gehe nicht viel hin, man hat doch auch auf seinen Ruf Rücksicht zu nehmen!« (103)

733. LEVIN SCHÜCKING
April/Mai 1846

Memoiren, 1868
(* 1869/1883)

Gutzkow war mit Heine überworfen, er verzieh ihm sein Werk über Börne nicht, nicht daß J. Campe seine gründliche Arbeit über Börne ein Jahr lang im Pulte verschlossen gehalten, um der Heines den Vortritt zu lassen, und besuchte Heine auch nicht aus Rücksicht auf seine freundschaftlichen Beziehungen zu den Personen, welche Börne zunächst gestanden. »Aber gehen Sie zu ihm«, sagte mir Gutzkow. »Mit uns Deutschen verkehrt er zwar wenig. Nur mit einigen. Doch wird er Sie gern empfangen. Er wohnt Rue de Faubourg Poissonière, nicht weit von uns.«

In derselben Straße lag das Hotel Violet, das mich beherbergte, und schon am folgenden Tage in den Nachmittagsstunden ging ich zu seiner Wohnung. Niemand war daheim.

Am folgenden Morgen, in einer für Paris sehr frühen Stunde, vernahm ich auf dem dunklen Corridor vor meinem Zimmer ein unsicheres Hin- und Hergehen, ein Stolpern wie über ein im Wege stehendes Geräth, wie die Bewegungen eines Blinden. Ich sprang auf, die Thür zu öffnen, und auf die Schwelle trat ein ziemlich starker mittelgroßer Mann in einem dunklen grauen Anzug, der, wie Andere eine Lorgnette zum Auge führen, die Linke an sein Auge legte und mit dem Zeigefinger der Hand das Lid emporhob, um mit in den Nacken zurückgeworfenem Haupte besser zu sehen.

Der Mann glich nicht im entferntesten Heinrich Heine, wie seine Porträts von damals ihn darstellten. Er sah weniger fein, weniger durchgeistigt und weit weniger schmächtig aus, als ich es erwartet hatte – von orientalischem Typus fand ich keine Spur in seinen Zügen, die auch nicht leidend aussahen. So erkannte ich ihn nicht und rief erst, als er sich genannt, hocherfreut aus:

»Ach – Sie sind Heine . . . welche Freude machen Sie mir, daß Sie zu mir kommen – ich habe nur sehr schüchtern gestern zu Ihnen den Weg gewagt . . .«

»Weshalb schüchtern? Glauben Sie, es wanderten so viele von euch meine Treppe hinauf, daß ich blasirt wäre gegen einen freundlichen Beweis, daß man mich in Deutschland nicht vergessen hat?«

»Als ob Sie solcher Beweise bedürften! Und Sie werden sie doch immer in zwei Kategorien theilen, in angenehme und lästige, und es werden gewiß ihrer viele von jenseits des Rheines kommen, welche Sie wünschen lassen, dieser Strom wäre der Lethe.«

»Ach nein«, sagte er, »der Lethe? Der Rhein, von dem Sie kommen, ist der Strom der Erinnerung für mich! Mein ganzes Herz hängt an ihm; ich bin nicht nur von Geburt, sondern auch von Natur ein Rheinländer.«

»Und doch haben Sie nie ein rechtes Rhein- und Weinlied gedichtet.«

»Hab' ich nicht? Es mag wahr sein. Ich habe nie den Wein besungen; da sehen Sie nun auch gleich, wie ich verleumdet werde und welch ein moralischer Poet ich bin. Aber trinken Sie den Ihren«, fuhr er fort, »ich sehe, ich habe Sie bei Ihrem Frühstück gestört.«

»Wollen Sie es theilen?« fragte ich, während er in dem Sessel, den ich herbeigeschoben, vom Lichte abgewendet, sich's bequem machte. »Dieser Wein ist ein ungefährlicher Stoff aus der Gironde oder Saintonge . . .«

»Nein – ›mein Gelübde ist nicht wider den Wein‹, aber mein Arzt ist es, mein Arzt, oder besser mein armer macerirter Körper hat mich zu einem Asketen gemacht. Ich werde bestraft für eure Sünden.«

»Für unsere Sünden? das heißt?«

»Habt ihr in Deutschland mich nicht zum Erfinder oder zum Apostel der Emancipation des Fleisches gemacht?« antwortete Heine; »und nun sehen Sie in mir einen armen wassertrinkenden Tugendüber, einen Weltüberwinder, einen Asketen, einen vollständigen Trappisten . . . ach, ich bin sehr krank; ich muß, wenn ich sehen will, wie Sie aussehen, dies Lid mit dem Finger in die Höhe schieben, so gelähmt ist es . . . überhaupt ist meine ganze linke Seite seit Jahren gelähmt, mein Kopfweh läßt mir nur selten eine Stunde zur Arbeit . . .«

Auf meine Antwort, daß er doch so wohl und kräftig aussehe, fuhr er fort: »Ich kann nur in lichten Augenblicken schreiben – was«, setzte er dann lachend hinzu, »freilich besser ist, als was viele andere Narren machen, die nur in ihren Anfällen zu schreiben scheinen . . .«

Heine sprach weiter von seinen Leiden, und ich sagte etwas von dem Vorschlag, den Heine einst einem Bekannten, Hailbronner, gemacht.

»Hailbronner? Welchen Vorschlag?« rief er aus.

»Haben Sie ihn nicht einmal gebeten, Ihnen auf kurze Zeit seinen Körper abzutreten? Nur standen Sie nicht für den Zustand ein, in welchem Sie ihn abliefern und seinem Eigenthümer zurückgeben würden, wenn er ihn nach einigen Wochen wiederverlangte.«

Heine lachte hell auf.

»Also Sie kennen Hailbronner?«

»Ich lebte in Augsburg . . .«

»Ach ja, ich weiß. Und was macht er und was macht Kolb, mein unerbittlicher Censor?«

»An Hailbronner hat sich sein loses, flatterhaftes Herz gerächt – es ist ihm schwer geworden in einer langen bedenklichen Herzkrankheit – und was Kolb angeht, so werden Sie ihn noch todt ärgern, wenn Sie just Ihre schönsten Gedanken und Ihre hinreißendsten Witze in diejenigen Stellen Ihrer Briefe für die Allgemeine Zeitung bringen, die er zu seiner Verzweiflung streichen muß.«

»Weshalb streichen muß . . . er ist ein Vandale.«

»Ach, er ist ein guter treuer Schwabe und freut sich wie ein Kind an Ihren Briefen – aber sein Joch ist nicht gelüftet, seitdem er Herrn Lüfft zum Censor hat – Sie kennen ja unsere unglaublichen Zustände . . .«

»Er treibt es doch zu arg – wie wird es ihm gehen, wenn am jüngsten Tage alle von ihm erstickten Gedanken auf ihn einstürmen und alle durchstrichenen Witze sich als Ankläger wider ihn erheben und Ersatz von ihn verlangen für ihr gehindertes Leben – Dante hätte eine eigene Höllenstrafe für die Redacteure erfunden, wenn er Florentiner Correspondent der Allgemeinen Zeitung gewesen wäre.«

»Als ob die nicht ohnehin schon in der Hölle lebten zwischen Autoren wie Sie oder dem Fragmentisten – und dem Druck, den König Ludwig, Abel, Metternich, Pilat e tutti quanti auf das Blatt ausüben.«

»Der Fragmentist – ach ja, das ist ein feiner, scharfer Kopf – ein Mann, der schreiben kann, obwohl er nie hier war, es zu lernen – wer sonst deutsch schreiben lernen will, der muß nach Paris kommen, es zu lernen – aber erzählen Sie mir von Fallmerayer.«

Ich erzählte ihm vom Verfasser der »Fragmente aus dem Orient«, von dem großen literarischen Ereigniß der letzten Zeit in München, der Vorrede, womit Fallmerayer seine Fragmente in die Welt gesandt, und worin er so muthig in dem vom Ministerium Abel beherrschten Bayern, in Derwischabad (München) den klerikalen Geist als schleichenden Fabius Ignatius Tartuffius abgehandelt – die Sorge seiner Freunde wegen dieser Kundgebung, die Theilnahme des Kronprinzen (Max II.) daran, den Stafettenwechsel zwischen Autor und Verleger über einzelne gar zu bedenkliche Ausdrücke – und andere Züge zur Charakteristik der Verhältnisse jener Tage, dir mir heute entfallen sind, die Heine aber mit großer Theilnahme anhörte und oft durch Bemerkungen von schneidendem Witze unterbrach. – Er sprach dann von den Deutschen in Paris und zwar mit ziemlich scharfer, böser Zunge. Von Gutzkow wenig, da er mich ihm befreundet fand. Länger sprach er von Herwegh. Dieser hatte unter der republikanischen Partei in Paris eine gewisse Stellung und Bedeutung erlangt; er wurde auf den Händen getragen in einem Kreise, den die Baronin Meyendorff, eine später in einer zu Köln verhandelten cause célèbre vielgenannte geistreiche Dame, aus der russischen Diplomatenwelt stammend, um sich versammelte. Armand Marrast hatte in seinem »National« – so glaube ich mich zu entsinnen – eben ein glänzend geschriebenes Feuilleton über die Poesie Herweghs gebracht, und Heine war offenbar eifersüchtig darauf; er fürchtete die Verdunkelung in den Augen der Pariser. – Er klagte über den Mangel an Anerkennung bei diesen dummen Franzosen – und auch bei dem »deutschen Michel« der nur noch Politik reite, wie ein Kind sein Steckenpferd, ohne daß das Pferd Leben und Kraft in den Beinen habe und vorwärts galoppire. – »Ich habe nur noch die Frauen für mich«, sagte er lachend, »die Frauen lieben mich doch, sie wissen, ich stehe an ihrer Spitze und führe sie an gegen die hölzernen philisterhaften Männer!«

Er sprach dann von Venedey. »Halten Sie Venedey für einen Schriftsteller?« fragte er mich mit kaustischem Lächeln.

»Für einen ehrlichen und noblen Mann, eine treue, biedere Seele – ob Gott oder blos die deutschen Verhältnisse, die ihn als Flüchtling nach Paris warfen, ihn zum Schriftsteller gemacht, können Sie besser entscheiden als ich«, antwortete ich.

Er lachte und erging sich in witzigen Wendungen über den armen »Kobus«, von dem er behauptete, daß sein einziger Anspruch auf eine geistige Führerschaft im Heere des Liberalismus darauf beruhe, daß sein Vater Anno dazumal zu Köln auf dem Neumarkt schon um einen Freiheitsbaum getanzt – die Variationen dieses Themas lockten ein Sprühfeuer von Witz aus Heine. Venedey hatte ihm nie etwas zu Leide gethan, soviel ich weiß; aber solch eine biedere, urteutonische Kernnatur, mit ihrem ausgesprochenen Antipodenthum gegen all sein Wesen, diente ihm so lange als Scheibe, bis »Atta Troll« all diese Banderillos und Schwärmer zugeschleudert bekommen und an seinem zottigen Bärenfell hängen hatte.

Eine Stunde oder anderthalb waren unter Geplauder und Lachen verflossen; Heine erhob sich, um zu gehen.

»Sie sollen sich nicht die Mühe machen, meinen Besuch zu erwidern«, sagte er, »denn da ich nicht gesund genug zum Arbeiten bin, gehe ich viel aus; ich flaniere, ich mache Besuche. Morgen um diese Stunde, wenn es Ihnen recht ist, werde ich wiederkommen und wir werden weiter plaudern – Sie sollen mir mehr von Deutschland erzählen. Meine Frau ist verreist, ich bin Strohwittwer – Strohwittwer sind gefährliche Leute für ihre Bekannten ... das werden Sie inne werden, denn wenn ich von meinem Hause die Straße hinabwandle, ist Ihr Hotel Violet die erste Raststätte, wo ich meinen gezwungenen Müßiggang sich verschnaufen lassen kann.«

Ich sagte erfreut, daß ich ihn beim Worte halte, und in der That kam er am anderen Morgen gegen zehn Uhr wieder, und ebenso am folgenden Tage und so fort, etwa acht oder zehn Tage hindurch, bis

ich durch Verabredung zu größeren Partien, hauptsächlich mit Frau
v. Bacheracht, um St. Cloud, Versailles u. s. w. zu sehen, nicht mehr
regelmäßig die Vormittagsstunden zu Hause sein konnte. – Ich war
Heine durch niemand empfohlen, ich war mit meinem naiven Novi-
zenthum noch wohl mehr eine ihm antipodische Natur als sein Freund
Kobus – ich war noch sehr ein Romantiker, ein Gefühlspolitiker, ein
Ghibelline – von dem modernen Parteitreiben, von den socialistischen
Ideen, welche der »Gedankenströmung« jener Tage ihre Richtung
gaben, verstand ich nichts – es mußte die anima candida in mir sein,
welcher er ein so großes Wohlwollen zuwandte. Er sprach sich höchst
offen über alle seine Verhältnisse gegen mich aus, er klagte über seine
geheimsten Körperleiden; er nahm es mir nicht übel, wenn ich ihn
mit einer Geschichte neckte, die Hailbronner ihm nachtrug, nämlich
daß er diesen angelegen habe, sich mit ihm feierlich im Bois de Vin-
cennes zu schlagen, auf Pistolen, aber mit herausgezogenen Kugeln –
das würde ihm, Heine, einen gewaltigen Nimbus und Respect bei den
windigen Franzosen zuwege bringen, wenn sie vernähmen, daß er mit
dem Riesen von bayerischen Cavalleristen auf die Mensur gegangen.
Heine leugnete die Geschichte natürlich; Hailbronner war eben sehr
»Tourist«, ich kann also für die Wahrheit nicht einstehen. – Ja, eines
Morgens brachte er mir ein mit seiner sauberen Hand geschriebenes
Gedicht, das »Herr Schelm von Bergen« überschrieben war und das
er als Beitrag für das von mir redigirte Feuilleton der Kölnischen
Zeitung geschrieben zu haben versicherte; es behandelte die bekannte
Sage von dem in Düsseldorf zum Ritter geschlagenen Scharfrichter,
einen jener Stoffe, die Heine wohl besonders anziehen mußten nach
dem, was uns sein Bruder Maximilian über seine erste Neigung zu
»Sefchen«, der Nichte des düsteren einsamen Mannes im Freihause
zu Düsseldorf, erzählt hat.
    Aber freilich machte mir Heine auch kein Hehl daraus, daß er
einen außerordentlichen Werth auf einen Artikel lege, den jenes
Feuilleton über ihn bringen solle und mit welchem er einen speciellen
Zweck verband.
    Es trat dabei eine mir unerklärliche Schwäche in dem großen Dich-
ter hervor – das räthselhafte Gewicht, welches er darauf legte, von
sich gesprochen, in den Blättern seinen Namen gedruckt, von sich
»notizelt« zu sehen. [. . .]
    Damals glaubte er Grund zur Beschwerde über seinen Vetter Karl,
den Erben seines Oheims Salomon Heine, zu haben. Der Details erinnere ich mich nicht mehr, aber ich irre wohl nicht, wenn ich glaube,

er fürchtete, Karl Heine werde ihm die Pension, die der Onkel Salomon ihm gewährt, nicht ganz oder nur unter gewissen Voraussetzungen und nicht erfüllbaren Bedingungen auszahlen wollen. Er sprach mir viel darüber, und eben nicht in sehr zärtlicher Weise gedachte er des Vetters. Auf diesen sollte nun eine öffentliche, aber diplomatisch gehaltene Besprechung seiner Verhältnisse wirken. Und so verlangte er von mir ein Versprechen, wenn ich daheim sei, etwas über meinen Pariser Aufenthalt zu schreiben und darin in der erörterten Weise von ihm zu reden. Vergebens stellte ich ihm vor, daß ich stets ein Widerstreben dawider empfunden, wenn ich eine Reise mache, sofort die Welt mit meinen ihr gewiß sehr gleichgiltigen Erlebnissen und Beobachtungen zu belästigen – es seien der Leute genug da, welche dieser unliebsamen Gewohnheit fröhnten. Er ließ nicht nach, mich darum anzugehen, und so versprach ich ihm endlich und schrieb nach meiner Rückkehr für die Kölnische Zeitung »Ein Blatt aus [m]einem Reisetagebuche«. Es enthielt so ungefähr das, was er im Ganzen damals über sich gesagt zu sehen wünschte und was ich nach meiner eigenen Ansicht darüber sagen konnte. Die Hauptsache war zusammengedrängt in die folgende Stelle:

»In der That, Heine lacht noch, obwohl er viel gelitten hat, obwohl sein Körper gelähmt ist, sein Auge erblindet. Unter den Händen französischer Aerzte hat er schmerzlichsten Kuren sich unterworfen. Aber sein poetischer Leichtsinn trägt ihn immer noch, sein Gesicht ist blühend, er geht ungebeugt, sein Wesen ist voll Elasticität, und zu einer Stunde, wo die verschlafenen Pariser sich kaum noch aus ihren Kissen erhoben haben, saß er oft mir gegenüber im ruhigen Hotel Violet unweit seiner Wohnung in der Rue du Faubourg Poissonnière. Er sprach viel von Deutschland, von seinen Schriftgelehrten und von der Romantik seiner Jugend. Ja, er gab sogar auch zu, er habe eigentlich ein katholisches Element in sich; seine Wallfahrt nach Kevelaer hätte er nicht dichten können ohne ein inniges Verständniß der Poesie, welche im mittelalterlichen Cultus gelegen habe, und er versicherte mit großer Befriedigung, seiner Mutter sei der Antrag gemacht worden, ihn als Knaben einer geistlichen Erziehung zu übergeben, in welchem Fall man sich anheischig machen werde, ihn in die Bahn kirchlicher Ehren zu bringen. Leider habe die Mutter geschwankt und es abgelehnt, sonst werde er, Heinrich Heine, jetzt wahrscheinlich Cardinal der heiligen römischen Kirche sein. Es sei ewig schade! – Auch versicherte er, wie er Freiligrath eigentlich so lieb habe; aber – was sich liebt, das neckt sich!

»Heine geht damit um, seinen Atta Troll zu vollenden, und arbeitet, wie er versichert, an seinen Memoiren. Alles, was man sonst über seine Arbeiten berichtet, ist unwahr, ebenso unwahr wie so manche andere Angabe über ihn, die in neuerer Zeit als Zeitungsente schwamm. Er hieß nie anders als Heinrich, war nie ernstlich Handlungsbeflissener und selbst jenes charakteristische Wort seines Oheims über ihn – so ›ben trovato‹ – ist nicht wahr. An dem schlechten Gedicht: ›Auf dem Boulevard de Calvaire‹, welches das Album ›Die deutsche Flagge‹ von Ed. Boas mittheilte, ist er vollends unschuldig – es ist nicht von ihm, sondern völlig untergeschoben. Um sich zu trösten für solche Unbill, flüchtete er seine Gedanken in die alten Regionen, in denen einst seine jugendliche Phantasie schwärmte –

> Dort, wo die Palmen wehn, die Wellen blinken,
> Am heil'gen Ufer Lotosblumen ragen
> Empor zu Indras Burg, der ewig blauen . . .

Dort in jenen Regionen des fernen Ostens hat er auch Anerkennung gefunden! Die Japanesen haben seine Werke übersetzt und die ›Calcutta Review‹ hat eine ausführliche Abhandlung darüber gebracht. So hat es Doctor Bürger aus Leyden, der lange in Japan war und mit Siebold ein gelehrtes Werk über dies Land edirte, ihm erzählt – als Beweis, wie weit die Weisen deutscher Dichter tönen. [. . .]«

Zu diesen Zeilen, an deren Schluß ich mir herausnahm, ihm anzudeuten, daß ich seine ängstliche Sorge um Erhaltung des Tageruhms, um Lob und Tadel in allen möglichen Blättern sehr unweise finde, muß ich heute nur noch bemerken, daß die darin erwähnten Memoiren mir damals wie eine Mythe vorkamen. Es schien mir, Heine rede geflissentlich viel von diesen seinen Denkwürdigkeiten und drapire sich dabei ein wenig wie ein heiliger Nikolaus, der frommen Kindern Süßigkeiten und den unartigen die Ruthe bringt; wie eine Art von stillem Wolkensammler Zeus, der, über dem Literaturgewimmel unter ihm thronend, einst wohlthuenden Regen oder vernichtende Blitze schleudern werde – je nachdem und nach Jedermanns Verdienst um Jovis Altäre. Ich mag darin Unrecht gehabt haben; ich weiß nicht, ob Memoiren Heines da sind oder nicht, ich spreche nur den Eindruck aus, den mir sein Reden darüber machte, und dieser läßt mich entschieden der Behauptung zuneigen, welche in dieser Frage die Fürstin della Rocca verficht. (234)

Malgré la distance que l'âge, la célébrité et le talent mettaient naturellement entre nous, nos relations s'établirent sur un pied de parfaite égalité. Cela pourra paraître singulier, je le confesse. Cependant rien ne s'explique plus facilement.

H. Heine d'abord n'était pas alors le Henri Heine qu'il est maintenant à nos yeux. Il venait de publier à Hambourg la cinquième édition de son *Livre des Chants* et la première des *Poésies nouvelles,* qui n'étaient pas encore traduites ni l'une ni l'autre en français. Il achevait son livre sur l'Allemagne. Quoique célèbre, il était encore très discuté en Allemagne, où il avait force ennemis politiques et littéraires. En France, où il avait à lutter contre la critique acerbe et puissante de son compatriote Bœrne, il n'était connu que d'une élite, grâce à ses *Reisebilder,* traduits par Lœwe-Weimar, et à ses articles publiés dans la *Revue des Deux-Mondes.* Quant à sa personne, on l'a vu, elle n'avait rien de bien imposant, et quoiqu'il fût très préoccupé de lui et fort susceptible, il était bon enfant et sans façon dans le commerce habituel de la vie. On se trouvait donc porté à le traiter familièrement, hélas! pas *familionnairement,* comme il l'a écrit si plaisamment de son compatriote et coreligionnaire Rothschild. Puis son scepticisme, sa raillerie n'avaient pas de prise sur moi: j'étais alors tout imbu de mes lectures de la Bible de Luther, et ardemment préoccupé de la recherche de la vérité religieuse: Heine ne me paraissait pas assez sérieux sur ce chapitre, et je me permettais de le lui reprocher. De plus, à tort ou à raison, son caractère, son rôle politique, ses opinions flottantes, ne m'inspiraient pas le respect que je ressentais pour son talent. Enfin, il était mon obligé, il avait besoin de moi. Je lui rendais un grand service en le traduisant ainsi, et gratuitement; car, dans ce temps-là, c'était une rareté de rencontrer un Français lettré sachant l'allemand. De plus, tout en ayant pour ses poésies une très grande et légitime admiration, j'en avais une bien plus grande encore pour celles de Gœthe, et je le lui disais avec preuves à l'appui. Cela me donnait barre sur lui. Même quand je louais ses *Lieder,* je me servais de Gœthe comme point de départ et de comparaison, et je n'y mettais nulle malice: — «Ce que j'admire le plus en vous, lui disais-je, c'est qu'après Gœthe, le plus clair, le plus limpide de vos poètes, vous avez su donner à la poésie allemande cette même clarté, avec un air de négligence et de laisser-aller spirituel qu'elle ne connaissait pas encore.

Vous avez fait en Allemagne à cet égard ce que Byron a fait en Angleterre et Musset en France.» Je crois encore maintenant que cet éloge est dans la stricte vérité. Mais cette justice ne lui plaisait guère; il ne voulait pas du second rang, et quoique mon ingénuité et ma jeunesse eussent dû le désarmer, il ne dédaignait pas de chercher à ébranler ma conviction: il attaquait Gœthe, sans doute pour voir comment je le défendrais; puis, impatienté de cette admiration et du rang suprême que j'accordais à ce grand génie, il avait fini par se moquer de ma préférence et, pour se venger de Gœthe et de moi, il m'avait décoché un sarcasme comme il aimait à le faire; il avait trouvé bon de m'affubler d'un sobriquet: il m'appelait – j'en demande pardon à Gœthe et au lecteur – le *petit Gœthe français*. Je lui répondis d'abord que, petit ou grand, il n'y avait pas de Gœthe en France et que probablement, hélas! il n'y en aurait jamais. Mais qu'en revanche nous avions un Henri Heine dans la personne d'Alfred de Musset. On comprend que cette réplique du *petit Gœthe français* n'était pas faite pour l'apaiser. Quant à cette appellation si malicieuse, je n'ai pas besoin de montrer ce que cette ironie avait d'écrasant pour moi. Mais comme je n'avais encore rien écrit, rien publié, je la portais plus légèrement alors que je ne le ferais à présent que j'ai montré mes prétentions et mon insuffisance. (76)

Trotz des Abstandes, den Alter, Berühmtheit und Talent natürlicherweise zwischen uns setzte, bewegten sich unsere Beziehungen auf dem Fuß völliger Gleichheit. Das mag freilich seltsam erscheinen. Und doch erklärt sich nichts leichter.

Zunächst war Heinrich Heine damals noch nicht *der* Heinrich Heine, der er heute in unseren Augen ist. Er hatte gerade in Hamburg die fünfte Auflage seines »Buches der Lieder« und die erste Auflage seiner »Neuen Gedichte« herausgegeben, – von denen weder das eine noch die anderen bis dahin ins Französische übersetzt worden waren. Er vollendete sein Buch über Deutschland. Obwol berühmt, war sein Ruf in Deutschland doch noch sehr bestritten von seinen vielen politischen und litterarischen Feinden. Und in Frankreich, wo er gegen die scharfe und mächtige Kritik seines Landsmannes Börne anzukämpfen hatte, war er nur erst, dank seiner von Löwe-Weimars übersetzten »Reisebilder« und seinen in der »Revue des deux Mondes« erschienenen Artikeln, einem kleinen Publikum bekannt. Seine Persönlichkeit hatte nichts Imposantes an sich, und obwol er sehr von sich eingenommen und sehr empfänglich für Schmeichelei war, so war er doch ein guter Kerl und im gewöhnlichen Verkehr ohne Umstände. Man ließ sich also leicht dazu verleiten, familiär mit ihm umzugehen, ach! nicht »famillionär«, wie er so witzig von seinem Landsmann und Glaubensgenossen Rothschild schrieb. Dann machten sein Skeptizismus, sein Spott keinen Eindruck auf mich: ich war damals ganz erfüllt von meiner Lektüre von Luthers Bibel und eifrigst damit beschäftigt, die religiöse Wahrheit zu entdecken; Heine erschien mir auf diesem Felde nicht ernsthaft genug, und ich nahm mir heraus, ihm deswegen einen Vorwurf zu machen. Ferner, ob mit Recht oder Unrecht, flößten mir sein Charakter, die politische Rolle, die er spielte, seine schwankenden Meinungen und Ansichten nicht die Achtung ein, die ich für sein Talent empfand. Und schließlich war er der mir zu Dank Verpflichtete: er brauchte mich! – Ich leistete ihm einen großen Dienst, indem ich so für ihn übersetzte, noch dazu umsonst; denn zu jenen Zeiten war es noch eine Seltenheit, einen studirten Franzosen zu finden, der deutsch konnte. Und dazu kam noch, daß ich zwar eine große und berechtigte Bewunderung empfand für seine Dichtungen, eine noch größere jedoch für die von Goethe, und ich teilte ihm dies auch mit, wobei ich zur Unterstützung meiner Ansicht Proben anführte. Das gab mir einen Vorsprung ihm gegenüber. Selbst wenn ich seine Lieder lobte, benutzte ich Goethe als Ausgangs- und Vergleichspunkt, und ich legte dahinein durchaus keine Bosheit. Ich sagte ihm z. B.: »Das, was ich an Ihnen am meisten bewundere, ist, daß Sie nach Goethe, dem klarsten und durchsichtigsten Ihrer Dichter, es verstanden haben, der deutschen Dichtung dieselbe Klarheit zu geben, mit einem kleinen Beigeschmack von Nachlässigkeit und geistreichem Sichgehenlassen, den sie bisher nicht gekannt hatte. Sie haben für Deutschland in dieser Hinsicht das getan, was Byron für England und Musset für Frankreich tat.« Noch heute bin ich der Meinung, daß dies Kompliment nur die strikteste Wahrheit war. Aber diese Gerechtigkeit fand kaum seinen Beifall; er wollte durchaus nicht im zweiten Rang stehen, und obwol meine Jugend und Naivität ihn hätten entwaffnen müssen, verschmähte er es doch nicht, zu versuchen, meine Ueberzeugung zu erschüttern; er griff Goethe an, sicher, nur um zu sehen, wie ich ihn verteidigen würde; dann verlor er die Geduld über diese Bewunderung und den hohen Rang, den ich diesem gewaltigen Genie zuerkannte, und begann sich darüber zu moquiren; endlich, um sich an Goethe und mir zu rächen, warf er mir einen seiner beliebten Sarkasmen zu; er fand es gut, mich mit einem Spitznamen zu necken; er nannte mich – ich bitte Goethe und meine Leser um Verzeihung – »le

petit Goethe français«. Ich antwortete ihm hierauf zunächst, daß es in
Frankreich weder einen kleinen noch einen großen Goethe gäbe, und,
auch aller Wahrscheinlichkeit nach, leider nie einen geben würde. Aber
dafür besäße Frankreich einen Heinrich Heine in Alfred de Musset. Es
versteht sich, daß diese Antwort des »kleinen französischen Goethe«
nicht dazu angetan war, ihn zu beruhigen. Und was diese so boshafte
Benennung anlangt, so brauche ich wol nicht erst zu versichern, daß
diese Ironie geradezu niederschmetternd für mich war. Da ich damals
aber noch nichts geschrieben und nichts veröffentlicht hatte, so trug
ich den Spott viel leichter, als es heute der Fall wäre, wo ich meine
großen Absichten und schwachen Kräfte öffentlich dargetan habe.

(77)

735. EDOUARD GRENIER   (1844–)1846

   Heine-Erinnerungen   (*Aug. 1892)*

Outre les articles de la *Gazette d'Augsbourg,* que je traduisais si bien,
– soi-disant pour la princesse Belgiojoso, – et qui ont contribué à
former dans l'édition française les volumes de *Lutèce* et ses *Lettres
de Paris,* j'ai encore traduit pour Henri Heine un choix de ses pre-
mières poésies lyriques, le début d'un roman juif, *le Rabbi de Baccarach,* et deux de ses poèmes publiés en allemand vers 1844: l'un
s'appelle *Germania,* conte d'hiver, et l'autre *Atta Troll.* Ce dernier
seul fut accepté et parut dans la *Revue des Deux-Mondes* en mars
1847, sous le nom d'Henri Heine naturellement. Il eut un grand succès, et il le conserve à juste titre. C'est une fleur de malice et de fan-
taisie poétique qui tranche sur les articles ordinaires de la grave
revue. J'eus des luttes à supporter avec l'auteur pour cette traduction
comme pour les autres. Il s'obstinait à vouloir faire passer dans le
français des audaces de mots, des accouplements étranges que l'allemand peut se permettre, – car cette langue molle, souple et riche, se
plie à tout sous la main d'un grand artiste, – mais que la langue française, cette *gueuse fière,* comme on l'a dit, ne peut accepter à aucun
prix. Je ne pouvais faire entendre raison à Henri Heine sur ce cha-
pitre-là. [. . .] Il tenait à ses mots et s'y cramponnait en désespéré.
Bœrne, je crois, l'avait appelé *wortkræmer,* et il l'était en effet, du
moins comme un joaillier littéraire. Les mots l'attiraient et le fasci-
naient. Il ne lisait les journaux, je crois, qu'avec deux préoccupations:
voir si l'on parlait de lui et y trouver des mots, même des bons mots.

Il avait certes assez d'esprit pour en tirer de son propre fonds, mais il ne dédaignait pas de recueillir les mots des autres pour les monter et les sertir mieux. Je lui disais qu'il était trop bijoutier, trop ciseleur parfois, que le goût français ne tolérait pas certaines audaces comme le goût allemand, que notre langue n'aimait pas à être malmenée et brutalisée. Il cédait quelquefois, mais rarement. En fin de compte, comme c'était son affaire et qu'il signait de son nom, après avoir soulagé ma conscience littéraire par mes observations, je cédais aussi et le laissais libre d'ajouter à mon texte ses incongruités et ses audaces germaniques. Et qui sait? il avait peut-être raison. Il montrait ainsi ou laissait deviner son origine étrangère; c'était une coquetterie de plus et la meilleure manière d'accréditer la légende qu'il était son propre traducteur.   (76)

Außer den Artikeln für die Augsburger Allgemeine Zeitung, die ich so schön übersetzte – angeblich für die Fürstin Belgiojoso – und die in der französischen Ausgabe die Bände der »Lutèce« und der »Lettres de Paris« füllten, übersetzte ich für Heine auch noch eine Auswahl seiner frühesten lyrischen Gedichte, den Anfang eines jüdischen Romans »Le Rabbé de Baccarach«, und zwei seiner Gedichte, die im Jahre 1844 deutsch veröffentlicht wurden; das eine »Deutschland, ein Wintermärchen«, (Germania, conte d'hiver), und das andere: *Atta Troll.* Nur letztere Uebersetzung wurde angenommen und erschien im März 1847 in der »Revue des Deux Mondes«, natürlich unter dem Namen Heinrich Heine. Dies Gedicht hatte einen großen Erfolg und es hat ihn mit Recht noch heute. Das war ein wahrer Blütenstrauß von Ironie, Spott und dichterischer Fantasie, der von den üblichen Beiträgen dieser würdeschweren Revue schreiend abstach. Ich hatte mit dem Dichter wahre Kämpfe zu bestehen bei dieser Uebersetzung, wie auch bei den anderen. Er kaprizirte sich darauf, in das Französische kühne Ausdrücke einzuführen, seltsame Zusammensetzungen, die das Deutsche sich wol erlauben kann – denn diese weiche, reiche, und biegsame Sprache fügt sich allem unter der Hand eines großen Künstlers – die aber die französische Sprache, diese »gueuse fière«, wie man sie genannt hat, um keinen Preis annehmen darf. Ueber dieses Kapitel war mit Heine garnicht vernünftig zu reden. [...] Er hielt sich an seinen Worten und krampfte sich wie verzweifelt an sie an. Ich glaube, es war Börne, der ihn »Wortkrämer« genannt hat, und das war er in der Tat – wenigstens im Sinne eines litterarischen Juwelenkrämers. Die Worte zogen ihn magnetisch an und blendeten ihn. Ich glaube, er las Zeitungen nur mit zwei Gedanken: erstens, um zu sehen, ob darin die Rede von ihm war; und zweitens, um Worte, selbst Wortspiele zu suchen. Er besaß wol Geist genug, um Worte in sich selber zu finden, doch verschmähte er es keineswegs, Anderer Worte zu sammeln, und sie schöner aufzuputzen oder schärfer zu schleifen. Ich sagte ihm, daß er zu sehr Bijoutier, zuweilen zu sehr Ciseleur wäre, daß der französische Geschmack gewisse Kühnheiten nicht so dulde, wie der deutsche, daß die französische Sprache es nicht ertrüge, so verarbeitet und vergewaltigt zu werden. Hier und da gab er nach, aber selten. Und da es ja auch schließlich seine Sache war, und er sie mit seinem Namen unterzeichnete, so gab ich, nachdem ich durch derartige Bemerkungen mein litterarisches Gewissen erleichtert hatte, ebenfalls nach, und ließ ihn ruhig seine Schnitzer und kühnen Germanismen meinem Texte hinzufügen. Und wer weiß? Vielleicht hatte er Recht. Er zeigte auf diese Weise, oder ließ wenigstens vermuten, daß er Ausländer sei; es war das eine Koketterie mehr, und die beste Art, um die Legende aufrecht zu erhalten, daß er sein eigener Uebersetzer sei. (77)

736. ALEXANDRE WEILL   1846

Heine-Erinnerungen   *(* 1883)*

Un jour, c'était, je crois, en 1846, Heine, se promenant avec moi, au sortir du ministère des Affaires étrangères, sur le boulevard, me dit en souriant: «Il faut que j'attaque M. Guizot demain dans la *Gazette d'Augsbourg*, autrement il croirait que je me suis vendu. – Comment, vendu? lui dis-je. Il vous paie donc pour être attaqué? – Pas précisément. J'ai une pension du roi Louis-Philippe. Le roi sait l'allemand et me lit. Je suis un de ses amis. Mais Guizot, ni Molé, ni Thiers ne savent un mot d'allemand, et c'est un vrai plaisir pour le roi de me voir faire son éloge, en égratignant ses ministres. – Beau métier que vous faites là! Boerne avait donc raison! Et combien touchez-vous par an? – Six mille francs. C'est pour rien, mais, ajouta-t-il, *je ne me suis pas vendu, je me suis rendu.* Je n'écris pas une ligne contre mon sentiment et mon opinion. Je suis *constitutionnel*, je ne suis précisément ni républicain ni monarchiste. Je suis pour la liberté. Je crois qu'il n'y a de durable, comme gouvernement, qu'une république gouvernée par des monarchistes ou qu'une monarchie gouvernée par des républicains.

«C'est pourquoi M. Guizot me fait pitié. Il est plus royaliste que le roi. Le roi a des idées plus larges que luit, il lit d'abord le *Times* en anglais, et la *Gazette d'Augsbourg* en allemand. Malheureusement, comme tous les rois de France, il périra par sa femme catholique, qui est une étrangère. Je lui ai donné quelques petits avertissements, mais la *Gazette d'Augsbourg*, qui est catholique, ne les insère qu'à contre-cœur. Henri IV, en disant: *Paris vaut bien une messe*, a guillotiné la monarchie.

«Le duc d'Orléans, au lieu d'épouser une protestante, aurait mieux fait de se faire protestant lui-même et d'épouser une Française catholique. Jamais catholique française n'eût ordonné une Saint-Barthélemy. Je vous dis tout cela parce que je sais que votre ami Considérant est très bien avec Molé et que vous connaissez M. Durand, de la rue Bleue, l'agent du roi, son intermédiaire auprès de Berryer. Je prends donc les devants, mais je ne trahis ni la patrie, ni la liberté. J'étais sincèrement républicain. Mais quand j'ai vu les hommes de lie de mon parti, me traiter par-dessous leurs sales jambes de savetiers, de rajusteurs de vieux pots de chambre, me tutoyer, m'appeler traître et juif et me faire la loi, en attendant qu'ils me guillotinent, si jamais le pouvoir tombe assez bas jusqu'à leur platitude; quand j'ai vu ces grenouilles amphibies des haies et des mares crier à leurs crapauds dans la jonchaie, que leurs coassements républicains avaient bien plus de valeur poétique et dureraient bien plus longtemps que mes chants de rossignol, je me suis détourné d'eux avec dégoût et me suis rapproché de la royauté constitutionnelle, qui me suffit, et au delà. Il y a encore une autre raison qui m'éloigne de ce parti extrême. Ce sont les républicains allemands qui, en qualité de *teutonistes* enragés, réclament l'Alsace comme partie intégrante de l'Allemagne; or, vous savez comme je les aime! Comme s'il n'y avait pas assez de Hofrath (il disait Ratt), comme si les habitants des provinces rhénanes, où je suis né, n'étaient pas une espèce de forçats prussiens. J'ai dit quelque part que le judaïsme était, non une religion, mais un malheur, j'aurais dû dire le judaïsme allemand. Je ne partage pas l'orgueil soi-disant patriotique de mon ancien ami Boerne. Si l'on m'avait consulté en venant au monde, j'aurais préféré être né en France, malgré l'absence d'ïambes en vers blancs dans la poésie française. Étant né Allemand, il faut être Allemand, mais, avant d'engager les autres à l'être et à en devenir fiers, tâchons de prouver que nous valons mieux qu'eux, que nous sommes plus libres, plus humains, plus divins qu'eux et que nos tragédies sont moins ennuyeuses que les leurs.

«Je vous dis tout cela parce que vous êtes un ami, et qu'au fond vous êtes un affreux petit despote. D'ailleurs, nul ne croirait que je vous l'ai dit, et vous n'avez pas d'autres preuves que mon aveu.» – Mais on le saura tôt ou tard, lui dis-je, et il n'y aura qu'un cri de réprobation. Et que diable aviez-vous besoin de vous inféoder pour une si misérable somme? Vous ne gagnez donc pas votre vie?

«– Ma vie, je la gagne, mais non pas celle de Mathilde. Voyez-vous le mot de Juvénal: Cherchez la femme! (car le mot est de Juvénal). Même avec ces six mille francs, je ne joins pas les deux bouts. Tout le monde ne peut pas vivre comme vous avec cent francs par mois et une maîtresse qu'on régale avec une orange. Et puis, écoutez ce que je vais vous dire, et je vous le dis, parce que je ne puis pas le dire moi-même, et que de tous mes amis, bien plus célèbres que vous, c'est sur vous que je compte! Vous avez la chance d'être né Français, après la révolution de quatre-vingt-treize. En cette qualité il vous est permis d'être républicain, phalanstérien, légitimiste ou communiste. Mais moi je suis Allemand. Si j'étais un poète français, je vivrais comme Musset, Hugo et Gautier, je ferais des romans et des pièces de théâtre, ou, me lançant dans la politique, je serais député ou n'importe quoi! Mais je suis Allemand. La France m'offre généreusement l'hospitalité, non seulement pour y vivre libre et heureux, mais pour me servir de rempart et de fort détaché, d'où je tire sur mes ennemis en Allemagne, que je considère comme des ennemis de l'esprit de progrès, comme des ennemis de la liberté de conscience, des ennemis du genre humain! Fussé-je même républicain radical, je trouve qu'il faudrait être, non seulement ingrat, mais stupide, pour attaquer le gouvernement qui me protège et pour me lier avec ses adversaires, les plus violents de Paris, qui, de fait, ont moins de talent que les hommes au service de ce même gouvernement. Il est facile d'être républicain comme Venedey et Wihl. On n'a qu'à vouloir l'être et changer de veste; on n'a qu'à flatter tous les défauts, toutes les ambitions de ceux qui se déclarent eux-mêmes des Caton, et qui se croient des Brutus, et des Cassius parce qu'ils sont maigres. Mais il est moins facile d'avoir du talent comme Thiers, Guizot, Lamartine et Hugo. J'ai donc trouvé odieux le rôle de Boerne qui, se réfugiant à Paris pour attaquer le despotisme et les sottises du gouvernement allemand, s'est allié à Paris même avec les républicains les plus violents, faisant une guerre sans trêve à la monarchie de Juillet et l'attaquant dans ses *Lettres de Paris* pour plaire aux Raspail français et aux Savoie allemands. Ce rôle-là ne me va pas. Je ne l'ai pas dit dans ma brochure sur Boerne, parce qu'on m'aurait accusé de dénoncer les réfugiés allemands qui, tous, atta-quent le gouvernement de Louis-Philippe dans leurs correspondances, probablement parce qu'il ne les pensionne pas. Moi, je n'ai rien demandé à la monarchie de Juillet. Je ne suis pas allé à elle, elle est venue vers moi. Elle ne m'a ni converti ni corrompu, elle me laisse toute ma liberté. Le baron Cotta le sait bien, lui qui a eu des négociations avec Thiers. Je ne me sens pas corrompu du tout. Si pourtant! Avant d'avoir touché mes six mille francs, j'ai fait l'éloge de tous les hommes d'Etat de Paris. Depuis qu'on me pensionne, je n'ose plus dire un mot en leur faveur, de peur de me sentir vendu. Je dis même de temps à autre des vérités au roi lui-même, qui ne m'en veut pas. Il a lu mes poésies, il sait ce que je pense de lui. Et maintenant n'en parlons plus. Si vous en parliez, je ne pourrais plus vous recevoir chez moi et cela ferait du chagrin à Mathilde, qui vous aime bien.

– Somme toute, lui dis-je, c'est toujours pour Mathilde. Et dire que vous ne lui êtes pas fidèle.

– Je suis si distrait que je prends quelquefois une autre femme pour elle. Ce n'est qu'une distraction qui dégénère, hélas! en contraction. Je ne puis plus marcher.»

Cela ne l'a pas empêché d'être foudroyé de chagrin, quand, après 1848, la *Revue Rétrospective* a publié son nom parmi les pensionnaires des fonds secrets.

Il se retira chez un ami, directeur d'une maison de santé, rue de Lourcine, dont j'ai oublié le nom, bien que j'aie dîné avec lui plusieurs fois chez Heine, et dans la maison duquel Heine s'était fait soigner longtemps avant son mariage, et qui l'a fait affilier à une loge maçonnique dont ce médecin était le vénérable. (292)

Eines Tages – ich denke 1846 – schlenderte Heine mit mir über den Boulevard – wir kamen gerade vom Ministerium des Auswärtigen – und sagte lächelnd: »Morgen muß ich Guizot in der ›Augsburger Allgemeinen Zeitung‹ eins versetzen, sonst denkt er am Ende, ich habe mich verkauft.« – »Wieso verkauft?« erwiderte ich, »bezahlt er Sie etwa, damit Sie ihn angreifen?« – »Das nicht gerade. Ludwig Philipp zahlt mir eine Pension. Der König versteht Deutsch und liest mich. Ich gehöre zu seinen Freunden. Weder Guizot, noch Molé, noch Thiers verstehen ein Wort Deutsch, und es ist ein Heidenspaß für den König, wenn ich ihn herausstreiche und auf seine Minister stichele.« – »Das ist ja ein sauberes Handwerk. Börne hatte also recht! Und wieviel bekommen Sie pro Jahr?« – »Sechstausend Franken. Für nichts. *Ich habe mich ja auch nicht weggegeben, sondern darein ergeben.* Ich schreibe keine Zeile gegen mein Gefühl und meine Überzeugung. Ich bin *kon-*

stitutionell, ich bin genau genommen weder Republikaner noch Monarchist. Ich bin für die Freiheit. Meiner Ansicht nach gibt es nur eine Regierung von Dauer: eine Republik, die von Monarchisten, oder eine Monarchie, die von Republikanern regiert wird.

Daher bedauere ich Herrn Guizot. Er ist viel royalistischer als der König, der viel großzügiger denkt als er. Der König liest immer sogleich die ›Times‹ englisch und die ›Allgemeine Zeitung‹ deutsch. Unglücklicherweise wird ihn, wie alle Könige Frankreichs, seine katholische Frau, eine Ausländerin, verderben. Ich habe ihm schon einige kleinere Warnungen zukommen lassen, aber die Augsburgerin, die ebenfalls katholisch ist, nimmt das nur widerwillig von mir auf. Heinrich IV. hat mit seinem Wort: ›Paris ist eine Messe wert‹ die Monarchie auf die Guillotine gebracht.

Der Herzog von Orleans hätte besser getan, selbst Protestant zu werden und eine katholische Französin zu heiraten, statt eine Protestantin. Niemals hätte eine französische Katholikin den Befehl zur Bartholomäusnacht gegeben. Ich sage Ihnen das alles, weil ich weiß: Ihr Freund Considérant steht gut mit Molé und Sie kennen Mr. Durand in der Rue Bleue, den Agenten des Königs, seinen Mittelsmann bei Berryer. Ich nehme die Zukunft vorweg, aber ich verrate weder Vaterland noch Freiheit. Ich war aufrichtiger Republikaner. Aber als ich sah, wie der Abschaum meiner Partei, Schuhflicker und Kerle, die alte Nachttöpfe ausbessern, mich mit ihren dreckigen Absätzen mißhandelten, mich duzten, mich Verräter und Juden schimpften, den Spruch über mich fällten und nur darauf warteten, mich zur Guillotine zu schleifen, wenn erst einmal diesen Flachköpfen die Macht zufiele; als ich dieses Froschgezücht aus seinen Hecken und Sümpfen den Kröten im Gebüsch zurufen hörte, daß ihr republikanisches Gequake viel wertvoller sei und längeren Bestand habe, als meine Nachtigallenlieder, da wandte ich mich mit Abscheu davon ab und näherte mich dem konstitutionellen Königtum, das mir mehr als genügt. Noch ein zweiter Grund hat mich dieser extremen Partei entfremdet: die deutschen Republikaner, diese wütenden Teutonen, die das Elsaß zurückfordern als ein Stück von Deutschland. Na, Sie wissen ja, wie ich sie liebe! Als wenn die Spezies Hofrat (er sprach aus: Ratt) nicht zahlreich genug, als wenn die Rheinländer, und ich bin einer, nicht eine Art preußischer Sträflinge wären! Ich habe irgendwo gesagt, das Judentum sei keine Religion, sondern ein Unglück, ich hätte sagen müssen: das deutsche Judentum. Ich bin frei von dem Dünkel, dem angeblichen ›Patriotismus‹ meines ehemaligen Freundes Börne. Hätte man mich gefragt, als ich zur Welt kam, ich wäre lieber in Frankreich geboren worden, obwohl es in der französischen Poesie keine jambischen Blankverse gibt. Ist man als Deutscher geboren, dann soll man auch Deutscher sein, aber ehe wir andere auffordern, Deutsche zu sein und darauf stolz zu werden, sollten wir erst zu beweisen suchen, daß wir mehr wert sind, daß wir freier, menschlicher, gottähnlicher sind als sie, und daß unsere Tragödien kurzweiliger sind als die ihrigen.

Ich sage Ihnen das, weil Sie mein Freund und im Grunde Ihres Herzens ein fürchterlicher kleiner Despot sind. Übrigens würde kein Mensch glauben, daß ich Ihnen das gesagt habe, und Sie haben keinen andern Beweis dafür als mein Eingeständnis.« – »Früher oder später wird man es doch erfahren«, antwortete ich, »und dann gibt es nur einen Schrei der Mißbilligung. Aber zum Teufel, hatten Sie es denn nötig, sich für eine so lächerliche Summe hinzugeben? Verdienen Sie denn nicht genug zum Leben?«

»Meinen eigenen Lebensunterhalt verdiene ich, aber nicht den Mathildens. Denken Sie an das Wort Juvenals: ›Cherchez la femme‹ (denn das Wort stammt von Juvenal). Aber selbst mit diesen sechstausend Franken reicht es nicht. Nicht jedermann kann leben wie Sie mit einhundert Franken im Monat und einer Mätresse, die mit einer Orange zufrieden ist. Und dann, hören Sie, was ich Ihnen sage. Ich sage es Ihnen, weil ich es nicht selbst verlauten lassen darf, und weil Sie unter allen meinen Freunden, die viel berühmter sind als Sie, der einzige sind, auf den ich baue. Sie haben das Glück, nach der Revolution von 93 als Franzose geboren zu sein. Als solcher können Sie es sich leisten, Republikaner, Fourierist, Legitimist oder Kommunist zu sein. Aber ich bin Deutscher. Wäre ich französischer Dichter, würde ich ein Leben führen wie Musset, Hugo und Gautier, ich würde Romane und Theaterstücke schreiben oder mich auf die Politik werfen und Abgeordneter oder so etwas werden! Aber ich bin Deutscher. Frankreich betrachtet mich großmütig als seinen Gast, ich darf hier frei und glücklich leben, darf sogar Frankreich als Wall und Außenfort benutzen und von hier aus meine Feinde in Deutschland aufs Korn nehmen, die da sind die Feinde des Fortschritts, der Gewissensfreiheit, die Feinde des Menschengeschlechts überhaupt. Wäre ich waschechter Republikaner, so müßte ich doch geradezu undankbar, ja blödsinnig sein, wenn ich eine Regierung, die mich beschützt, angreifen und mich mit ihren heftigsten Gegnern in Paris verbünden wollte, die unbestreitbar weniger Talent haben als die Leute, die im Dienst eben dieser Regierung stehen. Nichts leichter als Republikaner sein à la Venedey und Wihl; man braucht es nur zu wollen und den Rock zu wechseln; man braucht nur allen Schwächen, allem Ehrgeiz der Leute zu schmeicheln, die sich selbst als Catone ausrufen und sich für einen zweiten Brutus oder Cassius halten, nur weil sie mager sind. Aber es ist weniger leicht, Talent zu haben wie Thiers, Guizot, Lamartine und Hugo. Börnes Rolle war mir stets widerwärtig: er flüchtete nach Paris, um den Despotismus und die Dummheiten der deutschen Regierung zu geißeln, und dabei verband er sich in Paris mit den radikalsten Republikanern, führte einen unerbittlichen Krieg gegen die Julimonarchie und griff sie in seinen ›Briefen aus Paris‹ an, den französischen Raspails und den deutschen Savoies zu Gefallen. Diese Rolle liegt mir nicht. In meinem Börnebuch habe ich nichts davon gesagt; sonst hätte man mich beschuldigt, ich wolle die deutschen Flüchtlinge denunzieren, die ja alle ohne Ausnahme die Regierung Ludwig Philipps in ihren Korrespondenzen angreifen, vermutlich deshalb, weil er ihnen keine Pensionen zahlt. Ich wollte nichts von der Julimonarchie. Ich ging nicht zu ihr, sie kam zu mir. Sie hat mich weder bekehrt noch bestochen, sie läßt mir meine volle Freiheit. Baron Cotta weiß darüber genau Bescheid, er hat ja seinerseits mit Thiers verhandelt. Ich fühle mich absolut nicht bestochen. Oder doch nur so: Als ich meine sechstausend Franken noch nicht erhielt, erhob ich alle Pariser Staatsmänner in den Himmel; seit ich meine Pension habe, wage ich kaum noch ein Wörtchen zu ihrem Lobe zu sagen, aus Furcht, ich käme mir selbst bestochen vor. Ich sage sogar von Zeit zu Zeit dem König allerhand Wahrheiten, ohne daß er mir darüber böse ist. Er kennt meine Gedichte, er weiß, was ich von ihm denke. Und nun genug! Aber lassen Sie davon ja nichts verlauten, sonst müßte ich Ihnen mein Haus verbieten, und das würde Mathilden sehr leid tun, denn sie mag Sie gern.«

»Mit einem Wort: alles immer Mathilden zuliebe«, sagte ich. »Und dabei sind Sie ihr nicht einmal treu!«

»Ich bin so zerstreut, daß ich sie manchmal mit einer andern verwechsle. Das ist nur eine Gedankenlosigkeit, die einem leider hinterher nur um so mehr Kopfzerbrechen macht. Nun kann ich aber nicht weitergehen.«

Trotzdem war Heine völlig niedergeschmettert, als nach der Februarrevolution von 1848 die »Revue rétrospective« unter den Pensionären aus dem geheimen Fonds auch ihn nannte.

Er suchte Zuflucht bei einem Freund, Direktor einer Heil- und Pflegeanstalt in der rue de Lourcine, dessen Namen ich vergessen habe, obwohl ich mehrmals mit ihm zusammen bei Heine gegessen habe. Heine hat sich in seiner Anstalt schon einmal lange vor seiner Heirat pflegen lassen. Dieser Arzt war es auch, der Heine dazu brachte, sich einer Freimaurerloge anzuschließen, deren Vorsitzender er war.

737. (ALEXANDRE WEILL) ca. 27. Mai 1846

Pressenotiz (*29. 5. 1846)*

M. Henri Heine vient de partir pour les Pyrénées. Le grand poète malade depuis un an, a quitté Paris dans un état assez alarmant. Avant son départ, la princesse Belgiojoso ayant appris que les médecins avaient conseillé à M. Heine d'aller en Italie, lui a généreusement offert sa villa près de Florence.

(283)

Heine ist soeben nach den Pyrenäen abgereist. Der große Dichter, der seit einem Jahr krank ist, hat Paris in einem ziemlich alarmierenden Zustand verlassen. Die Ärzte hatten ihm geraten, nach Italien zu reisen; als die Fürstin Belgiojoso davon erfuhr – es war vor Heines Abreise – bot sie ihm großmütig an, auf ihrem Landhaus in der Nähe von Florenz zu wohnen.

738. ALEXANDRE WEILL ca. 27. Mai 1846

Feuilleton über die neueröffnete Eisenbahnlinie
Paris – Tours (*11. 6. 1846)*

Voyons maintenant ce qu'est le chemin d'Orléans et son embarcadère à Paris.

J'y suis allé pour dire adieu à mon ami Henri Heine. Le célèbre poète, espérant recouvrer sa santé dans les Pyrénées, et voyageant avec sa femme, s'y trouvait une heure avant le moment du départ.

Nous allions entrer dans le salon, lorsqu'un individu boutonné et muni d'un énorme bâton me fit observer qu'il était défendu d'entrer à moins d'avoir un billet. [...]

M. Heine me prêtant alors sa carte, me dit: – Regardez donc cette écurie. Est-ce mesquin et laid! On dirait une pensée de MM. Fould et Oppenheim. En effet, dans ce salon, il y a deux énormes poêles de Bohême et quatre rangées de banquettes sales. [...]

Je n'y restais pas long-temps. Mme Heine, qui se sentait fatiguée, cherchait en vain dans l' antichambre une place pour s'asseoir. Puisqu'on n'entre pas dans le salon sans billet, et que, du reste, il est impossible d'y rester dix minutes de suite, sans être métamorphosé en une véritable Croix-de-Berny aux puces, il devrait du moins y avoir un salon d'antichambre pour les amis et parents des voyageurs, ou des tentes dans la cour. Mais il paraît que les chemins de fer français ne sont nullement faits pour l'agrément des voyageurs. C'eût été trop peu spirituel et trop démocratique. Ce sont au contraire les voyageurs qui ont été créés exprès pour les chemins de fer. Le chemin de fer, c'est l'autel et le temple des banquiers! Le voyageur, c'est la victime!

Pour se reposer, Mme Heine, qui, quoiqu'élégante, est spirituelle et primesautière, s'assit sur une marche en pierre et invita son amie, qui l'avait accompagnée, à faire comme elle. A peine Mme Heine avait-elle donné l'exemple que plusieurs autres dames, ne voulant pas se mettre sur une banquette, sale à quatre places, du reste, occupée par deux nourrices, firent de nécessité vertu et s'assirent également sur les marches d'entrée. Une de ces dames était la femme d'un conseiller d'état. Cela voyant, M. Heine et l'autre mari en partance firent venir du café de vis-à-vis, de la limonade et des brioches, et, comme il n'y avait pas de table, on renversa une malle pour servir dessus.

C'était une véritable scène champêtre. Il n'y manquait que des arbres, du gazon, de l'ombre et des fleurs. On suppléa à tout cela par l'esprit. Puisque un bâton sert ici de sceptre, disait M. Heine en se mettant sur une malle, un coffre peut bien me servir de trône.

– Parbleu, répondit madame, qu'est-ce qu'un véritable trône d'aujourd'hui, sinon un coffre-fort recouvert de velours.

– Eh! Mme Heine, s'écria le poète, vous avez lu cela dans la *Réforme*. (Madame est abonnée à ce journal.)

– Eh! non, répondit la dame. Cette pauvre *Réforme*, elle ne dirait pas cela, à cause des mois de septembre.

La conseillère en entendant prononcer le nom du poète devint plus communicative.

– Vous lisez donc des journaux politiques, madame?

– Eh! oui, répondit lestement la femme du poète, cela vaut en tout cas mieux qu'avoir des amants.

A cette boutade tant soit peu rustique la conseillère rougissait légèrement, tandis que M. Heine tiraillait sa femme par la robe.

– Ce que vous dites là, répartit la conseillère, en payant d'audace, me paraît très-immoral. *(Eclats de rire.)*

– Il ne manque plus ici, fit le mari décoré, qu'un rédacteur de *Corsaire Satan.* (*Les rires deviennent étouffants.*) M. Heine, oubliant ses *douleurs, se roule presque par terre.*

– Vous êtes donc du *Corsaire?* me dit enfin la dame qui paraissait s'amuser beaucoup, eh bien! je vais vous dire un bon mot de mon mari qui trouve tout immoral, et que vous mettrez dans le journal, mais à condition que vous parliez d'abord de cet ignoble embarcadère... Je promis d'être obéissant, [...]. Voici maintenant le bon mot. Il paraît qu'un mari du conseil d'état est à cheval sur la morale et tient à voir sa femme avec des robes montantes, même dans les bals de la Liste civile. Madame faisait donc des objections. En vain. Pour toute réponse, le mari n'avait que ces mots: C'est immoral! – Au fait, répondit la charmante créature, les femmes sont bien immorales. Elles sont toutes nues dans leur chemises. Cela devrait être défendu au nom de la morale!

Les malles et les coffres furent inscrits. On sonna le signal du départ; M. Heine me prenant à part, me dit: – Ce maître des requêtes qui vient de vous conseiller d'écrire contre l'embarcadère est un baissier comme M. Fould. Il n'y a que de mauvais cœurs qui jouent à la baisse. Quant à la femme, d'ordinaire elle est folle, mais elle a des moments lucides où elle n'a que deux amants.» (284)

Jetzt wollen wir uns die Eisenbahn nach Orléans und ihren Pariser Bahnhof näher besehen!

Ich ging dort hin, um meinem Freund Henri Heine das Geleit zu geben. Der berühmte Dichter, der die Wiederherstellung seiner Gesundheit in den Pyrenäen erhofft und mit seiner Frau reisen wollte, hatte sich dort eine Stunde vor Abfahrt eingefunden.

Wir wollten gerade in den Wartesaal eintreten, als mich ein zugeknöpfter und mit einem riesigen Stock bewaffneter Kerl darauf aufmerksam machte, daß dies ohne Fahrschein verboten sei. [...]

Darauf lieh Heine mir seine Karte und sagte: »Schauen Sie sich diesen Stall an! Wie schäbig und häßlich! Wie ein Gedanke der Herren Fould und Oppenheim!« In der Tat gab es dort nur zwei riesige böhmische Öfen und vier Reihen schmutziger Bänke ohne Rückenlehne. [...]

Ich blieb dort nicht lange. Frau Heine, die sich etwas abgeschlagen fühlte, suchte im Vorzimmer einen Platz, um sich hinzusetzen – vergeblich! Und wenn einem schon der Zutritt zum Wartesaal ohne Fahrschein verwehrt ist und es ohnehin nicht möglich ist, dort länger als zehn Minuten zu verweilen, ohne in einen wahren Tummelplatz für Flöhe verwandelt zu werden, so müßte es doch zumindest ein separates Vorzimmer für die Freunde und Verwandten der Reisenden geben, oder auch meinetwegen ein paar Zelte, die im Hof des Gebäudes errichtet werden. Aber die französischen Eisenbahnen sind in keiner Weise zur Bequemlichkeit der Reisenden da. Das wäre auch zu unoriginell und demokratisch! Denn die Reisenden sind für die Eisenbahn da und nicht umgekehrt! Die Eisenbahn ist der Altar und die Kultstätte der Bankiers – der Reisende ist nur das Opfer.

Da Frau Heine, obschon elegant, erfinderisch ist und ohne zu zögern ihren Eingebungen folgt, setzte sie sich einfach auf eine Steinstufe und lud ihre auch anwesende Freundin ein, es ihr gleichzutun. Kaum hatte Frau Heine das Beispiel gegeben, als auch schon mehrere andere Damen, die sich nicht auf eine schmutzige, viersitzige Bank setzen wollten (welche zum Überfluß auch noch von zwei Ammen belegt war), sich ebenfalls auf den Eingangsstufen niederließen. Unter diesen Damen befand sich die Frau eines Conseiller d'Etat. Darauf ließen Heine und ein weiterer Ehemann aus dem Café gegenüber Limonade und Gebäck kommen, und da kein Tisch vorhanden war, stürzte man einen großen Koffer und servierte darauf.

Es war ein echtes ländliches Idyll. Das einzige, was fehlte, waren Bäume, Rasen, Schatten und Blumen. Diesen Mangel ersetzte man durch Geist und Witz. »Wenn hier schon ein Stock für ein Szepter gilt«, sagte Heine und ließ sich auf ein Gepäckstück nieder, »dann muß mir ein Koffer als Thron herhalten.«

»Potzblitz«, erwiderte seine Frau, »was ist denn ein Thron heute anderes als ein mit Samt überzogener Geldkoffer!«

»Ha, Madame Heine!« rief der Dichter aus, »das haben Sie in der ›Reforme‹ gelesen.« (Madame ist auf diese Zeitung abonniert).

»Ach, die arme ›Reforme‹ «, entgegnete Madame, »niemals würde sie derartiges bringen, schon wegen der Septembermonate nicht.«

Die Frau des Conseiller d'Etat wurde mitteilsamer, als der Name des berühmten Dichters gefallen war.

»Sie halten sich politische Blätter, Madame?«

»Aber ja«, lautete die schlagfertige Antwort der Dichtersgattin, »das ist in jedem Falle besser, als sich Liebhaber zu halten.«

Ueber diesen wahrhaft harmlosen Scherz wurde die Gattin des Conseiller d'Etat leicht rot, während Heine seine Frau mahnend am Kleid zupfte.

Die Frau des Conseiller d'Etat trat die Flucht nach vorne an und erwiderte: »Was Sie da sagen, scheint mir äußerst unmoralisch.« (Allgemeines Gelächter).

»Hier fehlt nur noch ein Redakteur des ›Corsaire-Satan‹«, äußerte der ordensgeschmückte Ehegatte. (Das Gelächter wurde immer lauter). Heine vergaß seine Schmerzen und wälzte sich fast auf dem Boden.

»Sie sind also vom ›Corsaire‹?« wandte sich schließlich die Dame an mich und schien sich ausnehmend dabei zu amüsieren; »dazu kann ich Ihnen einen Ausspruch meines Mannes liefern, der alles unmoralisch findet; Sie können es in Ihrem Blatt bringen, aber nur unter der Bedingung, daß Sie vorher von diesem entsetzlichen Bahnhof sprechen . . .« Ich versprach Gehorsam, [. . .]. Hier nun der Ausspruch: Offenbar gibt es im Conseil d'Etat einen Ehemann, der Spezialist in allen Fragen der Moral ist und großen Wert darauf legt, daß seine Frau hochgeschlossene Kleider trägt, selbst auf den Hofbällen. Seine Frau machte Einwendungen – vergeblich! Der Mann hatte immer nur die Antwort: »Das ist unmoralisch!« – »Du hast recht«, entgegnete schließlich die reizende Gattin, »die Frauen sind sehr unmoralisch. Sie sind ganz nackt in ihren Hemden, das sollte man im Namen der Moral verbieten!«

Gepäckstücke und Koffer wurden registiriert. Das Abfahrtssignal ertönte; Heine nahm mich beiseite und sagte: »Dieser Maître des requêtes, der [bzw. dessen Frau] Ihnen gerade den Rat gab, den Bahnhof schlechtzumachen, ist ein Baissespekulant wie Herr Fould. Nur schlechte Menschen setzen auf die Baisse. Seine Frau ist an sich verrückt, aber sie hat lichte Momente, wo sie sich nur zwei Liebhaber hält.«

739. FRIEDRICH ENGELS   Sept. 1846

an das kommunistische Korrespondenz-Komitee,
Paris, 16. Sept. 1846

Da ich einmal im Zuge bin, so will ich Euch schließlich noch mitteilen, daß Heine wieder hier ist und ich vorgestern mit E[werbeck] bei ihm war. Der arme Teufel ist scheußlich auf dem Hund. Er ist mager geworden wie ein Gerippe. Die Gehirnerweichung dehnt sich aus, die Lähmung des Gesichts desgleichen. E[werbeck] sagt, er könne sehr leicht einmal an einer Lungenlähmung oder an irgendeinem plötzlichen Kopfzufall sterben, aber auch noch drei bis vier Jahre abwechselnd besser oder schlechter sich durchschleppen. Er ist natürlich etwas deprimiert, wehmütig, und was am bezeichnendsten ist, äußerst wohlwollend (und zwar ernsthaft) in seinen Urteilen – nur über Mäurer reißt er fortwährend Witze. Sonst bei voller geistiger Energie, aber sein Aussehen, durch einen ergrauenden Bart noch kurioser gemacht (er kann sich um den Mund nicht mehr rasieren lassen), reicht hin, um jeden, der ihn sieht, höchst trauerklötig zu stimmen. Es macht einen höchst fatalen Eindruck, so einen famosen Kerl so Stück für Stück absterben zu sehen. (168)

740. Felix Bamberg   Anf. Okt. 1846

an Friedrich Hebbel, Paris, 5. Okt. 1846

Heine ist sehr krank aus dem Bade zurückgekehrt und in bedauernswerthem Zustande; seine neuen Gedichte im Morgenblatte werden Sie wahrscheinlich gelesen haben. (95)

741. Heinrich Börnstein   Herbst 1846

Korrespondenz aus Paris, Paris, 8. Okt. 1846 (* 13. 10. 1846)

Heinrich Heine ist siech und matt von den Heilquellen von Bagnères zurückgekehrt, sein Geist ist noch immer derselbe, Wiz und Humor, Scharfblick und hohe Lebensansicht sind in voller Kraft geblieben, aber die irdische Hülle fällt in Trümmer und läßt den armen Dichter ein trauriges Leben führen, das er selbst »eine lange Agonie« nennt. Und weil der Löwe alt und gelähmt ist, tanzen die Mäuse auf seinem Schweife und beißen darein und meinen, sie hätten den Löwen bezwungen. Nehmt Euch in Acht, – noch lebt er, – und ein Wedeln seines Schweifes reicht hin, um euch winzige Wesen in eure Höhlen zurückzujagen. Könntet ihr den armen Kranken sehen, mit dem still resignirten Antliz, auf das der Tod schon seinen vernichtenden Stempel gedrückt, mit dem gelähmten Körper, der nur noch eine unbequeme Last, – wahrlich ihr würdet einsehen, daß die Zeit schlecht gewählt ist zu neuen täppischen Angriffen und perfiden Verdächtigungen. [...]

Er bedauert manchmal, so früh abgerufen zu werden; »ich hätte noch so viel zu schreiben«, meint er, und ich werde nie vergessen, wie er mit einem schmerzlichen Lächeln des halben Gesichtes (denn die andere Hälfte ist seit einem Jahre starr und regungslos) mit sarkastischer Ruhe sagte: »Könnte denn nicht X meine Krankheit übernehmen?« Er meinte einen unbedeutenden Dichterling, über dessen poetische Ausgeburten wir oft zusammen gelacht hatten. So scherzt er noch immer, ist malitiös und spitzig wie früher und spricht selbst von seinem bevorstehenden Ende mit Humor. Er kann nicht lesen, nicht schreiben, und selbst das Diktiren würde er nicht aushalten können. So ist er leider auf sich und seinen traurigen körperlichen Zustand beschränkt, und ein schwächerer Geist wäre schon längst zum Hypochonder geworden. (27)

742. ANONYM   Herbst 1846

Pressenotiz   *(* 24. 4. 1847)*

Im Herbste des vergangenen Jahres kam der Berliner Literat K. zu Heine. Er läutet an und Heine selbst macht ihm auf. »Herr Heine?« sagt K. in dem Touristen eigenen Anmeldeton, aber Heine unterbricht ihn schnell mit den Worten: »Herr Heine ist nicht zu Hause.« – »Wenn ich nicht irre«, sagt K., ohne sich abweisen zu lassen, »so sind Sie es selbst.« – »Wenn ich es auch bin«, brummt der Dichter, »so bin ich doch nicht zu Hause« und will die Thüre zumachen. K. schiebt sich zwischen Thüre und Angel und stammelt: »Ich komme eben von Herrn Börnstein, der mich sehr freundlich aufgenommen hat und mir sagte, daß Sie –« – »Nun, wenn er Sie freundlich aufgenommen hat«, sagt Heine plötzlich ganz freundlich, »so gehen Sie wieder zu ihm, und sagen Sie ihm, daß, wenn er einmal 15 Jahre in Paris gelebt und mit fahrenden Literaten solche Erfahrungen gemacht haben wird, wie ich, daß er auch dann Niemanden mehr aufnehmen wird.« Und damit flog die Thüre vor dem verblüfften K. ins Schloß. (64)

743. THÉOPHILE GAUTIER   Herbst 1846

Artikel über Heine   *(* 1856)*

Un matin l'on vient me dire qu'un étranger, dont je ne pus comprendre le nom défiguré par le domestique, demandait à me parler. Je descendais dans la pièce où je recevais les visiteurs, et je vis un homme très-maigre dont le masque rappelait celui de Géricault, et se terminait par une barbe pointue et fauve, déjà mêlée de beaucoup de fils d'argent. Je cherchai dans mes souvenirs quel pouvait être cet hôte matinal qui me saluait de mon petit nom et me tendait la main avec la franche cordialité d'un vieil ami. Je ne parvins pas à mettre un nom sur cette figure ainsi changée; mais, au bout de quelques minutes de conversation, à un trait d'esprit de l'inconnu, je m'écriai: »C'est le diable ou c'est Heine.« C'était Heine en effet, de dieu devenu homme. (68)

Eines Tages meldete man mir, daß ein Fremder mich sprechen wollte; der Bediente hatte den Namen entstellt, so daß ich nicht wußte, wer es war. Ich ging in das Zimmer, in dem ich gewöhnlich empfange, und fand dort eine ganz abgemagerte Gestalt. Das Gesicht erinnerte mich an Géricault, ein rötlicher Spitzbart mit viel Silberhaar. Ich suchte in meiner Erinnerung, wer dieser frühe Gast sein könne, der mich mit meinem Vornamen anredete und mir mit der Ungezwungenheit eines alten Freundes die Hand entgegenstreckte. Ich wußte für dieses so entstellte Gesicht keinen Namen zu finden, aber nach wenigen Minuten, bei einem Witz des Unbekannten, rief ich aus: »Das ist der Teufel oder es ist Heine!« Es war wirklich Heine, der Gott war Mensch geworden.

744. (ALEXANDRE WEILL)   Nov./Dez. 1846

Pressenotiz   (*13. 12. 1846)

On soupait l'autre soir chez Villette, aux champs-Elysées. La compagnie était assez nombreuse; il y avait là, entre autres, Henri Heine, le prince Pignatelli, Alfred de Musset, Mary-Lafou, Paulin Limayrac, etc., etc. La chère n'était pas mauvaise, et la conversation était animée, comme on pense. On y dit force choses spirituelles, comme il s'en dit quand Heine et Musset sont là. –

Cependant, M. D. . . prit la parole, et comme on ne doute de rien après le champagne, l'admirateur passionné de «Lucrèce» et de «Virginie» osa montrer son admiration à ses railleurs convives.

– Oui, disait M. D. . ., Ponsard, c'est Racine plus Corneille.

– Diable! fit M. Henri Heine, et M. Latour, alors?

– Latour, c'est Corneille plus Racine, répartit M. D. . . avec un sang-froid superbe et une gravité de sénateur romain.

Heine, abasourdi, se penchant à l'oreille de M. Paulin Limayrac:

– Ce monsieur, dit-il, doit être de Saint-Ybars!

– Non, mais il est du *Courrier français*, répondit le voisin de M. Heine. (286)

Man soupierte neulich abend bei Villette auf den Champs-Elysées. Die Gesellschaft war ziemlich zahlreich. Unter anderem waren da: Heinrich Heine, der Prinz Pignatelli, Alfred de Musset, Mary-Lafou, Paulin Limayrac, usw. usw. Das Essen war nicht übel und die Unterhaltung angeregt, wie man sich denken kann. Es fielen eine Menge geistreiche Bemerkungen, wie es der Fall zu sein pflegt, wenn Heine und Musset da sind.

Da ergriff D. . . das Wort, und da der Champagner alle Ängstlichkeit weggespült hatte, gestand der lebhafte Bewunderer von »Lucrèce« und von »Virginie« mutig seine Begeisterung vor den spöttischen Gästen.

»Jawohl«, ließ sich D. . . vernehmen, »Ponsard, das ist Corneille und Racine in einem.«

»Teufel auch, und was ist dann Latour?« fragte Heine.

»Latour, das ist Racine und Corneille in einem«, erwiderte D. . . mit unglaublicher Kaltblütigkeit und der Gewichtigkeit eines römischen Senators.

Heine war sprachlos und neigte sich dann zum Ohr von Paulin Limayrac:

»Dieser Herr«, sagte er, »muß de Saint-Ybars sein!«

»Das nicht, aber er ist vom ›Courrier français‹ «, antwortete Heines Nachbar.

745. (ALEXANDRE WEILL)   Dez. 1846

Pressenotiz   (*31. 12. 1846)

M. Henri Heine ne tarit pas en bons mots. On sait que le baron d'Eckstein est correspondant de la *Gazette d'Augsbourg* et que depuis 1815 il fait toujours le même article. Dernièrement, on demanda à M. Heine des nouvelles de M. d'Eckstein.

– Il est mort, dit-il, il y a longtemps; mais en mourant il a laissé une recette pour continuer ses articles.   (287)

Heine geizt nicht mit witzigen Bemerkungen. Es ist allgemein bekannt, daß der Baron von Eckstein Korrespondent der »Augsburger Allgemeinen Zeitung« ist und seit 1815 immer denselben Artikel bringt. Jüngsthin fragte man Heine nach Neuigkeiten über Eckstein.

»Er ist tot«, antwortete er, »und zwar schon lange; aber er hat ein Rezept hinterlassen, nach dem seine Artikel weiter gebraut werden.«

an Christine de Belgiojoso, Paris, Ende 1846

J'ai vu M. Mignet qui m'a donné de vos nouvelles. Une fois aussi Heine. On me dit qu'un vieux monsieur demandait avec insistance à me dire deux mots. Je passe au salon et trouve notre Allemand: dans quel état, mon Dieu! Je ne l'ai reconnu qu'aux traces de son mal; le progrès est effrayant, il ne peut plus mâcher, m'a-t-il dit, et pour parler il fait de terribles grimaces.

Il a laissé pousser sa barbe et la juiverie de ses pères s'est épanouie dans toute sa personne, en dépit de toute une énergie superbe et l'esprit d'une indépendance que j'admire.   (164)

Ich traf Mignet, der mir von Ihnen Nachricht gab. Einmal auch Heine. Man meldete mir, ein alter Herr verlange mit Nachdruck, mich auf zwei Worte zu sprechen. Ich gehe hinüber in den Salon und finde unseren Deutschen: in was für einem Zustand, mein Gott! Ich erkannte ihn nur noch an den Zeichen seiner Krankheit; sie macht entsetzliche Fortschritte. Er sagte mir, er könne nicht mehr kauen, und beim Sprechen schneidet er fürchterliche Gesichter.

Er hat sich den Bart stehen lassen, und an seiner ganzen Erscheinung tritt plötzlich seine jüdische Abstammung zu Tage. Trotz allem hat er sich seine volle, überragende Energie und den unabhängigen Geist bewahrt, den ich so sehr an ihm bewundere.